Romance d'A
PEDRA DO REINO
e o Príncipe do Sangue do Vai-e-Volta

Romance d'A
PEDRA DO REINO
e o Príncipe do Sangue do Vai-e-Volta

Edição XVI

♄

Copyright © 2017 Ilumiara Ariano Suassuna

Direitos de edição da obra em língua portuguesa no Brasil adquiridos pela Editora Nova Fronteira Participações S.A. Todos os direitos reservados. Nenhuma parte desta obra pode ser apropriada e estocada em sistema de banco de dados ou processo similar, em qualquer forma ou meio, seja eletrônico, de fotocópia, gravação etc., sem a permissão do detentor do copirraite.

Editora Nova Fronteira Participações S.A.
Av. Rio Branco, 115 – Salas 1201 a 1205 – Centro
20040-004 – Rio de Janeiro – RJ – Brasil
Tel.: (21) 3882-8200

Ilustrações de capa e miolo: Ariano Suassuna

CIP-BRASIL. CATALOGAÇÃO NA PUBLICAÇÃO
SINDICATO NACIONAL DOS EDITORES DE LIVROS, RJ

S933r

Suassuna, Ariano, 1927-2014
    Romance d'A Pedra do Reino e o Príncipe do Sangue do Vai-e-Volta / Ariano Suassuna ; Carlos Newton Júnior ; Rachel de Queiroz. – [16. ed.] – Rio de Janeiro: Nova Fronteira, 2017.
    800 p. : il. ; 23 cm.

ISBN: 9788520939277

1. Romance brasileiro. I. Newton Júnior, Carlos . II. Queiroz, Rachel de. III. Título.

17-41006

CDD: 869.93
CDU: 821.134.3(81)-3

Em memória de

JOÃO SUASSUNA,

JOSÉ DE ALENCAR,
JESUÍNO BRILHANTE,
SYLVIO ROMERO,
ANTÔNIO CONSELHEIRO,
EUCLYDES DA CUNHA,
LEANDRO GOMES DE BARROS,
JOÃO DUARTE DANTAS,
HOMERO TORRES VILLAR,
JOSÉ PEREIRA LIMA,
ALFREDO DANTAS VILLAR,
JOSÉ LINS DO REGO e
MANUEL DANTAS VILLAR,

*Santos, poetas, mártires, profetas e guerreiros
do meu mundo mítico do Sertão,
oferece,
dedica
e consagra*

ARIANO SUASSUNA

Epígrafes

"Guardai, Padre, esta Espada, porque um dia me hei de valer dela com os Mouros, metendo o Reino pela África adentro!"
    Dom Sebastião I – ou Dom Sebastião, O Desejado –, Rei de Portugal, do Brasil e do Sertão, 1578.

"Quem não sabe que o digno Príncipe, o Senhor Dom Pedro III, tem poder legitimamente constituído por Deus para governar o Brasil? Das ondas do mar Dom Sebastião sairá com todo o seu exército. Tira a todos no fio da Espada deste papel da República e o sangue há de ir até a junta grossa."
    Dom Antônio Conselheiro, profeta e regente do Império do Belo-Monte de Canudos, Sertão da Bahia, 1897.

"Soldados de todo o exército do Império! Lembrai-vos das fogueiras do Sertão do Bonito! Aqui me tendes: quem defende o Brasil não morre! Com esta Bandeira em frente do campo da honra destruiremos os nossos inimigos e, no maior dos combates, gritaremos: Viva a Independência do Brasil!"
    Dom Pedro I, Imperador do Brasil e Rei de Portugal, 1822.

"Passa o município de Princesa a constituir, com seus limites atuais, um Território Livre, que terá a denominação de Território de Princesa. Cidadãos de Princesa aguerrida! Celebremos, com força e paixão, a beleza invulgar desta Lida e a bravura sem-par do Sertão!"

    Dom José Pereira – ou Dom José I, O Invencível –, Rei Guerrilheiro de Princesa, Sertão da Paraíba, 1930.

"Estêjão certos que a Republica se acaba breve. É princípio de espinhos. Entrando a Monarquia, serão formados novos Batalhões, pois por serem os Batalhões feitos de canalhas é que tem chegado a tal ponto. O Prinspe é o verdadeiro dono do Brasil. Quem for republicano mude-se para os Estados-Unidos!"

    De uma carta encontrada no bornal de balas de E. P. Almeida, guerrilheiro do Império de Canudos, Sertão da Bahia, 1897.

"Dom Sebastião está muito desgostoso e triste com seu Povo, porque o perseguem, não regando o Campo Encantado e não lavando as duas torres da Catedral de seu Reino com o sangue necessário para quebrar de uma vez este cruel Encantamento!"

    Dom João Ferreira-Quaderna – ou Dom João II, O Execrável –, Rei da Pedra Bonita, Sertão do Pajeú, Pernambuco-Paraíba, 1838.

Sumário

A Pedra do Reino e *A Ilumiara*
Carlos Newton Júnior — 17

Um romance picaresco?
Rachel de Queiroz — 25

Prelúdio - A Pedra do Reino

Folheto I
Pequeno Cantar Acadêmico a Modo de Introdução — 35

Folheto II
O Caso da Estranha Cavalgada — 39

Folheto III
A Aventura da Emboscada Sertaneja — 53

Folheto IV
O Caso do Fazendeiro Degolado — 62

Folheto V
Primeira Notícia dos Quadernas e da Pedra do Reino — 69

Folheto VI
O Primeiro Império — 73

Folheto VII
O Segundo Império — 75

Folheto VIII
O Terceiro Império — 78

Folheto IX
O Quarto Império — 85

Folheto X
O Quinto Império   87

Folheto XI
A Aventura de Rosa e de La Condessa   89

Folheto XII
O Reino da Poesia   94

Folheto XIII
O Caso da Cavalhada   104

Folheto XIV
O Caso do Castelo Sertanejo   109

Folheto XV
O Sonho do Castelo Verdadeiro   122

Folheto XVI
A Viagem   127

Folheto XVII
A Primeira Caçada Aventurosa   129

Folheto XVIII
A Segunda Caçada Aventurosa   137

Folheto XIX
O Caso da Coroa Extraviada   141

Folheto XX
A Terceira Caçada Aventurosa   146

Folheto XXI
As Pedras do Reino   152

Folheto XXII
A Sagração do Quinto Império   157

Chamada – Os Emparedados

Folheto XXIII
Crônica dos Garcia-Barrettos — 165

Folheto XXIV
O Caso do Filósofo Sertanejo — 172

Folheto XXV
O Fidalgo dos Engenhos — 174

Folheto XXVI
O Caso dos Três Emparedados — 179

Folheto XXVII
A Academia e o Gênio Brasileiro Desconhecido — 190

Folheto XXVIII
A Sessão a Cavalo e o Gênio da Raça — 196

Folheto XXIX
O Gênio Máximo da Humanidade — 200

Folheto XXX
A Filosofia do Penetral — 202

Folheto XXXI
O Romance do Castelo — 207

Folheto XXXII
A Trágica Desaventura do Rei Zumbi
dos Palmares — 213

Folheto XXXIII
O Estranho Caso do Cavaleiro Diabólico — 217

Folheto XXXIV
Marítima Odisseia de um Fidalgo Brasileiro — 224

Folheto XXXV
A Trágica Desaventura de Dom Sebastião,
  Rei de Portugal e do Brasil   237

Folheto XXXVI
O Gênio da Raça e o Cantador da Borborema   243

Galope – Os Três Irmãos Sertanejos

Folheto XXXVII
A Teia do Meu Processo   257

Folheto XXXVIII
O Caso da Cabeçada Involuntária   260

Folheto XXXIX
O Cordão Azul e o Cordão Encarnado   265

Folheto XL
Cantar dos Nossos Cavalos   285

Folheto XLI
As Armas e os Barões Assinalados   295

Folheto XLII
O Duelo   301

Folheto XLIII
O Almoço do Condenado   316

Folheto XLIV
A Visagem da Moça Caetana   319

Folheto XLV
As Desventuras de um Corno
  Desambicioso   322

Folheto XLVI
O Reino da Pedra Fina   335

Folheto XLVII
A Aventura dos Cachorros Amaldiçoados — 339

Folheto XLVIII
A Confissão da Possessa — 346

Folheto XLIX
A Cadeia — 350

Folheto L
O Inquérito — 353

Folheto LI
O Crime Indecifrável — 374

Folheto LII
Os Três Irmãos Sertanejos — 388

Folheto LIII
Meus Doze Pares de França — 397

Folheto LIV
A Parada dos Fidalgos Sertanejos — 406

Folheto LV
De Novo a Cavalgada — 414

Folheto LVI
A Visagem da Besta Bruzacã — 418

Folheto LVII
Invasão e Tomada da Vila — 429

Folheto LVIII
A Aventura da Onça Mijadeira — 432

Folheto LIX
O Grande Pretendente — 436

Folheto LX
A Furna Misteriosa — 439

Folheto LXI
O Caso do Cego Teológico — 444

Folheto LXII
O Atentado Misterioso — 450

Folheto LXIII
O Encontro de Dois Irmãos — 458

Tocata - Os Doidos

Folheto LXIV
A Cachorra Cantadeira e o Anel Misterioso — 465

Folheto LXV
De Novo a Pedra do Reino — 477

Folheto LXVI
A Filha Noiva do Pai, ou Amor, Culpa e Perdão — 486

Folheto LXVII
O Emissário do Azul e as Juras de Castidade — 499

Folheto LXVIII
O Caso do Cachorro Malcomportado — 520

Folheto LXIX
A Estranha Aventura do Cavalo Concertante — 536

Folheto LXX
O Carneiro Cabeludo — 547

Folheto LXXI
O Caso do Jaguar Sarnento — 551

Folheto LXXII
O Almoço do Profeta — 565

Folheto LXXIII
Cavalhadas de São João na Judeia — 579

Folheto LXXIV
A Astrosa Desaventura dos Gaviões Cegadores 588

Folheto LXXV
O Ajudante de Profeta 598

Fuga - A Demanda do Sangral

Folheto LXXVI
A Gruta Sumeriana do Deserto Sertanejo 611

Folheto LXXVII
Cantar do Fidalgo Pobre 621

Folheto LXXVIII
A Cegueira Epopeica 629

Folheto LXXIX
O Emissário do Cordão Encarnado 641

Folheto LXXX
O Roteiro do Tesouro 672

Folheto LXXXI
A Cantiga da Velha do Badalo 708

Folheto LXXXII
A Demanda do Sangral 715

Folheto LXXXIII
O Vinho da Pedra do Reino 732

Folheto LXXXIV
O Enviado do Divino 742

Folheto LXXXV
A Sagração do Gênio Brasileiro Desconhecido 753

POSFÁCIO

A Pedra do Reino
Maximiano Campos   765

Cronologia de Ariano Suassuna   775

A Pedra do Reino e A Ilumiara
Carlos Newton Júnior

O *Romance d'A Pedra do Reino e o Príncipe do Sangue do Vai-e-Volta*, ou simplesmente *A Pedra do Reino*, como é mais conhecido, foi escrito por Ariano Suassuna entre julho de 1958 e outubro de 1970. A complexidade deste romance, com vários personagens e um grande rol de acontecimentos históricos, por sua vez entremeados ao longo de uma narrativa extensa e não linear, aqui e ali interrompida por interpolações que retardam a conclusão de cenas e episódios, já bastaria para justificar o dilatado tempo de sua escritura. Manuscritos preservados no acervo do autor atestam a intensidade e o rigor do minucioso trabalho, desde o registro de notas e citações à caracterização das personagens, passando pelas muitas alterações na construção da trama e na ordenação dos capítulos, chamados de "folhetos" em alusão à literatura de cordel. Mas é preciso lembrar que Suassuna, ao longo dos doze anos em que escreveu *A Pedra do Reino*, dedicou-se também a outras obras. Duas das mais importantes peças da sua dramaturgia — *A Pena e a Lei*, de 1959, e *Farsa da Boa Preguiça*, de 1960 — foram escritas em paralelo à escritura do romance, além de um outro trabalho em prosa, de menor complexidade e dimensão, *O Sedutor do Sertão*, de 1966.

Lançado no segundo semestre de 1971 (a dedicatória no volume que pertenceu ao editor José Olympio, escrita no Rio de Janeiro, data de 1º de setembro), o romance foi logo considerado uma obra-prima pela melhor crítica do país. As comparações com o *Grande Sertão: Veredas*, de Guimarães Rosa, e o *Dom Quixote*, de Cervantes, foram recorrentes. A receptividade do público leitor parece ter correspondido à avaliação da crítica, uma vez que foram necessárias duas novas edições, em 1972, para atender à demanda das livrarias.

A segunda edição, saída logo em janeiro, não trouxe qualquer alteração no texto em relação à primeira. A única mudança, portanto, ficou por conta da nova capa, criada por Eugênio Hirsh em substituição à de Gian Calvi e que permanecerá até a quarta edição, de 1976.

Mas na terceira edição, publicada em agosto de 1972, houve duas pequenas alterações dignas de nota. No índice, os folhetos que subdividiam o texto passaram a ser agrupados em cinco "livros": "Livro I – A Pedra do Reino" (folhetos I a XXII); "Livro II – Os Emparedados" (folhetos XXIII a XXXVI); "Livro III – Os Três Irmãos Sertanejos" (folhetos XXXVII a LXIII); "Livro IV – Os Doidos" (folhetos LXIV a LXXV); "Livro V – A Demanda do Sangral" (folhetos LXXVI a LXXXV). Além disso, em resposta, talvez, aos questionamentos que surgiam sobre o final da história, que ficara em aberto sem a revelação dos enigmas nela propostos, o autor divulgou, pela primeira vez, na página que antecede a folha de rosto, a informação de que *A Pedra do Reino* seria apenas a primeira parte de uma obra bem maior, uma trilogia, que se completaria com dois novos romances: a *História d'O Rei Degolado nas Caatingas do Sertão* e *O Romance de Sinésio, o Alumioso, Príncipe da Bandeira do Divino do Sertão*. A trilogia, por sua vez, se chamaria *A Maravilhosa Desaventura de Quaderna, o Decifrador e a Demanda Novelosa do Reino do Sertão* – título tão longo quanto os dos romances que a comporiam, percebendo-se, em todos esses novos casos, aquela imediata possibilidade de simplificação já sugerida em *A Pedra do Reino*, de maneira que o próprio autor, quando se referia aos títulos, quase sempre o fazia na forma simplificada: *O Rei Degolado*, para o segundo romance da série; *Sinésio, o Alumioso*, para o terceiro; e *Quaderna, o Decifrador*, para toda a trilogia.

No projeto da trilogia, como o autor confidenciava a familiares e amigos mais próximos, tanto *O Rei Degolado* quanto *Sinésio, o Alumioso* seriam romances extensos, cada qual composto por cinco partes, ou "livros", à semelhança do que já ocorrera com *A Pedra do Reino*.

Enquanto *A Pedra do Reino* conquistava mais e mais admiradores, sobretudo entre escritores e críticos entusiasmados, tanto no Brasil quanto em Portugal, Suassuna dava continuidade à sua trilogia, trabalhando no romance *O Rei Degolado*. Em novembro de 1975, antes do lançamento da 4ª edição de *A Pedra do Reino*, que sairia em março do ano seguinte, o primeiro livro de *O Rei Degolado*, intitulado "Ao Sol da Onça Caetana", começou a ser publicado em folhetins semanais no *Diário de Pernambuco*. O primeiro "folheto" saiu num sábado, dia 15, e os subsequentes, aos domingos, até o dia 25 de abril de 1976. A 2 de maio de 1976, no domingo seguinte ao da conclusão do primeiro livro, o mesmo jornal iniciou a publicação do segundo, "As Infâncias de Quaderna", que foi concluído a 19 de junho de 1977. Meses antes, em março de 1977, "Ao Sol da Onça Caetana" havia sido publicado em volume pela Editora José Olympio, o que significou a divulgação, em nível nacional, da continuação de *A Pedra do Reino*, até então restrita aos privilegiados leitores que tinham acesso ao *Diário de Pernambuco*.

Na "Nota do Autor", publicada ao final do volume, Suassuna justificou a decisão de publicar os livros de *O Rei Degolado* separadamente, alegando, entre outros motivos, que assim se evitavam "os riscos, cada vez maiores, que existem atualmente na publicação de um livro muito extenso, como é *O Rei Degolado* e como foi *A Pedra do Reino*, romance que, nestes tempos apressados, pouca gente tem tempo e disposição para ler".

A referência aos "riscos" de publicação de um livro extenso pode estar associada, sem dúvida, às graves dificuldades econômicas que a Editora José Olympio começou a enfrentar a partir de meados da década de 1970 e que levaram ao afastamento do próprio José Olympio do comando da empresa, cujo soerguimento, em suma, somente se daria muitos anos depois, após a editora ser incorporada ao Grupo Editorial Record, em 2001. Tais dificuldades, aliadas ao fato de que Suassuna, pessoalmente, nunca se empenhou na procura de editores para seus livros, fizeram com que *O Rei Degolado – Ao Sol da Onça Caetana* não passasse daquela primeira edição, de 1977; e que *A Pedra do Reino*, após a 4ª edição, de 1976, conhecesse um ostracismo editorial de quase trinta anos, até o surgimento da 5ª edição, pelo mesmo selo José Olympio, em 2004.

Ocorre, ainda, que Suassuna, que vinha se dedicando à escritura do terceiro livro de *O Rei Degolado*, "A Guerra de Doze" (cuja futura publicação já se anunciava no *Diário de Pernambuco*, quando da publicação do último folheto de "As Infâncias de Quaderna"), terminou desistindo do plano inicial de sua trilogia. Em várias entrevistas, quando perguntado sobre o motivo dessa desistência, o autor afirmou que não estava mais conseguindo manter o necessário distanciamento entre ele próprio e o personagem-narrador, Pedro Dinis Quaderna, sobretudo quando mergulhava nos traumáticos acontecimentos relativos à Revolução de 30 na Paraíba, diretamente ligados ao assassinato do seu pai, João Suassuna.

Em meados da década de 1980 — afastado da vida literária desde o célebre artigo "Despedida", publicado a 9 de agosto de 1981, no *Diário de Pernambuco*, mas não da literatura —, Suassuna começou a tomar as primeiras notas para um novo romance, já pensando em aprofundar a fusão do seu trabalho de escritor ao de artista plástico, iniciada, indiscutivelmente, em *A Pedra do Reino*, através das gravuras atribuídas a Taparica Quaderna, irmão do protagonista-narrador. Chega mesmo a afirmar que seus álbuns de *Iluminogravuras* (pranchas com sonetos manuscritos e ilustrados, reproduzidas em ofsete e depois pintadas à mão), então recém-lançados, não deixavam de ser, também, experiências para esse novo livro, várias vezes anunciado, a partir da década de 1990, como a súmula do seu trabalho artístico, fusão de poesia, romance, teatro, artes plásticas etc.

Ao tempo em que trabalhava no novo romance, que viria a ser o *Romance de Dom Pantero no Palco dos Pecadores*, concluído pouco antes de sua morte, o autor foi amadurecendo e colocando em prática a ideia de ressaltar a unidade subjacente a todo o seu trabalho artístico, procurando estabelecer ligações mais explícitas entre suas obras para que cada uma delas (seja poema, peça de teatro, romance ou pintura) pudesse ser vista como parte de uma obra só, como uma espécie de tessela do grande mosaico que vinha realizando. Nesse sentido, foi promovendo pequenas modificações nos seus textos, tanto nos inéditos quanto nos já publicados, a exemplo de *A Pedra do Reino*, para melhor ajustá-los à concepção final da obra única, ou da sua obra reunida, por ele batizada de *A Ilumiara*.

Grande admirador da arte rupestre brasileira, Suassuna já havia usado o neologismo "lumiara" para se referir, na década de 1970, aos "anfiteatros" formados por pedras com baixos-relevos e ou pinturas (as "itaquatiaras") realizados pelos primeiros habitantes do Brasil e que possivelmente eram usados como locais para seus cultos, a exemplo da famosa Pedra do Ingá, na Paraíba. Anos depois, ele passou a chamar esses espaços de "ilumiaras", estendendo o termo para identificar conjuntos artísticos diversos, surgidos a partir da integração de vários gêneros (pintura, escultura, arquitetura etc.) e que pudessem ser compreendidos como locais de celebração da cultura brasileira. Foi assim que criou, enquanto Secretário de Cultura de Pernambuco, a "Ilumiara Zumbi" e a "Ilumiara Pedra do Reino", nos municípios de Olinda e São José do Belmonte, respectivamente. Ao caracterizar toda a sua obra como uma "ilumiara", portanto, deixava claro que cada parte dela, mesmo que mantivesse a sua unidade e seu valor de obra independente, comporia um conjunto artístico maior, uma espécie de "obra total".

No caso de *A Pedra do Reino*, se alguém tiver a curiosidade de realizar um minucioso cotejamento entre a 4ª edição, de 1976, e a 5ª, lançada em 2004; e, depois, entre a 5ª e as subsequentes, poderá perceber com mais detalhes aquilo que aqui, dadas as condições de espaço, será dito apenas em linhas gerais.

O texto da 5ª edição foi minuciosamente revisto pelo autor, que o burilou consideravelmente, enxugando diálogos, retirando termos ou expressões redundantes, substituindo palavras e às vezes frases inteiras etc. Em várias passagens, falas do depoimento de Quaderna ao Juiz Corregedor passaram a se caracterizar como falas ao leitor, ou aos "nobres Senhores e belas Damas" que o ouvem, quebrando a bipolaridade que marcava boa parte da narrativa e a tornando sem dúvida mais dinâmica. Foi ainda na 5ª edição que o autor começou a realizar as pequenas alterações acima referidas, no intuito de explicitar a ligação de *A Pedra do Reino* com *A Ilumiara*: se o romance já contava com a participação do usineiro e dono de minas Antônio Noronha de Britto Moraes, o mesmo personagem da peça *Auto da Compadecida*, passou a contar, também, com João Grilo e Chicó, que substituem, respectivamente, os personagens Piolho e Adauto.

As alterações promovidas nas folhas de abertura, a partir da 5ª edição, são mais do que indícios de que o autor continuava inquieto, à procura daquela sensação de "apaziguamento" — para usar uma palavra cara ao poeta Alexei Bueno — somente possível com a consciência da obra plenamente realizada, trabalhando não só para melhor ajustar o *Romance d'A Pedra do Reino* ao conjunto da sua *Ilumiara*, mas para caracterizá-lo como uma introdução ao *Romance de Dom Pantero*, que vinha escrevendo. De fato, na 5ª edição, o romance, que até então era anunciado como "romance armorial-popular brasileiro", passa a "romance armorial brasileiro", expressão mais fiel ao declarado objetivo do Movimento Armorial, idealizado pelo próprio Suassuna e lançado oficialmente em 1970, qual seja o de realizar uma arte erudita brasileira a partir da cultura popular — ora, sendo armorial, o romance seria erudito, e não popular. Na 9ª edição, em 2007, o leitor verá algo completamente diferente: o nome "A Ilumiara" encontra-se encimando a folha de abertura, antes do título do romance, e este, agora, é anunciado não mais como "romance armorial brasileiro", e sim como "Airesiana Brasileira nº 1". Na 11ª edição, três anos depois, a expressão "Airesiana Brasileira nº 1" já deu lugar a outra, que será a definitiva: "Airesiana Brasileira em Fá-Maior — Introdução ao 'Romance de Dom Pantero no Palco dos Pecadores'"; além disso, as cinco partes do romance, até então genericamente chamadas de "Livros", de I a V, como já vimos, receberam títulos que fazem alusão a movimentos de uma peça musical, "Prelúdio", "Chamada", "Galope", "Tocata" e "Fuga", algo que o leitor também encontrará no *Romance de Dom Pantero*.

Ressalte-se que o nome "A Ilumiara" e a expressão "Airesiana Brasileira" (que faz uma homenagem ao pensador barroco brasileiro Mathias Aires) não recebem qualquer explicação em *A Pedra do Reino*. É preciso, portanto, que o leitor vá ao *Romance de Dom Pantero*, ao qual *A Pedra do Reino* serve de introdução, para que tudo fique esclarecido. Só então ficará sabendo como Antero Savedra, cujo pseudônimo é Dom Pantero, pretende realizar uma "obra total", a que chama de *A Ilumiara*, a partir das obras de seu tio e de seus irmãos, todos escritores já falecidos; e todos, como ele, heterônimos de Ariano Suassuna: o ensaísta Antero Schabino, o poeta Altino Sotero, o dramaturgo Adriel Soares e o romancista Auro Schabino, este último, por sinal, "autor" de *A Pedra do Reino*.

Finalmente, na 16ª edição, lançada em 2017, a primeira com o selo da Nova Fronteira, foram incluídas, no texto, as últimas alterações pensadas pelo autor, anotadas em manuscrito em um exemplar do romance encontrado em seu gabinete, duas delas com o propósito evidente de intensificar a ligação de *A Pedra do Reino* com a obra total, *A Ilumiara*: no Folheto XXVI, a visita que Quaderna, Clemente e Samuel fazem à "Gruta do Olho-d'Água do Pedro", para ver umas inscrições petrográficas, transforma-se numa visita à "Ilumiara Jaúna", cujos lajedos, por sua vez, serão minuciosamente descritos no *Romance de Dom Pantero*, durante uma incursão que Antero Savedra faz ao local, após a morte de seu irmão Mauro; e, no Folheto LVI, o personagem Mestre Romão, capitão da barcaça "A Estrela da Manhã", tem seu nome mudado para Mestre Serafim, o que liga *A Pedra do Reino* ao universo de *A História do Amor de Fernando e Isaura*, primeiro romance do autor, de 1956, e no qual já aparecem a dita barcaça (com o nome grafado sem o artigo, "Estrela da Manhã") e o Mestre Serafim.

Recife, 30 de março de 2017
30 de junho de 2021

Um romance picaresco?
Rachel de Queiroz

À primeira vez em que Ariano Suassuna me falou na *Pedra do Reino* disse que estava escrevendo "um romance picaresco". Me interessei logo — lembrei-me das astúcias, da picardia, das artes graciosas do meu querido amarelinho João Grilo, e de certa forma fiquei esperando novas e mirabolantes aventuras deste ou de outro amarelinho parecido, desenvolvidas ao longo de uma história em muitos capítulos — porque ele me avisara também de que o romance era comprido.

Mas o paraibano me enganou. Picaresco o livro é — ou antes, o elemento picaresco existe grandemente no romance, ou tratado, ou obra, ou simplesmente livro — sei lá como é que diga! Porque depois de pronto *A Pedra do Reino* transcende disso tudo, e é romance, é odisseia, é poema, é epopeia, é sátira, é apocalipse...

Aliás, pergunto se ele me enganou ou se enganou? Pode ser que a ideia de Suassuna, ao começar a escrever, fosse apenas fazer um romance divertido, usando aquela sua sábia dosagem de elementos literários, propriamente ditos, e elementos populares, baseado sobretudo no folclore local e nos versos dos cantadores, tendo como tema central os sucessos trágicos da Pedra Bonita. E aí, quem sabe, o santo apanhou o autor de surpresa, e baixou sobre ele de repente, e se apoderou do seu pulso e lhe ditou essa estranhíssima epopeia calcada nos sonhos, nas loucuras, nas aventuras e desventuras e nas alucinações genealógicas do Cronista-Fidalgo, Rapsodo-Acadêmico e Poeta-Escrivão D. Pedro Dinis Ferreira-Quaderna.

Mas se o hábito da rotulagem faz a gente insistir na tentativa de situar o livro dentro de um gênero — pois que então fique como romance; será romance este livro tumultuoso de onde escorre sangue e escorrem lágrimas, e há sol tirando fogo das pedras, e luz que encandeia, e um humor feroz e uma ainda mais feroz e desabrida aceitação da fatalidade. Contudo também poderia ele ser uma Crônica — no sentido de que relata casos supostamente históricos, guerras e armadilhas e elevação e trucidamento de reis, rainhas e princesas. Mas também é profecia e doutrinação, também é romance de cavalaria e conto fantástico — e romance erótico, por que não? Um erotismo seco, reduzido aos essenciais, uma espécie de erotismo sem luxúria, esfolado e ríspido. É profético, porque passa por ele todo um sopro religioso, partindo embora de boca maldita — mas nunca chega a ser demoníaco. E o heroísmo é todo entremeado de covardia, como o resumo de D. Pedro Dinis Quaderna em pessoa — os ouropéis heroicos apenas encobrem a sórdida velhacaria, o medo e os suores frios do degenerado descendente dos ferozes reis sertanejos do castelo das duas torres.

Tenho muito medo de livro de erudito. Livro de homem que leu tudo e sabe tudo e então compõe a sua obra reunindo todas aquelas sabedorias, costuradas com fio de seda; mas a gente sente logo que aquilo vem da cabeça inventiva, não dos flancos criadores do homem; e em arte a gente não quer astúcias intelectuais, mas vida pulsando, embora sem saber como pulsa e por que pulsa.

Só comparo o Suassuna, no Brasil, a dois sujeitos: a Villa-Lobos e a Portinari. Neles a força do artista obra o milagre da integração do material popular com o material erudito, juntando lembrança, tradição e vivência, com o toque pessoal de originalidade e improvisação.

A tendência de muitos será comparar Suassuna a Guimarães Rosa. Para mim, não. Rosa era um inventador de pessoas e palavras, inclusive de nomes próprios; criador de um idioma novo, às vezes belíssimo — mas evidentemente manufaturado por ele no seu laboratório. Já Suassuna, a sua língua existe, existiu sempre; pode ser em momentos arcaica e preciosa, dando a impressão de inventiva; porém tudo ali são palavras que, hoje ou ontem, o uso poliu e afeiçoou; e se a sua sintaxe não é a oficial, também não foi composta em banca de trabalho, visando o efeito eufônico ou poético. É a sintaxe tradicional, poético-coloquial-declamatória-literária a que recorrem os cantadores e repentistas e os contadores de romances — naturalmente transfigurada pelo trato que Suassuna lhe dá.

Digamos agora que poderia haver isso tudo e então Ariano Suassuna ser apenas um bom compilador folclórico e restaurador competente de fórmulas bonitas e arcaicas. Podia ser, mas não é. Pois o que há principalmente n'*A Pedra do Reino* é uma força de paixão, uma gana de recaptura, dentro do elemento criador. Suassuna não apenas conta — mas reivindica; sente-se que há na paixão de Quaderna a sua própria paixão dele, Suassuna. Naqueles sonhos loucos os próprios sonhos dele sonhados, um reclamo contra usurpação, uma ira enterrada, uma deformação de vingança? O que eu sei é que o Quaderna nos impõe e nos arrasta a ele e a nós pelos seus mundos alucinados, através dos seus delírios genealógicos e seus mistérios e enigmas nem sempre decifrados. E há uma beleza que dói e machuca, como naquele Rapaz-do-Cavalo-Branco, cordeiro inocente nascido de uma raça amaldiçoada — formoso e assinalado e cuja sina é a morte, como o rei D. Sebastião...

No fim, a gente dirá que este livro é o próprio Suassuna. O livro e não seu protagonista D. Pedro Dinis Quaderna; o Quaderna é o conceito que Suassuna faz dos homens, e a obra de Quaderna é o que ele espera dos homens. Nas contradições do comportamento do herói maldito e grotesco estão as contradições do seu coração, a ambivalência dos seus sentimentos. No fantástico cenário está a transfiguração do seu mundo sertanejo — como ele queria que esse mundo fosse, ou como imagina que é. Lembremo-nos de que Suassuna olha para esse mundo com a visão do exilado, ainda na adolescência arrancado ao seu sertão natal; por isso sempre o descreve muito belo e mágico; por isso tem recuo suficiente para descobrir o mistério onde os da terra naturalmente só veem o cotidiano.

A sua inspiração se gera assim, principalmente, na perspectiva distorcida pela lembrança e pela saudade; Suassuna, mesmo, talvez já nem possa mais distinguir entre a coisa concreta e a miragem. Nem ele se importa com isso. O Quaderna, ao fim de contas, só é e só quer ser um exímio retratista de miragens.

Rio, junho de 1971.

A Ilumiara

Romance d'A
PEDRA DO REINO
e o Príncipe do Sangue do Vai-e-Volta

Airesiana Brasileira
em Fá-Maior

Introdução ao
"Romance de Dom Pantero
no Palco dos Pecadores"

Romance d'A
PEDRA DO REINO
e o Príncipe do Sangue do Vai-e-Volta

Romance-enigmático de crime e sangue, no qual aparece o misterioso Rapaz-do--Cavalo-Branco. A emboscada do Lajedo sertanejo. Notícia da Pedra do Reino, com seu Castelo enigmático, cheio de sentidos ocultos! Primeiras indicações sobre os três irmãos sertanejos, Arésio, Silvestre e Sinésio! Como seu Pai foi morto por cruéis e desconhecidos assassinos, que degolaram o velho Rei e raptaram o mais moço dos jovens Príncipes, sepultando-o numa Masmorra onde ele penou durante dois anos! Caçadas e expedições heroicas nas serras do Sertão! Aparições assombratícias e proféticas! Intrigas, presepadas, combates e aventuras nas Caatingas! Enigma, ódio, calúnia, amor, batalhas, sensualidade e morte!

Ave Musa incandescente
do deserto do Sertão!
Forje, no Sol do meu Sangue,
o Trono do meu clarão:
cante as Pedras encantadas
e a Catedral Soterrada,
Castelo deste meu Chão!

Nobres Damas e Senhores
ouçam meu Canto espantoso:
a doida Desaventura
de Sinésio, O Alumioso,
o Cetro e sua centelha
na Bandeira aurivermelha
do meu Sonho perigoso!

Prelúdio
A Pedra do Reino

Folheto 1
Pequeno Cantar Acadêmico a Modo de Introdução

Daqui de cima, no pavimento superior, pela janela gradeada da Cadeia onde estou preso, vejo os arredores da nossa indomável Vila sertaneja. O Sol treme na vista, reluzindo nas pedras mais próximas. Da terra agreste, espinhenta e pedregosa, batida pelo Sol esbraseado, parece desprender-se um sopro ardente, que tanto pode ser o arquejo de gerações e gerações de Cangaceiros, de rudes Beatos e Profetas, assassinados durante anos e anos entre essas pedras selvagens, como pode ser a respiração dessa Fera estranha, a Terra — esta Onça-Parda em cujo dorso habita a Raça piolhosa dos homens. Pode ser, também, a respiração fogosa dessa outra Fera, a Divindade, Onça Malhada que é dona da Parda, e que, há milênios, acicata a nossa Raça, puxando-a para o alto, para o Reino e para o Sol.

* * *

Daqui de cima, porém, o que vejo agora é a tripla face, de Paraíso, Purgatório e Inferno, do Sertão. Para os lados do poente, longe, azulada pela distância, a Serra do Pico, com a enorme e alta pedra que lhe dá nome. Perto, no leito seco do Rio Taperoá, cuja areia é cheia de cristais despedaçados que faíscam ao Sol, grandes Cajueiros, com seus frutos vermelhos e cor de ouro. Para o outro lado, o do nascente, o da estrada de Campina Grande e Estaca Zero, vejo pedaços esparsos e agrestes de tabuleiro, cobertos de Marmeleiros secos e Xiquexiques. Finalmente, para os lados do norte, vejo pedras, Lajedos e serrotes, cercando a nossa Vila e cercados, eles mesmos, por Favelas espinhentas e Urtigas, parecendo enormes Lagartos cinzentos, malhados de negro e ferrugem: Lagartos venenosos, adormecidos, estirados ao Sol e abrigando Cobras, Gaviões e outros bichos ligados à crueldade da Onça do Mundo.

Aí, talvez por causa da situação em que me encontro, preso na Cadeia, o Sertão, sob o Sol fagulhante do meio-dia, me aparece, ele todo, como uma enorme Cadeia, dentro da qual, entre muralhas de serras pedregosas que lhe servissem de muro inexpugnável a apertar suas fronteiras, estivéssemos todos nós, aprisionados e acusados, aguardando as decisões da Justiça; sendo que, a qualquer momento, a Onça Malhada do Divino pode se precipitar sobre nós, para nos sangrar, ungir e consagrar pela destruição.

* * *

É meio-dia, agora, em nossa Vila de Taperoá. Estamos a 9 de Outubro de 1938. É tempo de seca, e aqui, dentro da Cadeia onde estou preso, o calor começou a ficar insuportável desde as dez horas da manhã. Pedi então ao Cabo Luís Riscão que me deixasse sair lá de baixo, da cela comum, e vir cá para cima, varrer o chão de madeira do pavimento superior, onde funcionava, até o fim do ano passado, a Câmara Municipal. O Cabo Luís Riscão é filho daquele outro, de nome igual, que morreu, aqui mesmo na Cadeia, em 1912, na chamada "Guerra de Doze", num tiroteio da Polícia contra as tropas de Sertanejos que, a mando de meu tio e Padrinho, Dom Pedro Sebastião Garcia-Barretto, atacaram, tomaram e saquearam nossa Vila. Tem, portanto, o Cabo todos os motivos de má vontade contra mim. Mas como sou "de família de certa ordem" e lhe dou pequenas gorjetas, abranda essa má vontade de vez em quando. Hoje, por exemplo, quando fiz o pedido, ele me concedeu o cobiçado privilégio de preso-varredor. Abriu a porta de grades enferrujadas, trouxe-me para cá, deixou-me aqui sozinho, trancado, varrendo, e foi-se a cochilar na rede da sua casa, que fica no quintal da Cadeia. Aproveitei, então, o fato de ter terminado logo a tarefa e deitei-me no chão de tábuas, perto da parede, pensando, procurando um modo hábil de iniciar este meu Memorial, de modo a comover o mais possível com a narração dos meus infortúnios os corações generosos e compassivos que agora me ouvem. Pensei: — Este, como as *Memórias de um Sargento de Milícias*, é um "romance" escrito por "um Brasileiro". Posso começá-lo, portanto, dizendo que era, e é, "no tempo do Rei". Na verdade, o tempo que decorre entre 1935 e este nosso ano de 1938 é o chamado "Século do Reino", sendo eu, apesar de preso, o *Rei* de quem aí se fala.

Depois, porém, cheguei à conclusão de que, além de anunciar o tempo, eu devo ser claro também sobre o local onde sucederam todos os acontecimentos que me trouxeram à Cadeia. Não tendo muitas ideias próprias, lembrei-me então de me valer de outro dos meus Mestres e Precursores, o genial escritor-brasileiro Nuno Marques Pereira. Como todos sabem, o "romance" dele, publicado em

1728, intitula-se *Compêndio Narrativo do Peregrino da América Latina*. Ora, este meu livro é, de certa forma, um *Compêndio Narrativo do Peregrino do Brasil*. Por isso, adaptando ao nosso caso as palavras iniciais de Nuno Marques Pereira, falo do modo que segue sobre o lugar onde se passou a nossa estranha Desaventura: "Uns doze graus abaixo da Linha Equinocial, aqui onde se encontra a Terra do Nordeste metida no Mar, mas entrando-se umas cinquenta léguas para o Sertão dos Cariris Velhos da Paraíba do Norte, num planalto pedregoso e espinhento onde passeiam Bodes, Jumentos e Gaviões sem outro roteiro que os serrotes de pedra cobertos de Coroas-de-Frade e Mandacarus; aqui, nesta bela Concha, sem água mas cheia de fósseis e velhos esqueletos petrificados, vê-se uma rica Pérola, engastada em fino Ouro, que é a muito nobre e sempre leal Vila da Ribeira do Taperoá, banhada pelo rio do mesmo nome." Ora, eu, Dom Pedro Dinis Ferreira-Quaderna, sou o mesmo Dom Pedro IV, cognominado "O Decifrador", Rei do Quinto Império e do Quinto Naipe, Profeta da Igreja Católico-sertaneja e pretendente ao trono do Império do Brasil. Por outro lado, consta da minha certidão de nascimento ter nascido eu na Vila de Taperoá. É por isso, então, que pude começar dizendo que neste ano de 1938 estamos ainda "no tempo do Rei", e anunciar que a nobre Vila sertaneja onde nasci é o palco da terrível "desaventura" que tenho a contar.

* * *

Para ser mais exato, preciso explicar ainda que meu "romance" é, mais, um Memorial que dirijo à Nação Brasileira, à guisa de defesa e apelo, no terrível processo em que me vejo envolvido. Para que ninguém julgue que sou um impostor vulgar, devo finalmente esclarecer que, infeliz e desgraçado como estou agora, preso aqui nesta velha Cadeia da nossa Vila, sou, nada mais, nada menos, do que descendente, em linha masculina e direta, de Dom João Ferreira-Quaderna, mais conhecido como El-Rei Dom João II, O Execrável, homem sertanejo que, há um século, foi Rei da Pedra do Reino, no Sertão do Pajeú, na fronteira da Paraíba com Pernambuco. Isto significa que sou descendente, não daqueles reis e imperadores estrangeirados e falsificados da Casa de Bragança, mencionados com descabida insistência na *História Geral do Brasil*, de Varnhagen; mas sim dos legítimos e verdadeiros Reis brasileiros, os Reis castanhos e *cabras* da Pedra do Reino do Sertão, que cingiram, de uma vez para sempre, a sagrada Coroa do Brasil, de

1835 a 1838, transmitindo-a assim a seus descendentes, por herança de sangue e decreto divino.

*   *   *

Agora, preso aqui na Cadeia, rememoro tudo quanto passei, e toda a minha vida parece-me um sonho, cheio de acontecimentos ao mesmo tempo grotescos e gloriosos. Sou um grande apreciador do jogo do Baralho. Talvez por isso, o mundo me pareça uma mesa e a vida um jogo, onde se cruzam fidalgos Reis de Ouro com castanhas Damas de Espada, onde passam Ases, Peninchas e Curingas, governados pelas regras desconhecidas de alguma velha Canastra esquecida. É por isso também que, do fundo do cárcere onde estou trancafiado neste nosso ano de 1938 — faminto, esfarrapado, sujo, prematuramente envelhecido pelos sofrimentos aos 41 anos de idade — dirijo-me a todos os Brasileiros, sem exceção; mas especialmente, através do Supremo Tribunal, aos magistrados e soldados — toda essa raça ilustre que tem o poder de julgar e prender os outros. Dirijo-me, outrossim, aos escritores brasileiros, principalmente aos que sejam Poetas-escrivães e Acadêmicos-fidalgos, como eu e Pero Vaz de Caminha, o que faço aqui, expressamente, por intermédio da Academia Brasileira, esse Supremo Tribunal das Letras.

Sim! Nesse estranho processo, a um tempo político e literário, ao qual estou sendo submetido por decisão da Justiça, este é um pedido de clemência, uma espécie de confissão geral, uma apelação — um apelo ao coração magnânimo de Vossas Excelências. E, sobretudo, uma vez que as mulheres têm sempre o coração mais brando, esta é uma solicitação dirigida aos brandos peitos das mulheres e filhas de Vossas Excelências, às brandas excelências de todas as mulheres que me ouvem.

Escutem, pois, nobres Senhores e belas Damas de peitos brandos, minha terrível história de amor e de culpa; de sangue e de justiça; de sensualidade e violência; de enigma, de morte e disparate; de lutas nas estradas e combates nas Caatingas; história que foi a suma de tudo o que passei e que terminou com meus costados aqui, nesta Cadeia Velha da Vila Real da Ribeira do Taperoá, Sertão dos Cariris Velhos da Capitania e Província da Paraíba do Norte.

Folheto II
O Caso da Estranha Cavalgada

Há três anos passados, na Véspera de Pentecostes, dia 1º de Junho de 1935, pela estrada que nos liga à Vila de Estaca Zero, vinha se aproximando de Taperoá uma cavalgada que iria mudar o destino de muitas das pessoas mais poderosas do lugar, incluindo-se entre estas o modesto Cronista-Fidalgo, Rapso-do-Acadêmico e Poeta-Escrivão que lhes fala neste momento.

Era, talvez, a mais estranha Cavalgada que já foi vista no Sertão por homem nascido de mulher. Aliás, não sei nem se o nome de "cavalgada" se ajusta bem àquilo, que parecia antes uma espécie de tropel confuso de cavalos, jaulas, carretas, tendas, Cavaleiros e animais selvagens. Era, realmente, uma verdadeira "desfilada moura", como muito bem a classificou depois, na noite daquele mesmo dia, o Doutor Samuel Wandernes, homem intelectual, Poeta e promotor da nossa Comarca. Na verdade, como ele vive afirmando frequentemente, "os árabes, negros, judeus, tapuias, asiáticos, berberes e outros Povos mouros do mundo, são sempre meio aciganados, meio ladrões, trocadores de cavalos, irresponsáveis e valdevinos"; e o estranho grupo de Cavaleiros que, naquele dia, iniciava a mais terrível agitação em nossa Vila, revelava no conjunto, ao primeiro exame, alguma coisa de errante, como uma tribo selvagem, nômade, empoeirada e "sem confiança".

Era composta de cerca de quarenta Cavaleiros. Os arreios dos Cavalos que a compunham vinham cobertos de medalhas e moedas, que refulgiam ao Sol sertanejo, devolvendo aos fulgores dos cristais das cercas-de-pedra as faíscas de seus metais. As esporas, como estrelas de fogo, retiniam suas rosetas, batendo nos estribos e centelhando nos sapatões de couro castanho, sob as véstias e os canos poeirentos das calças-perneiras, também castanhas, mas providas de fortes placas de reforço, costuradas a modo de joelheiras nas calças, e de ombreiras nos gibões. Os chapelões de couro, de largas abas dobradas e levantadas, coroavam-se, também, de estrelas e moedas que reluziam — três nas abas, inumeráveis nas testeiras e barbicachos. Mais do que tudo, porém, pairava no ar, sobre aquela esquisita tropa de bichos, carretas e Cavaleiros, uma atmosfera de feira de cavalos; de sortilégios e encantamentos; de companhia de Circo; de comboio-de-mal-assombrados; de cavalaria de rapina; de comércio de raízes, augúrios e zodíacos; e tudo isso junto lembrava, logo, uma tribo de Ciganos sertanejos em viagem.

* * *

Uma coisa que talvez cause estranheza aos menos avisados é que o genial Poeta-brasileiro e Patrono-acadêmico, Antônio Gonçalves Dias, tendo vivido um século antes desta cena, já previsse que ela ia acontecer. É que, como diz o Doutor Samuel Wandernes, "os Poetas são verdadeiros visionários", isto é, gente que prediz o futuro e vê visagens e assombrações, como Antônio Conselheiro via as dele, no Império pedregoso e sitiado de Canudos. Assim, ninguém se espante de que Gonçalves Dias, tantos anos antes, *visse*, como alumiado e visionário que era, a chegada desse tropel de cavalos a Taperoá, descrevendo assim a estranha Cavalgada que, já perto do meio-dia daquela Véspera de Pentecostes, errava pelos campos do Sertão do Cariri:

> *"Eram Ciganos errantes,*
> *atilados e torcidos,*
> *trocadores de Cavalos*
> *com semblantes de atrevidos:*
> *causa medo vê-los tantos,*
> *tão astutos e crescidos.*
>
> *Vinham Ladrões de cavalo,*
> *vinham muitos Raizeiros,*
> *vinham, do Sol abrasados,*
> *nossos bárbaros Guerreiros,*
> *bons dizedores de Sortes,*
> *muitos e bons Cavaleiros!*
>
> *E vinha o Donzel errante*
> *no cerco dos roubadores!*
> *De sua Dama de Copas,*

no Escudo trazia as cores:
tinha amor pela Sonhosa,
eram claros seus amores!

Enfim, dizer quanto vimos
não cabe neste Papel:
vinham muitas Alimárias
— são roubadas a granel —
e vinha o Alumioso,
montado em branco Corcel!"

* * *

Entretanto, se eram, mesmo, Ciganos em viagem, seria uma tribo que, ao lado das roupas principescas, das medalhas nos arreios e da ladroagem meio acangaceirada, possuía algumas singularidades.

Primeiro, os Ciganos sertanejos comuns não andam encourados. Usam, quase sempre, camisa e calça cáquis, chapelões de pano pardo e botas de cano alto. Ora, aqueles estavam, como fica dito, de calça-perneira, guarda-peito e gibão, tudo de couro. Os gibões, porém, feitos de duro e castanho couro de bode, além das placas de reforço nas ombreiras e joelheiras, tinham debruns e emblemas cravejados de brochas de metal. Essas brochas, ora se agrupavam em áreas maciças, ora seguiam, em fileiras, as linhas das costuras e debruns mais importantes, de modo que suas Armaduras-de-couro faziam aqueles Cavaleiros sertanejos semelhantes ao Guerreiro mouro que o genial Poeta pernambucano Severino Montenegro descreveu num Soneto célebre: vestido de Armadura negra e escarlate, de placas de aço, incrustada de esmaltes e brasões, parecendo, o todo, a carapaça dura, calcária, espinhosa e violeta-escarlate de um Crustáceo gigantesco encravado num Penhasco. Aqui, porém, as armaduras eram apenas de couro castanho-negro, cravejado pelos metais das brochas; e, em vez dos "penhascos" estrangeirados do soneto de Montenegro, o fundo do quadro era formado pelos enormes Lajedos-sertanejos, que, de vez em quando, apareciam ao lado da estrada, enfeitados por Macambiras roxas e amarelas e pelo vermelho sangrento dos topes das Coroas-de-Frade.

* * *

A segunda singularidade era que a Cavalgada tinha, à frente, três homens, à guisa dos "matinadores" que iniciam nossos desfiles de Cavalhada.

O primeiro, o mais da frente, estava a cavalo, e conduzia na mão uma bandeira que, depois, devidamente instruído por mim e pelo Doutor Pedro Gouveia, o Cantador Lino Pedra-Verde descreveria assim, no "folheto" que escreveu sobre o acontecimento:

> *"Dividida por dois Campos*
> *— um Direito e outro Esquerdo —*
> *tinha três Onças vermelhas*
> *em campo de Ouro — o Direito —*
> *e Contra-arminhos de Prata*
> *semeando o Campo negro."*

Meu irmão bastardo, Taparica Pajeú-Quaderna, é cortador-de-madeira e "riscador" de todas as gravuras com que ilustro as capas dos "folhetos" impressos por mim, aqui, na *Gazeta de Taperoá*. Pedi a ele que fizesse uma cópia dessa bandeira e anexo a gravura resultante aos autos desta Apelação, pois ela é peça importante no processo que veio bater comigo aqui, na Cadeia de Taperoá.

Atrás, porém, desse primeiro matinador, vinha um segundo homem, a pé, conduzindo uma pesada haste de madeira, com outra menor cruzada em cima, sendo que esta, braço transversal da cruz, vinha cheia de Gaviões e Carcarás, amarrados pelos pés a argolinhas cravadas na madeira.

Em seguida, a cavalo, vinha um terceiro homem, o mais esquisito de todos, creio. Era uma espécie de Frade-cangaceiro. Ou, para ficar mais de acordo com o estilo de meu Mestre, o Doutor Samuel Wandernes, "uma espécie de Monge-cavaleiro", únicas expressões capazes, talvez, de dar ideia desse personagem, Frei Simão de nome, e que, posteriormente, veio a se tornar, em nossa Vila, centro de grandes controvérsias. Aliás, a meu ver, ou por ignorância ou por má-fé: porque, aqui no Sertão, a coisa menos surpreendente é um Padre-cangaceiro, do tipo do Padre Aristides Ferreira, degolado em Piancó, pela "Coluna Prestes", em 1926; ou parecido com aqueles Bispos e Monges que, segundo o genial Acadêmico pernambucano,

BANDEIRA DAS ONÇAS, QUE VINHA NA
CAVALGADA DO RAPAZ-DO-CAVALO-BRANCO.

Doutor Manuel de Oliveira Lima, envergavam, na Idade Média, armaduras de ferro sob as sobrepelizes e pluviais, colocando-se, assim, "à frente de bandos armados".

Entretanto, o nosso Monge-cangaceiro daquele dia não vinha nem com sobrepeliz nem com armadura de ferro. Envergava um burel branco, com um enorme Coração-de-Jesus sangrento e flamejante, bordado a seda vermelha, no peito. Por baixo do burel, arregaçado porque o Frade viajava escanchado na sela, viam-se calças-perneiras de couro, esporas e sapatões iguais aos dos outros Cavaleiros, o que indicava que, por baixo do hábito, Frei Simão usava, também, guarda-peito e gibão, se bem que não trouxesse chapéu de couro. Em compensação a essa falha, trazia, porém, por cima do burel, um grosso cinturão sertanejo de sola, cartucheira e talabartes atulhados de balas; assim como trazia às costas um mosquetão atravessado, preso a seu tronco por uma correia de couro que lhe cruzava o peito a tiracolo. O Frade conduzia ainda, presa na haste de uma lança de marmeleiro fincada no arção da sela, uma bandeira, mais alta do que larga, vermelha e com peças de ouro enfeitando o campo encarnado — ou "de goles", para os que são, como eu, entendidos na nobre Arte da Heráldica. Nos cantos, formando uma "aspa" ou "santor", havia quatro peças que pareciam ter sido bordadas em pano amarelo, imitando ferros-de-ferrar-boi, mas que, de fato, "simbolizavam chamas", como o Doutor Pedro Gouveia nos explicaria depois. Entre essas quatro peças, e mais ou menos no meio do campo vermelho, havia um Sol com dezesseis raios e com seu centro, vazio, formando um anel que circundava um Pombo volante. Embaixo do Sol, uma Coroa real, encimada por Esfera e Cruz, sendo todas estas peças "de ouro em campo de goles". E como, do mesmo modo, essa bandeira é ponto importante no meu processo, aqui vai, também, a gravura que Taparica cortou em casca de cajá e que é cópia dela.

* * *

Atrás dos dois porta-bandeiras, o leigo e o Frade, numa jaula colocada sobre uma carreta puxada por dois burros bem tosados e escovados, ripados à moda cigano-sertaneja, vinha uma Onça-Pintada, um soberbo animal de malhas negras e pelo cor de ouro, manchado, aqui e ali, de um vermelho que se fundia no fulvo, em tons cambiantes que o Sol incendiava.

Depois, em jaulas semelhantes, vinham: uma Onça-Parda, dessas chamadas no Sertão de Suçuaranas ou Onças-de-bode; um casal de Pavões, abrindo o macho, ao Sol, sua cauda incrustada de joias e pedrarias; uma Onça-Negra, ou seja, uma Maçaroca, que é uma Onça mestiça de *negra* e *pintada*, dessas que têm o dorso meio pardo em cima do espinhaço e sob cujo pelo negro e aveludado veem-se malhas, meio-negras, meio-vermelhas, mas sempre luminosas: são chamadas, também, de Onças *lombo-pardo*, assim como a Negra é chamada Onça-Tigre ou Onça *lombo-preto*. E como no Sertão não existem Tigres, animal estrangeiro, onça falsificada, fora certamente já antevendo, como alumiado e visionário, esta cena da minha história, que o excelso Bardo brasileiro Joaquim de Souza-Andrade escreveu aqueles famosos versos que dizem:

> *"No Sertão, no Sertão, vede a tremente*
> *ondulação das Malhas luminosas*
> *num relâmpago — a Tigre atrás da Corça."*

* * *

Para que Vossas Excelências não estranhem que eu seja tão entendido em Onça e bandeira, explico, primeiro, que sou membro do nosso querido e tradicional "Instituto Genealógico e Histórico do Sertão do Cariri", fundado pelo Doutor Pedro Gouveia, e no qual, para se entrar, a gente tem que fazer um curso completo de bandeiras, brasões e outras coisas armoriais. Quanto às Onças, posso dizer em sã consciência que fui criado junto com uma, na fazenda "Onça Malhada", pertencente a meu tio e Padrinho, Dom Pedro Sebastião Garcia-Barretto. Na "Onça Malhada", não sei se como alusão ao nome da fazenda, havia uma Onça-Pintada, mansa, criada solta no pátio e no tabuleiro da frente da casa. Em segundo lugar, porém, aqui no Sertão quem não cuidar nas Onças pode muito bem acabar sendo comido por elas. É daí, aliás, que se originam todas essas histórias e ditados sertanejos sobre Onças, todos muito instrutivos. Por exemplo, aquele ditado que diz "Quem banca o Carneiro, e não o homem, a Onça chega por trás e come". Ou então aquele outro: "Depois da Onça estar morta, qualquer um tem coragem de meter o dedo no Cu dela." Temos, ainda, uma história do meu amigo Eusébio Monteiro, conhecido aqui na rua como Dom Eusébio Monturo. Ele me dizia certa vez:

— Eu vejo esse pessoal por aí dizer a toda hora: — *Eu tive um susto, dei um salto, um grito...* Povo mole dos seiscentos diabos! Olhe, Quaderna, no dia em que eu der um salto e um grito, você pode correr: foi porque a Onça já comeu metade da polpa da minha bunda!

Finalmente, fosse ou não fosse para mim uma questão de sobrevivência, eu teria de qualquer modo que ser entendido em Onça, porque, além do Doutor Samuel Wandernes, tenho outro Mestre de literatura, na pessoa de seu maior rival, o Bacharel Clemente Hará de Ravasco Anvérsio, advogado, Filósofo e mestre-escola da nossa Vila. E o movimento literário dele, o "Oncismo Negro-Tapuia do Brasil", exige, entre outras coisas, que nós sejamos "fiéis à realidade e às Onças do Sertão".

* * *

Mas, como eu vinha dizendo: seguia-se às Onças, no desfile da "cavalgada moura", um casal de Gaviões-Reais, que são as águias sertanejas. Vinha, também, uma Corça parda com o macho, um soberbo Veado-Galheiro de chifres entrançados. Vinha um caixão cheio de Cobras — muçuranas, corais e cascavéis. E vinham três ou quatro Garças lindíssimas e brancas, alternando-se, no cortejo, os bichos de pena com os animais de presa.

Atrás das carretas dos animais, a pé, vinham dois homens, um com um Gavião-Tourano — que é o mesmo Gavião mariscado — e outro com um Gavião-Vermelho. Ambas essas aves vinham presas aos pulsos dos condutores por correntinhas de metal e ostentando máscaras e protetores de couro no bico e nas garras.

Outro matinador, a cavalo, fechava então a primeira parte do desfile, iniciando ao mesmo tempo a segunda, o grupo principal dos Cavaleiros que, atrás, se repartiam em duas filas, beirando, cada uma, seu lado da estrada. No espaço vago que havia, porém, entre as carretas e as duas filas de Ciganos, espaço que era guardado por elas e mantido com mostras de um respeito quase religioso, viajavam dois Cavaleiros.

* * *

O cavalo do primeiro era negro e, se não fosse por isso, confundir-se-ia, pelo tamanho e pela qualidade, com as montarias dos outros, que eram Cavalos castanhos, alazões, pampos, ruços, pombos ou melados. Era ele um homem já descaindo para os cinquenta anos, vestido "de modo elegante, se bem que um pouco antiquado", segundo observou depois, no inquérito que se abriu, o jovem

Gustavo Moraes, filho mais velho do usineiro e dono de minas Dom Antônio Noronha de Britto Moraes. Era aquele mesmo Doutor Pedro Gouveia da Câmara Pereira Monteiro que, fundando o nosso "Instituto Genealógico" e distribuindo suas cartas de nobreza, exerceu tão profunda influência na vida de todos nós e na estranha Desaventura vivida por Sinésio, O Alumioso, na demanda novelosa da Guerra do Reino, causa principal da minha prisão.

O Doutor Pedro Gouveia trazia paletó preto com debruns de seda negra na gola, uma rosa vermelha à botoeira, colete cinza com relógio e correntão de ouro, calças justas, riscadas de negro e cinza, botinas negro-pardas, abotoadas de lado por uma fieira de botões, e polainas brancas. Com uma das mãos, segurava as rédeas do cavalo. Com a outra, sobraçava um meio-termo de pasta-de-documentos e maleta de viagem. Como logo descobriríamos depois, ali, naquela pasta, é que vinham todos os papéis e documentos que terminariam causando tanta complicação, tantas mortes e tantos infortúnios. Amarrada ao pescoço por uma fita branca e amarela — "as cores do Papa", como ele mesmo nos explicou — o Doutor carregava uma espécie de condecoração, "uma Cruz semelhante à da Ordem de Cristo, mas com esmaltes diferentes", pois era de ouro e goles — ou de amarelo e vermelho, para os não traquejados na Heráldica. No dedo anular da mão esquerda, o Doutor usava um anel brasonado. No indicador da direita, uma pedra-de-grau de Licenciado em Direito, um enorme rubi, cercado por pequenos diamantes encravados em chuveiro.

Explico a Vossas Excelências que, sendo já, como sou, um Acadêmico, tive, na infância, muito contacto com os Cantadores sertanejos, tendo mesmo, sob as ordens de meu velho primo João Melchíades Ferreira da Silva, praticado um pouco da Arte da Cantoria. Depois, porém, por influência do Doutor Samuel e do Professor Clemente, passei a desprezar os Cantadores. Até que, lá um dia, li um artigo de escritor consagrado e Acadêmico, o paraibano Carlos Dias Fernandes, artigo no qual, depois de chamar os Cantadores de "Trovadores de chapéu de couro", ele os elogiava, dizendo que "o espírito épico da nossa Raça" andava certamente esparso por aí, nos cantos rudes daqueles "Aedos sertanejos". Depois daí, senti-me autorizado a externar meu velho e secreto gosto, minha velha e secreta admiração. Perdi o acanhamento acadêmico a que tinha me visto obrigado, de modo que, agora, para descrever melhor o Doutor Pedro Gouveia, posso e devo lançar mão dos versos do genial Cantador Jerônimo do Junqueiro, nos seguintes termos:

"Era magro e espigado,
metido um tanto a pimpão.
Trazia Cruz ao pescoço,
trancelim, Colar, cordão.
Todo vestido de preto
— sela, bride, estribo, arção —
com seu Chapéu, também negro,
com a luz do Sol na mão,
de botinas-borzeguim,
passa-pé, como um Barão,
sobre o Colete cinzento
ajeitava o correntão.
No dedo da mão direita,
seu Anel de condição.
No dedo da mão esquerda,
um outro Anel, com Brasão.
Era um dele, outro emprestado:
mau costume do Sertão!"

* * *

Quanto ao segundo Cavaleiro, para evocá-lo aqui talvez seja ainda mais necessário que eu me socorra das Musas de outros Poetas brasileiros e da minha própria — aquele Gavião macho-e-fêmea e sertanejo ao qual devo minha *visagem* poética e profética de *Alumiado*. Cercava-o, efetivamente, uma atmosfera sobrenatural, uma espécie de "aura" que só mesmo o fogo da Poesia pode descrever e que, mesmo depois de sua chegada, ainda podia ser entrevista em torno da sua cabeça, pelo menos "por aqueles que tinham olhos para ver".

Tinha cerca de vinte e cinco anos. Não era simplesmente um rapaz: era um mancebo. Mais do que isso: era um Donzel. E tem gente, aí pela rua, que, ainda hoje, garante que naquele tempo ele chegava, mesmo, a ser um donzelo. Fosse como fosse, a primeira pergunta que nos ocorria diante dele era aquela que eu tantas vezes li na *Antologia Nacional* de Carlos de Laet: "Dom Donzel, onde está El-Rei?"

Via-se que ele era o centro, motivo e honra da Cavalgada, porque lhe tinham destacado a maior, mais bela e melhor das montarias, um enorme e nobre animal branco, de narinas rosadas, de cauda e crinas cor de ouro, Cavalo que, como soubemos depois, tinha o nome legendário de "Tremedal". Ele o montava, como observou mais tarde o Doutor Samuel, "com um ar ao mesmo tempo modesto e altivo de jovem Príncipe, recém-coroado e que, por isso mesmo, ainda está convencido de sua realeza". Alto, esbelto, de pele ligeiramente amorenada e de cabelos castanhos, montava com elegância, e de seus grandes olhos, também castanhos e um pouco melancólicos, espalhava-se sobre todo o seu rosto uma certa graça sonhadora que suavizava até certo ponto suas feições e sua natureza — às vezes arrebatada, enérgica, quase dura e meio enigmática, como depois viemos a notar, principalmente depois dos terríveis acontecimentos da morte de Arésio.

Como, ao que parece, tinha-se convencionado que ninguém se vestisse de maneira mais comum naquela tribo, o Rapaz-do-Cavalo-Branco usava um gibão mais artisticamente trabalhado do que os dos outros Cavaleiros. Assemelhava-se aos "gibões de honra e boniteza" que se usam nos desfiles de Cavalhadas e puxadas-de-boi. Era feito de três qualidades diferentes de couro — de Bode, de Vaqueta e de Veado —, combinando de maneira variada o amarelo, o castanho, o vermelho e o negro. Tinha as mesmas joelheiras e ombreiras dos outros. As dele, porém, eram negras e costuradas ao couro castanho da véstia e das "guardas" por tiras de couro vermelho, de modo que, mais do que qualquer outro, seu gibão parecia a armadura de um Cavaleiro sertanejo, com os couros trançados em ouro, púrpura, goles e sable — para narrar com esmaltes heráldicos esta heráldica cena da mais armorial Cavalaria sertaneja. E o próprio Donzel, assim, com aquela roupa de couro dominantemente amarela e vermelha, parecia — todo ele ouro, sangue e coração — um Valete de Copas montado num cavalo branco e escoltado por uma tropa sertaneja de Peninchas e Valetes de Paus ou de Espadas.

O mais notável, porém, é que, atado ao pescoço por uma fechadura de prata, caía por trás das costas do Donzel, de modo a cobrir a garupa do cavalo "Tremedal", um manto vermelho, no qual estava bordado um grande Escudo com as mesmas armas da bandeira — as três Onças vermelhas em campo de ouro e os treze contra-arminhos de prata em campo negro. Aqui, porém, havia uma novidade: o escudo era encimado por uma figura a modo de "timbre", uma bela Dama de cabelos soltos, vestida com um manto negro semeado de contra-arminhos de prata e mantendo as mãos cobertas. Era a Dama jovem e sonhosa, de olhos verdes, de cabelos lisos, finos, compridos e castanho-claros que seria, para o Rapaz-do-Cavalo-Branco, "o grande amor de sua vida".

Notem Vossas Excelências que Gonçalves Dias já fazia referência a ela, pois escreveu, assim como eu já disse: "De sua Dama de Copas, no Escudo trazia as cores: tinha amor pela Sonhosa, eram claros seus amores." Ora, naquele dia em que iniciava sua Desaventura, o Rapaz-do-Cavalo-Branco ainda não reconhecera aquela moça meio ausente, absorta e sonhosa, de cabelos castanhos e olhos verde-azuis, aquela que veio a ser o grande amor de sua vida. Como se explica, pois, que já trouxesse a imagem dela gravada em seu escudo? Respondo, fácil: tudo isso "são coisas cifradas e enigmáticas", como costuma dizer o Doutor Samuel, coisas que somente um Poeta-escrivão, Acadêmico, ex-seminarista e Astrólogo sertanejo como eu pode decifrar. Vamos adiante que, aos poucos, Vossas Excelências terminarão por entender tudo em seu verdadeiro significado.

De fato, nobres Senhores e belas Damas de peitos macios, o escudo que acabei de descrever era o Brasão familiar do Donzel, como o Doutor Pedro Gouveia explicaria logo mais. Mas não deixa, também, de ser "uma coincidência epopeica, astrosa e fatídica", que o timbre desse Escudo fosse exatamente "uma Dama de cabelos soltos e com as mãos cobertas": porque a moça Heliana, aquela que veio a ser o grande amor e o segredo da sua vida, vivia sempre com as mãos cobertas, não se conhecendo notícia de homem nenhum a quem ela, conscientemente, consentisse desvendá-las — com exceção dele, é claro.

E para concluir a descrição da parelha de homens-de-pró que viria subverter nossa Vila naquele sábado de 1935, valho-me do genial Amador Santelmo, que deles falou assim, na sua bem conhecida *Vida, Aventuras e Morte de Lampião e Maria Bonita*:

> "Dizem que uma Sombra escura
> com duas Pontas na testa,
> por onde o Donzel caminha,

ao lado, se manifesta.
Desde a Cadeia onde o Moço
na Morte foi sepultado,
esta Sombra cornipeta
caminha sempre a seu lado.
Como irmã-de-caridade
seguindo o jovem Defunto,
o Carcará de chavelhos
vai sempre ao Mancebo junto.
O Doutor, luz verde-escura
da Cidade dos Pés Juntos,
Lampra acesa dos Jazigos,
fogo-fátuo dos Defuntos.
O Donzel, estrela errante,
facho dos Lumes eternos,
ouro do Sol, Desafio
às negras chamas do Inferno.
O Doutor, vela de sebo,
sinal dos Magos errôneos,
Lume lúgubre da Morte,
lampadário do Demônio.
O Donzel, lustre e Candeia
que o Sol do sangue espadana,
carne cravada de Estrelas,
Coroa da Raça Humana!"

BANDEIRA DO DIVINO ESPÍRITO SANTO DO
SERTÃO, QUE O FRADE CONDUZIA.

Folheto III
A Aventura da Emboscada Sertaneja

Vossas excelências não imaginam o trabalho que tive para arrumar, numa "prosa heráldica", como dizia o grande Carlos Dias Fernandes, todos os elementos desta cena, colhidos em certidões que mandei tirar dos depoimentos dados por mim no inquérito. Só o consegui porque, além de pertencer ao "Oncismo" do Professor Clemente, pertenço também ao movimento literário do Doutor Samuel Wandernes, o "Tapirismo Ibérico do Nordeste". Graças a este último é que omiti, nas descrições que fiz até aqui, qualquer referência ao tamanho diminuto e à magreza dos cavalos sertanejos que serviam de montada aos Cavaleiros, assim como às pobrezas e sujeiras mais aberrantes e evidentes da tropa. No movimento literário de Samuel é assim: Onça, é "jaguar", anta, é "Tapir", e qualquer cavalinho esquelético e crioulo do Brasil é logo explicado como "um descendente magro, ardente, nervoso e ágil das nobres raças andaluzas e árabes, cruzadas na Península Ibérica e para cá trazidas pelos Conquistadores fidalgos da Espanha e de Portugal, quando realizaram a Cruzada épica da Conquista". Tendo sido eu discípulo desses dois homens durante a vida inteira, nota-se à primeira vista que meu estilo é uma fusão feliz do "oncismo" de Clemente com o "tapirismo" de Samuel. É por isso que, contando a chegada do Donzel, parti, oncisticamente, "da realidade raposa e afoscada do Sertão", com seus animais feios e plebeus, como o Urubu, o Sapo e a Lagartixa, e com os retirantes famintos, sujos, maltrapilhos e desdentados. Mas, por um artifício tapirista de estilo, pelo menos nessa primeira cena de estrada, só lembrei o que, da realidade pobre e oncista do Sertão, pudesse se combinar com os esmaltes e brasões tapiristas da Heráldica. Cuidei de só falar nas bandeiras, que se usam realmente no Sertão para as procissões e para as Cavalhadas; nos gibões-de-honra, que são as armaduras de couro dos Sertanejos; na Cobra-Coral; na Onça; nos Gaviões; nos Pavões; e em homens que, estando de gibão e montados a cavalo, não são homens sertanejos comuns, mas sim Cavaleiros à altura de uma história bandeirosa e cavalariana como a minha.

Entretanto, é deste relato que depende a minha sorte e ninguém é tão fanático a ponto de fazer Literatura em troca de cadeia. Devo ser exato: e infelizmente, no mesmo instante em que consigo arrumar tudo, tenho que desarrumar tudo de novo. Porque, naquele dia, quando a Cavalgada vinha perto do legendário Riacho de Cosme Pinto, ela mesma foi desarrumada por um incidente sujo e oncístico, que causou alguns rasgões raposos na bandeira da frente, sujou homens e cavalos de suor e poeira e chegou mesmo a derramar sangue, se bem que esta última parte ainda possa ser considerada tapirista e heráldica, pois houve tiros e reluzir de facas nos riscos de Sol — o que não deixa de ser armorial.

* * *

Naquele ponto da estrada, do lado direito de quem vem para Taperoá, existe um Lajedo não dos maiores, manchado aqui e ali de líquenes avermelhados, e separado da estrada por um pedaço de tabuleiro raso, coberto de ralos pés de Marmeleiro, Pinhão, Velame, Malva e Cardo-Santo. Pouco antes de atingir esse Lajedo, a carreta da Onça-Pintada enganchou-se na subida de uma ladeira. Atendendo a uma ordem rápida do Cigano Praxedes — que, como soubemos depois, não era o verdadeiro Chefe, mas sim seu preposto e uma espécie de Sargento-Mor da tropa — alguns dos almocreves que tangiam os burros começaram a empurrar a carreta, atrasando a marcha do grupo compacto de Cavaleiros. O Doutor Pedro Gouveia, impaciente pela demora, esporeou seu cavalo e foi se colocar, com o rapaz, perto de Frei Simão, lá na frente. E como o resto da Cavalgada parasse com o contratempo, a parte da frente dela se adiantou, de modo que foram eles os primeiros a cair numa emboscada, cujos componentes estavam escondidos no Lajedo, por trás de umas pedras que em seu topo se equilibravam.

O tiroteio começou de maneira um tanto inusitada. Na grimpa do lajedo, erguendo-se de trás da pedra, apareceu de repente um Negro moço, desempenado, vestido de cáqui, encruzado de cartucheiras e de chapéu de couro à cabeça. Erguendo um rifle bem alto no ar com a mão direita, o Negro cantou uma estrofe desafiadora, rindo com os dentes alvos e perfeitos que luziam no Sol:

"Filha de branco,
linda e clara como a Lua!
Eu vou pegar você nua,

mas não é para casar!
É pra lascar,
que eu me chamo é Ludugero!
Eu nasci Negro e só quero
moça branca pra estragar!"

Acabada a estrofe e aproveitando o momento de estupefação causado por seu aparecimento, o Negro Ludugero — ou Ludugero Cobra-Preta, como também era conhecido — deu um rincho de jumento e, levando o rifle à cara, atirou.

Pode-se dizer que a salvação do Rapaz-do-Cavalo-Branco deveu-se, naquele instante, à bandeira que o Matinador da frente conduzia. Julgando, por causa dela, que "aquele era o rapaz importante da encomenda que tinham recebido", foi contra o matinador da bandeira que se disparou o primeiro tiro e convergiram os outros disparos, numa saraivada de balas que ressoaram por trás das pedras, em estalos secos como os de um tabocal incendiado, por entre gritos, insultos, relinchos e gargalhadas:

"E era um barulho danado,
todo esse Povo atirando!
As balas, por perto deles,
passavam no Ar, silvando!
O tiroteio imitava
um Tabocal se queimando!"

O homem que vinha com os Gaviões, vendo começar o tiroteio, largou no chão a cruz que vinha com as aves, correu para o outro lado da estrada e deitou-se em sua beira, encolhendo-se o mais que podia para passar despercebido. Mas, com o corpo todo traspassado de balas, o matinador da bandeira caiu do cavalo, já nos estremeços da morte. Como ficara com o pé enganchado no estribo, foi arrastado pelo cavalo espavorido na direção aqui de Taperoá, com a bandeira rasgando-se um pouco e sujando-se muito, enquanto ele mesmo deixava pelo chão endurecido da estrada pedaços de seu couro e golfadas de sangue, logo bebidas pelo Sol e pelo pó. Soubemos, depois, que ele se chamava José Colatino.

Era do Sertão do Sabugi. Deixara sua casa, encravada no sopé áspero e seco da pedregosa Serra de Santa Luzia, para se alistar nas tropas do Cigano Praxedes e morrer ali, daquele jeito!

    O Doutor Pedro Gouveia, homem expedito, calculou num repente o que se seguiria se o Rapaz-do-Cavalo-Branco ficasse ali mais alguns segundos. Viu então que o cavalo de Colatino, depois de correr duzentos a trezentos metros arrastando o corpo, parara na beira esquerda da estrada e ali se mantinha impassível, por cansaço ou por pachorra. Isso indicava que provavelmente não havia ali outros Cangaceiros emboscados. O Doutor gritou, então, para o rapaz:

— Abaixe-se!

    Em seguida, jogando no chão a pasta de documentos, abraçou-se ao pescoço de seu cavalo, pegou na rédea de "Tremedal", esporeou sua própria montaria, e assim galoparam os dois para o lugar onde parara o cavalo de Colatino. Por sua vez, o gigantesco Frei Simão, entendendo logo o alcance da manobra do Doutor, viu que, quanto a si, o melhor que tinha a fazer era ficar entretendo com tiros os Cangaceiros do lajedo. Saltou, portanto, do cavalo e, como antigo que era nas refregas sertanejas, abrigou-se por trás do animal, fazendo trincheira do corpo do bicho, ao mesmo tempo que o segurava para ele não correr, com a mão esquerda no freio e a direita no loro do estribo. Notando, então, que o cavalo, apesar de estremecer a cada estalo de tiro, não estava amedrontado a ponto de desembestar, emendou, com rédea curta, o loro com a bride, tirou o mosquetão das costas e começou a responder ao fogo cerrado dos rifles, que pipocavam de trás das pedras do Lajedo.

    Tempos depois, Lino Pedra-Verde escreveria aquele tal "romance" a que já me referi, e eu me lembro bem de que, quando chegava a essa parte, havia uma sextilha meio plagiada do *Romance do Valente Vilela*, assim:

> "*Frei Simão pegou do Rifle,*
> *ficou o Mundo tinindo!*
> *Era o dedo amolegando*
> *e o fumaceiro cobrindo,*
> *balas batendo nas Pedras,*
> *voltando pra trás, zunindo!*"

É verdade que o Frade trazia era um mosquetão. Mas como este não cabia na métrica, Lino Pedra-Verde transformou-o num rifle, no "folheto". E é aí que eu, apesar de partir "da realidade rasa e cruel do mundo", como Clemente, dou também razão a Samuel, quando diz que, na Arte, a gente tem que ajeitar um pouco a realidade que, de outra forma, não caberia bem nas métricas da Poesia.

* * *

Enquanto Frei Simão trocava tiros com os Cangaceiros, o Doutor e o rapaz chegavam, sem dano, ao lugar que procuravam. A sorte foi que o Capitão Ludugero recebera informações erradas sobre a tropa, o que o atraso das carretas e dos Cavaleiros confirmara. Sendo assim, seguro de sua superioridade, o Negro não tivera o cuidado de empiquetar os dois lados da estrada.

O Doutor pensou, primeiro, em ultrapassar o cavalo de Colatino, continuando a carreira em direção a Taperoá. Depois, porém, lembrou-se de que seria perigoso perder ligação, de vez, com a tropa do Cigano, que não estava longe. Ordenou ao rapaz que desmontasse, apeou-se e, forçando os cavalos a se deitarem, espicharam-se os dois no chão, por trás dos bichos, para cuidarem também um pouco do Frade, que estava em situação difícil.

Aí os acontecimentos se precipitaram. Porque sete ou oito Cangaceiros, vendo, de cima do Lajedo, que os dois tinham parado, fora do alcance dos tiros mas sozinhos e praticamente inermes, começaram a sair de trás das trincheiras de pedra: deixando dois ou três companheiros para a troca de tiros com o Frade, desceram o flanco direito do Serrote e correram na direção dos dois para acabar com eles. O Doutor puxou a pistola e já ia ordenar ao rapaz que montasse e buscasse salvação na fuga, enquanto ele resistia. Mas nesse momento o Cigano Praxedes apontou na estrada, galopando desenfreadamente com seus Cavaleiros. Conforme soubemos depois, o verdadeiro Chefe e Mestre-de-Campo da tropa viajava incógnito, no meio dos simples Almocreves da cavalgada. Do lugar em que estava, junto às carretas, ouvira o pipocar dos tiros e, na emergência, dera ordem ao Cigano para varrer o local a patas de cavalo.

Foi outro golpe de sorte. Se os Cangaceiros não tivessem saído de cima do serrote, a situação dos Ciganos seria ruim, incapacitados como estavam de escalar os lajedos. Teriam que desmontar, e, a pé, os grossos gibões e calças de couro tolheriam seus movimentos, numa luta corpo a corpo. Mas os Cangaceiros tinham se desentocado de trás das pedras, e agora corriam a pé, no raso, pela beira da estrada.

Na carreira em que vinha a tropa, uma fila de Cavaleiros, a da direita, obedecendo a uma ordem gritada ao vento pelo Cigano, galopou pela Caatinga, demandando a parte traseira do lajedo e a retaguarda dos Cangaceiros que ali ainda estavam, a fim de, com isso, aliviar a posição do Frade. Os outros, passando entre Frei Simão e as pedras e desembainhando os enormes facões rabo-de-galo, partiram, com o Cigano à frente, para os Cangaceiros que corriam contra o rapaz e o Doutor.

De cima do lajedo, Ludugero Cobra-Preta viu tudo e entendeu a gravidade da situação. Corajoso e galhofeiro como era, foi zombando de si mesmo e dos seus que colocou as mãos em concha na boca e gritou:

— Eita, que a gente agora vai se acabar tudo na faca! Corre, cabroeira dos seiscentos diabos! Cai no marmeleiro, negrada! Entope no oco do mundo, senão vai tudo sangrado!

Aí, às gargalhadas, ele mesmo desceu do lajedo na carreira, acompanhado pelos Cangaceiros que estavam ainda ali, caindo no mato. Os Cangaceiros que corriam para o Doutor e o rapaz, ouvindo o alarido do Capitão Ludugero entenderam o que vinha por trás. Desviaram o rumo da carreira em que iam, caíram na Caatinga e conseguiram atingir uma cerca-de-pedra, que galgaram depressa, afundando-se no mato ralo e espinhoso do cercado que havia por trás dela. Certos de que já tinham cumprido o objetivo principal da emboscada e matado o rapaz que lhes fora designado, queriam agora era escapar o mais depressa possível, fugindo à luta desigual com toda aquela tropa. Por outro lado, isso vinha ao encontro do que o Frade e o Doutor desejavam. Vendo que os Cangaceiros fugiam, os dois se reuniram, confabularam rapidamente e deram uma ordem a Praxedes. Foi a vez de soar o grito do Cigano, ordenando que a tropa de Cavaleiros saísse daquele mato perigoso, que novamente poderia favorecer os Cangaceiros, para emboscadas. A tropa, obedecendo a Praxedes, reuniu-se de novo na estrada, e todos, insensivelmente atraídos pela figura do Rapaz-do-Cavalo-Branco, fixaram os olhos nele, como a indagar até que ponto ele fora atingido pelos acontecimentos. Ele estava já de pé, segurando as rédeas de "Tremedal" e contemplando, absorto, o corpo do rapaz que morrera em seu lugar. O Doutor, depois de apanhar a importante pasta de documentos, caminhou para lá, puxando seu cavalo pela rédea:

— Venha, vamos embora! — falou ele para o rapaz. — O que passou, passou!

— Ele está morto? — perguntou o rapaz, sempre com expressão meio ausente.

— Está, sim! Mas vamos! — insistiu o Doutor Pedro Gouveia.

Enquanto assim falavam, o Frade, aproveitando a atenção com que todos olhavam para o rapaz, ia catando e guardando disfarçadamente, no bolso da batina, cápsulas deflagradas e mesmo três ou quatro amassadas balas de chumbo. O rapaz, sempre olhando o corpo de Colatino, comentou:

— É a primeira vez que eu vejo a morte!

— É assim mesmo, é a vida! — disse o Doutor, apanhando a bandeira, espanando com o lenço a poeira que a sujara e passando-a a outro, para que assumisse o posto de matinador, de Colatino. E continuou: — Hoje ou amanhã, de tiro ou de doença, de qualquer jeito um dia ele tinha de morrer! Depois, talvez não seja esta a primeira vez que você vê a morte! Talvez você esteja somente esquecido, *por causa de tudo o que passou*, de outras mortes que viu, *antes*. Mas vamos sair logo daqui, que os Cangaceiros podem voltar com mais gente!

Nesse momento, um homem alto, magro e forte, de olhos castanhos, com a calma, a energia e a mansidão aparente dos Sertanejos mais corajosos, destacou-se do meio dos almocreves, que a essa altura também já tinham chegado, e aproximou-se do Doutor. Era o Chefe e Capitão-Mor da tropa, um homem cujo nome, quando depois se espalhou pela Vila, eletrizou todo mundo: porque ele era, nem mais nem menos, que o célebre Luís Pereira de Sousa, mais conhecido como Luís do Triângulo, por causa de sua pequena fazenda pajeuzeira, "O Triângulo". E só estranhará que esse nome de Luís do Triângulo tenha causado tanta emoção entre nós quem ignorar dois fatos: primeiro, que, pertencendo ele à grande família dos Pereiras, do Pajeú — famosa pela coragem e pelas façanhas guerreiras —, Luís do Triângulo era parente de Dom José Pereira Lima, aquele mesmo Fidalgo sertanejo que, em 1930, se rebelara contra o Governo, tornando-se Rei-guerrilheiro de Princesa, proclamando a independência do município com hino, selo, bandeira, constituição e tudo, subvertendo o Sertão da Paraíba à frente do seu exército de 2.000 homens de armas, numa guerrilha heroica que o governo do Presidente João Pessoa em vão tentou vencer com sua Polícia.

Nesse Reino, ou Território Livre, de Princesa, o Rei era Dom José Pereira Lima, O Invencível, e Luís do Triângulo, então com 32 anos, era o Condestável e Chefe do Estado-Maior. O outro fato importante, ligado a Luís do Triângulo, era que ele possuía uma terra, situada exatamente na fronteira da Paraíba com Pernambuco, para os lados do Sertão do Piancó. Nessa terra, fica a famosa Serra do Reino, na qual se erguem aquelas duas enormes pedras, estreitas, compridas e paralelas, que os nossos Sertanejos consideram sagradas, por serem as torres do Castelo, Fortaleza ou Catedral Encantada onde meu bisavô, Dom João Ferreira-Quaderna, foi Rei, ensinando, de uma vez para sempre, que o Castelo está ali, soterrado por um cruel encantamento, do qual somente o sangue nos poderia livrar, acabando de uma vez com a miséria do Sertão e fazendo todos nós felizes, ricos, belos, poderosos, eternamente jovens e imortais.

Luís do Triângulo chegou-se para o Doutor, falando:

— Viu o que eu lhe disse, Seu Doutor? Era o grupo de Ludugero Cobra-Preta!

— Sim! — concordou o Doutor. — Mas deve ter sido tudo a mandado do pessoal de Taperoá: de Arésio Garcia-Barretto e de Antônio Moraes!

— Mas o senhor viu como eu tinha razão? Com essa história de se viajar de gibão, que o senhor inventou, a gente podia ter se desgraçado!

— É verdade, e eu sabia que você tinha razão, Luís! — retrucou, sério, o Doutor. — Mas eu não podia abrir mão das bandeiras e dos gibões: tudo isso me é indispensável para impressionar o Povo, quando entrarmos em Taperoá! E não se queixe, porque a bandeira também foi ideia minha e, se não fosse ela, a essas horas o morto seria outro! Lamento por causa do rapaz que morreu, mas um de nós teria que morrer e, no mais, tudo vai bem! Antes de chegar no Cosme Pinto, a gente faz uma parada, enterra Colatino e almoça: dá tempo de chegar em Taperoá aí pelas duas horas da tarde, exatamente quando estará começando a Cavalhada que o Prefeito organizou. Vamos embora!

Montaram. O Rapaz-do-Cavalo-Branco também montou. Naquele tempo, as forças da violência e as divindades subterrâneas ainda estavam adormecidas em seu sangue, pois não tinham sido despertadas pelo veneno do nosso convívio. De modo que, sonhoso e absorto, ele ignorava naquele instante quantas cenas e quantas mortes sua chegada iria causar entre nós, durante os três anos que medearam entre aquela Véspera de Pentecostes de 1935 e a Semana da Paixão deste nosso ano de 1938. Foi também esta cena inicial da "Demanda Novelosa do Reino do Sertão" que terminou batendo com meus costados na Cadeia onde estou preso, à mercê do julgamento de Vossas Excelências.

Naquele dia, porém, e mesmo com o aviso dado pela Providência com a morte de Colatino, ainda não estava rompida a descuidosa mas culposa ignorância em que estávamos todos nós que iríamos participar da terrível Desaventura do Rapaz-do-Cavalo-Branco. O Sol alumiava e esquentava tudo, como antes. Como se tivesse sido por ele gerado, um *Ferreiro*, no mato, começou a desferir seu canto metálico, semelhante ao batido dum martelo numa bigorna, canto logo seguido pelos piados, também violentos e metálicos, de um bando de *Canções*. O corpo de Colatino, colocado de través em cima do cavalo, foi conduzido assim, aguardando o enterro que o Doutor ordenara para logo mais, nas imediações do histórico riacho em que, no século XVII, o Ajudante Cosme Pinto iniciara a penetração do Cariri, sob as ordens do Capitão-Mor Teodósio de Oliveira Ledo. Novamente a tropa de Cavaleiros, com a bandeira à frente, tomou o caminho de Taperoá. Agora, porém, como precaução, o rapaz, o Doutor e o Frade iam no meio dos dois cordões de Cavaleiros e todos viajavam de rifle na mão, prontos para qualquer novo ataque. Aquele, porém, seria o último incidente sério, até a chegada a Taperoá. O perigo principal passara, de modo que, como tinha previsto desde 1922 o genial J. A. Nogueira — em seu livro *Sonho de Gigante*, que tanta influência exerceu entre nós, Acadêmicos sertanejos —, naquele instante, passando o lajedo e a emboscada, "o Peregrino do Sonho transpunha, de repente, a fronteira de dois Reinos. O Rio subterrâneo deixava de refletir as tenebrosas asperezas da região da morte: elevou-se como uma Coluna de diamantes e, arrebentando à flor da terra, espraiou-se debaixo de um Céu de meio-dia, na região pedregosa do Sol e das altitudes, que o Reabilitador da vida elegera para iluminar com sua presença de Fogo".

Folheto IV
O Caso do Fazendeiro Degolado

Pode-se dizer, nobres Senhores e belas Damas, que houve duas causas próximas para minha prisão. A primeira, foi a chegada, a Taperoá, do Rapaz-do--Cavalo-Branco. A segunda, estreitamente ligada a ela, foi o assassinato, por degolação, de meu tio e Padrinho, o fazendeiro Dom Pedro Sebastião Garcia-Barretto. Meu Padrinho foi encontrado morto, no dia 24 de Agosto de 1930, no elevado aposento de uma torre que existia na sua fazenda, a "Onça Malhada". Essa torre servia, ao mesmo tempo, de mirante à casa-forte, e de campanário à capela da Fazenda, que era pegada à casa. Seu aposento superior era um quarto quadrado, sem móveis nem janelas. O chão, as grossas paredes e o teto abobadado desse aposento eram de pedra-e-cal. Por outro lado, meu Padrinho, naquele dia, entrara só no aposento e trancara-se lá em cima, dentro dele, usando, para isso, não só a chave, como a barra de ferro que a porta tinha por dentro, como tranca. Outra coisa misteriosa: no mesmo dia, Sinésio, o filho mais moço de meu Padrinho, desapareceu sem ninguém saber como. Dizia-se que fora raptado, a mando das pessoas que tinham degolado seu Pai, pessoas que odiavam o rapaz porque ele era amado pelo Povo sertanejo, que depositava nele as últimas esperanças de um enigmático Reino, semelhante àquele que meu bisavô criara. Sinésio fora raptado e, segundo se noticiou, morrera também de modo cruel e enigmático, dois anos depois, na Paraíba, o que não impedia o Povo de continuar esperando a volta e o Reino miraculoso dele.

    Pergunto: e agora? Como é que meu Padrinho foi degolado num quarto de pesadas paredes sem janelas, cuja porta fora trancada por dentro, por ele mesmo? Como foi que os assassinos ali penetraram, sem ter por onde? Como foi que saíram, deixando o quarto trancado por dentro? Quem foram esses assassinos? Como foi que raptaram Sinésio, aquele rapaz alumioso, que concentrava em si as esperanças dos Sertanejos por um Reino de glória, de justiça, de beleza e de grandeza para todos? Bem, não posso avançar nada, porque aí é que está o *nó*! Este é o "centro de enigma e sangue" da minha história. Lembro que o genial poeta Nicolau Fagundes Varela adverte todos nós, Brasileiros, de que "os irônicos estrangeiros" vivem sempre vigilantes, sempre à espreita do menor deslize nosso para, então, "ridicularizar o pátrio pensamento":

> *"Fatal destino o dos brasílios Mestres!*
> *Fatal destino o dos brasílios Vates!*
> *Política nefanda, horrenda e negra,*
> *pestilento Bulcão abafa e mata*
> *quanto, aos olhos de irônico estrangeiro,*
> *podia honrar o pátrio pensamento!"*

Ora, um dos argumentos que os "irônicos estrangeiros" mais invocam para isso é dizer que nós, Brasileiros, somos incapazes de forjar uma verdadeira *trança*, uma intrincada teia, um insolúvel enredo de "romance de crime e sangue". Dizem eles que não é necessário nem um adulto dotado de argúcia especial: qualquer adolescente estrangeiro é capaz de decifrar os enigmas brasileiros, os quais, tecidos por um Povo superficial, à luz de um Sol por demais luminoso, são pouco sombrios, pouco maldosos e subterrâneos, transparentes ao primeiro exame, facílimos de desenredar.

Ah, e se fossem somente os estrangeiros, ainda ia: mas até o excelso Gênio brasileiro Tobias Barretto, aí é demais! Diz Tobias Barretto que, no Brasil, é impossível aparecer um "romance de gênio", porque "a nossa vida pública e particular não é bastante fértil de peripécias e lances romanescos". Lamenta que seja raro, entre nós, "um amor sincero, delirante, terrível e sanguinário", ou que, quando apareça, seja num velho como o Desembargador Pontes Visgueiro, o célebre assassino alagoano do Segundo Império. E comenta, ácido: "Um ou outro crime, mesmo, que porventura erga a cabeça acima do nível da vulgaridade, são coisas que não desmancham a impressão geral da monotonia contínua. Até na estatística criminal o nosso País revela-se mesquinho. O delito mais comum é justamente o mais frívolo e estúpido: o furto de cavalos."

A gente lê uma coisa dessas e fica até desanimado, julgando ser impossível a um Brasileiro ultrapassar Homero e outros conceituados gênios estrangeiros!

ESCUDO DO MAJUTO DO RAPAZ-DO-CAVALO-BRAJUCO.

A sorte é que, na mesma hora, o Doutor Samuel nos lembra que a conquista da América Latina "foi uma Epopeia". Vemos que somos muito maiores do que a Grécia — aquela porqueirinha de terra! — e aí descansamos o pobre coração, amargurado pelas injustiças, mas também incendiado de esperanças! Sim, nobres Senhores e belas Damas: porque eu, Quaderna (Quaderna, O Astrólogo, Quaderna, O Decifrador, como tantas vezes fui chamado); eu, Poeta-guerreiro e soberano de um Reino cujos súditos são, quase todos, cavalarianos, trocadores e ladrões de cavalo, desafio qualquer irônico, estrangeiro ou Brasileiro, primeiro a narrar uma história de amor mais sangrenta, terrível, cruel e delirante do que a minha; e, depois, a decifrar, antes que eu o faça, o centro enigmático de crime e sangue da minha história, isto é, a degola do meu Padrinho e a "desaparição profética" de seu filho Sinésio, O Alumioso, esperança e bandeira do Reino Sertanejo.

É tendo em vista esses dois fatos que eu dizia, há pouco, que as causas próximas da minha prisão tinham sido a morte de meu Padrinho e a chegada do Rapaz-do-Cavalo-Branco a Taperoá. As causas remotas, porém, foram a *Cantiga de La Condessa*, que incendiou meu sangue na puberdade, e os sangrentos sucessos ocorridos exatamente há um século, de 1835 a 1838, quando minha família ocupou o trono do Brasil, no Sertão da Pedra do Reino, entre o Pajeú de Pernambuco e o Piancó da Paraíba. Estes últimos, além de serem os mais remotos, são também os acontecimentos mais importantes. Foram, talvez, a causa e o começo de "todas as vicissitudes da minha atribulada existência", como dizem os contos publicados num dos meus livros-de-cabeceira, o *Almanaque Charadístico e Literário Luso-Brasileiro*. É por isso que, logo de entrada, devo narrá-los, a fim de que Vossas Excelências possam, aos poucos, ir fazendo do meu caso a opinião mais completa possível.

* * *

Para narrar essa história, valer-me-ei o mais que possa das palavras de geniais escritores brasileiros, como o Comendador Francisco Benício das Chagas, o Doutor Pereira da Costa e o Doutor Antônio Áttico de Souza Leite, todos eles Acadêmicos ou consagrados e, portanto, indiscutíveis: assim, ninguém poderá dizer que estou mentindo por mania de grandeza e querendo sentar de novo um Ferreira-Quaderna, eu, no trono do Brasil, pretendido também — mas sem fundamento! — pelos impostores da Casa de Bragança. Faço isso também porque assim, nas palavras dos outros, fica mais provado que a história da minha família é uma verdadeira Epopeia, escrita segundo a receita do Retórico e gramático de Dom Pedro II, o Doutor Amorim Carvalho: uma história épica, com Cavaleiros armados e montados a cavalo, com degolações e combates sangrentos, cercos ilustres, quedas de tronos, coroas e outras monarquias — o que sempre me entusiasmou, por motivos políticos e literários que logo esclarecerei.

Aliás, minto: sempre, não! A princípio, a história de minha família era para nós, Ferreira-Quadernas, uma espécie de estigma vergonhoso e de mancha indelével do nosso sangue. E não era para menos, quando somente meu bisavô, El-Rei Dom João Ferreira-Quaderna, O Execrável, no espaço de três dias, mandou degolar 53 pessoas, incluindo-se entre elas 30 crianças inocentes, o que aconteceu no fatídico e astroso mês de Maio de 1838. Meu Pai, Dom Pedro Justino, e minha tia, Dona Filipa, irmã dele, tinham pavor de todas aquelas mortes cometidas por nossos antepassados, e temiam que o sangue dos inocentes caísse um dia sobre nossas cabeças, como os Judeus invocaram o sangue do Cristo sobre as deles.

Apesar de todos os cuidados, porém, um dia, meu velho parente e Padrinho-de-crisma, o Cantador João Melchíades Ferreira, num momento de entusiasmo pelas grandezas da família, contou tudo isso a mim, que era seu discípulo "na Arte da Poesia". Fiquei terrivelmente abalado, sentindo como se aquele sangue me infeccionasse o meu de uma vez para sempre. Eu teria, então, uns doze anos; e, em tudo, o que mais me impressionava era a morte de um menino, mais ou menos de minha idade, degolado por seu próprio Pai, por ordem de meu bisavô. Na hora do sacrifício, o inocente, chorando, reprochava docemente o degolador, dizendo, num queixume: "Meu Pai, você não dizia que me queria tanto bem?"

Fiquei, assim, apavorado e fulminado, por descender do sangue ferreiral--e-quadernesco, carregado com tantos crimes! Só depois, aos poucos, unindo aqui e ali uma ou outra ideia que Samuel, Clemente e outros me forneciam, é que fui entendendo melhor as coisas e descobrindo que podia, mesmo, transformar em motivo de honras, monarquias e cavalarias gloriosas, aquilo que meu Pai escondia como mancha e estigma do sangue real dos Quadernas. O Padre Daniel foi uma dessas pessoas: lá um dia provou ele, num sermão que causou espanto, que todos os homens, e não somente os Judeus, eram os assassinos do Cristo. Ao ouvi-lo, passei a refletir assim: "Se isso é verdade, então todas as outras pessoas, e não somente os Quadernas, são responsáveis por aquelas mortes da Pedra do Reino!" E, com isso, comecei a me libertar do peso exclusivo de toda aquela carga de sangue. Outra pessoa foi o próprio João Melchíades Ferreira. Tempos depois, ele cantou para eu ouvir um "folheto" que escrevera, a *Vida, Paixão e Morte — Sorte, Símbolo e Sinais — de Nosso Senhor Jesus Cristo*. Nesse folheto, João Melchíades, que ouvira o sermão do Padre Daniel, dizia lá, a certa altura:

> *"O Sangue que saiu dele*
> *selou o nosso Destino.*
> *Nós todos matamos Cristo:*
> *somos todos assassinos!*
> *Nós todos matamos Deus:*
> *por isso somos divinos!"*

Não pude deixar de refletir de novo, dizendo-me que, se o fato de matar Deus tinha tornado os homens divinos, o de me originar de uma família de Reis, assassinos de Reis, era a maior prova da minha realeza.

Além desses testemunhos, porém, o Doutor Samuel Wandernes me disse um dia que eu, além do sangue cigano-árabe e godo-flamengo, tenho, ainda, umas gotas de sangue judaico, herdadas de minha Mãe, Maria Sulpícia Garcia-Barretto. Depois daí, entendi: de qualquer modo eu estaria incluído entre os criminosos mais ilustres do mundo — aqueles que, por terem tido a coragem de matar Deus, tinham propiciado a todos os homens a possibilidade de ascender e se igualar ao Divino. Quanto ao Professor Clemente, provou-me ele, um dia, com exemplos tirados da *História da Civilização*, de Oliveira Lima, que todas as famílias reais do mundo são compostas de criminosos, ladrões de cavalo e assassinos, de modo que a minha não era, absolutamente, uma exceção. Depois daí, mesmo quando minha imaginação pegava fogo e eu evocava, sem querer, a degola de todas aquelas crianças, minha razão vinha em socorro da consciência, e eu opunha, ao que via, aquela outra degola dos inocentes, acontecida no Sertão da Judeia, no tempo em que Cristo era menino. Dizia-me que, apesar de ter sido o mandante daquela matança, Herodes passara à História com o nome glorioso de El-Rei Herodes I,

O Grande. E então já não me sentia mais desonrado, e sim orgulhoso, por ser bisneto de El-Rei Dom João II, O Execrável.

Mas para não me alongar muito, passo a contar logo a gloriosa e sangrenta ascensão dos Quadernas ao trono da Pedra do Reino do Sertão do Brasil.

Folheto V
Primeira Notícia dos Quadernas e da Pedra do Reino

A Pedra do Reino situa-se numa serra áspera e pedregosa do Sertão do Pajeú, fronteira da Paraíba com Pernambuco; serra que, depois dos terríveis acontecimentos de 18 de Maio de 1838, passou a ser conhecida como "Serra do Reino". Dela descem águas que, através dos rios Pajeú, Piancó e Piranhas, são ligadas a três dos sete Rios sagrados e três dos sete Reinos do meu Império. Hoje, a Serra está menos áspera e impenetrável do que no tempo do meu bisavô Dom João Ferreira-Quaderna. Ainda assim, permanece de acesso difícil e penoso. É coberta de espinheiros entrançados de unhas-de-gato, malícia, favela, alastrados, urtigas, mororós e marmeleiros. Catolezeiros e cactos espinhosos completam a vegetação, e conta-se que o sangue que embebeu a terra e as pedras, durante o reinado dos Quadernas, foi tanto que, na Sexta-feira da Paixão de cada ano, os catolezeiros começam a gemer, as pedras a refulgir no castanho e nas incrustações de prata ou malacacheta, e as Coroas-de-Frade começam a minar sangue, vermelho e vivo como se tivesse sido há pouco derramado. Não é isso, porém, o elemento mais importante, ali, como fundamento de glória e sangue da minha realeza: são as duas enormes Pedras castanhas a que já me referi, meio cilíndricas, meio retangulares, altas, compridas, estreitas, paralelas e mais ou menos iguais, que, saindo da terra para o céu esbraseado, numa altura de mais de vinte metros, formam as torres do meu Castelo, da Catedral encantada que os Reis meus antepassados revelaram como pedras-angulares do nosso Império do Brasil. O genial Acadêmico sertanejo Antônio Ático de Souza Leite, nascido ali por perto, fala delas assim, na Crônica-epopeica intitulada *Memória sobre a Pedra Bonita, ou Reino Encantado, na Comarca de Vila-Bela, Província de Pernambuco*, escrita em 1874 e apresentada em memorável sessão do "Instituto Arqueológico de Pernambuco": "A Pedra Bonita, ou Pedra do Reino, como lhe chamam hoje, são duas pirâmides imensas de pedra maciça, de cor férrea e de forma meio quadrangular, que, surgindo do seio da terra defronte uma da outra, elevam-se sempre à mesma distância, guardando grande semelhança com as torres de uma vasta Matriz, a uma altura de 150 palmos (ou seja, 33 metros). A que fica para o lado do Nascente, em consequência de uma espécie de chuvisco prateado de que está coberta, de meia altura para cima, e que parece infiltração de malacacheta, adquiriu o nome de Pedra Bonita, em completo prejuízo da companheira. Ao Poente, e logo na extremidade da segunda pirâmide, ou Torre, há uma pequena sala meio subterrânea, a que chamavam Santuário, não só por ser o lugar onde primeiro entravam os noivos, depois de casados pelo falso Sacerdote da seita, o intitulado Frei Simão, como porque era ali que o Vaticinador, o execrável Rei João Ferreira-Quaderna, afirmava, em suas práticas, que ressuscitariam gloriosamente, com El-Rei Dom Sebastião, todas as vítimas que lhe fossem oferecidas. Ao Sul desta sala, porém próximas dela, elevam-se várias pedras grandes, sobrepostas umas às outras, as quais formam uma espécie de caramanchão abobadado. Este lugar tinha o nome de Trono, ou Púlpito, por ser dele que El-Rei Dom João Ferreira-Quaderna, inculcado Profeta, pregava a seus sectários. Cerca de 200 braças ao Norte das duas Torres, existe um Penedo colossal, cuja concavidade natural, na parte inferior, formava um grande esconderijo que, aumentado por uma profunda escavação que ali fizeram os Sebastianistas, adquiriu proporções para comportar o número de 200 pessoas. Este lugar é conhecido pelo nome de Casa-Santa, por ser ali que o perverso e execrável Rei João Ferreira-Quaderna recolhia e embriagava os seus associados, ministrando-lhes beberagens, todas as vezes que pretendia vítimas voluntárias para o Reino."

* * *

Este, nobres Senhores e belas Damas, foi um dos trechos de Crônica-epopeica que mais influência exerceram na minha formação político-literária. Foi ele que me convenceu, de uma vez por todas, que havia alguma coisa de sagrado, escondida e aprisionada nas grades de granito de tudo quanto é pedra sertaneja por aí afora. Foi ele que tornou para sempre sagradas em meu sangue as palavras *torre, pedra, prata, chuvisco prateado, Profeta, trono, sebastianismo, penedo, pedras de cor férrea, brilho de malacacheta, Catedral, Reino* e *Vaticinador*.

Ocorre, ainda, que eu tinha lido, no jornal do Governo da Paraíba, *A União*, um artigo, publicado em 1924, pelo extraordinário Adhemar Vidal, escritor paraibano tão importante que chegou, até, a ser Delegado de Polícia. Nesse artigo, contava ele uma viagem que tinha feito pelo Sertão, e dizia que as pedras e lajedos do nosso sagrado Cariri encontram-se, às vezes, em aglomerados que parecem Fortalezas ou Castelos arruinados. A partir daí, toda vez que eu me lembrava dos dois rochedos gêmeos da Pedra do Reino, era como se eles fossem, além da Catedral Soterranha que os Reis, meus antepassados, tinham revelado, a Fortaleza e o Castelo onde se fundamenta a realeza do nosso sangue.

Em 1838, o Padre Francisco José Corrêa de Albuquerque fez um desenho representando as duas Pedras Encantadas do nosso Reino, desenho que Pereira da Costa e Souza Leite publicaram. Levei meu irmão Taparica à nossa Biblioteca e pedi-lhe que copiasse a estampa do Padre, cortando-a, depois, na madeira, para ser impressa num "folheto" que eu pensava publicar, tendo como assunto o nosso Reino. Taparica, a princípio, fez cara feia. Dizia que, no desenho do Padre, tudo era miúdo demais, e que, daquele jeito, dava muito trabalho para cortar. Retruquei que ele podia modificar o desenho a seu modo. Então concordou, e fez a gravura que vai anexada, também, aos Autos desta Apelação, para proporcionar a Vossas Excelências todos os elementos necessários ao estudo da questão.

Gravura de Taparica, baseada no desenho do Padre e representando as Pedras do Reino. Vê-se, à direita, com cetro e manto, meu bisavô Dom João Ferreira-Quaderna, o Execrável, e, à esquerda, minha bisavó, a Princesa Isabel, sendo degolada. Embaixo da pedra, o recém-nascido que ela pariu nos estremeços da morte e que, depois, foi meu avô, Dom Pedro Alexandre.

Folheto VI
O Primeiro Império

Como se vê por essa simples amostra, os acontecimentos da Pedra do Reino foram suficientemente astrosos e fatídicos para marcar para sempre meu sangue de realeza. De fato, porém, nossa régia história começa antes, noutra Pedra sagrada, a "Serra do Rodeador", onde, em 1819, aparecem três Infantes sertanejos. O primeiro, Dom Silvestre José dos Santos, que morreu sem descendência, foi o primeiro varão de minha família a subir ao trono, com o nome de Dom Silvestre I, O Rei do Rodeador. O segundo era seu irmão, Dom Gonçalo José Vieira dos Santos. O terceiro foi meu trisavô, Dom José Maria Ferreira-Quaderna, primo-legítimo e cunhado dos outros dois, por ter se casado com a irmã deles, a Infanta Dona Maria Vieira dos Santos, em cujo ventre seria gerado meu bisavô, Dom João Ferreira-Quaderna, O Execrável.

    O reinado de Dom Silvestre I, no Rodeador, foi curto, mas já tinha todas as características tradicionais da nossa Dinastia. Seu trono era uma Pedra sertaneja, Catedral, Fortaleza e Castelo. Dali, ele pregava a ressurreição daquele Rei antigo, sangrento, casto e sem mancha, que foi Dom Sebastião, O Desejado. Pregava também a Revolução, com a degola dos poderosos e a instauração de novo Reino, com o Povo no poder. O consagrado Acadêmico pernambucano, Doutor Pereira da Costa, fez sua Crônica, que não transcrevo por economia retórica. Limito-me a informar que, temerosos os proprietários das redondezas pela propagação de Reino tão revolucionário, fizeram apelo ao Governador Luís do Rego, que mandou para lá uma tropa, comandada pelo Marechal Luís Antônio Salazar Moscoso. Incendiaram o Arraial, morrendo nas chamas mulheres e crianças, enquanto os homens que escaparam ao incêndio e à fuzilaria foram passados a fio de espada.

    A Crônica-epopeica de Pereira da Costa aumentou danadamente o número de minhas palavras sagradas, com *séquito, ressurreição, El-Rei, tesouro, templo, revelação, quimeras, prodígios, encantamentos, encantação, desencantação, joia, agraciado, confrade, penitente, abóbada, liturgia, desafio, armas, beberagem, gado, fogo, arraial, carnificina, assalto, povoação, chamas, espadas* e *fuzilarias*. Toda vez que eu evocava esse primeiro reinado, o Primeiro Império da minha família, via todo aquele sangue derramado no Rodeador pingando sobre uma Coroa de Prata. Via as espadas luzindo por entre chamas gloriosas, ao pipocar da fuzilaria. Via meus parentes, rangendo os dentes e escumando de raiva sagrada, lutando na defesa do Arraial incendiado, por entre fogaréus, quimeras, prodígios e revelações.

Era assim que, aos poucos, o Trono da minha família ia empeçonhando e glorificando meu sangue, até que eu chegasse a ser "o prodígio e encantamento" que sou hoje; e foi por isso que, quando o Rapaz-do-Cavalo-Branco reapareceu miraculosamente entre nós, meu sangue estava preparado e eu ousei me meter, apesar de toda a minha covardia, em sua terrível Desaventura.

Outra coisa importante é que, como diz Pereira da Costa, a tradição da minha família é sempre a fundação de um Reino junto a uma Pedra, dentro da qual, prisioneiro e encantado, está El-Rei Dom Sebastião, O Desejado. No Reino, domina um Catolicismo meio-maçônico e sertanejo, baseado no qual nossa família começa a assaltar os gados, as terras, as fazendas, as pastagens e os dinheiros dos proprietários ricos, para distribuí-los com os súditos pobres e fiéis do Reino, juntamente com Cartas-patentes e Cartas-de-brasão. Tudo isso ia sendo pacientemente estudado e entendido por mim que, à medida que me punha adulto, ia guardando tudo isso em meu coração, para quando se completasse, de 1935 a 1938, o Século da Pedra do Reino, abrindo-se caminho para que um Ferreira-Quaderna se sentasse novamente no Trono do Sertão do Brasil.

Folheto VII
O Segundo Império

O Primeiro Reinado de minha família terminou, portanto, com a queda gloriosa e fatídica da Pedra do Rodeador, por entre chamas, com o Rei Dom Silvestre I degolado a fio de espada.

Seu irmão, sua irmã e o marido desta, porém, escaparam à chacina. Vendo o perigo que corriam se ficassem por ali, emigraram para o Sertão do Pajeú, fixando-se em terras daquela que seria, depois, a Serra do Reino. Era um decreto da Providência Divina, que desejava fixar os Ferreira-Quadernas exatamente na fronteira das duas Províncias mais sagradas do Império do Brasil, a Paraíba e Pernambuco, às quais somente o Rio Grande do Norte pode ser ajuntado em absoluto pé de igualdade. Delineavam-se assim, aos poucos, as fronteiras do nosso Império da Pedra do Reino, cortado pelos sete Rios sagrados e integrado por seus sete Reinos tributários.

Chegaram, pois, aqueles Príncipes, errantes, retirantes e mal-andantes, pelas estradas e descaminhos do Sertão, até a Serra Talhada, onde, ocultando a linhagem principesca de seu sangue, acolheram-se à proteção daquela simples família de Barões sertanejos, os poderosos e façanhudos Pereiras — família que, em nosso tempo, daria aquele magnífico Luís do Triângulo, Condestável do Reino de Princesa e chefe da tropa do Rapaz-do-Cavalo-Branco.

Pouco iria durar, porém, a tranquilidade plebeia que meus antepassados afetavam na Vila Bela da Serra Talhada, porque vocação de Rei é mesmo que o Diabo para tentar o sangue da minha família! Lá um dia, o Infante Dom João Antônio Vieira dos Santos, filho de Dom Gonçalo José, sabendo a gloriosa história vivida por seu tio, El-Rei Dom Silvestre I, inflamou-se também da sagrada ambição do Trono e do dom escumante da Profecia; e, proclamando-se Rei, iniciou o Segundo Império, com nova pregação do Reino-Encantado e subindo ao trono com o nome de Dom João I, O Precursor. Conta, lá, o genial Antônio Áttico de Souza Leite: "Tempestuoso e medonho, corria o ano de 1835. A comarca de Flores, retalhada por partidos, era teatro de constantes desordens e conflitos. Daí para os começos de 1836, um mameluco de nome João Antônio dos Santos, morador no termo de Vila Bela da Serra Talhada, munido de duas pedrinhas mais ou menos formosas que ele mostrava misteriosamente, dizia aos incautos habitantes daquele lugar serem elas dois brilhantes finíssimos, tirados por ele próprio de uma Mina encantada que lhe fora revelada. Inspirado num velho 'folheto', do qual nunca se apartava, e que encerrava um desses contos ou lendas, que andavam muito em voga, acerca do misterioso desaparecimento de El-Rei Dom Sebastião, na Batalha de Alcácer-Quibir, em África, e de sua esperada e quase infalível ressurreição, tratou de propalar pela população daquele e dos vizinhos distritos, que estava sendo conduzido todos os dias, por El-Rei Dom Sebastião, a um sítio pouco distante do lugar de sua residência, no qual mostrava-lhe El-Rei, além de uma Lagoa encantada, de cujas margens extraíra ele aqueles e outros brilhantes, duas belíssimas Torres, de um Templo já meio visível, que seria, por certo, a Catedral do Reino, na época pouco distante da sua Restauração. Assim discorrendo, e nunca se esquecendo de mostrar, entre outros, um tópico do 'folheto' em que o Visionário escritor, improvisado em Profeta, ensinava que *quando João se casasse com Maria, aquele Reino se desencantaria*, conseguiu ele, graças à ignorância da população e à bem conhecida tendência que o espírito humano tem para abraçar o maravilhoso e o fantástico, não só realizar o seu casamento com uma interessante rapariga de nome Maria — que sempre, até ali, lhe fora negada — como obter, *por empréstimo*, de muitos Fazendeiros do lugar, bois, cavalos e dinheiro, em porção não pequena, com a *onerosa condição* de restituir tudo em muitos dobros, logo que se operasse o pretenso desencantamento do misterioso Reino. Desde o começo de sua prédica, auxiliavam-no seu próprio Pai, Gonçalo José Vieira dos Santos, seu irmão Pedro Antônio, seus tios e parentes José Joaquim Vieira, Manuel Vieira, José Vieira, Carlos Vieira, José-Maria Ferreira-Quaderna e João Pilé Vieira Gomes, os quais, constituindo, por assim dizer, o seu Apostolado, iam dar testemunho das suas riquezas e fazer repercutir os seus engenhosos embustes no meio das populações ignorantes do Piancó, do Cariri, Riacho do Navio e margens do Rio São Francisco. Seus esforços e os dos seus mais ardentes sectários iam engrossando gradualmente a seita com multiplicadas conquistas feitas nas últimas camadas da sociedade. Essas e outras considerações moveram o Padre Antônio

Gonçalves de Lima a reclamar a presença do missionário Padre Francisco José Corrêa de Albuquerque naquele distrito. O incansável apóstolo, apesar de sua idade setuagenária e falta de saúde, não se fez esperar. Instruído de tudo quanto havia, seguiu para a Fazenda 'Cachoeira', pertencente ao Capitão Simplício Pereira, onde, felizmente, compareceu o impostor, ainda durante as Missões, perante o admirável Levita. Depois de entregar-lhe as duas pedras — que estavam longe de ser brilhantes — e de publicamente confessar os seus embustes, prometeu-lhe retirar-se do lugar, o que pôs logo em execução, procurando os lados do Rio do Peixe, Sertão da Paraíba, e passando dali aos do Sertão dos Inhamuns, no Ceará."

Folheto VIII
O Terceiro Império

Como se vê, a tradição do nosso Reino continuava. E teria ido logo muito longe, se não fosse a intervenção indébita desse Padre, que convenceu meu tio-bisavô, Dom João I, a abdicar; o que mostra como o Catolicismo puramente romano, ortodoxo e oficial, é funesto para a sagrada Coroa do Sertão. Foi por ter ido nessa conversa que meu tio Dom João I perdeu esse nome, tão régio e glorioso, recebendo outro, apenas ducal — o de Dom João Antônio, Prior do Crato (por ter ido morar nas imediações do Crato, Sertão do Ceará). Mas essas coisas de Monarquia são tão imprevisíveis, que aquilo que parecia um acontecimento funesto para a nossa Casa era apenas um desígnio secreto da Providência Divina, que desejava instaurar, no Sertão, o Terceiro Império, aquele que viria a ser, verdadeiramente, o núcleo-encantado de fogo e sangue da realeza dos Quadernas.

Acontece que meu bisavô, o Infante Dom João Ferreira-Quaderna, tinha seduzido e raptado, de uma vez só, suas duas primas, a Infanta Josefa e a Princesa Isabel, irmãs do Rei Dom João I, que abdicara. Meu bisavô era meio tarado, bastando dizer que, depois, quando já tinha sido coroado Rei, instituiu, na Pedra do Reino, um ritual Católico-sertanejo, segundo o qual ele, Rei, era quem primeiro possuía as noivas, no dia do casamento, o que fazia, segundo explicava, "para inoculá-las com o Espírito Santo". Parece que ele só conseguia ser macho praticando, ao mesmo tempo, um sacrilégio e uma crueldade — mas, então, depois de assim despertada pelo sangue e pela maldade, não havia quem contivesse mais sua potência. Pois bem: como o Catolicismo-sertanejo da Pedra do Reino permitia a poligamia, Dom João Ferreira-Quaderna, O Execrável, chegou a ter o número sagrado de sete mulheres, entre as quais as importantes, mesmo, eram as duas Princesas irmãs, Josefa e Isabel, por serem de sangue real.

Ora, depois de seduzir as duas Infantas, meu bisavô viajara com elas para o Sertão da Paraíba, ainda no reinado de Dom João I. Aí, nas bandas de Catolé do Rocha, foi encontrá-lo, depois de sua abdicação, seu cunhado e primo, o agora Prior do Crato, Dom João Antônio, irmão das moças, o qual lhe contou todas as grandezas e cavalarias, quimeras e encantamentos, que realizara no Pajeú. Disse-lhe que, apesar de ter abdicado, deixara lá, bem plantados, os alicerces e fundamentos da Pedra do Reino do Sertão, com a Lagoa encantada dos diamantes, as minas de prata e as duas torres do Castelo, Catedral e Fortaleza da nossa Raça. Consta mesmo que ele teria dito ao cunhado: "João! A Pedra do Reino será o fundamento do Império do Brasil! Se assim for, põe a Coroa sobre a tua cabeça, antes que outro Aventureiro lance mão dela!" E então, ali mesmo, com os direitos proféticos de Prior, que tinha, sagrou, como novo Rei, seu cunhado e bisavô meu; o qual, com o nome de Dom João II, tomou suas mulheres, regressou ao Pajeú, assumiu o Trono e iniciou o Terceiro Império.

Sobre tudo isso, existe um papel do Governo, coisa oficial e portanto indiscutível. É uma carta-relatório, dirigida a Francisco do Rego Barros, Conde da Boa Vista, Governador, no tempo do Império, da Província de Pernambuco. Foi escrita pelo Prefeito de Flores, o Fidalgo sertanejo Francisco Barbosa Nogueira Paes, e registrada na Secretaria do Governo de Pernambuco, o que prova que até o falso e estrangeirado Império dos Braganças reconheceu oficialmente, através de seu Condezinho de merda, a realidade do Império da Pedra do Reino do Brasil. Nesse documento fica provado que meu bisavô, coroado Rei, foi quem teve, realmente, a ideia sagrada e gloriosa de banhar as torres do nosso Castelo de Pedra com o sangue dos inocentes. É por isso que o Terceiro Império é que realmente selou o sangue dos Quadernas com o estigma indelével da realeza. Apesar de oficial, porém, e de ter instilado em mim a peçonha do "campo encantado e sagrado, banhado de sangue", a carta-relatório omite uma porção de fatos importantes ligados à política dos Quadernas. Não explica, por exemplo, que o exército d'El-Rei Dom Sebastião viria era para destruir os poderosos. Nem relata que, além das pessoas, meu bisavô mandava também degolar cachorros que, no dia da Ressurreição, deveriam voltar, transformados em dragões, para devorar todos os proprietários, repartindo-se então as terras dos finados com os pobres. Por isso, Pereira da Costa, depois de confirmar que o Rei tinha sete mulheres, diz que, "além do fanatismo religioso", transparecia também, "entre esses Visionários, um como que pensamento socialista".

* * *

O Terceiro Império durou de 1836 a 1838. Infelizmente, porém, como sempre acontece nesses casos de Monarquia trágico-epopeica, a traição emboscava o Sagrado Império da Pedra do Reino, o que aconteceu como passo a narrar.

Ocorre que, atraindo o Reino sempre novos adeptos, alguns primos nossos, da família Vieira, convidaram para que nele entrasse um nosso parente, o Conde Dom José Vieira Gomes, homem falso, traiçoeiro, lacaio, fatídico e astroso, que terminaria renegado. Era Vaqueiro do Comandante Manuel Pereira, Fidalgo rico e poderoso, pai do Barão do Pajeú. A família Pereira, a mais poderosa entre os Barões sertanejos daquela zona, era uma das mais atingidas pela pregação revolucionária da Pedra do Reino. Por isso, a traição do Conde foi, para eles, uma bênção do céu. O traidor, levado para a Serra do Reino, viu tudo e se aproveitou de tudo, durante vários dias. Inclusive, bebeu o Vinho encantado e sagrado, cuja receita integral só os Príncipes de sangue da nossa Casa conhecem. Assim, divinamente embriagado, *viu* os tesouros de prata e diamante do Reino e possuiu não sei quantas mulheres que meu bisavô generosamente lhe cedeu. Pois bem: apesar de todos esses privilégios, aquele judas, aquele caim, foi delatar as atividades e o caminho de acesso do nosso Reino aos herodes e caifazes da família Pereira.

Foi em Maio de 1838 que se deu o "instante de fulminação" do Império da Pedra do Reino. Naquele mês, meu bisavô teve a gloriosa coragem de iniciar o grande banho-de-sangue, que deveria depois se estender numa verdadeira guerra sertaneja, a "Guerra do Reino", com a degola geral dos proprietários, indispensável, segundo Samuel e Clemente, a toda Revolução que se preza. Como a justiça, para ser boa, começa de casa, era porém entre os próprios súditos do Reino que deveria se iniciar a matança: os que se apresentassem voluntariamente para a degola, ressuscitariam daí a três dias como "Grandes do Império", belos, poderosos, eternamente jovens e imortais.

O velho Infante, Dom José Maria Ferreira-Quaderna, meu trisavô e pai do Rei, foi o primeiro a dar o exemplo, sendo degolado, e banhando-se as pedras com o sangue dele. Seguiram-se outras mortes, a princípio voluntárias, depois não, porque isso de ser degolado, mesmo com ressurreição garantida, é incômodo como o diabo. Aí o Rei, impacientando-se, escolheu alguns carrascos, principalmente entre nossos primos Vieiras, e mandou que pegassem, à força, as vítimas que, tendo sido escolhidas, se recusassem à degola.

De um jeito ou de outro, a matança foi grande, "e o sangue foi até a junta grossa", como dizia o Regente Dom Antônio Conselheiro, em Canudos. Ora, em tais momentos, aparecem sempre os gritos, os pedidos de compaixão, as preces e as lágrimas dos escolhidos para a Morte. Pois foi sob o pretexto de compaixão, que o refalsado Conde, Dom José Vieira Gomes, aproveitando os gritos desesperados das vítimas e a confusão causada pelas degolações, fugiu por uma vereda perdida, entre cactos e unhas-de-gato, indo chamar as tropas dos Barões do Pajeú, os Pereiras, que aniquilaram o Sagrado Império da Pedra do Reino. Conta o nosso Cronista-Mor, Antônio Áttico de Souza Leite: "Eram mais ou menos dez horas da manhã, do dia 17 de Maio de 1838. Sentado com seus irmãos Cipriano e Alexandre Pereira na frente de sua fazenda 'Belém', situada cinco léguas ao poente da Serra Talhada, o Comandante Manuel Pereira praticava com eles a respeito do abandono em que estavam os gados de sua fazenda 'Caiçara', depois da inesperada ausência de seu Vaqueiro, José Vieira Gomes. De repente, aproxima-se e ajoelha-se diante deles um indivíduo imundo, andrajoso, desfigurado e assustado. Era José Vieira Gomes, o vaqueiro que há mais de vinte dias desaparecera, e agora prorrompia em suplicantes vozes: 'Valha-me, meu Amo, e perdoe-me pelo amor de Deus! Faz mais de vinte dias que meu tio José Joaquim Vieira veio iludir-me na fazenda de Vossa Senhoria! Conduziu-me para a Serra Formosa, para ver muitas coisas bonitas e ajudá-lo na defesa dos tesouros e do Reino descoberto por João Antônio dos Santos, os quais contou-me que já tinham sido desencantados por outro Rei, muito sábio, João Ferreira-Quaderna, mandado por ele da Paraíba. Não sou ambicioso, mas fui ver se isso era verdade. Chegando lá, em verdade encontrei muita gente ao pé da Pedra Bonita, e o Rei, com uma grande Coroa na cabeça, trepado numa ponta de pedra, pregando, cantando e saltando, muito alegre. Quando ele findou a sua prática, o Povo deu muitos *vivas* a El-Rei Dom Sebastião, e meu primo Manuel Vieira, a quem chamam agora Frei Simão e que estava lá, com o Pai, a família e os irmãos, foi fazer dois casamentos, de umas moças do Piancó, entregando-as, em seguida, ao Rei, para *dispensá-las* (consistia esta dispensa em passar a noiva ao poder do Rei, que a restituía no outro dia, completamente *dispensada*). Isto feito, o Rei — a quem, em particular, também chamavam João Ferreira, e, às vezes, simplesmente Joca — deu o braço às duas noivas e seguimos todos, tocando, cantando e batendo palmas, para a Casa Santa, espécie de subterrâneo aberto por baixo de um penedo prodigioso. Ali, todos beberam um líquido, dado pelo Rei, ao qual chamavam Vinho Encantado, certa composição de jurema e manacá: tem a propriedade do álcool e do ópio, ao mesmo tempo. E fomos fumar em cachimbos, para *vermos* as riquezas. Iam-se assim passando os tempos, até que no dia 14 deste mês de Maio — oh que dia infeliz e horroroso! — o Rei, depois que deu muito vinho a todos, declarou que 'El-Rei Dom Sebastião estava muito desgostoso e triste com seu Povo'. 'E por quê?' — perguntaram os homens, muito aflitos, e as mulheres todas muito chorosas. 'Porque são incrédulos! Porque são fracos! Porque são falsos! E finalmente porque o perseguem, não regando o Campo Encantado e não lavando as duas torres da Catedral de seu Reino com o sangue necessário para quebrar de uma vez este cruel Encantamento!' — proferiu o Rei. Ah, meu Amo e meus Senhores! O que depois disso se seguiu é horrível! O velho José Maria Juca Ferreira-Quaderna, pai do Rei, foi o primeiro que correu, abraçando-se com as pedras e entregando o pescoço a Carlos Vieira, que o cortou cérceo, pois já lá estava para isso, com um facão afiado! As mulheres e os homens iam agarrando os filhos e vinham entregá-los a Carlos Vieira, a José Vieira e a outros, que lhes cortavam as gargantas ou quebravam-lhes as cabeças nas mesmas pedras, que assim untavam de sangue! Nessa ocasião, aproveitei-me da confusão e horror que havia e fugi sem ser visto; mas com tanto espanto e infelicidade, que andei mais de dois dias perdido!'"

* * *

Assim foi que o traidor fugiu da Pedra do Reino, andando extraviado e errante por ali, nos dias 15 e 16 de Maio de 1838. Só no dia 17 foi que encontrou a casa dos Pereiras, a quem, com a subserviência de todo traidor de alma de lacaio, ajoelhado numa zumbaia indigna de um Príncipe de sangue, tratava por "Meus Amos e meus Senhores!". Ali, na fazenda "Belém", tendo delatado o Reino e se oferecido para levar os Pereiras até lá, como guia, encontrou acolhida e ajuda, começando todos juntos a preparar a repressão.

Enquanto isso, ignorando ainda a traição do renegado, continuavam os nossos a promover, na Pedra do Reino, o grande evento da Restauração. Meu bisavô teria, talvez, suspendido antes as matanças: ocorre, porém, que, excitado por elas, seu desejo sexual exacerbou-se. Mandou trazer sua mulher, a Princesa

Isabel, querendo possuí-la na frente de todos, enquanto o sangue dos degolados corria. Ela, porém, estava grávida de nove meses, pronta, já, para parir, e recusou-se. Então Dom João II, O Execrável, pegou a irmã dela, a Rainha Josefa, e, enquanto se preparava para possuí-la, mandou que lhe dessem dezessete facadas, o que foi feito durante a posse, alcançando ele, segundo dizia, um gozo como nunca tinha experimentado. Souza Leite, mais discreto, recusa-se a contar tudo com todos os pormenores. Mesmo assim, suas palavras são suficientemente fortes, para dar ideia daquela cena régia e sangrenta. Diz ele: "Os sacrifícios continuaram nos seguintes dias, 15 e 16 de Maio de 1838, com o mesmo, senão maior desvairamento, porquanto o monstruoso e execrável João Ferreira-Quaderna conseguira mergulhar aquela turba numa espécie de delírio ou embriaguez continuada. No auge supremo desta embriaguez, um pardo de nome João Pilé Vieira Gomes, para obter o melhor quinhão do Reino, subiu ao cume de um rochedo próximo e precipitou-se, com dois netos nos braços. Em seguida, José Vieira pega um filho de dez anos, coloca-o na Pedra dos Sacrifícios e decepa-lhe o braço do primeiro golpe. A vítima, ajoelhando-se, bradava-lhe, de mãos postas: 'Meu Pai, você não dizia que me queria tanto bem?' Uma viúva, de nome Francisca, alimentando a louca pretensão de ser Rainha, imola, por si mesma, seus dois filhos mais novos. Isabel, irmã de Pedro Antônio e do primeiro Rei, João Antônio, grávida do *monstro*, é designada para o sacrifício pelo Execrável João Ferreira-Quaderna, que respondia às suas súplicas e alegações de gravidez gritando para Carlos Vieira e José Vieira: 'Imolai-a assim mesmo, para ela não sofrer duas dores, a do parto e a do encantamento!' Tão adiantado era o estado de gravidez desta infeliz que, momentos depois de ter recebido o golpe na garganta, a criança rolava pela rampa da Pedra e estendia-se no chão. Finalmente Josefa, irmã de Isabel, de Pedro Antônio e do primeiro Rei, João Antônio, conhecida como Rainha Josefa, por ter se casado também com o monstro João Ferreira-Quaderna, recebe setenta e tantas facadas. Desta forma, no fim do terceiro dia de matança, tinha o Execrável João Ferreira-Quaderna conseguido lavar as bases das duas Torres de granito e inundar os terrenos adjacentes com o sangue de trinta crianças, doze homens — entre os quais seu próprio Pai — e onze mulheres, cujos corpos, bem como os esqueletos de quatorze cães, iam sendo colocados ao pé das Pedras."

* * *

Tenho perfeita consciência da má vontade de Souza Leite para com minha família. Mas isso é até bom, porque, assim, tudo o que ele diz a nosso favor é absolutamente insuspeito. Ora, o ilustre Acadêmico, com toda a sua aversão, não ocultou um fato fundamental para as monarquias e outras glórias quadernescas: meu bisavô foi visto, mesmo, na Pedra do Reino, trazendo à cabeça a sagrada Coroa de couro e prata que é a verdadeira Coroa do Brasil e que é a mesma que ainda hoje eu possuo!

Infelizmente, porém, um dia tão bem começado como aquele 17 de Maio de 1838 seria o último de matança e do nosso Terceiro Império: porque na manhã desse dia, meu outro tio-bisavô, o Infante Dom Pedro Antônio, levantaria um motim contra Dom João II, O Execrável, sendo vitorioso e levando novamente ao trono o ramo Vieira-dos-Santos, no Quarto Império, que só iria durar até o dia seguinte. Conta Souza Leite: "Na manhã, porém, do dia 17 de Maio de 1838, quando o monstro se dispunha a preparar o Povo para novas matanças, Pedro Antônio, indignado pela morte de suas irmãs, a Rainha Josefa e a Princesa Isabel, e julgando-se talvez com melhor direito ao poder, por ser irmão do primeiro Rei, João Antônio, antecipou-se em subir ao Trono. Dali anunciou, em voz alta, que Dom Sebastião, cercado de sua Corte, lhe aparecera na noite antecedente e reclamava a presença do Rei João Ferreira-Quaderna, única vítima que faltava para operar-se o seu completo desencantamento. 'Viva El-Rei Dom Sebastião! Viva nosso irmão Pedro Antônio!' — tal foi o brado uníssono de todos os circunstantes. Poucas horas depois, Pedro Antônio era proclamado Rei, com o nome de Dom Pedro I, e o cadáver de seu antecessor, O-de-Execrável-Memória, era amarrado de pés e mãos em dois grossos troncos de árvore. As pessoas que estiveram no Reino são acordes em afirmar que se viram forçadas a quebrar a cabeça de João Ferreira-Quaderna, a extrair-lhe as entranhas e a atar seu cadáver, de pés e mãos, naquelas árvores, por causa dos berros, das roncarias e dos sinistros movimentos que ele, depois de morto, executava com a boca, o ventre e os braços. Por isso, e como já se não respirava ar puro no lugar, ordenou o novo Rei a transferência do acampamento para o pé de uns Umbuzeiros situados perto das Pedras e onde devia operar-se o aparecimento de El-Rei Dom Sebastião."

Folheto IX
O Quarto Império

Iniciava-se, portanto, o Quarto Império que, como já disse, durou somente um dia, mas teve a vantagem de revelar ao Brasil quem foi seu verdadeiro e real Dom Pedro I, o nosso, e não aquele Português debochado da Casa de Bragança, tão valorizado pelo nosso Promotor, o Doutor Samuel Wandernes. Chegamos, então, ao trecho mais epopeico, bandeiroso e cavalariano da história da Pedra do Reino. Digo isso porque é agora que aparecem os Cavaleiros sertanejos, comandados pelo Capitão-Mor Manuel Pereira, Senhor do Pajeú, todos galopando em cavalos, armados de espadas reluzentes e arcabuzes tauxiados de prata, na sua expedição punitiva contra os Reis castanhos e Profetas da Pedra do Reino. Fazendo pacientes pesquisas, descobri que, naquele dia, a Guarda de Honra do Comandante Manuel Pereira era composta de trinta e seis Cavaleiros, entre os quais se destacavam seus nove irmãos, Antônio, Simplício, João, Francisco, Vitorino, Joaquim, Sebastião, Cipriano e Alexandre. Isso mostra que ele era três vezes mais importante do que Carlos Magno, porque tinha três vezes Doze Pares de França. Era um inimigo implacável da minha Casa: mas ressalto essa grandeza dele por patriotismo sertanejo e para provar também, logo de entrada, a superioridade do Sertão sobre aquele Reinozinho besta, estrangeirado e mixuruca que é a França.

O Comandante Manuel Pereira passou a noite de 17 de Maio reunindo sua tropa de Cavaleiros, de modo que já se achava em marcha para a "Serra do Reino" quando "a aurora do dia 18 de Maio começava a derramar sua roseada luz sobre as águas prateadas do Riacho Belém", como diz Souza Leite em seu puro estilo epopeico. E ele continua, contando como a tropa, guiada pelo traidor, descobriu o melhor caminho de acesso, galgando a Serra, passando pelos espinheiros e cactos espinhosos e por fim cruzando um altíssimo capinzal: "No momento, porém, em que os Pereiras, com os Soldados que os seguiam, se aproximavam das capoeiras e se dirigiam para aqueles Umbuzeiros, acharam-se face a face com El-Rei Dom Pedro Antônio, o qual estava com uma grande Coroa na cabeça, acompanhado de um séquito numeroso de mulheres, meninos e de homens armados de facões e cacetes. 'Não os tememos! Acudam-nos as tropas do nosso Reino! Viva El-Rei Dom Sebastião!' — assim exclamou Pedro Antônio, agitando no ar a sua Coroa e arremessando-se furioso, com todos os seus, sobre aquele punhado de Cavaleiros. Foi horrível o que resultou do encontro das duas Forças: sobre o Campo do combate ficaram inúmeros cadáveres, sendo um o do Rei Pedro Antônio, com muitos dos seus sectários, e os de Cipriano e Alexandre Pereira. O Comandante Manuel Pereira seguiu pessoalmente com as mulheres e filhos dos criminosos ali apreendidos. Apenas chegou em sua fazenda 'Belém', enviou os presos ao Prefeito de Flores, Francisco Barbosa Nogueira Paes. Este soltou as mulheres, distribuiu as crianças e passou os delinquentes à disposição do Juiz Criminal. Uma dessas crianças é, hoje, 1874, o digno Tabelião da Vila de Flores, Joaquim José do Nascimento Wanderley, educado pelo Padre Manuel José do Nascimento Bruno Wanderley, de quem tomou o apelido. E, entre os delinquentes, contava-se Gonçalo José dos Santos, pai do primeiro Rei João Antônio, o qual, condenado pelo júri de Flores, acabou seus dias arrastando ferros no Presídio de Fernando de Noronha."

Folheto X
O Quinto Império

Foi esse o trágico fim do Quarto Império. E, apesar de sua hostilidade, o genial Souza Leite reconhece que a queda sangrenta da nossa Coroa foi "uma catástrofe, uma horripilante Tragédia que a História registrará": o que prova que nossa Casa Real não fica devendo nada às outras, em questões de prosápia e importância epopeica. Nossa Monarquia acaba, como todo Trono digno desse nome, com os campos e a Coroa banhados pelo sangue dos Reis.

Assim, resta-me somente mostrar como foi que a dupla linhagem real dos Vieira-dos-Santos e dos Quadernas terminou se fundindo numa só e unindo na minha pessoa todos os direitos à sagrada Coroa do Sertão. Como já contei, meu bisavô casou-se, ao mesmo tempo, com duas irmãs, as duas Infantas suas primas, isto é, a Rainha Josefa e a Princesa Isabel. Não teve filhos da primeira, mas a segunda engravidou dele. Vossas Excelências viram, na Crônica, que, no momento de ser degolada, a Princesa Isabel pariu um menino, que rolou de pedra abaixo, no chão. Pois foi através desse menino que continuou a estirpe real dos Quadernas.

O corpo da minha bisavó Isabel só foi encontrado na manhã do dia seguinte, por um Vaqueiro que, indo ali por curiosidade, para ver o campo da Batalha, ouviu um débil vagido por trás das pedras. Assombrado, aproximou-se do lugar de onde vinha o choro, e viu um quadro estarrecedor. No chão, estava o corpo jovem, desnudo e moreno de uma mulher degolada. Enroladas em suas coxas, havia duas Cobras-Corais, enormes, de um tamanho como nunca se viu nessa espécie. Lambendo e farejando o corpo, estavam duas Onças-Pintadas, que correram assim que o intruso apareceu. De cada lado do corpo, havia uma cabeça de mulher, ambas cortadas pelo pescoço. As cabeças eram parecidíssimas, com a mesma beleza e os mesmos cabelos negros e compridos. E como não consta, pelo menos em Crônica de historiador fidedigno, que minha bisavó tivesse duas cabeças, provavelmente uma delas era a de sua irmã, a Rainha Josefa, cujo corpo nunca foi encontrado.

O estranho, porém, é que o menino sobrevivera e estava ali, perto do corpo de sua jovem Mãe. Como teria o recém-nascido escapado, assim? Não se sabe, e eu, como membro ilustre do nosso "Instituto Genealógico e Histórico do Cariri", não avanço hipóteses, só digo o que posso provar. Mas vá ver que são mesmo corretas as versões, correntes aqui no Cariri, de que uma daquelas Onças era fêmea e teria amamentado o inocente naquele primeiro dia de vida, no que, aliás, teria somente seguido outros exemplos ilustres da História.

De qualquer modo, o importante é que o Vaqueiro se apiedou do menino e levou-o. Sabendo, depois, que o Comandante Pereira tinha distribuído os filhos dos outros finados, conduziu o inocente a Flores, entregando-o àquele mesmo Padre Manuel José do Nascimento Wanderley, que protegeu o outro, depois Tabelião.

Esse Padre Wanderley era homem bondoso, virtuoso e prudente. Sabendo que o novo protegido era filho do Rei João Ferreira-Quaderna, teve medo de que essa fama se espalhasse, atraindo sobre a cabeça do Principezinho as marcas de sangue da família. Ocorre que meu bisavô era mais conhecido somente pelo sobrenome de Ferreira, sendo assim que ele é tratado por todos os que escrevem sobre a Pedra do Reino: eu é que, por motivos de clareza, acrescentei sempre o de Quaderna, que aparece aqui. O Padre então, aproveitando isso, quando foi batizar o inocente, omitiu o Ferreira e manteve somente o Quaderna, que quase ninguém conhecia. Foi por isso que meu avô, o Principezinho escapo à matança, foi batizado com o nome de Pedro Alexandre Quaderna, e não de Pedro Alexandre Vieira-dos--Santos Ferreira-Quaderna, como teria acontecido em condições normais.

Quando o menino se tornou adulto, o virtuoso Padre Wanderley deu a ele, em casamento, uma filha natural sua, Bruna Wanderley, moça loura, conhecida no Sertão por sua beleza. E foi do casamento de Bruna com meu avô, Dom Pedro Alexandre (subido ao trono com o nome de Dom Pedro II), que nasceu Dom Pedro Justino Quaderna (ou Dom Pedro III), aquele que veio a ser meu Pai, por seu casamento com Dona Maria Sulpícia Garcia-Barretto, filha bastarda do Barão do Cariri e irmã de meu tio e Padrinho, Dom Pedro Sebastião Garcia--Barretto, degolado daquela maneira cruel e enigmática a que já me referi, no dia 24 de Agosto de 1930, dia em que o Diabo andou solto.

Folheto XI
A Aventura de Rosa e de La Condessa

Estão resumidos aí, portanto, alguns dos motivos que terminaram me fazendo considerar honrosa minha descendência quadernesca. Outro, também fundamental, foi a *Cantiga de La Condessa*, que me preparou, por sua vez, para receber duas terríveis influências em minha vida, a de minha Tia, Dona Filipa Quaderna, e a de meu Padrinho-de-crisma, o Cantador João Melchíades Ferreira.

Aliás, Vossas Excelências só poderiam entender a influência que teve sobre mim essa minha Tia Filipa, se conhecessem ambos, tia e sobrinho. Digo, hoje, depois de muito refletir a respeito disso, que, em menino, eu amava demais minha Mãe, a suave e bondosa Maria Sulpícia. Mas, admirar, mesmo, eu admirava era minha Tia Filipa, que, no dia em que estava azeitada, tomava umas quatro ou cinco *lapadas*, montava num cavalo brabo, atravessava a feira quebrando as louças de barro espalhadas no chão, e dava tapa até na cara dos valentes. Eu, que nascera e me criara admirando as caçadas, as cavalgadas, os tiroteios, as brigas de faca e outras cavalarias e heroísmos sertanejos, tinha a desgraça de ser mau cavaleiro, mau caçador e mau brigador. Talvez por isso, admirava minha Tia Filipa, em cuja pessoa, alta, magra e esgrouviada, parecia ter se reunido a maior parte da coragem da família Quaderna.

Ora, foi Tia Filipa quem me criou, depois da morte de minha Mãe, Maria Sulpícia. Sendo o mais moço dos filhos legítimos de meu Pai, eu era o predileto de minha Tia, e muitas das coragens que me vi obrigado a praticar na vida, eu as fiz com medo dela. Não podia eu permitir que Tia Filipa descobrisse um covarde em seu sobrinho predileto, um homem sem talento e sem sustança, um sujeito que não podia montar muito tempo a cavalo sem assar a bunda e sem inchar os dois joelhos de uma vez. Não podia consentir, também, que minha Tia terminasse amargamente sabedora de que ela própria, uma mulher, tinha mais coragem do que os homens da família, o que a teria matado de desgosto. Por isso, quando surgia uma questão qualquer em que, segundo os códigos particulares dela, estava empenhada "a honra dos Quadernas", lá ia eu, apavorado, a contragosto, procurando me fazer o mais parecido possível com a imagem que ela guardava de mim.

Pois bem: depois da morte de minha Mãe, Tia Filipa tornou-se caseira da "Casa-Forte da Onça Malhada", a fazenda do meu Padrinho, Dom Pedro Sebastião. Impressionavam-me a calma, a modéstia e a energia mansa que ela conseguia conciliar com a coragem viril e os assomos cavaleiros dos dias em que estava azeitada. Nesses dias de calma cotidiana, vestindo a saia comprida e o casaco com mangas que sempre usou, punha óculos de aro de ouro e, sentando-se à almofada, fazia rendas e rendas, cantando velhas cantigas e folhetos, que sabia de cor, às dúzias. Meu Padrinho tinha, por ela, a maior admiração. De modo que assim, fazendo renda e cantando suas cantigas, ela dirigia tudo, despoticamente: desde a criadagem até a educação, o catecismo e as diversões das filhas dos moradores e Vaqueiros. A estas, ensinava ela algumas de suas velhas cantigas de roda, reunindo-as à noite, no pátio lajeado da fazenda, para os cantos e as danças.

Eu, à medida que me punha taludo e me iniciava com as cabras de minha Tia — de um modo que contarei melhor, depois —, começava a deixar de lado as caçadas de baliera e badoque, e a me chegar mais, de noite, para a roda das mocinhas e meninas, antes desprezadas como indignas do interesse de um homem. De repente, dei para rondá-las toda noite, a fim de me aproveitar do contato de uma ou outra menina mais despachada, com os peitos já se arredondando e disposta a me acompanhar disfarçadamente para fora do pátio, para lugares mais escuros e cobertos de mato, mais propícios, portanto, à brincadeira e às alegrias. Quando éramos surpreendidos, eu levava uns cascudos e Tia Filipa sublinhava-os comentando:

— Menino safado! Menino malino! Vai ficar igualzinho ao Pai!

É que Tia Filipa não perdoava a meu Pai a vida desregrada que valeu a ele o apelido de "O Pai-d'Égua do Cariri", saído num jornal de Campina que fazia oposição a meu Padrinho, e que nos valeu a ruína, com a nossa terra dividida pelos bastardos.

* * *

Um dia, de noite, Tia Filipa ensinou às meninas uma cantiga de roda que, entre outras coisas, precisava de um menino-homem para tomar parte no diálogo cantado. Eu já estava um pouco grande, mas disputei ferozmente o lugar, sem me incomodar com as galhofas dirigidas contra mim pelos filhos de moradores meus companheiros, Lino Pedra-Verde, Severino Putrião, Marcolino Arapuá e outros vadios. É que eu andava de olho, há muitos dias, na filha de um Vaqueiro, Rosa, menina morena, de cabelos lisos, já moça e interessada demais no que ainda não sabia.

Tia Filipa consentiu que eu entrasse na roda. Explicou que eu ia fazer o papel de *Cavaleiro*. Elisa, uma menina, filha de Comadre Teresa, o de *La Condessa*. Elisa ficava de lá, com todas as meninas de mãos dadas, formando uma fila e de cara para mim. As meninas eram as filhas de La Condessa, a quem eu me dirigia, puxando o canto e dialogando com ela:

"*— La Condessa, La Condessa!*
— Que queres com La Condessa?
— Quero uma dessas Moças
para com ela casar!
— Eu não tiro as minhas filhas
do Mosteiro em que elas'tão,
nem por Ouro, nem por Prata,
nem por sangue de Aragão!
— Tão contente que eu vinha!
Tão triste que vou voltando!
— Volta, volta, Cavaleiro!
Vem e escolhe a que quiseres!
— Esta fede e esta cheira!
Esta, come o pão da feira!
Esta é a que eu queria
pra ser minha Companheira!"

Para que se entenda bem o estado de exaltação em que fiquei, brincando isso, devo acrescentar que fazia uma noite fria e enluarada, dessas noites sertanejas em que o céu come estrelas e nas quais o mato que cercava a "Onça Malhada" ficava o mais bonito e cheiroso do mundo. Tudo isto, juntamente com o desejo que eu sentia por Rosa, que foi minha escolhida, é claro, criou em mim uma exaltação que me jogou para o alto e para além de mim mesmo. O sonho e o sangue se misturavam num fogo só, incendiado pelo desejo, pela beleza da mocinha, pelos cantos, pela noite, pela lua e pelas estrelas. As palavras do canto marcavam-me mais ainda porque seu sentido era obscuro e estranho. Impressionado com o ouro, a prata, o mosteiro, o sangue, imediatamente tudo aquilo se tornava sagrado para mim, sacralizado pela luz da lua, que me parecia, ela também, uma bola de ouro, molhada pelo sangue-de-aragão que pingava da noite no mato, à poeira de prata de sua luz.

Então, vieram chamar Tia Filipa para resolver, lá dentro, um problema da casa. Saí do pátio e, cruzando o portão, cheguei até a orla do mato, que fiquei olhando, sonhando nem sei bem com quê. Logo, ouvia uns passos cautelosos e suaves atrás de mim: e antes mesmo de me voltar, eu já sabia que era Rosa.

Só depois, mais tarde, é que eu iria conhecer mulher, na noite memorável em que Arésio e eu fomos ao "Circo Estringuine", depois do espetáculo. Mas a primeira experiência de amor que senti com Rosa, naquela noite, foi muito mais importante. Ela deixou que eu a beijasse, o que fiz desajeitadamente, ignorantemente, afetuosamente, num beijo que apenas aflorou a pele macia e cheirosa dos lábios dela. Em compensação, beijei-lhe os cabelos, que tinham sido lavados mas estavam, já, enxutos e cheirosos, e, sentindo o cheiro capitoso que se desprendia de seu corpo, ergui instintivamente a mão e passei-a suavemente por seu busto, tocando nos dois seios.

Nesse momento, ouvi a voz de Tia Filipa que gritava por mim, no pátio. Disse a Rosa que desse a volta pelo muro, a fim de dar a impressão de que voltava de dentro da casa, e voltei sozinho pelo portão de entrada. Apesar de todas essas precauções, porém, Tia Filipa estava desconfiadíssima. Cheguei para perto dela, acariciei-a, lisonjeei sua vaidade elogiando uma gola de rendas que ela mesma tinha feito e estava usando. Ao mesmo tempo, a sensação de felicidade que eu experimentara prolongava-se de tal modo que parecia tornar o mundo melhor, em torno de mim. Eu estava ansioso para ir para a cama, a fim de sonhar melhor meu desejo e minha exaltação. Sentia porém, ainda, necessidade de esclarecer algumas coisas que me tinham intrigado e fascinado na *Cantiga de La Condessa*. Perguntei a Tia Filipa o que era uma Condessa e o que significava um Cavaleiro.

— Isso são coisas antigas, Dinis! — disse ela. — É melhor você perguntar a seu Pai, que é homem mais ilustre do que eu! Acho que uma Condessa é uma Princesa, filha de um Fazendeiro rico, de um Rei como Dom Pedro I ou Dom Sebastião!

— E um Cavaleiro? — insisti, depois de anotar, em meu sangue, aquela noção de *Princesa*, misturada para sempre, agora, ao cheiro e aos seios de Rosa.

— Um Cavaleiro — explicou Tia Filipa — é um homem que tem um cavalo e monta nele, para brigar de faca com os outros e casar com a filha do Rei!

Foi então por isso, nobres Senhores e belas Damas, que a *Cantiga de La Condessa* contribuiu danadamente para que eu me entusiasmasse quando, depois, soube a história da Pedra do Reino, com os Pereiras, Barões do Pajeú, montados a cavalo e comandando a tropa de Cavaleiros que iria acabar, a faca, com o Trono real dos Quadernas. Preparou-me, também, para entender o que, de fato, significava o Rapaz-do-Cavalo-Branco. É que, desde aquela noite com Rosa e a cantiga, toda vez que eu via um Vaqueiro montado a cavalo, com seu gibão, seu chapéu de couro e os arreios do cavalo enfeitados de estrelas de metal, eu fingia que aquele metal era prata e dizia para mim mesmo: "Lá vai um Cavaleiro montado em seu cavalo! Vai furtar Rosa, a filha mais bonita de La Condessa e do Rei Dom Pedro I, para levá-la para o mato, beijar seus cabelos cheirosos e acariciar-lhe os peitos, enquanto a bola de ouro da lua se molha no sangue-de-aragão que pinga da noite, em sua luz de moeda de prata!"

Folheto XII
O Reino da Poesia

Aí, à medida que eu ia crescendo, essas ideias iam cada vez mais se enraizando no meu sangue. Eu ouvia, decorava e cantava inúmeros "folhetos" e "romances" que me eram ensinados por Tia Filipa, por meu Padrinho-de-crisma João Melchíades Ferreira e pela velha Maria Galdina, uma velha meio despilotada do juízo, que nos frequentava.

João Melchíades era um Cantador conhecido em todo o Sertão. Para assinar seus folhetos, adotava o orgulhoso cognome de "O Cantador da Borborema", em homenagem à serra sagrada da Paraíba. Tinha sido Soldado na "Guerra dos Canudos", em 1897, lutando sob as ordens do então Tenente-Coronel Dantas Barretto. Depois, fizera parte das tropas que tinham ido ocupar o Acre, conquistado pelas tropas irregulares de nordestinos de Plácido de Castro. Fora, depois, reformado no posto de Cabo, voltando então para a Paraíba, terra sua, e acolhendo-se à proteção do homem poderoso do Cariri, meu Padrinho, Dom Pedro Sebastião. Este deu morada ao velho Cantador perto da casa da Fazenda, onde João Melchíades não tinha obrigações, vivendo do soldo de Cabo e da renda dos seus folhetos e *cantadas*. Logo ele se tornaria célebre, com um romance que escreveu sobre a "Guerra de Canudos" e também pelos inúmeros folhetos que escreveu contra os Protestantes, os *nova-seitas*, que já começavam a aparecer, no Sertão, "com seus evangelhos, cizânias e pregações proselitistas", como dizia, indignado, o nosso Padre Renato.

Já a velha Maria Galdina era conhecida por três apelidos: Sá Maria Galdina, Galdina Gato e Sá Maria do Badalo, pelo fato de ser da família Gato e de morar no "Badalo", uma região do nosso município onde só dá doido. Ela tinha horror a ouvir isso. Aparecia às vezes na "Onça Malhada", para vender ovos, coentro e galinhas. Tia Filipa comprava tudo, sem precisar. E como só a chamava respeitosamente de *Dona* Maria Galdina, não ligando para sua sandice, a velha era louca por ela. Braba com todo mundo, com Tia Filipa era um cordeiro. Nunca vinha à

"Onça Malhada" sem lhe trazer pequenos presentes, molhos de maxixe, ovos, e, mesmo, no tempo de inverno, uma ou duas braçadas de rosas do seu terreiro.

Ora, a amizade entre minha tia e a Velha do Badalo estreitou-se ainda mais quando elas descobriram que ambas gostavam dumas velhas cantigas que somente elas ainda sabiam. Depois daí, quando Sá Maria Galdina ia lá em casa, sentava-se no chão, perto da almofada onde Tia Filipa fazia renda, e começavam a cantar, uma ajudando a outra, uns romances esquisitos, ao mesmo tempo diferentes e parecidos com os do velho João Melchíades. Mas sabiam também romances e cantigas de Cangaceiros, tendo grande estima pelo *Abecê de Jesuíno Brilhante*. Ambas admiravam muito esse Cangaceiro, a quem consideravam "o mais corajoso e cavaleiro do Sertão, um Cangaceiro muito diferente desses Cangaceiros safados de hoje em dia, que não respeitam mais as famílias", como dizia a Velha do Badalo, com plena concordância de Tia Filipa.

Eu, o que mais admirava em Jesuíno Brilhante e nos outros Cangaceiros, era a coragem que todos eles tinham de enfrentar morte cruel e sangrenta. Impressionado pelas mortes dos Reis meus antepassados, no Pajeú, sentia-me, ao mesmo tempo, fascinado e apavorado com elas. Desejava imitá-los na grandeza real que tinham mantido na vida e na morte, mas sabia que não tinha coragem suficiente para isso. Eu ouvia aquele tropel de Cavaleiros e barões sertanejos, montados a cavalo, armados de bacamartes e espadas, seguindo para a Pedra do Reino. Ouvia o entrechoque dos ferros, na Batalha. Via as gargantas cortadas, com o sangue dos Reis e das Princesas esguichando e embebendo o ardente chão sertanejo. De modo que, quando lá um dia, Dona Maria Galdina e Tia Filipa cantaram um certo romance que conheciam e cujo assunto era, também, Jesuíno Brilhante, aquilo tudo de repente pegou fogo em minha cabeça. Lembro-me bem de que havia uma estrofe que dizia:

> *"Jesuíno já morreu!*
> *Morreu o Rei do Sertão!*
> *Morreu no campo da honra,*
> *não entregou-se à prisão,*
> *por causa de uma desfeita*
> *que fizeram a seu irmão!"*

Preparado pelos acontecimentos da Pedra do Reino, impressionado com as palavras *Rei* e *campo* (tanto fazia "campo da honra" como "campo encantado embebido de sangue"), eu começava a misturar Jesuíno Brilhante com meu bisavô, Dom João Ferreira-Quaderna. Aprendi, então, a solfa da "Cantiga de Jesuíno", e quando chegava nos versos que acabo de citar, substituía as palavras assim:

> *"Dom João Quaderna morreu,*
> *morreu o Rei do Sertão!*
> *Morreu no Campo Encantado,*
> *sofrendo a degolação!*
> *Pedro Antônio assassinou-o,*
> *subiu ao Trono do irmão!"*

* * *

Tudo isso, porém, era a princípio apenas uma raiz do sangue, uma peçonha confusa que fincava dentro de mim suas raízes profundas e inarrancáveis. Só depois é que tudo iria se aclarando e se espalhando diante dos meus olhos, graças, principalmente, às lições de meu Padrinho, João Melchíades Ferreira. É que ele, seguindo o exemplo de seu antigo Mestre, o grande Francisco Romano, da Vila do Teixeira, instalara na "Onça Malhada" uma Escola-de-Cantoria, onde procurava nos ensinar "a Arte, a memória e o estro da Poesia". Procurava, entre nós, os que ouviam com mais interesse seus romances e folhetos, verificava se "tinham vocação para a Arte", e então tornava-os discípulos seus. Terminou escolhendo quatro entre os melhores: eu, Marcolino Arapuá, Severino Putrião e Lino Pedra-Verde.

Começou ensinando-nos que havia dois tipos de romance: o "versado e rimado", ou *em poesia*; e o "desversado e desrimado", ou *em prosa*. Era, mesmo, um exercício que nos obrigava a fazer: pegar um romance desrimado qualquer e "versá-lo", contando em verso o que era contado em prosa. Lia para nós a *História de Carlos Magno e os Doze Pares de França*, um "romance desversado" que nos encantava pelo heroísmo de suas cavalarias, aquelas histórias de Coroas e batalhas, que eu, por causa da Pedra do Reino, *via* logo, com Princesas amorosas e desventuradas que, ou eram degoladas ou desonradas, mas disputadas sempre por Cavaleiros, em duelos mortais, travados a punhal, junto a enormes pedras e num Campo encantado, embebido de sangue inocente. Inúmeros Cantadores e Poetas sertanejos tinham, já, versado esse romance do Imperador Carlos Magno. Nós preferíamos as versões rimadas, não só porque eram mais fáceis de decorar, como porque a gente podia cantar os versos, acompanhando a solfa com o baião da Viola, coisa que João Melchíades também não se descuidou de nos ensinar. Uma dessas versões dizia:

> "Depois que o Rei Carlos Magno
> venceu a grande Campanha,
> fez a Igreja de Sant'Iago,
> padroeiro da Espanha,
> e a de Nossa Senhora,
> em Aquisgrã, na Alemanha.
>
> Tomou dezesseis Cidades,
> da Guerra saiu feliz!
> Deu muitas graças a Deus
> por conquistar um País:
> foi visitar a Alemanha,
> daí tornou a Paris.
>
> Acompanhado dos Pares
> Reinaldo de Montalvão,
> de Gui, Duque de Borgonha,
> de Oliveiros e Roldão,
> Guarim, Duque de Lorena,
> e do Conde Galalão;
>
> de Lamberto de Bruxelas,
> Frisa, Rei de Gardená,
> Tietri, Duque de Dardanha,
> Gerardo e Urgel Danoá,

>   de Bosim, Duque de Gênova,
>   homens-bons no guerrear;
>
>   e o Duque de Regnér,
>   mais Engelo de Almirante,
>   e Nemé da Baviera,
>   Hoel e Riol de Nantes,
>   Reinaldo e Anselmo Fiel,
>   mais Oton, Príncipe de Anglante.
>
>   Aí passou Carlos Magno
>   vinte anos em campanha.
>   Aquartelou os exércitos
>   d'Itália, França e Alemanha.
>   Mas lhe chega uma Embaixada:
>   novas guerras na Espanha!"

O que me impressionava, nisso, eram os nomes dos lugares e o fato de, na lista, os Doze Pares de França serem vinte. Um dia, perguntei a Tia Filipa onde eram todos aqueles lugares maravilhosos, chamados Lorena, Alemanha, Baviera, Gênova e Bruxelas. Ela respondeu:

— Não sei direito não, Dinis, mas deve ser longe como o diabo, ali por perto da Turquia, já quase na beira do mundo! Em Serra Talhada, existe uma família Lorena: portanto esses lugares devem ser pra lá do Sertão do Pajeú, de Serra Talhada pra cima, mais de sessenta léguas! Ou então, é pr'os lados do Piauí, entre a Turquia e a Alemanha! A guerra do Doutor Santa Cruz contra o Governo da Paraíba, parece que foi pr'aquelas bandas, em 1912: mas o que eu me admiro é que uns chamam ela de "A Guerra de Doze", e outros de "A Guerra de Catorze", e a gente fica sem saber quantos Reis se meteram nela, se foram doze ou catorze! Meteram-se nela um tal de Togo do Japão, o Caisalamão, Antônio Silvino, os Pereiras, Dom Sebastião, Carlos Magno, os Viriatos, esse pessoal guerreiro todo! Digo isso porque, naquele tempo, eu perguntei a seu Pai: "Justino, sabe me dizer se a Paraíba está metida nessa guerra que está havendo por aí?" Ele respondeu:

"Filipa, a Paraíba é do Brasil, e o Brasil está!" Aí, eu perguntei: "A favor ou contra a Alemanha?" Aí ele disse: "Contra o Caisalamão!" Eu perguntei, de novo: "Contra o quê?" Seu Pai disse: "Contra a Alemanha! O Caisalamão é o Rei da Alemanha!" Aí eu perguntei: "E se a Alemanha ganhar a guerra, você acha que vão tomar as terras do nosso Compadre Pedro Sebastião?" Justino respondeu: "Essa gente de Governo é tão ruim, que são capazes de tomar!" Eu, com raiva, falei: "Tá, é da vez que eu largo esse Brasil velho e vou me embora pr'o Ceará!"

* * *

O velho João Melchíades ensinou-nos, ainda, que, entre os romances versados, havia sete tipos principais: os romances de amor; os cangaceiros e cavalarianos; os de exemplo; os de espertezas, estradeirices e quengadas; os jornaleiros; os de profecia e assombração; e os de safadeza e putaria.

Um dia, ouvi Tia Filipa e a Velha do Badalo cantarem, juntas, uma daquelas cantigas que eu achava estranhas, mas parecidas com a *Cantiga de La Condessa*. As duas estavam sentadas no chão, fazendo renda, e enquanto Tia Filipa manejava os bilros, cantava em diálogo com Dona Maria Galdina:

SÁ GALDINA:

"Ai Valença! Guai Valença!
De fogo sejas queimada!
Antes fosses pelos Mouros
que pelos Cristãos tomada!
Ai Valença! Guai Valença!
Como estás bem assentada!
Antes que sejam três dias,
de Mouros serás cercada!"

TIA FILIPA:

"Vesti-vos, vós, minha Filha,
vesti-vos de Ouro e de Prata!
Detende-me aquele Mouro,
em palavra por palavra!

> *Que as palavras sejam poucas,*
> *mas sejam bem rematadas,*
> *e essas poucas que lhe derdes*
> *sejam de amores tocadas!"*

Aí, foi a vez de eu consultar meu padrinho João Melchíades sobre essas cantigas. Ele me explicou que aquilo eram "uns romances velhos, meio desmantelados e já um pouco fora de moda". Disse que as brigas entre os Cristãos e os Mouros, de que a cantiga falava, eram aquelas que eu via, todo ano, entre Natal e Reis, nas representações da *Nau Catarineta*, com os Reis Mouros do Cordão Encarnado e os Reis Cristãos do Cordão Azul. Ele sabia algumas daquelas cantigas velhas, que tinha decorado como obrigação de ofício, nos começos de sua carreira de Cantador. Então, cantou-me uma dessas, uma espécie de mistura de romance de amor com romance de putaria. Chamava-se *Romance da Filha do Imperador do Brasil*, e era assim:

> *"O Imperador Dom Pedro*
> *tem uma Filha bastarda,*
> *a quem quer tanto do bem*
> *que ela ficou malcriada!*
> *Queriam casar com ela*
> *Barões de capa e de espada.*
> *Ela, porém, orgulhosa,*
> *a todos que recusava:*
> *— Este, é menino! Esse é velho!*
> *Aquele, lá, não tem barba!*
> *O de cá, não tem bom pulso*
> *pra manejar uma Espada!*
>
> *Dom Pedro falou, se rindo:*
> *— Inda serás castigada!*
> *Não vás tu, de algum Vaqueiro,*
> *terminar apaixonada!*

Na fazenda de seu Pai,
já no fim da madrugada,
um dia, numa janela,
a Infanta se debruçava.
Viu passar três moradores
que trabalhavam de enxada.
O mais garboso dos três
era o que mais trabalhava.
Tanto plantava Algodão,
como do Gado cuidava.
Vestia Gibão de couro,
fortes sapatos calçava.
N'aba do chapéu de couro,
fina prata se estrelava.
Pois logo, desse Vaqueiro,
a Infanta se apaixonava.
E o Vaqueiro, só cavando:
ele sabe o que cavava!

A Princesa chama a Velha
em que mais se confiava:
— Estás vendo aquele Vaqueiro,
trabalhando, ali, de enxada?
Condes, Duques, Cavaleiros,
por nenhum eu o trocava!
Vai chamá-lo aqui, depressa,
e ninguém saiba de nada!

A Velha vai ao Vaqueiro
que na terra trabalhava:
— Vem comigo, meu Vaqueiro!
Por que essa vista baixa?
Levanta os olhos, que vês
a Estrela da Madrugada!

Entraram pelo portão,
que a Porta estava fechada.
Na camarinha da Moça
o Vaqueiro já chegava:

— Senhora, o que é que me manda?
Eu vim por vossa chamada!
— Quero saber se te atreves
a queimar minha Coivara!
— Atrever, me atrevo a tudo,
que um homem não se acovarda!
Dizei-me, porém, Senhora,
onde está vossa Coivara!
— É abaixo dos dois Montes,
na Fonte das minhas águas,
abaixo do Tabuleiro
e na Furna da Pintada,
na linha da Perseguida,
no corte da Desejada!

Passam o dia folgando,
o mais da noite passavam,
e o Vaqueiro socavando:
ele sabe o que cavava!

À meia-noite, a Princesa
pediu tréguas, por cansada:
— Basta! Basta, meu Vaqueiro!
Queimaste mesmo a Coivara!
Não sei se por varas morro
ou com ela incendiada!
E, assim, a filha do Rei
do orgulho foi castigada!"

Ora, eu sabia que meu tio-bisavô, Dom Pedro I, Imperador da Pedra do Reino, não tinha filho nem filha, de modo que fiquei abismado com as mentiras desse romance. Até que, muito depois, soube que quem tinha uma filha bastarda era o outro Dom Pedro I, o falso, o impostor da Casa de Bragança. Certamente fora essa filha, a Duquesa de Goiás, que, tendo puxado às taras da Mãe, a Marquesa de Santos, terminara como personagem desse romance que meu Padrinho me cantou naquele dia.

Folheto XIII
O Caso da Cavalhada

Aos sábados, Tia Filipa me levava para a feira, e ficávamos na rua até o dia seguinte, para assistirmos à Missa do domingo. Uma vez, terminada a feira, houve uma Cavalhada, coisa que também iria ser de importância capital na minha vida.

Havia vinte e quatro Cavaleiros. Doze deles representavam os Doze Pares de França do Cordão Azul, e os outros doze, os Doze Pares de França do Cordão Encarnado. Havia, portanto, um Roldão do azul e outro do encarnado, de modo que, apesar de serem vinte e quatro os Cavaleiros, aqui os Doze Pares de França eram realmente doze, a saber: Roldão, Oliveiros, Guarim de Lorena, Gerardo de Mondifér, Gui de Borgonha, Ricarte de Normandia, Tietri de Dardanha, Urgel de Danoá, Bosim de Gênova, Hoel de Nantes, o Duque de Nemé e Lamberto de Bruxelas.

Ninguém pode imaginar o entusiasmo régio que me empolgou quando os Cavaleiros desfilaram pela rua, a cavalo, com os matinadores levando à frente as Bandeiras dos dois cordões, uma azul, outra encarnada. Explicaram-me que os Azuis iam disputar troféus com os Vermelhos, e que eu devia escolher para mim um dos dois partidos. Disseram-me que o Cordão Azul era a cor de Nossa Senhora, e o Encarnado, a do Cristo. Mas Tia Filipa, que, por ser devota de Nossa Senhora da Conceição, era do Azul, me disse, logo, que eu não fosse nessa conversa não, porque o Cordão Encarnado era do Diabo. Espantei-me de que uma cor só, o Vermelho, pudesse ser, ao mesmo tempo, do Cristo e do Diabo. Só depois de adulto, aprofundando meus conhecimentos religiosos e astrológicos e estudando o Catolicismo da Pedra do Reino, foi que descobri como essa noção é profunda, zodiacal e estrelar! Mas isso foi depois e fica para depois: naquele meu primeiro dia de Cavalhada, obedecendo à orientação de Tia Filipa, filiei-me ao Cordão Azul, no que fiz, aliás, muito bem, porque ele ganhou e eu quase morro de entusiasmo.

Aconteceu, porém, que os derrotados cavaleiros do Encarnado não se conformaram e pediram desforra para o sábado seguinte. Fomos à feira de novo, eu e Tia Filipa; e quando eu, muito lampreiro, esperava a repetição da vitória do Azul, coisa que eu julgava de rotina pela proteção de Nossa Senhora contra o Diabo, ganhou o Encarnado!

Encafifei! Assim, não era vantagem! No primeiro dia, eu ficara entusiasmado com as bandeiras vermelhas, triunfais, agitadas pelo vento, tremulando desafiadoramente contra o céu azul; só não me filiara ao Cordão Encarnado, primeiro para não perder a alma, e depois porque estava certo de que o Azul, com a proteção da Virgem Santíssima, ganhava toda vez. Pensei, então, em virar a casaca para o Encarnado, indagando porém, antes, a Tia Filipa, qual era o Cordão que ganhava mais. Perplexa, ela respondeu que isso era coisa que ninguém podia saber. Então, como era que eu podia fazer minha escolha? Se ao menos houvesse uma coerência, uma garantia! Acresce que eu achava ambas as bandeiras bonitas: o Azul era tranquilo e fraterno, mas o Vermelho era festivo e corajoso, e eu gostava era de todos dois! Só havia, portanto, uma solução, e foi a que adotei: resolvi pertencer aos dois partidos de uma vez, só decidindo qual a minha facção do dia depois da corrida. Quando o Azul ganhava, eu voltava para a "Onça Malhada" dizendo:

— Hoje, eu era do Azul!

Tia Filipa ouvia isso, enfarruscada mas calada. Quando, porém, o Encarnado vencia e eu me declarava por ele, ela rosnava:

— Esse menino não tem caráter! Não sei a quem ele puxou, tão desassistido de vergonha!

* * *

Tudo isso me ajudava, aos poucos, a entender cada vez melhor a história da Pedra do Reino e a me orgulhar da realeza e cavalaria dos meus antepassados. Tornava também o mundo, aquele meu mundo sertanejo, áspero, pardo e pedregoso, um Reino Encantado, semelhante àquele que meus bisavós tinham instaurado e que ilustres Poetas-acadêmicos tinham incendiado de uma vez para sempre em meu sangue. Minha vida, cinzenta, feia e mesquinha, de menino sertanejo reduzido à pobreza e à dependência pela ruína da fazenda do Pai, enchia-se dos galopes, das cores e bandeiras das Cavalhadas, dos heroísmos e cavalarias dos folhetos. Assim, quando agora me acontecia evocar os acontecimentos da Pedra do Reino, o que eu via eram os Pereiras, como uma espécie de Cavaleiros Cristãos do Cordão Azul, assediando e assaltando o Reino criado e defendido pelos Reis Mouros do Cordão Encarnado da família Quadema. Sonhava em me tornar, também, um dia, Rei e Cavaleiro, como meu bisavô. Não para degolar os outros, mas para conquistar Rosa e sete Princesas, queimando sete coivaras e abrindo, ainda, a broca dos cercados dos outros, pelo direito real de "dispensar" todas as donzelas do Reino em sua primeira noite de casadas.

* * *

Ao mesmo tempo, entregava-me furiosamente à leitura dos folhetos e romances, de que ia tomando conhecimento por intermédio de meu Padrinho e professor João Melchíades. Quando o romance era muito grande, era publicado em folhetos separados, como a *História de Alonso e Marina*, dividido em dois: *Alonso e Marina, ou A Força do Amor* e *A Morte de Alonso e a Vingança de Marina*. Este, era uma mistura de romance de amor com romance cavalariano de heroísmos, e eu achava maravilhosos esses títulos duplos, "isto ou aquilo". Outras vezes, o folheto trazia na primeira página, por baixo do título, uma espécie de explicação, destinada a causar "água na boca" aos que iam comprá-lo. Assim, por exemplo:

O Príncipe João Sem Medo e a Princesa da Ilha dos Diamantes

Romance de páginas misteriosas, onde se vê um jovem Príncipe viajante e errante pelas mais temerosas estradas, em busca de intrincados Labirintos que lhe causassem medo, Amor, sacrifício e triunfo!

Havia romances de exemplo, como o *Exemplo dos Quatro Conselhos*. Havia os romances cangaceiros e cavalarianos como, por exemplo, *O Encontro de Antônio Silvino com o Valente Nicácio*. Este começava com uma reflexão que, segundo João Melchíades, era "filosófica, filantrópica e litúrgica até o osso". Era assim:

"Neste Planeta terrestre,
o Homem não se domina:
tem que viver sob o jugo
da Providência Divina.
Foi feito do Pó da terra,
no Pó da terra termina!

> *Assim, eu mostro a estrada*
> *do Passado e do Presente,*
> *estrada onde morrem Reis*
> *molhados de Sangue quente!*
> *Hoje, tornados em Pó,*
> *resta a Memória, somente!"*

Eram, ainda, os Reis degolados da Pedra do Reino que vinham à minha imaginação, quando eu ouvia meu Padrinho cantar esses versos, "de tão profunda significação filantrópica e litúrgica". E quando, em 1930, meu tio Dom Pedro Sebastião Garcia-Barretto foi degolado, foram ainda esses versos que me queimaram a memória, pegando fogo em meu sangue.

Outras vezes, a reflexão inicial do folheto vinha como uma invocação dirigida às Musas, a Apolo, a Mercúrio ou a outras figuras que, depois, quando me dediquei à Astrologia, tiveram tanta importância em minha vida. Era o caso de um romance de amores desventurados, *O Assassino da Honra, ou A Louca do Jardim*, que começava com a seguinte estrofe:

> *"Venha, ó Musa, mensageira*
> *do Reino de Eloim:*
> *me traga a pena de Apolo*
> *e escreva aqui, por mim,*
> *O Assassino da Honra,*
> *ou A Louca do Jardim."*

Assim, Vossas Excelências já entendem por que segui esse mesmo estilo, no meu Memorial: pretendia e pretendo, com isso, predispor favoravelmente a mim não só os ânimos de Vossas Excelências como "o Povo em geral" e até as divindades divino-diabólicas que protegem os Poetas nascidos e criados no Sertão da Paraíba.

HISTÓRIA DE CARLOS MAGNO E OS DOZE PARES DE FRANÇA

Folheto de João Melchíades, o Cantador da Borborema. A gravura de Taparica foi feita a partir da cara de Carlos Magno segundo aparece na "História da Civilização" do Doutor Manoel de Oliveira Lima.

Folheto XIV
O Caso do Castelo Sertanejo

Um dia, tendo sido eu já iniciado nas realezas e cavalarias da *História Geral do Brasil*, caiu nas minhas ouças um folheto, decorado por Lino Pedra-Verde, e que começava assim:

> *"No Sertão da Espinhara,*
> *junto à Vila de Pombal,*
> *habitava o poderoso*
> *Barão Afonso Durval,*
> *que inda vinha a ser parente*
> *da Família Imperial."*

Eu já não me sentia mais envergonhado, e sim orgulhoso, de pertencer à Casa Real da Pedra do Reino, de modo que já andava era com medo de rivais. A Espinhara e a Vila de Pombal eram aqui na Paraíba, a dois passos do nosso Cariri: daqui a pouco, se essa Literatura continuasse, os Sertanejos pensariam que tanto faziam os Imperadores da Casa dos Quadernas quanto os Impostores da Casa de Bragança, que tanto valia um Barão Afonso Durval qualquer quanto Dom Andrelino Pereira, Barão do Pajeú!

Resolvi cortar o mal pela raiz: pedi a João Melchíades que, como parente dos Ferreira-Quadernas, escrevesse um romance sobre a Pedra do Reino. Ele me atendeu, e o folheto ficou uma beleza, cuidando eu logo de imprimi-lo e vendê-lo nas feiras. Começava assim:

> *"No Reino do Pajeú*
> *morava o Rei João Ferreira.*
> *Ele era Conde e Barão:*

foi o terror da ribeira!
Tinha a Coroa de Prata
lá no Trono da Pedreira!

Havia, lá, dois Rochedos
bem juntos e paralelos.
A Pedra era cor de ferro
e incrustada de amarelo.
Foi delas que, por grandeza,
o Rei fez a Fortaleza,
levantando o seu Castelo!"

Agora sim, estava honroso e como eu queria! Apenas adverti a João Melchíades que a Coroa dos nossos antepassados era de metal barato, e não de prata, e que as incrustações da Pedra do Reino eram "uma espécie de chuvisco prateado", e não de ouro amarelo, como ele escrevera no folheto. Ele me respondeu que "a rima e a Poesia obrigavam a gente a fazer essas mudanças de glória filosófica e beleza litúrgica". Conformei-me, concordei e perguntei, então, que *Castelo* era aquele que tinha aparecido no folheto e que não figurava nos livros de Pereira da Costa e Souza Leite. Ele retrucou que todo Rei tem um Castelo, uma Fortaleza, uma edificação de pedra e cal na qual se isola como defesa contra os inimigos e como marco de sua realeza. Todos os Cantadores, quando cantavam as façanhas dos Cangaceiros, costumavam construir, em versos, um Castelo para seu herói. O de Antônio Silvino, por exemplo, era descrito assim:

"Meu Castelo está fincado
em Pedra de grande altura.
É feita de pedra e cal
sua Muralha segura!
O Governo tem lutado,
mas ele não foi tomado,
pois a Pedra é muito dura!"

Todas essas grandezas e monarquias iam, assim, tocando fogo em meu sangue, com o desejo de me sentar no Trono de meus antepassados e de me assenhorear de novo do Castelo de pedra que eles tinham levantado no Pajeú. Quando, porém, meu sonho atingia o auge de fogo, lá vinha a lembrança estarrecedora: todos os Reis da minha família tinham terminado de garganta cortada, de morte violenta tinha acabado Jesuíno Brilhante, o Rei do Sertão! Então, envergonhado, eu baixava a cabeça, corria de enfrentar morte cruel para realizar minha realeza, e confessava para mim que preferia ser um covarde vivo a ser um Rei degolado.

* * *

Estavam as coisas nesse pé, quando, um dia, ouvi Tia Filipa e a Velha do Badalo cantarem, juntas, o *Desafio de Francisco Romano com Inácio da Catingueira*. Tia Filipa cantava as estrofes atribuídas ao primeiro Cantador e Sá Maria Galdina as do segundo. De repente, feriu minha atenção um trecho em que Romano, sabedor do fato de que Inácio "tinha um Castelo", ameaçava-o assim:

ROMANO:

"Inácio, tu me conheces
e sabes bem quem eu sou!
eu posso te garantir
que à Catingueira inda vou:
vou derrubar teu Castelo
que nunca se derrubou!"

INÁCIO:

"A parede do Castelo
tem cem metros de largura!
Tem ainda um Alicerce
com bem trinta de fundura,
e, do nível para cima,
mais de uma légua de altura!"

ROMANO:

> *"Pra tudo o que lá tiveres*
> *tenho trabalho de sobra:*
> *eu dou veneno ao Cachorro,*
> *meto o cacete na Cobra!*
> *Derrubo-te a* Fortaleza,
> *escangalho a tua* Obra!"

Intrigado, fui procurar meu Padrinho, João Melchíades, e ele me fez, então, aquela que seria, talvez, a maior revelação para a minha carreira. É que os Cantadores, assim como faziam Fortalezas para os Cangaceiros, construíam também, com palavras e a golpes de versos, Castelos para eles próprios, uns lugares pedregosos, belos, inacessíveis, amuralhados, onde os donos se isolavam orgulhosamente, coroando-se Reis, e que os outros Cantadores, nos *desafios*, tinham obrigação de assediar, tentando destruí-los palmo a palmo, à força de audácia e de fogo poético. Os Castelos dos poetas e Cantadores chamavam-se, também, indiferentemente, Fortalezas, Marcos e Obras.

Foi um grande momento em minha vida. Era a solução para o beco sem saída em que me via! Era me tornando Cantador que eu poderia reerguer, na pedra do Verso, o Castelo do meu Reino, reinstalando os Quadernas no Trono do Brasil, sem arriscar a garganta e sem me meter em cavalarias, para as quais não tinha nem tempo nem disposição, montando mal como monto e atirando pior ainda!

* * *

Assim firmou-se para mim a importância definitiva da Poesia, única coisa que, ao mesmo tempo, poderia me tornar Rei sem risco e exalçar minha existência de Decifrador. Anexei às raízes do sangue aquela fundamental aquisição do *Castelo* literário, e continuei a refletir e sonhar, errante pelo mundo dos folhetos. Um dos tipos que eu mais apreciava eram os de safadeza, subdivididos em dois grupos, os de putaria e os de quengadas e estradeirices. Dos primeiros, o que mais me entusiasmava eram umas "décimas" do Cantador Leandro Gomes de Barros, glosadas sobre o "mote"

> "Qual será o beco estreito
> que três não podem cruzar?
> Só entra um, ficam dois,
> ajudando a trabalhar!"

As glosas eram assim:

> "Frei Bedegueba dizia
> a Frei Manzapo, em disputa:
> — Existe uma certa Gruta
> onde hei de ter moradia.
> Hei de conhecê-la um dia,
> embora quebre o Preceito.
> Vou penetrá-la direito,
> para a verdade saber,
> pois preciso conhecer
> qual será o beco estreito.
>
> Dizem que tem pouca altura
> e fica no pé dum Monte.
> A entrada é uma Fonte:
> vou medir sua largura!
> Para saber-lhe a fundura
> vou lá dentro mergulhar.
> Para me certificar,
> não podendo entrar os três,
> só entra o Cabo-pedrês,
> que três não podem cruzar.
>
> Um Padre já me contou
> que foi dar uma caçada
> e, nessa Mata fechada,
> viu um Bicho e não matou!

De dentro, uma Voz gritou:
— Padre, dizei-me quem sois!
Podereis entrar depois,
respondendo ao que pergunto:
mas, dos três que vejo juntos,
só entra um, ficam dois!

Um Monge, de lisa fronte,
também já contou a mim:
— Já brinquei nesse Capim,
já ressonei nesse Monte!
Quase sempre a essa Fonte
venho eu e mais um Par:
os dois não podendo entrar,
por serem moles e bambos,
eu entro só, ficam ambos
ajudando a trabalhar!"

Ora, Leandro Gomes de Barros era o autor de *Alonso e Marina, ou A Força do Amor*, e eu me admirava de que ele, sendo, assim, esfarinhado, em questões de safadeza e porcaria, contasse de maneira tão casta o casamento de Alonso com a feroz e apaixonada Marina. João Melchíades me explicou, porém, que, se Leandro descrevesse desavergonhadamente a noite de núpcias de Marina, era capaz de ser preso. Objetei que tinha lido um folheto, intitulado *História de um Velho que Brigou 72 Horas com um Cabaço sem Chegar no Fundo e sem Lascar as Beiras*, safadíssimo e, no entanto, publicado. João Melchíades disse que eu reparasse direito: o folheto sobre o Velho não era assinado, para não dar com o autor na Cadeia.

Passei a prestar atenção e vi que, de fato, os romances de putaria nunca eram assinados. Eu os lia furiosamente e logo passava a compará-los com outros, desrimados, dos quais começava a tomar conhecimento, por intermédio de Lino Pedra-Verde. À medida que crescíamos, Lino ia se tornando Cantador. Cantador, mesmo: não nas horas vagas, como eu, mas Cantador alugado, de carreira, como João Melchíades. Com isso, começou a viajar, inclusive para Campina Grande, de onde começou a trazer, para revendê-los na feira, uns romances desversados, imoralíssimos. A perturbação que senti, lendo o primeiro, foi terrível. Sentia-me fascinado e, ao mesmo tempo, aterrorizado, pensando comigo mesmo: "Esse pessoal não tem medo não? Terminam indo todos para a Cadeia e para o Inferno, e me levando também, com eles!" Havia um chamado *O Homem da Rua do Fogo*. Outro, *A Prostituta do Céu*. Mas o melhor de todos era *A Afilhada de Monsenhor Agnelo, ou O Castelo do Amor*, que lamentei não conhecer já, quando daquela noite com Rosa, porque então tudo teria ido até o fim, executando eu, com ela, tudo aquilo que o romance agora me ensinava.

O curioso, porém, é que esses romances eram, todos, escritos e assinados por um certo Visconde de Montalvão, na certa parente do Marquês de Montalvão, personagem da "História do Brasil", parece que até Vice-Rei nosso. Seria o Visconde filho do Marquês? Interroguei Lino, que achou graça:

— Que Visconde que nada, Dinis! Esses romances são escritos em Campina mesmo, por um tal de José de Santa Rita Pinheiro Nogueira, amigo meu! Ele pega uns livros que compra no Recife, escreve de novo, ajeita, corta, aumenta, assina com o nome de Visconde de Montalvão para não ser preso, imprime e vende! Tem um lucro danado, porque todo mundo gosta de ler safadeza!

— Mas se ele for pegado, vai preso, Lino! Primeiro, pela safadeza, depois pelo plágio!

— Ah não, isso não! Esse negócio de plágio pode valer para os outros, para nós, Cantadores, não! Você não vê João Melchíades mandando a gente plagiar, em verso, *A Donzela Teodora*, *Roberto do Diabo*, a *História de Carlos Magno* e outras?

— É mesmo! — disse, vendo que Lino tinha razão.

Depois daí, nunca mais tive escrúpulos de me apropriar do que os outros tinham escrito, suprindo, assim, "a falta de imaginação e de autoridade" que Samuel e Clemente vivem passando na minha cara de "charadista e intelectual de segunda ordem". Reassegurado, mergulhava com avidez na leitura dos romances de José de Santa Rita Pinheiro Nogueira, Visconde de Montalvão. Meu preferido era, mesmo, *A Afilhada de Monsenhor Agnelo*, porque, além das putarias, tinha, ainda, aquele elemento heroico do Castelo do Amor. Isto me indicava que a Fortaleza de um Rei, poeta e Cantador como eu, além dos heroísmos e cavalarias das estradas e caatingas, devia ter, também, camarinhas e alcovas para o amor e as safadezas. Era o que acontecera com o Castelo da Pedra do Reino, onde meu bisavô Dom João II instituíra heroísmos sangrentos no Campo Encantado e safadezas amorosas na Sala Soterranha, onde ele *dispensava* as donzelas.

Acresce que o danado do Visconde escrevia talvez melhor ainda do que Antônio Áttico de Souza Leite. Convenci-me, de vez, de que o plágio seria indispensável à minha vocação de Poeta, porque, sozinho, eu jamais teria inteligência para escrever como aqueles dois Mestres. O livro dele começava assim: "Se o amável Leitor não conheceu Teresa, a afilhada órfã do lúbrico Monsenhor Agnelo, procure-a no meu Castelo! Ela mora aí, no repertório literário que tenho, depositado, a cargo da Mulher que amo! Neste régio Castelo, erguido a golpes de escopro de meu Cálamo de ouro, o egrégio Leitor encontrará uma Aia prisca, não decrépita mas trôpega, que o receberá com pouca lisura mas com muita habilidade." O Visconde contava, então, como a mãe de Teresa, morrendo, deixara a menina aos cuidados do Monsenhor Agnelo, "padre sensual e sem escrúpulos", que, à medida que a afilhada se punha moça, começava a seduzi-la, aproveitando a circunstância de ela ser "inocente e brejeira, ingênua e voluptuosa". Depois do almoço, Monsenhor Agnelo costumava sentar-se numa espreguiçadeira ou deitar-se na cama, para fazer a sesta. Era o momento escolhido para as safadezas, que me abstenho de transcrever, com medo do Inferno. Conto apenas que, num certo dia, depois de várias escaramuças com Teresa, Monsenhor Agnelo, descobrindo que o fruto estava maduro, pensava: "Agora é necessário aplicar-lhe um pouco de óleo sensual que lhe sirva de antídoto, fazendo-a expelir as matérias envenenadas de seus filamentos nervosos, ao mesmo tempo que se lhe crava nas entranhas o dardo subentendido." Aí havia ainda umas três ou quatro escaramuças, e o Visconde concluía, dizendo que "logo o problema se resolvia, e o atrevido Soldado de capacete vermelho, encontrando a relva umedecida, rasgava docemente as barreiras e penetrava inteiramente a gruta negra e vermelha, plantada no centro do Castelo do Amor!".

* * *

Como se vê, nossos pobres folhetos sertanejos não podiam, mesmo, nem de longe, competir com os romances do Visconde. A safadeza dos nossos era, mais, uma sem-vergonhice risadeira, que só fazia era a gente achar graça. Eram bons, mesmo, era nas estradeirices e quengadas, nas astúcias e molecagens dos *quengos*. Esses quengos-estradeiros, isto é, pessoas de bom *quengo* para enganar os outros, eram popularíssimos, entre nós. Os mais conhecidos eram Pedro Malasarte, João Malasarte — neto dele e morador no Rio Grande do Norte —, Pedro Quengo, João Grilo e Cancão de Fogo, este um sertanejo, paraibano como eu, cuja vida era narrada num romance de dois folhetos. A história de João Malasarte acontecia nas três Províncias que formam "o coração do Brasil", a Paraíba, o Rio Grande do Norte e Pernambuco, acontecendo os casos no Cariri, no Piancó, no Pajeú e no Seridó. As aventuras do Pajeú passavam-se exatamente em Serra Talhada, no mesmo local, portanto, onde tinha, realmente, começado o Reinado glorioso e sangrento da minha Casa. Mas a parte mais engraçada era a do Seridó, no Rio Grande do Norte, quando João Malasarte encontrava, na estrada, um Português leso e o enrolava da seguinte maneira:

> *"Chegou no Seridó, liso:*
> *não tendo de que viver,*
> *arranjou umas pimentas*
> *e foi pra Feira vender.*
> *Porém, no caminho, fez*
> *um Português se morder.*
>
> *João achou o Português*
> *com um Jumento acuado,*
> *carregado de panelas,*
> *lá no caminho, parado,*
> *com o Português dando nele,*
> *porém o burro emperrado.*
>
> *João lhe disse: — Camarada,*
> *eu tenho um remédio aqui!*
> *Deu-lhe as pimentas, dizendo:*
> *— Como este, eu nunca vi!*
> *Esfregue no fundo dele*
> *que ele sai logo daí!*

*O besta passou as bichas
no lugar que João mandou:
o jumento deu um coice
que a cangalha revirou!
As panelas se quebraram
e o burro desembestou!*

*João disse pro Português:
— Seu jumento já correu!
Com o remédio no fioto,
ele desapareceu!
E você só pega ele
se passar também no seu!*

*O pobre do Português,
para pegar o Jumento,
passou a pimenta ardosa
no lugar de sair vento.
João gritou: — Ou cabra besta!
Desgraçaste o fedorento!*

*Quando o Português sentiu
o ardor no fiofó,
puxou a Faca da cinta
e João gritou: — Fique só!
Dessa carreira que deu,
foi parar em Mossoró!"*

Aí, andando ao léu pela estrada, João vai bater numa Fazenda, onde pede ao dono que lhe arranje emprego pela comida, pela roupa e um pequeno salário. O Fazendeiro emprega-o, João trabalha uma porção de tempo, com grande eficiência, até ganhar a confiança do patrão. Aí arma outro *laço* que o folheto contava assim:

"E João ficou manobrando
aquela propriedade.
Passou dois anos quieto,
sem usar perversidade,
conquistando, do Patrão,
confiança e intimidade.

Porém Satanás, um dia,
manifestou-se em João
e ele armou uma Cilada
para a filha do Patrão.
Ela, por ser inocente,
caiu no laço do Cão!

João lhe disse: — Madalena,
seu Pai, por ser meu amigo,
mandou dizer que você
dormisse um sono comigo!
Ela foi, porque pensou:
— Pai mandou, não há perigo!

Ainda estavam deitados
quando o Pai dela chegou.
A Moça gritou, do quarto:
— Com João aqui eu estou,
cumprindo com meu dever,
como Papai ordenou!

O Velho conheceu logo
que havia uma traição:
deu um pontapé na porta
que a porta rolou no chão!
João desabou, de cueca,
e a Moça, de camisão!

> O Velho pegou João
> e deu-lhe um soco, direto!
> João ficou tonto e caiu,
> mas disse: — Seu Anacleto,
> não me mate, que se atola!
> Tenho que criar seu neto!
>
> A Velha disse: — Meu Velho,
> é mesmo! Não mate João,
> senão nossa filha fica
> perdida e sem cotação!
> João falou: — E eu só me caso
> porque comi do Pirão!"

Eu ria com essas astúcias, praticadas nos caminhos empoeirados do Sertão, e me lembrava também, orgulhoso, de que, na Pedra do Reino, a parte das degolações e da batalha era um romance cangaceiro e cavalariano. Mas a primeira, começo de tudo, fora uma "quengada" de meu tio-bisavô, o primeiro Rei, João Antônio, que armara um laço tão genial quanto os de João Malasarte, tendo, como material, somente duas pedrinhas e um folheto com a profecia sobre El-Rei Dom Sebastião, conquistando "a interessante donzela Maria" e erguendo, sobre alicerces tão pobres, todas aquelas grandezas e monarquias.

* * *

Assim, aos poucos, ia se formando no meu sangue o projeto de eu mesmo erguer, de novo, poeticamente, meu Castelo pedregoso e amuralhado. Tirando daqui e dali, juntando o que acontecera com o que ia sonhando, terminaria com um Castelo afortalezado, de pedra, com as duas torres centradas no coração do meu Império. Este, espinhoso e meio adesertado, era integrado astrologicamente por sete Reinos: o dos Cariris Velhos, o da Espinhara, o do Seridó, o do Pajeú, o de Canudos, o dos Cariris Novos e o do Sertão do Ipanema. Era o Quinto Império, profetizado por tantos Profetas brasileiros e sertanejos, e cortado por sete Rios sagrados: o São Francisco-Moxotó, o Vaza-Barris, o Ipanema, o Pajeú, o Taperoá-Paraíba, o Piancó-Piranhas e o Jaguaribe. Ali eu reergueria, sem perigo de vida, as

Torres de lajedo do meu Castelo, para que ele me servisse de trono, de pedra-de-ara, de ninho de gaviões, onde eu pudesse respirar os ares das grandes alturas. Seria um Reino literário, poderoso e sertanejo, um Marco, uma Obra cheia de estradas empoeiradas, caatingas e tabuleiros espinhosos, serras e serrotes pedreguentos, cruzada por Vaqueiros e Cangaceiros, que disputavam belas mulheres, montados a cavalo e vestidos de armaduras de couro. Um Reino varrido a cada instante pelo sopro sangrento do infortúnio, dos amores desventurados, poéticos e sensuais, e, ao mesmo tempo, pelo riso violento e desembandeirado, pelo pipocar dos rifles estralando guerras, vinditas e emboscadas, ao tropel dos cascos de cavalo, tudo isso batido pelas duas ventanias guerreiras do Sertão: o *cariri*, vento frio e áspero das noites de serra, e o *espinhara*, o vento queimoso e abrasador das tardes incendiadas. Nas serras, nas caatingas e nas estradas, apareceriam as partes cangaceiras e bandeirosas da história, guardando-se as partes de galhofa e estradeirice para os pátios, cozinhas e veredas, e as partes de amor e safadeza para os quartos e camarinhas do Castelo, que era o Marco central do Reino inteiro.

Folheto XV
O Sonho do Castelo Verdadeiro

Era um sonho grandioso, um sonho à altura da estirpe dos Quadernas. No fundo, porém, lá bem longe e bem dentro do meu sangue, reprimido pela covardia, vigiava ainda o desejo de reconquistar o Castelo real, o da Pedra do Reino. Não o de erguer um Castelo poético, como o dos Cantadores; mas o de ir ao Pajeú e retomar, a patas de cavalo, ponta de punhal e tiros de rifle, o Castelo de pedra que era meu e que os Pereiras tinham conquistado. Só assim eu poderia ser, também, Rei do Sertão, como Jesuíno Brilhante e meu bisavô. Só assim eu seria, de fato, o Cavaleiro que, encarnando o Brasil, seria estimado e honrado pelos amigos, temido pelos inimigos e amado pelas mulheres, belas Princesas parecidas com Rosa, a da "Onça Malhada", e com Marina, a do folheto. Gozaria de todas a meu prazer, tendo as primícias das donzelas e podendo até degolá-las, caso isso me desse na veneta, como tinha dado na do meu bisavô, "O Execrável".

Ora, em 1930, meu tio e Padrinho, Dom Pedro Sebastião Garcia-Barretto, tomara parte na "Guerra de Princesa", ao lado de Dom José Pereira Lima, contra o Governo e a Polícia do Presidente João Pessoa. Quando Dom José Pereira, nessa guerra, proclamou a independência da Vila da Princesa Isabel, outorgando-lhe constituição, hino e bandeira, fiz dele, secretamente, Rei da Espinhara, fazendo da Vila de Princesa a capital desse Reino. O nome de "Vila Real da Princesa Isabel" só podia ser resultado de um desígnio da Providência: algum lambe-cu e cheira-peido dos Braganças tinha querido colocar esse nome em nossa muito nobre e leal Vila para bajular a falsa Princesa Isabel, a da Casa de Bragança, a filha do Impostor Dom Pedro II. Agora, porém, ficava claro que a Princesa Isabel que dava nome à Capital do meu Reino da Espinhara era a verdadeira, a da Casa dos Quadernas, minha bisavó. Só não comuniquei tudo isso a Dom José Pereira Lima porque ele, julgando-me um simples agregado e parente pobre de meu Padrinho, estranharia um pouco minhas grandezas. Foi, portanto, em segredo que o sagrei como Rei da Espinhara. E como, apesar de todos os esforços, o Governo não conseguiu derrotá-lo, dei-lhe o tratamento de Dom José I, O Invencível, assim como já tinha ungido meu Padrinho Dom Pedro Sebastião como Rei do Cariri (o que, depois de sua morte, lhe valeu passar à Crônica sertaneja com o nome de Dom Pedro Sebastião, O Degolado).

Como se recorda, o Condestável do Reino de Princesa, em 1930, era Luís Pereira de Sousa, ou Luís do Triângulo, o mesmo que comandava, incógnito, as tropas do Rapaz-do-Cavalo-Branco. Eu, recadeiro e homem de confiança de meu Padrinho, fui várias vezes a Princesa, em 1930, acompanhado por meu irmão bastardo, Malaquias Nicolau Pavão Quaderna, em missões e embaixadas secretas de Dom Pedro Sebastião para Dom José Pereira. Ninguém pode, assim, imaginar o sobressalto que experimentei, na primeira dessas viagens, quando conheci Luís do Triângulo, em Princesa, e soube que ele, sendo descendente do Comandante Manuel Pereira e do Barão do Pajeú, era o dono atual das terras onde ficavam as torres de pedra do nosso Castelo, sagrado, soterrado e encantado. Só podia ter sido outro desígnio da Providência que, exatamente a Serra do Reino, tivesse ido cair na mão daquele homem, outrora de família inimiga, mas, atualmente, amigo e aliado nosso.

Resolvi imediatamente ir à Serra, para conhecer meu Castelo. O tempo não era propício, porque, em 1930, eu estava em missão de guerras e cavalarias, e as estradas, cortadas de Soldados e eriçadas de piquetes, eram perigosíssimas para nós, soldados extraviados daquela aventura guerrilheira. Apesar disso, porém, deliberadamente procurei cativar, e terminei amigo de Luís do Triângulo, que prometeu convidar-me depois, se ambos escapássemos com vida. Eu me calara a respeito da Pedra do Reino: apesar de meu amigo, Luís do Triângulo era um Pereira de pura raça, e bem podia resolver liquidar esta vergôntea da Raça real dos Quadernas.

* * *

O fato é que passou a "Guerra de Princesa". Meu Padrinho morreu, degolado por causa dela; mas eu escapei e Luís do Triângulo também. Passaram os anos de 1931, 32 e 33. Entrou 1934, e aproximava-se 1935, ano importantíssimo, porque marcava o início daquilo que inúmeras profecias sertanejas chamavam "O Século do Reino Encantado", uma vez que o Reinado realmente importante da minha família durara de 1835 a 1838. Então, quando chegávamos ao fim de 1934, escrevi a Luís do Triângulo cobrando a promessa dele e declarando-me disposto a viajar para Serra Talhada em Janeiro, caso ele pudesse cumprir o que prometera.

Uns vinte dias depois, recebi a resposta do Condestável de Princesa. Dizia ele que teria grande honra em receber seu amigo e aliado de 1930. Estava perfeitamente lembrado da promessa: que eu viajasse em Janeiro, ou quando quisesse, porque ele e os outros Pereiras estavam de braços abertos para me receber. Aconselhava-me a seguir a mesma rota das minhas viagens de 1930: Taperoá, Desterro, Teixeira, Imaculada, Água-Branca, Tavares, Princesa. Daí, cruzando a fronteira, entrasse eu em Pernambuco e seguisse, por Flores, até Serra Talhada. Indagava se eu ainda estava lembrado do Chefe atual da família Pereira, Manuel Pereira Lins, mais conhecido como Né da Carnaúba. Comunicava-me que entrara em entendimento com ele, que me receberia, como hóspede, em Serra Talhada. Daí, eu seria finalmente encaminhado para a Vila de Bernardo Vieira, antiga Sítios Novos, onde ele, Luís do Triângulo, estaria me esperando.

Eu me recordava perfeitamente do velho Fidalgo, Dom Manuel Pereira, Senhor da Carnaúba. Como membro do Estado-Maior do Rei Dom José Pereira, tinha sido um dos Doze Pares e um dos Grandes do Reino de Princesa. Era um homem guerreiro e perigoso em tempo de brigas, mas hospitaleiro e manso em tempo de paz. Aliado e parente do Rei da Espinhara, levara um troço dos seus inumeráveis cabras-de-guerra para integrar o invicto Exército de Princesa. Com essas coisas ardendo na cabeça, passei a noite de ano-novo de 1934 na mais tensa expectativa. Iam começar os anos do Século do Reino e eu ia ver, pela primeira vez, a Pedra do Reino. Sem me sentir, ia transformando a carta de Luís do Triângulo numa Crônica-epopeica, escrita no estilo monárquico que eu aprendera lendo as histórias de Souza Leite. Dizia para mim mesmo: "Partindo da Vila Real da Ribeira do Taperoá, farei dois pousos principais. O primeiro, ainda dentro do meu Reino do Cariri, na Vila Real da Serra do Teixeira. O segundo, na Vila Real da Princesa Isabel, Capital do meu Reino da Espinhara. Daí, cruzando a fronteira, entrarei no meu Reino do Pajeú, e entrarei triunfalmente a cavalo, como todo Cavaleiro que se preza, na Capital dele, minha muito nobre e leal Vila Bela da Serra Talhada!"

* * *

Passei então um telegrama a Luís do Triângulo, avisando-o de que partia, e comecei os preparativos da viagem. Resolvera levar comigo meu irmão predileto, Malaquias, e um amigo, o fidalgo Euclydes Villar, intelectual e Poeta famoso da nossa Vila, homem que além de Mestre em charadas e logogrifos, era fotógrafo respeitado, instalado com oficina, primeiro em Taperoá, terra sua, depois na antiga Vila Nova da Rainha de Campina Grande.

A presença de Malaquias era-me indispensável porque ele, ao contrário do que acontece comigo, é corajoso, bom Cavaleiro, bom atirador e bom caçador. Os Quadernas são altos, mas Malaquias é o mais alto, robusto e bem proporcionado de todos. Creio que, em todo o Cariri, só havia dois homens capazes de derrotar Malaquias numa luta corpo a corpo. O primeiro, era Marino Quelê Pimenta, pela descomunal força física. O outro, era meu primo Arésio Garcia-Barretto, filho mais velho de meu Padrinho: não porque fosse muito mais forte, mas porque, na luta, Malaquias combateria pela alegria do combate, enquanto Arésio, moreno e cerrado, depois de receber os primeiros golpes, não poderia impedir que irrompesse de dentro dele aquela violência obscura e cega que morava nos recessos de seu sangue e que foi a causa de tantos infortúnios para nós e para ele mesmo. Meu irmão Malaquias, porém, era um desses homens que, sem esforço nenhum, atraem risonhamente as mulheres, coisa que sempre me causou a maior inveja. Muitas vezes eu passara pela decepção de levar meses e meses fazendo prodígios de habilidade para atrair a atenção de uma mulher, isto para ver Malaquias, de volta de uma das suas viagens de cambiteiro, conseguir, sem levantar um dedo e no mesmo instante, aquilo que eu tentara em vão, à força de mérito e por tanto tempo. Restava-me somente o consolo de ser o Chefe e irmão predileto do próprio Malaquias e dos outros bastardos, que não se davam bem com meus irmãos legítimos, Manuel, Francisco, Antônio e Alfredo.

Assim, a ida de Malaquias destinava-se a fazer brilhar a família Quaderna diante dos aguerridos e façanhosos Pereiras. Em Serra Talhada, das charadas, das conversas de guerras e caçadas, da Astrologia e de tudo o mais que se liga à Literatura, poderia eu me encarregar, como Poeta, ex-seminarista e Acadêmico que sou. Mas se fosse para lá sozinho, seria derrotado infalivelmente pelos Pereiras, na parte dos heroísmos e cavalarias.

Quanto a Euclydes Villar, eu jurara secretamente que, chegando ao Pajeú, acharia um meio de fazer com que os próprios Pereiras me levassem à Pedra do

Reino. Seria uma vitória que eles conduzissem para lá aquele que, tomado como simples Escrivão, ex-seminarista e Bibliotecário, era, de fato, o Rei do Quinto Império, Dom Pedro Dinis Quaderna, O Astrólogo, ou Dom Pedro IV, O Decifrador, como sou mais conhecido. Euclydes Villar era quem se encarregaria de documentar isso, fotografando os lances principais da viagem. Eu teria o cuidado de me fazer retratar junto das pedras, com as torres absolutamente iguais, reluzindo gloriosamente ao sol o chuvisco prateado que as recobria, formando, no meu sonho, o Castelo de pedra e prata do meu sangue.

Folheto XVI
A Viagem

Partimos nos meados de Janeiro, de 1935, de manhã bem cedinho, eu no meu cavalo "Pedra-Lispe", Malaquias em seu "Ás de Ouro", e Euclydes Villar na besta-de-sela "Canguçu", que meu irmão lhe emprestara para a viagem.

Para não incorrer na galhofa dos outros, eu resolvera maneirar a viagem o mais possível, com vagarezas e longas paradas de descanso, pretextando que estávamos em viagem de prazer e não de guerra e obrigação. Acolchoara toda a minha sela, deixando as deles no couro liso: com isso, atenuaria, pelo menos, as assaduras da bunda, já que as dores e a inchação nos joelhos seriam inevitáveis.

Com todas essas precauções, porém, foi meio arrebentado que cheguei à minha leal Vila do Desterro, primeira etapa da jornada aventurosa que estávamos empreendendo. Na Vila do Teixeira, fomos recebidos pelo Bacharel José Duarte Dantas, e, em Imaculada, por um primo dele, Dom José Duarte Dantas Corrêa de Goes. Na Vila de Tavares, estava nos esperando Chiquinho Mendes, que fora Estribeiro e Secretário-particular de Dom José I, no Reino de Princesa. Foi o tempo mais evocativo dessa etapa, revendo eu e Malaquias todos aqueles lugares, cinco anos antes transformados em campos de batalha, em lugares de piquetes e combates. Em Princesa, fomos recebidos pelo próprio Dom José Pereira Lima, então já destronado, mas fidalgo e hospitaleiro como sempre. Não era mais Rei, mas era ainda o Senhor de Princesa, reconhecido como tal por seus maiores adversários. Ao serão, recordou conosco e com Chiquinho Mendes os episódios mais terríveis ou mais curiosos da "Guerra de Princesa". Depois, lembrou meu Padrinho degolado, indagando pormenores da sua morte. Perguntou se o enigma desse crime continuava indecifrado, e se era verdade que Sinésio desaparecera, mesmo, como por encanto, no dia da morte do Pai. Confirmei tudo isso, dizendo-lhe que ninguém entendera, ainda, como é que meu Padrinho se trancara dentro dum quarto sem janelas, murado por todos os lados, e aparecera morto, esfaqueado por assassinos cruéis e desconhecidos. O nobre Senhor de Princesa mandou que

Chiquinho Mendes nos escoltasse até a Vila de Flores, com uma parada na sua fazenda "As Abóboras", de onde partimos sós, chegando a Serra Talhada no dia 30 de Janeiro de 1935.

* * *

O velho Fidalgo, Dom Manuel Pereira Lins, não morava na rua, e sim na sua fazenda, "Carnaúba", aquela que, no século passado, fora o centro da sesmaria pertencente a seu Avô. Por isso, almoçamos numa hospedaria, e partimos, às duas horas da tarde, para a "Carnaúba", em cuja casa chegamos com a noite já caindo.

Àquela altura, eu já estava em petição de miséria. Felizmente os joelhos, a parte que, em mim, mais reclama de cavalarias, já estavam adormentados de tanto sofrer. Tomei banho e jantei, mas, para falar a verdade, não podia nem corresponder como devia às cortesias e hospitalidades do nosso código sertanejo de maneiras, cumprido religiosamente pelo Coronel Né da Carnaúba e por sua mulher, Dona Pautila de Menezes, assim como por seus três filhos, Deósio, Leônidas e Argemiro, que se desdobravam em nos servir e obsequiar. O mais gentil e cortês de todos era o moço Argemiro, rapaz moreno de dezoito para dezenove anos, que a certa altura do serão falou:

— Pai, deixe eu levar o pessoal para o quarto de hóspedes, que eles devem estar cansados da viagem!

— Eu, não! — protestei logo, para não ficar desmoralizado. — Quem pode estar cansado é Euclydes Villar, que não é habituado a essas coisas! Por mim, fico conversando até de manhã!

O Coronel Né, bondosamente, resolveu atrair para os seus sessenta e tantos anos a desonra do cansaço:

— Está bem! — disse ele. — Para vocês que são moços, o cansaço não existe! Mas eu já sou velho, e quem está cansado e com sono sou eu! Vamos dormir!

Apreciei a cortesia do velho Fidalgo, mais forte do que todos nós, mas que escondia essa força para não nos humilhar. E dormi, naquela noite, com um sono do qual as dores do corpo, já transformadas em simples doído, só me despertavam para que eu remergulhasse no prazer mais gostoso de sentir que estava deitado e dormindo, e não acordado e andando a cavalo. Não tinha tempo de estranhar nem a cama nova nem a noite, mais quente do que as nossas frescas noites de sertão de serra, do Cariri.

Folheto XVII
A Primeira Caçada Aventurosa

Acordei ao amanhecer, ouvindo os rumores familiares da fazenda, que me lembravam meus despertares de menino, na "Onça Malhada" e nas "Maravilhas": urros do gado, no curral, conversas da criadagem na cozinha, brados e gargalhadas dos Vaqueiros, barulhos dos potes e flandres de leite, trazidos para casa pelos filhos-meninos dos moradores.

Dentro das regras da boa hospitalidade sertaneja, nosso quarto estava provido de lavatório de louça, quartinha d'água, copos, uma penteadeira com espelho e pentes. Assim, foi bem lavados, barbeados e limpos que comparecemos à sala para o café, que veio farto, com muito leite, cuscuz com manteiga, tapioca salgada, inhame, macaxeira, queijo de coalho e de fazenda.

Tínhamos combinado que, à tarde, iríamos experimentar a pontaria, o que realmente fizemos, numa Lagoa que existia perto da casa, no lado oposto ao da Capela. Era a hora de Malaquias. Se até agora eu tinha brilhado nas conversas e tiradas, agora seria seu primeiro grande momento. Íamos todos bem apetrechados, com cartucheiras à cinta e mais os bisacos de couro, cheios de cartuchos.

A espingarda de Malaquias era de cano duplo e de calibre "Doze". Ele tinha com ela carinhos e cuidados de pai. Guardava-a toda enrolada em panos, dentro de um estojo de couro, bem limpa e bem azeitada, e só a armava no momento de sair para a caça. Já a minha, era uma "Vinte e Oito" de um cano só, enferrujada e suja, guardada sem proteção e como Deus era servido. Era, para mim, não tanto uma arma, mas um dos elementos através dos quais eu tentava preservar para mim, para Tia Filipa e para o Povo sertanejo, a imagem cavaleira que me forjara. Eu podia ser, apenas, um Poeta covarde, um Decifrador pacífico de charadas, um ex-seminarista e Escrivão de gabinete. Mas, graças a meu cavalo de nome heroico, a meu rifle e à minha gloriosa espingarda "Vinte e Oito", podia reivindicar o título de Cavaleiro, soldado e caçador. Se desempenhava bem ou mal essas tarefas, isso era outra história! E o fato é que a Fortuna recompensava de vez em quando minha constância e fidelidade no serviço, das maneiras mais inesperadas e casuais. Entretanto, só mesmo as pessoas mais chegadas a mim, como Malaquias, é que conheciam a verdadeira versão de certos acontecimentos lendários que me tinham envolvido. E como todas essas pessoas me estimassem, elogiavam e ampliavam minhas façanhas involuntárias, na maioria dos casos até cômicas, para quem as conhecia em seu acontecido verdadeiro. Acresce que, perante Malaquias e as pessoas de sua roda, eu era respeitado exatamente por aquilo que, para mim, era uma fonte de humilhação — a charada, o folheto e tudo o mais que se ligava à minha literatura de homem Acadêmico. Já entre os outros literatos de Taperoá, gente incapaz de disparar um tiro, minha reputação era de meio Cangaceiro, caçador e Cavaleiro. De modo que assim, aos trancos e barrancos, o plano que eu traçara ia dando certo, para brilho da minha imagem real de honra e para grande regozijo de Tia Filipa.

Era então por isso que, agora, ia eu ali, armado e tão encruzado de cartucheiras quanto Malaquias, Deósio, Leônidas e Argemiro. Quanto a Euclydes Villar, era um típico intelectual taperoaense de rua. Nem entrar no jogo entrava. Omitia-se prudentemente até de conduzir espingarda, temeroso de ser obrigado a dar algum tiro, com grave risco para seu amor-próprio.

* * *

Saímos, tomando o lado do qual se avista, do terraço, a célebre "Serra da Forquilha", aquela na qual um dos Pereiras mais valentes do nosso tempo, Sinhô, Chefe venerado de Virgolino Ferreira Lampião, tinha obtido vitória num sangrento combate contra a Polícia e os Carvalhos. Descemos o alto da casa e caminhamos em direção à Lagoa, que não fica longe. Íamos por uma espécie de estrada velha ou de picada antiga e muito realenga, toda ladeada de pés de Pereiro. Não tínhamos, porém, passado muito da metade do caminho, quando, espantada por nossa passagem, uma rolinha "caldo-de-feijão" voou do ninho e foi pousar pouco adiante, nos galhos de uma Jurema-Branca, rodeada de Xiquexiques. Imediatamente, levei à cara minha "Vinte e Oito", e ia atirar, quando Malaquias baixou bruscamente minha arma, impedindo-me:

— Não atire não, Mestre Dinis! — advertiu-me ele. — Na Lagoa, pode ter Marreca, e se você atirar aqui, espanta tudo lá!

Meio humilhado, apelei para a Literatura, para aquilo que Samuel e Clemente chamam, com desprezo, "as saídas de almanaque de Quaderna":

— É mesmo! — comentei. — Minha sede de caçador é tanta que, vendo a caça menor, perto, nem me lembrei que podia espantar a maior! Mas isso é de quem é caçador, mesmo, e, como diz o ditado, "é melhor uma Rola na mão do que duas no cu!".

O pessoal, que não esperava aquilo, caiu na gargalhada, e vi que minha causa estava ganha, perante os Pereiras. Daí em diante, eu poderia errar os tiros que errasse, fazer os fiascos que fizesse: minha falta de destreza seria, até, um novo motivo de simpatia a meu favor, como me acontecera a vida inteira perante meu Padrinho, e mesmo perante seu filho Arésio, homem violento, que somente a mim, e a mais ninguém, perdoava aquilo que chamava "o mofo dos capões intelectuais".

* * *

Chegamos, aí, a uma velha cerca de pau-a-pique, já sem serventia, com a cancela arrancada, de mourões derreados. Dali, avistávamos a Lagoa, que estava com alguma água rasa, tomada das primeiras invernadas de Janeiro. Ali, paramos atrás da cerca, e Malaquias avançou sozinho, abaixando-se e com pés de lã, em direção a um bosque de Pés-de-Turco que nascia do chão raso e plano da Lagoa.

Não demorou muito e ouvimos o primeiro ronco da "Doze". As Marrecas levantaram em bando, piando desesperadamente, e vimos uma delas que, malferida, voava baixo, com uma perna arriada, tentando valentemente acompanhar o voo seguro das outras. Mas a carga de chumbo que recebera fora grande, e logo ela caía por entre o capim, dentro d'água, não muito longe de Malaquias. Ao mesmo tempo, soava o segundo disparo da "Doze", e outra Marreca do bando, acertada no voo, rodopiava do céu, esta de asa fechada. Malaquias, que até ali estivera abaixado, surdiu do capinzal por dentro do qual rastejara, e correu para o lugar onde caíra a primeira Marreca. Ouviu, então, o batido de agonia da ave ferida, porque deu uma guinada na carreira em que ia e, de repente, abaixou-se, levantando-se já agarrado com a bicha, que esperneava. Ele torceu-lhe o pescoço, acabando de matá-la. Depois caminhou por dentro da água rasa até um claro formado pelos Pés-de-Turco, e apanhou a segunda Marreca, que estava ali, boiando. Voltou-se então para o lugar em que estávamos, e, segurando a "Doze" debaixo do sovaco, ergueu, meio torto, uma Marreca em cada mão, para exibir-nos sua façanha. Eu, orgulhoso por meu irmão, e também para puxar um pouco o brilho dele para a família inteira, gritei:

— Boa, Malaquias! Grande tiro! Não nega que é do sangue dos Quadernas!

Minha intervenção era oportuna: porque, passado o primeiro momento de entusiasmo, notei que os Pereiras começavam já a se mostrar cheios de reticências. Começaram a elogiar demais a espingarda de Malaquias, para diminuir, assim, os méritos do atirador. Por fim, Argemiro não se conteve e disse:

— Também, com uma espingarda dessas, eu não erro um tiro!

Retruquei imediatamente, para defender a honra dos Quadernas:

— Ali, tanto é boa a espingarda, como é raçudo o caçador!

Caminhamos então para o local onde se achava Malaquias, nós e mais um rapagote da fazenda, que nos acompanhara para servir de pajem e logo foi encarregado de conduzir as aves abatidas. Malaquias, já saciada sua primeira ânsia de caçador, falou para mim, como para atenuar a proibição que me fizera antes:

— Pronto, Mestre Dinis! As Marrecas já se foram, e agora podemos, nós dois, atirar à vontade nos pássaros menores!

***

Dei, então, uma arrodeada, aceirando os Pés-de-Turco, e logo descobri a primeira Rolinha-cascavel, que mirei sob os olhos de todo mundo e que, para desgraça minha, errei miseravelmente, junto a uma cerca de avelós que cruzava o campo raso da lagoa, já fora de suas águas. Dois minutos depois, apareceu um casal de rolinhas. Atirei na primeira e errei; na segunda e errei. Malaquias, compadecido deste seu ineficiente irmão mais velho, falou atrás de mim, abafando a voz:

— Não foi nada não, Dinis, esse último tiro raspou a bicha! Mas olhe: aí, perto de você, por trás da cerca de avelós, tem um Sabiá, no chão!

— Onde? — perguntei, olhando e procurando, inutilmente, sem jeito de ver o bicho.

— Ele voou agora, subiu para o pé de avelós, pouco acima do chão!

Olhei de novo para o lugar que Malaquias indicava, e então vi o Sabiá que estava num galho baixo do avelós, por trás duma forquilha, meio escondido mas numa posição maravilhosa para eu atirar, porque os dois galhos da forquilha indicavam precisamente a mira. Despreocupei-me do fato de ser pequeno o alvo, e cuidei somente de apontar pelo meio do *V* formado pelos dois galhinhos verdes: puxei o gatilho e o Sabiá caiu, apagado.

Era um feito! Não muito heroico, comparado com os de Malaquias, mas ainda assim era um feito, que me aliviava um pouco do fiasco anterior. E eu começava, já, a me sentir orgulhoso, quando ouvi o rapagote dizer, atrás de mim, a frase tradicional e escarninha:

— Até que enfim esse homem, aí, tirou o dedo do fioto!

— Tirei do meu e soquei no seu, desgraçado! — retruquei imediatamente. — Tirei o dedo do meu rabo e soquei no seu! Agora, trate você de tirar ele daí!

Novamente os Pereiras caíram na gargalhada. O rapaz encabulou um pouco e gaguejou:

— Bem, eu disse assim porque é da regra, mas que foi um bom tiro, foi! Acertou em cheio, e o bicho já caiu fedendo!

Apanhou o Sabiá, e eu, sem olhar para o grupo, desprendi-me deles, um pouco para procurar caça, e um pouco para atirar mais à vontade, longe de seus olhares fiscalizadores.

* * *

Embrenhei-me, então, por entre as Juremas, Pereiros e Pés-de-Turco existentes em todo o campo raso que circundava a Lagoa. Apareceu uma Rolinha "fogo-apagou", que errei. Outra: novo erro! Decepcionado, parei um pouco, indeciso, querendo voltar. Mas mudei de ideia: tomei uma vereda que havia assim, uma espécie de trilho-de-cabras, e depois de andar um pouco, ouvi cantar uma Juriti, dentro do mato, não muito longe de mim. Deixei a vereda, entrei pelo mato, parei a certa altura, com as pernas enganchadas numa rama. Aproveitei a pausa para verificar se a Juriti voara: mas ela continuava a cantar, sossegada. Desenganchei-me bem devagarinho, para não fazer barulho, e comecei a tomar chegada, macio e traiçoeiro como um gato. De repente, ouvi a Juriti cantar de novo, a uns dez passos de mim. Olhando na direção do canto, avistei-a, muito despreocupada de si, pousada no galho de uma Jurema meio florada. Com o coração aos saltos, levei a "Vinte e Oito" à cara e comecei a mirá-la. No momento exato em que ia atirar, porém, soou, não muito longe, o ronco da "Doze" de Malaquias, e minha Juriti bateu asas, voando para longe.

Maldizendo entre dentes o desgraçado do meu irmão, que me tirara, assim, aquela que seria a grande glória da minha tarde, comecei a correr para os lados de onde viera o tiro. Saí no descampado, e avistei o grupo, lá, perto da cerca de avelós, Malaquias exibindo triunfalmente um Paturi desgarrado que lhe aparecera e fora acertado no voo. Ergui a mão para ele, num gesto eloquente que tanto poderia ser de saudação como de raiva, e voltei-me para entrar, de novo, no mato. Aí, nesse instante mesmo, avistei qualquer coisa voando no céu, vinda do lado oposto ao da Lagoa: era uma Asa-branca, que vinha solitária e alta, mas que iria passar quase por cima da minha cabeça. Atabalhoado, apontei a "Vinte e Oito" e puxei o gatilho. Ela deu uma guinada no voo, de modo que acreditei que tinha acertado. Mas fora somente o susto causado pelo pipoco: a Asa-branca retomou a linha de voo em que vinha e cruzou o descampado, em direção ao pessoal. Nervoso, gritei para lá:

— Olha a Asa-branca, Malaquias! Fogo nela, Malaquias!

Mas Malaquias não atirou. Corri para lá, a fim de saber por quê: Malaquias não tinha considerado favorável a posição em que ela passara e achara melhor não arriscar cartucho. Eu, para evitar perguntas sobre o resultado da minha excursão solitária, imediatamente reclamei:

— Você, Malaquias, é um grande atirador, mas é um caçador sem sede! A Asa-branca passou por mim, também, numa posição péssima, de ponta-de-asa! Mesmo assim eu atirei! Tentei, pelo menos: Asa-branca não é coisa que se perca assim, não!

Malaquias, que me conhecia bem, e sabia que tudo aquilo era somente da boca pra fora, achou graça. Mas os Pereiras, que estavam meio despeitados com o brilho de caçador dele, concordaram logo comigo. Deósio disse:

— É verdade, o Mestre Dinis, ali, tem razão! Eu também teria atirado! Só não atirei porque achei que a vez era sua, como hóspede!

Malaquias, com a modéstia e a segurança dos grandes, não retrucou nem se defendeu. Disse, apenas, que o nosso pajem estava dizendo para continuarmos caminho, cruzando a estrada de rodagem e indo até um açudeco no qual, às vezes, pousavam Patos-d'água. Com aquele tiroteio era quase impossível que não tivessem levantado, todos. Mas, por desafogo de consciência, resolvemos ir até lá, obtendo eu uma autorização, que não pedira, de atirar no que encontrasse.

Essa etapa da caçada seria, porém, mais favorável a meu amor-próprio de caçador. Não sei se por causa do ponto de referência do chão, embaixo, sempre atiro menos mal em pássaros pousados no chão do que em galhos. O Sol já começava a cair, mas começamos a encontrar macegas de Muçambê ladeando as veredas, com uma porção de Rolinhas ainda pelo chão, mariscando as sementes. Dei seis tiros sucessivos, errando apenas um, diante dos Pereiras que, àquela altura, já estavam querendo começar a atirar também, para mostrar quem eram. Mas, como prevíramos, o dia de caça estava realmente esgotado. O açudeco estava deserto. Debaixo de uma chuva rápida mas de pingos grossos, saltamos uma cerca e tomamos o caminho de volta para a casa da Fazenda, onde chegamos molhados mas orgulhosos, exibindo eu as cinco Rolinhas e o Sabiá que não me deixavam fazer muito feio diante de Malaquias e que me consolavam um pouco da perda da Juriti e da Asa-branca. E tive mesmo algum orgulho, quando Dona Pautila de Menezes, a veneranda Baronesa do Pajeú, entendendo mais ou menos minha situação, comentou com bondade:

— As Marrecas enchem mais a vista, mas gostosa mesmo vai ser é a canja que vou mandar preparar com as Rolinhas que esse moço, aí, matou!

***

Naquela noite, ceamos canja de Rolinhas, pato assado, carne de sol com farofa, jerimum com leite e, coroando tudo, uma umbuzada. Depois do jantar, sentados em espreguiçadeiras no copiar da "Carnaúba", ficamos a conversar coisas vagas, enquanto as estrelas piscavam em cima, e lá longe, para os lados de Belmonte, relâmpagos cortavam o céu. A terra e o fresco ar noturno cheiravam a mato e a chuva, e foi ali que eu, tendo como pretexto a caçada da tarde, puxei a conversa para esse assunto. Narrei todos os meus insucessos, exagerando e mesmo inventando o que podia. Por fim, a modo de conclusão, lancei a frase que tinha preparado como centro do meu plano. Disse:

— Mas Marreca e Rolinha são caça pequena, caça de menino! Pena é que por aqui não tenha uma Serra braba, dessas onde a gente encontra, ainda, caça mais respeitável, como Jacus e Veados! Essa aí, sim, seria caça para nós matarmos e voltarmos para Taperoá contando glórias de Serra Talhada!

Eu já soubera, na Vila, que, na Serra do Reino, havia essas caças. Como previ, o velho Fidalgo, Né da Carnaúba, com sua voz mansa, mas um pouco picado nos seus brios de filho da terra, retrucou, lá de seu canto:

— Mas acontece que aqui você ainda encontra tanto Jacus como Veados! Olhe, daqui para a Serra do Reino, tudo é terra dos Pereiras! Amanhã, cedo, vou mandar um portador para a nossa Fazenda "Belém". Lá, existe um bom mato de Juazeiros, que é um dos melhores comedouros para Jacus que existem por aqui! Esses perus-do-mato são doidos por juá. De manhã, bem cedinho, é fácil vocês encontrarem alguns por ali, comendo as frutinhas maduras, caídas no chão, de noite! Este ano os juás estão amadurecendo antes do tempo, de modo que acho que os Jacus já andam aparecendo por aquelas bandas! Quanto aos Veados, vocês podem encontrar um ou outro, ainda, é na Serra do Reino! Mas ali é melhor vocês tentarem matá-los nas *malhadas*, principalmente debaixo dos pés de Imbu, onde eles ficam *malhando* na sombra, no calor da tarde, logo depois do meio-dia. A Serra do Reino é coberta de Catolezeiros. Vocês vão encontrar, debaixo dos pés de coco-catolé, montes e montes de coquinhos, comidos pelos Veados. Eles comem a polpa e a palha quase toda: fica somente quase que só o coco. Isso vai servir, para vocês, de sinal da passagem dos Veados nas trilhas. Vou mandar que o portador, depois de preparar as esperas-de-jacu em "Belém", dê um pulo até Bernardo Vieira, para avisar a meu Compadre Luís do Triângulo que, depois de amanhã, vocês estão chegando por lá. A Serra do Reino é um bocado longe daqui. Mas como, de qualquer modo, vocês têm que ir aos Sítios Novos de Bernardo Vieira para se encontrarem com ele, não custa nada darem um pulo até a Serra. Luís, mesmo, pode servir de guia, para que vocês possam matar um ou dois Veados na Serra do Reino!

    O velho fidalgo da "Carnaúba" falara calmamente, sem imaginar com que emoção eu ouvia aquelas referências à Serra do Reino. Cuidei, porém, de não revelar de modo nenhum minha perturbação. Levantei-me e falei:

— Pois então vamos dormir, para acordar mais cedo! Malaquias, Deósio, Leônidas, Argemiro e eu, que somos caçadores, vamos preparar as espingardas! Euclydes Villar prepare a máquina, porque depois de amanhã, se Deus quiser, vou tirar um retrato segurando pelos pés um Veado morto por mim, em cima da velha Serra do Reino!

FOLHETO XVIII
A Segunda Caçada Aventurosa

No dia seguinte, ainda na "Carnaúba", comemos um almoço que só o Sertão poderia oferecer integralmente: carne de Tatu-verdadeiro cozinhado no casco; farofa de cuscuz, enriquecida com ovos cozidos e pedaços esfiapados da mesma carne de Tatu; carne de sol assada; feijão-mulatinho, cozinhado com pedaços de cascão de queijo, linguiça e jerimum; e, como sobremesa, primeiro uma umbuzada, depois doce de goiaba feito em casa e comido com queijo de manteiga.

Depois de descansar o almoço, aí pelas duas horas da tarde, montamos a cavalo e partimos para a fazenda "Belém", onde o portador já devia estar, esperando-nos. Não houve incidente de nota, na viagem. Mas eram cinco léguas, de modo que cheguei lá novamente meio quebrado.

A casa da Fazenda, muito antiga, tinha à frente, como é comum em Serra Talhada, um terraço de chão de tijolo, cercado por um gradil de madeira. Iríamos dormir nela, à moda solteira, pois a casa estava desocupada e fechada. A mulher do Vaqueiro, recomendada pelo portador, tinha nos preparado uma ceia simples, que comemos às pressas, doidos para dormir, estafados que estávamos daquelas cinco léguas a cavalo.

Naquela noite, porém, o cansaço não me fez dormir logo, de jeito nenhum. Minha cabeça estava pegando fogo, e, sem querer, eu me recordava, a cada instante, dos episódios mais importantes da sangrenta aventura da Pedra do Reino. Tentava esquecer. Fechava os olhos, para ver se dormia. Mas, quando ia conseguindo, lembrava-me de que fora exatamente ali, no copiar da casa onde eu estava, que, no dia 17 de Maio de 1838, tinham estado conversando os três Barões sertanejos, Manuel, Alexandre e Cipriano Pereira, quando o Conde renegado, Dom José Vieira Gomes, viera denunciar a eles os acontecimentos do Reino Encantado. Fechava os olhos com mais força, tentando forçar o sono. Mas, assim que os fechava, apareciam-me, como em letras de fogo, as palavras da narrativa de Souza Leite, e minhas têmporas latejavam, enquanto eu repetia, mentalmente:

"Eram mais de dez horas da manhã do dia 17 de Maio de 1838. Sentado com seus irmãos Cipriano e Alexandre Pereira, na frente da sua fazenda 'Belém', o Comandante Manuel Pereira da Silva praticava com eles" etc.

* * *

Devo ter adormecido já com a madrugada alta. E tinha a impressão de ainda não ter dormido nada, quando Malaquias me acordou com um berro, batendo na porta do quarto onde eu estava:

— Acorda, Mestre Dinis! Acorda e vamos embora, senão perdemos os Jacus!

Tomamos café às carreiras e seguimos a cavalo, ainda à luz pálida das últimas estrelas, para o bosque de Juazeiros, existente entre a fazenda "Belém" e a "Caiçara". Havia seis esperas preparadas, uma para cada um de nós. Desta vez, acabadas suas obrigações de hospedeiros, notei logo a disposição em que estavam os Pereiras de bater os Quadernas de qualquer jeito. Eu confiava nas qualidades de Malaquias, para evitar isto. Mas se eu ficasse sozinho, num canto, separado de Malaquias, seria vencido infalivelmente, e os Pereiras poderiam alegar que tinham perdido para um Quaderna, mas ganhado para outro. Além disso, além da honra dos Quadernas, eu tinha que cuidar também da minha, particular. Por isso, tomei logo a frente da organização da caçada, e escolhi para mim a espera situada bem perto da de Malaquias. Poderia, assim, somar meus feitos e os dele como "feitos dos Quadernas", colocando a salvo tanto a honra da família como a minha. Euclydes Villar, a quem os Pereiras tinham arranjado uma espingarda, recusou-a, sob pretexto de que a máquina fotográfica já era peso e incômodo demais. Destaquei-o, então, para fazer companhia a Deósio, o mais velho dos moços Pereiras. Argemiro e Leônidas ficaram cada qual em sua espera, próximos, também, um do outro.

Para encurtar a história: antes mesmo de nascer completamente o Sol, os Jacus começaram a sair do mato para o bosque de Juazeiros. Errei tiro sobre tiro. Entretanto, por quatro vezes, ouvi o ronco da "Doze" de Malaquias, e, do lugar em que estava, deu para eu ver caírem quatro Jacus enormes. Eu já estava ficando desesperado, porque a manhã caminhava e daí a pouco a caçada teria que parar. Aí, rezei humildemente, para sair daquela situação. Mal acabara a prece, um Jacu desceu do mato e começou a caminhar em direção ao Juazeiro que me ficava mais perto. Chegando embaixo, deu uma ciscadela no chão, e começou a comer juás. Estava muito mais para mim do que para Malaquias, que talvez o estivesse vendo, lá, escondido na espera, mas que não tinha distância para o tiro. Com o coração aos pulos, apontei minha "Vinte e Oito". Acontece, porém, que sou de pontaria discreta e demorada. E, no momento em que ia começando a firmar a mão, ouvi o tiro que Malaquias, de lá, dera no meu Jacu! Meu irmão, impaciente porque eu não atirava, "vendo a hora do Jacu ir-se embora", como me explicou depois, não se contivera, e tentava, assim, aproveitar-se até do resultado das minhas orações íntimas!

Voou pena do jacu pra todo lado, e ele cambaleou, a ponto de me fazer acreditar que ia cair. Entretanto, reunindo algumas forças que lhe tinham restado, deu um galope trôpego e indeciso, com as asas arriadas tocando o chão, e parou a dois passos, bem na minha frente, abrindo e fechando o bico, num espasmo de bicho profundamente ferido. Aí, não conversei nem hesitei mais: desfechei-lhe a carga mortífera da minha imortal "Vinte e Oito". A pancada do tiro próximo foi tão amolestada, que o Jacu caiu para trás, revirando, empurrado pela compacta carga de chumbo.

Malaquias correu de lá, eu corri de cá. E como eu estava mais perto, peguei o Jacu primeiro. Ainda meio sem fôlego pela carreira, ele chegou para perto de mim e disse, de olhos aboticados, na sede inconsciente da caça:

— Passe pra cá meu Jacu!

— Seu por quê? — indaguei, impassível.

— Foi meu tiro que matou o Jacu e o Jacu é meu! Ele já ia morrer quando você atirou, Mestre!

— Quem disse? Como é que você prova isso? — perguntei, continuando a segurar o Jacu com as duas mãos.

Malaquias olhou-me, perplexo. Notei que o orgulho cego e egoísta de caçador estava começando a ceder, diante da estima que ele tinha por mim. Imediatamente aproveitei o fato, e apelei para a amizade fraterna:

— Você sabe melhor do que eu, Malaquias, que foi meu tiro que, realmente, liquidou o Jacu. Se ele já estava ferido por um tiro seu, não sei: não vi, e isso é outra história! O importante é que foi meu tiro que acabou com ele! Ou será que você quer ver seu irmão, mais velho do que você, desmoralizado diante desses estranhos?

Com isso, ganhei a parada no mesmo instante. Malaquias falou, cordato:

— Não, você tem razão, Mestre Dinis! De fato, foi seu tiro que acabou o bicho! Quem sabe se, mesmo ferido, ele não conseguiria fugir, entrando no mato antes que eu desse outro tiro? Leve o bicho, o Jacu é seu!

Cheio de orgulho, meti o peru-do-mato no bisaco, e foi assim que, naquele dia memorável, acrescentei a morte de um Jacu à lista dos meus heroísmos. Mas o Sol já ia mais ou menos alto, Jacu não apareceria mais. Saímos das esperas e fomos ao encontro dos outros, que já gritavam por nós. Argemiro tinha matado um Jacu e Leônidas outro: empate comigo, surrados por Malaquias! A Deósio, não aparecera "um Jacu, pra remédio": nem atirar ele conseguira! Por isso, dizia de vez em quando, com ar feroz:

— Eu hoje estou de azar! Não sei o que foi que me aconteceu, a mim que tenho tanta sorte em caçadas! Hoje, houve alguma novidade, que me azarou desse jeito!

Ao dizer isso, olhava de través para seu companheiro de espera, Euclydes Villar, que fingia não entender a insinuação, lidando com suas flanelas, suas lentes e espanejando a cada instante o fole de sua máquina fotográfica.

Folheto XIX
O Caso da Coroa Extraviada

Eram quase dez horas da manhã quando chegamos à Vila de Bernardo Vieira, onde cheguei com uma dor de cabeça de lascar. Ao entrarmos na rua principal, a da Igreja, de dentro da casa de seu parente Manuel Conrado de Lorena e Sá, apareceu o grande Luís Pereira, O Condestável, que ali estava à nossa espera, risonho, calmo e cortês como sempre. Mal respondi a suas finezas, indagando logo pela Farmácia, que era no fim da rua e onde tive a sorte de encontrar um conterrâneo, meu velho conhecido, Cecílio Tiburtino de Lima, que me receitou imediatamente dois comprimidos e uma dose de sal-de-frutas, com um copo de leite cinco minutos depois, "para espalhar o sangue e agradar o estômago". Com isso, pude voltar para a casa de Seu Neco Lorena, onde, melhorando, ainda pude comer alguma coisa do lauto café que nos tinham preparado.

Assim, eram mais ou menos onze horas da manhã quando partimos para a Serra do Reino, agora com Luís do Triângulo à frente. O balanço do cavalo ainda me fazia latejar a cabeça doída. Mas, para não dar parte de fraco, aguentei e tocamos para a frente. A certa altura, Luís do Triângulo voltou-se para mim e disse:

— Aqui, onde nós estamos, é, ainda, Pernambuco. Mas, no caminho em que a gente vai, daqui a pouco entramos na Paraíba e chegamos na fazenda "Açudinho", de nosso primo Antônio Pereira, conhecido como Antônio do Açudinho. Vocês querem ir, mesmo, é à Serra do Reino, não é?

— É, sim! — respondi. — Só nos interessa é a Serra do Reino, porque é lá que a gente pode matar os Veados!

— Veado tem por aqui em tudo quanto é de Serra! — falou Luís. — Mas como a Serra "falada" daqui é a do Reino, o Povo só se lembra dela, quando fala nos Veados!

— E por que é que a Serra do Reino é tão "falada", assim? — perguntei, jogando verde para colher maduro.

— É por causa da Pedra do Reino e do Reino Encantado, Dinis! Você nunca ouviu falar nisso, não?

— Na Pedra do Reino? Não! — menti.

— É que, no tempo antigo, no tempo do ronca, houve, por ali, umas tribuzanas brabas! Meus parentes até que andaram se metendo no barulho! Meu bisavô, Antônio Pereira, e o bisavô desses meninos aí, Joaquim Pereira, estiveram lá, na briga, e escaparam. Mas dois irmãos deles, Cipriano e Alexandre, morreram todos dois. De qualquer modo, os Pereiras terminaram ganhando a batalha e matando o Rei Coroado!

— O Rei Coroado? Que Rei? — perguntei, fingindo-me espantado.

— Ah, meu amigo, o barulho, aqui, naquele tempo, foi grosso! Um tal de João Ferreira coroou-se Rei, na Serra do Reino, e meteu na cabeça do Povo que Dom Sebastião ia ressuscitar aqui, tornando os pobres ricos! O plano do Rei era matar todos os proprietários daqui para dividir as terras dos mortos com os seguidores dele. Me diga uma coisa: se der tempo, depois da caçada, vocês querem dar um pulo até o lugar das torres de pedra, onde foi o Reino? Vale a pena ver aquelas pedras, se bem que, toda vez que eu chegue lá, fique meio arrepiado, só de me lembrar do que aconteceu por ali!

— Ah, vamos! — disse eu, depressa, antes que alguém votasse contra. — Uma coisa dessas, não se deixa de ver de jeito nenhum!

— É verdade! — concordou Luís. — Se bem que tudo, ali, seja cheio de histórias furadas, cada um conta que aconteceu dum jeito! Parece que, no fim, só tem uma coisa certa: o Rei se chamava João Ferreira, queria acabar com os proprietários, e era casado com uma mulher chamada a Rainha Quitéria!

— Quitéria não, Josefa! — disse eu, sem me sentir.

Luís do Triângulo olhou-me, espantado:

— Sempre ouvi dizer que era Quitéria, o nome dela! — disse ele.

Agora era tarde para recuar. Falei de novo:

— Não, o Rei João Ferreira tinha sete mulheres! Talvez uma delas tivesse nome de Quitéria, não sei! Mas as duas importantes, mesmo, eram a Rainha Josefa e a Princesa Isabel!

— E como é que você sabe? — perguntou Euclydes Villar. — Você não disse que nunca tinha ouvido falar nisso?

— É que, quando Luís do Triângulo perguntou, inda agora, eu não me lembrei logo, e disse que não conhecia a história! — disfarcei. — Mas, depois que ele foi falando, me lembrei aos poucos, e agora me recordo de ter lido alguma coisa a esse respeito, na "Biblioteca Municipal", de Taperoá, numa coleção da *Revista do Instituto Arqueológico de Pernambuco*, doada por Gustavo Moraes. A revista tem até uma gravura, mostrando as duas torres de pedra, paralelas e quase iguais! Agora me lembro, me lembro perfeitamente!

— Pois então, se não for muito tarde quando acabarmos com os Veados, vamos dar um pulo até lá, para vocês verem aquelas pedras velhas! — disse Luís.

Naquele momento, chegávamos a uma Lagoa rasa, situada à direita da estrada. Luís do Triângulo explicou:

— Essa é a Lagoa do Vieira! Os Vieiras eram parentes do Rei João Ferreira e estiveram, também, metidos na "Guerra do Reino"! Diziam eles que esta Lagoa era encantada e que, aqui, Dom Sebastião tinha uma mina de ouro para os pobres!

* * *

Meu coração deu um pulo no peito. Dirigi imediatamente meu cavalo para a Lagoa: queria ver se achava uma ou duas daquelas pedrinhas com as quais meu tio-bisavô começara a pregação do Reino. Os outros, espantados com minha brusca saída, esbarraram os cavalos na estrada e ficaram me olhando. Para não me tornar suspeito, fingi que tinha visto caça na Lagoa. Tirei a espingarda do arção, segurei-a em posição de alerta, e assim aproximei-me da água.

Aconteceu, então, o que eu não esperava: uma Jaçanã, espantada com minha aproximação, levantou voo na minha frente, saindo de dentro dos gólfãos que margeavam a água. Eu estava na obrigação de atirar. E como estava absolutamente certo de errar, ergui a espingarda tortamente, sem fazer pontaria, e atirei. A Jaçanã caiu, fulminada. Surpreso, de queixo caído, mas já impando de orgulho, ouvi foi o grito entusiasmado de Malaquias, na estrada:

— Boa, Mestre Dinis! Grande tiro!

Era um golpe favorável da Fortuna, e vinha provar, mais uma vez, que a Astrologia não falha. De fato, ainda na "Carnaúba", eu consultara os astros sobre minha expedição, e encontrara o seguinte, no *Almanaque*: "Para os nascidos sob o signo de Gêmeos, o tempo será favorável, por causa dos influxos benéficos do Planeta Mercúrio. Viagem melhorará assuntos amorosos, financeiros, políticos e sociais. Grande achado. Pessoa mal-intencionada quererá intervir, mas não obterá sucesso. Seja mais observador." Era claro, claríssimo, até! A viagem à Pedra do Reino seria favorável à monarquia dos Quadernas e eu deveria ser o mais observador possível, não só para evitar as interferências daqueles mal-intencionados Pereiras, como também para entender um sinal, um achado que os astros terminariam me indicando. Ora, no momento, que coisa melhor para minha cotação social, política e financeira, do que acertar um tiro daquele?

Contente, saltei da sela no chão, e sob pretexto de procurar a Jaçanã, comecei a olhar nas margens da Lagoa, para ver se achava alguma pedra brilhante. Mas o tempo passava e nada! Os companheiros, já impacientes, gritavam, de lá:

— Está mais para dentro, Dinis! Caiu já dentro d'água! Aí, na beira, você não encontra ela, nunca!

Sem poder continuar com meus fingimentos, entrei na água rasa da Lagoa, molhando as meias-botas e a parte inferior das calças de mescla azul. Sem dificuldade, "achei" a Jaçanã que já avistara há muito tempo. Peguei-a pelos pés, e comecei a sair da água, satisfeito com o tiro, mas um pouco desanimado quanto aos assuntos monárquicos. Nesse momento, um raio de Sol feriu uma incrustação de malacacheta numa pedra que havia, à esquerda, não na margem da Lagoa, mas um pouco acima, na barreira baixa, de barro esbranquiçado, dum riacho seco. Encaminhei-me para lá, e fiquei absorto, profundamente impressionado com meu Destino! No chão, junto da barreira, havia uma pedra oval, branca, achatada, não muito brilhante, mais ou menos do tamanho de um pão-de-cruzado. A superfície branca era marcada por infiltrações, arroxeadas e avermelhadas, que, no conjunto, formavam, direitinho, a figura de um Escorpião, sinal astrológico e fatídico do nosso Reino, ou melhor, do Império do Sete-Estrelo do Escorpião!

O mais sensacional, porém, estava ainda por vir. E foi que, no momento em que me curvava para apanhar a pedra, avistei, pousado sobre outra, próxima, aquilo que, no primeiro momento, me pareceu somente um velho chapéu de couro abandonado. Ora, a Coroa que meu bisavô usara na Pedra do Reino era de metal — de prata, digamos! — e montada sobre um chapéu de couro que lhe servia de forro. Fora encontrada, depois da batalha, pelo mesmo Vaqueiro que encontrara o inocente, filho da Princesa Degolada, indo ter, assim, às mãos do Padre Wanderley. A Coroa, ou antes, sua parte de metal chegara até nós, mas o forro se perdera. Eu já estava, mesmo, conformado em ajustar a ela um chapéu de couro qualquer, que seria digno, mas nunca como o velho forro que servira à cabeça de três Reis. Pode-se imaginar, portanto, qual não foi minha emoção, quando verifiquei que aquele tinha umas fendas laterais que coincidiam mais ou menos com as folhas de metal da Coroa! Não havia dúvida, era o forro que, certamente, ficara ali, jogado, no dia da batalha! Era o achado astrológico, predito pelo *Almanaque*!

No maior entusiasmo, guardei a pedra e o chapéu de couro no bisaco, junto com a Jaçanã, e voltei para junto dos outros. Malaquias, sabendo como um elogio seu era agradável para mim, falou de lá:

— Você hoje está um caçador mordido de cachorro da molest'a, hein, Dinis? Que o tiro foi de macho, foi! Mas o que mais eu me admirei foi de você, daqui, ter avistado a Jaçanã por dentro dos matos! Mas modere sua sede de caçador, senão, com esses tiros, a gente não encontra mais nem um Veado, na Serra! Já está perto, Luís?

— Mais ou menos! — respondeu Luís do Triângulo. — Por aqui, pela Lagoa do Vieira, tem um caminho mais perto. Mas, para nós, é melhor ir até o "Açudinho", onde a gente pode deixar os cavalos!

Folheto XX
A Terceira Caçada Aventurosa

Chegamos ao "Açudinho", já em terras da Paraíba, aí pelas duas horas da tarde. Não havia tempo a perder. O dono da terra, Seu Antônio, primo dos Pereiras, ordenou a um velho cabra seu, Luís Cachoeira, Vaqueiro e Cangaceiro aposentado, que nos guiasse até a Pedra do Reino. Então, a pé, com Luís Cachoeira à frente, contornamos a casa da fazenda, passamos um curral de ovelhas e entramos pelo mato, ainda em terreno baixo. Mas a Serra começava logo ali perto, de modo que logo o caminho começou a se tornar ladeiroso, beirando uma cerca.

Em dado momento, Luís Cachoeira parou e apontando lá para longe, num alto da Serra, dirigiu-se a mim, perguntando:

— Vossa Mercê está vendo aquela casa, acolá, naquele pico de serra? Me diga, daqui, se ela é de taipa ou de tijolo!

— É de tijolo! — respondi, convicto. — De tijolo e rebocada! Agora, está com o reboco velho, meio preto nuns lugares.

Cachoeira riu, divertido:

— Aquilo é uma pedra, Seu Major! Daqui, todo mundo se engana, pensa que é uma casa! Na subida, mesmo, da serra, a gente vai passar perto dela! Mas também não é de admirar que o senhor se engane não, porque a gente vai passar por tanta pedra esquisita que é uma coisa demais!

E continuamos a caminhada íngreme. O mato começou a se embrenhar, tornando-se cada vez mais áspero e espinhoso. Cachoeira continuava à frente, e, apesar dos seus setenta anos, ia com o passo lépido e seguro de andarilho sertanejo, com o tronco desempenado, seco e duro, como se os anos, passando por ele, tivessem somente secado e enrijecido um tronco escuro e meio-queimado de Pau-ferro. Atrás de Cachoeira, iam Deósio, Leônidas e Argemiro Pereira. Atrás deste, Luís do Triângulo, seguido por Malaquias, por mim e por Euclydes Villar. O Sol estava de queimar, e a subida da Serra tornava-se cada vez mais ladeirosa e dura. Ninguém suava. Ou antes, suávamos, mas o Sol quente e o vento evaporavam o suor na mesma hora, de modo que daí a pouco estávamos morrendo de sede e com a pele estalando, de seca. Além do mais, de vez em quando, um cipó nos enredava, um galho de Jurema "unha-de-gato" enganchava nossas calças ou nos feria com seus espinhos agudos e recurvados.

Meu fôlego começava a faltar. Eu olhava para a frente, na esperança de que Luís Cachoeira sentisse o coração cansado, mas não havia jeito. Lá na frente, ele fumava um cigarro de palha, e eu via, pelo ritmo seguro e regular das baforadas, que ele não estava, sequer, com a respiração alterada. Desesperei. Estava, já, a ponto de rebentar. Ao mesmo tempo, sabia que, se pedisse para parar antes dos outros, os Quadernas estariam desmoralizados. Decidi-me, intimamente: "Rebento, mas não afraco!" E como estava convencido de que ia morrer — porque mais não suportava! — comecei a me confessar silenciosamente a Deus de todos os meus pecados, rezando o "ato de contrição". E aí, Deus e os astros permitiram que eu ouvisse, atrás de mim, um ruído estranho, uma mistura de assobio, ronco de porco e sopro de asmático, sublinhando o ritmo trôpego de passos inseguros. Passei para trás um rabo-de-olho inquisitivo, e vi Euclydes Villar, que vinha pior do que eu! Era a conciliação entre Quadernas e Pereiras, era a salvação da minha vida e da minha honra! Aproveitei-a com um berro arquejado:

— Para! Para, pessoal, senão Euclydes Villar morre!

O alívio foi geral; mas o melhor foi que, assim que pôde falar, Euclydes Villar veio me agradecer a interferência, confessando que estivera a ponto de morrer! Mas vinham todos tão exaustos, que ninguém teve coragem de ser cruel com o pobre Poeta, fotógrafo e charadista, tão pouco habituado a essas correrias e heroísmos sertanejos. Com exceção de Cachoeira, todo mundo arquejava; todo mundo arriou no chão, para recuperar a respiração.

Eu não me sentei não, deitei-me. Espichei-me à sombra de uma Aroeira, com o coração ainda pulsando como um cavalo desgovernado. Cachoeira foi o único que não se sentou. Recostou-se numa barreira, e, sempre fumando e falando, começou a nos contar fatos da serra e de sua vida. Foi ele que, depois de uma meia hora, nos animou a retomar a caminhada, dizendo:

— Vossas Mercês estão cansados, mas se animem, porque esse que nós passamos foi o pedaço pior da subida! Dagora em diante, vamos sempre subindo, mas a subida é vagarosa e a gente quase não sente ela!

***

Cachoeira, agora, ia com passo mais moderado, do que dei graças a Deus. Depois de andarmos ainda um bocado, demos com o primeiro pé de Coco-catolé próximo à vereda. Como nos explicara o Senhor da Carnaúba, havia, no chão, montes de pequenos cocos amarelos, comidos, o que indicava passagem mais ou menos recente de Veados. Deixamos então a vereda e embrenhamo-nos pelo mato, em demanda de uns Umbuzeiros que, segundo Cachoeira, "eram danados pra ter Veado malhando, àquela hora".

Aí, quando nos aproximamos do primeiro Umbuzeiro, Deósio mostrou, logo, as novas disposições em que se encontrava de vencer os Quadernas fosse como fosse, principalmente depois do azar que tivera com os Jacus. Adiantou-se, rápido, à nossa frente, e começou a tomar chegada. Estava ultrapassada a fase da hospitalidade; agora era cada um por si e Deus por todos. Mas as normas da caça continuavam em vigor, de modo que todos nós paramos e ficamos esperando que ele agisse.

Confesso que estava possuído por um mau sentimento, com um medo danado de que fosse um Pereira, e não um Quaderna, o primeiro a matar essa honrosíssima caça que é um Veado. Aflito, rezei de novo, desta vez pedindo a Deus e a meu Planeta, que, ou Deósio não encontrasse Veado nenhum, ou, caso encontrasse, que errasse o tiro. E, de súbito, não pude acreditar no que estava vendo: uma Cobra-cascavel dormitava ali, bem perto, na boca do oco de uma Imburana, esfuracada pelo tempo e tão velha e cinzenta quanto a Cobra. Um plano maldoso fuzilou seu relâmpago dentro do meu sangue. Sem formular qualquer ideia, guiado somente pela maldade do instinto, encostei praticamente minha "Vinte e Oito" na cabeça da Cobra adormecida e desfechei o tiro.

No mesmo instante, ouvimos o mato estralejando para os lados do Umbuzeiro e o berro indignado de Deósio Pereira, vendo perdido o Veado, que desaparecera no mato. A surpresa foi geral. As perguntas choviam. O que fora aquilo? Por que eu tinha atirado? Silenciosamente, mostrei a Cascavel, que rolava e se enroscava feito doida, naquela morte enraivecida, envenenada e violenta de Cobra, que todo mundo já viu. Mostrei-a e disse:

— Vocês se espantam porque eu atirei? A Cascavel estava bem perto de Euclydes Villar, estão vendo? Vocês queriam bem que eu arriscasse a vida de meu amigo Euclydes Villar por causa de um Veado!

Deósio Pereira, lembrado ainda do azar que o charadista lhe dera nos Jacus, olhou-o como quem não estava seguro de que sua vida valesse a perda do Veado. Mas não disse nada, constrangido por sua educação fidalga, e o fato é que não achamos mais Veado nenhum. Todos estavam inconsoláveis; menos eu e Cachoeira que, tendo tirado o couro da Cascavel, recebera-o de presente e estava feliz da vida, dizendo que, se não o vendesse na feira, faria, para si mesmo, um cinturão.

* * *

Estávamos, agora, em cima, mesmo, da Serra, no plano raso, amplo e altaneiro, semeado, aqui e ali, de enormes lajedos de formas estranhas, parecendo grandes lagartos antigos, adormecidos ao Sol, sobre a pele de fera da Terra. As duas torres, porém, estavam ainda invisíveis; e começamos a palmilhar o último pedaço de caminho que nos separava delas.

Foi aí que me sucedeu um daqueles acasos com que a Fortuna, de vez em quando, coroa minha constância, o que se passou do modo que passo a contar. Do lado direito da vereda, que havíamos retomado, havia, ali, umas brocas e queimadas recentes de coivaras. Do lado esquerdo, o mato permanecia intocado pelo fogo. Eu, inconscientemente temeroso de chegar à Pedra, atrasara-me e terminara sendo ultrapassado até por Euclydes Villar. Por isso fui o único a avistar um Preazinho que, saindo de umas touceiras meio queimadas de alastrado, da coivara, cruzou a vereda, passando a dez passos de mim, entrou no mato do lado esquerdo, e se deteve, não muito longe, perto de uma moita de Mofumbos. Ali ele se imobilizou de repente e ficou parado, com um jeito estranho e tenso que me deixou intrigado. Depois, fiquei tentado, querendo atirar nele. O que me detinha era que eu sabia que, de qualquer modo, iriam chasquear comigo: se eu errasse, seria ridicularizado pela má pontaria; se acertasse, pela insignificância da caça. Mas como o pessoal já ia adiante, eu estava sem testemunhas: assim, se errasse, poderia dizer, também, que atirara em caça importante; e se acertasse, aumentaria à vontade a distância do tiro, para compensar, com a precisão da mira, a desonra de matar, com a "Vinte e Oito", aquela caça que até menino matava de badoque.

Assim, levei a espingarda à cara e atirei. Estou agora, nobres Senhores e belas Damas, fazendo uma confissão geral, de modo que não quero esconder nada e tenho que confessar que errei. Errei miseravelmente o tiro, com o Preá a menos de dez passos de mim. Vi o bichinho dar um salto para a esquerda e emburacar no mato, desaparecendo da minha vista, ao mesmo tempo que o chão ficava verde de folhas de Mofumbo que meu tiro arrancara pra todo lado!

* * *

Com um desgosto danado, sentindo o saibo da derrota e da humilhação, baixei a espingarda; e já ia recomeçar a caminhada para alcançar os outros, quando ouvi um batido estranho por trás da moita. Corri para lá e o coração quase me salta pela boca afora! Ali estava, mortalmente atingida por meu tiro, não uma Cobra, uma cascavel qualquer; não um Jacu, bicho de pena; não um Veado, caça assustada que corre da gente; não nenhuma dessas caças medíocres de caçadores rabos-de-cabra: mas uma Onça, uma Onça de verdade! Não era das Pintadas, é fato. Era uma Suçarana, menor e parda! Ainda assim, era uma Onça, caça com a qual eu nunca me atrevera a sonhar, nem mesmo nos momentos mais agudos de ambição guerreira! O Preá, correndo de mim, só a pressentira a três passos dela: por isso ficara naquela posição que tanto me intrigara. E eu, cumprindo o ditado que diz "Atirei no que vi, matei o que não vi", errara, por sorte, o Preá e pregara chumbo bem na garganta da Onça!

Em tempo de me acabar de ansiedade, com as mãos trêmulas e a vista meio escura, com ar de doido, coloquei rapidamente outro cartucho na espingarda e, encostando o cano bem no cabelouro da bruta, disparei-lhe o tiro de misericórdia. Meus companheiros, ouvindo os disparos, correram todos de volta, curiosos. Eu, que já voltara, de propósito, para a vereda, mantinha-me ali, à espera deles, segurando com a mão direita a espingarda, e com a esquerda o bisaco. Assim, esconderia meu tremor. Sabia que, quanto maiores parecessem minha modéstia e minha impassibilidade, mais o feito ressaltaria, e mais eu pareceria à altura dele, como se morte de Onça fosse coisa corriqueira em minha vida.

Quando chegaram todos, e os Pereiras me viram parado, ali, na vereda, identificaram logo minha calma aparente com decepção, e julgaram, jubilosos, que eu errara mais um tiro. Deósio resolveu vingar-se da perda do Veado e foi quem veio com mais achincalhes:

— Dois tiros, Mestre Dinis? — indagou ele, irônico. — Ou errou o primeiro e o segundo numa Lagartixa, ou então era bicho grande, e teve que matar com dois tiros! O que foi? Foi Veado? Não me diga que errou! Cadê o bicho?

Deixei que o ataque acalmasse, e então retruquei, com o ar mais indiferente que pude arranjar:

— Não foi Veado não, foi Onça!

— Uma Onça, Dinis? — gritou Malaquias, mudando a cara mas ainda incrédulo.

— Sim, uma Onça! Está ali, atrás daquela moita de Mofumbo! Avistei, daqui, o vulto da bicha e passei-lhe fogo!

— Acertou?

— Vá lá e veja se eu acertei ou não! O segundo tiro, foi só para acabar de matar, porque com o primeiro ela já estava lascada! Mas não se entusiasme demais não, Malaquias, porque a bicha não merece isso, de jeito nenhum! É Onça besta, vermelha, Onça-de-bode!

— Que besta que nada, Mestre Dinis! — roncou Malaquias, impando com o feito do irmão ineficiente e extraviado. — Não existe Onça besta, não! Onça é Onça! De hoje em diante, você pode se considerar caçador dos bons, dos grandes, dos que matam Onça, e essa honra ninguém lhe tira mais!

Eu estava a ponto de rebentar de orgulho. O velho Luís Cachoeira pegou o grande Gato-Pardo, passou-o pelos ombros, por trás da nuca, e carregou-o assim, com uma mão segurando as patas dianteiras e a outra as traseiras. E foi assim que, com outra coragem, naquele dia glorioso, eu me encaminhei para o Castelo de pedra da minha Raça, contando, no meu saldo guerreiro de glórias, com uma Cobra e uma Onça, animais sagrados e astrológicos, enviados por meu Planeta fatídico a meu Destino régio, como para marcar aquilo que iria se passar daí a pouco, na Pedra do Reino, com o selo de uma unção e sagração.

Folheto XXI
As Pedras do Reino

Vossas Excelências já devem ter notado que, no meu sangue, as imagens da Onça e da Pedra são muito importantes. Sobre as Onças, já falei alguma coisa, lembrando, inclusive, que me criei junto com uma, fêmea, na "Onça Malhada". Além disso, Tia Filipa cantava, para embalar meu sono, entre outros, o *Romance da Onça da Malhada*, e eu sonhava muitas vezes com essa Onça, imagem, por um lado, de tudo o que era belo e prazeroso, e, por outro, de tudo o que era maldade, perigo e desordem. Cheguei a trepar com ela, em sonhos, resultado, talvez, duma tentativa que eu e Arésio tínhamos feito, quando meninotes, com a Onça mansa da fazenda. Quanto às pedras, provavelmente tinham sido as palavras da "Memória sobre o Reino Encantado", assim como as degolações sangrentas executadas por meu bisavô, que tinham contribuído para instilar seu perigo em meu sangue.

Assim, não admira que eu me aproximasse agora da Pedra do Reino com o coração galopando, uma vez que vinha com uma Onça que eu mesmo matara e chegando para perto das pedras mais fatídicas e gloriosas do mundo. Os arredores do Castelo do meu sangue real e quadernesco mostravam, pouco a pouco, uma brutalidade amaldiçoada, inescrutável, cruel, desafiadora. Aquele anfiteatro antigo e bruto parecia exigir que eu misturasse meu sangue às pedras, para ver se, assim, ao mesmo tempo que recebia algo de pétreo nele, comunicava àqueles rochedos alguma coisa de humano, decifrando o enigma e desencantando o tesouro que me espreitavam de dentro deles. Eu começava a entender melhor, agora, o verdadeiro sentido da sangrenta tentativa que meu bisavô Dom João, O Execrável, empreendera ali. Provavelmente aqueles Diabos, aprisionados dentro da pedra e ligados à Onça do Divino, tinham-lhe insinuado, também a ele, a necessidade de decifrar e desencantar, que terminara conduzindo ele próprio e tantos outros à degolação. Agora era em mim, seu bisneto, que essas sensações se desencadeavam, juntando-se a Onça e as Pedras num desafio só. O sangue da Onça que eu matara vinha pingando pelas pedras a efígie do Divino, o que me deixava indignado comigo mesmo por não ter tido a ideia de vir numa Sexta-feira da Paixão, para ver as Coroas-de-Frade minando sangue, como acontecia todos os anos.

Infelizmente, porém, se, do ponto de vista fatídico e astroso, o local do Castelo correspondia perfeitamente ao sonho régio do meu sangue, do ponto de vista da Arte houve algumas decepções que, a princípio, sangraram um pouco no meu orgulho, diante das duas Torres de pedra. É verdade que a culpa não foi delas, foi do Padre que desenhara a gravura e de Souza Leite, que as descrevera.

A primeira impressão foi boa, quando, ainda de longe, saímos do mato, e eu avistei, no plano do cimo da Serra, o vulto das duas pedras, uma quase encobrindo a outra. Eram, de fato, bastante altas, mas não tanto quanto os dois diziam. Teriam cerca de vinte metros, e não trinta, como eles afirmavam. Espantaram-me, então, as patranhas de dois homens sérios, um, Padre, o outro, Acadêmico. Só depois, quando comecei a entender melhor as coisas, a estudar mais o estilo epopeico e profético, foi que me certifiquei de que a patranha é uma das características indispensáveis às Tragédias, Profecias e Crônicas-epopeicas como as deles. Naquele primeiro momento, porém, a decepção foi dura. O Padre desenhara as duas pedras de frente, uma quase igual à outra, e parecendo ambas, de fato, as torres de pedra da Catedral Soterranha do meu Reino. Acontece que, lá, ficando a gente na posição da gravura, as duas pedras se apresentavam bastante diferentes, uma muito mais larga, e a mais fina com uma torção que, no topo, desfigurava a imagem ideal e gloriosa que eu forjara em meu sangue, durante todos aqueles anos, confiado nas Epopeias que homens conspícuos e acadêmicos tinham escrito. Outra coisa me deixou inconsolável: Antônio Áttico de Souza Leite afirmava que uma das pedras, a Bonita, do meio para cima era incrustada por uma espécie de chuvisco prateado, causado por "infiltração de malacacheta". Agora, eu olhava e não via nada disso. Por mais que eu as olhasse, de todas as posições, não havia jeito de ver chuvisco de prata nenhum! Nenhuma incrustação que me sugerisse o ouro, a prata e o sangue-de-aragão da *Cantiga de La Condessa*! Não via, também, as manchas do sangue do Rei, sangue que, segundo as legendas sertanejas, permanecia vivo e vermelho, na Pedra, nos lugares em que ele a tocara, já ferido de morte. Por todo lado, eu só via, mesmo, eram as manchas ferrujosas de líquenes secos, que nós chamamos, aqui no Sertão, de "mijo-de-mocó" — o que era decepcionante e desmoralizador!

Aquele era um tipo de mágoa que eu só podia confessar, ali, a Euclydes Villar, poeta e decifrador como eu. Cheguei para perto dele e comuniquei-lhe minhas decepções, resumindo tudo o que lera e que agora não encontrava. Para surpresa minha, porém, Euclydes discordou de mim. Achava as pedras, assim paralelas, maciças e de cor férrea, "terrivelmente impressionadoras", talvez porque, sem ter lido antes o que eu lera, nunca esperara demais, nem criara, a respeito delas, as imagens gloriosas, monárquicas e prateadas que eu alimentara em meu sangue. Quanto ao "chuvisco prateado" de Souza Leite, Euclydes Villar se espantava de que eu, um Poeta e Acadêmico, me decepcionasse com as pedras e reclamasse contra a invenção fantasiosa do genial escritor pernambucano do século XIX. Segundo Villar, assim era o Mundo e assim era a Literatura! Nas coisas do mundo, os "chuviscos de prata" nunca ou raramente existiam, e o "sangue vermelho das pedras, conservado vivo e fresco durante todo o tempo" era sempre, de fato, na mesquinha realidade, simples mijo-de-mocó. Se a gente não mentisse um pouco, "ajudando as pedras tortas e manchadas do real a brilharem no sangue vermelho e na prata, nunca elas seriam introduzidas no Reino Encantado da Literatura!". Euclydes Villar lembrou-me, ainda, que todos os Poetas brasileiros mentiam assim, principalmente Alberto de Oliveira e Olavo Bilac, que viam joias, ouros, pratas e pedras preciosas em todo canto.

Todas essas ideias do Fotógrafo me deixaram impressionado. Sem saber da Missa nem a metade, ele usara aquela expressão de "Reino Encantado da Literatura". Era com o nome de "Reino Encantado" que todos aqueles Acadêmicos do século passado tinham se referido ao nosso Império. Vi nisso um novo sinal da Providência Divina e dos planetas, acorrendo em meu auxílio quando minha fé monárquica estava começando a querer claudicar, e dizendo que eu, como Rei, cantador, poeta e guerreiro das Cavalhadas sertanejas, tinha obrigação de restaurar o Reino, o Castelo, o Marco, a Catedral, a Obra, a Fortaleza da minha Raça! Seria a Literatura dos folhetos e romances que iria restaurar de novo, pelo fogo da Poesia, a gloriosa imagem anterior, que aquelas pedras, tortas e manchadas de mijo-de-mocó, aleivosamente queriam diminuir e macular!

Quanto às dessemelhanças que eu notara entre as duas pedras, Euclydes Villar me garantiu que "tudo era uma questão de saber olhar". Como Fotógrafo e mestre em sua Arte, quando chegássemos a Serra Talhada e ele revelasse as chapas que estava tirando, iria me mostrar como a gravura do Padre, "devidamente corrigida pela Arte", estava "mais certa" do que aquela imagem real e grosseira que eu, sem ser artista, estava me obstinando em ver ali.

Fotografia tirada por Euclydes Villar
das duas Pedras do Reino.

Folheto XXII
A Sagração do Quinto Império

Mas agora estou chegando ao fim da narrativa da minha expedição aventurosa à Pedra do Reino, e devo ser breve, porque "a brevidade é a cortesia dos clássicos". Direi então, somente, que, ali, diante das pedras, tirei um retrato com a Onça atravessada nos ombros. Tirei outro de Argemiro Pereira, para lembrar que aquela família de Barões sertanejos tinha ousado levantar mãos sacrílegas contra as pessoas de Reis, ungidos e consagrados pela Coroa. Depois, enquanto os outros descansavam, contornei as pedras, batendo nelas, disfarçadamente, com os nós dos dedos e pronunciando a "Oração da Pedra Cristalina", escrita pelo santo padre do Juazeiro, meu Padrinho Padre Cícero. Queria ver se, assim, a pedra se abriria, revelando em suas entranhas o famoso Tesouro da Pedra do Reino. Mas não houve jeito. Por mais que batesse, a Pedra não se abriu daquela vez. Eu já estava com os nós dos dedos esfolados e sangrando. Resolvi desistir dessa parte de minhas incursões pelo Divino e realizar outra, fundamental, que fora meu verdadeiro objetivo ao viajar para ali.

Então, já por trás das duas torres, isolado e solitário, "encoberto" da vista dos outros, desembrulhei meu matolão, esvaziei o bisaco e tirei para fora a Coroa de Prata dos meus antepassados. Peguei o chapéu de couro que encontrara, ajustei as aspas de metal em suas fendas, restaurando integralmente aquela insígnia da nossa realeza. Tomei as duas varas-de-ferrão que sempre conduzia e que, para os leigos e cegos, eram simples varas de tanger boi. Enfiei no topo de uma a Esfera com Cruz que fazia dela um Cetro, e, no da outra, o semicírculo enfolhado e entalhado a canivete que a transformava no Báculo profético. Tirei, finalmente, o Manto real, feito de pedaços costurados de couro de Onça e de Gato-Maracajá. Tudo estava pronto, mas eu hesitava e temia ainda. Pousei um momento a Coroa sobre um pico de pedra, e fiquei a contemplá-la ali, terrível, prateada, fatídica e astrosa, faiscando e pingando sangue, no Sol. Era um grande momento, perigosamente diabólico e gloriosamente divino. O gesto que eu ia praticar arriscava minha garganta e, ao mesmo tempo, recuperava para meu sangue a grandeza do Quinto Império. Aquelas pedras desiguais, brutas, gigantescas apesar de tudo, tinham, na sua desordem, o fascínio de um enigma ligado à Besta Bruzacã, à Vaca do Burel, ao Cavalo Misterioso, ao Dragão do Reino do Vai-e-Volta, à Ipupriapa, enfim, a todas aquelas encarnações que a Onça Malhada do Divino assumia em suas aparições, fosse no Sertão, fosse no Mar, fosse nas desaventuras narradas nos folhetos. Era uma Fera insaciável, sedenta do meu sangue, que tinha ali, naquelas pedras, seu Reino Encantado, e que me chamava a uma sagração perigosa, exigindo que eu me elevasse acima de mim mesmo. Eu sentia que algo de muito precioso, puro, perigoso e raro me seria instilado de uma vez para sempre, se eu tivesse coragem de — enfrentando minha covardia, minha mesquinhez, minhas traições, a tentação da comodidade e da segurança — doar meu sangue à Fera da Encantação, à Onça do Divino, que o beberia, destruindo-me mas divinizando minha natureza para identificá-la com ela, nos termos do sermão do Padre Daniel. Euclydes Villar tinha razão: o chuvisco de prata e sangue que eu, por fraqueza e cegueira, não soubera ver no exterior das pedras, estaria dentro delas, formando uma teia indivisível com o tesouro de diamantes, com as incrustações de quartzo e cristais de rocha disseminadas entre as grades de granito. Havia ali, de fato, encantado e fabuloso, o Tesouro da Pedra do Reino, revelado por El-Rei Dom Sebastião e redescoberto depois por meu Padrinho, Dom Pedro Sebastião, Rei do Cariri, que o deixara perdido, enterrado numa furna de pedras do Sertão.

 Então, tomei coragem. Ergui-me, atei ao pescoço, jogando-o para as costas, o Manto real, subi à Pedra dos Sacrifícios onde fora degolada a Princesa Isabel, coloquei a Coroa sobre a cabeça e fiquei um momento, com o Cetro na mão direita e o Báculo na esquerda, de pé, na posição em que Dom João Ferreira-Quaderna, O Execrável, aparece na gravura do Padre. Olhava o Sertão batido de sol, as pedras faiscando, os Catolezeiros gemendo na ventania quente, os cactos espinhosos, o chão pedreguento. Comecei a pronunciar as palavras sacramentais. De repente, senti aumentar, de modo insuportável, a terrível sede que já vinha sentindo. Em algum lugar, ali perto, escancarou-se a boca-de-fornalha do Sertão, o bafo ardente e felino me crestou. Uma espécie de oura começou a girar, esquentar e encantar meu juízo, meu sangue a estremecer pelo terror sagrado e epilético, num ridimunho de glória, inferno e realeza. Rangi os dentes: "Vou morrer! Ninguém pode ir tão longe e tão alto!" Mas reagi e me mantive firme, pronunciando até o fim as palavras da "Pedra Cristalina", até que senti que meus lombos tinham sido consagrados e minha fronte definitivamente selada com o Régio Selo de Deus!

* * *

Pronto! Agora, a fuga não era mais possível. Por mais mesquinho que eu me mostrasse daí por diante em relação à Coroa do Divino, o impulso para o alto fora definitivo. Eu não era mais Dom Pedro Dinis Quaderna, fidalgo arruinado e pobre, Escrivão e astrólogo do Cariri: era Dom Pedro IV, O Decifrador, Rei e Profeta do Quinto Império e da Pedra do Reino do Brasil.

Infelizmente, porém, esses momentos são puros e ardentes demais, para durar. Tive que voltar ao cotidiano. Embrulhei de novo todos os meus sinais régios, e voltei para junto dos companheiros, fingindo uma calma ainda maior do que a da morte da Onça, e agindo em tudo o mais como se um acontecimento vital para mim, para o Sertão, para o Brasil, para o mundo e para Deus, não acabasse de ter se passado ali.

E, para terminar: voltamos para a "Carnaúba", deixando essa histórica fazenda dos Pereiras dois dias depois. Em Serra Talhada, Euclydes Villar revelou as chapas que tirara. Fiquei boquiaberto, porque ele descobrira, mesmo, uma posição, vista da qual as duas pedras pareciam, de fato, as torres do Castelo do meu Império.

Quando chegamos a Taperoá, procurei meu irmão Taparica, dei-lhe a fotografia e pedi-lhe que fizesse uma cópia dela, na madeira. Taparica examinou o retrato e depois falou:

— Esse retrato é muito ruim pra ser feito em madeira, Dinis!

— Eu sei! — respondi. — Mas é muito importante para minha Literatura e para as grandezas da nossa família. Você não pode dar um jeito não, Taparica?

— Bom, jeito dá-se a tudo! O ruim é que as pedras estão de lado, uma meio coberta pela outra! Na gravura, elas vão parecer uma pedra só, se eu não separar as duas com um traço branco!

— Pois separe! — animei-o. — Separe as duas pedras com o traço branco!

— Além disso, a pedra mais alta é meio safada, Dinis, indecente como o diabo!

— Indecente? Indecente por quê?

— Parece uma totoca!

Gravura feita por Taparica Quaderna a partir da fotografia de Euclydes Villar.

— É mesmo! — concordei, espantado. — Mas faça assim mesmo! Está certo?
— Pois, se você quer, está certo! — concordou ele, afinal.

Dali mesmo, Taparica levou a fotografia e depois me trouxe a gravura, que anexei, também, a estes autos. Aí, porém, por conta dele, o próprio Taparica já estava começando a pegar fogo com a história da Pedra do Reino e com a possibilidade de ser Príncipe. Queria fazer uma outra gravura, a seu jeito. Sua ideia era se inspirar, de novo, no desenho do Padre. Dividiria a gravura com um traço horizontal, pelo meio. Na parte de cima, colocaria as duas torres de pedra, mas bem iguais e separadas, para ficar tudo mais claro. Entre as duas, colocaria um Sol, signo astrológico macho, como eu ensinara a ele. Na metade inferior, como figura central, a cara do nosso bisavô, o Rei, vista bem de perto, com a Coroa de Prata armada sobre o chapéu de couro, o Cetro na mão direita e o Báculo profético na esquerda, os ombros cobertos por um Manto, enfeitado com as cruzes do Cordão Azul dos Cristãos e com os crescentes do Cordão Encarnado dos Mouros. Nos quatro cantos da gravura, colocaria os signos masculinos, guerreiros e populares do Baralho, porque, como eu já lhe dissera, nosso bisavô era, mesmo, um Rei sertanejo de Paus e Espadas, degolador, auri-sangrento e negro-vermelho. Finalmente, ladeando a figura do Rei, os signos astrológicos de Marte e Escorpião, insígnias zodiacais daquele glorioso e terrível Quaderna. Essa gravura vai aqui, também, e Vossas Excelências, melhor do que eu, poderão julgar do acerto ou do erro de meu irmão ao desenhá-la.

O certo é que, na volta de Serra Talhada, estava eu agora em Taperoá, com meu sonho modificado, porém não mais envilecido, e sim acrescentado e mais glorioso ainda. Eu partira para a Serra do Reino como Infante, e voltara como Rei-coroado, ungido e consagrado. A imagem oficial da Pedra estava para sempre impressa, agora, na gravura de Taparica. O sangue da Onça, cuja pele curtida eu trouxera comigo, substituíra o sangue dos degolados que eu não mais encontrara. A Pedra do Escorpião, achada na Lagoa, juntara-se a um calhau que eu desprendera, a martelo, do sopé da Pedra do Reino. Iriam servir, ambos, de pedras angulares, a serem enterradas no pé de outro lajedo que eu escolhera, aqui em Taperoá, assenhoreando-me dele, para altar e trono das minhas liturgias. O enigma e o tesouro da Pedra do Reino não tinham sido captados, decifrados e recuperados daquela vez. Mas tinham sido, novamente, pressentidos e confirmados entre as fronteiras do meu Império. As moedas e os diamantes estavam, sem dúvida, sepultados em alguma furna, perdida nas entranhas de pedra. Num dia escolhido pelo Destino, pelos astros e pela Providência, eu partiria de novo, à desaventura, para decifrar o tesouro, para encontrá-lo e desenterrá-lo, tendo como roteiro o velho mapa que meu Padrinho deixara. De modo que tudo isso, junto, formava o chuvisco de prata, sonho e sangue que, à luz prateada da Lua, astro fêmea, e à luz incendiada do Sol, astro macho, daí em diante passaria a pingar para sempre sobre minha Coroa e meu Castelo de Pedra, com o sangue-de-aragão do sonho, da imortalidade, do poder e da glória, com o Rei Dom Pedro IV, O Decifrador, amando sete mulheres, reinando sobre os sete Reinos de seu Império, entre as águas sagradas dos sete Rios, e debaixo de um Céu que coruscava astrologicamente em cima, com as sete estrelas do Escorpião.

Chamada
Os Emparedados

Folheto XXIII
Crônica dos Garcia-Barrettos

Já se entende então, agora, por que é que a história da minha família paterna me predispôs a aceitar a chegada do Rapaz-do-Cavalo-Branco, a ponto de, contrariando meu natural prudente, e até covarde, de Acadêmico, ter-me metido a segui-lo em sua terrível Desaventura: criado no meio dessas histórias bandeirosas e cavalarianas dos Quadernas, tudo aquilo teria que infeccionar meu sangue, como infeccionou. Entretanto, a história da minha família materna não ficava atrás. Desempenhou, também, papel fundamental em minha vida, e devo narrar, assim, seus episódios principais.

Esses Garcia-Barrettos, família de minha Mãe, eram de origem pernambucana, mas fixados na Paraíba nos fins do século XVI. O primeiro chegado ao Brasil viera para Pernambuco no ano fatídico de 1578, logo depois que os Portugueses e Brasileiros, derrotados pelos Mouros na "Batalha de Alcácer-Quibir", tinham aberto caminho a que Filipe II, da Espanha, se tornasse, também, Rei do Império do Brasil, do Reino do Escorpião do Nordeste e, sobretudo, do pedregoso e sagrado Reino do Sertão. Chamava-se, esse nosso antepassado, Sebastião Barretto. Chegando a Pernambuco, acolhera-se à proteção do Morgado do Cabo, João Paes Barretto, de quem constava ser parente. Pouco tempo depois, casava-se Sebastião Barretto com uma protegida e parenta da ilustre família Paes Barretto, Dona Inês Fernandes Garcia.

O primeiro filho desse casal, menino nascido em Olinda, chamou-se Miguel; e consta, na tradição da nossa família, que aconteceu em sua infância um incidente que teria graves repercussões em toda a sua descendência. É que, quando ele estava para completar dez anos, adoeceu de peste, numa das epidemias que costumavam, então, baixar sobre a leal Vila de Olinda. Ora, o santo indicado para casos de peste é São Sebastião, "aquele guerreiro puro, santo, jovem, casto e sem mancha", que, segundo diz o Doutor Samuel, "foi flechado por seus próprios companheiros de Centúria, a mando do Imperador de Roma". Quando Dona Inês viu seu filho perdido, fez uma promessa a São Sebastião: se o menino escapasse, seria crismado imediatamente, acrescentando-se o nome de Sebastião a seu nome de batismo, Miguel. Prometeu, ainda, que todos os descendentes varões, porventura nascidos do sangue de Miguel, ou receberiam, na pia, o nome de Sebastião, ou o teriam acrescentado ao outro nome que recebessem. E Miguel escapou à peste. Crismou-se, acrescentou, ao nome, o do santo, cresceu, casou-se com uma certa Mécia Teixeira, tornou-se pai de um menino, no qual colocou o nome de Sebastião Garcia-Barretto, e morreu tragicamente, flechado pelos Tapuias, coisa que, aliás, já acontecera a seu Pai, nas guerras de conquista da Paraíba.

Começa, então, a história terrível dos Garcia-Barrettos: porque esse Sebastião, filho de Miguel, depois de casado com uma moça chamada Catarina Moura, fez uma "entrada" pelo Rio Paraíba, conquistou terras no Pilar, e acabou aí, como o Pai e o Avô, morto a flechadas pelos Tapuias. Ora, como vive dizendo o Professor Clemente, nossos antepassados dos séculos XVI e XVII formavam "uma sociedade criminosa e beata, de fidalgos e degredados, aterrorizados pelos Jesuítas e pela Inquisição". Por isso, e por causa dessas mortes a flechadas, logo começava a correr a versão de que a raça dos Garcia-Barrettos tinha se tornado maldita. Segundo os comentários, Miguel "deveria" ter morrido, mesmo, de peste, conformando-se seus parentes com o decreto dos astros. Não morrera, exclusivamente por causa da promessa. Em troca, por causa dessa desordem introduzida no curso determinado das coisas, viera a maldição: o primeiro Garcia-Barretto que, daí por diante, deixasse de receber o nome de São Sebastião, morreria de peste, na infância; e os que escapassem da peste por terem recebido esse nome, morreriam assassinados, depois de adultos, mais comumente a flechadas, como sucedera ao Santo padroeiro da família.

Dos fins do século XVII para os meados do XVIII, encontramos a família sempre nos Engenhos da nobre Vila do Pilar. Mas, para a nossa história, o mais importante deles é Dom José Sebastião Garcia-Barretto, que viveu no século XVIII, já no reinado do Senhor Dom João V. Foi ele o primeiro a deixar a Várzea do Rio Paraíba, embrenhando-se de Cariri adentro, em procura do Sertão, pelo leito seco e largo do Rio Taperoá, seguindo o rastro das "entradas" de Teodósio de Oliveira, do Ajudante Cosme Pinto e de outros sertanistas. Seguindo as trilhas de bodes e gados que o tinham precedido, adentra-se ele

Segunda gravura feita por Taparica sobre as Pedras do Reino e com meu bisavô aproximado, tudo a partir do desenho do Padre. Vê-se, perfeitamente, com absoluto rigor histórico, a Coroa de Prata dos Quadernas, montada sobre um Chapéu de Couro.

pelo Sertão, procurando a sesmaria concedida a seu Pai durante a regência da Infanta Dona Catarina. Era uma "data" de terras sertanejas de serra, frias, altas, secas, mas excelentes para a criação. Com uma enorme sede de terras, grande criador de vacas, ovelhas e cabras, sempre anexando, às suas, datas e datas de terras, termina ele por se fixar na velha Pora-Poreima, a "terra devastada" dos Tapuias, isto é, o velho, seco e pedregoso Chapadão da Serra da Borborema. Ali ficou, entre a Vila Real de São João do Cariri e a Vila Real da Ribeira do Taperoá. Ali bateu os fundamentos de sua Casa-Forte, perfeitamente característica do Sertão: branca, quadrada, pobre, pesada, achatada, com alguma coisa de convento, de missão jesuítica e das fortalezas daquele século. Tinha que ser assim, aliás: uma casa severa, despojada, de chão de tijolo mas de grossas paredes e afortalezada; porque, tendo os Povos castanhos dos Tapuias efetuado, em 1687, uma sublevação geral nos Sertões da Paraíba e do Rio Grande do Norte, a memória dessa famosa "Guerra dos Tapuias" era ainda muito recente para estar esquecida. A Casa-Forte dos Garcia-Barrettos era feita de dois lances, ligados ao meio por uma Capela, também pesada e achatada, com seteiras nas paredes. E como a torre dessa Capela era quadrada e maciça, servia também de torre-de-defesa e de mirante, para a Casa-Forte à qual era pegada.

***

Terei que voltar ainda, várias vezes, a essa "Casa-Forte da Onça Malhada", importantíssima em nossa história, assim como à Capela de paredes recobertas por pinturas estranhas — Demônios esverdeados, Santos com mantos castanho--vermelhos que pareciam incêndios, dragões negro-vermelhos e brasões, coisas de que depois falarei melhor. Devo fazer, porém, agora, uma referência ao pé de Cajarana, que ficava junto à esquina da calçada de pedras da casa. Era uma árvore enorme, venerável, velhíssima, com tronco baixo e grosso, aqui e ali ocado pelos cupins, que erguiam suas casas cônicas, arredondadas e castanhas no tronco contorcido e nos galhos mais grossos que se espalhavam, alguns tocando o chão e parecendo, todos, gigantescas serpentes cinzentas, grossas e enrugadas. Todas as crianças das gerações de Garcia-Barrettos sertanejos iriam brincar debaixo dessa Cajarana, comendo seus frutinhos cheirosos, quando chegava a safra. Quando Dom José Sebastião, ainda solteiro e moço, chegara ali, no século XVIII, já encontrara a velha árvore, crescida entre as pedras e lajeiros daquele pedaço da

Serra do Teixeira. Ali, ao lado da velha árvore ergueu ele a sua casa. Ali casou, ali envelheceu, ali morreu, sendo sepultado na Capela. A velha Cajarana viu passar anos e anos, uns de seca, outros de boa chuva. Os filhos de Dom José Sebastião nasceram, cresceram, casaram-se, envelheceram e morreram, sendo enterrados, todos, na mesma Capela da casa-forte, onde tinham se batizado e casado. Por fim, a árvore, a casa e a capela, ligadas pela passagem de todas aquelas vidas, terminaram formando um todo indivisível, um ser único, um "Ente", como se diz, no Sertão, dos seres malfazejos e aparições; uma "Entidade" que assistia o decorrer dos ódios, crimes, amores, paixões e sofrimentos daquela facção particular do rebanho humano, isolada aqui, em nossa Serra sertaneja, mas igual a qualquer outra de qualquer pedaço do mundo, pois "todos acordavam aqui arremessados, neste nosso chapadão pedregoso, sem terem sido consultados se queriam vir ou não", como costumava dizer o Professor Clemente em seus momentos mais agudos de Filosofia. "Todos eram condenados à morte e saíam deste mundo sem saber para que tinham sido chamados ou que sentido tinha esse jogo estranho — ensolarado, sinistro, enigmático mas belo, apesar de perigoso e meio insano."

Fui um dos que se criaram sob a atração e o influxo daquela casa e daquela árvore, ambas estranhas e solenes. Posso assegurar, assim, que talvez a maior parte do seu encanto era a serenidade com que ambas viam passar as agitações humanas. Parecia que a tristeza áspera e a grandeza sem destino e mal aplicada daquelas vidas ignoradas do resto do mundo tinham terminado por impregnar a Casa, a Capela e a Cajarana de uma austera melancolia, tanto mais imponente por ser sóbria e contida. Essa impregnação de destinos falhados, de crimes e sofrimentos — e também, parece, os galhos contorcidos como Cobras cinzentas — foram a causa da reputação de "árvore fatídica e agoureira", que começou a se ligar ao velho pé de Cajarana e que terminou determinando sua derrubada sacrílega, como será contado depois.

* * *

Mas como eu vinha dizendo: em torno dessa "Casa-Forte da Onça Malhada", criaram-se rebanhos imensos, pastagens sem fim, um número incontável de parentes e agregados, como sucedera aos Pereiras, Barões do Pajeú. Os domínios de Dom José Sebastião eram maiores do que alguns Reinos pequenos mas ilustres do mundo, pois suas terras cobriam vários dos municípios atuais do Cariri. El-Rei

Dom José I reconheceu a ele o direito de usar as armas da família Garcia-Barretto, e a qualidade de Fidalgo-Cavaleiro de sua Casa.

Pois, modéstia à parte, é dessa família ilustre que descendia minha Mãe, Maria Sulpícia. Da seguinte maneira: o Garcia-Barretto que viveu durante os últimos dias do Império do Brasil recebeu, do Impostor Dom Pedro II, o título de Barão do Cariri. Minha Mãe era filha dele. Meu tio e Padrinho, Dom Pedro Sebastião, também; com a diferença de que ele era filho legítimo, e minha mãe, coitada, era filha-das-ervas. Apesar disso, meu Padrinho gostava muito da irmã bastarda, que foi criada em casa e era sua protegida. Meu Pai, sentindo esse amor dele pela irmã, propôs casamento à filha bastarda do Barão; o que levou logo as más-línguas a dizerem que o verdadeiro objetivo dele era dar o golpe do baú, enriquecendo com o casamento. É calúnia. Mas, de fato, parecia verdade, porque foi somente depois de casar que meu finado Pai, então escrevente de Cartório, teve, pela primeira vez em sua vida, terras e propriedades à altura da linhagem real de que descendia.

A fazenda que meu Pai recebeu, como dote, foi desmembrada da "Onça Malhada" e chamava-se "As Maravilhas". Ali nasceram meus irmãos mais velhos, Manuel, Antônio, Alfredo e Francisco. Ali nasceu minha irmã Joana. Ali nasci eu, último filho legítimo. Porque daí em diante meu Pai caiu na gandaia, emprenhando tudo quanto foi filha de morador que facilitasse, e esses meus irmãos bastardos nos levaram, de novo, à ruína. Meu Pai era carinhoso com todos, e dava a cada um seu pedaço de terra, de modo que o domínio ficou todo fragmentado, para grande indignação de Tia Filipa, que só chamava os bastardos de "os filhos das molecas".

Então, vendo a ruína a que tínhamos retornado, meu tio e Padrinho, Dom Pedro Sebastião, veio mais uma vez em nosso auxílio. Mudamo-nos todos, praticamente, para o casarão da "Onça Malhada", onde posso dizer que fui criado — o que sucedeu ainda em vida da primeira mulher de meu Padrinho, Dona Maria da Purificação Pereira Monteiro. Mas ele enviuvaria em 1908, e, no fim deste mesmo ano, casou-se com minha irmã Joana Quaderna, sua sobrinha, não sei quantos anos mais nova do que ele.

Tudo isso, porém, será melhor contado depois, quando for tempo. Por enquanto devo adiantar somente que, do primeiro casamento, meu Padrinho teve um filho, meu primo Arésio, nascido em 1900. Do segundo, nasceu meu sobrinho e primo Sinésio, dez anos mais moço do que o irmão. Muita coisa de sangrento que nos aconteceu veio das diferenças entre os dois: enquanto Arésio era um sujeito duro, solitário, violento, moreno, de barba cerrada e negros cabelos encaracolados, Sinésio era calmo, alumioso, alourado, estimado por todas as pessoas, principalmente pelos pobres, da fazenda e da Vila. Era o preferido do Pai; e talvez tenha sido tudo isso que terminou criando em torno dele todas as legendas que depois viriam aparecer. Sim, porque a maldição da raça dos Garcia-Barrettos terminou pegando meu Padrinho e Sinésio. Sinésio foi raptado, de maneira enigmática, desaparecendo daqui como por encanto, no dia 24 de Agosto de 1930. E, nesse mesmo dia, data em que, como se sabe, o Diabo anda solto, meu Padrinho foi encontrado dentro do aposento alto da torre da Capela, que ele mesmo fechara por dentro. Estava morto, assassinado, ninguém sabe como, nem por quem. Morrera como São Sebastião. É verdade que não fora propriamente flechado, mas degolado. Entretanto, como para cumprir a profecia, seu corpo fora todo esfaqueado; de modo que, quando nós o encontramos, ele estava "como um São Sebastião asseteado", para usar a expressão do genial poeta Pero Vaz de Caminha, primeiro Poeta-escrivão da Armada Brasileira.

Folheto XXIV
O Caso do Filósofo Sertanejo

Esta que acabo de narrar foi a versão que sempre correu em minha família sobre a estirpe dos Garcia-Barrettos. Isto, porém, somente até 1907, ano em que nos apareceu outra, não menos fatídica, porém ainda mais monárquica e honrosa.

Nós vivíamos, na "Onça Malhada", sob os cuidados de um preceptor, o Professor Clemente Hará de Ravasco Anvérsio, "um Filósofo, um bacharel, um historiador, um luminar, uma sumidade", como era voz corrente no Sertão. Era filho de pais incógnitos. Sabia-se que era da Vila do Patu, no Rio Grande do Norte. Em menino, "era um negrinho bonito, de cabelo bom", deixado na porta do célebre latinista sertanejo, Antônio Gomes de Arruda Barretto, em Brejo do Cruz, Paraíba, perto da fronteira do Rio Grande do Norte. O humanista Antônio Gomes tomara o menino e educara-o no seu famoso "Colégio Sete de Setembro", onde Clemente foi aluno brilhante. Aproveitando os fumos liberais do Segundo Império e de Dom Pedro II, o moleque exposto fez os preparatórios e ingressou, depois, na Faculdade de Direito do Recife.

Dominava então, na vida intelectual da Faculdade, a primeira geração de juristas, filósofos e sociólogos formados sob a influência do genial mulato sergipano, Tobias Barretto de Menezes, com sua famosa Escola "teuto-sertaneja" de Filosofia e Literatura. Fora, portanto, "sob a influência de Sylvio Romero, Clóvis Beviláqua, Franklin Távora, Martins Júnior e Artur Orlando" que Clemente se formara, como ele mesmo costumava nos dizer.

Depois de formado, Clemente voltou para o Sertão do Rio Grande do Norte, na Vila de Mossoró, onde Antônio Gomes reinstalara seu Colégio. No "Sete de Setembro", Clemente foi professor-interno e chefe-de-disciplina. Os alunos idolatravam-no, fascinados por suas palavras novas e irreverentes, por suas maneiras e opiniões desabusadas, parecidas com as de Tobias Barretto e, por isso mesmo, dotadas de grande poder de atração, o que lhe trouxe, logo, um ambiente de invejas e intrigas.

Foi aí que Dom Pedro Sebastião Garcia-Barretto fez uma viagem a Mossoró, onde, numa cerimônia, conheceu Clemente, orador do dia. Tomando-se de admiração por ele, e sabendo da situação difícil em que se achava o brilhante professor, convidou-o para vir morar na "Onça Malhada", como preceptor estipendiado, para mim e para Arésio. Mais tarde, nascendo os outros filhos de meu Padrinho, isto é, Silvestre, o bastardo, e Sinésio, Clemente seria o Professor ilustre e acatado de todos. Enquanto nos dava suas aulas, "enterrado ali, numa posição muito inferior a seus méritos", ia ele concebendo, há tempo, uma obra filosófica e profunda, o *Tratado de Filosofia do Penetral*, destinada a ultrapassar os *Estudos Alemães* de Tobias Barretto e a revolucionar o ambiente filosófico brasileiro. Na "Onça Malhada" a palavra de Clemente era recebida como indiscutível. Dom Pedro Sebastião admirava-o e gostava dele, vagamente e enigmaticamente, como era de seu feitio. Já sua mulher, Dona Maria da Purificação, não suportava Clemente, por causa do anticlericalismo, do ateísmo e de outras ousadas posições que nosso Mestre contraíra, em contato com a Escola do Recife. Mas como ninguém tinha estatura intelectual para se opor ao Filósofo, ela engolia suas discordâncias e o tratava à distância, duramente mas cortesmente.

Folheto XXV
O Fidalgo dos Engenhos

Durou essa posição soberana de Clemente até 1906 ou 1907, quando, entre nós, apareceu outro personagem, também importantíssimo em nossa história, o Doutor Samuel Wandernes. Este não era negro, nem do Sertão, nem do Rio Grande do Norte. Era branco e fidalgo, "um gentil-homem dos Engenhos pernambucanos", como costumava dizer. Segundo nos disse, seu Pai, Senhor arruinado do Engenho "Guarupá", tornara-se corretor-de-açúcar no Recife, onde "vivia à larga, à moda fidalga". Ele, Samuel, "Morgado do Guarupá", também formado na Faculdade de Direito, era, porém, não um radical, como Clemente, mas "um poeta do Sonho e pesquisador da Legenda". Nessa qualidade, planejara, também, um livro, uma obra-de-gênio intitulada *O Rei e a Coroa de Esmeraldas*. Para a feitura deste "livro de tradição e brasilidade", dedicara-se a "pesquisas genealógicas e heráldicas sobre as famílias fidalgas de Pernambuco". Topara então "com a estranha história da família Garcia-Barretto, que descobrira por acaso, em velhos manuscritos, arquivados na Sé e no Mosteiro de São Bento, em Olinda". A versão que ele apresentava dessa história era, porém, diferente da nossa, se bem que ainda "mais estranha e legendária". Como todos sabem, foi a 4 de Agosto de 1578 que os Portugueses, chefiados por El-Rei Dom Sebastião, foram derrotados pelos Mouros, comandados por El-Rei Molei-Moluco, no norte da África. Foi uma batalha sangrenta, com morte de Reis e de muitos Fidalgos, sendo que Dom Sebastião, "moço, casto e guerreiro como o Santo que lhe deu nome, Cruzado e cavaleiro medieval extraviado na Renascença ibérica" — como dizia Samuel —, tinha sido dado como morto na batalha. Essa morte deixara em Portugal e no Brasil "uma legenda de sangue, violência, religião e saudade, típica da Raça". E como, por causa dela, Filipe II estabelecesse sobre nós sua "autocracia teocrática", as aspirações brasileiras e portuguesas pela Restauração se corporificaram no *sebastianismo*. Corria entre o Povo, primeiro em Portugal e depois no Brasil, que Dom Sebastião não morrera: encantara-se, e voltaria para o Sertão, um dia, pelo Mar, numa Nau, entre nevoeiros, para restaurar o Reino e instaurar definitivamente a felicidade do Povo.

Ora, tinha sido exatamente nos fins de 1578 que aportara a Olinda aquele misterioso e jovem Fidalgo, Dom Sebastião Barretto, tronco e origem da família Garcia-Barretto a que nós pertencíamos. Dizia Samuel que, de acordo com suas pesquisas "histórico-poéticas", esse Fidalgo era o próprio Rei Dom Sebastião, que escapara à morte na batalha e, numa Nau, viera para o Brasil, incógnito, disposto a recuperar aqui, "numa nova fase de ascese guerreira e mística, sua honra de Soldado e suas perdidas esporas de Cavaleiro". Esse é que seria o motivo da constância do nome de Sebastião em todos os filhos varões da família Garcia-Barretto. Ele, Samuel, "atraído pelo Sonho e pela Legenda", resolvera dedicar parte de sua vida às pesquisas sobre aquela que ele considerava, talvez, "a mais bela e heráldica legenda familiar do Nordeste". Seu Pai era amigo do grande Delmiro Gouveia, o sertanejo e sertanista cujos negócios de gado, couros e algodão levavam prepostos e traficantes desde o Sertão do São Francisco de Alagoas até a Bahia, Pernambuco, Paraíba, Rio Grande do Norte e Ceará. Delmiro Gouveia, que comprava gado e algodão da "Onça Malhada", dera ao naquele tempo jovem Doutor Samuel a notícia de que ainda sobrevivia, no Sertão do Cariri da Paraíba, a ilustre grei dos Garcia-Barrettos. Samuel, fascinado, pediu-lhe uma recomendação para meu Padrinho e veio bater na "Onça Malhada", para estudar de perto e de vista aquela família, à qual prometia dedicar boa parte de seu livro.

Veio e ficou, "procurando, nos velhos papéis da família e nos arquivos empoeirados dos cartórios sertanejos, traços e fatos que comprovassem a linhagem real dos Garcia-Barrettos". O tempo passava, e não se encerravam as pesquisas. Passou um ano, passou outro. Morreu Dona Maria da Purificação. Meu tio, viúvo, casou com minha irmã Joana. Nasceu Sinésio e cresceu. Eu fui para o Seminário, deixei-o. Meu irmão Manuel casou-se. E nada! Samuel continuava na "Onça Malhada", mantido por meu Padrinho, a quem ele tratava por *Dom* e de quem recebia "mesadas" semanais, tendo explicado que seu Pai, no Recife, reporia essas importâncias na firma de Delmiro Gouveia, na conta de meu Padrinho.

Dom Pedro Sebastião, rico e poderoso, generoso e desorganizado no seu trato com as pessoas, nunca apurou se esse ajuste estava sendo cumprido. Mas quem ficou desconfiado e depois indignado com isso foi Clemente. Desde o começo, ele "farejara naquele intruso, naquele elegante e bem-falante *Poeta do sonho*, um cavalheiro de indústria que se introduzira na 'Onça Malhada' para ilaquear a boa-fé de certa pessoa rica e poderosa, pretendendo iludir essa pessoa com patranhas de fidalguia para melhor explorar a situação". O rancor de Clemente era maior, ainda, porque Samuel levava uma grande vantagem sobre ele: em vez de ser ateu e anticlerical, da escola de Tobias Barretto, era um fascinado pelo genial escritor paraibano Carlos Dias Fernandes. Segundo Samuel, Carlos Dias Fernandes era, no Nordeste, "o único homem capaz de escrever, ao mesmo tempo, uma Prosa heráldica e versos de sonho e joiaria, manejando tanto a Cítara da poesia lírica, quanto o Cálamo do prosador e a Tiorba da poesia épica" (frase que, pela primeira vez, me apresentou a esses instrumentos, indispensáveis à bagagem de qualquer escritor de gênio). O melhor, porém, é que Carlos Dias Fernandes, além de tudo isso, era ainda "o corajoso defensor da Fé católica" no Brasil, um homem que tinha audácia e coragem para pregar um banho de sangue, uma "cruzada", através da qual os Católicos brasileiros deveriam defender o direito do Brasil à Fé, mesmo à custa de "audácia e violência, de direitos aniquilados e de torrentes de sangue derramado".

Assim, com essas ideias ortodoxas e fidalgas de Cruzado, era muito mais fácil a Samuel do que a Clemente ser agradável ao casal de Fidalgos sertanejos em cuja casa todos nós vivíamos, ou como parentes, ou como agregados. Clemente, sendo negro e discípulo do mulato Tobias Barretto, escarnecia de tudo quanto era fidalguia, fosse daqui, fosse da Espanha. Mas, apesar da desavença pendente entre os dois, ele e Samuel pressentiam que meu Pai, como parente, era um rival perigoso na proteção de meu Padrinho. Por isso, aliavam-se contra ele, numa guerra que, depois da morte do velho, terminei herdando. Meu Pai, além de raizeiro e autor do *Almanaque do Cariri*, que ele publicava todo ano e que eu herdei também, era um genealogista de mérito. Sabia a crônica de todas as famílias do Cariri e proclamava, empafiado, que nós, Quadernas, descendíamos do Rei de Portugal, Dom Dinis, O Lavrador. Clemente ridicularizava ferozmente essa descendência real dos Quadernas, e não se detinha nem diante da Fidalguia poderosa e armada dos Garcia-Barrettos. Repetia constantemente o dito de Tobias Barretto, segundo quem as epidemias que mais grassavam no Brasil eram o *papo* em Minas Gerais e a *fidalguia* no Nordeste. Samuel juntava-se a Clemente para escarnecer de meu Pai, em quem ele colocou o apelido de "O Fidalgote Raizeiro".

Mas, não sendo um jacobino, como Clemente, parava aí e fazia suas distinções, elevando às alturas "o sangue real dos Garcia-Barrettos, descendentes de Dom Sebastião". Só tratava meu Padrinho por *Dom* Pedro Sebastião, explicando que o título de *Dom* era, a princípio, privativo dos Príncipes de sangue, tendo sido, depois, estendido aos "ricos-homens de pendão e caldeira". De modo que foi com ele que aprendi a usar esse tratamento, sem o qual, depois, não podia aceitar ouvir nem o nome de meu Padrinho nem o meu. É verdade que, depois de nomeado Promotor, Samuel começou a botar as unhas de fora, revelando seu verdadeiro pensamento, o de que "a Fidalguia sertaneja era bárbara, bastarda e corrompida em comparação com a dos Engenhos pernambucanos, a única verdadeira do Brasil". No princípio, porém, enquanto vivia, na "Onça Malhada", das mesadas de meu Padrinho, elogiava indistintamente toda a Aristocracia nordestina e muito especialmente a família Garcia-Barretto.

Dom Pedro Sebastião e sua mulher, cujas famílias tinham sido, sempre, do velho Partido Liberal, do tempo do Império, tinham permanecido fiéis à Monarquia, de modo que não podiam deixar de se impressionar um pouco com as gogas de Samuel, o qual nos mostrava, nos mapas da *História da Civilização* de Oliveira Lima, que a "Onça Malhada" era mais ou menos equivalente, em tamanho e importância, a Reinos como a Dórida, na Grécia, ou as Astúrias, na Espanha. Assim, pouco a pouco, metia na cabeça de todos nós aquilo que depois terminei entendendo e consagrando — que Dom Pedro Sebastião era uma espécie de Rei do Cariri, filho de Barão mas subido ao Trono por direito de sangue e de fato.

Foi assim que Samuel se firmou na "Onça Malhada" e nunca mais saiu, até a morte de meu Padrinho, em 1930. Ao mesmo tempo, devagarinho, foi se insinuando e terminou conseguindo tomar uma parte do lugar de Clemente junto a nós. Suas aulas eram raras e desordenadas, constituindo-se, quase que só, da leitura, em voz alta, de Poetas de sua predileção, principalmente os tradicionalistas e patriotas. Clemente amaldiçoava "a influência perniciosa daquele parasita bêbado da reação católica sobre a juventude". É que, aos sábados, Samuel fugia para a Vila, onde se tornara conhecido e admirado nas rodas intelectuais, e, lá, tomava carraspanas terríveis, que o deixavam prostrado até a noite do domingo. Mas como, com isso, não fazia mal a ninguém, meu Padrinho fechava os olhos também a essa fraqueza.

Tais foram os motivos de todos nós, intelectuais mais moços de Taperoá, termos sido educados entre a influência contraditória, mas fecunda, desses dois grandes homens. Eu passei por várias fases em minhas relações com eles. Primeiro, foi a estreita dependência de aluno, quando menino e adolescente, na "Onça Malhada". Depois que passei ao Seminário, praticamente me igualei aos dois quanto à idade, porque me tornei adulto e eles ainda não eram velhos. Foi porém aí que entrei por uma fase negra de decadência, na qual, sem terras e sem emprego, vivi dias duros, na Vila. Aí os dois, homens importantes, um Promotor, o outro Advogado, deram-me ao desprezo: só falavam comigo quando não havia outro jeito, e assim mesmo com uma condescendência tão superior que eu ficava esmagado. Felizmente, comecei a subir de novo na vida, por influência de meu Padrinho, sendo nomeado Bibliotecário, Tabelião e, por tabela, Coletor. Morreu Tia Filipa e eu herdei, dela, quatro casarões pegados, na Rua Grande. Desses quatro, cedi dois, um a cada um dos meus dois Mestres, para que eles ali morassem gratuitamente. Aí, a gratidão matou quase todo o desprezo e começou o período áureo das nossas relações, período em que, apesar de uma ou outra alfinetada, fui erguido a uma altura, senão igual, pelo menos próxima da deles. E foi assim que tudo foi se juntando e me preparando para eu ser, naquele dia 1º de Junho de 1935, o único homem talvez realmente apto, na Vila, a entender, em toda a sua importância, o que significava a chegada do Rapaz-do-Cavalo-Branco a Taperoá.

Folheto XXVI
O Caso dos Três Emparedados

Naquele dia, enquanto a Cavalgada era surpreendida pela emboscada do Capitão Ludugero, não muito longe do local do combate viajavam três pessoas muito importantes em nossa história, isto é, eu, Clemente e Samuel. Quando menino, um dos "romances" que mais me impressionavam era a *História do Valente Vilela*, no qual havia a seguinte estrofe:

> *"Sai o Alferes vagando*
> *pelos campos do Sertão.*
> *Adiante, encontra um rapaz*
> *e lhe dá voz de prisão:*
> *— Você me mostra o Vilela,*
> *quer você queira, quer não!"*

Depois que decorei esse "romance", *os campos do Sertão* se tornaram sagrados para mim; e, toda vez que eu montava no meu cavalo "Pedra-Lispe" e saía pelas estradas ou pelos matos, mesmo que não fosse praticar nenhum feito guerreiro, como os de Vilela, sentia-me como um Cavaleiro, um herói errante pelos campos do Sertão. Era essa sensação que eu vinha experimentando ali, agora, ao lado daqueles dois grandes homens, o Filósofo negro montado em sua égua vermelha, "Coluna", e o Poeta branco em seu célebre corcel negro, "Temerário".

Samuel é de estatura média, fino, alvo, corado, um pouco sardento e vermelho, de olhos azuis e cabelo castanho-claro, cortado à escovinha, porque esse corte o rejuvenesce, escondendo um pouco os muitos fios brancos que o andam encanecendo. Clemente chama-o, desdenhosamente, de Samuel, O Brancoso, e o Poeta finge não dar importância a essas picuinhas, dizendo que está acima do ridículo, por pertencer à antiga linhagem dos Wandernes, ou dos Wan d'Ernes, como ele prefere que se escreva. Clemente é uma figura alta, magra e forte de

Negro, que daria um excelente Rei do meu "Reisado Sudanês", o Auto de Guerreiros que mantenho, aqui na Vila. É um Negro meio-sangue de Tapuia, de modo que sua pele parece um tijolo negro-castanho, que tivesse se cozido demais. Seu cabelo é corredio, sem um fio branco, apesar de sua idade que já anda tão longe quanto a de Samuel. Tem feições retas, o branco dos olhos bem branco e a íris amarela, dando, assim, um ar de Onça-Tigre ou Pantera negra do Sertão, "um ar meio berbere de hindu", como ele costuma dizer em seus momentos mais exaltados de orgulho racial. Corria, na Vila, que ele era filho de uma solteirona, filha de fazendeiro, seduzida por um Almocreve negro que tinha olho nas terras da moça. Os filhos homens do fazendeiro teriam conseguido recuperar a irmã raptada, castrando o Almocreve atrevido, que deu para engordar, para ficar sorridente, tranquilo e de fala fina. Quanto ao menino, fora exposto, como se sabe, na porta de Antônio Gomes de Arruda Barretto. Clemente tinha ódio a esses boatos. Recusava, indignado, a hipótese de ter, em suas veias, "o sangue brancoso dos traidores do Brasil". Dizia que sua estatura e sua cor vinham era de sua descendência "das tribos sudanesas vatuses, e não de sangue branco nenhum de Fazendeiro safado nenhum", assim como seu cabelo estirado era "puramente Tapuia", sangue de que também se orgulha muito. Samuel, porém, insiste em referências desairosas à cor do Filósofo. Chama-o de Clemente, O Cafre, ou de Clemente, O Gaforinha, vivendo os dois nessas turras e terminando por se habituar a elas de tal modo que, no fundo, não podem mais passar um sem o outro.

 Estávamos perto do meio-dia. Samuel vinha de roupa cinzenta, com um apara-pó branco sobre ela. Trazia botas de camurça amarelada. Na cara, óculos azuis, para proteger os olhos "da bárbara claridade sertaneja". Também para evitar, à sua pele delicada, as ásperas queimaduras do nosso Sol, trazia à cabeça um capacete de cortiça, branco, e tudo isso lhe dava um aspecto assustador, até assombratício para quem não o conhecesse. Clemente trazia calça, colete e paletó de pano cáqui, com rijos sapatões de vaqueiro, feitos "no barato" para ele, por um sapateiro da rua, Seu Gondim. Eu, sertanejo como Clemente, me aproximava mais dele do que de Samuel, quanto às roupas. Sempre gostei muito de usar cáqui. Mas em vez da calça, paletó e colete tradicionais de Clemente, eu usava, à cangaceira, apenas calça e camisa "gandola", alpercatas-de-rabicho e chapéu de couro. Sendo eu "moreno carregado", os dois me chamavam, nos dias comuns, de Quaderna,

O Mameluco, promovendo-me a Quaderna, O Mouro, nos dias bons, e rebaixando-me, nos momentos de raiva, a Quaderna, O Cabra, ou Quaderna, O Castanho. Prefeririam, mesmo, este último nome que, dando ideia da cor de minha pele, tinha a vantagem, sendo "castanho" um tipo de cavalo, de "indicar de que faculdades intelectuais o dono era dotado".

Minhas roupas acangaceiradas valiam-me os maiores escárnios por parte de Samuel. Diz ele que minha roupa cáqui me faz parecer "um corumba, vigia de Senhor de Engenho". Quando me volto para Clemente, em busca de solidariedade sertaneja, sou mal recebido. O Filósofo acha que há "uma certa falta de compostura e um certo fingimento nessas fantasias acangaceiradas". Diz que seu próprio terno, usado formalmente com colete e gravata, este sim, é "sertanejo e popular pelo espírito, e não pela forma", pois o ideal é "elevar o Povo até nós, e não rebaixar-nos nós até ele". Desse modo, entre Samuel e Clemente, eu ocupo em tudo uma posição intermediária. Moreno, de sobrancelhas negras e cerradas, "com uma cara que parece talhada em pedra ou madeira, a foice, enxó e machado", como diz Samuel, descendo, ainda por cima, "de mamelucos e almocreves sertanejos", isto é, da linhagem real de Dom João Ferreira-Quaderna, da qual ambos escarnecem, não reconhecendo meu bisavô como Rei. Por esse motivo, ainda segundo o elegante e perfumado Samuel, eu tresando "a bode, a três léguas de distância".

Em nossas relações com as mulheres, a situação se repetia. Samuel, solteiro, não tinha grande interesse pelo assunto. Mantinha uma espécie de amizade platônica com uma senhora intelectual da nossa sociedade, Dona Carmem Gutierrez Torres Martins. Dizia-nos que, no Recife, tivera um caso de amor com uma Princesa da Família Imperial Brasileira, a falsa, a de Bragança. Os dois, porém, viram que não havia futuro possível para esse amor, e "rompendo laços que nunca haviam chegado a se atar", juraram, ambos, fidelidade recíproca, sendo por isso que vivia o Poeta, aqui, "como Camões, apaixonado sem esperança por uma Princesa e exilado nesta bárbara África brasileira que é o Sertão".

Quanto a Clemente, era casado com uma mulher albina, Dona Iolanda Gázia. Viviam separados: com suas ideias avançadas, o Filósofo explicara a Dona Iolanda que a vida em comum dos casais é um preconceito, que, pela rotina, destrói as verdadeiras paixões. Samuel irritava-o, dizendo que a atração que ele sentia pela mulher, albina, era de fundo racial: "o carneiro preto e plebeu sentia o desejo obscuro pela cabra loura e branca, situada, para ele, no lugar das coisas inacessíveis". Por isso é que só uma mulher completamente branca, de cabelos amarelos, de pestanas amarelas e de pelos amarelos seria capaz de atraí-lo. Fosse ou não fosse, Clemente fazia uma corte curiosa a Dona Iolanda, passando a cavalo diante da porta dela e tirando-lhe o chapéu, em gestos que eram comentados por toda a rua. Diziam as más-línguas que aquilo eram sinais combinados e que à noite "o cavalo preto saltava o muro e ia montar em cima da besta aça".

Eu, não era nem tão solteiro quanto Samuel, nem tão casado quanto Clemente. Era amigado, amancebado com uma mulher chamada Maria Safira, que diziam, na rua, ser possessa do Demônio. Era casada com um homem muito mais velho do que ela, uma espécie de "santo homem", Pedro Beato, que nunca tocara em seu corpo. Maria Safira, mulher de verdes olhos insondáveis, mulher de abismos, tinha o condão, para mim precioso, de incendiar minha virilidade, quase inteiramente apagada outrora pelo chá de "cardina" que me vi obrigado a tomar "para abrir a cabeça e ter sucesso nos estudos do Seminário". Daí o império que tinha sobre mim, naquele tempo inteiramente subjugado por ela.

* * *

Éramos nós, portanto, que vínhamos por ali agora, perdidos, naquele dia que iria subverter totalmente nossas vidas. Tínhamos saído cedo, da Vila, para visitar a "Ilumiara Jaúna", onde recentemente tinham se descoberto "várias inscrições petrográficas e desenhos feitos pelos Tapuias nas paredes de pedra", como nos explicara Clemente.

A princípio, aliás, nenhum de nós notou que andávamos extraviados. Nossa conversa vinha nos empolgando de tal maneira, que deixávamos nossos cavalos andarem por onde bem entendessem. Na ida para a Ilumiara, tínhamos parado numa Capela que um Vaqueiro descobrira há poucos anos, ao perseguir uma rês que se desgarrara. Era de 1710, data inscrita em sua fachada. Paramos no pátio, retirei as traves que encostavam a porta e fomos para a sacristia, onde Samuel desejava mostrar-nos três quadros que havia lá, um retrato do Rei Dom Afonso VI, pendurado sobre a pequena cômoda de amarelo e ladeado por dois outros, que Samuel explicou o que representavam: o Escudo português das Quinas e a Esfera Armilar de Ouro, insígnia do Principado do Brasil. Samuel disse que tais quadros "não podiam se comparar com os das capelas da Zona da Mata".

Mas, ainda assim, eram de origem Portuguesa e podiam "abrir o caminho ibérico que a Arte brasileira deve retomar". Depois, perguntou-me:

— O que é que este retrato de Dom Afonso VI lhe sugere?

— Me sugere um Rei de Ouro, parecido com o do Baralho! — respondi.

— Primeiro, o Rei está de armadura, como os reis do Baralho. Depois, o quadro é cheio de vermelhos e dourados, como as cartas. Além disso, olhe aí: a marca do naipe "Ouros" está pintada dos dois lados do Rei!

— Isso aí são os puxadores de ouro da cortina vermelha que está na parte superior do quadro, imbecil! — falou Samuel.

Os dois escarneceram um bocado de mim, por causa disso. De qualquer modo, quando voltei para a rua, mandei meu irmão Taparica executar, na madeira, uma cópia do retrato do Rei e dos "brasões armoriais e fidalgos" que o ladeavam. Samuel ficou indignado com "a interpretação grosseira e sertaneja" que Taparica fizera. Meu irmão inclusive colocara em Dom Afonso VI uma barbicha e um bigode que não existiam no original: verificara que, sem isso, o Rei Dom Afonso parecia uma mulher, "uma madre-vigária moça e donzela, de olhos tristes". Contei isso a Samuel que me disse, espantado:

— Se seu irmão vem com essas chulices, é porque ouviu falar no que aconteceu com esse desventurado Rei! Dom Afonso VI, coitado, era impotente! Casou-se com uma Princesa da Casa de Saboia que, depois de provar a impotência dele, anulou seu casamento. O Infante Dom Pedro, irmão do Rei, aprisionou Dom Afonso, casou-se com a Rainha e subiu, assim, ao trono, com o nome de Dom Pedro II!

— Pois foi o primeiro caso de um Príncipe subir ao trono pelo simples fato de ser capaz de subir o pau! — comentei.

Mas isso foi depois. Naquele dia, quando chegamos à Ilumiara, houve forte discussão entre os dois, diante das pinturas dos Tapuias. Usavam-se, nelas, duas cores, o negro e o vermelho, que, sobre o amarelado da pedra, davam um total de três, o que não era comum. Samuel irritou-se diante daquelas pinturas "grosseiras, desproporcionadas e pueris". Clemente sustentava, ao contrário, que aquele sim, deveria ser "o ponto de partida oncístico e popular da Arte brasileira". Mostrou-me uma moça, com as pernas e os braços abertos, parecendo uma Jia, ladeada por dois Veados e cercada de garatujas. Destas, quatro me pareceram logo as marcas do naipe "Paus", e duas as de "Espadas". Clemente refugou isso e explicou:

— Essas figuras, Quaderna, são símbolos sexuais masculinos e femininos, são símbolos fálicos! O resto, são espirais, setas e essa espécie de cruz torta, sinais cabalísticos muito comuns na Arte tapuia!

— Pois quando eu chegar na rua, vou pedir a meu irmão para fazer uma cópia dessa "Dama de Paus Tapuia"! — disse eu. — Depois, caso a Dama tapuia da Ilumiara com o Rei de Ouro ibérico, e vou ver se o casamento é mais fecundo do que o primeiro que ele teve com a princesa da Casa de Saboia!

* * *

Agora, porém, de volta, o que vínhamos discutindo eram, já, teses literárias, importantíssimas porque as conclusões seriam adotadas *oficialmente* pelo sodalício sertanejo que tínhamos fundado em Taperoá, a "Academia de Letras dos Emparedados do Sertão da Paraíba". Através dessa Academia, pretendíamos que Taperoá mantivesse, orgulhosamente, o posto que sempre ocupara, desde o começo do século, como um dos centros mais florescentes da intelectualidade sertaneja da Paraíba. Para mostrar que não exagero, basta lembrar que em nossa constelação de astros literários fulguram, entre outros, os nomes de Samuel Simões, Epaminondas Câmara, Raul Machado, Euclydes Villar, Celso Mariz e Raymundo Coentro. Samuel e Clemente eram de fora: mas tinham se radicado há tanto tempo entre nós que já eram considerados da terra, e brilhavam de modo singular nessa plêiade zodiacal e literária de Taperoá, entre cujos astros um, pelo menos, iria conquistar renome nacional, o Poeta e jurisconsulto Raul Machado, atualmente morando no Rio, onde, para honra sua, nossa e da Paraíba, está fazendo parte do Tribunal de Segurança Nacional, tribunal de exceção instituído pelo golpe de Estado de 10 de Novembro do ano passado e encarregado de dar cor jurídica à repressão por ele instaurada.

* * *

O caso do genial Raul Machado bem demonstra como a Literatura pode ajudar uma pessoa a subir em sua carreira: porque foi com seus admiráveis sonetos que ele escalou, de degrau em degrau, a escada da Magistratura, chegando até esse posto, o grau mais elevado da nobreza-de-toga brasileira. O exemplo dele subira à cabeça de todos nós. Inclusive à minha, apesar de existir um obstáculo terrível em

Escudo do Principado do Brasil que ladeava o Rei.

minha carreira — o fato de não ter título de Doutor, preferivelmente de Bacharel em Direito. Quando da nossa ruína econômica, nós, filhos legítimos de meu Pai, vimo-nos em situação difícil. Primeiro, nenhum de nós queria decair ao ponto de caixeiro ou empregado de comerciantes, burgueses mesquinhos a quem servir seria uma desonra para simples filhos de Fidalgos: quanto mais para nós, descendentes de Dom João II, O Execrável! Além disso, a terra que, segundo o genealogista Carlos Xavier Paes Barretto, é indissoluvelmente ligada à Fidalguia, em nosso caso não valia mais um vintém, retalhada entre os bastardos de meu Pai!

Saímos, então, por portas travessas. Manuel, o mais velho, foi ser Vaqueiro, no Sertão do Sabugi. Francisco, tendo entrado na "Guerra de Doze", tomou gosto pela vida errante e tornou-se "cabra-do-rifle". Antônio verificou praça na Polícia, indo assim fazer companhia a Francisco como fidalgo-de-espada. E como os Vaqueiros são pequenos-fidalgos, a serviço dos "ricos-homens" que são os Fazendeiros, estavam agora, todos três, com seus problemas razoavelmente solucionados. Quanto a mim, incapaz de cavalarias, meu Pai me destinou à carreira eclesiástica, que, podendo me levar até o posto de Bispo, poderia me tornar Príncipe da Igreja, dignidade quase tão alta quanto a dos Reis, meus antepassados. Por isso, fui enviado ao vetusto Seminário da Paraíba, onde entrei, já taludo, aos 21 anos, em 1918, sendo expulso em 1923. Mas em 1924, com a ascensão do prestígio político de meu Padrinho, terminei nomeado Bibliotecário, Tabelião e Coletor, o que me proporcionou um ócio remunerado de fidalgo-de-toga, ainda insuficiente, porém já mais consentâneo com meu sangue real.

Apesar de todas essas grandezas, porém, Samuel e Clemente continuavam a me desprezar um pouco. Diziam que, apesar das lições que me davam, minha Literatura "era a mais misturada e de mau gosto do mundo". Não me perdoavam a influência que eu continuava a receber dos "folhetos" e da convivência com "bêbados, Cantadores e outros valdevinos". Reclamavam contra os romances-de--safadeza do Visconde de Montalvão. E, mais do que tudo, contra o culto que meu Pai tinha a José de Alencar e que passara a mim: eu, tendo lido, aos quinze anos, os heroísmos e cavalarias de Peri e Arnaldo Louredo, assim como as safadezas de alcova de Lucíola, fiquei fascinado e me tornei, também, devoto do autor de *O Sertanejo*, a quem Clemente e Samuel consideravam "um autor de segunda ordem".

* * *

RETRATO DE DOM AFONSO VI, QUE SE ENCONTRAVA
NA SACRISTIA. TAPARICA ACRESCENTOU O BIGODE E
A BARBICHA, POR MOTIVOS DE CLAREZA VIRIL. VEEM-SE
OS DOIS PUXADORES DE CORTINA QUE ME LEVARAM
A VER, NESSA FIGURA, UM REI DE OURO.

Ocorreram, porém, alguns fatos com os quais não contavam meus Mestres e que terminaram apagando aquela mancha infamante de não ser Doutor, minha grande desvantagem inicial perante eles. Ocorre que nosso conhecido Euclydes Villar emigrou para Campina Grande, fundando, ali, o *Almanaque de Campina Grande*. Além de fotógrafo, ele era charadista, mestre em logogrifos e enigmas-em-verso. Com ele e com meu Pai eu tinha me iniciado nesta nobre Arte, escarnecida por Clemente e Samuel. Mas foram a charada e o logogrifo que me abriram as portas do *Almanaque de Campina Grande* e, através dele, as de outras publicações congêneres, entre as quais a mais importante era o *Almanaque Charadístico e Literário Luso-Brasileiro*, com seu suplemento anual, o *Édipo*. Depois de me tornar colaborador deste livro célebre, passei a ser mais respeitado, apesar da campanha de picuinhas que Samuel e Clemente ainda me moviam, morrendo de inveja e despeito, por dentro.

Eu, porém, não dormia sobre os louros. Havia, em nossa Vila, um semanário governista, a *Gazeta de Taperoá*, pertencente ao Comendador Basílio Monteiro. Usando meu prestígio de colaborador do *Almanaque*, convenci o Comendador a introduzir, na *Gazeta*, uma página literária, social, charadística e astrológica, que passei a dirigir, começando, logo, a ser discretamente cortejado por aqueles que queriam publicar seus artigos, sonetos e redondilhas. Foi então que herdei os casarões, e Clemente e Samuel, meus inquilinos, acabaram definitivamente com a campanha.

O momento estava maduro para obrigar a sorte a dar uma guinada definitiva em meu favor. Acontece que, lendo o *Almanaque*, eu observara que, na carreira dos Poetas consagrados e oficiais do Brasil, o importante, mesmo, era entrar para alguma Academia. Era o título de Acadêmico que abria realmente a porta para as dignidades, transformadas, depois, em empregos rendosos, à altura dos nossos méritos.

Tentei, então, por todos os meios possíveis, entrar no sodalício mais prestigioso da Paraíba, o "Instituto Histórico e Geográfico Paraibano". Sete vezes escrevi ao Instituto, propondo meu nome, e sete vezes fui recusado, tal a má vontade das instituições da Capital contra a intelectualidade sertaneja!

Eu planejara tudo em segredo, e escondi cuidadosamente essas humilhações sucessivas que tinham ferido meu orgulho. Julgava que minhas tentativas eram ignoradas por Clemente e Samuel, de quem eu as escondera com especial cuidado, temendo que, despertados por minha ideia, eles seguissem o caminho e fossem aceitos. Um dia, porém, estando os dois fora da rua, numa diligência, fui esperar, no Correio, a mala das quintas-feiras, e recebi a correspondência deles: ninguém pode imaginar meu sobressalto, vendo, entre os pacotes, uma carta para cada um, ambas com o timbre do "Instituto"!

Corri para casa, botei água para ferver, descolei os envelopes com o vapor e violei as duas cartas, respirando aliviado: eram recusas, iguais às minhas! Não havia dúvida: os dois miseráveis tinham me espionado, descoberto meu plano, e tentado, traiçoeiramente, me prejudicar, passando em minha frente!

Folheto XXVII
A Academia e o Gênio Brasileiro Desconhecido

Colei de novo, cuidadosamente, os envelopes e, três dias depois, procurei meus dois rivais e Mestres. Fingi que ignorava tudo e falei assim:

— Olhem, vocês dois aí! De uns tempos para cá tive uma ideia que poderia trazer vantagens importantíssimas para nós: seria entrarmos, nós três, para o "Instituto Histórico e Geográfico Paraibano"!

Os dois me olharam, tensos, mas nada disseram e eu continuei:

— Com meu espírito de sacrifício, resolvi tentar minha entrada na frente, para desbravar o caminho, mas fui recusado! Estou comunicando isso, porque, como vocês dois são Doutores, talvez o caminho que devamos seguir seja o oposto: vocês se candidatariam e, depois de aceitos, patrocinariam minha candidatura!

Só se vendo o desprezo com que Samuel comentou para Clemente:

— Ah, era o que faltava, Clemente! Você ouviu? Rebaixarmo-nos desse jeito, dando, servilmente, ao Sr. Instituto, a honra de solicitar-lhe que nos aceite entre seus ilustres membros! Era o que faltava!

— Era o que faltava! — ecoou Clemente com o mesmo riso falso. — Quaderna, se o Instituto nos quer, eles que nos aclamem por unanimidade, sem iniciativa nossa! E veja lá: nós concordaremos ou não, depois de pesar as vantagens e desvantagens que existem em ser membro do Instituto!

Fingi ignorar as recusas que eles tinham levado na cara e falei:

— Está bem, calma! Eu não conhecia essas disposições, tão honrosas para vocês, de manter o orgulho dos intelectuais do Sertão! Mas tenho outra ideia que pode nos levar longe, dando um golpe de morte no prestígio e na pretensão desses enfatuados da Capital!

— O que é? — indagou Samuel.

— A Paraíba já tem Instituto Histórico, mas ainda não tem Academia de Letras: seria o caso, então, de fundarmos nós, aqui, nossa própria Academia! Mesmo que, depois, eles venham fundar outra, na Capital, a nossa será mais antiga e, por isso, mais tradicional e venerável!

Os olhos dos dois reluziram imediatamente e imediatamente apagaram a centelha ambiciosa, assumindo um ar mortiço e astuto de descaso aparente.

— É, talvez não seja má a ideia! — falou, afinal, Clemente. — Mas que nome teria essa pretensa e possível Academia?

— Em Vitória de Santo Antão, uma das zonas mais fidalgas de Pernambuco, terra minha, existe uma "Academia dos Supersticiosos"! — lembrou Samuel.

— Não presta! — protestou Clemente. — Não sou supersticioso e o nome cheira a reação clerical! Sugiro "Academia dos Progressistas", ou "dos Esclarecidos", uma coisa assim!

— Não aceito! — encrespou-se Samuel. — Já disse não sei quantas vezes que não sou progressista e que tenho a maior das honras em me declarar católico, reacionário e obscurantista!

Para acabar com a briga, intervim:

— Olhem, esse negócio de Academia ou vai por acordo ou não vai de jeito nenhum! Sugiro que nosso sodalício se chame "Academia de Letras dos Emparedados de Taperoá"!

— "Emparedados"? Emparedados, por quê? — indagou Samuel, intrigado.

— É o único nome em torno do qual podemos nos unir. Eu sou "emparedado" porque, segundo vocês, vivo assim, murado entre o enigma e o logogrifo. Clemente, porque vive "agrilhoado entre as paredes do grifo do mundo, entre os elos de ferro do preconceito e da injustiça social". Quanto a Samuel, "anjo decaído nas paredes de pedra da prisão terrena", é também emparedado, porque vive aqui, "exilado neste bárbaro Deserto africano e asiático que é o Sertão". Finalmente, em conjunto, nós três somos "emparedados" porque, com as andanças e extravios políticos que o Brasil vai vivendo, nós todos temos cara de quem, com culpa ou sem culpa, vai ser encostado à parede e fuzilado!

Os dois me olharam, impressionados. Depois, Samuel falou:

— Você tem certa razão, Quaderna, se bem que ignore o verdadeiro sentido das nossas frases, que está repetindo. É o que se chama "a verdade em boca de louco". Mas concordo com o nome de "Emparedados", para a nossa Academia!

— Eu também! — concordou Clemente. — Mas por que restringir nosso raio de influência a Taperoá? Vamos ampliá-lo! Assumamos, antes que algum aventureiro lance mão dele, o título de "Academia de Letras dos Emparedados do Sertão do Cariri"!

— E por que não "Academia de Letras dos Emparedados do Sertão da Paraíba"? — avançou Samuel. — Não é somente o Cariri, não: toda a área sertaneja do Estado está desocupada! Vamos preenchê-la inteira! Mesmo que, depois, fundem Academia na Capital, ela não será, nunca, a Academia total e única da Paraíba, mas somente a Academia do Brejo e do Litoral, isto num Estado onde o Sertão é a zona de maior importância!

* * *

Durante uns momentos, ficamos nos entreolhando em silêncio, deslumbrados, ao ver como é que uma Academia nascia assim, num repente, e no mesmo instante crescia a esse ponto no espaço e no tempo, ocupando o Sertão inteiro! Respirei fundo, e foi profundamente emocionado que disse:

— Está então fundada, a partir deste momento histórico, a nossa querida, venerável e tradicional "Academia de Letras dos Emparedados do Sertão da Paraíba"! É preciso, agora, escolher seu primeiro Presidente!

Samuel não deu tempo de ninguém nem ao menos tomar fôlego:

— Sinceramente, para o bem da nossa Academia, acho que eu é que devo ser o Presidente! Tenho relações na Paraíba, com Carlos Dias Fernandes; no Recife, com o grupo da revista *Fronteira*; e até em São Paulo, no "Movimento Anta", já tendo até recebido um amável cartão de Plínio Salgado, Chefe dos nacionalistas brasileiros de Direita! Lanço minha candidatura!

Como eu previa, Clemente estava atento, e protestou:

— Samuel, o Presidente de instituições como esta, é sempre um estudioso sério, um etnólogo, um filósofo, um sociólogo, um jurisconsulto! Combaterei seu nome, lançando minha própria candidatura! Faço isso por puro espírito de sacrifício, porque, pessoalmente para mim, esse, de Presidente, vai ser, não um cargo honroso, mas sim um pesadíssimo encargo!

Era o que eu esperava. Exibi então, extraída do bolso do colete, a solução que tinha planejado há dois dias:

— Senhores Acadêmicos, caros confrades! É melhor parar aí! Vamos fazer o seguinte: nossa Academia não terá Presidente! O cargo será deixado vago, em homenagem ao "Gênio Brasileiro Desconhecido". Teremos, apenas, três Vice-Presidentes de Honra, sendo um deles escolhido para "o exercício da Presidência"!

— É uma boa solução! — disse Samuel. — Mas quem seria o escolhido, dos três?

Falei, com os modos mais humildes que pude arranjar:

— Olhem, o problema é evitar que o eleito faça sombra aos outros! Vocês, são Doutores e consagrados: se Samuel for escolhido, fará sombra a Clemente, e vice-versa! Eu, vivo na sombra por natureza! Não sou formado; sou apenas um "charadista" que teve a sorte de ser "o Fundador" da Academia, coisa que farei constar em nossa primeira ata, pedindo que, assim como a Academia Pernambucana é conhecida como "A Casa de Carneiro Vilela", a nossa fique selada e consagrada como "A Casa de Quaderna"!

Clemente saltou logo, como uma fera:

— O quê, Quaderna? Você pretende lançar, na ata, na nossa ata, que foi *o* fundador da Academia? O *único* fundador?

— Você nega, por acaso, que a ideia foi minha? — indaguei.

— Não! Mas, nesses casos, são sempre considerados fundadores todos os sócios presentes à primeira reunião!

— Está bem! — falei. — Se você retira sua candidatura e apoia a minha, posso incluí-lo também, na ata, como fundador! Você apoiou logo minha ideia!

— E eu? — disse Samuel, empalidecendo. — Eu também apoiei! Até fui eu que terminei dando o nome definitivo à nossa Academia!

— Isso é verdade, Clemente, temos que reconhecer! — disse eu, parecendo a imagem da Justiça. — Por isso, caso seja eu o escolhido, vou incluir em nossa ata os nomes de nós três, e de mais ninguém, como únicos fundadores da Academia!

Eles se aperceberam de que não tinham outro caminho, e engoliram o sapo. Foi assim que se fundou nosso glorioso sodalício e que comecei também, como Raul Machado, minha dura escalada em direção ao poder e à glória.

* * *

As nossas sessões acadêmicas eram de três tipos, as "sessões de gabinete", as "sessões a pé" e as "sessões a cavalo". As de gabinete, tinham sido

Escudo Português das Quinas que estava
do lado esquerdo de Dom Afonso VI.

sugeridas por Samuel e destinavam-se a discutir "Literatura fidalga, fechada, pura, individual, poética e sonhosa". As sessões a pé, tinham sido propostas por Clemente: nelas, "com os pés no chão", nós nos desembaraçávamos "do mofo da Literatura burguesa decadente, ligando-nos à realidade, à análise e à crítica dos males sociais", tudo isso "a pé, como o Povo faminto das estradas sertanejas". As sessões a cavalo tinham sido sugeridas por mim: sempre impressionado com os amores, as cavalarias, os cangaços e as *quengadas* dos "folhetos", queria eu que nós discutíssemos essas Literaturas, a cavalo e heroicamente, vagando, como o Valente Vilela, pelos campos do Sertão. Os dois concordaram, exigindo, porém, que as sessões a cavalo se subdividissem em três categorias, as "viagens filosóficas", as "demandas mítico-poéticas" e as "demandas novelosas". As primeiras, programadas por Clemente, dedicavam-se às indagações etnológicas, sociológicas, históricas e filosóficas. As "demandas mítico-poéticas", criadas por Samuel, tinham "um caráter meio ritual de sagração poética e consunção mística", na linha da *Demanda do Santo Graal*, do *Bosco Deleitoso*, do *Castelo Perigoso* e de outros livros ibéricos, "povoados de sentidos cifrados e míticos", o que me tocou danadamente, por causa do meu velho projeto de restaurar o Castelo Perigoso dos Quadernas. Finalmente, as "demandas novelosas", sugeridas por mim, eram o caminho através do qual eu pretendia conciliar as "viagens filosóficas" de Clemente com as "demandas poéticas" de Samuel, dando, como resultado, "romances" interessantes, com heroísmos, safadezas, batalhas, castelos amorosos e perigosos, amores legendários, gargalhadas, putarias e outras coisas divertidas e boas de ler.

Folheto XXVIII
A Sessão a Cavalo e o Gênio da Raça

Agora, de volta da visita à Ilumiara, já perto do meio-dia, entre pedras e cactos espinhosos, vínhamos realizando uma "sessão a cavalo" típica. Tratava-se do problema dos "gênios das raças", em geral, e do "gênio da raça brasileira", em particular. Samuel acabara de me explicar que "o gênio de uma raça era a pessoa que condensava em si, exaltadas e apuradas, as características marcantes do País". Aquilo tocou fogo em meu sangue imediatamente, porque fora assim que eu me sentira naquele dia, na Pedra do Reino — como o Rei e a encarnação viva do Brasil. Entendi, logo, que, se eu fosse declarado "Gênio da Raça Brasileira", meu Castelo poético e perigoso faria de mim, não mais individualmente, mas de modo "oficial e selado pelo Governo", Rei do Brasil! Era fundamental que, agora, ali mesmo, aqueles dois grandes homens me esclarecessem sobre tudo aquilo de "Gênio da Raça", título que eu pressentia ligado às minhas aspirações mais profundas e secretas. Indaguei então:

— Mas como é que a pessoa é escolhida para "Gênio da Raça"? Qual é seu tipo de atividade? Rei? Soldado? Capitão? Ladrão? Proprietário de terras? Vaqueiro? Cangaceiro? Chefe revolucionário?

— Não, nada disso! — respondeu Samuel. — Se bem que eu não esteja, com isso, subestimando os Reis! Você sabe que esse é meu sonho para o Brasil: o de um Cavaleiro que se pusesse à frente de hostes e hostes de Soldados e desse, em nossa Pátria, um banho de sangue purificador, reconduzindo o Brasil a seus caminhos, o caminho ibérico e fidalgo dos Conquistadores e sertanistas!

— Nada disso! — rosnou Clemente de lá. — Que venha o banho de sangue, mas dado pelo Povo, pelos descendentes de Negros e Tapuias, unidos em torno de um verdadeiro Chefe revolucionário! Você, Quaderna, está a favor do Rei ou do Chefe revolucionário?

— Eu, Clemente, não quero banho de sangue, nem dado pelo Rei, nem pelo Chefe revolucionário, nem pelo Presidente da República! Já vi essas coisas, aqui pelo Sertão, em 1912, 26, 30, etc., de modo que posso garantir a vocês que um banho de sangue deve ser a coisa mais horrorosa do mundo!

Manifestaram logo um soberano desprezo. Clemente disse:

— Essa donzela pudica, sempre com seus não-me-toques! Quaderna, não venha com panos mornos! A violência é indispensável a quem quer que deseje instaurar uma ordem nova! É ou não é, Samuel?

— Claro! — respondeu Samuel. — Não concordo com você, Clemente, quanto ao resto, mas o banho de sangue, este é indispensável!

— Ave-Maria, é mesmo? — indaguei, aterrado com a violência daqueles homens ferozes. — E você teria coragem de ver cortarem sua garganta, Clemente?

O Filósofo respondeu, sereno e soberbo:

— Quaderna, minha morte numa Revolução popular brasileira seria encarada por mim apenas como um episódio corriqueiro e normal do processo histórico!

— Danou-se! — falei. — Mas matar, Clemente? Você tem coragem de matar uma pessoa? Você vai ter que fuzilar uma porção de gente!

— Meu caro Quaderna! — insistiu o Filósofo. — Eu, precisando matar e chacinar pelo Povo, mato e chacino sem a menor dificuldade!

— Pois eu estou fora desse jogo! — confessei. — Minha família degolou uma porção de gente na Pedra do Reino, como vocês sabem, e já basta o remorso que tenho por eles! De modo que, se esse tal "Gênio da Raça Brasileira", seja Rei ou Chefe revolucionário, vem é para dar banhos de sangue, comigo não há de contar!

— Mas acontece que o "Gênio da Raça" não é nem uma coisa nem outra! — interveio Samuel. — O "Gênio da Raça" é um escritor que escreve uma Obra considerada decisiva para a consciência da sua Raça!

* * *

Fiquei profundamente impressionado. A palavra Obra, como já disse, era sagrada para mim, por significar a mesma coisa que Castelo, Marco e Fortaleza. Resolvi, agora mais do que nunca, escrever minha Obra, o Castelo que, tornando-me Rei, me tornaria "Gênio da Raça Brasileira". Veio tudo tão de repente, que falei mais do que devia, avançando:

— Bem, se é assim, a coisa é outra! Eu me recuso a me meter em matanças e morrências é na vida: na Literatura, isso não faz mal nenhum a ninguém!

A gente escreve, como no *Almanaque*: "Vinham doze Cavaleiros, de bandeira à frente, montados em fogosos corcéis, quando soaram doze tiros, e doze corpos rolaram dos cavalos, ensopando de sangue vermelho a poeira da estrada!" Quando se termina, não morreu ninguém, e houve uma cena belíssima, parecida com as dos romances de José de Alencar e as da *História de Carlos Magno*!

Clemente falou, escarninho:

— Muito bem, gostei de ver! Não me diga que está pretendendo escrever uma obra assim, para se candidatar, com ela, a "Gênio da Raça Brasileira"!

— Não, estou não, claro que não! — balbuciei. — Que eu gostaria de escrever, gostaria. Mas não sei inventar nada, só sei contar o que vi acontecer! O que eu quero, é estar advertido, para, quando aparecer o nosso "Gênio da Raça", eu lhe prestar as devidas homenagens! Mas vocês têm certeza de que o "Gênio da Raça" de um País qualquer, é um escritor?

— Certeza absoluta! — disse Samuel.

— É uma simples opinião de vocês dois, ou é coisa indiscutível? Pergunto, porque isso vai ser um tópico incluído na nossa ata de hoje, de modo que quero uma garantia, de autor consagrado e indiscutível!

— Saiba, então! — falou Samuel. — Em 1915, na obra genial que é *Talcos e Avelórios*, Carlos Dias Fernandes declara que "os livros são condensações psíquicas das nacionalidades a que pertencem". Além disso, o insigne escritor — Português e, portanto, Brasileiro — que foi Mendes Leal Júnior, escreveu, em 1844, que, "na majestade do seu poder, o Poeta é mais poderoso e importante do que os Reis", acrescentando que estes seriam, apenas, Reis dos povos, enquanto o Poeta é, ao mesmo tempo, "Rei do engenho, Rei da arte e Rei das multidões"!

— Ah, agora sim! — disse eu, entusiasmado. — Agora temos uma tese consagrada, que pode passar a fazer fé, nas atas da Academia! Mas pergunto: como é que se escolhe um escritor para "Gênio da Raça Brasileira"? É o Presidente da República quem nomeia?

— Não, deve ser a Academia Brasileira de Letras!

— A nossa já indicou o "Gênio da Raça Brasileira"?

— Não! — cortou Samuel. — A Academia Brasileira ratificou, oficiosamente, a nomeação de Coelho Netto para "Príncipe dos Prosadores" e a de Olavo

Bilac para "Príncipe dos Poetas Brasileiros"! O cargo de "Gênio da Raça Brasileira" está ainda vago!

— Graças a Deus! — disse eu, de novo sem me conter. E acrescentei, para disfarçar: — Digo isso, porque ouvi falar que o Conselheiro Ruy Barbosa, aquele baiano, já tinha sido escolhido, caso em que o Nordeste verdadeiro, o nosso, não poderia mais reivindicar o cargo!

— É verdade! — falou Clemente, com ar grave. — Realmente chegaram a falar nisso, por ter Ruy Barbosa praticado a façanha de, num artigo só, o famoso *Porneia*, ter usado, sem repetir nenhum, vinte e oito sinônimos da palavra *prostituta*!

— Vá saber Português, assim, no inferno, porra! — comentei. — Mas, como vocês sabem, sou dono de uma casa-de-recursos. Além disso, parte da minha formação literária foi feita na zona suspeita de nossa Vila, o "Rói-Couro", de modo que dessas coisas de raparigagem e fudelhança eu entendo um bocado! Se um de vocês dois quiser se candidatar a "Gênio da Raça", é só pedir minha ajuda: eu garanto fornecer a vocês pelo menos quarenta sinônimos de *puta*, nenhum deles usado por Ruy Barbosa!

Os dois fizeram um ar avaliativo, registrando a possibilidade daquele apoio e Clemente continuou:

— O que Ruy Barbosa tinha, mesmo, a favor dele, era o fato de ser um jurista-filósofo e um sociólogo-escritor, como Sylvio Romero e Tobias Barretto!

— Em todos os Países do mundo, Clemente, os "gênios das raças" são sempre Poetas, criadores no campo do sonho e da imaginação! — contestou Samuel. — E se vocês insistem nesses Filósofos rebarbativos, do tipo do teuto-sergipano Tobias Barretto, nunca o nosso "Gênio nacional" poderá disputar, em pé de igualdade com os outros, o cargo, também ainda vago, de "Gênio Máximo da Humanidade"!

Folheto XXIX
O Gênio Máximo da Humanidade

Aquilo também me interessava profundamente, pelo que, sem querer, dei uma esporeada no vazio de "Pedra-Lispe", que deu uma poupa. Reequilibrei-me e falei:

— Como é? E o cargo de "Gênio Máximo da Humanidade" também ainda está vago? Pergunto, porque, no "Seminário da Paraíba", a gente estudava Retórica num livro do Doutor Amorim Carvalho, as *Postilas de Retórica e Gramática*. Esse Doutor era "Retórico do Imperador Pedro II", de modo que sua palavra não é brincadeira, e ele afirma que, de todos os Poetas, "o primeiro, no tempo e na glória, é Homero"!

— Discordo inteiramente, porque está absolutamente errado! — disse Clemente. — Essa ideia da autoria individual das obras é reacionária e está ultrapassada! Hoje, está provado que Homero nunca existiu! Os dois poemas que são a "obra da raça grega" foram compostos aos poucos, pelo Povo, e reunidos depois pelos eruditos!

— A autoria da obra é sempre trabalho de um homem só! — disse Samuel, já se irritando. — Homero não foi o "Gênio Máximo da Humanidade", mas o motivo principal disso foi a vulgaridade, a grosseria que o levou a lançar mão daquelas horríveis histórias populares!

Eu procurei, de novo, desviar a briga. Interrompi:

— Bem, o importante é que já estão demonstradas três teses essenciais! Primeiro, que o "Gênio da Raça" é um escritor. Segundo, que o cargo de "Gênio da Raça Brasileira" está ainda vago. E terceiro, que ainda está vago, também, o de "Gênio Máximo da Humanidade", porque o único candidato apontado até agora, Homero, além de não existir, era grosseiro e vulgar! Tudo isso constará da nossa ata, recebendo, assim, o selo oficial e acadêmico que lhe dará certeza! Mas existe ainda um problema importante: qual deve ser o assunto da Obra nacional da Raça Brasileira?

* * *

Meu plano era obter deles, aos poucos, sem que nenhum dos dois pressentisse, a receita da Obra da Raça, para que eu mesmo a escrevesse, passando a perna em ambos. Eles me olharam um momento, em silêncio, entreolharam-se, e então Samuel falou:

— Bem, é difícil dizer assim, depressa! Mas acho que o assunto da Obra da nossa Raça tem que ser o Brasil!

— O Brasil? — indaguei, perplexo. — Mas o Brasil, como?

— O Brasil, o Brasil! — repetiu Samuel, impaciente. — Que assunto melhor do que o feito dos nossos antepassados, os Conquistadores, a "raça de gigantes ibéricos" que forjou o Brasil, introduzindo-nos na Cultura mediterrânea e católica?

Clemente zangou-se e vociferou, de lá:

— Esta é a ideia sua e dos seus amigos, patrioteiros e nacionalistas! De fato, a Obra da nossa Raça deve ter como assunto o Brasil! Mas que "cultura" foi essa que os Portugueses e Espanhóis nos trouxeram? A cultura renascentista da Europa em decadência, a supremacia da raça branca e o culto da propriedade privada! Enquanto isso, a Mitologia negro-tapuia mantinha, aqui, uma visão mítica do mundo, fecundíssima, como ponto de partida para uma Filosofia, e profundamente revolucionária do ponto de vista social, pois incluía a abolição da propriedade privada! É por isso que, a meu ver, a Obra da Raça Brasileira será uma Obra de pensamento, uma Obra que, partindo dos mitos negros e tapuias, forje uma "visão de conhecimento": uma visão do mundo; uma visão do homem; uma visão do homem no mundo e uma visão do homem a braços com o próprio homem!

— É visagem demais para um livro só! — disse eu.

— Alto lá, Quaderna! — falou Clemente, sobranceiro. — Não me venha, agora, com suas "tiradas de almanaque" não, porque isso é coisa muito séria, é o cerne da minha "Filosofia do Penetral"!

Folheto XXX
A Filosofia do Penetral

Há muito tempo que eu desejava me instruir sobre aquela profunda Filosofia clementina, para me ajudar em meus logogrifos. Por isso, avancei:

— Clemente, esse nome de "penetral" é uma beleza! É bonito, difícil, esquisito, e, só por ele, a gente vê logo como sua Filosofia é profunda e importante! O que é que quer dizer "penetral", hein?

Clemente, às vezes, deixava escapar "vulgaridades e plebeísmos" quando falava, segundo sublinhava Samuel. Naquele dia, indagado assim, respondeu:

— Olhe, Quaderna, o "penetral" é de lascar! Ou você tem "a intuição do penetral" ou não tem intuição de nada! Basta que eu lhe diga que "o penetral" é "a união do faraute com o insólito regalo", motivo pelo qual abarca o faraute, a quadra do deferido, o trebelho da justa, o rodopelo, o torvo torvelim e a subjunção da relápsia!

— Danou-se! — exclamei, entusiasmado. — O penetral é tudo isso, Clemente?

— Tudo isso e muito mais, Quaderna, porque o penetral é "o único-amplo"! Você sabe como é que "a centúria dos íncolas primeiros", isto é, os homens, sai da "desconhecença" para a "sabença"?

— Sei não, Clemente! — confessei, envergonhado.

— Bem, então, para ir conhecendo logo o processo gaviônico de conhecimento penetrálico, feche os olhos!

— Fechei! — disse eu, obedecendo.

— Agora, pense no mundo, no mundo que nos cerca!

— O mundo, o mundo... Pronto, pensei!

— Em que é que você está pensando?

— Estou pensando numa estrada, numas pedras, num bode, num pé de Catingueira, numa Onça, numa mulher nua, num pé de Coroa-de-Frade, no vento, na poeira, no cheiro do Cumaru e num jumento trepando uma jumenta!

— Basta, pode abrir os olhos! Agora me diga uma coisa: o que é isto que você pensou?

— É o mundo!

— É não, é somente uma parte dele! É "a quadra do deferido", aquilo que foi deferido a você, como "íncola"! É "o insólito regalo"! É "o côisico", dividido em duas partes: "a confraria da incessância" e "a força da malacacheta", representada, aí no que você pensou, pelas pedras. Agora pergunto: tudo isso pertence ou não pertence ao penetral?

— Não sei não, Clemente, mas pela cara que você está fazendo, parece que pertence.

— Claro que pertence, Quaderna! Tudo pertence ao penetral! Tudo se inclui no penetral! Entretanto, para completar "o túdico" você, na sua enumeração do mundo, deixou de se referir a um elemento fundamental, a um elemento que estava presente e que você omitiu! Que elemento foi esse, Quaderna?

— Sei não, Clemente!

— Foi você mesmo, "o faraute"!

— O Faraute não, o Quaderna! — disse eu logo, cioso da minha identidade.

— O Quaderna é um faraute! — insistiu Clemente.

Como aquilo podia ser alguma safadeza, reagi:

— Epa, Clemente, vá pra lá com suas molecagens! Faraute o quê? Faraute uma porra! Faraute é você! Não é besta não?

— Espere, não se afobe não, homem! Faraute não é insulto nenhum! Eu sou um faraute, você é um faraute, todo homem é um faraute!

— Bem, se é assim, está certo, vá lá! E o que é um faraute, Clemente?

— Ora, Quaderna, você, leitor assíduo daquele *Dicionário Prático Ilustrado* que herdou de seu Pai, perguntar isso? Vá lá, no seu querido livro de figuras, que encontra! "Faraute" significa "intérprete, língua, medianeiro"! O curioso é que "a quadra do deferido" e o "rodopelo" pertencem ao penetral, mas o faraute, seja "nauta-arremessado" ou "tapuia-errante", também pertence! Não é formidável? É daí que se origina "o horrífico desmaio", o "tonteio da mente abrasada"! Inda agora, quando pensou no mundo, você não sentiu uma vertigem não?

— Acho que não, Clemente!

— Sentiu, sentiu! É porque você não se lembra! Quer ver uma coisa? Feche os olhos de novo! Isto! Agora, cruze as mãos atrás da nuca! Muito bem! Pense de novo naquele trecho do insólito regalo em que pensou há pouco! Está pensando?

— Estou!

— Agora, me diga: você não está sentindo uma espécie de tontura não?

Eu, que sou impressionável demais, comecei a oscilar, sentindo uma tonteira danada, na cabeça. Pedi permissão a Clemente para abrir os olhos, porque já estava a ponto de cair da sela. O Filósofo, triunfante, concedeu:

— Abra, abra os olhos! Como é? Sentiu ou não sentiu a vertigem? Sabe o que é isso? É a "oura da folia", início da "sabença", da "conhecença"! A oura causa o "horrífico desmaio". Este, leva ao "abismo da dúvida", também conhecido como "a boca hiante do contempto". O abismo comunica ao faraute a existência do "pacto" e da "ruptura". A ruptura conduz à "balda do labéu". E é então que o nauta-arremessado e tapuia-errante torna-se único-faraute. Isto é, o faraute é, ao mesmo tempo, faraute do insólito regalo, faraute do rodopelo e faraute do faraute! Está vendo? O que é que você acha do penetral, Quaderna?

— Acho de uma profundeza de lascar, Clemente! Para ser franco, entendi pouca coisa, mas já basta para me mostrar que sua Filosofia é foda! Mas o que é, mesmo, penetral?

— Vá de novo ao "pai-dos-burros"! "Penetral" é "a parte mais recôndita e interior de um objeto". Mas, na minha Filosofia, essa noção é ampliada, porque além de abranger a quadra do deferido e o rodopelo, o penetral abrange também o faraute, através da subjunção da relápsia! Mas, no momento em que se fala friamente do penetral, tentando capturá-lo em categorias de uma lógica sem gavionice negro-tapuia, ele deixa de ser apreendido! Faça apelo aos gaviônicos restos de sangue Negro e Tapuia que você tem, Quaderna, e entenda que o penetral "é o penetral", que o penetral "é"! O côisico, coisica: os cavalos cavalam, as árvores arvoram, os jumentos jumentam, as pedras pedram, os móveis movelam, as cadeiras cadeiram e o faráutico, machendo e feminando, é que consegue genter e farautificar! É assim que o túdico tudica e que o penetral penetrala — e esta, Quaderna, é a realidade fundamental!

— Arre diabo! — disse eu, de novo embasbacado. — E tudo isso já estava na Mitologia Negro-Tapuia, Clemente?

— Estava, estava! Aliás, está, ainda! É por isso que o "Gênio da Raça Brasileira" será um homem do Povo, um descendente dos Negros e Tapuias, que, baseado nas lutas e nos mitos de seu Povo, faça disso o grande assunto nacional, tema da Obra da Raça!

Claro que era em si mesmo que Clemente estava pensando. Mas Samuel contestou logo:

— Nada disso, Quaderna! O "Gênio da Raça Brasileira" deverá ser um Fidalgo dos engenhos pernambucanos! Um homem que tenha nas veias o sangue dos Conquistadores ibéricos que fundaram, com a América Latina como base, o grande Império que foi o orgulho da Latinidade católica! Portugal e a Espanha não tinham dimensões para realizar aquilo que, neles, foi somente uma aspiração! Mas o Brasil é um dos *sete Países perigosos do mundo*! Por isso, cabe a nós instaurar, aqui, esse Império glorioso que Portugal e a Espanha não puderam realizar!

— Mas como deverá ser escrita a Obra da Raça Brasileira? — perguntei. — Em verso ou em prosa?

— A meu ver, em prosa! — disse Clemente. — E é assunto decidido, porque o filósofo Artur Orlando disse que "em prosa escrevem-se hoje as grandes sínteses intelectuais e emocionais da humanidade"!

Samuel discordou:

— Como é que pode ser isso, se todas as "obras das raças" dos Países estrangeiros são chamadas de "poemas nacionais"?

— *O Almanaque Charadístico* diz, num artigo, que os Poetas-nacionais são, sempre, autores de Epopeias! — tive eu a ingenuidade de dizer.

Os dois começaram a rir ao mesmo tempo:

— Uma Epopeia! Era o que faltava! — zombou Samuel. — Vá ver que Quaderna anda pelos cantos é conspirando, para fazer uma! Sobre o quê, meu Deus? Será sobre essas bárbaras lutas sertanejas em que ele andou metido? Não se meta nisso não, Quaderna! Não existe coisa de gosto pior do que aquelas estiradas homéricas, cheias de heróis cabeludos e cabreiros fedorentos, trocando golpes em cima de golpes, montados em cavalos empastados de suor e poeira, a ponto de a gente sentir, na leitura, a catinga insuportável de tudo!

Clemente uniu-se ao rival, se bem que por outro caminho. Disse:

— Além disso, a glorificação do Herói individual, objetivo fundamental das Epopeias, é uma atitude superada e obscurantista! E se você quer uma autoridade, Carlos Dias Fernandes também já demonstrou, de modo lapidar, que, nos tempos de hoje, a Epopeia foi substituída pelo Romance!

Folheto XXXI
O Romance do Castelo

Meu coração deu outro pulo no peito, pois aquilo era uma revelação tão importante quanto a morte da Onça que eu cometera, na Pedra do Reino! Tudo ia, aos poucos, se configurando. Eu tinha lido um dia, no *Almanaque*, um artigo onde se dizia que "uma Obra, para ser clássica, tem que condensar, em si, toda uma Literatura, e ser completa, modelar e de primeira classe". Isso me garantia que nem Samuel nem Clemente, um do Cordão Azul, e o outro, do Encarnado, podia ser completo, pois cada um era radical por um lado só. Somente eu, juntando as opiniões *azuis* de um com as *vermelhas* do outro, poderia realizar a receita do *Almanaque*.

Precisava, porém, descobrir, com segurança, a que gênero me dedicar. Lembrei-me, então, das aulas de Retórica, dadas por Monsenhor Pedro Anísio Dantas, no "Seminário", e passei a examinar gênero por gênero, com ajuda do *Dicionário*. Quando cheguei na palavra "romance", tive um sobressalto: era o único gênero que me permitia unir, num livro só, um "enredo, ou urdidura fantástica do espírito", uma "narração baseada no aventuroso e no quimérico" e um "poema em verso, de assunto heroico".

É por isso que eu não me abalara, ainda há pouco, quando os dois discutiam se a "Obra da Raça" deveria ser em prosa ou em verso: o Romance conciliava tudo! Para tornar a coisa ainda mais segura, resolvi entremear, na minha narrativa em prosa, versos meus e de Poetas brasileiros consagrados: assim, além de condensar, no meu livro, toda a Literatura brasileira, faria do meu Castelo sertanejo a única Obra ao mesmo tempo em prosa e em verso, uma Obra completa, modelar e de primeira classe! A única coisa que ainda me preocupava, era aquela afirmação do *Almanaque* de que os "gênios nacionais" eram sempre autores de Epopeias: mas, agora, era a palavra autorizada de Carlos Dias Fernandes que me garantia ser o Romance a verdadeira Epopeia atual! Vi nisso um sinal da Providência, porque, desde os romances de João Melchíades aos de José de Alencar e do

Visconde de Montalvão, esse era meu gênero predileto. Cada vez se enraizava mais, em mim, a decisão de tornar embandeiradas e cheias de chuviscos prateados as pardas, miseráveis e sangrentas aventuras da Pedra do Reino, tornando-me Rei sem degolar os outros e sem arriscar minha garganta, o que somente a feitura do meu romance, do meu Castelo perigoso e literário, possibilitaria.

Precisava, porém, beber, ainda, outras lições. Por isso, com o ar mais casual e modesto do mundo, comecei a tatear terreno. Disse:

— Clemente, sei que você é um Filósofo, um homem sério, um Sociólogo que não se preocupa com romances, folhetos e outras literaturas frívolas! Você, Samuel, acha que o romance é um gênero bastardo, que não pode, absolutamente, se comparar com a Poesia! Sendo assim, vocês não se prejudicam, dando-me algumas instruções sobre isso! Ando querendo escrever uns contos e folhetins para o *Almanaque* e gostaria de não cometer erros grosseiros demais quando começar o trabalho! Você, Clemente, como é que acha que eu deveria escrever? Que livros devo ler para ir aprendendo?

— Você pode começar com o *Compêndio Narrativo do Peregrino da América Latina*, de Nuno Marques Pereira, e com as *Obras do Diabinho da Mão Furada*, de Antônio José, O Judeu, romances escritos por Brasileiros, no século XVIII. Aliás, o nome do primeiro é *Compêndio Narrativo do Peregrino da América*, mas eu só uso o nome *América* seguido do adjetivo *Latina*, para não pensarem que se trata dos Estados Unidos! Depois, você poderia passar para as *Memórias de um Sargento de Milícias*, de Manuel Antônio de Almeida, este, do século XIX. Com isso, você entraria na tradição da novela brasileira ao mesmo tempo didática e picaresca, com personagens populares, astutos, errantes, miseráveis, sujos, e tendo como assunto principal a fome! Mas, para não ficar tudo com um ar ultrapassado, reacionário e antiquado, com o mofo, o rapé e as rendas do século XVIII, você poderia unir, a esse espírito, o tom do romance sertanejo de Cangaço, meio épico, meio picaresco, meio de costumes. Para isso, além dos romances cearenses do século XIX, você poderia ler *Os Cangaceiros*, de Carlos Dias Fernandes, romance publicado em 1914 e onde se traçam análises sociológicas magistrais sobre o fenômeno social do Cangaço, visto, ali, como "resultado das injustiças do Capital". É toda uma humanidade sertaneja que desfila por ali: poderosos, humilhados, grandes e pequenos fazendeiros, Vaqueiros, soldados de polícia, Cangaceiros, almocreves...

— Basta! — interrompeu Samuel. — Só a enumeração já está me dando arrepios! "Análises sociológicas, Vaqueiros, almocreves..." Isso é literatura de beira-de-estrada, Clemente! Já que você vai aconselhar Quaderna nesse campo do romance, mande que ele leia *A Renegada*, também de Carlos Dias Fernandes, mas cuja ação se passa em Olinda e no Recife, cidades do verdadeiro patriciado brasileiro!

— Se *Os Cangaceiros* é literatura de beira-de-estrada, *A Renegada* é literatura de alcova e safadeza da Zona da Mata, Samuel! Em *A Renegada*, a única coisa que me interessa é que se mostra, ali, o homossexualismo e certas formas de amor pervertido entre Emília Campos e seu marido, o velho e impotente Desembargador Palma! Isso me interessa, por dois motivos. Primeiro, mostra as chagas causadas pelo ócio dos ricos e pelo mofo das alcovas burguesas! Depois, porque os desviados sexuais são, no fundo, revoltados contra a sociedade! Eu, como revolucionário e adversário da Ordem, tenho horror é à figura do "bom cidadão", do homem de boa consciência, do "homem normal"! A perversão sexual é uma forma de revolta! É verdade que um tanto inconsequente, como também é inconsequente a revolta do Cangaceiro! Mas, de qualquer maneira, tanto o Cangaceiro como o homossexual são, no fundo, dois agentes da Revolução!

— Agentes da Revolução, *no fundo*? — protestei. — O homossexual pode ser, o Cangaceiro não!

— Lá vêm as saídas de Almanaque! Quaderna, não estamos em Véspera de Reis não! Estou discutindo uma tese séria, que vai ficar registrada em nossas atas!

— Essa é boa! — defendi-me. — Diz que o homossexual é um revoltado no fundo, e quer se zangar porque eu acho graça! Você está falando sério, Clemente?

— Claro que estou! Quando o homossexual se recusa a aceitar os padrões morais da classe privilegiada, está, a seu modo, protestando, como o guerrilheiro, contra a ordem estabelecida!

— Tá, Clemente, com esta eu não contava! — disse eu, espantado. — Nunca pensei que dar o rabo fosse uma forma de guerrilha! Mas se você fosse fazer um romance, era assim que você faria? Era seguindo *Os Cangaceiros*, de Carlos Dias Fernandes, e mostrando a revolta desses guerrilheiros, juntamente com uma porção de homossexuais revoltados no fundo?

O Filósofo encarou-me gravemente:

— Olhe, Quaderna, eu não perderia meu tempo escrevendo romances, de jeito nenhum! Sou um Filósofo, um Sociólogo, e tenho meu tempo ocupado em obra muito mais séria! Mas como você é um impenitente charadista e leitor de Almanaques, um ávido devorador de enredos grosseiros, vou lhe dizer como faria um romance, caso esse gênero literário e frívolo me interessasse!

* * *

Parei, com a respiração suspensa, porque pressentia que Clemente ia me dar uma lição decisiva para minha Obra. Ele começou:

— A meu ver, nesse campo, o grande assunto nacional seria a revolução dos povos do Brasil, tendo à frente o grande Povo Negro, por ser o mais humilhado e desprezado de todos! Eu escreveria um romance social e filosófico--revolucionário, centralizando a ação em torno daquele que, para mim, foi o grande herói do Brasil, Zumbi, o Rei Negro da República Popular dos Palmares! O estabelecimento dessa República na pedregosa "Serra da Barriga" e seu assédio pelos Brancos, é um feito tão importante quanto "A Retirada dos Dez Mil" ou como a "Guerra de Troia"! Aliás, foi assim que o episódio ficou conhecido na História do Brasil, como "A Troia Negra dos Palmares"!

— Como é, Clemente? — interrompeu Samuel. — Você tem coragem de comparar uma ação ilustre, como o cerco de Troia, com o motim daquela negralhada desordeira dos Palmares?

— É claro que tenho! — disse Clemente indignado. — Está vendo como é essa gente, Quaderna? Se morrem dez mil gregos numa ação, aí é ação importante, porque morreram dez mil pessoas! Mas se morrem dez mil nos Palmares, é somente um motim de desordeiros, porque não morreram dez mil "pessoas" não, morreram dez mil "negros"!

— Deixe isso pra lá, Clemente! Você não sabe que, nisso, estou do seu lado e contra Samuel? Deixe isso pra lá e me conte o resto do romance que você faria!

— Você poderia basear seu romance em grandes escritores pernambucanos e alagoanos, todos mais ou menos Acadêmicos e consagrados, como Alfredo Brandão, Jayme de Altavila e Ulysses Brandão. Uma vez, por mero divertimento, compus uma espécie de História dos Palmares, colando retalhos desses escritores. Por acaso, tenho aqui, comigo, essa friolera, e vou lê-la para esta sessão da nossa Academia!

* * *

Então, sob protesto de Samuel, mas contando com meu voto favorável, Clemente tirou do bolso interno do paletó a maçaroca de papéis e começou a narrar. Contou como, no século XVII, os Negros, maltratados pelos Senhores, tinham começado a fugir para a pedregosa "Serra da Barriga", onde se afortalezaram. Os Senhores começaram a ver naquilo uma ameaça, principalmente porque, dizia Clemente, "a base da sociedade, nos Palmares, era coletivista, socialista". E vinha o reinado de Gangazuma, e depois o de Zumbi, o maior de todos os Reis Negros. Clemente contava o himeneu de Zumbi com a bela negra Mussala, logo após ser o grande Negro coroado e ungido pelo Ladane, o Sacerdote. Aí, os brancos, divididos em Paulistas e Nordestinos, realizavam vários assaltos, todos repelidos. Mas, como acontecera outrora na Pedra do Reino, aparecia, ali também, um traidor. "Não era um Negro puro não, era um mulato", acentuava Clemente. Esse mulato guiou os Brancos ao caminho de acesso pelo qual o reduto de pedra dos Palmares podia ser tomado. E aí vinha a narração da heroica e trágica derrocada dos Negros. Era assim, de acordo com o que Clemente leu e que eu ajuntei às atas da Academia:

DESENHO RUPESTRE E TAPUIA QUE SE ENCONTRAVA NAS PEDRAS DA ILUMIARA JAÚNA.

Folheto XXXII
A Trágica Desaventura do Rei Zumbi dos Palmares

"Um clarim encheu o vale com seu retinido. O Sol começava a despejar sua luz sobre o cenário, e o primeiro estampido das compridas colubrinas repercutiu distante, assinalando a posição do Sargento-Mor Sebastião Dias, ao pé da Serra. Começava a investida! As balas, a princípio, apenas fragmentavam o granito das trincheiras, tornando vão o assalto. Mas um Cabo-de-guerra de Zumbi, um mulato que se tomara de amor por Mussala e fora repelido, atraiçoou os Negros e guiou os Brancos para um ponto em que a Muralha poderia ceder aos tiros de canhão. Aí, insistindo sobre este ponto, os petardos deslocaram alguns metros da amurada. Os Negros resistiam galhardamente às armas de fogo, por meio de flechas disparadas dos baluartes, água fervendo e brasas, lançadas de cima! Reconhecendo os Brancos que da Artilharia é que depende o êxito, foi mandado o Capitão-Mor Bernardo Vieira de Mello que, com o canhoneio, começou a abrir a Muralha, para dar entrada aos sete mil Soldados que trazia. Os Negros atiravam flechas, pedras e azagaias. Um artilheiro caiu sobre a peça, ao acender o chio, com a cabeça esfacelada, e um soldado abriu os braços e tombou para a frente, atravessado por uma flecha. Foram fontes de sangue a avermelhar a terra. Subiu ao ar um clamor bárbaro. Cumpria aos Negros defender aquela brecha na sua muralha! De momento, foram colocados ali enormes pedrouços. Mas a Infantaria branca, provida de mosquetes, varreu a entrada e permitiu que as peças de Artilharia se aproximassem da falda da Serra. Novos estampidos de colubrinas retumbaram, e desta vez a incisão permitiu a entrada da tropa de vanguarda. Em meio do fumo, do desmoronar das pedranceiras, dos estampidos secos dos mosquetes, dos roncos formidáveis dos trabucos, das coronhadas, das imprecações, da fúria, da arremetida, a pluma escarlate de Bernardo Vieira de Mello mergulhou no burburinho tremendo. Zumbi era um Titã negro, agitado no meio da hecatombe. Não seria ele quem fosse morrer para a confiança dos seus antes de morrer para a vida! Seus olhos guardavam um fulgor estranho de amargura, mas sua boca estava cheia de animação para os companheiros de destino.

Um Búzio de guerra soou convulsamente dentro dos Palmares: era o sinal de perigo! Um Capitão negro brandiu um alfange contra o Alcaide-Mor Christovam Linz, mas caiu com o coração atingido por um balaço de pistola. O exército dos brancos, como uma onda que se levanta, moveu-se, no seu grosso, em direção à estacada aberta. Lá dentro, já estava Bernardo Vieira de Mello, depois da investida louca contra o Reduto Negro!"

* * *

Eu, empolgado de entusiasmo por aquela luta heroica, tão parecida com a da Pedra do Reino, não me contive e gritei:

— Que beleza, Clemente!

Então, sentindo-me, eu mesmo, tão valente quanto Zumbi ou Jesuíno Brilhante, ergui o punho para as pedras e os cactos da Caatinga e recitei, gritando:

"*Em teus Lajedos erguido,*
meu Gavião atrevido,
salve, Sertão do Esquecido,
Pedra do Reino, angular!
Eu canto a Beleza tua,
ó Moura guerreira e nua,
em cuja Coxa flutua
ruiva pele de Jaguar!

Palmares, a ti meu Grito,
a ti, Sertão de granito,
que ninguém ouse atacar!

Ó Moura! teu Peito escuro,
fugidio, firme, duro,
guarde a tua nobre Dor!
Negra Diana Selvagem,
que escutas, sob a ramagem,
as Vozes, que traz a aragem,
do Rei Negro, O Lidador!

Salve, valente Guerreira,
nobre Pedra Brasileira,
que, ao arfar da Catingueira,
soubeste tanto lutar!
Salve, no Rochedo erguido,
meu Gavião atrevido,
onde pena o Rei Perdido,
Negro-Pardo do Jaguar!"

— Pode me explicar a que vem essa cena ridícula? — indagou Samuel.

Eu, acanhado, recolhi o punho que ainda estava erguido, e expliquei:

— Nada, isso aí é um verso que eu fiz, partindo de Castro Alves e seguindo de uma vez só o "oncismo" de Clemente e seu "tapirismo"!

— Pois não aceito a parte tapirista dele! Retire-se do meu movimento literário, charadista! — disse Samuel, implacável.

— Eu também não aceito a parte oncista, não! — disse Clemente. — Mas vocês me interromperam, e agora é que vem a parte melhor da história de Zumbi! Ouçam lá:

* * *

"Vai começar a tragédia dantesca. Havia uma atalaia pedregosa no meio do Quilombo. Para ali foi o Rei, seguido pelos perseguidores. Os últimos arrancos da luta foram os mais terríveis: quando um Soldado punha o pé num varal, para subir, uma flecha atravessava-lhe o coração ou vazava-lhe um olho! Não havia defesa possível, porém, com a superioridade das armas de fogo dos Brancos! E quando Zumbi, último Rei dos Palmares, com o Estado-Maior que o cercava, viu que, com a derrocada, acabariam prisioneiros dos Brancos, galgaram, todos, o altíssimo Rochedo central da atalaia e se arremessaram de lá nas pedras de baixo! Vencidos, esmagados pela força, os Palmarinos não se submeteram, suicidaram-se! Dentro da Cidadela, por entre os rolos de fumo das casas incendiadas, os Soldados davam termo à carnificina, mosqueteando ou espadejando os últimos defensores da República Negra. O solo estava forrado de cadáveres mutilados e, à proporção que os exterminadores penetravam nas seis ordens da estacada, iam içando os Negros mortos nas pontas dos mourões que encontravam, dando ao terreno conquistado a ideia de um Jardim de Suplícios, cujas Rosas negras eram os destroços humanos dependurados, pingando em derredor um orvalho de Sangue! O lance mais terrível, porém, ainda estava para acontecer. E foi que Zumbi, o Rei, com a resistência incrível de seu corpo de Guerreiro, foi encontrado ainda com vida, entre os corpos dos que se tinham jogado do Rochedo. O rosto estava tumefato pela queda. Um pedaço de maxilar partido e sem bochecha, mostrando os dentes, um olho inchado e fechado, aquele rosto impressionava pela grandeza, pela dignidade do infortúnio, pela altivez que mostrava ainda, na derrota e no desbarato! Os Conquistadores improvisaram uma Forca, com esteios, e guindaram o corpo de Zumbi, aqui e ali crivado de golpes de espadas. Passaram uma imbira no pescoço do heroico Rei Negro e enforcaram-no. As mulheres, os Guerreiros vencidos e os velhos da sua Raça assistiram seus estertores, enchendo de lamentos a paz do ermo. Quando nas dilatadas meninas-dos-olhos de André Furtado de Mendonça o reflexo do corpo de Zumbi deixou de bulir, ele correu para a Forca e cortou, com um golpe, a imbira forte que sustinha o cadáver. O corpo caiu surdamente no chão. O Capitão paulista gritou para um homem do troço de Domingos Jorge Velho: 'Corte-lhe a cabeça!' O troféu sangrento foi-lhe entregue imediatamente para ser salgado e remetido ao Governador de Pernambuco, Caetano de Mello e Castro, e o corpo lá ficou, insepulto, para ser devorado pelos Caititus — os porcos-selvagens do Sertão — quando, à noite, descem da Serra em manadas, serrilhando os dentes. Quanto aos que não tinham tido tempo de se matar, amarrados novamente sob o vergalho, feridos, escoiceados, foram marchando em meio aos Conquistadores, cujos saios e gibões mostravam-se espirrados de sangue. Era o retorno à Escravidão!"

Folheto XXXIII
O Estranho Caso do Cavaleiro Diabólico

Exatamente quando o Filósofo chegava a essa parte final, arrepiadora e impressionante de sua "Troia Negra dos Palmares", nós íamos passando diante de um lajeiro baixo, espalhado pelo chão, com pés de Xiquexique, Coroas-de--Frade e Macambiras aqui e ali. De repente, tive a impressão de que já tínhamos passado por aquele lugar, na mesma viagem de volta. Imediatamente comuniquei aos dois a suspeita, que, se fosse confirmada, indicava que estávamos extraviados naquela cerrada e áspera Caatinga.

Samuel e Clemente esbarraram os animais, olharam o lajeiro e discordaram de mim, sustentando que estávamos no caminho certo. Eu mantinha a suspeita, de modo que fizemos uma pausa bastante longa na viagem e na conversa. Vou, então, aproveitar essa pausa, para narrar um acontecimento, também muito importante, dessa manhã. Eu mesmo já estou ficando entediado com essas infindáveis teses acadêmicas, que só incluo aqui porque são indispensáveis ao entendimento do meu caso. Mas é preciso descansar, pois sinto que as cabeças dos que me ouvem, e a minha também, já estão pendendo, sonolentas, com o epopeico sono de Homero. A parte que intercalo é mais movimentada, mais bandeirosa e cavalariana, de modo que talvez dissipe o sono com cavalos, Cavaleiros, visagens e outras coisas mais "romanceiras e folhetescas".

Naquele dia, um pouco antes da emboscada, ocorrera outro acontecimento que seria decisivo para todos nós. Seu personagem principal foi aquele meu condiscípulo e colega de cantoria, Lino Pedra-Verde. Lino, filho de um antigo morador da "Onça Malhada", fora morar, depois de já formado em Cantador, num pequeno sítio, perto da Vila de Estaca Zero. Naquela manhã de 1º de Junho de 35, saíra de casa ainda cedo, em busca de um roçado novo que brocara, no sopé da Serra: queria ver em que pé andavam uns milhos que plantara por lá e que, segundo seus cálculos, deveriam estar chegando ao ponto de serem quebrados para o São João.

Saindo de casa animado, Lino começou a mudar de espírito à medida que se aproximava da Serra. Era um homem de estatura média, com o bigode quase quadrado crescido na cara morena. Era caolho: procurando extrair, certa vez, um prego mal cravado num "brabo" de miolo de aroeira, quebrara-se a faca-de-ponta, e a ponta de ferro, zunindo no ar com grande violência, cravara-se no seu olho direito, vazando-o. Por causa desse olho cego, Lino ganhara o apelido de "Meia-Luz", que o deixava furibundo. Preferia os versos proféticos e assombradores, talvez porque, desde menino, era sujeito a visagens, o que se agravou depois que eu, descobrindo a receita completa do "Vinho Encantado da Pedra do Reino", passei a fornecer-lhe "erva-moura", para mascar e fumar, e vinho, para beber.

Ora, antes de chegar à Serra, Lino teria que passar por um descampado enorme, um lugar selvagem, devastado pelo velho fogo de uma coivara antiga e depois abandonado. Os próprios seixos e pedras, ali, emergiam dificultosamente da poeira e da cinza, e os pedaços de chão que sobravam eram cobertos de pedregulhos feios e torcidos. Quando foi se aproximando da orla do mato ralo que beirava a enorme clareira queimada, Lino começou a sentir o pressentimento de alguma coisa maléfica que o aguardava no chão coberto de cinza, nas pedras envelhecidas pela passagem do tempo e das chamas. Parou, sem querer, e, no mesmo instante, começou a notar, assombrado, que o chão "estava começando a ficar empenado", isto é, alteando-se no lugar onde ele estava e abaixando-se lá adiante, para os lados do descampado. Aterrado, Lino quis voltar, mas cadê que podia? Enquanto o chão baixava em sua frente, alteava-se por trás, e, sem querer, ele começou a descer, levado para o descampado pelo desnível empinado da ladeira mal-assombrada. Viu-se, assim, na orla do mato e diante da clareira. No mesmo instante, o chão deu um estremeço e um estrondo, e ele, erguendo o olho bom, avistou, lá, no outro lado da clareira, a figura do Cavaleiro. Duas certezas lhe vieram imediatamente: não era coisa deste mundo, e era o peso do cavalo dele que "empenava o chão, tirando-o do nível". Parecia que o descampado se tornara uma burrinca, uma gangorra enorme, que subira do lado de Lino porque o peso do Cavaleiro o fizera baixar do seu. Aliás, isso logo se confirmava, porque o Cavaleiro instigou o cavalo, e começaram a caminhar na direção de Lino: à medida que andavam e se aproximavam mais do centro do Tabuleiro pedregoso e calcinado, o chão subia mais do lado deles e baixava do lado de Lino.

Ao mesmo tempo, de dentro do mato, lá do outro lado, começou a sair a escolta do Cavaleiro, vinte e quatro Dragões montados por outros tantos Bichos esquisitos, "uma espécie de cruzamento de Onça com Urubu, Porco e Jumento preto", como Lino me contava depois. Ele continuava pregado em seu canto, aterrorizado, murmurando palavras desconexas, e tentando organizá-las em alguma oração. Agora, já divisava melhor o Cavaleiro: a roupa dele parecia uma mistura de farda de Cangaceiro e batina de Bispo. Trazia numa das mãos uma Espada de fogo, cujos copos eram um enorme Livro. Na outra, conduzia uma espécie de Espelho, ou placa de aço polido, onde, de repente, o Sol refulgiu, encandeando Lino. Nesse momento, o Cantador viu o que lhe pareceu uma Estrela desprender-se do aço do Espelho ou do Céu que luzia por cima. O astro de fogo, feito uma bola, passou transversalmente pelo descampado, raspando e queimando o chão, sobre o qual deixou novo rastro incendiado. As pedras fumegavam. O chão deu novo estrondo, cambaleou entontecido, e uma sombra estranha começou a se espalhar pela clareira, nos passos do cavalo, parecendo que eram os cascos e as crinas pretas que a espalhavam. Não ia muito alto, esta sombra trevosa; alcançava apenas a altura da cabeça do Cavaleiro. Daí para cima, via-se ainda o Céu, que não estava mais azul e sim vermelho, um vermelho de sangue. O que aparecia de azul, ali, eram bolas azulosas e fosforescentes, "que davam estouros e zoavam com a zoada do Mar".

* * *

Agora, o Cavaleiro estava no meio do campo, e o chão se aprumara, mas o terror de Lino só fez foi aumentar. É que dos olhos do monstro saíam uma Luz vermelha e outra verde que se ajuntavam ao fogo da Estrela para também queimar o chão. E, terror dos terrores, Lino viu então, pela primeira vez com mais clareza, a cara apavoradora do Cavaleiro. Seus lábios arregaçados não conseguiam cobrir os enormes dentes de cachorro, e de sua boca, a modo de línguas, saíam sete Cobras-corais. O cavalo era velho e preto, e parecia carregado de todas as astúcias e ruindades do mundo. Era o mais interessado em chegar a Lino, e foi como por seu conselho que os dois, parecendo um Bicho só, a Besta-Fera falada, começaram a se aproximar, apressando-se um pouco mais as passadas lentas da feia montaria.

Lino viu que, se não houvesse uma intervenção rápida do Céu, estaria perdido. Fascinado pelos olhos do Cavaleiro e pelas cobras que se agitavam malignamente no ar, pôde, porém, reunir as forças que lhe restavam e gritar:

— Valha-me Nossa Senhora, Mãe de Deus!

Aí, por trás de Lino, surgiu outra presença, um Ente que ele não teve coragem de encarar porque também era de fogo e porque era puro e perigoso. Asas ruflavam, brilhavam reflexos de espadas e diamantes. Bradavam vozes:

— Chegou o tempo da grande penitência! Ah dia sangrento e certo! É o Juízo Final! O mundo chega a seu fim!

A luz do Sol começou a vencer o escuro e iluminou, lá, do outro lado, uma pedra, que começou a brilhar no escuro, como um Altar alumiado. As visagens começaram a se sumir na claridade, e Lino, impelido pela poderosa presença do Anjo, que atrás dele ia ruflando suas gigantescas asas de navalhas e pedrarias, tomou coragem e cruzou o campo.

* * *

Contava-me ele, depois, que, à medida que se acalmava, "o fogo da Poesia começava a incendiar seu juízo", e o fato esquisito que lhe acontecera começava a tomar forma poética, dentro dele.

— De qualquer jeito — dizia-me ele depois — eu ia decorando todos os versos que me vinham à cabeça, para depois passar tudo para o papel. Ao mesmo tempo, eu desconfiava de já conhecer aqueles versos! De quem serão eles? Me ajude, Dinis, pra ver se eu me lembro! Serão meus, mesmo? Serão de José Pacheco? De João Ferreira Lima? De Josué Gomes da Silva?

— Como são os versos, Lino? — perguntei.

Ele recitou o seguinte:

"Lá no Campo, eu vi um Anjo:
tinha Faces de carmim,
tinha Asas de navalha,
chegou pra perto de mim
e disse: — Faz penitência,
que o Mundo já chega ao fim!

Então, eu cruzei o Campo
e o Anjo voava ao lado.
Ele mostrou-me um Dragão

em um Cavalo montado.
Dizia o Anjo: — Este é
o Anticristo falado!

O sinal do Anticristo
é um verde, outro encarnado!
Tu já o viste no Campo,
em seu Cavalo montado,
vestido de brabo e Bispo,
Espada e Livro, de lado!

Os seus olhos são de Fogo,
os dentes são de Dragão,
sua Boca é a caverna
das Cobras da maldição!
É Bicho tão temeroso
que nos corta o coração!

Aí, eu baixei a vista,
o Mundo se escureceu!
O Sertão todo agitou-se,
o Mar, lá longe, gemeu,
o Céu ficou encarnado,
embaixo a Terra tremeu!

Vi uma Estrela baixar,
fiquei tremendo, assombrado.
O Povo todo do mundo
correu, gritando, assustado.
Diziam: — Valha-me a Virgem,
a Mãe do Verbo Encarnado!"

* * *

Lino chegou ao roçado, não quebrou o milho — que encontrou ainda verde demais — e voltou a Estaca Zero, encontrando a Vila inteiramente subvertida pela passagem do Rapaz-do-Cavalo-Branco, daquele Cavaleiro que parecia a imagem reversa do outro, que tanto o assombrara no Campo calcinado. No estado de espírito causado pelas visagens, Lino estava especialmente predisposto a se impressionar com a descrição que lhe fizeram dos gibões medalhados, dos cavalos, dos arreios reluzentes de moedas, da bandeira da coroa e das chamas de ouro, do escudo das onças vermelhas e dos treze contra-arminhos de prata. Alvoroçado, Lino se informou sobre a direção que seguira a cavalgada e meteu o pé na estrada, atrás dela, fato que veio a ter tanta influência em minha vida, como Vossas Excelências verão daqui a pouco.

Mas a pausa que tínhamos feito em nossa viagem já acabou. Clemente e Samuel me convenceram de que o mais certo era continuarmos em frente, pelo caminho que vínhamos seguindo, de modo que retomamos a viagem e também a conversação interrompida.

Clemente terminara de recitar a Epopeia negra de Zumbi, o que fez com um ar fatídico e impressionador que me deixara arrepiado. Lembrava-me de meu bisavô, degolado, como Zumbi, num Reino pedregoso e amuralhado. A batalha da Pedra do Reino galopava de novo no meu sangue, por entre chamas e vozerios, agora acrescentados das cenas de Palmares e da morte trágica de Zumbi. Mas Samuel tinha outras ideias e começou logo a desmoralizar as de Clemente. Disse:

— Vocês dois ficam embasbacados, aí, como se a morte daquela negralhada fosse coisa do outro mundo! Mas o pior que eu acho é Clemente querer criar aqui, artificialmente, a partir da República de Palmares, uma coisa que nunca existiu no Brasil, uma espécie de Sebastianismo negro! É uma ideia artificial, porque o núcleo, o fundamento do Brasil é ibérico! Seja justo ou injusto isso, Clemente, já aconteceu e agora não tem mais quem dê jeito! De modo que o único Sebastianismo autêntico, aqui, é o Sebastianismo ibérico que nós herdamos dos Portugueses, que se abrasileirou aqui e que é o grande assunto nacional que pode servir de base à Obra da Raça!

O CAVALEIRO DIABÓLICO QUE APARECEU A LINO PEDRA-VERDE.

Folheto XXXIV
Marítima Odisseia de um Fidalgo Brasileiro

Foi motivo de novo sobressalto para mim. "Sebastianismo", como se recordam, era uma das palavras que incendiavam meu sangue e minha cabeça, desde que os Quadernas tinham pregado, na Pedra do Reino, a ressurreição e o aparecimento do Rei Dom Sebastião. Por isso, resolvi esporear Samuel, incitando-o a falar, para beber suas ideias, como já bebera as do Filósofo negro. Disse:

— Mas Samuel, o sebastianismo não é assunto Português?

— Tanto faz dizer Português como Brasileiro, Quaderna! Por outro lado, a história de Dom Sebastião, O Desejado, transcende os limites puramente individuais e nacionais para ser um Mito humano: o do homem sempre desejoso de se transcender, alçando-se, pela Aventura, pelo delírio, pelo risco, pela grandeza, pelo martírio, até o Divino! É por isso que meu livro de poemas, *O Rei e a Coroa de Esmeraldas*, será uma espécie de sagração mítica da História de Portugal na História do Brasil, através das grandes figuras brasileiras dos nossos Heróis e Reis! De Portugal, eu só incluirei duas figuras, a do Navegador, através do Infante Dom Henrique, e a do Guerreiro, através de Dom Sebastião, isto é, a Cavalaria terrestre e a do Mar, ambas marcadas pelo impulso para o Além, para o Desconhecido, para o Divino, presente no mito do Eldorado que os Conquistadores buscavam e que era o Brasil! Minha grande vantagem inicial, é que escreverei em Português, o mais belo de todos os idiomas! Olavo Bilac dizia, com muita razão, que as línguas ibéricas, o Português e o Espanhol, têm "ululos de fera para a blasfêmia e arrulhos de pomba para o amor"!

Clemente interrompeu:

— Bem, Samuel, que o importante, no amor, são mesmo os *arrulhos da pomba*, disso eu não tenho dúvida!

Eu estourei na gargalhada e a irritação de Samuel virou-se pra mim:

— Você, Quaderna, se acha graça numa chulice dessas é que está, realmente, na mesma altura moral e intelectual de quem a disse!

— Não, Samuel, não se zangue comigo não! Achei graça, mas isso que você disse é importantíssimo, porque, se o Português é a língua mais bela e mais forte do mundo, o "Gênio Máximo da Humanidade" só poderá ser alguém que escreva em Português!

Impressionado, Clemente voltou atrás, concordou, e a tese foi aprovada por unanimidade. Samuel, vitorioso, animou-se:

— Eu faria, então, como disse, um poema a Dom Henrique, outro a Dom Sebastião. O Brasil nasce entre essas duas figuras de Príncipes castos e guerreiros. Dom Henrique anuncia e procura o Brasil no Mar, Dom Sebastião vai realizá-lo e batizá-lo a fogo no Deserto! Depois deles, eu faria um poema a Duarte Coelho, fidalgo de linhagem bastarda que é, bem, a nossa primeira figura mítica de Cavaleiro, semelhante a essas figuras rostrais, colocadas nas proas das Caravelas portuguesas, de barba negra, cerrada e encaracolada, de olhos escuros, ambicioso, violento, austero. Foi Conde e Senhor de Pernambuco, tornando-se, ali, um Senhor feudal, como Dom Sebastião extraviado no tempo. Ergueu, em Olinda, um Castelo de pedra, com torre, e ali se estabeleceu com sua mulher, Dona Brites de Albuquerque, da família do grande Afonso de Albuquerque, O Africano. Vocês dois, almocreves sertanejos, fingem ignorar essas coisas. Você, Quaderna, sabia, por exemplo, que os dois filhos de Duarte Coelho, nascidos em Olinda, estiveram, com Dom Sebastião, na terrível Batalha de Alcácer-Quibir, travada nos areais da África, em 1578?

— Sabia não, Samuel! — disse eu, empolgado.

— Pois fique sabendo! Dos dois, o mais velho era Duarte de Albuquerque Coelho, e o Sebastianismo nordestino girou, durante certo tempo, não só em torno de Dom Sebastião, mas também em torno desse filho de Duarte Coelho e Dona Brites de Albuquerque. Aliás, ainda hoje gira. Porque, apesar de alguns documentos afirmarem que Duarte de Albuquerque Coelho não morreu na batalha, o genial escritor e Fidalgo Pernambucano Carlos Xavier Paes Barretto afirma, em seu livro: "Os dois filhos de Duarte Coelho, Duarte e Jorge de Albuquerque Coelho, tornaram-se notáveis nas lutas da África. O primeiro, pereceu no campo da batalha. Quanto a Jorge de Albuquerque Coelho, de quem consta a célebre versão de ter cedido ao Rei o cavalo para que se salvasse O Desejado, ficou por terra, com ferimentos que mais tarde lhe ocasionaram a extração de vinte ossos."

Movido por estranho pressentimento, perguntei:

— De que cor era esse cavalo, Samuel?

— Branco! — respondeu o Fidalgo.

Notem que nós, extraviados, absolutamente não sabíamos que, naquela hora, não muito longe, vinha chegando a Taperoá, pela estrada, o Alumioso Rapaz-do-Cavalo-Branco; de modo que só pode ter sido, mesmo, um sinal do Destino o fato de Samuel ter tocado naquele assunto. Mas, inconsciente de seu papel profético, ele continuou:

— Olhe, Quaderna, você se entusiasmou, há pouco, com aquela besteirada dos negros de Palmares que Clemente recitou! Veja se pode se despir, nem que seja por um instante, de seus gostos de charadista e almocreve sertanejo, para ouvir coisa muito melhor! É que, do mesmo jeito que Clemente fez para a negralhada dele, peguei uns pedaços da prosa fidalga de Frei Vicente do Salvador, e escrevi algo sobre os filhos de Duarte Coelho, a fim de me inspirar para meu poema! Vou comunicar isso também à Academia, porque não é possível que vocês não se entusiasmem com essa epopeia da Conquista do Brasil, com os heroicos Fidalgos brasileiros a perseguirem o sonho do Eldorado místico! É como uma heroica novela de cavalaria, em que o Cavaleiro do Brasil buscasse, nesta Nova-Tule da nossa Pátria, o Santo Cálice da Esmeralda, a Esfera Armilar de Ouro, o Santo Graal da nossa Raça! Sim, porque na minha opinião, o Brasil sempre foi o todo, o Império, do qual faziam parte o Reino de Portugal, o da Espanha etc. E assim será de novo, quando os fidalgos brasileiros, ora se reunindo em torno da figura profética de Plínio Salgado, adotarem a nova visão messiânica do Integralismo! Aí, o velho Reino do Peru, e o México, e a Bolívia e os dois Reinos ibéricos, tudo isso, junto, fará o Quinto Império do Brasil, aquela estranha Rainha do Meio-Dia, à qual o Cristo se referiu no seu enigmático e derradeiro "sermão profético"!

* * *

Então Samuel, vermelho de entusiasmo, com os olhos cheios d'água, recitou para nós, lendo num papel, vários pedaços da Crônica seiscentista de Frei Vicente do Salvador sobre Duarte e Jorge de Albuquerque Coelho. Contou como Jerônimo de Albuquerque, tio deles, fora derrotado pelos Tapuias, no Cabo de Santo Agostinho, em Pernambuco. Com essa vitória, os Gentios tomaram-se de ousadia, não deixando mais os Senhores de Engenho alargar suas terras para situar novas canas e plantações. Então os dois irmãos preparam várias expedições contra eles, "levando neste militar exercício mais de cinco anos, sofrendo muitas fomes e sedes e não sem derramar seu sangue de muitas frechadas que os inimigos lhes deram". Jorge de Albuquerque Coelho ajudou o irmão mais velho durante todo esse tempo, como Capitão-General da guerra. Até que deliberou ir a Portugal, embarcando na caravela *Santo Antônio*, que saiu do porto do Recife numa quarta-feira, 16 de Maio de 1566. Não tinha ainda a Nau saído da barra, quando encalhou nuns baixios e quase soçobra. Acharam os amigos que era sinal de mau agouro; mas Jorge de Albuquerque Coelho, depois de reparada a Nau, tornou a embarcar, no dia 29 de Junho, dia de São Pedro e São Paulo. Navegaram até 3 de Setembro, data na qual, perto dos Açores, foram atacados por "uma Nau de corsários franceses luteranos", armada de muitos canhões grandes, enquanto a nossa tinha somente dois pequenos, um "falcão" e um "berço". Os Marujos quiseram se render, mas Jorge de Albuquerque Coelho disse que jamais permitiria que se rendesse sem luta uma Nau em que estivesse. Então, somente sete homens concordaram em combater com ele. "E assim, com estes homens somente", conta Frei Vicente, aquela figura homérica de Fidalgo brasileiro "se pôs às bombardas, arcabuzadas e frechadas com os Franceses". O ar se enchia com os estouros dos tiros, com os gritos dos feridos, e o Mar salgado se avermelhava com o sangue dos que lá caíam!

* * *

Eu, tão entusiasmado com a "odisseia marítima" do Fidalgo brasileiro quanto ficara, antes, com a "ilíada terrestre" do outro, o Negro, não me contive e gritei, erguendo de novo o punho para o Céu:

> *"São Marujos brasileiros,*
> *a bruna Pátria os criou:*
> *são fortes Varões morenos*
> *do Mar que Cabral cortou!*
> *Homens que a Pedra talhara,*
> *vão cantando a Estrofe rara*
> *que o Cego rouco cantou!*
> *Nautas das castanhas Plagas,*

> vão, nas Caravelas vagas,
> à Ibéria que nos sonhou!"

Samuel, interrompido, falou mais uma vez com frieza, ameaçando:

— Se você vier, ainda, com outra moxinifada dessas, eu deixo de comunicar minhas ideias à Academia!

Prometi me calar, e Samuel pegou de novo do lugar em que estava. Os Marujos covardes, vendo que, mesmo com aquela inferioridade toda, Jorge de Albuquerque Coelho lutaria até o fim de todos, resolveram traí-lo. Abaixando de surpresa as velas, gritaram para os Franceses que abordassem a Nau, que eles os ajudariam. Assim, conseguiram os Corsários se assenhorear do navio. O Capitão francês, ao ver que ali só havia aqueles dois pequenos canhões, disse a Jorge: "Não me espanta a tua coragem, porque coragem todo bom Soldado é obrigado a ter. Mas o que fizeste aqui foi mais do que coragem, foi temeridade!" E premiou-o com a honra de sentar à cabeceira da mesa. Então, no dia 12 de Setembro, bateu sobre eles uma tempestade pavorosa. A Nau brasileira começou a afundar, e todos viram chegar "a derradeira hora da vida". Apavorados, os Brasileiros católicos e também os Franceses luteranos aproximaram-se do Padre jesuíta Álvaro de Lucena, começando todos a se confessar. Mas Jorge de Albuquerque Coelho começou a encorajar uns e outros, dizendo que não deviam deixar tudo ao cuidado de Deus: "fizessem também, de sua parte, o remédio possível, uns dando à bomba, outros esgotando a água que estava no convés", conselho que os Marujos, animando-se, começaram a seguir. O filho de Duarte Coelho animava-os, com atos e palavras, dizendo que "esperava, na bondade divina e na intercessão da Virgem, Senhora Nossa, que haviam de ficar livres do perigo em que estavam". Ao dizer ele isso, "viram todos um grande resplendor no meio da grandíssima escuridão, e Deus foi servido de aplacar a tempestade". Então, apareceu de novo a Nau francesa, que tinha se desgarrado da nossa no começo do temporal: tomando os Franceses que estavam na Caravela brasileira e a maior parte dos nossos mantimentos, seguiram para a França, deixando os nossos num navio destroçado, à mercê do Mar. Novamente o desespero se apossou dos Brasileiros. Mas Jorge de Albuquerque Coelho mandou costurar guardanapos e toalhas, fazendo, assim, uma Vela. Fizeram um Mastro, amarrando dois remos. De cordas de rede improvisaram a cordoalha. E assim, iniciaram a etapa mais dolorosa e heroica da viagem. Os Franceses tinham deixado pouquíssimo mantimento aos nossos: dois sacos de biscoitos podres, "uma pouca de cerveja danada", duas canadas de vinho, um frasco de água-de-flor, alguns cocos, poucos punhados de farinha e seis tassalhos de peixe-boi. Jorge de Albuquerque Coelho foi repartindo essa comida por trinta e tantos homens, durante a viagem, cuidando pessoalmente da partilha. Mas, por maiores que fossem seus cuidados e sua parcimônia, a fome teria que chegar, como chegou, trazendo também o desespero. Então, faminta, desesperada, a marujada resolve deitar sortes, para escolher um dos homens, a fim de ser morto e comido pelos outros!

    Eu já estava novamente entusiasmado com aquela dolorosa história heroica. Sobretudo porque, agora, estava convencido de que já conhecia tudo isso, se bem que por caminhos menos fidalgos que os de Samuel. Por isso, esqueci-me da promessa e interrompi:

    — Samuel, essa parte da história eu já conhecia, se bem que não soubesse como tudo tinha começado. É a história da *Nau Catarineta*, que a gente canta, aqui no Sertão, no *Fandango*, quando vai representar o *Auto das Cheganças*, a *Marujada*! Nesse auto tem um romance que diz assim:

> "Ouçam, meus Senhores todos,
> uma história de espantar!
> Lá vem a Nau Catarineta
> que tem muito que contar.
> Há mais de um ano e um dia
> que vagavam pelo Mar:
> já não tinham o que comer,
> já não tinham o que manjar!
> Deitam sortes à ventura
> quem se havia de matar:
> logo foi cair a sorte
> no Capitão-General!
> — Tenham mão, meus Marinheiros!
> Prefiro ao Mar me jogar!

*Antes quero que me comam
ferozes Peixes do mar
do que ver Gente comendo
carne do meu natural!
Esperemos um momento,
talvez possamos chegar.
Assobe, assobe, Gajeiro,
naquele Mastro real!
Vê se vês terras de Espanha,
e areias de Portugal!
— Não vejo terras de Espanha
e areias de Portugal!
Vejo sete Espadas nuas
que vêm para vos matar!
— Vai mais acima, Gajeiro,
sobe no Tope real!
Vê se vês terras de Espanha,
areias de Portugal!
— Alvíssaras, Capitão,
meu Capitão-General!
Já vejo terras de Espanha,
areias de Portugal!
Enxergo, mais, três Donzelas,
debaixo de um Laranjal!
Uma, sentada a coser,
outra na roca, a fiar,
a mais mocinha de todas
está no meio, a chorar!
— Todas três são minhas filhas:
ah quem me dera as beijar!
A mais mocinha de todas
contigo a hei de casar!
— Eu não quero a vossa Filha,*

que vos custou a criar!
— Dou-te o meu Cavalo branco
que nunca teve outro igual!
— Não quero o vosso Cavalo,
meu Capitão-General!
— Dou-te a Nau Catarineta
tão boa em seu navegar!
— Não quero a Catarineta,
que Naus não sei manobrar!
— Que queres então, Gajeiro?
Que alvíssaras hei de dar?
— Capitão, eu sou o Diabo
e aqui vim pra vos tentar!
O que eu quero, é vossa Alma
para comigo a levar!
Só assim chegais a porto,
só assim vos vou salvar!
— Renego de ti, Demônio,
que estavas a me tentar!
A minha Alma, eu dou a Deus,
e o meu Corpo eu dou ao Mar!

E logo salta nas águas
o Capitão-General!
Um Anjo o tomou nos braços,
não o deixou se afogar!
Dá um estouro o Demônio,
e, com o Vento a baixar,
à noite a Catarineta
chegava ao Porto do Mar!"

* * *

Quando terminei de recitar esse maravilhoso romance-epopeico, marítimo e bandeiroso, Samuel veio logo com achincalhes:

— Quaderna, não venha misturar suas barbaridades de sertanejo com a fidalguia dos Coelhos, Albuquerques, Cavalcantis e Wan d'Ernes da Zona da Mata! Eu só aceitaria, sobre Jorge de Albuquerque Coelho, um verso feito por algum Trovador ibérico fidalgo, como El-Rei Dom Dinis, O Lavrador, ou como Dom Afonso Sanches, filho dele! Isso que você cantou, aí, é uma barbaridade, quase tão espúria e plebeia quanto os tais "folhetos" que você e Lino Pedra-Verde vivem espalhando pelas feiras, para corromper ainda mais o gosto dos Sertanejos!

— Está bem, deixe isso de lado! — concordei, para não desgostá-lo. — Estou tão entusiasmado com essa história de Duarte e Jorge de Albuquerque Coelho! Como é que ela termina? É verdade que eles foram até os areais africanos, acompanhando Dom Sebastião na sua aventura de Cruzado à África?

— É verdade, sim! — disse Samuel. — Existem documentos da época, provando isso! E note mais uma coisa, Quaderna: na batalha de Alcácer-Quibir, Jorge de Albuquerque Coelho estava montado num cavalo branco, de crinas cor de ouro...

Meu coração deu seu estremeço costumeiro. Falei:

— Olhe aí, Samuel! Lá vem de novo a história! No *Romance da Nau Catarineta* o cavalo do Capitão-General era branco!

— Isso não tem a menor importância, Quaderna! — disse Samuel, impaciente. — O que interessa é que, no atropelo da batalha, Dom Sebastião, lutando como um heráldico Leopardo ferido, cercado por cachorros negros, teve seu cavalo morto. Encontrando, então, Jorge de Albuquerque Coelho, também ferido e ensanguentado, pediu-lhe sua montaria, para continuar a luta, que ele, coitado, àquela altura, já sabia perdida! O Fidalgo donatário de Pernambuco cede seu cavalo branco ao Rei, mesmo sabendo que a montaria era a única possibilidade que tinha, ele próprio, de escapar! Dom Sebastião monta, e foi nesse cavalo branco do pernambucano que o Rei morreu, ou melhor, que se encantou, desaparecendo, "encobrindo-se", para voltar um dia, com seu nome ou outro qualquer, a fim de instaurar o Quinto Império do Brasil, sonho messiânico e profético de Antônio Vieira e de outros visionários da nossa Raça! É por isso que eu, apesar do enorme orgulho que tenho da parte castelhana do meu sangue, dou graças a

Deus (e aqui o Fidalgo persignou-se) por ser mais descendente de Portugueses do que de Espanhóis! A Espanha, por maior que seja sua grandeza, tem sempre, ao lado de sua fanática heroicidade fidalga, um lado amolecado, almocreve e popular que nunca me agradou. É por isso que, enquanto a Espanha contribuía, através das molecagens vulgares de Cervantes, para destruir o mito do Cavaleiro, Portugal fornecia ao mundo a última figura de Cruzado e Cavaleiro que existiu, Dom Sebastião, O Desejado! Orgulho-me de que minha família seja, como a dos Lencastres, uma família em cujo sangue ibérico se instilaram algumas gotas de sangue mais nórdico! Se bem que a minha seja superior, porque, nos Lencastres, o sangue que entrou foi o grosseiro sangue inglês, ao passo que no dos meus, como no de Carlos, O Temerário, foi o nobre e fino sangue flamengo-borgonhês! Mas existe ainda outro motivo, para o orgulho do meu sangue: na Península Ibérica, Portugal é uma espécie de Zona da Mata e faixa litorânea, semelhante à dos Engenhos pernambucanos, enquanto a Espanha, com sua Castela seca, parda, áspera e empoeirada, é muito mais parecida com este Sertão bárbaro de vocês!

* * *

Foi exatamente quando Samuel acabou de dizer isso que eu, terrivelmente preocupado, descobri que tínhamos chegado, de novo, ao mesmo lugar! Lá estava novamente a pedra grande, espalhada no chão, com as mesmas Coroas-de-Frade e os mesmos tufos de Macambira. Apontei-os aos companheiros e disse:

— Olhem lá, a mesma pedra! A gente está é perdido! Andamos, andamos e viemos bater no mesmo lugar!

Desta vez os dois ficaram mais preocupados do que eu. Samuel lembrou, logo, o caso recente de um velho que, montado a cavalo, se extraviara na Caatinga e morrera de fome, sendo encontrada a cabeça do cavalo — que ele amarrara a uma árvore — pendurada pelo cabresto e separada do corpo pelas aves de rapina que lhe tinham comido o pescoço. O Fidalgo, com ar lamentável, indagou:

— E agora, Clemente?

— Agora, é apelar para Quaderna, que tem prática nessas andanças e correrias pela Caatinga! Quaderna, vá na frente, guiando-nos!

— Acontece que estou completamente areado! — disse eu, inquieto. — Com as voltas que demos e com a atenção que eu vinha prestando a essas Literaturas cavalarianas de vocês estou completamente desorientado, com o mundo escuro e virado às avessas! O melhor que temos a fazer é desmontar, ficar ali na sombra daquela Aroeira e esperar que o Sol comece a descambar para o poente, porque aí a gente se orienta! Por outro lado, isso aqui é uma velha estrada de carro-de-boi: pode ser que passe alguém, e aí estaremos salvos!

Desmontamos, amarramos nossas montarias nuns pés de marmeleiro, perto, e acolhemo-nos à sombra da Aroeira. Meus dois Mestres e rivais estavam um pouco inquietos, mas não havia coisa melhor, para passar o tempo, do que continuar nossos debates acadêmicos. Samuel conduzia, também, sempre, consigo, uma cópia de retalhos que cortara e rejuntara, sobre Dom Sebastião. Eu, que estava interessadíssimo no assunto, espicacei-o:

— Mas ninguém viu Dom Sebastião morrer não, Samuel?

— Viram, viram! Mas você sabe como o Sonho é muito mais poderoso do que o Real! Antero de Figueiredo conta que, chegando ao Reino as primeiras notícias a respeito da derrota, as versões sobre o Rei eram as mais desencontradas! Uns diziam que "Luís de Brito o havia visto, no fim da batalha, avançar pelo campo afora, aproveitando uma clareira, limpa de Mouros". Outros afirmavam que "o Rei pelejara bravamente até a morte, e que seu cadáver fora encontrado, numa extrema do campo, no meio de outros, dois dias depois, desfigurado, abandonado e nu". Estava com "a cabeça inchada, lívida, já decomposta pela canícula de dois dias africanos"!

— Coitado! — disse eu. — Morreu como o Rei Zumbi, no Reino dos Palmares!

— A comparação não cabe, Quaderna! — cortou Samuel. — Dom Sebastião era de sangue fino e puro como o meu! E o fato é que o Povo nunca se convenceu de que ele tinha morrido! Começaram, logo, a aparecer versões sobre seu milagroso salvamento: "Dom Sebastião, embuçado, escapara com mais quatro Fidalgos! Dom Sebastião conseguira sair da África, num veleiro! Dom Sebastião vive errante pelo mundo para pagar seus pecados: assim que limpar sua grande Alma de seus belos erros — o que fará pela penitência — *se descobrirá* e voltará ao Reino, iniciando uma era de grandeza, de justiça e de paz!" E Antero de Figueiredo, fidalgo e cavaleiresco até o sangue, diz que "os corações comovidos e esperançados, juntavam, assim, os primeiros fios daquilo que, mais tarde, foi meada de crespas Lendas de bem-querer e devoção"!

— Que veadagem portuguesa mais descabelada! — rosnou Clemente.

Eu, porém, que me interessava, mesmo, era pela participação dos Brasileiros na batalha, interrompi:

— Espere aí, Professor Clemente! E como foi a figura que Jorge de Albuquerque Coelho fez em Alcácer-Quibir? Há alguma referência a ele e ao irmão, com a história do cavalo branco e outros heroísmos legendários, Samuel?

— Há, sim! E veja se a nossa Raça não deu, mesmo, ao mundo figuras predestinadas de heróis! Mal chega a Portugal, faminto, com as feridas das flechadas ainda mal cicatrizadas, Jorge de Albuquerque Coelho fica fascinado pela figura de Cavaleiro, do Rei! É quando Dom Sebastião sobe ao trono, e começa a preparar a grande Aventura. Duarte, irmão de Jorge, deixa Pernambuco, e junta-se também à Cruzada. Era costume, naquele tempo, nas guerras, organizar-se uma "Companhia dos Aventureiros", formada somente por rapazes solteiros e, por isso, destinada às missões mais arriscadas. Jorge e Duarte, em Pernambuco, na "Guerra dos Tapuias", apesar de Condes e Senhores, renunciavam a seus privilégios e era sempre na "Companhia dos Aventureiros" que lutavam, como simples Soldados. Pois bem: para a expedição à África, Dom Sebastião organizou, também, uma "Companhia dos Aventureiros", e foi nas fileiras dela que os Brasileiros se alistaram! "Só a Nobreza de sangue enfilará nesta brilhante Companhia, capitaneada pelo privado mais privado do Rei, o nobilíssimo Cristóvão de Távora. É o terço da mocidade, da esperança, da beleza aguerrida e garbosa." E ajunta-se o Exército e embarca-se nas Naus! Eu imagino a exaltação fidalga, cavaleiresca e católica de Jorge de Albuquerque Coelho, escapo a tantas desaventuras no Mar, embarcando-se de novo, para acompanhar aquele "Cruzado de antiga era, que vai atirar-se, repleto de altíssimos sonhos, no ardor da Fé e na obstinação da Honra, de encontro a chusmas de Mouros, nos areais da África berberesca, para, em sacrifício ingente, sagrar a sua alma de Herói numa epopeia de Sangue"! Cruzam o Mar, desembarcam em Tânger. Organiza-se a Cavalaria, apresta-se a Infantaria. A Artilharia vai na vanguarda, em carretas. E adentram-se naquelas desérticas terras de Mouraria! O Destino marcou um encontro entre o Sonho divino e a Morte sagratória, numa terra africana sáfara, seca, cheia de pedras e cardos, como este Sertão de vocês! Marcou-o para o dia 4 de Agosto de 1578. É nesse dia que se trava a Batalha! Na véspera, um Mouro, aliado nosso, colocou veneno na comida do Rei Mouro, para que a morte dele desanime os Infiéis! Os dois exércitos — o Fidalgo e cristão, e o Mouro e infiel — defrontam-se desde o amanhecer do dia 4. Todos acham que é melhor esperar até a tarde: o veneno fará efeito, o Rei Molei-Moluco morrerá, e os Mouros, apavorados com a morte de seu Rei, serão facilmente desbaratados. Mas Dom Sebastião, aconselhado por um Sargento-Mor espanhol, resolve dar início à Batalha perto do meio-dia, com o Sol alto. Seguindo, então, o exemplo do Rei, todo o Exército cristão ajoelha-se para rezar a Ave-Maria. Estando ainda ajoelhados, os Mouros atiram sobre eles suas primeiras bombardas, atingindo com uma lava ardente de ferro e fogo as fileiras dos nossos Soldados! E conta o fidalguíssimo Cronista daquela derradeira Cruzada, extraviada no tempo:

Folheto XXXV
A Trágica Desaventura de Dom Sebastião, Rei de Portugal e do Brasil

"Das primeiras filas, Dom Jorge de Albuquerque Coelho, muito bem montado num belo cavalo branco, grita a El-Rei que dê voz de *Santiago* (o velho brado de guerra dos ibéricos). Uma arcabuzada moura mata o Capitão João Gomes Cabral, primeira vítima, batismo de sangue, sacramento e incêndio! Então El-Rei dá o grito de *Santiago*, e, a este alardo santo e bélico, investe com fúria alucinada, arrastando consigo os Fidalgos que tem próximos, Dom Fernando de Mascarenhas, Dom Jorge de Albuquerque Coelho, Luís de Brito, e muitos, muitos outros, um pelotão inteiro de Filhos-de-algo, que, bravos, à lançada, à espadeirada, entram pelos Mouros, num tufão de morte! Os audazes *Aventureiros* (companhia de Duarte e Jorge de Albuquerque Coelho) atacam as ilhargas inimigas, abrindo clareiras nelas, por entre florestas de lanceiros e piqueiros, que eles rechaçam, para que os cavalos dos Portugueses avancem e derrotem! Mas foi demais! É urgente que os Portugueses refreiem a galopada, para não perderem ligação com seu Exército! Suspendem, regressam! Mas os Mouros interpretam esta manobra como esmorecimento, e, encorajados e afreimados, atacam os Portugueses pelas costas! Então, de novo, a 'Companhia dos Aventureiros', e, com eles, os demais de cavalo e de pé, da vanguarda e dos flancos, cara aos Mouros, atiram-se contra o inimigo, lanceando e acutilando, com audácia, estrondo e brio! Frente a frente, seus cavalos a pino, Mouros e Cristãos, em sanha raivosa, cruzam armas, chovendo golpes de alfanjes nos morriões e nas rodelas de ferro. Mas as Espadas portuguesas, vibradas de alto e de través, com fé e valentia, abrem lanhos sangrentos nas cabeças, fendem peitos, golpeiam pescoços, derribam e matam, e os que caem da montada logo acabam, atropelados pelas patas dos cavalos, que lhes estouram as arcas-dos-peitos, lhes esmagam os rostos, lhes esfacelam os ventres. Já no campo cristão se grita *Vitória*! Os 'Aventureiros', sempre na avançada, já alcançaram as bombardas inimigas, lá, no fundo do campo mouro. Mais um arranco e chegarão à entrada da tenda onde jaz Molei-Moluco, de cuja morte, pelo veneno, consumada em plena Batalha, já tomaram conhecimento por um grito, atirado numa correria, por Dom Antônio, Prior do Crato. Se chegarem lá, lançar-se-ão sobre o cadáver do Rei Mouro, para lhe decepar a cabeça e a espetar na ponta de uma lança, passeando vitoriosos, pelo campo de batalha, esse troféu sangrento! Nos Mouros, de quem ocultaram a morte de seu Rei, a impressão será de assombro e, nesse minuto de pavor, começará a debandada geral, em atropelo desesperado e clamoroso!"

Novamente não pude me conter e gritei:

— Que batalha arretada, Samuel! Que coragem filha da puta! Parece as brigas dos Mouros e dos Cristãos no *Auto dos Guerreiros* e na *Nau Catarineta*, que a gente representa aqui, com o Cordão Azul e o Encarnado!

Samuel encarou-me com um ódio tão cortante, que me calei, enfiado. Ele então continuou:

* * *

"Nisto, precisamente quando os Cristãos estavam no limiar da vitória, já ao alcance do triunfo, surge, na frente do Exército, de alabarda atravessada, a travar o furor mais que humano daqueles Heróis assinalados, um sinistro homem, um fatídico homem, a gritar com vozeirão destemperado:

— Parem! Suspendam!

Terrível palavra! Diabólica palavra! Palavra fatal! Lançado o pânico, os esquadrões dos intrépidos 'Aventureiros' sofreiam o ímpeto dos seus cavalos lançados a toda brida e estacam, pasmos e indecisos, suspendendo as espadas. Os arcabuzeiros, surpresos, abaixam as armas e não descarregam. As lanças e os piques retraem-se. Arregalam-se de espanto os olhos dos destemidos. Esfuziam no ar mil perguntas e mil respostas. Correm ordens e contraordens! A onda de Soldados recua, o tufão equestre reflui. Começam as correrias. O alarme é pavoroso. Já muitos, em debandada espavorida, voltam costas ao inimigo! Desastrado instante! Desventurado momento! Os Mouros, que presenciam o tumultuoso alevante e a precipitada fuga, animam-se. Sua Cavalaria, disposta em forma de meia-lua, cai sobre os Portugueses, acossa-os, persegue-os, esmaga-os, e, vendo-os recuar, tudo varrem, tudo limpam! As pontas da lua vão se aproximando, os Cristãos estão quase cercados. Anuncia-se a derrota! Os Mouros, em delírio de vingança, cegos e desabridos, cada vez são mais sanguinários!

E Dom Sebastião, o Rei? É uma fúria alada, um Dragão! Aqui, ali, além, atira-se contra o inimigo, desbrava troços de lanceiros, derruba grupos de Cavaleiros! Golpeiam-no, ferem-lhe de morte o cavalo. Apeia-se, salta para outro, esporeia, galopa, a Espada brilhante no ar cheio de Sol! Todo ele está coberto de sangue até os cascos do corcel. Amolgado o elmo, rotos os calções, em farrapos a sobrecota, lá segue orgulhoso, na carreira augusta, fascinado pelo clarão do Dever, este bravo rapaz de vinte e quatro anos indômitos, como jamais se viram mais belos no mundo! O segundo cavalo que Dom Sebastião monta, mal caminha, de chagado. O Rei encontra, muito ferido, Dom Jorge de Albuquerque Coelho. Fala-lhe:

— Se o vosso cavalo ainda está bom, emprestai-mo!

O Fidalgo-donatário de Pernambuco cede-lho, pressuroso:

— Todo eu sou uma chaga, não o posso acompanhar! Salve-se Vossa Alteza nele, que eu morrerei aqui, assaz contente deste serviço ao meu Rei e a Deus!

Ante esta palavra, *salve-se*, Dom Sebastião estremece:

— E a minha honra?

Pé no estribo, mão esquerda nas rédeas e no arção, espada na direita, monta de um pulo e larga a galope, direito aos magotes de Mouros que, ao longe, pelejam com Cristãos. Andam no ar, fumarento e poeirento, gritos, pragas, preces, brilhos de espadas, choques de armas, imprecações de raiva vencida, silvos de alegria vitoriosa. Chegou o momento dos desesperos nobilíssimos, em que os Grandes portugueses querem morrer com glória, batalhando até o derradeiro instante, naquele estado de pundonor e orgulho que se lança na morte honrada para se sublimar no sacrifício. O programa desta dignidade estoica está, todo, no brado dos Fidalgos ao Povo:

— Morrei como valentes, rapazes!"

* * *

Chegando a esse momento de sua leitura-narrativa, Samuel, vermelho de emoção, parou um pouco, engasgado. Depois, recuperando-se, falou:

— Agora, vocês vão me desculpar, mas não tenho coragem de ler o que se segue de outra maneira!

Ajoelhou-se, persignou-se, e foi de joelhos que continuou a história trágico-epopeica dos últimos arrancos da Batalha de Alcácer-Quibir:

"Dom Sebastião, agora, está no meio de um punhado de Fidalgos portugueses, vassalos fiéis que, jamais o desamparando, lhe seguram o cavalo, e tentam, num desesperado esforço de amor veemente, arrancá-lo para fora do campo de batalha — salvá-lo. Para isso, expõem suas vidas, pela vida preciosa do seu Rei. Súbito, uma chusma de Arábios acorre, cercam-no e aos seus companheiros, ébrios de alegria por poderem deitar mão àqueles reféns. Já dois Mouros disputam entre si a quem o mais bem armado, o Rei, deve pertencer. Então, no meio de atroadora vozeria, Cristóvão de Távora, comandante da 'Companhia dos Aventureiros', seguro da perda fatal de Dom Sebastião, ata um lenço branco na ponta da espada e ergue-a no ar, pedindo tréguas. Ante o sinal de paz, os Mouros suspendem um momento a algarada, acedendo. Mas, apontando para a temerosa espada do Rei, bradam pela voz de um *língua* renegado:

— Que largue primeiro as armas!

— Só a Morte me pode arrancar da mão esta Espada real! — ripostou soberbamente Dom Sebastião.

O busto ereto, as pernas retesas nas estribeiras de cobre, grande e belo na sua desgraça de vencido, a cabeça ruiva sem elmo e golpeada, as faces a escorrerem sangue, a camisa negra de poeira e empapada de suor, o camal lanhado — Dom Sebastião olha, altaneiro e impávido, para essa repulsiva turbamulta de gentalha esfarrapada, inimigos da sua Raça, da sua Crença, da sua Pátria. Cristóvão de Távora, vendo Dom Sebastião irremediavelmente perdido, levanta para ele as mãos suplicantes e os olhos desventurados, e clama com voz traspassada:

— Meu Rei e meu Senhor, que remédio teremos?

— O do Céu, se as nossas obras o merecem! — responde-lhe, calmo, o Rei de Portugal.

E, com as pupilas obcecadas numa Ideia longínqua, as íris azuis na translucidez da estranha luz celeste da Honra e do Devaneio, Dom Sebastião, sem escutar mais acordo, crava as esporas de ouro nos ilhais do formoso cavalo branco de Dom Jorge de Albuquerque Coelho e atira-se, num último arranco desesperado, ao encontro da Morte que o imortalizará! Mas, ao alarido guerreiro, têm-se juntado muitos Mouros, muitos, que encurtam, apertam, estrangulam o terreno a este Rei de legenda, que até o derradeiro momento despede formidáveis cutiladas com sua espada de furores. Matam-lhe o cavalo. Em pé, batalha ainda.

Por fim, uma espadeirada certa, vibrada ao pescoço sem gorjeira, abate-o. Por terra, crivam-no de lanças. Entre a vida e a morte, ao sentir-se varado no peito, ele, que mais preza a honra que a vida, orgulha-se de que o matem pela frente — cara ao inimigo. Morre. Na fulguração do traspasse clarividente, seu espírito, no limiar da Eternidade, deve ter visto, num esfumo de sangue em dealbo de Ouro, aquele verso que para si tantas vezes repetia, como Divisa: 'A Morte bela sagra a vida inteira.' Seu sangue real e cristão espadana de mil feridas e forma à sua volta, na terra ardente, uma poça de sangue, auréola do seu Martírio, aurora da sua Fama! Era a extrema-unção da Cavalaria!"

***

Se Clemente era homem capaz de entusiasmos, Samuel era uma verdadeira sensitiva, de modo que, quando disse a última frase, prorrompeu em soluços, que tentava conter em vão.

— Desculpem! Desculpem! — disse, com as mãos cobrindo os olhos e enxugando as lágrimas.

Depois, conseguiu serenar um pouco mais. Sentou-se numa pedra e repetiu:

— Peço desculpas a vocês, mas não posso evocar, sem profunda emoção, a morte heroica desse belo Rei, jovem, casto e Cavaleiro! Choro por ele, choro a fidalga beleza da juventude sacrificada, choro meu próprio destino de Fidalgo, exilado aqui neste Sertão ensolarado e desértico de vocês, cheio de pedras e cardos, como Alcácer-Quibir! E creio que vocês dois, homens de sensibilidade, me perdoam minha emoção, porque, mesmo pensando diferentemente, podemo-nos encontrar no campo comum do humano e da honra, para admirar a morte heroica e simbólica desse Rei, morte que foi, bem, a paixão de qualquer homem alçando-se para o Divino e, como disse Antero de Figueiredo, "a extrema-unção da Cavalaria"!

Pra que ele foi dizer isso? Na mesma hora, Clemente, com frieza mal dissimulada, começou a botar as unhas de fora:

— Samuel, para lhe ser franco, nem compartilho da sua emoção nem do entusiasmo que você, um Brasileiro, sente por esse Rei português de opereta! Você disse, há pouco, que eu queria criar, aqui, um Sebastianismo negro que nunca existiu! O que é artificial, o que não existe, é esse "Sebastianismo branco e fidalgo, do Sonho e da Legenda", combatido hoje, mesmo em Portugal, pelo menos pelos melhores Portugueses! Você, Samuel, quer ser mais Português do que os próprios Portugueses, mais realista do que o Rei! E o que é pior, é que, enquanto vocês vivem com esses sonhos de "Fidalgos ociosos e maltrapilhos", as Nações industriosas vão passando à nossa frente, dominando-nos e explorando-nos! Por isso, prefiro ficar com os melhores espíritos Portugueses, que consideram a desastrada aventura de Dom Sebastião, na África, como o verdadeiro início da decadência de Portugal! Júlio Dantas, por exemplo, é contrário ao tal do "Desejado": afirma que o caso de Dom Sebastião era apenas um problema de homossexualidade, sendo sua famosa e louvada "castidade" tão somente resultado disso! Daí é que vinham seus assomos, sua inquietação, seu fanatismo de monge-militar, sua horrorizada misoginia, sua loucura, seus desequilíbrios e alucinações!

Não pude deixar de interromper:

— Mas Clemente, você não é a favor do homossexualismo como forma de guerrilha?

— Conforme, Quaderna! — disse o Filósofo. — Há uma pederastia revoltada e da Esquerda, e outra reacionária e da Direita! A de Dom Sebastião era da Direita, e por isso sou contra ela!

Folheto XXXVI
O Gênio da Raça e o Cantador da Borborema

Precisamente nesse instante, ouvimos, do lado esquerdo da vereda, um espirro de cavalo, ruído de cascos, de esporas batendo nos estribos e tudo o mais que denuncia a aproximação de um Cavaleiro. Eu estava de tal modo empolgado com aquelas visagens do Reino dos Palmares e da Batalha de Alcácer-Quibir, que fiquei todo arrepiado, com os cabelos da nuca tesos e o coração aos saltos. Esperava ver surgir ali, diante de nós, ou a figura do Rei Zumbi degolado, montado a cavalo, segurando a própria cabeça nas mãos, o pescoço fumegando e todo coberto de ferimentos, como uma grande Rosa negra orvalhada de sangue, para usar a imagem do genial Jayme de Altavila, ou o próprio Dom Sebastião, "com o generoso rosto alanceado", de armadura e espada luzente, "suja de Sangue e Pó a real Fronte", também todo recoberto daquele sangue que, segundo Antero de Figueiredo, tinha sido "auréola de seu Martírio e aurora da sua Fama".

Mas, graças a Deus, não era nem um nem outro. Era meu Padrinho-de-crisma e mestre de cantoria, João Melchíades Ferreira da Silva, o Cantador da Borborema, o velho soldado da Guerra de Canudos, envelhecido e encanecido, mas sempre alerta e flamejante nas suas grandezas e falas difíceis de Poeta e mestre em Artes. Vinha com seu velho dólmã militar, desbotado e todo remendado. Mas, em vez de botinas, vinha com alpercatas-de-rabicho, chapéu de palha, óculos, viola e uma espingarda que nunca abandonava. Chegando perto da aroeira onde estávamos, parou a besta em que vinha montado, e, lépido, esperto, duro, teso em cima da sela apesar de sua idade, gritou, reconhecendo-nos:

— Viva, Dinis, meu afilhado! Viva, Professor! Viva, Doutor Samuel!

— Viva, meu Padrinho João Ferreira! — disse eu. — A bênção?

— Deus lhe abençoe, lhe dê juízo e vergonha! Que é que estão fazendo, perdidos por aqui, nesse meio de mundo?

— Estamos perdidos mesmo, meu Padrinho! Saímos da rua, para ir à Ilumiara Jaúna, e, na volta, eu me areei, de modo que nos perdemos aqui, nesse carrasco de caatinga dos seiscentos diabos! O senhor vai para a rua?

— Vou!

— E está orientado?

— Dinis, eu estou com a idade que você sabe, mas nunca soube o que era me perder! Estou orientado de tudinho! Se o que vocês querem é ir pra rua, me sigam, que, com os poderes de Deus, a gente chega lá, já, já!

* * *

Montamos e tocamos para a frente, agora seguindo meu Padrinho, cuja chegada era providencial, não só por me tirar do extravio como para reforço das minhas posições. Como meu Pai, João Melchíades era um pouco Astrólogo, e era muito Poeta, como eu. Logo que eu começara a aprender cantoria, ele tirara meu horóscopo astrológico e zodiacal de Poeta, como, aliás, fazia com todos os seus discípulos, para não perder tempo com os "impedidos". No dia do meu, ele foi procurar meu Pai e comunicou-lhe, empolgado e grave, com voz cava, que os astros me reservavam um grande destino de Cantador, e que, se eu me dedicasse com todo empenho "aos segredos da Arte", voaria muito alto. Assim, agora, escarnecido por Clemente e Samuel, a presença de João Melchíades vinha me servir de grande apoio. Comuniquei logo a meu Padrinho, em termos resumidos, o problema literário que vínhamos debatendo e rematei:

— Você, João Melchíades, que é mestre na Arte da cantoria, é quem podia nos dar algumas indicações sobre o assunto!

João Melchíades, nessas horas, dava para falar difícil, mania que, aliás, comunicou a Lino Pedra-Verde, seu aluno, também. Disse, logo:

— Que mestre de cantoria que nada, Dinis! Considero-me, apenas, um servo da Estrela das minhas posições zodiacais, um pequeno Instrutor poético-sertanejo, filantrópico e litúrgico! Minha base de escrever é traçar gracejos que não pendam para o lado licencioso e enredos vantajosos e heroicos, ainda que sejam imaginários! Gosto, também, de combater o Protestantismo e os nova-seitas, porque querem se afastar dos tracejados de luz da antiguidade católica! As coisas e histórias velhas influem muito para o progresso da Poesia: as histórias passadas recordam a memória imortal dos antístites e antepassados, revivendo na memória do Poeta, que, depois, faz chegar ao ouvido do mais rude o toque da Memória dos tempos idos! Eu, Dinis, considero-me um "raro do Povo"! O Povo me considera um filho das Musas, e, por isso, me entende, me crê, me aplaude, me escuta e me atende, desde que comecei a escrever, no ano em que você nasceu, 1897. Meus versos são terrenos explorados nos campos dos Sonhos, eu versejo por guia de Deus e por inspiração do Altro, por influxo do Sol e de Vênus!

Clemente e Samuel estouraram na gargalhada. João Melchíades riu também, e eu nunca sabia, ao certo, se ele notava ou não a zombaria dos dois grandes homens. Mas a mim, o que me intrigara, é que ele tinha falado em "inspiração do Altro". Julguei que entendera mal e que se tratava de "inspiração do alto". Mas João Melchíades disse que se referira, mesmo, era ao "Altro", ao Outro, ao Guia diabólico, oposto ao guia de Deus que também o inspirava. Clemente, porém, inadvertido para essas coisas, comentou:

— Está vendo, Quaderna? Está vendo o que eu sempre lhe disse? A gente não pode, de jeito nenhum, prestigiar esses Cantadores e folheteiros! Você está bem arranjado com esses Mestres! Vá, ouça as lições deles, escreva sua Epopeia baseado nelas, e veja se não estará arranjado, depois, diante do Povo Brasileiro!

— Mas não é uma Epopeia o que eu quero fazer mais não, Clemente! A princípio, pensei nisso, tendo como assunto a Pedra do Reino e como figura central meu bisavô, o Rei João Ferreira-Quaderna! Mas acabo de desistir, depois que ouvi Carlos Dias Fernandes provar que as Epopeias estão ultrapassadas! De fato, eu já estava meio cismado, porque o Senador Augusto Meira, Poeta épico pelo Rio Grande do Norte, já escreveu o *Brasileis — Epopeia Nacional Brasileira*, em catorze cantos, maior, portanto, do que *Os Lusíadas*, que só tem dez! Sendo assim, o que é que eu iria fazer mais, nesse campo da Epopeia brasileira? Por isso, mudei de ideia, e o que quero, agora, é escrever um "romance"!

— Mas Quaderna, você não tem imaginação criadora nenhuma! — disse Samuel. — Você mesmo confessa que não sabe imaginar o que não viu: como é, então, que pretende fazer um romance, gênero literário bastardo, mas que exige, ainda assim, poder criador?

— Meu plano me foi sugerido pelas conversas de vocês! — expliquei.
— É verdade que não tenho ideias, nem imaginação criadora. Mas acho que posso resolver os dois problemas de uma vez. Quanto ao primeiro obstáculo,

vocês dois têm muitas ideias, ideias de sobra, e podem me ajudar, uma vez que, escrevendo um romance, não concorro com nenhum dos dois! Quanto ao fato de eu só saber descrever o que vi, acontece que já vi, com esses olhos que a terra há de comer, um assunto da gota-serena, capaz de ser tema dum romance mordido de cachorro-da-molesta!

— Qual foi? — indagou Clemente, curioso.

— A "vida, paixão e morte" de meu Padrinho, Dom Pedro Sebastião Garcia-Barretto! Eu nunca tinha dito nada a vocês somente porque tinha medo de que me furtassem a ideia! Agora, porém, que todos dois me garantem que não vão escrever nunca um romance, posso falar, e digo, logo de entrada, que já tenho a receita do livro!

— A "receita"? — disse Samuel, entre intrigado e desdenhoso.

— Sim! Consegui essa receita, primeiro, no *Dicionário Prático Ilustrado*, que recebi de meu Pai. Depois, no livro da genial Albertina Bertha, que você me emprestou. Essa mulher é os pés da Besta, Samuel! É filha de um Conselheiro do Império, Lafayette Rodrigues Pereira, de modo que a palavra dela vale quase tanto quanto a do Doutor Amorim Carvalho, Retórico do Impostor Dom Pedro II! Ela diz que *romance* já foi "uma forma de Poesia sem canto". Depois, passou a designar as "narrativas em Prosa". Mais tarde, ainda, os *romances* "aparecem sob forma de sátira, de alegoria, de fabulários que se acompanhavam de cantos joviais e obscenos". Modernamente, diz ela que é importante "o romance inspirado pelos novos métodos de instrução criminal". Olhem, copiei, no livro, essa parte da receita, e vou lê-la. Diz ela que nesses "romances de instrução criminal", o enredo para a pista do assassinato "se faz sempre pelo grande Decifrador" e a história termina sempre com "a Virtude recompensada e o Crime punido".

— Não entendi! — falou Clemente. — O que é que você quer dizer com isso?

— Quero dizer que, com a história da morte de meu Padrinho, eu poderei fazer um "romance de instrução criminal" pra homem nenhum botar defeito! A história tem todas as qualidades. Primeiro, é terrivelmente cruel. Ora, o Doutor Amorim Carvalho diz que "a Tragédia e a Epopeia podem tirar seus heróis do seio dos grandes criminosos para, ao lado das suas atrocidades, fazer brilhar comoventes virtudes". Depois, meu Padrinho foi degolado dentro dum quarto sem janelas, cuja porta ele mesmo trancara por dentro. Assim, a morte dele tem todas as características do "grande Crime indecifrável" que a genial Albertina Bertha considera indispensável aos grandes "romances de instrução criminal"!

— Mas se a morte de seu Padrinho não foi decifrada, não poderá servir de assunto, porque a mesma Albertina Bertha observa, muito bem, que os romances desse tipo terminam com a decifração do crime e o castigo do criminoso! No caso, como é que você vai revelar o herói-criminoso, se ninguém sabe quem foram os assassinos de seu Padrinho?

— Clemente, eu sou um astrólogo e Decifrador profissional, e digo a você que vou decifrar o Enigma e revelar o Herói dessa história, de qualquer maneira! Depois, tem ainda uma coisa: Albertina Bertha diz que o romance ainda evoluirá, e que "a Guerra produzirá uma Obra embebida de alternativas de vingança e perdão, inflamada de furor épico, rubra, empenachada de altivez e de vitórias, dolorosa, das renúncias graves e da Vida cantante, por amor a uma defesa, a um símbolo, a um ideal, à Pátria".

— E como o charadista Quaderna nunca perdeu a esperança de ver o Sertão novamente posto em guerra por sua família, será essa "a guerra" que trará "a obra" entre seus destroços! — disse Clemente, sarcástico.

Que coisa! Como aqueles homens eram agudos, como descobriam meus pensamentos mais secretos! Minha sorte é que a Divindade continuava se divertindo em cegá-los, nos momentos cruciais. Por isso, não se aperceberam de quanto andavam, naquele momento, dentro do Sol da verdade, e pude continuar, sozinho, minha fatídica Rota. Acresce que, há muito tempo, astutamente, eu vinha aproveitando e anotando o que Clemente e Samuel diziam, assim como copiando trechos de livros a que eles se referiam, nas conversas. A influência principal era, mesmo, a de Carlos Dias Fernandes. Através de indicações pescadas aqui e ali em *Talcos e Avelórios*, eu descobrira que o escritor que se propusesse a escrever a "Obra da Raça Brasileira" tinha de "possuir emotividade eólia, para fundir no crisol de si mesmo essas psicoses surpreendentes que aureolam de originalidade os personagens de sua Tragédia, de seu Poema, de seu Romance". Tinha que ter "requisitos estéticos e eruditos" — e eu tinha o *Almanaque* e o *Dicionário*. E mais: "combatividade, pelas audácias destemidas de seu critério, incidência ferina nas arestas sensíveis da coletividade, a rijeza granítica de um rochedo" — e, só de rochedo, eu tinha logo dois, na Pedra do Reino. Devia ele, ainda, ter "estro e a simbiose psíquica de sociólogo e artista", o que lhe permitiria "capacidade de generalização" e o faria "presa de fulgurações hipnóticas": ora, para ser sociólogo, eu tinha a influência de Clemente, e para artista, a de Samuel. Como, por outro lado, eu sou astrólogo e sei hipnotizar, as "fulgurações hipnóticas" estavam garantidas. Finalmente, o "gênio da Raça" devia ser "felino" — e, para isso, eu tinha o Oncismo, de Clemente; devia ser dotado de "pungente ironia", "formidavelmente grandíloquo e cruelmente mordaz", pois só assim seria capaz de fazer um livro (ou de erguer um Castelo) "rubro por dentro e por fora", uma "obra flamejante", capaz de vir a ser a "luminosa ogiva de toda a construção intelectual da Raça Latina" — e o Tapirismo de Samuel não me deixaria falhar, unindo eu o Sebastianismo negro de um e o Sebastianismo ibérico do outro, numa nova espécie de "Sebastianismo castanho" que realizasse o sonho da Pedra do Reino num futuro ainda mais ensolarado e acastelado!

E havia mais. Clemente e Samuel, um Negro e outro Branco, desprezavam-me por ser, eu, um descendente moreno de Cabras e Mamelucos, de Caboclos. Mas Carlos Dias Fernandes escrevera: "Amemos a nossa Pátria por seu maravilhoso Sertão, que alenta o Gênio da Raça, com o puro sangue dos seus Caboclos! — esses áridos Sertões, abrasados pelo Sol, inacessíveis a toda invasão estrangeira, onde se gera uma sóbria Raça equestre de infatigáveis Ginetes destemerosos; esses rudes Sertões bravios e desolados, que inspirarão, um dia, a tumultuária concepção da nossa Epopeia." Era claro, claríssimo!

Mas o que me deixava orgulhoso e aterrorizado, o que provava que eu fora, mesmo, marcado pelo "sigilo do Gênio", pelo sinal candente do Divino, era que, referindo-se ao escritor que reunia todas aquelas qualidades, Carlos Dias Fernandes falava, nada mais, nada menos, do que em "aroma surpreendente"! Vejam só! Era exatamente aquela "catinga de Bode", que os dois cheirosos e elegantes Doutores reclamavam em mim, a prova de que a Divindade tinha me assinalado para ser o Arcanjo anunciador do Sol da nossa Raça!

***

É claro que me abstive de falar nessas coisas, para não despertá-los. Mas João Melchíades já entendera, mais ou menos, do que se tratava e interveio:

— Pelo que entendo, o nosso Dinis, aqui, está querendo escrever um "romance" e os senhores estão achando que ele não pode. É isso?

— É isso mesmo, João Melchíades! — disse Clemente.

— Vossas Excelências permitem que eu, na minha ignorância das coisas litúrgicas, diga alguma coisa?

— Pois não, estimável Poeta, pode falar! — disse Clemente, preparando-se para achar graça.

— Pois, com a permissão de Vossas Excelências, vou dizer alguma coisa sobre Dinis e a nossa Arte! O Mundo é um livro imenso, que Deus desdobra aos olhos do Poeta! Pela criação visível, fala o Divino invisível sua Linguagem simbólica. A Poesia, além de ser vocação, é a segunda das sete Artes e é tão sublime quanto suas irmãs gêmeas, a Música e a Pintura! Vem da Divindade a sua essência musical. Mas, meus Senhores, ninguém queira tomar como Poesia qualquer estrofe, pois há muitas Poesias sem estrofes e muitíssimas estrofes sem Poesia... Ser Poeta, não é somente escrever estrofes! Ser Poeta, é ser um "geníaco", um "filho assinalado das Musas", um homem capaz de se alçar à umbela de ouro do Sol, de onde Deus fala ao Poeta! Deus fala através das pedras, sim, das pedras que revestem de concreto o trajo particular da Ideia! Mas a Divindade só fala ao Poeta que sabe alçar seus pensamentos, primando pela grandeza, pela bondade, pela glória do Eterno, pelo respeito, pela moral e pelos bons costumes, na sociedade e na família! Existe o Poeta de loas e folhetos, e existe o Cantador de repente. Existe o Poeta de estro, cavalgação e reinaço, que é o capaz de escrever os romances de amor e putaria. Existe o Poeta de sangue, que escreve romances cangaceiros e cavalarianos. Existe o Poeta de ciência, que escreve os romances de exemplo. Existe o Poeta de pacto e estrada, que escreve os romances de espertezas e quengadas. Existe o Poeta de memória, que escreve os romances jornaleiros e passadistas. E finalmente, existe o Poeta de planeta, que escreve os romances de visagens, profecias e assombrações. Pois bem: andei estudando as posições situacionais e zodiacais do nosso Dinis, aí, e cheguei à conclusão de que ele é o único Poeta, aqui do Cariri, que reúne as qualidades de Poeta de estro, de pacto, de ciência, de memória, de sangue e de planeta! Pedro Dinis Quaderna nasceu a 16 de Junho de 1897, na terceira década do Signo de Gêmeos, tempo no qual, segundo os livros de Astrologia, "pode nascer um Gênio verdadeiro", sendo as pessoas nascidas aí "afetuosas e inconstantes, mas assinaladas e terríveis". O Planeta desse signo é Mercúrio, astro que, segundo o *Lunário Perpétuo*, tem domínio "sobre os Poetas-escrivães, letrados, Pintores, ourives, bordadores, tratantes, diligentes e mercadores", sendo de notar que, quando há predominância das influências maléficas, aparecem entre os de Gêmeos "os charlatães, Palhaços, embusteiros, ladrões, estelionatários e falsificadores"!

— Como foi que você disse, meu Padrinho? — indaguei como se fosse de modo casual. — Você falou em Poetas-escrivães, foi? Ouviu, Samuel? Quer dizer que eu sou como Pero Vaz de Caminha, um Poeta-escrivão da Armada Brasileira!

O Fidalgo deu um muxoxo:

— O que você pode ser é um Palhaço, marcado pela "influência maléfica de Gêmeos e Mercúrio", um embusteiro e falsificador de moeda!

— Não faltando com o respeito, o senhor está enganado, Doutor Samuel! — contestou João Melchíades. — Na terceira década do signo de Gêmeos, os influxos astrais são benéficos, pois Mercúrio já está iluminado pelo Sol! Aliás, Dinis sabe disso melhor do que eu, e pediu ao irmão dele, Taparica, para cortar um taco de madeira, representando o carro de Mercúrio alumiado pelo Sol e conduzido por um Gavião, com o signo de Gêmeos nas rodas!

* * *

Acredito que João Melchíades ainda tivesse outras coisas "astrosas e zodiacais" para dizer em meu favor. Mas, naquele momento, chegávamos à Estrada Real. O areamento em que me encontrava desapareceu de repente, o mundo clareou na minha vista, o atrapalho sumiu-se. Clemente e Samuel, que iriam para a rua, acompanharam João Melchíades. Eu, porém, já saíra resolvido a almoçar só, no meu Lajedo sagrado, situado perto daquela Estrada. Despedi-me dos três, prometendo estar de novo com eles na rua, para assistir às Cavalhadas que eu e meus irmãos tínhamos organizado para aquela tarde. De modo que nos separamos e, por questão de poucas horas, terminamos perdendo a passagem, ali, da Cavalgada do Rapaz-do-Cavalo-Branco.

De qualquer modo, eu já tinha os dados para fazer meu Romance--epopeico, tendo como centro e Enigma-de-crime-e-sangue a degolação de meu tio, Padrinho e pai de criação, assim como a encantação do filho mais moço dele, Sinésio Sebastião, O Alumioso. Em torno da Torre em que o velho Rei fora degolado e tendo como alicerce as duas outras torres da Pedra do Reino, eu ergueria meu Castelo, fazendo, de "folheto em romance e de romance em folheto", uma espécie de *Sertaneida*, *Nordestíada* ou *Brasileia*, parecida com a do Senador Augusto Meira. Cortaria as pedras sertanejas com o punhal dos Reis sangrentos, meus antepassados. Molharia a argamassa com meu sangue e a peçonha que meus dois Mestres diziam haver em mim. Faria perpassar pela Obra inteira as insígnias da minha coragem e a vergonha das minhas deserções; os estandartes e bandeiras da minha cólera e o espinho da minha Dor permanente. Tudo já me aparecia, como num sonho, diante de mim, enquanto eu caminhava pela estrada. Meu Trono fulgurante de chamas proféticas, o exílio em que vivia — implacável e irremediável —, meu ardente desafio e meu inútil desespero, as moradas do meu sofrimento e os travos amargos da minha altivez. E assim, afinal, seria eu próprio que estaria na Obra, crucificado entre motejos e zodíacos, cravado e alanceado, como Zumbi e Dom Sebastião, contra os muros do meu Castelo, exposto como motivo de honras e zombarias, à luz mercuriana e solar do meu Signo, sinado e assinalado, com manto de púrpura e coroa de espinhos, sustendo em minhas mãos um Cetro escarnecido.

É por isso, então, que, no momento de iniciar minha história, preso aqui nesta Cadeia, humilhado, perseguido, desprezado, olho para trás, e tudo o que me aconteceu parece um Sonho, uma visagem que desfilou diante de mim, num momento perigoso e alucinatório, tendo o desfile começado com a cavalgada do Rapaz-do-Cavalo-Branco, naquele dia, pela estrada. O que, aliás, não é de espantar, uma vez que, nos meus momentos mais ensolarados de devaneio, o próprio Mundo me aparece como uma larga Estrada sertaneja, um Tabuleiro seco e empoeirado, onde, por entre pedras, cactos e espinhos, desfila o cortejo luminoso e obscuro dos humanos — Reis, Valetes, Rainhas, cavalos, torres, Curingas, Damas, Peninchas, Bispos, Ases e Peões. Todo este meu Castelo e os acontecimentos que nele sucedem para sempre, me aparecem com o elemento festivo e sangrento dos sonhos, como a encenação de um espetáculo dos que dávamos em nosso Circo, com a dança do chão, a do sol e a do subterrâneo, ao som dos cantos dementes e obscenos entoados por minha Musa macha-e-fêmea, a Gaviã do Carcará que invoquei e invoco a cada instante; Musa da vida e da morte, com a face saturnal, sombria e desértica, com a face lunar do sonho e do sangue, e com a face ensolarada e gargalheira do real. Por outro lado, eu sabia que tudo aquilo sucede é dentro do meu sangue e da minha cabeça, da minha "memória", onde havia um estrado e uma Cortina que, no momento em que se fechasse definitivamente, acabaria o Espetáculo, aquele sonho glorioso e grotesco, cheio de rosnados e clarins, de farrapos e mantos de ouro, sujo e embandeirado. Ou, como dizia um Cantador, num "folheto":

"Sabe o Rei que vive um Sonho
pois, aqui, de nada é Dono,
que nós surgimos do Nada
e a Vida acaba num Sono,
pois a Morte é nosso Emblema
e a Sepultura é seu Trono!"

Insígnia astrológica de Dom Pedro
Dinis Quaderna, o Decifrador.

Galope
Os Três Irmãos Sertanejos

Folheto XXXVII
A Teia do Meu Processo

Assim, tudo estava decidido, todos os alicerces traçados, para quando chegasse o momento. Terminou a explicação acadêmica e já se entendem os motivos que me levaram a erguer este meu Castelo perigoso, literário, espinhento e pedregoso. Posso voltar, portanto, à chegada do Rapaz-do-Cavalo-Branco e aos motivos da Cadeia em que me acho trancafiado.

Era aquela fatídica Quarta-feira de Trevas, 13 de Abril deste nosso ano de 1938. Na véspera, eu fora intimado por nosso Oficial de Justiça, Severino Brejeiro, que me entregara um bilhete do Juiz-Corregedor, convidando-me a comparecer perante ele, a fim de depor no inquérito aberto sobre todos aqueles acontecimentos, isto é, sobre tudo aquilo que se ligava ao assassinato de meu Padrinho e à chegada, a Taperoá, do Rapaz-do-Cavalo-Branco.

Era, como Vossas Excelências bem se lembram, um tempo fatídico e perigoso, aquele. Do meu ponto de vista pessoal, estávamos, ainda, dentro do "Século do Reino". Desde 1935 eu esperava que um acontecimento qualquer — uma guerra, um cometa, uma revolução, um milagre — me repusesse, de repente, no trono que minha família ocupara um século antes.

Por outro lado, do ponto de vista geral do Brasil, com o tenso e carregado ambiente político que estávamos vivendo desde a Revolução comunista de 1935 e o golpe de Estado de 10 de Novembro do ano passado, 1937, a nossa Vila estava subvertida por muitos ódios, ressentimentos, ambições e invejas, meio endoidecida por um ambiente inquisitorial de denúncias, suspeitas, cartas anônimas e traições, às vezes as mais inesperadas.

De fato, desde Novembro de 1935, depois da frustrada insurreição comandada por Luís Carlos Prestes, chefe dos comunistas brasileiros, a repressão vinha sendo violenta. Estavam presos ou exilados inúmeros comunistas e liberais-de-esquerda da Aliança Nacional Libertadora, partido que desencadeara a revolta e fora colocado fora da lei. Durante certo tempo, o Presidente Getúlio

Vargas parecera se aliar ao partido de extrema-direita, a Ação Integralista Brasileira, chefiada por Plínio Salgado (aquele mesmo que o nosso Samuel tanto admirava, colocando-o ao lado do General Francisco Franco e do Doutor Antônio de Oliveira Salazar, os três formando as grandes esperanças de restauração do grande império da Nova Ibéria). Mas, de repente, sem que ninguém esperasse por aquilo, o Presidente Vargas deu um golpe de Estado no dia 10 de Novembro de 1937, suspendendo as eleições, as garantias constitucionais, estabelecendo uma rigorosa censura, instituindo o famoso Tribunal de Segurança Nacional (do qual faz parte o nosso poeta Raul Machado) e colocando os integralistas fora da lei, como fizera já, dois anos antes, com os comunistas.

Esperava-se, para qualquer momento, um revide dos integralistas. Acabou o ano de 1937 e entramos por este de 1938. Passou Janeiro, passou Fevereiro, e entramos pelo mês de Março. Aí, de repente, começaram a correr boatos aterrorizantes. Diziam que no dia 10 de Março tinha havido uma primeira tentativa de insurreição integralista, no Rio, tentativa que não chegara propriamente a falhar nem triunfar porque fora suspensa na última hora, tendo chegado os chefes integralistas à conclusão de que não havia, ainda, condições para o golpe de mão. Diziam, porém, que este viria agora, a qualquer momento, mais forte do que nunca.

Do nosso ponto de vista, porém, o grave é que o chefe mais importante daquela tentativa fora, ninguém mais ninguém menos, do que o Contra-Almirante Frederico Villar. Quando eu soube disso, estremeci, vendo o alcance do fato para o Brasil em geral e para a Paraíba e o Cariri em particular. O Contra-Almirante Frederico Villar pertencia a uma família estabelecida desde o século XVIII em Taperoá, onde era proprietária de grandes extensões de terras, doadas por El-Rei Dom José I ao primeiro Villar estabelecido no Sertão da Paraíba. Esse era o motivo de Samuel prestigiar aquela família poderosa que se espalhara também pelo Seridó do Rio Grande do Norte e por outros lugares.

Estava-se nesse ambiente, quando chegou à nossa Vila de Taperoá um certo Juiz-Corregedor, homem poderoso e perigoso, aumentando os boatos que já corriam sobre a situação política. Por falta de sorte minha, fora então nesse ambiente carregado de ameaças que achara de suceder o desenlace de toda aquela terrível *desaventura*, na qual eu me metera em 1912, e que assumira aspectos graves em 1930, culminando com os acontecimentos desencadeados de 1935 a 1938, com a chegada do Rapaz-do-Cavalo-Branco. Mal chegara, o Corregedor, homem arguto, se apercebera do verdadeiro alcance de tudo aquilo. Telegrafou então ao Tribunal da Paraíba pedindo uma licença especial, e abriu inquérito, reabrindo velhos processos, desencavando autos empoeirados, farejando e esmiuçando tudo como um cachorro danado.

Aí, ocorrera o pior, para mim: alguém me delatou ao Corregedor como implicado nos acontecimentos, desenterrando, com a denúncia, velhas tramas sangrentas e enigmáticas que todos nós preferíamos sepultar na pedra, debaixo de sete chaves, mas que reapareciam agora, lançando o desassossego, o sofrimento e o medo sobre a nossa família e sobre algumas das pessoas mais influentes e poderosas do lugar.

Folheto XXXVIII
O Caso da Cabeçada Involuntária

Essa história da denúncia de que fui vítima merece, aliás, uma ligeira referência. Tudo começara com uma briga literária. Eu, para falar a verdade, nunca julgara que meus inocentes fumos monárquicos fizessem inveja a ninguém. Julgava-me eu mesmo apagado e despercebido, sem saber quanto minhas cavalarias, que não ofendiam a ninguém, vinham acarretando despeitos, invejas, ressentimentos e mesmo ódio, entre meus confrades da rua.

Entre esses, havia um, escrevente do Cartório de Seu Belarmino Gusmão. Era um sujeitinho magro, escalavrado, com cara de concriz. Provavelmente abrigava e abriga na cabeça o sonho quimérico de vir a ser Gênio da Raça Brasileira. Sentindo o perigo que eu representava para ele, começou, imediatamente, uma campanha surda e desleal contra mim. Para me destruir, começou a espalhar em nossas rodas intelectuais sertanejas que eu era "um homem inteligente, um ex-seminarista esperto e um charadista", mas nunca um verdadeiro Poeta, isto é, "um homem lúcido, culto, de perfeito acordo com as ideias de seu tempo", coisa que, a seu ver, minha condição de Astrólogo e redator de charadas impedia. O plano dele era evidente: queria provar que eu não era Poeta, porque, provado isso, ficaria provado que eu não podia ser o "Poeta nacional do Brasil".

Eu, experimentado desde muito cedo nas emboscadas e armadilhas da vida literária sertaneja, aprendera, há muito tempo, com Clemente e Samuel, que não existe melhor contraveneno para essas cobras do que voltar contra elas a própria peçonha. Vali-me, então, do jornaleco anônimo e volante do meu amigo Dom Eusébio Monturo, *O Sacatrapo de Urubu*, jornal de largo sucesso e grande circulação nas rodas do "Rói-Couro". Como sei que essa gente só lê coisas curtas — a não ser que as longas tenham certos *encantos*, como a putaria —, o primeiro *epigrama* que publiquei contra o escrevente tinha apenas quatro versos, encimados pelas iniciais dele. Era o seguinte:

*"Esse homem vai terminar
bebendo a amarga Cicuta:
não por ser um novo Sócrates,
mas por ser filho espiritual do distinto escritor grego."*

Minha obrinha fez sucesso entre os desocupados da rua, e a briga começou. A princípio, tinha, apenas, caráter literário, ou pelo menos eu assim pensava. Julgava que iam se formar dois partidos, um a meu favor, outro a favor dele. Logo, porém, teria que constatar meu engano: o problema político que dividia e ainda está dividindo o Brasil agora, em 1938, iria se insinuar na nossa briga, que me traria as maiores surpresas. De repente, tive de notar que estava ficando odiado por gente a quem nunca fizera mal, mas que não me perdoava o meu jeito de montar a cavalo, de usar gibão, de comandar meus vinte e quatro Cavaleiros das cavalhadas como se fosse uma Guarda de Honra etc. Eu, secretamente, quando fazia o papel de Rei no "Bumba-meu-boi" ou no "Auto dos Guerreiros", era como Rei do Brasil que me sentia. Mas como aquilo não acotovelava ninguém, não tomava o emprego de ninguém, eu julgava que podia fazê-lo impunemente. Enganava-me. Parece que, pelo contrário, todos pressentiam quem eu verdadeiramente era e consideravam tudo aquilo uma intolerável pretensão.

O pior é que eu não tinha nenhum dos dois partidos a meu favor. Tanto os intelectuais da Vila que seguiam Clemente, quanto os que se aproximavam mais de Samuel, me tinham como suspeito, de modo que, agora, como que diziam: "Ate-se!" Os que apenas se abstinham de ficar a meu favor ainda eram os melhores: porque os outros tomavam, todos, partido contra mim.

Mas, como a briga já estava pegada, o jeito era levá-la adiante. Pelo menos meu epigrama tivera êxito, senão perante os intelectuais, pelo menos na "zona", no velho "Rói-Couro". Animei-me, então, a publicar outro, desta vez mais longo: acreditava que, já interessado por meu estilo, e esperando alguma safadeza, o pessoal agora o leria, qualquer que fosse o seu tamanho. Resolvi plasmá-lo de um modo mais literário, seguindo os moldes aprendidos nas aulas de Retórica de Monsenhor Pedro Anísio Dantas. De fato, no Seminário, eu me exercitara na composição obrigatória de odes, elegias, éclogas, sonetos e outros gêneros recomendados pelas *Postilas de Gramática e Retórica* do Doutor Amorim Carvalho.

Aproveitei, então, a saída de outra folha volante do *Sacatrapo de Urubu* e publiquei nela meu célebre epigrama, hoje famoso em todo o Cariri. Começava fingindo-me de modesto, dizendo que realmente não era Poeta. Confessava que era autor de almanaques, entendido em horóscopos e luas. Concordava em que isso turvava e prejudicava minha lucidez de Poeta, e terminava assim:

> "Poeta, então, Amigo,
> claro, concreto e limpo és mesmo tu!
> E eu, sangue do Castigo,
> — de Rei, Onça e Urutu —
> deixo-te o Campo: vai tomar na rima!"

Entre o pessoal da rua, o êxito foi enorme. O escrevente escalavrado não podia mais andar na rua; os desocupados, assim que ele apontava numa esquina, começavam todos a gritar em coro: "Poeta concreto, vai tomar na rima!" Entretanto, nas rodas intelectuais o efeito foi contraproducente. O pessoal começou a se sentir, também, ameaçado por aquilo que eles chamavam "a língua ferina de Quaderna".

E aí sucedeu a parte na qual me meti sem querer, dentro daquele mesmo estilo da morte da onça na Serra do Reino: cometi uma valentia involuntária. Meus irmãos bastardos, todos valentes e Cavaleiros, tinham um orgulho danado dos meus almanaques e literaturas. Estavam todos indignados com o escrevente. Diziam-me: "Dinis, não perca tempo com esse sujeito não! Vá às fuças dele e dê--lhe umas tapas, senão nossa família fica desmoralizada!" Eu os aquietava a todos, procurando sossegá-los. Dizia que eles tinham experiência das brigas comuns, mas nas brigas literárias o mestre era eu. Pedia, sobretudo, que não dessem no escrevente a surra que ele estava merecendo, senão eu ficaria desmoralizado por não ter tomado a iniciativa.

Foi então que sucedeu o tal acaso. Eu vinha andando na rua, certa manhã, e dois dias depois de o tal escrevente ter mandado um artigo cheio de veneno contra mim para um jornal de Campina Grande. Ao dobrar numa esquina, tropecei numa quenga de coco que estava na calçada e tive a surpresa de cair de cabeça na barriga do meu adversário, que vinha pelo outro lado e dobrando a esquina em sentido contrário. Por acaso, a cabeçada involuntária que lhe dei pegou-o mesmo na boca do estômago e o escrevente caiu no chão, meio apagado, abrindo e fechando a boca, sem ar. Quando ele se recuperou, levantou-se e correu, certo de que fora agredido conscientemente por mim.

No mesmo momento, a história se espalhava como um raio, na rua. Segundo os boatos, eu só não matara o escrevente porque ele conseguira correr a tempo, escapando assim à punhalada que eu ia lhe dar, depois de tê-lo prostrado em terra com uma cacetada pelas costas, um soco na cara e uma cabeçada na barriga. Falava-se nas façanhas de meus irmãos Antônio e Francisco, nos tempos da "Coluna Prestes", em 1926. E eu, ao mesmo tempo preocupado e orgulhoso, descobri que, covarde como era, tinha fama de valente.

Meus irmãos quase morriam de orgulho. Cobriam-me de homenagens, impando com meu involuntário feito. Não havia mais jeito não: agora, quisesse ou não quisesse, eu tinha de carregar meu destino de "covarde sortudo" e aquela cruz de "corajoso a pulso" que o nome de Quaderna me impunha.

O escrevente, assim que se recuperou do susto, foi procurar o Delegado e deu uma queixa contra mim. Foi outra coisa que me surpreendeu, pois ele pertencia à ala intelectual que sempre tratava a Polícia com o maior desprezo. De qualquer forma, porém, foi no travesseiro do Delegado que ele foi chorar suas lágrimas, e eu fui intimado a comparecer à Delegacia. Ele, mentindo, dissera ao Delegado que eu o agredira pelas costas, à traição. Mostrara o "galo" que subira na parte posterior de sua cabeça (que batera, realmente, na calçada, pois ele caíra de costas), dizendo ao Delegado que aquilo fora uma cacetada que eu lhe dera à traição, por trás.

Algumas pessoas tinham assistido ocasionalmente ao fato. Mas abstiveram-se de falar, com medo de serem chamadas para servir de testemunhas. E como, de fato, eu, por monarquia e cavalaria, andasse sempre com meu punhal de cabo de prata, comecei a notar que ninguém julgava que minha cabeçada fora involuntária. A opinião corrente, era, mesmo, que eu derrubara o escrevente no chão de propósito e iria sangrá-lo impiedosamente se ele não corresse. O próprio Delegado estava absolutamente convencido de que, no fundo, o escrevente tinha razão. No máximo, admitia que eu não lhe dera a cacetada pelas costas, fato que o escrevente inventara, primeiro, para aumentar minha culpa, e depois para diminuir a desmoralização de não ter reagido. Em tudo mais, todo mundo acreditava.

Foi aí que apareceu o Corregedor, foi aí que se abriu o inquérito. Chefiados pelo escrevente, todos aqueles lacraus e piolhos-de-cobra que me detestavam viram que o momento era azado para me liquidar: e mandaram a carta anônima que, pela terceira vez, me transformava em suspeito, enredando-me nas teias de um processo fatal, como perigoso agente político e acusado de crime.

Folheto XXXIX
O Cordão Azul e o Cordão Encarnado

Naquela Quarta-feira de Trevas, 13 de Abril, eu acordara com uma sensação amarga na natureza. Maria Safira, com seus verdes olhos abissais, notara que eu tinha dormido mal. Comunicara-me, ainda na cama e com uma expressão indecifrável, que sonhara comigo. No sonho dela, eu aparecia vestido de Diabo, um diabo apalhaçado e chifrudo de Circo, sarnento e feio, uma coisa ao mesmo tempo horrorosa e desmoralizadora. Tentando fazer espírito e afastar o malefício, respondi-lhe como pude, usando para isso uns versos, do genial poeta Martins Fontes, que Samuel tinha usado uma vez para me ridicularizar mas que eu transformara em honra minha, nos seguintes termos:

> "Bem vedes, não sou eu
> o Pierrô bufo e belo,
> filho de Cassandrino
> ou de Polichinelo!
> Não! Eu sou o Mateus
> de vermelho e de preto.
> Sou o Diabo-Encourado,
> o Sangue-do-Esqueleto
> que procura espargir
> pelo Mundo tristonho,
> no sangue e ao pó da Morte
> o Galope do sonho,
> na Onça-do-imprevisto
> o guizo do Burlesco,
> no Mocho do fantástico
> o Tigre romanesco!"

Eu tinha sido intimado para comparecer, à tarde, perante o Juiz-Corregedor. Depois que tomei café, ainda sob a má impressão do sonho de Maria Safira, encaminhei-me instintivamente para a Biblioteca: ia me abrigar ali, com um terrível sobressalto de culpa, medo e remorso. Errei, durante alguns instantes, por entre os velhos volumes empoeirados que enchiam as estantes.

No meio da sala, em torno de uma mesa baixa, havia um sofá de palhinha, duas cadeiras de balanço e uma espreguiçadeira, móveis que eu mandara colocar ali para servirem a nossas cavaqueiras literárias e sessões acadêmicas. Cansado e preocupado, sem nem ao menos me aperceber direito do que fazia — tal era o temor que se apossava de mim quando me lembrava do terrível inquérito —, arriei cansadamente na espreguiçadeira e repousei a cabeça sobre o meu braço direito dobrado, a fim de descansar um pouco e de pensar em qual seria a melhor maneira de me conduzir no meu depoimento ao Corregedor. Vinha-me à lembrança a frase que meu Padrinho, Dom Pedro Sebastião Garcia-Barretto, pronunciava de vez em quando, em 1930, quando entrara em luta contra o Presidente João Pessoa, na "Guerra de Princesa":

— Meu brio não suportará humilhações!

Mas meu Padrinho tinha terminado, poucos meses depois, com a garganta cortada, do mesmo jeito que meu bisavô, Dom João Ferreira-Quaderna, O Execrável, em 1838. Fazia exatamente um século, deste último acontecimento. Então, no meu íntimo, no mais profundo do meu ser, resolvi seguir exatamente o programa contrário. Cheguei mesmo a murmurar para mim, formulando em voz baixa o meu programa:

— Meu brio suportará todas as humilhações que forem necessárias! E, se Deus quiser, acabarei o inquérito, não preso e degolado como meu bisavô e meu Padrinho, mas sim vivo e solto, para contar minha história e a história do Rapaz-do-Cavalo-Branco!

***

Mal eu formulara esse voto, meus dois mestres e rivais de Literatura irromperam de Biblioteca adentro, ambos com um ar preocupado e fatigado que não escondia a noite maldormida passada na véspera. Estavam ambos visivelmente nervosos; e eu diria mesmo apavorados, se o medo fosse sentimento capaz de se abrigar naqueles dois peitos guerreiros, políticos e belicosos.

As relações existentes entre nós três, nobres Senhores e belas Damas, continuavam de certa forma curiosas. Como rivais, não nos suportávamos; mas como também precisássemos muito uns dos outros, não podíamos separar-nos. A rivalidade existente entre Samuel e Clemente tinha muitas causas literárias, mas, como Vossas Excelências já devem ter suspeitado, era principalmente de natureza política. Como já se viu, desde o aparecimento de Samuel na "Casa-Forte da Torre da Onça Malhada" que os dois vinham tomando caminhos políticos diferentes. A partir de 1930, com a vida política brasileira se dividindo cada vez mais, os dois começaram a se radicalizar. Luís Carlos Prestes já fundara o Partido Comunista do Brasil, e Plínio Salgado o partido extremado de Direita, a Ação Integralista Brasileira. Logo depois, porém, os comunistas procuraram fundar um partido que agrupasse outras pessoas, liberais, em torno deles: esse partido chamou-se Aliança Nacional Libertadora.

Não é preciso dizer que Samuel entrou imediatamente para a Ação Integralista Brasileira, fundando entre nós uma seção que passou a congregar os jovens filhos de família de tudo quanto era fazendeiro e proprietário. Já tinha "até recebido um cartão de Plínio Salgado, com quem passara a manter relações de amizade depois da visita que o *Chefe Nacional* fizera ao Sertão da Paraíba, em companhia dos intelectuais paraibanos Hortênsio Ribeiro e Pedro Batista", como diziam na rua, deslumbrados com o prestígio de Samuel, pois o Chefe Plínio Salgado, além de líder político, era um literato nacionalmente consagrado.

Quanto a Clemente, aderira furiosamente à Aliança Nacional Libertadora, de cujo Comitê local era Presidente.

O pior, porém, é que a desgraçada dissensão que se manifestara desde o princípio entre aquelas duas personalidades geniais não se contentara em entravar somente o progresso político, literário e filosófico do Sertão, separando em divisões estéreis aqueles dois grandes homens que, de outra maneira, bem poderiam trabalhar juntos, com resultados extraordinários para o progresso de nossa Pátria. Acontece que a luta ideológica travada entre os dois estendera-se do campo puramente político até o literário, o histórico, o filosófico e até o religioso, se posso falar assim.

No campo da História, por exemplo, os dois tomavam cada um seu partido; mas não só no Brasil: em todos os tempos e em todos os lugares do mundo, levando suas dissensões brasileiras e atuais até os começos da vida do homem. Na história da Grécia, por exemplo, Clemente tomava o partido de Sócrates, que, segundo ele, representava o progresso e a vanguarda política do tempo; e Samuel tomava o dos aristocratas que envenenaram aquele feio e mal-amanhado Filósofo do povo, dizendo que Sócrates realmente corrompia a juventude, com sua crítica dissolvente às tradições religiosas e familiares dos gregos. Em Roma, Clemente tomava o partido de Mário, "demagogo popular", e Samuel o de Sila, "tirano aristocrata". Ainda em Roma, quando encerravam esta parte da discussão, o nosso Filósofo era a favor de Brutus, e o Poeta, de César.

De modo semelhante, tomavam, furiosamente, partido em tudo. A Sociologia era da Esquerda, e a Literatura fortemente suspeita de direitismo. O "riso satírico e a realidade" eram da Esquerda, a "seriedade monolítica e o sonho", da Direita. A Prosa era da Esquerda e a Poesia, da Direita; mas, mesmo dentro do campo da Poesia, tomavam partido, pois a lírica era considerada "pessoal e subjetiva, e portanto direitista e reacionária", enquanto a satírica, "social e moralizante, didática", era considerada progressista e da Esquerda. A Natureza, com "a luta pela vida, dura e cruel, com a selvageria, a desordem, a sobrevivência do mais forte e as marcas que ainda guardava do Caos e do negrume", era da Direita. A Cidade, "organizada, baseada no progresso, no trabalho e na máquina", era da Esquerda. Do ponto de vista social, o sexo masculino, mais forte, dominador e explorador do outro, era da Direita, e o sexo feminino, explorado, fraco, ressentido e revoltado, da Esquerda. Mas, do ponto de vista do gosto, o sexo masculino, sóbrio e despojado, era da Esquerda, enquanto o feminino, com o amor pelos tecidos e pelas joias, era da Direita.

E assim por diante, em tudo e por tudo. A briga era tão profunda, ia tão longe que, apesar de ser ateu, o Professor Clemente esquecia momentaneamente seu ateísmo para tomar partido no seio da própria Trindade. Dizia ele que detestava o Pai, que, sendo o Deus do deserto, da violência, dos castigos, das pragas, dos templos de ouro, pórfiro, crisólita e diamante, dos exércitos com bandeiras, das guerras e das sarças ardentes, era visivelmente da Direita; o que imediatamente fazia com que Samuel, apesar de seu Catolicismo ferrenho, por ele mesmo classificado como "ortodoxo, antigo, inquisitorial, reacionário e obscurantista", tomasse partido contra o Filho, que era "claramente demagogo, favorável à plebe e instigador das lutas de classe".

Assim, as brigas e discussões entre os meus dois Mestres eram contínuas. Por causa do "Pastoril", Samuel chamava Clemente de "A Mestra do Cordão Encarnado". Clemente retrucava, chamando Samuel de "A Contramestra do Cordão Azul". Ambos, porém, tinham terminado desistindo da brincadeira, no dia em que descobriram que podiam, aí também, se unir contra mim: baseados num outro personagem do "Pastoril", personagem que pertencia ao mesmo tempo ao Cordão Azul e ao Encarnado (tendo até a roupagem dividida nessas duas cores), chamavam-me "A Diana Indecisa", porque eu não me animava a aceitar totalmente nem o Comunismo de um nem o Integralismo do outro.

* * *

Naquela manhã, assim que foram entrando, os dois se dirigiram para onde eu estava e sentaram-se, cada um deles, na respectiva cadeira de balanço já de há muito determinada. Clemente falou como porta-voz dos dois, o que me revelou logo que, no momento, estavam unidos por um interesse comum, provavelmente contra mim:

— Quaderna — falou ele num tom um tanto brusco —, que comportamento mais estranho é esse seu, desde ontem? Todo mundo, na rua, já sabe que você foi intimado pelo Corregedor para depor no inquérito. Nós dois esperamos você ontem, o dia todo, para sabermos das novidades! Ficamos acordados até as onze horas da noite, e nada! Que foi que houve? Onde esteve? Você dormiu em casa?

— Dormi.

— E como foi que não vimos você entrar?

— Entrei pelo portão do quintal!

— Está vendo o que eu lhe dizia, Samuel? — disse Clemente, severo. — Quaderna está mal-intencionado e com culpa no cartório! Viu o que ele disse? Entrou pelos fundos da casa, como um criminoso, um homem que sente a consciência carregada e se esconde dos olhos até dos seus melhores amigos! Está vendo, Quaderna, em que deu a sua imprudência? Quantas vezes eu lhe avisei? Não sei quantas! Sempre lhe dizia: "Quaderna, cuidado! Um dia, a casa cai!" Você não ligou, e tanto fez, tanto remexeu nesta confusa política brasileira, que agora a casa lhe caiu por cima!

— Ora, Clemente! — retruquei irritado. — Quem é que vem me dizer isso? Logo você! Você, que, juntamente com Samuel, veio meter essas ideias na minha cabeça! Eu nunca teria ligado para a Política se vocês não tivessem me levado a isso!

— O quê? — indagou Samuel, escandalizando-se o mais que pôde e aboticando uns olhos enormes para mim. — Você está ouvindo, Clemente? Este homem de maus costumes, ligado ao que de pior existe na canalha desordeira e rebelada do Sertão, insinua que fomos nós, pessoas respeitáveis, que o levamos a suas posições políticas! Olhe, Clemente, você é comunista, mas essa justiça eu lhe faço: você é um comunista sério e só se une a outros comunistas sérios, gente de confiança, gente da qual se pode discordar, mas a quem, de qualquer modo, se respeita! Quaderna, não! É com a ralé: com os tangerinos, almocreves, contrabandistas de cachaça, cantadores e até cangaceiros! Meu Deus! Imagine se o Tribunal e o Ministério Público da Paraíba descobrem que ando metido com um homem desses! E ele insinua que seu comportamento e suas ideias nasceram do nosso convívio!

— Imagine se ele diz essas coisas ao Corregedor! — ajuntou Clemente com ar soturno. — Que opinião não vai fazer de nós esse digno magistrado paraibano! O que é que você pretende contar a ele, Quaderna?

— Pretendo contar tudo, Clemente!

— Tudo, como? E, principalmente, tudo *o quê*?

— Tudo, tudo! Toda a questão da nossa "Demanda Novelosa" e da "Guerra do Reino", principalmente a parte ligada com a morte do meu Padrinho e a aparição do Rapaz-do-Cavalo-Branco!

— Você já esteve com o Corregedor?

— Não, vou à Cadeia hoje de tarde, para isso. Ele deve ter recebido alguma delação, alguma carta anônima contra nós, e é por isso que quer me ver!

— Uma carta anônima? Contra nós? — falou Samuel, empalidecendo.

— A carga maior deve ter sido contra mim, porque somente eu fui intimado. Peço, portanto, a ajuda de vocês! Não me abandonem, nesta hora amargurada da minha vida! Você, Clemente, como advogado e criminalista de fama que é, pode muito bem assumir minha defesa perante a Justiça!

Imediatamente o Filósofo tomou um ar ausente, negou o corpo de banda e passou a me ouvir da banda mouca, a fim de mais facilmente me deixar no fogo:

— Quaderna — disse ele —, você vai me desculpar, mas isso, além de impossível, é perfeitamente dispensável e inútil! O ambiente de repressão, que nos domina desde 1935, agravou-se muito nos últimos tempos; o terreno em que pisamos está cada vez mais escorregadio, mais traiçoeiro do que nunca! Você sabe muito bem que eu sou considerado perigoso e subversivo por muita gente! Por uma habilidade toda especial, consegui escapar da prisão, de 1935 até o dia de hoje; mas eu ficaria em péssima situação se esse inquérito se virasse por cima de mim! Sou um homem visado e procurado, Quaderna, um homem marcado para morrer pelos mais altos círculos do Poder em nosso País! Vivo sendo seguido pelos agentes do Governo a serviço da reação e dos trustes internacionais! Se eles me pegam em qualquer deslize, estou liquidado! Essa gente é impiedosa e eu não tenho costas quentes! Assim, é melhor você se pegar com aqueles que, como o nosso Promotor aqui presente, têm prestígio com a reação! O Doutor Samuel é bem relacionado nos meios da Justiça e bem pode dar uma palavra a seu favor perante o Juiz-Corregedor!

Samuel sobressaltou-se e, mais morto do que vivo, lançou um olhar enviesado e mau a Clemente, que tivera aquela infeliz ideia a seu respeito. E logo negava corpo também, numa manobra torpe:

— Eu, defender Quaderna? Eu por quê? Por que logo eu? Você está doido, Clemente? Eu não me meto com essa gente de jeito nenhum! Você está consciente do perigo da situação, Quaderna? Leu os jornais que vieram na mala do correio, na quinta-feira passada?

— Li!

— Estão correndo boatos de que no dia 10 do passado mês de Março houve uma tentativa de Revolução integralista no Rio. Você sabe que o chefe dessa tentativa foi o Contra-Almirante Frederico Villar?

— Sei!

— O Contra-Almirante é de família daqui de Taperoá, e tudo indica que foi por isso que esse Corregedor misterioso veio bater de repente com os costados aqui, sem ninguém saber como nem por quê! Como você vê, então, a situação nacional não anda tranquila, e é muito perigoso a gente se meter com isso numa hora dessas!

— No campo internacional, as coisas também andam turvas! — reforçou Clemente. — *A União* e o *Diário de Pernambuco* têm trazido notícias verdadeiramente inquietantes! Aqui no Brasil, o covarde do Getúlio Vargas, tendo estabelecido um Estado forte em Novembro do ano passado, ficou com medo da intervenção americana e nomeou o sabujo Osvaldo Aranha para Ministro das Relações Exteriores. Osvaldo Aranha, como vocês sabem, é um lacaio do imperialismo, e, no dia da posse, ocorrida no mês passado, enviou "ao Povo e ao governo dos Estados Unidos" uma saudação que o *Diário* transcreveu e que, mais do que um discurso, é um vergonhoso preito de vassalagem! A Áustria foi entregue, sem um tiro, à Alemanha! Na Espanha, as tropas direitistas do General Franco estão sufocando e degolando o grande Povo espanhol! Em compensação, no México, o esquerdista Lázaro Cárdenas subiu ao poder e iniciou a nacionalização das empresas estrangeiras de petróleo! O *Diário de Pernambuco* conta que recentemente o governo mexicano promoveu, em apoio de seu programa de esquerda, um desfile no qual uma verdadeira multidão, vestindo as roupas nacionais e populares do México, passou durante mais de cinco horas diante do palanque onde estava Lázaro Cárdenas. E o jornal comenta: "Um grupo de cubanos conduzia um grande dístico com os dizeres: *O povo de Cuba, vítima do imperialismo, acorde e siga o exemplo.*" Isto pode ser o começo da Revolução Latino-Americana, Quaderna!

Samuel, que não podia ouvir calado certas coisas que Clemente dissera, retrucou logo:

— Não concordo nada com as interpretações comunistas de Clemente, mas, de fato, quem sabe até que ponto tudo isso tem ligações com a luta da Besta-Loura, da Besta-Calibã, contra o Anjo Latino-americano, o Ariel ibérico? O assunto, Quaderna, é mais do que perigoso, é desses nos quais não devemos nem tocar, porque está ligado aos terríveis segredos do Poder e das altas esferas! Acresce que, aqui em Taperoá, toda essa teia amaldiçoada da Política e do Poder se complica com a história de seu Padrinho e tio, degolado em 1930, exatamente por ter se metido com essas altas esferas diabólicas do Poder! Aqui na Paraíba, para desgraça nossa, a Revolução se misturou às bárbaras vinditas familiares sertanejas, unindo-se os ódios ancestrais e as divisões de sangue a tudo o que o Poder tem de fatídico e perigoso! Eu não me meto nessa história de jeito nenhum, Quaderna! Sei lá que objetivos secretos e que ligações ocultas tem esse Corregedor! Vá ver que, no fundo, ele não passa é de um agente secreto, a serviço d'*Eles*!

* * *

Pronto!

Agora eu sabia que não havia força humana que fizesse os dois me ajudarem! Clemente e Samuel, quando metiam na cabeça que *Eles* estavam metidos em alguma empreitada, fugiam dela como quem foge da peste! *Eles* era uma entidade maléfica que nunca consegui identificar precisamente, mas que, segundo parecia, era e é ligada à Besta Anglo-Saxã, à Besta-Loura-Calibã — uma entidade que está em toda parte, inatingível, ameaçadora, invencível e diabólica. Por isso, Clemente apoiou na mesma hora — o que era raro! — a ideia de seu rival:

— Samuel, agora, apesar de suas tolices direitistas, você tocou num ponto fundamental, e foi, com ferro em brasa, ao âmago da chaga! Estou chegando à evidência de que, no fundo, esse Corregedor não é senão um enviado que *Eles* mandaram para me liquidar!

— Ora para liquidar você! Eu não digo? Ele veio foi para liquidar a *mim*! — gritou Samuel, apavorando-se aos poucos com suas próprias palavras. — Até agora tenho escapado por milagre a todas as tentativas que *Eles* têm feito para me assassinar, me torturar, me prender, me aniquilar! Só posso mesmo atribuir a uma proteção especial, de Deus e dos anjos, o fato de eu, um Poeta inerme e angélico, ter escapado incólume entre tantas emboscadas, traições e armadilhas diabólicas, preparadas por *Eles*!

— Você, Samuel? — indaguei, espantado. — Fizeram alguma tentativa de assassinato contra você?

— E então? Olhe, Quaderna, um dia ainda levantarei uma ponta do véu, do enigma que é minha vida, e você estarrecerá! Mas tenha cuidado, Quaderna: o simples conhecimento dos fatos ocorridos comigo pode tornar você um homem também *marcado*, um exilado em sua própria Pátria! Por enquanto, para poupá-lo, vou contar somente o que aconteceu quando publiquei *A Herdeira*, um dos poemas mais ligados ao destino fatídico e imperial do Brasil, entre todos os que fazem parte da minha obra, *O Rei e a Coroa de Esmeraldas*! Pobre de mim! Naquele tempo, no Recife, eu era ainda tão ingênuo, que julgava que o simples fato de me ocultar sob um pseudônimo me subtrairia à condenação d'*Eles*! Qual o quê! Essa gente é impiedosa e diabólica, e foi daí que começou meu destino de fora da lei, procurado como um criminoso e entregue a todas as forças sinistras que *Eles* sabem desencadear e jogar a nossos calcanhares! Mas eu, Quaderna, sou mais forte do que pensam! Fiz também meu pacto com o Diabo, e, tendo dedicado um estudo aos Anjos, estou sob a proteção direta desses seres alados, puros, ardentes, perigosos e assexuados! É por isso que, nos momentos mais perigosos da minha vida, quando *Eles* julgam que afinal me pegaram de jeito e vão me aniquilar, o Anjo entremostra sua terrível face, reluzente e perigosa, e foge tudo de mim, às léguas!

Interrompi:

— Mas Samuel, você não fez um pacto com o Diabo?

—Fiz!

— E como é que, ao mesmo tempo, recebe a proteção dos Anjos?

— Quaderna, cale a boca, porque você, simples charadista e leitor de almanaques, não tem dimensão para entender essas coisas, absolutamente! Me diga uma coisa: o Diabo não é um Anjo?

— Foi, não é mais não!

— Se foi, ainda é, porque um Anjo não tem contradições, é uno e perigoso em sua pureza de fogo! Você, Quaderna, editor de folhetos e ex-seminarista, não pode avaliar a quantidade de enigma e verdade que existe no meu escrito sobre os Anjos! A mente humana, o humano sofrimento e a visão poético-profética não podem ir mais longe do que eu fui nesse trabalho!

— E seu poema *A Herdeira* é também ligado aos Anjos? — insisti.

— Quaderna, um dia, muitos anos depois que eu morrer, talvez haja ambiente para se entender a profunda unidade de tudo o que eu escrevo, da minha obra povoada de sentidos secretos e cifrados! Saiba desde agora, porém, que, nesta obra, o Brasil, o Diabo, os Anjos e eu mesmo somos, todos, vistos como *herdeiros*! Entendeu? Entendeu o alcance dessa ideia?

— Entendi não, Samuel!

— Acredito! Não entendeu nem pode entender, porque, por enquanto, somente eu sou capaz disso! Aliás, minto: *Eles* entenderam quase tudo, e colocaram logo meu nome, inscrito com letras de fogo e sangue, no *Livro Negro* onde assinalam todos aqueles que consideram perigosos! Aqueles *danados* devem ter recortado meu poema, do jornal onde caí na tolice de publicá-lo, enviando então cópias dele a todos os seus agentes, disseminados pelo mundo inteiro! Descobriram o nome verdadeiro do autor, escondido sob o pseudônimo de Sandernes de Wanderval, e desde esse dia sou um homem marcado para a morte!

— E como era o poema, Samuel? — indaguei eu, curioso de conhecer aquela obra, tão povoada de sentidos políticos cifrados que, mesmo publicada sob pseudônimo, fizera de seu autor um homem para sempre marcado por *Eles*.

Samuel tomou um ar fatídico e melancólico e perguntou:

— Quaderna, você quer mesmo saber? Não sei se tenho o direito de acabar sua inocente cegueira comunicando-lhe certas coisas! Cuidado, Quaderna! Sua situação está meio periclitante, e o simples conhecimento de certas coisas da minha vida pode torná-lo desgraçado para sempre! *A Herdeira* é uma dessas e pode liquidar com você de vez!

— Não, diga! Recite! Eu já estou desgraçado de qualquer jeito, assim pelo menos fico conhecendo o poema! Recite!

— Bem, se é você quem pede, a responsabilidade é sua! Vou recitá-lo!

E, tomando um ar inspirado, sério, comovido, o nosso Fidalgo pernambucano começou, com sua dicção perfeita:

> *"Como se maltrata assim*
> *o Coração escarlate da Rosa?*
> *Ó Sangue! Ó Coroa! Ó Brasão!*
> *Onde estão as duas Bolas de ouro*
> *e o Cetro vermelho de Dom Pedro I?"*

* * *

Chegando aí, o poeta Samuel Wan d'Ernes calou-se, e ficou com os olhos pregados no teto, com um ar sonhador de vidente, vermelho pela emoção que o possuía. Eu e Clemente aguardávamos que a emoção diminuísse e ele terminasse. Mas não vinha nada. Então, interroguei timidamente:

— Isso é do poema, Samuel?

— Isto é *o* poema, animal! — disse ele, descerrando os olhos e fazendo fuzilá-los sobre mim.

— Acabou? Acabou mesmo?

— Acabou, é claro!

— E *A Herdeira* é só isso?

— Só isso? Você diz *só isso*? Acha pouco? Olhe, Clemente, em que dá nosso trato com charadistas! Esse astrólogo, aí, ainda queria que eu dissesse mais do que disse, arriscando-me ainda mais do que me arrisquei!

— Pois eu não me admiro de que Quaderna tenha achado pouco não! — disse Clemente. — Não me admiro de jeito nenhum, porque eu também pensei que o poema tinha somente começado! Do jeito que você disse, Samuel, não presta de jeito nenhum! Nem presta, nem tem sentido! É por isso que o Povo deixa de lado a Poesia! Como é que o Povo brasileiro pode prestigiar seus poetas, se eles se isolam na torre-de-marfim, deixando de lado os problemas humanos, nacionais e coletivos, para armar essas pequenas charadas, piores ainda do que as de Quaderna, Samuel?

— Você, Clemente, não tem, absolutamente, a menor capacidade de entender a verdadeira Poesia! Em primeiro lugar, digo-lhe que meu poema tem sentido, e depois que esse sentido é altamente nacional e virulentamente político!

— Esse poema tem lá sentido nenhum, Samuel! O que é que ele significa?

— Significa a independência e a grandeza imperial do Brasil!

— Está conversando, Samuel! Essa obrinha tem lá nada a ver com a independência do Brasil! Não tem, nem poderia ter, porque você, sendo integralista, nunca poderia escrever nada que fosse a favor do Povo brasileiro!

— E eu falei, lá, em Povo coisa nenhuma! Falei foi na grandeza imperial do Brasil! Este sim, é um assunto que toca meu sangue de Fidalgo! A plebe, o povo, como você chama, esse não! Esse interessa é a você, que é *cafre* e *gaforinha*!

Clemente, sentindo-se ofendido, como preto que era, enfureceu-se:

— Eu sou cafre e gaforinha, mas não sou um poeta desonesto da sua marca!

— Desonesto? Desonesto é um pouco demais! Desonesto por quê?

— Quantos versos tem essa idiotice que você escreveu?

— Cinco!

— Pois desses cinco, um é plagiado e dois são imorais!

— Clemente, já lhe disse não sei quantas vezes que o plágio é um processo normal de criação e que não existe obra de arte imoral! Onde é que você viu imoralidade neste meu poema, Clemente?

— Repita os dois últimos versos dele!

— "Onde estão as duas Bolas de ouro, e o Cetro vermelho de Dom Pedro I?"

— Está vendo, Quaderna? As duas bolas e o cetro vermelho são, naturalmente, os colhões e o pau de Dom Pedro I!

— Lá vêm o mau gosto e a vulgaridade do Professor Clemente, grosseiro e sem graça como todo comunista! — disse Samuel. — Você deveria pelo menos respeitar um poema que escrevi por patriotismo e por causa do qual tentaram me assassinar!

— Foi mesmo, Samuel? — perguntei, curioso. — Tentaram matar você por causa desse poema?

— Se tentaram? Tentaram, Quaderna, várias vezes! Só não fui aniquilado graças à proteção dos Anjos!

— E como foi que tentaram assassinar você? Na rua? Em casa? A tiro? De faca?

— Meu sangue molhou as ruas do Recife e da Paraíba!

— Você foi ferido?

— Mais do que isso, Quaderna: posso dizer que fui morto!

— Morto? E como é que está aí, vivo?

— Refiro-me à morte moral, porque fui assassinado pela calúnia! E a crueldade que me fizeram foi ainda maior porque, para me matar, eles se valeram daquele que era meu discípulo amado! Minha tragédia foi pior do que a do Cristo, Quaderna: o Cristo foi traído pelo discípulo mau, eu fui traído pelo bom, pelo meu discípulo amado!

Aqui o rosto de Samuel tomou uma expressão de ferocidade e ele disse:

— Mas eu tomei contra o traidor uma vingança terrível, uma vingança à altura do Fidalgo flamengo-ibérico e florentino-brasileiro que sou, um homem que, quando necessário, também sabe usar o punhal e o veneno dos Bórgias!

— O que foi que você fez com ele, Samuel? — indaguei, sem poder conter a curiosidade.

— Mandei-lhe um ramo de violetas murchas envolvidas em acácias amarelas!

Como ficássemos perplexos, olhando para ele, Samuel explicou simplesmente:

— É o emblema da amizade traída!

E continuou, noutro tom:

— É por isso, Quaderna, que eu posso dizer que sou um homem vivido, marcado e esfarinhado nessas lutas da nossa grande e desgraçada Pátria! Quem sabe se esse Corregedor não é um *enviado* das forças obscuras que vivem envenenando nossa Pátria e que são, sem dúvida, ligadas ao Diabo? Assim, Deus me livre de me meter nessa alhada em que você se embrenhou, Quaderna! Além disso, de que lhe valeria meu sacrifício? De nada! Você é um sertanejo, um homem esperto e habituado nessas refregas em que viveu metido desde 1912, de modo que pode se sair muito bem, sozinho, de tudo isso! Aliás, *Eles* não se atreverão a mexer muito com você, não: essa gente só respeita a violência, e quando souberem que seus parentes são acangaceirados, hão de recuar! Fique descansado, Quaderna, você não precisa absolutamente da nossa ajuda, porque não vai lhe acontecer nada!

— É, fique descansado, Quaderna! — ajuntou como um eco o Professor Clemente. — Fique descansado, porque não vai lhe acontecer coisíssima nenhuma!

— Fique descansado, uma merda! — disse eu, encolerizado com a indiferença daqueles dois miseráveis que não me pagavam aluguel e agora me deixavam na cova da onça. — Não vai me acontecer nada, uma porra! Como é que eu posso ficar descansado, como é que não vai me acontecer nada, se eu estou em tempo de ser preso?

— Que preso que nada, Quaderna! — disse Samuel. — Você pensa bem que possui importância suficiente para ser preso! Se se tratasse de mim, ou mesmo de Clemente, aí sim, haveria essa possibilidade! Mas você? Nunca houve exemplo, na História, de ter sido preso um homem socialmente insignificante e politicamente sem importância! Quem está realmente em perigo somos nós, eu e Clemente, homens visados e chefes de facções políticas importantes!

— É, os importantes são vocês dois! Mas, importante ou não, de nós três, quem foi intimado fui eu! E se eu ficar lá, hoje mesmo, preso?

— É coisa que não terá a menor importância! — falou Samuel, aquele monstro de egoísmo. — A prisão até tornará você mais interessante, dando-lhe uma aura romântica de mistério, um prestígio e um brilho social que você nunca teve!

— É, Quaderna, isso de você ser preso é secundário! — reforçou Clemente. — O que verdadeiramente tem importância é a nossa situação, a minha e a de Samuel, diante do problema de seu tio e padrinho, degolado em 1930, dos filhos dele, e sobretudo diante da perigosa situação política em que a nossa Vila vem se enredando desde 1935! Se você fosse realmente nosso amigo, como diz, se tivesse alguma gratidão pelos anos de ensinamento que demos a você desde sua adolescência, estaria pensando era em nós, na nossa segurança, e não nessas tolices de intimação ou não intimação, cadeia ou não cadeia para você!

— Mas o ameaçado sou eu! O intimado sou eu! Quem vai ser preso sou eu! Como é que vou pensar em vocês e não em mim? — gritei, para ver se, assim, abalava aqueles dois cegos, insensíveis à minha sorte.

— O intimado foi você, Quaderna, mas, de fato, os visados somos nós dois, você vai ver! — disse Clemente. — No fundo, é a nós que *Eles* querem chegar através de você!

— Você acha? — perguntou Samuel, tornando-se pálido.

Clemente, contagiado, esbugalhou os olhos e disse, desta vez com uma convicção inabalável:

— Mas é claro que acho, Samuel! Você ainda tem alguma dúvida? Esse pessoal já sabe que nós moramos em casas de Quaderna e querem chegar é a nós, por intermédio dele! Você não está vendo que ninguém iria dar a Quaderna a importância de prendê-lo, senão por nossa causa? É a nós, é a nós que *Eles* querem prender e matar, na pessoa de Quaderna!

Os dois ficaram se olhando um momento, de olhos esgazeados, e teriam ficado assim ainda uma porção de tempo se nesse instante exato não tivessem dado uma forte batida na porta de fora ao mesmo tempo que uma voz cava e soturna dizia:

— Ô de casa!

Respondi:

— Ô de fora! Quem é?

— É o Oficial de Justiça! — respondeu a mesma voz soturna.

Os dois grandes homens, sem dizer água-vai, precipitaram-se para a única saída possível no momento, isto é, a porta que ligava a Biblioteca à minha casa. Essa porta, porém, era estreita e os dois chegaram lá ao mesmo tempo, enganchando-se um no outro e acotovelando-se na ânsia de sair primeiro. Clemente, mais forte, passou Samuel para trás com uma cotovelada na cara e sumiu-se no interior da minha casa, seguido de perto pelo rival que, assim que se recuperou e viu desimpedido o caminho da fuga, embarafustou também, atrás do outro.

* * *

Encaminhei-me então para a porta da rua e abri-a cautelosamente. Era Severino Brejeiro, com seus olhos empapuçados e sua habitual expressão sonolenta:

— Bom dia, Seu Quaderna! — disse ele. — O Doutor Juiz mandou dizer que o senhor vá às três, e não às duas horas, como ele tinha combinado! Ele não dormiu bem, ontem, e vai cochilar um bocadinho, depois do almoço!

— Está bem, Severino, chego lá às três!

O Oficial de Justiça saiu, eu fechei a porta e voltei. Vendo que os dois não tinham voltado, passei da Biblioteca para o *salão* da minha casa. Nada! Então chamei:

— Clemente! Samuel!

Aí, ouvi Clemente responder, com uma voz abafada, que parecia saída de dentro das catacumbas:

— Quaderna? É você?

— Sou! Onde estão vocês? Podem sair, não era nada não! Era Severino Brejeiro com um recado do Corregedor!

— Recado *para quem*? — indagou Samuel, cauteloso, e ainda sem que os dois aparecessem.

— Recado para mim! Podem sair! Onde estão vocês? Não há perigo!

Seguindo a direção da fala deles eu fora me dirigindo aos poucos para meu quarto, onde, afinal, os dois iriam surgir: tinham se metido debaixo da minha cama, de onde saíram cobertos de poeira e teias de aranha. Levantaram-se, espanando-se com as mãos, meio ressabiados e olhando-me de viés.

— Bem, não foi nada! Mas podia ter sido! — disse Clemente. — Todo cuidado é pouco! O ambiente está meio perigoso e escorregadio; e não tenho o direito de arriscar minha vida por besteira, privando o Povo brasileiro de um chefe como eu, um homem que pode defendê-lo num momento agudo de perigo e cuja vida é, portanto, inestimável!

— Você, Clemente? — falou Samuel, escarninho. — Você, que acaba de fugir, escondendo-se, de modo vergonhoso, debaixo da cama de Quaderna?

— E você também não foi, Samuel? — interrompi.

— Eu, Quaderna? Eu fugi? Não senhor! Eu apenas saí atrás de Clemente para protegê-lo em alguma eventualidade! E depois, só fui até a cama porque queria ver até onde ia o pavor da Esquerda! Mas essa covardia é comum nos comunistas, é uma das coisas que mais me fazem desprezá-los! A outra é a incompreensão que eles têm para as grandes personalidades individuais e carismáticas! Eu não nego a você, Quaderna: há três anos, em 1935, quando o Rapaz-do-Cavalo-Branco apareceu aqui, minha esperança era que ele fosse um *iluminado*, um Cavaleiro desses com que o Povo sonha e que os comunistas não são capazes de lhe oferecer, por causa do plebeísmo e da mania igualitária! Os "piolhos vermelhos" da marca de Clemente, Quaderna, só pensam em desenvolvimentos industriais e outras burguesices e engenheirices. Em vez de afidalgar o Povo, querem transformá-lo noutra Burguesia, pior ainda do que a outra! E são capazes de conseguir, ouça o que estou lhe dizendo! Tanto farão, que terminarão por abastardar e aburguesar esse Povo admirável que, *conduzido por verdadeiros Senhores*, por Fidalgos de raça, escreveu a epopeia dos Guararapes! Grande sonho, esse dos piolhos vermelhos! Mas se eles vencerem, nossa Pátria ficará igual a qualquer dessas repúblicas nórdicas de queijeiros diabólicos e puritanos comerciantes! Já pensou, Quaderna? O Brasil será transformado numa espécie de Holanda em ponto grande, nuns Estados Unidos quaisquer, por aí, e deixará de ser peculiar, cavaleiresco, latino e católico, o filho glorioso da Ibéria! E tudo isso porque os comunistas são contra as figuras carismáticas e fidalgas de Cavaleiro!

— Lá vem de novo a bosta da fidalguia de Samuel! — rosnou Clemente. — Se o Brasil seguisse o caminho que você prega, terminaria um País de cavaleiros sem cavalo, de cavaleiros famintos e doentes! Pior ainda: as repúblicas nórdicas de queijeiros, como você diz, enriqueceriam cada vez mais, e nós, brasileiros, terminaríamos trabalhando de cavalo pra galego! Mas deixemos isso de lado, por enquanto. Você fala como se, no meu Comunismo brasileiro, no Comunismo negro-tapuia da "Filosofia do Penetral", não houvesse lugar para as individualidades de exceção. Pois uma coisa eu lhe digo: quando, em 1935, apareceu o Rapaz-do-Cavalo-Branco, o motivo principal de eu tê-lo seguido em sua viagem foi a convicção em que eu estava de que ele iria repetir os feitos da "Coluna Prestes" no Sertão da Paraíba, em 1926. Sim, porque apesar de não sermos fidalgos, o fato é que a única figura de Cavaleiro que o Brasil deu até agora foi da Esquerda: foi o nosso grande, o nosso heroico Luís Carlos Prestes, Cavaleiro da Esperança do Povo do Brasil!

— O "Cavaleiro da Esperança" não é mais Cavaleiro de coisíssima nenhuma! — disse Samuel com ar zombeteiro. — Entrou no Brasil com o nome de Antônio Villar e vestido de padre, no que, aliás, fez muito bem, porque uma saia é a roupa mais conveniente a ele! E como se meteu a besta para os lados da Aristocracia brasileira, foi derrotado e agora está um tanto ou quanto preso, na cadeia, chorando na cama, que é lugar quente!

— O quê, miserável? — bradou Clemente indignado. — Você tem maldade suficiente para escarnecer do grande mártir do Povo brasileiro? Esse homem que, pelo Povo, já sofreu o exílio e está sofrendo a prisão e a tortura? Ah, Samuel, é demais! Fale de mim, diga o que quiser, escarneça à vontade, mas não jogue sua peçonha, sua baba de "galinha-verde" sobre o nome sagrado de Prestes! Admito tudo comigo, com ele não! Tomo suas palavras como uma afronta pessoal e exijo satisfações! Retire o que disse!

— Um fidalgo dos Engenhos, como eu, não dá satisfações a um almocreve negro, a um tangerino tapuia da sua marca! Eu, depois que digo uma coisa, ela está dita mesmo, gravada em pedra, a fogo vivo! O que eu disse está dito e acabou-se! E se você quer satisfações, há de ser num duelo, no campo da honra!

— Topo, topo imediatamente! — disse Clemente. — Contanto que fique bem claro que não vou tomar parte num "duelo", coisa medieval, obscurantista e estrangeira! É por aí, Quaderna, que a gente vai desmascarando, aos poucos, as mistificações desse patrioteiro! Você, Samuel, que se diz "patriota e nacionalista", não se envergonha de adotar essas estrangeirices! Eu, não! Aceito a luta: mas aceito somente porque os Negros e os Tapuias tinham também suas competições para resolver casos de honra! Vamos ao combate! Mas tomo você como testemunha, Quaderna: o que vamos travar é uma competição negro-tapuia, uma competição brasileira, e não um duelo medieval e estrangeiro!

— Ah, não! — contrapôs Samuel. — Eu sou um Fidalgo, um descendente de Cruzados, um rico-homem, um morgado de sangue godo-flamengo e latino-ibérico! Não tomo parte em competições tapuias de qualidade nenhuma, porque isso é coisa de gaforinhas, de cafres, de sertanejos como vocês dois, mas não de um Fidalgo como eu! Ou você concorda em que nossa luta é um duelo, ou eu não entro nela de jeito nenhum!

— Ou competição negro-tapuia ou nada! — insistiu Clemente.

Eu, que estava ansioso para assistir ao duelo, que distrairia minha angústia até a hora de me apresentar na Cadeia, intervim, conciliador:

— Samuel! Clemente! Pode se fazer um acordo! A gente adota aquele nome que vem na *História da Civilização* de Oliveira Lima, *ordálio*!

— O ordálio também é instituição medieval! — objetou Clemente.

— Mas a gente acrescentaria a ele a expressão *negro-tapuia*, fazendo uma contração da preposição *ordálio-medieval*, parte fidalga de Samuel, com o artigo *competição negro-tapuia*, parte sertaneja e popular de Clemente! Assim, a luta se travaria batizada de *ordálio negro-tapuia*! Que acham?

— A Esquerda concorda! — disse Clemente.

— A Direita concorda se você substituir a palavra *negro-tapuia* por *brasileiro*: *ordálio-brasileiro*! — sugeriu Samuel.

— Topo! — concordou Clemente.

Dei um suspiro de alívio e Samuel falou:

— Vamos então combinar as condições da luta. Quaderna, seja meu padrinho no ordálio!

— Está bem! — respondi.

— Oi, está bem? — reclamou o Professor Clemente. — Por que padrinho de Samuel e não meu?

— Samuel pediu primeiro, Clemente! Além disso, da última vez, eu fui padrinho seu, de modo que hoje é a vez de Samuel!

— Ah traidor do Povo brasileiro, sua verdadeira natureza de vez em quando aparece! — comentou Clemente, amargo. — Assim é que, aos poucos, eu desmascaro e desmistifico suas posições que, no fundo, são reacionárias! Pois vá, traia o Povo, já que assumiu compromisso com o fidalgo! Mas pelo menos me preste um serviço: vá me buscar seu irmão Malaquias para me servir de padrinho! Diga que ele venha, porque vou, agora mesmo, desafiar um fidalgo atrevido, arriscando minha vida em defesa do Povo e da Revolução Brasileira!

Voltando-se para Samuel, perguntou:

— O ordálio brasileiro vai ser a pé ou montado, Samuel?

— Montado! Não sou peão nem plebeu para lutar a pé!

— Então, Quaderna, avise logo a Malaquias que ele venha a cavalo!

— Está vendo, Quaderna? — advertiu-me Samuel. — Esse piolho vermelho já está querendo nos desmoralizar! Manda dizer ao padrinho dele que venha a cavalo para contrastar com o meu, que ele julga que virá a pé, para o ordálio! Não caia nessa de jeito nenhum, Quaderna! Vá logo daqui montado a cavalo, que é para aquele plebeu, aquele bastardo do Malaquias, saber logo com quem está tratando: com o padrinho de um Fidalgo que vai, agora mesmo, arriscar sua vida pela Pátria, defendendo o destino ibérico, católico, imperial e cavaleiresco do Brasil!

Folheto XL
Cantar dos Nossos Cavalos

Deixei os dois combinando as outras condições do ordálio, e fui para a estrebaria que mantínhamos no quintal da minha casa. Ia encilhar os nossos animais. De fato, cada um de nós, não querendo ceder coisa alguma aos outros nessas questões de honras e cavalarias, tinha seu famoso Cavalo, legendário e característico do dono, como sucedia com todos os Cavaleiros e Cangaceiros célebres.

Chegando à estrebaria, encilhei e selei primeiro a égua de Clemente. Era um animal castanho-avermelhado, de crinas pretas. Essa cor fora uma exigência do Filósofo que pretendia, até nisso, manter-se fiel à Esquerda e à Revolução. Também por fidelidade esquerdista é que colocara na égua o nome de "Coluna", em homenagem à "Coluna Prestes" que cruzara o Sertão da Paraíba em 1926, realizando uma típica "retirada ilustre" e tentando sublevar as massas camponesas do Brasil para a Revolução.

* * *

Depois de selar "Coluna", passei a arrear o cavalo de Samuel. Era um "corcel negro". Samuel era entusiasta daquele soneto do fidalguíssimo Antero de Quental, soneto que dizia: "*Este negro Corcel cujas passadas escuto em Sonho quando a sombra desce*" etc. Por causa dele, metera-se em sua cabeça que só um corcel negro poderia servir de montada a um Fidalgo da sua estirpe. É verdade que aquele corcel negro particular, seu, era velho, magro e escorropichado. Era também cego de um olho, fato que só descobrimos depois, escondido que nos foi pelo Cigano a quem o nosso Promotor o comprara. Samuel ficara indignado com as artimanhas fraudulentas do vendedor de cavalos. Mas disse logo, a modo de vingança e consolo, que outra coisa não se poderia esperar dos Ciganos, "povo mouro, plebeu, cartaginês e cafre" e não "cruzado, branco e católico". Finalmente, talvez como compensação à guenzice e à cegueira do corcel negro, batizara-o com o nome de "Temerário", em homenagem, como nos explicou, "a Carlos, O Temerário, Duque da Borgonha, último senhor feudal digno desse nome na Europa, e homem que, além disso, tendo sangue português e borguinhão, era de linhagem quase tão nobre quanto a estirpe dos Wan d'Ernes".

* * *

Selado o "Temerário", passei então a encilhar meu cavalo, que se chamava, sertanejamente e simplesmente, "Pedra-Lispe". Eu dissera ao Cigano que queria um cavalo de pelo avermelhado (para satisfazer a Esquerda clementina) e de crinas cor de ouro (para alegrar a Direita samuélica). O desgraçado do cavalariano me apareceu, três dias depois, com aquele cavalo, exatamente da cor que eu encomendara. Comprei-o, portanto, sem discutir o preço; batizei-o de "Pedra-Lispe", mandei selá-lo com uma sela régia, enfeitada, vinda dos Agrestes pernambucanos, e saí muito orgulhoso, montado, pelo meio da rua, a fim de me exibir cavaleirosamente aos olhos dos meus dois mestres, rivais e amigos. Aquilo de ter um famoso cavalo de sela era, agora, questão de honra para mim: primeiro, porque Samuel e Clemente já tinham os deles; depois, porque todos os heróis de José de Alencar, meu mestre e precursor, andavam a cavalo, principalmente aqueles que, como Arnaldo Louredo — Príncipe guerreiro daquela epopeia que é *O Sertanejo* —, eram ao mesmo tempo Fidalgos, vaqueiros e cavaleiros do Sertão.

De todos, porém, os principais causadores da minha compra tinham sido Clemente e Samuel. Um dia, numa das nossas costumeiras discussões, Samuel nos explicara que, na Idade Média, somente os Fidalgos é que tinham o privilégio de andar com espadas e lutar montados a cavalo. Clemente fingiu um grande desdém esquerdista pela informação. Assim que Samuel deu as costas, porém, ele me disse que "com aquela gente da Direita, o melhor era derrotá-la em seu próprio campo, com as suas próprias armas". Ele não iria permitir que "aquele fidalgote de merda dos Engenhos desmoralizasse o Sertão, nem mesmo com aquelas porcarias de cavalos, lanças, espadas e outras bostas semelhantes". Pediu-me então, em segredo, que o encaminhasse aos Ciganos, meus velhos amigos desde o tempo em que eu fora cobrador de impostos. Eu o levei ao Cigano Praxedes no primeiro sábado de feira que houve depois dessa entrevista: e foi assim que a nossa Esquerda sertaneja se montou e se afidalgou, recebendo Clemente seu grau de Cavaleiro sertanejo, com as esporas e outros apetrechos do ritual.

Naquele dia, Clemente saiu logo pelo meio da rua, montado, terrivelmente orgulhoso e elegante na sua roupa branca, sobre a qual, por boniteza, colocara a toga. Samuel, que estava no Cartório de Seu Belarmino Gusmão, dando parecer nuns processos, empalideceu de ira e despeito ao avistá-lo. Foi me procurar imediatamente e, fazendo das tripas coração — porque tem a mão aberta que só a mão de uma figa —, pediu-me que o encaminhasse também aos Ciganos, a quem comprou o "Temerário".

Foi aí que eu, para não ficar atrás, comprei o "Pedra-Lispe" e fui logo *riscá-lo* à porta dos dois, para exibir minhas habilidades de Cavaleiro. Ambos começaram logo a botar defeito em meu cavalo e terminaram por perguntar se havia algum sentido especial naquele *apelido* de "Pedra-Lispe" com o qual eu "tinha desgraçado o nobre animal".

— Há, sim, uma significação toda especial! — expliquei. — Vocês sabem da admiração que eu tenho por Jesuíno Brilhante, aquele Cangaceiro e herói sertanejo. O cavalo dele chamava-se "Zelação". Você sabe o que é *zelação*, Samuel?

— Não!

— Zelação é uma dessas estrelas que correm de noite, no céu. Por isso é que eu queria que o nome do meu Cavalo fosse também o de um bicho corredor do céu, fogoso e arrelampado!

— E pedra-lispe é bicho corredor do céu? — perguntou Samuel, espantado.

— É, sim! Pedra-lispe é a pedra do raio, a pedra do corisco!

— Que tolice é essa, Quaderna! Pedra-lispe é nitrato de prata! Cujo nome correto, aliás, é pedra-lipes!

— Pode ser lá, na Zona da Mata, para as suas negras! Aqui no Sertão, todo mundo sabe que, quando cai um raio, vem uma pedra na ponta dele, uma pedra que se chama pedra-lispe ou pedra-de-corisco e que se enterra sete palmos de chão adentro! Agora, se nessa pedra tem nitrato de prata ou não, isso é lá com ela e eu não tenho nada com isso! Por outro lado, é até bom que exista prata na pedra-lispe, porque, desde a *Cantiga de La Condessa* que se sabe que a lua, o sangue-de-aragão dos Cavaleiros e a prata são coisas altamente poéticas! Assim, botando em meu Cavalo o nome de "Pedra-Lispe" eu homenageio, ao mesmo tempo, meu Cavalo, que fica com o nome de um relampo, de um corisco, de um desses raios prateados que caem do céu, estralando e enchendo o mundo de listras de fogo vermelho e azul; homenageio Jesuíno Brilhante, que também tinha Cavalo com nome de bicho corredor, do céu; e ainda homenageio o Cangaceiro e cavaleiro sertanejo Corisco, *cabra* de Dom Virgolino Ferreira, o Lampião!

— Meu Jesus! — disse Samuel, com profundo desgosto. — Como é que um Fidalgo e poeta do sonho, como eu, vem se extraviar numa terra bárbara dessas, meu Deus? É pedra-lispe, é cangaceiro, é zelação, é corisco... Ave Maria! A Esquerda aceita essas mourarias de Quaderna, Clemente?

— Não! — disse Clemente, enfarruscado. — Não por serem mourarias, como você reacionariamente insinua! Mas por não terem conteúdo ideológico e político coerente! Eu já lhe demonstrei não sei quantas vezes, Quaderna, que, como expressão das reivindicações populares, os Cangaceiros são *o fim*! Eu não gosto de fazer o jogo dos nossos inimigos, falando mal da nossa Pátria, mas já que estamos em família, devo confessar que numas certas coisas o Brasil é sem sorte! Essa dos Cangaceiros e dos Cantadores é uma! Vejam o México, por exemplo: lá, nós, da América Latina, tivemos um Emiliano Zapata que, com todos os seus defeitos, era um Cangaceiro político, mais reivindicador e consciente! Aqui, são esses Coriscos, esses Lampiões, esses Jesuínos Brilhantes... Isso quando não saem das classes dominantes, como acontecia com Sinhô Pereira, que era da família Pereira, a família do Barão do Pajeú! O próprio Lampião, que por sua raça mestiça e por seu nascimento pobre, podia ser um homem mais do lado do Povo, era *cabra* e corta-jaca de Sinhô Pereira! Já pensou? Um Cangaceiro, Barão! Como é que um barão e os corta-jacas dele podem ser revolucionários e a favor do Povo? É por isso que eu não me admiro, absolutamente, de que, em 1926, Lampião tenha ficado contra a "Coluna Prestes"! Quanto aos outros, admirados tão fervorosamente por Quaderna, Jesuíno Brilhante era da família Alencar, uma das mais poderosas famílias feudais do Sertão, e Antônio Silvino é dos Moraes, família importante de Pernambuco!

— E você acha isso feio, Clemente? — perguntei sem me conter. — Pelo que eu entendo, para Samuel isso é a prova de que a Fidalguia sertaneja, a "bárbara Aristocracia do couro", é bastarda e corrompida. Para você, é a prova de que o Povo sertanejo não é fiel à Revolução. Pois eu acho isso tudo uma beleza! Acho uma beleza que Sinhô Pereira fosse um Barão sertanejo! Vá ver que ele era muito mais Barão e fidalgo do que o parente dele, Dom Andrelino Pereira, Barão do

Pajeú, que provavelmente nunca montou a cavalo, nunca disparou um tiro, e era homem pacato não guerreiro, valente e glorioso como Sinhô Pereira! Você sabe como é o nome de Sinhô Pereira, Samuel?

— Não sei, nem quero saber!

— Mas eu digo, quer você queira quer não! Sinhô se chama Sebastião Pereira, isto é, o nome de Dom Sebastião e o sobrenome de Nuno Álvares Pereira! É por isso que eu só o chamo de Dom Sebastião Pereira, O Cangaceiro!

— Era o que faltava! — riu Samuel.

— Era o que faltava por quê? Quando é em Portugal, na Espanha, em Flandres ou na Borgonha, você acha tudo isso bonito! Acha bonito, por exemplo, que chamem El-Rei Dom Sebastião de Dom Sebastião, O Desejado! Aqui, se eu chamo Sinhô Pereira de Dom Sebastião, O Cangaceiro, você vem logo levar o Sertão na galhofa! Mas eu não faço nem seu jogo nem o de Clemente, Samuel! Pra mim, como já disse, é uma coisa muito bonita e gloriosa que Sinhô Pereira seja um Fidalgo sertanejo, da família do Barão do Pajeú, e que Lampião seja um Feitosa, do Ceará!

— Sim, mas um Feitosa bastardo e mestiço! — insistiu Samuel.

— E o que é que tem isso? — respondi. — Quanto à bastardia, você mesmo disse a mim, uma vez, que Nuno Álvares Pereira, O Condestável, era filho bastardo e neto de bispo. Quanto ao fato de Lampião ser moreno-carregado, aí é que fica bonito, mesmo, para a Fidalguia sertaneja! Você, Samuel, tem razão quando diz que existe algo de artificial nessa mania de Clemente, querendo encontrar o Brasil somente nos mitos negros e índios. Mas você só quer aceitar, como verdadeiramente Brasileiros, os Fidalgos ibéricos, e quer, ainda por cima, que eles esmaguem o Povo. Clemente só quer aceitar como Brasileiros os descendentes de Negros e Tapuias, e quer expurgar os outros. Meu sonho, é fundir os Fidalgos guerreiros e cangaceiros, como Sinhô Pereira, com os Fidalgos negros e vermelhos do Povo, fazendo uma Nação de guerreiros e Cavaleiros castanhos, e colocando esse povo da Onça-Castanha no poder! É por isso que eu admiro tanto aquele Cavaleiro sertanejo que foi Dom Jesuíno, O Brilhante: além de todas as qualidades de coragem e valentia, ele ainda era primo de José de Alencar, era um Alencar moreno e castanho, isto é, um típico Fidalgo, guerreiro e cavaleiro do Sertão do Brasil!

— É, Quaderna! — disse Clemente com frieza. — Nós já conhecemos a sua admiração embasbacada por José de Alencar, pelos Cantadores que infestam nossas feiras, e por essas famílias sertanejas que vivem se matando entre si, envolvendo o Povo em suas vinditas e atrapalhando, com isso, a Revolução! Mas a Esquerda não aceita nada disso! Não aceita os Cangaceiros, porque a luta deles não tem conteúdo ideológico e porque eles se põem a serviço dos poderosos, como sucede com Lampião, que foi lambe-cu de Sinhô Pereira! Não aceita os Cantadores, porque deviam colocar a Arte deles a serviço do Povo, desmistificando e denunciando a sociedade feudal do Sertão e a miséria que o Povo sofre! No entanto, em vez disso, os Cantadores fazem o jogo dos senhores feudais sertanejos, poetizando a vida do Sertão e enchendo nossas estradas e Caatingas de reis, Condes e princesas, assim como com milagres, assombrações, coisas mágicas, religiosas e obscurantistas da mais diversa natureza! Olhe, Quaderna, vou comentar só um, como exemplo! Outro dia, eu li um desses horríveis "folhetos" que você e seus irmãos imprimem na tipografia da *Gazeta* e vendem nas feiras. Para lhe ser franco, foi uma das coisas mais alienadas que já vi. Começava o Cantador dizendo que "no Reino do Pajeú", em Pernambuco, morava "um honesto Fazendeiro". Chamar o fazendeiro de honesto já era ruim! Mas, além disso, o "honesto fazendeiro" era, ainda, "pai de uma Princesa, que era alva como os lírios e honesta como a pureza"! *Alva* é dado como elogio! E, como se não bastasse, o desgraçado do Cantador aceita os padrões morais da classe dominante, e elogia a filha do opressor! Mas a coisa vai além! Sendo o tal "honesto fazendeiro" o "Rei do lugar" (imagine!), morava ali por perto "um Negro cangaceiro", cujo costume era "deflorar as donzelas". Um dia, vendo a tal "Princesa", filha do "Rei fazendeiro", o Negro resolve "desfolhar a folha dela". Pois bem: com esse enredo armado, o peste do Cantador toma o partido do fazendeiro e da moça, e volta toda sua antipatia contra o Cangaceiro negro, ao lado do qual ele deveria estar, por solidariedade racial e por coerência na luta de classes! Agora pergunto: o que é que a Esquerda pode fazer com Cantadores como esse e com Cangaceiros aliados aos poderosos, Quaderna?

— Não sei, Professor Clemente! — retruquei, inabalável. — O que sua Esquerda pode fazer não sei, mas para mim eles são terrivelmente importantes! Para mim, o cantador Dom Leandro Gomes de Barros é tão importante para o Reino do Sertão quanto, segundo Samuel, o trovador e Rei Dom Dinis foi importante para o Reino de Portugal — ambos os Reinos pertencentes ao Império do Brasil! Quanto aos Cangaceiros, o que eu sei é que eles lutavam muitas vezes montados a cavalo, como no dia em que atacaram Mossoró: portanto, são Cavaleiros e fidalgos do Sertão! Aliás, Samuel, você não pode contestar isso não, porque Gustavo Barroso é Fidalgo e pertence à Direita, e foi no livro dele, emprestado a mim por você, que eu li isso! Quanto a você, Clemente, também não pode reclamar: nos manifestos de Dom Luís Carlos Prestes, Chefe dos comunistas brasileiros, fala-se dos Fazendeiros sertanejos como de "senhores feudais". Isso quer dizer que o chefe da Esquerda brasileira reconhece que o Pajeú, o Seridó e o Cariri são Reinos e reconhece a existência da Fidalguia sertaneja: é contra, mas reconhece! Ora, você sabe que, apesar de ser contrário às ideias dele, tenho grande admiração por Dom Luís Carlos Prestes, o Retirante...

— Retirante? Retirante por quê?

— Porque foi ele o Chefe e condutor guerreiro da "retirada ilustre" mais importante da História, a "Coluna Prestes", feito militar que eu considero igual e mesmo superior aos de Alexandre, o Macedônio, Aníbal, o Cartaginês, e Gengiscão, o Mongol!

— Bem, nisso aí eu estou de acordo com você! — disse o Filósofo todo ganjento. — Mas, daí a reconhecer que Jesuíno Brilhante é um Cavaleiro do povo sertanejo, vai uma distância muito grande!

— Clemente, Rodolpho Teophilo foi integrante do movimento da "Padaria Espiritual". Era, portanto, escritor sertanejo, consagrado, cearense e da Esquerda. Ora, ele dedicou todo um "romance" à vida de Jesuíno Brilhante! No "romance" dele, existe referência à Casa de Pedra, o Castelo de Jesuíno Brilhante. Ele transcreve uma carta que Jesuíno Brilhante dirigiu às autoridades do Império do Brasil, em 5 de Dezembro de 1879. Na carta há as seguintes expressões: "Não quero implorar vossa clemência, pois sou Rei deste Deserto e Senhor absoluto destas paragens." Jesuíno Brilhante chama seu Castelo de pedra de "minha Fortaleza" e assim por diante! De tudo isso, eu deduzo que a Esquerda brasileira reconheceu a importância de Herói brasileiro de Jesuíno, o qual, vestido de armadura de couro, com bacamarte cravejado de prata, com esporas de ouro, e sobretudo montado a cavalo como Dom Luís Carlos Prestes, errou pelos campos do Sertão ao lado do Povo! É por isso, então, que vocês dois podem falar à vontade: o nome que escolhi para meu cavalo foi "Pedra-Lispe" e "Pedra-Lispe" há de ficar!

* * *

Mantive, assim, heroicamente, minha posição política, literária e cavalariana ante aqueles dois grandes homens. O que não pude manter, porém, nobres Senhores e belas Damas de peitos macios, foi a cor do cavalo: o desgraçado do Cigano não tinha encontrado um animal conforme o figurino por mim encomendado; pegara então o primeiro cavalo pampo que encontrara, oxigenara-lhe as crinas e dera-lhe no pelo uma caiação vermelha, usando para isso tinturas desconhecidas, cuja receita certamente vinha passando de pai para filho há várias gerações de Ciganos. O pior é que a cor nem saía de vez nem se fixava definitivamente. Humilhei-me então, pedindo ao Cigano que, de quinze em quinze dias, me vendesse, nas feiras, um frasco da tintura vermelha e outro da amarela, para que eu pudesse manter meu cavalo pintado. Ele passou a me explorar mais essa fraqueza, espichando-me o couro no preço dos frascos. De modo que meu "Pedra-Lispe" ainda hoje vive assim: ora alazão, ora pampo, mas sempre meio sujo, raposo e afoscado pelo diabo das tinturas do Cigano.

Esse incidente serviu de galhofa a Clemente e Samuel durante mais de uma semana. Depois, porém, graças a outro incidente acontecido entre os animais de sela dos dois, tiveram que enfiar a viola no saco. Limitavam-se, depois daí, a atribuir um sentido secreto e profundo ao pelo e às crinas de "Pedra-Lispe", dizendo que "o furta-cor do pelo do cavalo correspondia ao furta-cor político do burro do dono".

* * *

Naquela Quarta-feira de Trevas pela manhã, portanto, deixei "Coluna" e "Temerário" amarrados e selados na estrebaria, à disposição dos donos, montei em "Pedra-Lispe" e, saindo pelo portão de trás, encaminhei-me para a Rua de São José, onde morava meu irmão Malaquias.

Ao chegar diante da casa dele, esbarrei o cavalo, fazendo-o *riscar*, e gritei para dentro:

— Malaquias! Malaquias Pavão Quaderna! Venha! Apareça, se for homem!

Era uma brincadeira habitual entre nós, a imitação dos modos e da voz do nosso amigo Dom Eusébio Monturo. Por isso, Malaquias respondeu de dentro, no mesmo tom, e terminando suas palavras com a frase com que Eusébio costumava rematar seus rompantes:

— O quê? Que atrevimento é esse? Um homem riscando o cavalo na porta da minha casa, é? Não posso ficar desmoralizado! Onélia, traz o meu rifle!

Ouvi o manejo do rifle botando bala na agulha e imediatamente Malaquias, de papo-amarelo em punho, fazia aparecer a cara na porta:

— Ah, Dinis, é você? — disse ele, ainda imitando Dom Eusébio mas abaixando o rifle. — Isso é jeito de se chegar defronte da casa do Paladino do Povo, homem? Você escapou de morrer! Imagine se eu, em vez de verificar, tenho atirado lá de dentro!

E Malaquias disparou uma saraivada de perguntas que, mesmo no tom de brincadeira, demonstrava como estava incendiado o ambiente da nossa Vila depois do inquérito e do Corregedor:

— O que é que há, Dom Pedro Dinis Quaderna? Você veio mandado pelo nosso chefe, o Rapaz-do-Cavalo-Branco? É a Guerra do Reino? É a Revolução? O Povo já está nas ruas? Já estão fazendo as barricadas? As guerrilhas vão começar?

— Não! Calma, Dom Eusébio Monturo! — continuei, compactuando com a brincadeira.

— Você foi intimado pelo Corregedor para o inquérito?

— Fui!

— Quer que eu mate logo aquele barril de merda? Se quiser, é só dizer! O Paladino do Povo está sempre disposto a servir às grandes causas! Pego aquele bosta, dou-lhe um tiro na boca e uma facada no cu!

— Não, calma, Dom Eusébio! Não mate o homem não, que minha situação pode se complicar! Não vim para isso, não!

— E pra que foi que veio?

— É que Samuel e Clemente pegaram-se de novo numa briga e vão travar um "ordálio-brasileiro"! Fui escolhido como padrinho de Samuel e você de Clemente!

— Onde vai ser a briga?

— Ainda não está resolvido isso não, mas vou sugerir a estrada do Teixeira, no descampado que fica perto do Cemitério Novo!

— Bom lugar, escolheu bem, porque se um dos dois morrer na briga, fica logo no Cemitério e dá menos trabalho pra ser enterrado! O duelo é agora? Pra já?

— Para agora mesmo!

— Pois então, vamos! — falou Malaquias, dispondo-se a me acompanhar a pé, assim como estava.

— Não, vá selar o "Ás de Ouro", porque o duelo vai ser montado, coisa de fidalgos!

Malaquias entrou, sem demonstrar espanto, pois tanto eu como ele já estávamos acostumados a servir de padrinhos nas brigas daqueles dois homens guerreiros e belicosos. E daí a pouco, por um portão lateral e traseiro da casa, surdia meu irmão, montado no famoso "Ás de Ouro", cavalo que substituíra o legendário e seu quase homônimo "Rei de Ouro", perdido por Malaquias Quaderna na célebre aventura guerreira e cavalariana da "Guerra do Verde", acontecida em 1932.

Folheto XLI
As Armas e os Barões Assinalados

Quando chegamos de novo diante da minha casa, o Doutor Samuel já estava montado no "Temerário", debaixo do enorme pé de Tambor que sombreia nossa calçada. Sua famosa "lança de alabarda" estava amarrada, por um fio de couro, ao arção da sela, e ele empunhava, também, sua "velha espada de copo em cruz", ambos esses objetos sendo "relíquias de família", herdados que tinham sido do sétimo avô do Poeta, "o fidalgo flamengo Sigmundt Wan d'Ernes, companheiro e confidente de Gaspar Wan der Ley, de Carlos de Tourlon e do próprio Conde João Maurício, Príncipe de Nassau-Siegen", todos eles figuras importantes da nossa "Guerra Holandesa", a Ilíada Fidalgo-Brasileira do século XVII, como dizia o Promotor.

Eu e Malaquias já estávamos para estranhar que o Professor Clemente não estivesse ainda a postos para a refrega quando ele apareceu, montado em "Coluna" e surgido da parte de trás das nossas casas, que têm quintais e muros conjugados.

Clemente usava sempre, nos duelos, "um Ferrão sertanejo, à guisa de lança". Era uma aguilhada plebeia, popular e forte, muito mais eficaz do que a lança do Fidalgo. Em vez de espada, nosso Filósofo usava um rústico facão rabo-de-galo, feito de encomenda para ele, no Pajeú.

Eu tinha, aliás, duas armas semelhantes, que usava para tanger gado e cortar cactos. Nunca me ocorrera, porém, aquela ideia maravilhosa de declarar que as usava "à guisa de lança e espada", o que as enobrecia demais! Mas quando Clemente teve mais esse estalo genial, imitei-o imediatamente, e, na mesma hora (tanta é a força das ideias régias, poéticas e oncísticas), aquela simples aguilhada e aquele facão pesado e prosaico viraram "a lança e a espada de El-Rei Dom Pedro Dinis Quaderna, O Cantador, descendente, em linha direta, de Dom João I, O Precursor, e de Dom João II, O Execrável, Reis da Pedra Bonita do Sertão do Pajeú, no século XIX". Cheguei mesmo a ir além de meu mestre, Clemente: porque, lendo na *História de Carlos Magno e os Doze Pares de França*, que era costume os grandes

Cavaleiros antigos colocarem nomes de batismo em suas armas, meu facão foi batizado como "a legendária espada *Pajeú*" e meu ferrão como "a famosa lança *Cariri*", ambos muito superiores à "Durindana", do Conde Roldão.

Ora, naquele dia, notamos logo que Clemente não trazia nem a aguilhada nem o facão. Lembro-me de que estranhamos imediatamente, também, que o toque surdo dos cascos de "Coluna" viesse acompanhado por um tengo-telengo--tengo que nos pareceu *esquisito*, a mim e a Malaquias, e *suspeitíssimo*, a Samuel.

— Que baticum é esse aí, Bacharel Clemente? — indagou o Poeta. — Onde estão sua espada e sua lança plebeias, para o duelo?

— Para o duelo, não, para o ordálio-brasileiro! — respondeu Clemente, que estava atento. — E quem disse a você que eu vou lutar a espada?

— Eu vou levando minha lança e meu montante! — falou Samuel.

— Pois você se precipitou! O desafiado fui eu e quem escolhe as armas sou eu!

— É verdade, isso, Samuel? — perguntei.

— É! — confirmou meu afilhado. — Como desafiado, Clemente tem o direito de escolher, mas acho que ficou logo subentendido quais seriam as armas. Sou um Fidalgo, e a luta deve ser a lança e espada. Por isso, eu trouxe logo as armas que herdei do primeiro dos Wan d'Ernes brasileiros! Eu, último representante dessa nobilíssima linhagem principesca, derradeiro varão da minha Casa, não a desonrarei, mesmo que para isso tenha que derramar sangue infiel, nessa pugna de hoje!

— Acredito! — falou Clemente. — Mas não será a lança e espada que você honrará o nome ilustre dos Wan d'Ernes hoje, não! Fui o desafiado, tenho o direito de escolher e as armas que escolhi foram estas aqui!

Clemente deu uma volta em "Coluna" e assim nos exibiu, amarrados pelas asas no arção, dois objetos que não reconhecemos imediatamente pelo fato de os estarmos vendo pela primeira vez, assim deslocados de seu verdadeiro lugar e de sua função habitual. Mas nossa perplexidade durou pouco, e logo eu e Malaquias começamos a rir ao mesmo tempo.

— São dois penicos! — disse Malaquias com uma expressão que exasperou logo o Fidalgo. — Era esse o telengo-tengo, Professor Clemente?

— O telengo-tengo era esse! — confirmou o Filósofo.

Samuel empalideceu e gaguejou, exasperado:

— Que brincadeira de mau gosto é essa, Clemente? Você está gracejando com uma coisa séria como nossa refrega?

— Gracejando o quê? Por acaso eu iria faltar com o respeito a um acontecimento no qual vou arriscar minha vida? Samuel, para mim, a Revolução é uma coisa sagrada!

— E como é que vem com uma palhaçada dessas? Como é que escolhe dois objetos tão ridículos como armas para nossa pugna?

— Escolhi, em primeiro lugar, porque a Esquerda, com seus pontos de vista sérios e científicos, não vê nada de ridículo em objetos úteis. Em segundo lugar, para desmoralizar a Fidalguia. Em terceiro lugar, para mostrar como minha luta é realmente uma luta do Povo, uma luta popular. E finalmente, para desmascarar de uma vez para sempre sua figura empafiada de falso Fidalgo dos engenhos de Pernambuco! Você vai morrer por minha mão, hoje, Samuel! E, o que é pior, vai morrer levando penicadas! Duas tragédias de uma só vez: primeiro, porque você vai morrer e a morte é sempre uma coisa desagradável; depois, porque vai morrer de morte engraçada, de modo que nunca mais deixarão de rir à sua custa. "Como morreu o Doutor Samuel Wan d'Ernes, descendente do homem de confiança do Príncipe João Maurício de Nassau?" — perguntarão uns. E os outros responderão: "Morreu duma penicada que levou na cabeça, dada por um Filósofo negro-tapuia e comunista!"

Samuel estava mortificadíssimo:

— Eu não me submeto a essa ridicularia de jeito nenhum! — disse. — E vou logo ficando de costas, ouviu? Não quero nem ao menos *ver* esses dois objetos vulgares, que você quer equiparar à minha velha alabarda e à nobre Espada que eu herdei de meus antepassados!

E Samuel pôs-se, realmente, de costas para o Filósofo. Mas este, como todo revolucionário, era implacável na defesa de uma ideia que considerava justa, de modo que se manteve impiedoso:

— Bem! — falou ele, firme. — Se você não se submete às condições da luta, peça que seu padrinho, Pedro Dinis Ferreira-Quaderna, na qualidade de Vice-Presidente de Honra no exercício da presidência da Academia de Letras dos Emparedados do Sertão da Paraíba, consigne em ata que você, depois de insultar o nome sagrado de Luís Carlos Prestes, recusou retratar-se, me desafiou para um ordálio-brasileiro e depois correu do campo da honra, motivo pelo qual fica "O Cavaleiro da Esperança", Prestes, sagrado e consagrado como o grande mártir e chefe do Povo Brasileiro!

— Ah, isso não! Isso nunca! — bradou Samuel, sempre de costas. — Um Fidalgo como eu não abandona o campo da honra! Apenas, Quaderna, diante das armas ridículas escolhidas por esse cafre, recuso o combate!

— Se recusa, corre, e quem corre, perde! — tornou Clemente. — O direito de escolher as armas é meu e eu já escolhi! Se você não aceita, corre! E fique logo bem claro, isso: sua fuga não tem nada de honrosa! No fundo, você está correndo é com medo, porque, de fato, existe perigo de vida em nossa luta. Um penico, bem-manejado por um braço popular e forte como o meu, é uma arma terrivelmente perigosa! Principalmente um penico como este, um *cuba* pesado, grande e de metal forte! É por isso que você está com medo, Samuel! Aí, vem com essa história de "armas plebeias" e "armas fidalgas"! O que você quer, é uma desculpa para correr com medo!

— Eu estou com medo é do ridículo! — gemeu o Fidalgo, desesperado.

— Oi, e você não vive dizendo que "os grão-senhores", como você, "estão acima do ridículo"? Está ouvindo, Malaquias? Está ouvindo, Quaderna? Samuel acaba de confessar, sem querer, que o Povo negro-tapuia é mais fidalgo do que a Aristocracia de merda dos brancosos! Que insegurança! O risco que nós dois corremos é o mesmo: se eu morresse, todo mundo poderia rir de mim, também! Mas eu não tenho medo, por dois motivos: primeiro, porque vou é matar, e não morrer; depois, porque, para mim, a forma de morrer pelo Povo não importa nem me atinge! Seguro na grandeza e na beleza da minha causa, estou acima do ridículo e topo qualquer parada!

Samuel voltou-se, encarou o Filósofo de frente, e falou com ar de quem se atirava no abismo:

— Pois então, seja! Se você escolhe essas armas, a luta será com elas! Nunca ninguém dirá que um plebeu, um gaforinha, um Anvérsio qualquer, se mostrou mais Fidalgo do que um Wan d'Ernes! Agora, uma coisa eu lhe digo, ouviu Clemente? Guarde sua vida! Guarde, porque agora eu vou ser implacável! As outras condições ainda são as mesmas que combinamos?

— As mesmas, exatamente! — confirmou Clemente. — Caso você morra, enterro fidalgo, à minha custa, com desfile das suas organizações reacionárias, a "Ordem dos Cavaleiros da Esfera Armilar" e "As Virtuosas Damas do Cálice Sagrado de Taperoá", com disparos de armas de fogo, sendo o féretro levado por carroça coberta de veludo verde e o caixão enfeitado de ouro e negro! Caso o morto seja eu, enterro pobre, despojado e esquerdista, como convém a um revolucionário e comunista-brasileiro da minha qualidade! Nada de padres junto a meu cadáver! Dos padres e da "Irmandade das Almas", quero somente o chamado "caixão da caridade", o caixão comum em que se levam para a última morada os mais miseráveis camponeses do Sertão! Chegando ao cemitério, joguem-me dentro da cova, como fazem com eles: diretamente no chão, em contato com a terra negro-tapuia e despojada do Brasil! — concluiu ele com voz emocionada.

Notei que tanto ele como Samuel estavam comovidos e impressionados, cada um vendo já o próprio funeral para dentro de breves horas. Eu, porém, ainda precisava de certas informações sobre o duelo, de modo que perguntei:

— E se não morrer nenhum dos dois? Como é que vai se saber quem ganhou?

— Será considerado vencedor aquele que alijar o outro do cavalo, com as penicadas! — esclareceu Clemente. — Nesse caso, o vencedor terá direito de desfilar pela rua em triunfo, na hora por ele marcada, sendo o vencido obrigado a fazer parte do triunfo do outro nas condições que o vencedor determinar! Não foi isso o combinado?

— Foi! — concordou Samuel.

— E onde vai ser o ordálio? Eu pensei na estrada, perto do cemitério! — sugeri.

— Está bem, é um bom lugar! — disse Samuel.

— Então, está tudo combinado! — disse eu, exultante, e já inteiramente esquecido do inquérito. — Mas, se vocês não se incomodam, eu pediria que me esperassem aqui dois minutos! Preciso me preparar também, para que o nosso ordálio-brasileiro tenha todos os requisitos de um bom duelo medieval-sertanejo!

* * *

Eram, já, dez horas da manhã. Eu tinha tomado uma lapada do "vinho sagrado da Pedra do Reino", de modo que estava com os olhos menos ruins do que comumente. Com o depoimento e a ameaça de prisão à tarde, meu sangue sertanejo pressentia que nossos rituais régios e católico-sertanejos eram indispensáveis para me animar na terrível luta que ia empreender contra o Corregedor e as forças obscuras desencadeadas no Sertão pela desaventura do Rapaz-do-Cavalo-Branco.

Assim, quando cheguei lá dentro, abri um dos meus baús de couro tauxiado, vesti minha calça parda, minha camisa *gandola* de cor cáqui e bordada nas mangas com o *ferro* dos Quadernas, calcei minhas alpercatas de rabicho, botei meu chapéu de couro estrelado e sinado na cabeça, e, na qualidade de chefe e Imperador de todas as cavalhadas taperoaenses, peguei ainda quatro capas, quatro peitorais-de-cavalo e quatro mantas-de-anca, sendo dois do Cordão Azul e dois do Cordão Encarnado. Embrulhei essas coisas num lençol grande, pois não queria, logo de saída, abespinhar aquelas duas feras, Clemente e Samuel. E só aí, com o embrulho numa mão e meu rifle na outra, saí de novo para a rua, voltando à sombra do pé de Tambor.

Quando apareci, Samuel comentou logo, com desprezo:

— A "Diana Indecisa" foi se fantasiar de sertanejo! Dá logo vontade de não admiti-lo mais à honra de padrinho de um Fidalgo dos engenhos pernambucanos!

— Está vendo, Quaderna? — disse Clemente. — Você já está dando a Samuel motivo para zombar do Sertão! É por causa dessas coisas que terminam levando o Sertão na galhofa! Felizmente, hoje, você é padrinho dele e não meu! O meu, está vestido com sobriedade e discrição excepcionais! Vamos embora, Malaquias!

E, com o fito de marcar bem as diferenças entre seu patriotismo sertanejo, rígido e sério, de esquerdista, e o meu, Clemente esporeou "Coluna", e, seguido por Malaquias, rompeu caminho, na direção combinada.

Eu não me abalei nem saí da minha calma. Peguei meu papo-amarelo e amarrei-o no arção da sela. A exemplo do ferrão e do facão rabo-de-galo, meu rifle tem também seu nome legendário, "Seridó". Amarrei, pois, o "Seridó" no lado direito da sela, a "Cariri" no esquerdo, e pendurei minha legendária "Pajeú" no cinturão, protegida por sua célebre bainha de couro, trabalhada a ferro e a fogo e comprada por mim na Espinhara. Amarrei também, na garupa, o embrulho que fizera com o lençol, e só então montei.

Samuel espicaçou o "Temerário", eu esporeei "Pedra-Lispe" e, alcançando os outros que já iam cortando caminho por dentro do "Rói-Couro", encaminhamo-nos, os quatro, em direção à Estrada do Teixeira.

Folheto XLII
O Duelo

Quando deixamos o atalho, subimos o tabuleiro íngreme e pedregoso que leva à estrada real e paramos naquele lugar plano e amplo que serve de pátio ao nosso aprazível "Cemitério da Consolação". É o lugar onde se realizam todas as carreiras de prado e corridas de cavalo de Taperoá. Esbarramos os cavalos e fizemos uma pausa que eu aproveito para explicar uma coisa que me esqueci de dizer e que devia ter esclarecido desde o começo.

É a respeito dos textos de geniais escritores brasileiros que venho citando. Sem esta explicação, pareceria até que eu só aceito o Tapirismo samuelesco, já que venho traindo o realismo feroz exigido pelo Oncismo clementino. Sim, porque não seria possível que Samuel, Clemente e eu tivéssemos memórias tão amolestadas para citar tanta coisa. É claro que os textos a que Samuel e Clemente se referiam e referem em nossas sessões não eram, nem podiam ser, citados com a correção e o encadeamento lógico com que aparecem aqui — salvo certos lapsos e enganos que posso cometer como todo mundo. Eu é que, depois de cada discussão, me dava ao trabalho de procurar os textos nela referidos, copiando cuidadosamente os mais importantes e guardando tudo numa pasta que carrego sempre comigo. Isso tinha dois objetivos: primeiro, o de corrigir aquilo que meus dois mestres chamavam "a formação desordenada de Quaderna". O outro era mais importante ainda. Ocorre que, como já disse, eu tinha lido, no *Almanaque Charadístico* que, para ser clássica, uma obra tinha que ser *completa*. Pensei muito sobre o assunto, e cheguei à conclusão de que a única obra verdadeiramente completa que eu conhecia era a *Antologia Nacional*, de Fausto Barretto e Carlos de Laet: tendo textos de todo mundo, tinha todos os estilos; logo, eu teria que fazer da minha, entre outras coisas, uma outra *Antologia Nacional*. Por outro lado, a obra que Clemente viesse a fazer, mesmo que tivesse citações, só teria as da Esquerda, e a de Samuel, as da Direita. A minha seria a única completa, pois teria textos selecionados para mim pela Esquerda e pela Direita brasileiras.

Explicado isso, volto à estrada. Esbarramos os animais, e eu falei para Clemente e Samuel, um pouco no tom de proclamação que adotava para tais momentos, aliás por influência deles:

— Professor Clemente! Doutor Samuel! Eu sei perfeitamente que vocês são dois grandes homens, formados, titulados e colocados muito acima de mim ou de qualquer outro aqui, pela cultura literária, pela importância política e pela hierarquia social! Mas, apesar de todas as diferenças, sendo um pouco mais moço e tendo sido aluno de ambos, adquiri também certos privilégios de amizade diante de vocês, principalmente tendo cedido casas minhas para vocês morarem sem pagar um tostão. De modo que me acho com o direito de fazer um pedido a vocês. Vejam que, até o dia de hoje, tenho concordado em fazer várias coisas contra minhas convicções, somente por causa da amizade pessoal e da admiração que tenho por vocês, a quem considero meus mestres de Política e Literatura! Vejam, por exemplo: hoje estou aqui, servindo de padrinho a Samuel, homem contrário a minhas ideias! Serviria da mesma maneira a Clemente, o que, aliás, já tenho feito mais de uma vez! Pois bem: chegou o momento de vocês me pagarem na mesma moeda, atendendo a esse pedido meu! Vejam que estou aqui, participando de um acontecimento subversivo, pois é da honra ou da desonra do Chefe comunista brasileiro que vai se tratar! Apesar disso, ameaçado de ser preso hoje à tarde, aqui estou, por fidelidade a vocês! Vocês sabem como eu sou fascinado por todo Espetáculo que tem cavalos, bandeiras, punhais, batalhas, desfiles, cavalhadas, cavalarias e outros heroísmos! Pois o pedido que tenho a fazer a vocês, em nome da nossa amizade, é ligado a essas coisas!

— O que é? — disse Clemente, meio espantado por aquela minha tirada e assumindo um ar meio sobranceiro, meio solene, que foi logo imitado por Samuel.

Continuei:

— Eu trouxe, aqui, essas capas de Cavalhada, esses peitorais para os cavalos e essas mantas-de-anca, tudo do Cordão Azul e do Cordão Encarnado. Eu queria enfeitar os cavalos e vestir nós quatro de Cavaleiros! Assim, o nosso ordálio-brasileiro fica muito mais bonito e muito mais heroico!

Confesso que esperava uma resposta negativa e mesmo áspera deles. Mas não, veio boa! Não sei se porque, no fundo, há muito tempo, tinham inveja das minhas cavalarias, só não as adotando antes por falta de pretexto e por acanhamento, o fato é que acederam logo. Samuel ainda fingiu ditar condições:

— Olhe, Quaderna — disse ele —, como tudo o que é sertanejo, essas suas Cavalhadas têm muita coisa de mouraria e barbaridade! Mas, para lhe fazer um gosto, concordo, desde que minha bandeira seja a Azul, a que tem a Cruz de ouro!

— Era essa, mesmo, que eu tinha separado para você! — disse eu, na maior alegria. — Você vai lutar como Cavaleiro cruzado do Cordão Azul e fidalgo, e Clemente como Cavaleiro mouro do Cordão Encarnado e comunista!

Saltei então do cavalo e, contentíssimo, coloquei as mantas e os peitorais azuis no "Temerário" e no "Pedra-Lispe", os vermelhos em "Coluna" e no "Ás de Ouro". Depois, prendi os mantos azuis no meu pescoço e no de Samuel, e os vermelhos nos de Clemente e Malaquias. Cortei, numa beira-de-cerca, duas varas de marmeleiro de tamanho conveniente, e prendi a elas as duas bandeiras dos cordões, que, assim aprestadas, ficaram, a Azul na minha mão, e a Vermelha na de Malaquias.

Aí, eu e Malaquias fomos marcar, no plano da estrada, os pontos de partida, de perto dos quais os dois Cavaleiros deveriam largar, de testa um para o outro, e trocando os golpes de passagem, no centro, diante da tribuna improvisada para os dois padrinhos, eu e Malaquias, que, assim, acumularíamos as funções de matinadores, escudeiros e juízes. Cortamos mais duas varinhas, fincamos uma delas num dos lados da estrada e fomos fincar a outra do outro lado, a uns cem metros da primeira. Feito isto, voltamos para o lugar onde os dois rivais nos esperavam:

— Pronto, Doutor Samuel, e pronto, Professor Clemente! — falou Malaquias. — Os lugares de partida estão marcados!

Samuel falou:

— Está tudo pronto? Então a luta vai começar! É aqui que um Fidalgo dos engenhos pernambucanos derramará, ou o seu sangue, ou o sangue de seu inimigo, na defesa do Brasil imperial, cruzado, católico e fidalgo-ibérico da Direita! Você está pronto, Clemente? Mantém o que disse?

— Estou pronto e mantenho minhas posições! Nunca você dirá que encontrou a Esquerda brasileira hesitante, num momento como este! Venha! Venha, porque encontrará disposto, na trincheira da luta, pronto para morrer por seus ideais, um homem que tem orgulho do destino negro-tapuia e socialista-vermelho do Brasil!

Antes que eles fizessem um movimento para a saída, interferi:

— Um momento! Cada um dos padrinhos, a cavalo, deve levar seu afilhado para o marco de partida. Depois, eu e Malaquias voltamos aqui, para o centro. Quando nós baixarmos as bandeiras, vocês partem e, quando passarem um pelo outro (o que deverá acontecer mais ou menos aqui no meio), dão um golpe de cada vez. Se não cair ninguém, haverá outra corrida e outro golpe, até que a parada se decida. Combinado?

— Combinado! — disse Malaquias. — Doutor Samuel, aqui está o penico do senhor! Professor Clemente, aqui está o seu! Já examinamos as armas, eu e o Mestre Dinis!

— Têm o mesmo tamanho e o mesmo peso! — fez questão de esclarecer Clemente, com sua rígida lealdade jacobina.

Aqui, para que os nobres Senhores e belas Damas que me ouvem não pensem que o ordálio ia ser brincadeira, devo esclarecer que as armas escolhidas por Clemente eram realmente perigosas. Não eram penicos comuns, mas uns penicos especialíssimos, desses que o Povo sertanejo chama de "cubas", no masculino, "os cubas". Eram enormes e pesados, com cerca de setenta centímetros de altura.

Os dois combatentes empunharam-nos pelas asas e eu, aproveitando aquele primeiro momento de hesitação em que ninguém sabia para que lado ir, conduzi Samuel para o local que previamente escolhera para ele, com um objetivo determinado.

Durante a vinda, eu planejara uma manobra desleal para prejudicar Clemente e favorecer meu afilhado, Samuel. Sabia que, com um pouco de esperteza e dissimulação, teria oportunidade de levá-la a cabo: os dois rivais, perdidos na grandeza de suas ideias e de seus sonhos, eram muito distraídos para as ciladas da vida prática.

Por outro lado, à boa moda sertaneja, fui sempre muito sensível à honra de ser escolhido para padrinho. Quem me escolhe, pode contar com um coiteiro fiel e protetor incondicional. Afilhado meu, para mim, nunca teve defeito nenhum.

Ora, naquele dia, quem me escolhera fora Samuel. E eu, pensando logo num subterfúgio qualquer para ajudá-lo, me lembrara de que o Professor Clemente era canhoto, o que, aliás, ficava muito bem a um esquerdista da marca dele. Assim, quando eu fora, com Malaquias, fincar os marcos de partida, anotara mentalmente para onde deveria levar Samuel de modo a que os dois lutadores passassem um pelo outro do lado direito, no momento do golpe. Desse jeito, Samuel, que era destro e não sinistro, ganharia a vantagem de usar a mão que nele era a mais forte, enquanto Clemente só teria duas alternativas: ou usaria a mão direita, com a qual tinha pouca força e nenhuma habilidade; ou usaria o penico na sua forte mão esquerda, caso em que, graças à minha manobra traiçoeira, para alcançar o adversário teria que se torcer todo na sela. Era quase certo que, assim, perderia o equilíbrio e cairia do cavalo, perdendo a luta.

Como se vê, nobres Senhores e belas Damas, meu plano tinha sido verdadeiramente diabólico, e tudo indicava que meu afilhado Samuel seria o vencedor do ordálio. Junto ao marco de partida, ele volteou o "Temerário", numa manobra elegante; fez face a Clemente, que fizera o mesmo lá no outro extremo, e colocou-se em posição de arremetida. Eu lhe dei as últimas instruções:

— Muito bem, Samuel, meu afilhado! Vou para o meu posto de juiz! Quando eu e Malaquias baixarmos as bandeiras, lembre-se das tradições guerreiras dos Wan d'Ernes, parta com a gota-serena e dane o penico na cabeça dele, com a maior força que puder! — recomendei, sem nada lhe dizer da minha armadilha, porque aquele homem, com sua mania de honra e outras fidalguias, era bem capaz de se sentir obrigado moralmente a avisar o adversário, inutilizando um estratagema que me custara tanto miolo.

Esporeei então o "Pedra-Lispe" e fui encontrar-me, no centro, com Malaquias, que também já vinha voltando. Quando chegamos ao meio do caminho, no lugar antes determinado, paramos os dois e eu passei uma vista orgulhosa sobre tudo, vibrando de entusiasmo guerreiro e cavalariano! Graças a mim, graças a um pensamento régio, folhetesco e romanceiro que eu forjara durante todos aqueles anos, estava tudo belo, heroico e abandeirado, com os cavalos e Cavaleiros ostentando ao sol das onze horas suas brilhantes cores azuis e vermelhas, e com os dois estandartes tremulando gloriosamente nas pontas das hastes que eu e Malaquias segurávamos para o alto. Só uma coisa estragava um pouco o brilho marcial do ordálio-brasileiro: eram os dois penicos que aquele implacável Filósofo esquerdista impusera a meu afilhado fidalgo. Que esculhambação arretada, duelo com penico! Mas, vendo o demais, meu entusiasmo era tanto, que os penicos eram um simples pormenor, incapaz de empanar totalmente o conjunto.

Estivemos assim, um pouco, eu e Malaquias, sustentando as bandeiras para o alto, momento que o Professor Clemente aproveitou para dar uma espécie de brado de guerra, aumentando demais meu entusiasmo e o caráter guerreiro da competição:

— Pelo Brasil negro-tapuia e socialista, e pela Revolução sertaneja do Povo brasileiro! — gritou ele, com sua voz forte e profunda de barítono.

Samuel, ao ouvir isso, teve um ligeiro instante de hesitação, após o que gritou também, com sua voz de tenor:

— Pelo Brasil católico, fidalgo, cruzado, e por Nossa Senhora da Conceição!

Nesse momento, notei que Clemente começara a descobrir a desvantagem em que eu o colocara com minha manobra. Ao sair, antes, ele, instintivamente, empunhara o penico com a canhota. Agora, postado junto ao marco, via que o adversário passaria pelo seu lado direito. Passou o penico para a mão direita e começou a agitá-lo em nossa direção, numa espécie de aviso ou numa tentativa de reclamação. Fingi julgar que ele estava saudando os juízes; respondi a seu aceno com outro igual e gritei para não lhe dar tempo:

— Larga!

Ao mesmo tempo, baixei a bandeira, no que fui imitado por Malaquias.

Os dois Cavaleiros esporearam os animais; "Coluna" e "Temerário" partiram com as forças que Deus lhes tinha dado e que o tempo, as intempéries e as vicissitudes da vida tinham deixado. Quanto a mim, comecei imediatamente a rezar pela vitória do meu apadrinhado.

Mais uma vez, porém, ia ficar provado que Deus castiga a maldade. E foi que, quando os dois combatentes chegaram diante de nós, cada um desferiu seu golpe em direção à cabeça do outro. Minha esperança tinha sido que Samuel acertasse com a mão direita o que Clemente só seria capaz de acertar com a esquerda. Ou então, caso ambos acertassem, que o golpe de Samuel fosse bastante mais forte e derrubasse de vez o Filósofo, logo no primeiro embate. Mas não aconteceu nem uma coisa nem outra. O que sucedeu foi que, em vez de baterem nas cabeças dos rivais, os dois penicos chocaram-se no ar, com um bélico tinido de ferros e metais, que logo me recordou os "estalidos metálicos de Arneses entrechocados" que, segundo Carlos Dias Fernandes, talharam "em relevo ígneo a Efígie simbólica" do herói Dom Sebastião, na "Batalha de Alcácer-Quibir".

Ainda assim, cheguei a julgar que meu afilhado ganhava, porque o Professor Clemente, com a inferioridade de canhoto, levou desvantagem no golpe, cambaleou na sela e esteve cai-não-cai. Montava, porém, menos mal do que Samuel: e, assim, ao mesmo tempo que conseguia, aos poucos, frear "Coluna" com uma mão, com a mão do penico segurou-se, ninguém sabe como, na lua da sela. O "cuba" quase lhe cai das mãos, mas o danado do Filósofo terminou por se reequilibrar, nem caindo da sela, nem deixando cair no chão a arma que escolhera.

Notando que, do lado do Cordão Encarnado, eu não podia esperar mais desastre nenhum, olhei para o outro, o do Azul. Samuel continuava na sela, mas tinha já ultrapassado o marco de partida do outro lado: apesar da cegueira, velhice e fraqueza do "Temerário", o Fidalgo não estava conseguindo esbarrá-lo no galope, e adernava ora para um lado ora para o outro, num anúncio perigoso e desmoralizante de queda iminente.

Vi que a situação era periclitante. Ou eu o ajudava, ou o Cordão Azul — que era o meu naquele dia — ia perder o ordálio. Esporeei "Pedra-Lispe" e, sem grande esforço, consegui emparelhar-me com "Temerário". Olhei meu afilhado para avaliar a situação: Samuel estava agarrado desesperadamente à sela com a mão esquerda inteira e com o polegar e o indicador da mão direita, sendo que os três dedos restantes desta continuavam, graças a Deus, segurando o penico. Felizmente o galope de "Temerário" era menos veloz do que o chouto de um cavalo comum: ainda assim, Samuel ia tão esgazeado, com os olhos tão aboticados para a frente que se os voltasse para mim perderia o equilíbrio. Por cima do pescoço do cavalo, ele fixava, hipnotizado, a estrada. Mas deve ter pressentido meu vulto, porque sempre naquela posição, gritou:

— Ganhamos, Quaderna? Caiu o gaforinha? Lascou-se o infiel?

— Não, Samuel! — disse eu, afrontado. — Mas veja se esbarra "Temerário", senão ele se cansa de vez e não aguenta nem a segunda carreira! Pare, Samuel!

— E eu posso? — arquejou ele. — Me ajude a parar aqui, pegue na rédea!

— Não, que podem dizer que é motivo de derrota para nós! Mas pode deixar, "Temerário" já vai parando pelo cansaço!

De fato, o corcel negro já ia afracando por si mesmo e terminou parando de uma vez. Eu e Samuel demos então volta nos cavalos e, muito vagarosamente para que "Temerário" recuperasse algum fôlego, fomos voltando até o marco de partida. Enquanto nos aproximávamos dele, Samuel comentou desolado:

— Então, o cafre aguentou a primeira pancada!

— Aguentou, não sei como, aquele peste! Quase que ele cai! Mas não tem nada não, Doutor, vamos a outro golpe! Coragem, que a vitória está próxima! Clemente abalou com esta primeira lapada, agora, com a segunda, vai ao barro, vai com as fuças no chão, vai visitar o solo pátrio!

Animado com estas palavras, Samuel disse, orgulhoso:

— A pancada foi boa, não foi, Quaderna? Meu pulso está um pouco depreciado pelos desgostos e sofrimentos que tenho passado, mas de qualquer forma ainda é o velho pulso de Fidalgo que herdei de Sigmundt Wan d'Ernes! Mas você viu que humilhação, a minha?

— Que humilhação que nada, Samuel! Você se saiu muito bem no primeiro embate!

— Não estou falando do embate não, Quaderna, estou falando é do brado! Você viu? O miserável do gaforinha, chicaneiro como todo Advogado, tinha planejado um brado guerreiro, para ver se me pegava de surpresa e me desmoralizava! E quase consegue! Mas, na hora, mesmo, meu instinto fidalgo me permitiu improvisar outro! O que não foi bom foi eu ter que invocar a padroeira militar do Brasil! Como é que se pode ser Fidalgo e Cruzado numa terra dessas? Nem ao menos um padroeiro belicoso a gente possui, para invocar! Os Cruzados ingleses podem gritar por São Jorge, os espanhóis por Sant'Iago, os franceses por São Dinis ou São Luís de França! Nós, temos que chamar por Nossa Senhora da Conceição!

— Mas Nossa Senhora da Conceição é boa para casos de guerra, Samuel! Dizem que, na "Batalha dos Guararapes", a situação estava ruim para os Brasileiros: então, ela apareceu, e daí em diante nós metemos a ronca na galegada, que apanhou que só galinha para largar o choco!

— Pois bem, Nossa Senhora já prestou o serviço, nós agradecemos! Mas, que o santo padroeiro e militar do Brasil devia ser homem e guerreiro, isso devia! Veja o nome: Nossa Senhora da Conceição! Isso é santo que se invoque para uma batalha? Podem até pensar que a gente está grávido!

— Então, na carreira de agora, grite por Santo Antônio de Lisboa, que era Cabo do Exército brasileiro!

— Ah, meu Deus, que pátria difícil e ingrata para as coisas da honra só é o Brasil! Santo Antônio de Pádua, que, em todos os países do mundo, é Frade pregador, no Brasil é Cabo do Exército! Não, esse também não me serve, não! Fique com ele, para padroeiro militar de seu Partido!

— Pois então escolha um santo qualquer do seu agrado para padroeiro militar seu, particular! Já ouvi falar de um sertanejo aqui por perto que, toda vez que vai se meter num barulho, grita para o inimigo: "Que é que você está pensando, seu merda? Você, comigo, se lasca! Além d'eu ser homem, meu padroeiro também é macho, mija em pé, de coca não!" Pois faça como esse sertanejo, Samuel: se Clemente repetir o brado, arranje um padroeiro macho e grite por ele!

— Tem razão, Quaderna! Vou gritar pelo meu padroeiro individual!

— Quem é ele? O Profeta Samuel?

— Não, esse também não! Era judeu, e, portanto, meio-sertanejo, meio-mouro, meio-comunista e meio-maçônico! Vou gritar por São Sebastião! Primeiro, porque ele era um guerreiro belo, jovem, estranho e casto, o que, por certos motivos particulares que não lhe interessam, me fascina muito! Depois, porque era ele o padroeiro d'El-Rei Dom Sebastião, O Desejado, "O Encoberto", o derradeiro Fidalgo ibérico digno desse nome, o último Cruzado a se extraviar, já fora do tempo, nos areais africanos, em terras de Mouraria!

Nesse instante, Clemente, que já estava a postos há um bom pedaço de tempo, gritou impaciente:

— Como é, seu fidalgo de merda? Fugiu? Não vem pr'o campo da honra não?

— Nada disso, gaforinha plebeu! Lá vamos nós! Vamos, "Temerário"!

E Samuel obrigou o corcel negro a choutar, cobrindo o resto de caminho que lhe faltava até o marco.

Eu galopei para junto de Malaquias. Quando cheguei ao meu lugar, Malaquias, debicando do chouto de Samuel, tinha baixado sua haste de bandeira até o peito. Segurando-a como quem pega uma viola e fingindo dedilhá-la, começou a cantar a toada duma sextilha, sob forma de *ligeira*:

"Ai, d-a, dá!

Compadre, pinique a Poldra,

> *se quiser me acompanhar!*
> *Ai, d-a, dá!*
> *Que esse meu Cavalo velho,*
> *quanto mais velho, mais dá!*
> *Ai, d-a, dá!*
> *Compadre, aguente o Penico,*
> *que agora vou lhe acabar!"*

Somente aí, notando a alegria infernal em que Malaquias se encontrava, foi que me apercebi de que desta vez, tendo os combatentes trocado de marco de partida, a situação se invertera e Samuel é que teria de usar sua fraca mão esquerda diante da canhota poderosa do Filósofo!

No primeiro momento de pânico, ainda pensei em intervir, trocando de margem os marcos de partida. Mas tive que recuar, porque se fizesse isso, revelaria minha tramoia e o Cordão Encarnado reivindicaria vitória, por nulidade e aleivosia de procedimento. Assim, fiz das tripas coração e calei-me.

O mais grave, porém, é que logo ocorreria outro fato cuja terrível significação só depois iríamos avaliar, com funestas consequências para a sorte de Samuel. É que, sem premeditação de sua parte, naquele instante, vendo que agora ia usar a mão esquerda, Clemente passou o penico para ela. Ao fazê-lo, sem notar mesmo o que fazia, segundo explicou depois, segurou o "cuba" de boca para baixo e não de boca pra cima, como tinham feito da primeira vez.

Nós, de longe, não notamos nada, de modo que baixamos de novo as duas bandeiras.

— Brasil e Revolução! — gritou o Filósofo.

— Pátria e São Sebastião! — ecoou o Poeta.

E partiram, um para o outro, como duas fúrias. Desta vez, porém, com tanta infelicidade para o meu afilhado que, na hora, mesmo, em que iam baixar os braços, desferindo a penicada que tudo decidiria, "Temerário" tropeçou, desviando a mão de Samuel e fazendo com que ele errasse a cabeça de Clemente. O pior, porém, é que a mesma topada abaixou também a cabeça do Fidalgo, no momento exato em que o Filósofo desferia seu golpe. O penico, virado de boca pra baixo, enfiou-se, até as sobrancelhas, na cabeça de Samuel, à qual se ajustou, por milagre e apertado, mas

O DUELO.

como uma luva! E como Clemente, por um segundo, permanecesse agarrado à asa do penico, o Doutor Samuel Dasantas Paes Barretto Wan d'Ernes foi violentamente arrancado da sela e rolou na poeira sertaneja da estrada, com fidalguia e tudo!

Clemente, que, ao se sentir puxado pelo baque violento do rival, soltara instintivamente a asa do penico, quase cai também. Deus, porém, estava, naquele dia, evidentemente do seu lado, o que eu atribuo a meu negro pecado de felonia, deslealdade e traição; e o fato é que, depois de correr uns dez metros cai-não-cai, ele conseguiu se aprumar de novo.

— Vitória! Vitória! — gritou Malaquias jubilosamente, agitando a bandeira vermelha. — Viva o Cordão Encarnado! Viva o Povo Brasileiro!

O Professor Clemente, com ar magnífico, todo cheio de si, já começando a se achar bonito com seu manto vermelho enfeitado de crescentes cor de ouro, vinha choutando de volta. Eu, desolado, corri para Samuel, que continuava estendido no chão, inteiramente desacordado.

Chegando aonde ele estava, saltei do cavalo, tirei da argola do arção o meu chaguer cheio d'água e minha borracha-de-couro cheia de vinho, joguei-lhe um bocado d'água na cara e, assim, comecei a reanimá-lo. Levando-lhe, então, meu pichel à boca, dei-lhe uns goles do meu "Vinho Sertanejo da Malhada" que o despertaram quase de vez. Vi, aliviado, que ele não morreria. Entretanto, os olhos meio ourados com que espiava tudo revelavam que ainda não voltara completamente a si. Foi nesse estado que começou a se levantar:

— O que foi, Quaderna? Que é isso? — perguntou ele, lambendo os beiços e já tomando gosto pelo vinho, sua grande tentação. — Que é isso? É vinho, é? Me dê mais uns goles, aí!

Coitado! Meio leso pela pancada, estava ainda inocente de tudo, inconsciente da grave derrota que sofrera em seu brio de Fidalgo! Mas isso ia durar pouco, porque quase imediatamente depois que ele ensaiou os primeiros passos, ouvimos a rechinada de Malaquias, ali perto. Voltamo-nos e vimos Clemente e o padrinho que vinham chegando, a pé, cada um puxando sua montaria pela rédea. Malaquias tinha parado no meio da estrada e ria às gargalhadas:

— Você está uma beleza, Doutor Samuel! — dizia ele, apontando o Fidalgo. — O penico, enfiado na cabeça do senhor, está parecendo aquele chapéu grande que o Bispo usa nas procissões!

Samuel levou a mão à cabeça, e só então, constatando o terrível fato, foi que tomou consciência da extensão do seu desastre. Humilhado, enfiadíssimo, voltou à realidade, lembrou-se de tudo, e, raivoso, segurou o penico com ambas as mãos, forcejando por tirá-lo. Em vão! Não saía de jeito nenhum! Tentei também, ajudando-o com ambas as mãos, e nada!

Os dois vitoriosos já estavam, então, ao nosso lado:

— O penico não sai! — falei, preocupado, para Clemente.

— Ótimo! — foi a resposta daquele homem implacável. — Será assim, de penico na cabeça, que Samuel participará do meu triunfo, na rua!

— Que nada, o ferreiro me corta esse penico em dois minutos, por cima, e aí o urinol sai! — falou Samuel, furioso.

— O senhor me desculpe, mas não pode faltar, assim, à sua palavra! — disse Malaquias. — O que o senhor combinou foi que o vencido participaria do triunfo nas condições em que o vencedor determinasse!

— Mas ninguém esclareceu que o penico podia ser usado de cabeça pra baixo! — intervim eu, tentando chicanar em favor do meu afilhado.

Infelizmente, nessa parte da chicana, eu não podia absolutamente competir com um advogado, e Clemente rebateu logo:

— Se ninguém esclareceu, ninguém proibiu também! Por que seu afilhado Samuel não usou, também, o penico de boca pra baixo? Das duas, uma: ou ele se lembrou disso e não quis usar, e nesse caso é besta; ou não se lembrou, e é burro! Em qualquer dos casos, eu ganhei, de modo que você não tem pra onde fugir, Samuel! Vamos embora, porque vou cuidar logo do meu triunfo. Você vai faltar à palavra empenhada?

— Um Fidalgo não falta à palavra, antes a morte e o infortúnio! Peço-lhe apenas, Clemente, que, em vista da minha lealdade, dos modos cavalheirescos com que tenho me portado, você seja generoso e poupe minha honra a humilhações maiores!

— Eu? Nada disso! Por que eu seria generoso com uma classe que vive explorando e espezinhando o Povo? Você não vive dizendo que os verdadeiros Fidalgos e senhores-feudais são violentos e cruéis? Pois amor com amor se paga! Nada de complacência, quando se trata de firmeza revolucionária! Vamos ao triunfo da Esquerda!

— Quando? Agora, Clemente? — indaguei, aflito com a possibilidade de perder a festa.

— Sim, é claro, agora mesmo!

— Não, não faça isso não, por favor! Adie o triunfo!

— Por quê?

— É que eu queria participar dele!

— Só se for ao lado de Samuel, fazendo parte do grupo vencido! Você não foi, hoje, padrinho da Direita, dos derrotados? Pois se quiser participar do triunfo, tem que ser como lacaio da Direita!

— Topo, Clemente! De um desfile triunfal eu topo participar, nem que seja no cortejo dos derrotados! Mas já é meio-dia, está na hora do almoço!

— Pois o triunfo será logo depois do almoço!

— Nessa hora eu estarei depondo perante o Corregedor! Adie o triunfo para amanhã!

— Não, amanhã já é outro dia! Daqui para amanhã, Samuel pode morrer, e eu perderia essa magnífica oportunidade de glória!

— Mas eu não quero perder esse heroísmo cavalariano de jeito nenhum, Clemente! — insisti. E perguntei, curioso: — Como vai ser? À moda de Roma, daquele jeito que diz na *História da Civilização*, de Oliveira Lima?

— Que à moda de Roma que nada, Quaderna! Não quero antiguidades reacionárias comigo de jeito nenhum! Mesmo que fosse um triunfo à moda antiga, seria um "triunfo cartaginês", e não um "triunfo romano", porque Roma era visivelmente da Direita, enquanto Cartago, meio asiática e oposicionista, era da Esquerda! Mas meu triunfo vai ser é negro-tapuia e brasileiro, como é do meu feitio e dentro das melhores tradições nacionais e populares!

— Pois homem, deixe eu participar! Veja que, eu entrando, o cortejo dos vencidos fica maior e portanto muito mais glorioso para a Esquerda!

— Está bem, então! Vou atender a seu pedido, apesar de você ter usado de falta de lealdade comigo, na primeira corrida! — disse Clemente de cenho franzido e olhando-me de viés, o que demonstrava que ele percebera minha tramoia. — Está concedido: se você não ficar preso, hoje, está convidado para participar, como vencido, do meu triunfo, amanhã de manhã! E como sou generoso, ainda lhe prometo o seguinte: mesmo que o Corregedor prenda você, logo hoje à tarde, farei o desfile triunfal passar amanhã pela Cadeia; assim, mesmo sem participar, você poderá pelo menos assistir a tudo!

Senti de novo o frio na espinha, e o vazio em meu estômago voltou na mesma hora. Apavorava-me a insensibilidade com que Clemente falava na possibilidade de eu ser preso na tarde daquele mesmo dia. Nada mais disse, porém.

Clemente e Samuel montaram em seus cavalos e tomaram a dianteira, no caminho de volta. Eu e Malaquias, um pouco atrás, observamos que os dois grandes homens, tão habituados a afetar desdém por nossas cantorias e cavalarias sertanejas, não tinham nem pensado em retirar os mantos. Pelo contrário: iam ambos na maior elegância, satisfeitíssimos de estarem vestidos de Príncipes sertanejos, como os personagens das Cavalhadas e os cavaleiros do folheto sobre os Doze Pares de França.

O mais elegante, porém, era, sem dúvida, Samuel. É que o Professor Clemente ia de manto mas de cabeça descoberta. E o outro, com o penico à guisa de elmo, mitra ou coroa imperial, com seu manto Azul com cruz de Ouro às costas, apresentava, de fato, um perfil régio e heroico, envolvido radiosamente pela deslumbrante luz do ardente sol sertanejo.

Folheto XLIII
O Almoço do Condenado

Maria Safira, a mulher possessa e insondável que vivia comigo de cama e mesa, tinha mandado meu almoço, por nossa empregada e dama de companhia dela, Dina-me-Dói. Malaquias fora almoçar em casa, com Silviana, mulher dele. Mas os meus dois mestres tinham o velho costume de filar minhas refeições, preparadas em minha casa-de-recurso, a famosa "Estalagem à Távola Redonda". É verdade que, naquele dia, nenhum dos dois queria muitas relações comigo, para não serem vistos na companhia de um suspeito e indiciado no inquérito. Vi mesmo que, no primeiro momento, hesitavam entre a despesa e o risco. Por fim, a amarração ganhou, e ambos resolveram ficar.

Eu mal comi, preocupado com o inquérito. Parecia que tinham dado um nó na minha garganta e no meu estômago. Samuel e Clemente, que agora estavam me cortejando um pouco para assim pagarem o almoço, diziam que, preocupados porque eu tinha sido indiciado no inquérito, nem tinham dormido naquela noite nem estavam conseguindo comer direito. Não sei: não vi, e assim é possível que dormir eles não tivessem dormido. Mas comer, comeram que só uns desadorados. E enquanto comiam, um de penico à cabeça e ambos bebendo meu "Vinho Sertanejo da Malhada", iam falando do Corregedor, que ambos consideravam "uma das águias mais eficientes, perigosas e cruéis da Magistratura paraibana".

Quanto mais eles falavam das qualidades "gaviônicas" e perigosas do Corregedor, mais eu avaliava a gravidade da minha situação. Clemente sustentava que "aquele inquérito não era senão a fase atual e sertaneja do longo processo a que os Fidalgos ibéricos vêm submetendo o Povo negro-tapuia do Brasil, desde o século XVI até agora; inquérito que tivera sua abertura em 1591, com a chegada, ao Brasil, do Inquisidor Heitor Furtado de Mendonça e que continuava, agora, com a repressão e a perseguição aos revolucionários de 1935". Samuel objetava que agora, "depois da tentativa de golpe integralista, realizada pelo Contra-Almirante Frederico Villar, os Fidalgos brasileiros é que estavam *na mira d'Eles*".

Dizia que Clemente não confundisse desonestamente "os Fidalgos nacionalistas, cavaleiros e imperiais do Integralismo com a Burguesia urbana, antinacional, cosmopolita, avarenta, mesquinha e vendida a *Eles*, com a Burguesia cujos interesses o Corregedor, no fundo, representava".

Eu, porém, não estava, no momento, interessado nas ideias grandiosas que os dois desenvolviam calmamente durante o almoço, devorando meus pirões. O que me interessava é que, vindo do século XVI ou não, o inquérito estava em curso era agora, e *Eles*, fossem quem fosse, estavam atrás era de mim, e não do Almirante.

De fato, como já noticiei de passagem, três dias antes, na segunda-feira, 11 de Abril, chegara à nossa Vila aquele Bacharel Joaquim Navarro Bandeira, mais conhecido como Joaquim Cabeça-de-Porco. Viera apenas em visitação corriqueira à Comarca. Mas, encontrando a Vila subvertida pelo desfecho da terrível história do Rapaz-do-Cavalo-Branco — ligada ao ambiente de insurreição que dominava o País —, resolvera, depois de pedir autorização ao Tribunal, tomar discretamente o comando das investigações, e abrira aquilo que os seus corta-jacas chamavam "um inquérito oficioso".

Era, portanto, com um aperto cada vez maior no coração que eu via se aproximar, naquela Quarta-feira de Trevas, o momento de me apresentar na Cadeia, lugar que fora escolhido — evidentemente de propósito para intimidar os indiciados — a fim de que, nele, o Corregedor ouvisse nossos depoimentos. Eu deveria me apresentar perante esse homem temível "para prestar-lhe alguns esclarecimentos que seriam anotados por Dona Margarida Torres Martins", conforme me explicara o bilhete entregue na véspera por Severino Brejeiro.

Essa Margarida era uma moça pertencente à nossa Aristocracia rural sertaneja, e eu considerei logo sua escolha como um pormenor perigoso e agoureiro contra mim: Margarida tinha participado, com sua mãe e seu pai, daquela desaventura sagrada e astrosa que eu empreendera com meu Circo, seguindo os passos de Pedro Cego, do Profeta Nazário e do Rapaz-do-Cavalo-Branco, pelos campos pedregosos e empoeirados do Sertão, tendo como principal objetivo o achamento do fabuloso tesouro deixado por Dom Pedro Sebastião Garcia-Barretto numa furna perdida por esse mundo velho de meu Deus. Ora, minha participação na "Demanda Novelosa da Guerra do Reino" era, no meu entender, o motivo principal de minha chamada para depor no inquérito. E, agora, Margarida, que assistira a quase todos aqueles acontecimentos, fora designada para servir de "secretária *ad hoc*" no tal "inquérito oficioso". Fora indicada ao Corregedor por uma organização feminina, direitista, patriótica e religiosa, que, fundada por Samuel nos dias que tinham precedido a Revolução Comunista de 35, exerce ainda notável papel na vida de nossa Vila. Era a *ala feminina* da "Ordem dos Cavaleiros da Esfera Armilar", e chama-se "As Virtuosas Damas do Cálice Sagrado de Taperoá". Entretanto, é mais conhecida por seu endereço telegráfico e chamada abreviadamente "A Vidacasta", nome que "sendo mais fácil de gravar, resume ainda por cima um programa de moral e religião, *vida casta*", como gosta de explicar Dona Carmem Gutierrez Torres Martins, mãe de Margarida, mulher intelectual e Presidenta-perpétua da organização.

Folheto XLIV
A Visagem da Moça Caetana

Terminado o almoço, os dois grandes homens escafederam-se discretamente pelo portão de trás da minha casa, e eu fiquei só, diante do perigo. Como num pesadelo, resolvi ir novamente para a Biblioteca para aguardar a hora de ir para a Cadeia.

Chegando lá, sentei-me de novo na espreguiçadeira. Sabia que talvez as duas horas que ainda faltavam para as três, marcadas pelo Corregedor, iam ser os piores momentos da tarde.

Aí, não sei se pelo peso do almoço empancado em meu estômago (coisa que sempre me acontece nas horas de ansiedade), creio que adormeci. Porque, quase imediatamente, entrava na sala da Biblioteca uma moça esquisita, vestida de vermelho. O vestido, porém, era aberto nas costas, num amplo decote que mostrava um dorso felino, de Onça, e descobria a falda exterior dos seios, por baixo dos braços. Os pelos de seus maravilhosos sovacos não ficavam só neles: num tufo estreito e reto, subiam a doce e branca falda dos peitos, dando-lhes uma marca estranha e selvagem. Em cada um dos seus ombros, pousava um gavião, um negro, outro vermelho, e uma Cobra-Coral servia-lhe de colar. Ela me olhava com uma expressão fascinadora e cruel. Mas não disse nada. Encaminhou-se para um pedaço branco e despido da parede, e, sem deixar de me olhar, ergueu a mão, começando a traçar, com o indicador, linhas e linhas horizontais, na parede que ficava por trás dela. À medida que o dedo ia indicando as linhas, a parede se cobria de palavras escritas a fogo. Eu, aterrado, indagava de mim mesmo quem era ela. Mas, no fundo, já sabia: era a terrível Moça Caetana, a cruel Morte sertaneja, que costuma sangrar seus assinalados, com suas unhas, longas e afiadas como garras.

As palavras que ela gravava a fogo, na parede, apareciam-me com uma clareza sobrenatural. Eu queria gritar, fugir, e ao mesmo tempo anotá-las fundamente no sangue da memória. Porque sabia que elas me comunicavam alguma coisa fundamental, alguma coisa perigosa, estranha e indecifrável, mas decisiva. Devo, então, ter ficado um instante naquela madorna meio-dormida, meio--acordada, em que a gente fica, às vezes, nessas situações. Digo isso porque na mesinha baixa havia papel e lápis e eu, no sonho, começava a anotar febrilmente as palavras que o fogo fazia aparecer na parede. À medida que copiava, eu me sentia cada vez mais ameaçado. De repente, dei um grito e acordei. A moça tinha desaparecido e eu estava, realmente, escrevendo no papel coisas desconexas. O que eu escrevia ao mesmo tempo era e não era o que ela escrevera. Tentei então, acordado, fazer coincidir mais o que estava escrito com o que ainda recordava das palavras na parede. O resultado não era o mesmo. Um certo conteúdo de ameaça não aparecia, e o ambiente em que tudo aquilo era realmente eficaz desaparecera com o sonho. De qualquer modo, o que consegui reproduzir foi o seguinte, que transcrevo aqui porque é, também, peça importante do processo:

> "A Sentença já foi proferida. Saia de casa e cruze o Tabuleiro pedregoso. Só lhe pertence o que por você for decifrado. Beba o Fogo na taça de pedra dos Lajedos. Registre as malhas e o pelo fulvo do Jaguar, o pelo vermelho da Suçuarana, o Cacto com seus frutos estrelados. Anote o Pássaro com sua flecha aurinegra e a Tocha incendiada das macambiras cor de sangue. Salve o que vai perecer: o Efêmero sagrado, as energias desperdiçadas, a luta sem grandeza, o Heroico assassinado em segredo, o que foi marcado de estrelas — tudo aquilo que, depois de salvo e assinalado, será para sempre e exclusivamente seu. Celebre a raça de Reis escusos, com a Coroa pingando sangue; o Cavaleiro em sua Busca errante, a Dama com as mãos ocultas, os Anjos com sua espada, e o Sol malhado do Divino com seu Gavião de ouro. Entre o Sol e os cardos, entre a pedra e a Estrela, você caminha no Inconcebível. Por isso, mesmo sem decifrá-lo, tem que cantar o enigma da Fronteira, a estranha região onde o sangue se queima aos olhos de fogo da Onça Malhada do Divino. Faça isso,

sob pena de morte! Mas sabendo, desde já, que é inútil. Quebre as cordas de prata da Viola: a Prisão já foi decretada! Colocaram grossas barras e correntes ferrujosas na Cadeia. Ergueram o Patíbulo com madeira nova e afiaram o gume do Machado. O Estigma permanece. O silêncio queima o veneno das Serpentes, e, no Campo de sono ensanguentado, arde em brasa o Sonho perdido, tentando em vão reedificar seus Dias, para sempre destroçados."

Folheto XLV
As Desventuras de um Corno Desambicioso

Olhei o relógio: a hora não chegara ainda. E aí, nesse momento, notei algo que não vira ao entrar: Pedro Beato, o velho marido de Maria Safira, estava sentado no chão, encostado à parede, entre uma estante e a porta que ligava a Biblioteca à minha casa. Estava ali, cabisbaixo, imerso em profundas reflexões, com as duas mãos segurando um cajado cuja ponta fincara no chão e com o queixo apoiado nelas. Ao seu lado, o saco velho e sujo que todos os mendigos sertanejos carregam. Ele, porém, estava com a roupa toda remendada mas limpa, e trazia à cabeça um chapéu de palha, velho mas inteiro. As mãos e os pés eram fortes, de dedos grossos e nodosos, a barba e os cabelos proféticos quase inteiramente brancos.

Senti a sensação de remorso e indecisão que sempre experimentava ao encontrá-lo. Ele sabia que Maria Safira vivia comigo; falava tranquilamente no caso e aparecia muito raramente em minha casa. Quando ia, porém, não tocava em alimento algum e pedia-me, também, que não desse a ele as esmolas que ordinariamente recolhia em outras casas para a Igreja. Pedia-me desculpas por tudo, explicando-me que não fazia isso por orgulho, mas para evitar a Maria Safira o sofrimento de ouvir das pessoas maldosas que o marido dela era sustentado pelo amante.

Tudo isso me deixava com uma sensação penosa de culpa e embaraço diante dele. Eu não ligava, verdadeiramente, a ninguém, portava-me com a maior desenvoltura com todo mundo. Talvez, no fundo, Pedro Beato fosse a única pessoa que, na Vila, me impunha respeito. Não, a única, não: o Padre Marcelo também, se bem que um pouco menos, porque eu não o ofendia nem ele era *um pobre*, como Pedro Beato. Quanto aos outros, eu pressentia que era gente da mesma massa que eu, com suas ambições e mesquinharias particulares; estávamos todos no mesmo saco, de modo que eu os tratava mais do que de igual para iguais — de cima para baixo.

Naquele instante, quando fui me aproximando dele, Pedro Beato ergueu a cabeça e, olhando-me com sua expressão mansa e cheia de doçura, falou:

— Dinis, estão dizendo na rua que você vai ser processado pelo Juiz novo que chegou. É verdade?

— É verdade, Pedro! — respondi com uma sensação de acanhamento que não sei se vinha do que já disse ou do processo.

— O que foi que houve? Por que esse processo? — insistiu ele.

— Não sei não, Pedro! Só posso atribuir tudo a intriga! Você soube que eu andei brigando com um sujeito, aqui na rua?

— Soube.

— Pois parece que meu processo apareceu foi por causa dessa briga! Depois que me atraquei com aquele camarada, todo quanto foi lacrau, todos os piolhos-de-cobra desta terra desgraçada se juntaram contra mim e começaram a me ferroar. Quando, agora, apareceu esse processo, essa história complicada e perigosa, eles resolveram se aproveitar, e me denunciaram ao Corregedor para me liquidar.

— É verdade, assim é o mundo! — disse Pedro, dando aquele suspiro com que as pessoas como ele iniciam sempre suas filosofias. — Isso é o mundo, não se queixe nem tenha raiva!

— Não tenha raiva, eu, Pedro? E que jeito eu posso dar? Tenho, tenho raiva, e tenho meus motivos para isso, porque eu tinha e tenho razão naquela briga!

Aí, quando disse isso, olhei para o beato, ali, sentado, bom, humilde e manso em minha frente, e veio-me uma vontade enorme de ser como que aprovado e reassegurado por ele em tudo aquilo. Perguntei-lhe então o que a ninguém mais perguntaria:

— Você acha que eu estou errado, Pedro? Acha que quem tem razão são os meus inimigos? Sou mesmo um homem de mau caráter e de maus bofes como eles parecem pensar?

Pedro Beato, devagar, passou a mão pela barba, e foi também devagar que respondeu, pesando bem as palavras:

— É difícil dizer assim, Dinis, sem pensar tudo com cuidado e sem explicar tudo direito! Pra mim, tudo isso que lhe aconteceu, vem de muito antes. Não foi a denúncia deles que meteu você no processo, nem seus aperreios apareceram só por causa disso! Tudo é a maldita questão da honra, Dinis!

Eu não esperava ouvir aquilo dele, de modo que me senti profundamente tocado. Aquela frase me atingia com a força das revelações, iluminando zonas secretas e subterrâneas do meu sangue, zonas de sombras, ocultas, até ali, mesmo de mim. Espantado, olhei para Pedro Beato nos olhos, e vi que ele permanecia sereno e como que alheio à importância do que dissera. Teria sido por acaso? Resolvi levar o assunto adiante:

— Você acha que é a questão da honra, Pedro? O que é que você quer dizer com isso?

— Você sabe melhor do que eu, Dinis! Não se zangue comigo não, pelo amor de Deus, mas *eu sei* que estou certo quando lhe digo isso, meu filho! Me diga uma coisa, por exemplo: por que é que você vive inventando essas histórias de Imperador do Divino, de Auto dos Guerreiros, vestindo-se de Rei e andando a cavalo pelo meio da rua, na frente de seus companheiros, de manto nas costas e coroa na cabeça?

Fiquei novamente boquiaberto, porque, como mais ou menos já expliquei, para surpresa minha, aquele fora o ponto de ataque sobre o qual mais tinha se encarniçado o meu rival e opositor, que, pelo jornal de Campina, falara nas minhas "afetações de Rei apalhaçado de Bumba-meu-boi" e nas minhas "fanfarronices de Cangaceiro e valentão de arraial das festas de Reis". Tentei, então, me justificar perante Pedro Beato:

— Mas Pedro, que mal faz, aos outros, que eu me vista de Rei, se isso não toma o lugar de ninguém e todo mundo sabe que eu não tenho onde cair morto? Essas coisas que eu faço são tão inocentes!

— Dinis, meu filho, me perdoe, mas não existe nada inocente, no mundo! Na sua vida, você tem um pensamento escondido, que é a causa da maior parte dos seus sofrimentos! É também esse pensamento escondido que faz com que os outros sintam em você um homem perigoso, um homem cuja presença prejudica, insulta e humilha os outros!

— Você acha, Pedro? — disse eu, novamente espantado ao ver aquele velho ignorante, colocado *lá embaixo*, revelar uma velha alma arguta, tão complicada quanto qualquer outra.

Aí, talvez por isso mesmo, talvez por sentir, ele também, naquele instante e mais do que comumente, o cansaço de carregar aquela alma, aquela fera antiga e cega que lhe bebera o sangue durante toda uma vida, Pedro Beato pareceu de repente mais velho e mais fatigado. Falou pesadamente:

— Acho sim, Dinis, meu filho! Talvez nem você saiba o que é, mesmo, esse pensamento escondido. Pois saiba que é o fogo que o Diabo sopra no sangue da gente quando se nasce, Dinis! Talvez nós conseguíssemos apagar esse fogo se fôssemos deixados sós, somente com as nossas forças e entregues à nossa sorte! Mas acontece que vem o batismo, e Deus, essa outra fera, obriga a gente a segurar outro fogo, o dele, aceso na mão do padrinho! A água e o azeite do batismo, esses ungem e passam. Mas o sal e o fogo ficam e queimam a gente a vida inteira! É esse fogo que nos come a carne e nos bebe o nosso sangue, deixando o homem transformado num esqueleto. Mas o fogo de Deus termina queimando até os ossos, expostos ao sol, e mesmo o esqueleto termina esfarelado, virado em cinza! Assim, de fato, é isso o que queima você por dentro, é o fogo de Deus e do Diabo. O que eu não sei é como esse fogo aparece em você por dentro, porque em cada pessoa é diferente! Mas aqui fora, vejo aparecer uma porção de coisas, o clarão de seu fogo, Dinis! Me diga uma coisa, por exemplo: você já perdoou os assassinos de seu Pai? Já perdoou os assassinos de seu Padrinho?

— Sei não, Pedro! — respondi baixando a cabeça, porque nunca fizera a mim mesmo uma pergunta direta nesse sentido. — Perdoar é coisa dura, difícil e complicada! Uma vez vi meu amigo Eusébio Monturo dizer uma frase que me impressionou muito a esse respeito. Ele deu uma tapa na cara de um inimigo, dizendo depois que tinha feito isso para poder perdoá-lo! Ele queria primeiro provar a si mesmo que não era por fraqueza e covardia que perdoava!

— Olhe aí, olhe de novo a maldita honra, o orgulho amaldiçoado, Dinis! — disse Pedro com infinita compaixão. — Pois eu lhe digo que você não perdoou, nem aos que mataram seu Pai nem aos que mataram seu Padrinho! E sabe por que não perdoou, Dinis? Por causa de seu sangue!

— Do meu sangue? — perguntei espantado. — Que sangue? O sangue dos Quadernas?

— Não, o sangue que você herdou de sua mãe, o sangue dos Garcia-Barrettos! Os Quadernas são raça de onça: um Quaderna, num acesso de raiva ou de loucura, pode matar, espedaçar, degolar. Mas os Garcia-Barrettos são raça de cobra, odeiam vinte, trinta, cinquenta, cem anos, o tempo que durar a vida! Por isso abra o olho, Dinis, senão você acaba morrendo com esse pecado no sangue! É daí que vêm todas essas coisas para você! Por que é que você vive vendendo seu sangue e sua alma, botando casa-de-recurso, inventando tudo quanto é de história, comprando e vendendo o que não presta, fazendo tudo o que é possível para arranjar dinheiro? Você pensa que não se sabe? É porque você quer recuperar a fazenda "As Maravilhas", a terra que foi de seu Pai! Agora eu lhe pergunto: por que essa ânsia de ter terra? Essa terra só vai trazer a você preocupações, sofrimentos e ocasiões para fazer o mal, a você mesmo e aos outros! Você vai ter que maltratar, espezinhar, oprimir e humilhar os pobres! Agora veja: se o simples fato de você se vestir de Rei terminou humilhando e insultando os outros aqui na rua, imagine o que você não vai fazer, sendo Rei e barão de sua terra, mesmo!

Novamente atingido, reagi:

— Mas é possível que me venha algum mal da terra, Pedro? Não acredito, não posso acreditar nisso de jeito nenhum! Ali foi o começo da minha vida, Pedro, um começo puro, talvez o único tempo de inocência e felicidade que eu gozei, o tempo em que meu Pai, minha Mãe e meu Padrinho eram vivos e me apareciam como três imagens, aquelas imagens de São José, Nossa Senhora e São Joaquim que existem na capela da "Onça Malhada"! E os nomes deles, os nomes de meu Pai, minha Mãe e meu Padrinho eram os que resumiam aquele Reino onde eu vivia, reinando como todos os meninos, na terra que, de fato, era uma só, se bem que as duas casas ficassem em duas extremidades bastante afastadas dela. Na "Onça Malhada" foi que passei a maior parte da minha meninice, adolescência e juventude. É, como você sabe, um casarão maciço, pesado e achatado, de paredes grossas, austero e pobre como um convento. Pelo menos, assim dizia Samuel quando morava lá, e foi o que verifiquei depois, quando fui para o Seminário da Paraíba! "As Maravilhas" era uma fazenda ao mesmo tempo parecida e diferente. Branca também era. Mas a casa era menor, mais amena, não severa, porém tranquila e acolhedora. Nas "Maravilhas", Pedro, a amanhecência do dia era cheirosa e fresca, pois a casa era situada naquela parte da enorme terra que, pertencendo antes aos Garcia-Barrettos, ocupava já um pedaço da Serra do Teixeira, enquanto a "Onça Malhada" era situada entre altas pedras, parecendo um ninho de gaviões pousado entre os rochedos da serra. Por isso, na casa de meu Padrinho, os dias de calor, nascidos das pedras escarificadas pelo sol, alternavam-se com as noites frescas. Nas "Maravilhas" contavam-se pelos dedos os dias de calor. E, mesmo nesses, bastava que nos acolhêssemos à sombra do terraço ou da sala da frente para que a viração da Serra do Teixeira acariciasse o nosso corpo e o rosto como uma bênção materna! Que mal pode ter me vindo dali, portanto? O nosso Cariri é assim, Pedro: seco, áspero, pedregoso, implacável, com poentes esbraseados que parecem incêndios, e o chicote do vento e da poeira crestando tudo! Mas as noites são amenas e cada vez mais acolhedoras, à medida que mais avançamos na direção da Serra do Teixeira. É por isso que se para mim a "Onça Malhada" é um lugar sagrado (sagrado pelo fogo e pelo sangue), "As Maravilhas" é um lugar abençoado, Pedro!

Pedro Beato abanou obstinadamente a cabeça e disse:

— Não existem lugares abençoados, Dinis, e todos os lugares são sagrados! Digo e repito: todo o seu mal vem daí! É esse seu desejo de criar de novo esse tempo que passou que coloca você do lado do Diabo!

Novamente estremeci, agora porque as palavras de Pedro pareciam um eco daquelas últimas que a Moça Caetana escrevera na parede dizendo que o que eu tentava era restaurar meus dias para sempre destroçados. Mas ele continuou, sem atentar para minha perturbação:

— Dinis, ouça o que eu estou dizendo: estamos chegando a um tempo de nova santidade! Como todo tempo de salvação e santidade, o nosso é um tempo perigoso. E vai se tornar cada vez mais duro. Não me admiro nada de que tenham denunciado você, porque está no Evangelho: "Um irmão entregará o irmão e os filhos se levantarão contra os pais e os matarão." Pois é o que está acontecendo. Quem tiver coragem, que se jogue no sol, no fogo de Deus, quem tiver medo que se cuide!

— Pois é o que acontece comigo, Pedro! Tenho medo e me cuido, porque sei que, se me jogar nisso que você chama o fogo de Deus, saio, não queimado aqui e ali, ferido aqui e ali, mas marcado a ferro em brasa e degolado como meu Padrinho saiu!

— Não, não é isso o que eu dizia não, Dinis! Momentos de medo, como esse que você diz, todo mundo tem! Agora mesmo é um desses: você está ameaçado, apavorado! E tem razão para isso, porque você é um homem marcado, faça o que fizer e fuja como fugir! Momentos como esses são os de se gritar para Deus, dizendo: "Tome suas providências! Tome, porque no meu aniquilamento, não sou capaz de fazer mais nada! E mesmo que ainda pudesse tomar algumas, seriam as providências da fraqueza, da maldade, da incompetência e do erro!" Mas se, antes, no começo de tudo, a pessoa fez doação de sua vida, se colocou sua segurança em Deus e no seu trabalho (e não nos tesouros da terra, do gado, dos bens amealhados), aí ele será um *forte* do Evangelho, mesmo que tenha momentos de pânico. "Onde você colocar o seu tesouro, aí estará o seu coração." É por isso que eu lhe aconselhava ainda agora, Dinis: entre, de corpo e alma, para o centro do fogo, colocado debaixo do sol de Deus, porque chegou o derradeiro momento em que as escolhas ainda são possíveis. Nosso tempo é perigoso mas glorioso. Herodes está solto por aí, pronto para enforcar, sangrar e cortar as cabeças dos inocentes. Mas, por isso mesmo, João Batista também já apareceu para batizar na água e no fogo! Sabe por que, Dinis? Porque sempre que chega o tempo dos Herodes, chega também o tempo dos profetas! Existem três sangues dentro do homem: o sangue do fogo-sujo e da besta, o sangue do pensamento e o sangue do espírito de santidade. Todos eles vivem misturados no sangue da gente, o que é uma cruz de fogo dura demais para as nossas costas! Às vezes o homem é puxado para baixo, pela besta, para o fogo-sujo, o fogo do monturo que, embaixo, queima a carne podre e escura dos bichos mortos e apodrecidos. Mas o coração, moeda de ouro incendiada, arde, e então o homem é puxado para cima, para o anjo de fogo da santidade que voa no sol! Assim, Dinis, não espanta que o homem queira fugir e se esconder dessa Onça, desse fogo que é Deus! É muito dura a nossa luta; mas se essa guerra do homem contra o fogo-sujo é a marca da nossa baixeza, é também o sinal de que podemos chegar ao sol do Divino! Saia do lado do Diabo, Dinis, meu filho! Saia, que você sairá da insegurança e do medo! Mesmo que matem você, como mataram seu Pai e seu Padrinho! Você fala, aí, dessa perseguição que lhe fizeram, da denúncia que mandaram contra você ao Juiz, por causa da briga que você teve com aquele seu colega. Acredito que ele tenha agido mal e dado muitos erros, praticando maldades e injustiças contra você. Mas ele também tem razão: você também agiu mal, também deu muitos erros em toda essa história! E por quê? Porque você, em tudo, se preocupa com essas malditas questões de honra e vive querendo apurar quem tem razão! Como se o fato de "ter razão" pudesse servir para alguma coisa! Que é que importa a ele que você tenha razão? Que é que importa a você ter razão ou não? Você ganhou a briga imperdoavelmente, e, por cima, ainda quer ter razão? Que é que lhe interessa que seus inimigos "não tenham razão"? Que importância tem que eles sejam lacraus e piolhos-de-cobra, como você diz? Por um lado, Dinis, razão completa só quem tem é Deus! Por outro lado, todos nós somos lacraus, e mesmo os piolhos-de-cobra têm, lá, suas razões! Se você tem menos culpa em relação a eles do que eles perante você, isso não significa que você esteja pagando inocente, Dinis, porque todos nós (e seus inimigos também) somos, ao mesmo tempo, terrivelmente culpados e inteiramente inocentes!

Pedro Beato começou a se levantar com dificuldade. Eu, açodado e desajeitado como sempre fico nessas ocasiões, comecei a ajudá-lo. E então, talvez por estar assim, bem perto dele, tive coragem de, num impulso, tratar do assunto que me queimava por dentro há tempo. Falei:

— Pedro, muito obrigado por tudo o que você me disse! Não tenho coragem para fazer o que você me aconselha, porque não tenho nem sua bondade, nem sua força, nem sua coragem, nem sua humildade. Vivo ameaçado e exilado! Fui expulso, sem culpa, do lugar que me pertencia, e muitos são os que desejam me desgraçar ainda mais, me esmagar como se eu fosse um percevejo! Tenho que provar, pelo menos a mim mesmo, que meu sangue pode ser ruim, mas pelo menos é de onça e de cobra, como você diz, e não de percevejo! De qualquer modo, Deus há de recompensar você por sua bondade para comigo. Eu sou ruim e vivo no pecado, num pecado sem freios, Pedro: mas, por isso mesmo, eu queria que você aqui, agora, me perdoasse de uma vez para sempre!

— Perdoar você, Dinis? Por quê? — indagou ele, olhando-me diretamente nos olhos.

— Você sabe que eu vivo com Maria Safira, e eu queria que você me perdoasse a mim e a ela por causa disso!

— Vocês já estão perdoados há muito tempo, Dinis! Nisso tudo o que você disse, só uma coisa me preocupa: é isso do seu pecado sem freio! É isso que está desgraçando você: não sei o que é que está havendo no mundo que, de repente, as pessoas deram para viver como se tudo fosse permitido. É daí que vêm todas as ofensas e todas as desordens! Mas, quanto à vida de vocês, não tem grande importância! Que é que Maria Safira podia fazer? Eu nunca pude ser para ela um verdadeiro marido, era já velho demais para isso quando me casei, e ela era moça e bonita, como ainda é! Eu nunca toquei no corpo de Maria Safira, Dinis, e ela precisa disso! — disse ele baixando o rosto.

— É verdade! — disse eu, também desviando os olhos. — Safira é uma mulher de precipício, uma mulher de abismos, Pedro. Dizem até, na rua, que aqueles olhos verdes dela são daquela cor porque ela é possessa do Demônio!

— Eu não acredito nisso não! — falou Pedro Beato. — E, mesmo que fosse verdade, aí é que ela precisa mesmo da minha ajuda e da sua! Seria muito difícil ela resistir, com todo mundo desejando o corpo dela, aí pela rua! Aqui dentro da Vila, qual foi o homem que não possuiu "a endemoninhada", pelo menos uma vez e em pensamento? Está também no Evangelho, "todo aquele que olhar para uma mulher cobiçando-a, já, no seu coração, adulterou com ela". Assim, você serviu de grande ajuda, para ela, depois do meu casamento. Eu não tenho nada que perdoar a Maria Safira: ela é quem deve me perdoar por ter casado com ela tendo feito voto de castidade e pobreza e tendo me tornado incapaz, há tanto tempo, de desrespeitar meu voto!

— Sim! — disse eu. — Mas isso só justifica Maria Safira! Quanto a mim, há muito tempo, já, que venho sentindo a necessidade de me justificar, contando a você o verdadeiro motivo de eu ter me tornado amante dela! O que você disse, justifica Maria Safira: o que eu vou lhe dizer explica é o *meu* procedimento! Você deve se lembrar que meu Pai me mandou para o Seminário...

— Me lembro, sim!

— Olhe, Pedro, eu às vezes tenho vontade de reclamar contra a sorte, por ter nascido como nasci! Eu via meus irmãos mais velhos, aquelas fortalezas, e só faltava morrer de inveja, vendo como eles eram diferentes de mim — íntegros, serenos, firmes, como se tivessem brotado, como uma baraúna ou uma aroeira, das pedras e dos campos do Sertão! Parecia-me que eles permaneciam inatingidos pelo mal, pelo pecado, pela fraqueza, pela baixeza, mesmo que se vissem metidos no meio dos atos mais terríveis e estranhos, como as brigas e as questões de terra! Tudo aquilo que me marcava e me corrompia, passava por eles sem abalá-los. Principalmente Manuel, o mais velho, talvez porque eu o via cercado de filhos, lavrando a terra e criando gado! Mas mesmo os outros dois, Francisco e Antônio, metidos nas lutas e combates sertanejos, um como oficial da Polícia, o outro como cabra-do-rifle, matando e arriscando a vida; praticavam os atos mais terríveis e, apesar de tudo, permaneciam com aquele núcleo de pureza e força que não permitia fossem eles conspurcados e envilecidos. Por que será,

Pedro, que somente eu tive a pouca sorte de nascer com essa corrupção do sangue que deu na putaria, na galhofa, na Academia e no Seminário? Não sei, mas sei que sou mais culpado e corrupto do que os outros! É verdade que houve também os acasos e o papel deles foi importante. Por exemplo: eu era o último filho, dos legítimos; e como meu Pai já julgava assegurada a sua descendência através dos quatro mais velhos, teria que ser eu, mesmo, o Padre da família. Mas o que me deixava suspeitoso sobre a corrupção do meu sangue é que, quando meu Pai começou a falar na minha ida para o Seminário, todo mundo dizia que, de todos os filhos dele, eu era o único que, "pela cara, ainda tinha alguma possibilidade de ser Padre". Quer dizer: o pessoal pressentia que, dentro de mim, havia aquela mistura de pecado, sangue e remorso que faz um Padre. Olhe, Pedro, eu tenho a maior pena dos Padres...

— Eu também! — disse Pedro, por sua vez espantado.

— Dos padres daqui, tenho menos pena de Padre Renato e do Padre Marcelo.

— Por quê?

— Padre Renato é homem de poucas perguntas e pouca conversa. É um soldado, como meu irmão. Basta você ver o pescoço e a nuca dele, quando está celebrando a missa, com as botas aparecendo por baixo da batina. É homem que, se tivesse poder, condenava todos nós à morte, por introduzirmos a desordem, a corrupção e o pecado na Igreja. O outro, Padre Marcelo, é uma alma de criança...

— Você sabe lá do que se passa por dentro dos outros, Dinis?

— É, talvez eu esteja errado. Mas, de qualquer modo, é assim que sinto as coisas.

— É, o Padre Marcelo é um santo, uma criatura de Deus.

— Pois é por isso que, dos nossos três padres, aquele que me dá mais compaixão é o Padre Daniel! Esse, é uma chama ardente. Acho que com todos os padres acontece, mais ou menos, aquela mistura de que falei há pouco: mas, nos padres como o Padre Daniel, eu *sei* exatamente o que se passa, porque é exatamente o que acontece comigo. Eles procuram Deus como quem procura uma cura pelo fogo, porque pressentem as chagas de corrupção, de inclinação para o mal que existe dentro deles. Acho que era isso que as pessoas pressentiam, quando afirmavam que eu era o único dos filhos de meu pai que ainda tinha alguma coisa de padre. E lá fui eu para o Seminário! Entretanto, a parte de corrupção, em mim, devia ser maior, e os superiores, descobrindo isso, expulsaram-me. Antes, porém, quando ainda estudava no Seminário, voltava para cá nas férias de Junho e do fim do ano. Numa dessas, encontrei Maria Safira pela primeira vez. Eu estava na Igreja velha: ela passou na porta, viu que eu estava só e entrou também. Aproximou-se e falou comigo. Disse que tomara conhecimento da minha chegada e que não deixara de me seguir desde o começo. Contou-me tudo o que acontecera com ela, como tinha sido seduzida e abandonada e como você tinha se apiedado de tudo e casado com ela. De repente começou a me dizer as coisas mais estranhas do mundo, coisas que eu nunca tinha ouvido nem pensava que uma mulher dissesse...

Pedro Beato, meio constrangido, baixou a cabeça. Eu continuei:

— Ela me falou então, também, pela primeira vez, na *cardina* que meu Pai tinha me dado para eu beber, sem que eu soubesse. Você sabia disso, Pedro?

— Ouvi falar! — disse ele vagamente e como se quisesse mudar de assunto.

— Meu Pai, como você sabe, era raizeiro, meio profeta e astrólogo. Sabendo das dificuldades que eu tinha no estudo, me deu, para eu beber, um chá de *cardina*, uma beberagem que abre a inteligência das pessoas. Ele não me esclareceu o que era, dizendo somente que se tratava de um fortificante. Assim, a princípio, não posso dizer se houve alguma modificação, porque, não estando advertido, não passei a observar se tinha mudado ou não. Naquele dia, porém, Maria Safira me revelou que a bebida que eu tinha tomado tinha sido a *cardina*. Disse-me, também, que a pessoa que bebe *cardina* fica inteligente mas perde toda a força de homem. Aquilo para mim, Pedro, foi como um raio que tivesse caído perto de mim. O que mais me preocupava era que, com a convivência de Samuel e Clemente por um lado, e com a de meu padrinho João Melchíades e de Lino Pedra-Verde por outro, eu tinha me tornado, aos poucos, um Poeta e acadêmico capaz de colaborar no *Almanaque Charadístico e Literário Luso-Brasileiro*. Provavelmente isso significava que a *cardina* tinha tido efeito na inteligência e, portanto, no resto também!

— E é verdade? Você verificou? — disse Pedro.

Olhei para ele, para ver se havia alguma maldade na pergunta, mas notei que o Beato perguntara aquilo com sua bondade habitual, apenas por estar preocupado, interessado no meu sofrimento. Então expliquei:

— Para falar a verdade, não sei, Pedro. Não sei, porque, logo no dia seguinte, Maria Safira me procurou de novo e me disse que sabia como combater e anular o efeito negativo da *cardina*, sem que a parte positiva, a da abertura da cabeça e da inteligência, ficasse prejudicada. Ela achava, até, que, voltando eu à capacidade de cavalgação e reinaço, a parte de estro da Poesia ia tomar mais fogo dentro de mim! Ah, Pedro, como é bom esse contato da gente com mulher! Como é bom a gente dizer certas coisas e ouvir outras, naquele tom em que, de repente, tudo se torna possível! Como isso é diferente destes nossos ásperos entendimentos masculinos, em que somos olhados com hostil imparcialidade e julgados a cada instante! Com as mulheres, é o contrário. Se gostam de nós, elas não nos julgam e são ainda mais carinhosas quando a gente se revela fraco e cheio de defeitos. De vez em quando, a gente sente, não com a cabeça, mas com o sangue, que pode repousar a cabeça naquele colo, naqueles seios, que pode chorar sem ser desprezado, beijar sem ser repelido, sentindo o perfume que se desprende da pele e dos cabelos que nos envolvem numa grande paz e no mais ardente desejo! Naquele dia, falando com Maria Safira, eu senti assim. Não me envergonhei de confessar que, desde a véspera, eu estava me sentindo o último dos homens. Não seria capaz, mais nunca, de agradar a uma mulher. Ou, mesmo que fosse, não teria mais coragem de desejá-la, porque agora eu mesmo estava convencido de que nunca mais seria homem. Safira, então, me convidou a tentar, com ela. Disse que, por sua vez, sentia uma atração estranha por mim. Que, em mim, o que atraía seu sangue e seu desejo eram duas coisas: primeiro, o fato de estar destinado a ser Padre e, agora, aquela ameaça de impotência; depois, o fato de eu descender "daqueles homens esquisitos da Pedra do Reino". Safira ouvira falar em que meu bisavô ficava excitado sexualmente de maneira poderosa quando degolava a mulher que possuía. Dizia-me que, desde que ouvira falar nisso, ficara me desejando, pois sabia que seu prazer seria enorme se ela fosse possuída sabendo que, a qualquer momento, corria o risco de ter a garganta cortada. Por isso, eu não me sentisse humilhado se tudo desse errado a princípio: ela recomeçaria e teria tão infinita doçura que terminaria dando certo, senão da primeira vez, de outra. Disse, também, que eu a ajudasse, consentindo: porque, depois que esse desejo se metera no sangue dela, fazia parte de seu orgulho de mulher que ela obtivesse êxito comigo. Então concordei, vendo em Maria Safira a minha última esperança de ser novamente homem. Indaguei como ela pensava vencer, no meu sangue, o mal que a *cardina* tinha introduzido nele. Olhe, Pedro, não sei se tenho coragem de contar o que se passou daí em diante...

— Conte, conte! Acho que é melhor, pra você e pra mim! — disse Pedro.

— Ela me perguntou se era verdade que o Padre Renato tinha me dado uma chave da Igreja de São Sebastião. Eu respondi que sim. Então ela me disse: "Pois se é assim, vá pra lá, cuide para que não vejam você entrar, deixe a porta do lado aberta, somente encostada. Entre pela porta do lado, que é mais resguardada. Daqui a pouco eu vou encontrar você, lá." Eu fui, fiz tudo como ela tinha recomendado e ela foi se encontrar comigo na Igreja. Foi assim que tudo aconteceu, Pedro.

— Como, Dinis, meu filho? Na igreja? Um sacrilégio?

— Sim, Pedro, um sacrilégio! Eu sentia em tudo aquilo um elemento diabólico. Era como se Maria Safira fosse, mesmo, possessa e eu vendesse meu sangue ao Demônio, recuperando a força de homem que tinha perdido. E daí em diante, é assim que temos vivido. O pior é que, aos poucos, meteu-se na minha cabeça que só com Maria Safira e com seus malefícios diabólicos é que eu posso ser homem, de modo que, se ela se entregou ao Diabo, eu me entreguei completamente a ela, e portanto a ele também. Era isso o que eu queria lhe dizer, Pedro, porque, se tudo isso piora minha situação em relação a Deus, melhora em relação a você. Nossa ofensa a você já não é tão grande, porque agora você entende que eu não posso passar sem ela nem Maria Safira sem mim. Esse é o motivo real de nós dois não nos separarmos, continuando a maltratar você com o escândalo da nossa vida!

— Está bem, entendi tudo, Dinis, meu filho! Mas não se incomodem comigo, por mim vocês estão perdoados. Mas que importância tenho eu? Não é o pecado de vocês em relação a mim, o que tem importância é o pecado diante de Deus. Mas Ele vai ter compaixão e ajudar vocês dois. Até logo, e boa sorte no seu processo.

— Obrigado, Pedro. Reze por mim!

Folheto XLVI
O Reino da Pedra Fina

Pedro Beato saiu para a rua e eu passei uma derradeira vista pelo ambiente que me cercava, a Biblioteca e minha casa, pegada a ela por uma porta larga que fazia dos dois casarões um só. Lancei esse derradeiro olhar à minha casa, tão desarrumada, tão empoeirada, mas tão acolhedora, tão diferente da Cadeia para a qual deveria me dirigir. E lembrando-me de que talvez nunca mais voltasse a vê-la, abri a porta da frente e saí para a calçada, enceguecido ao mesmo tempo por minha má visão e pelo terrível sol sertanejo, que fulgurava nas pedras e nos cristais do chão, àquela hora zodiacal.

Naquele dia 13 de Abril, Quarta-feira de Trevas deste nosso ano de 1938, tudo era nefasto, aziago e desfavorável, por qualquer ângulo que o encarássemos. Do ponto de vista religioso-filosófico, por exemplo, era o tempo da Quaresma, isto é, era o tempo daqueles terríveis quarenta dias durante os quais o Cristo penara naquele Sertão pedregoso e espinhento da Judeia, sujeito às tentações do Diabo e ao fogo infernal do Deserto. Além disso, estávamos na Semana da Paixão, ligada àquele outro Sertão maldito do Gólgota, ao sangue e à coroa de espinhos. Era, ainda, uma Quarta-feira *de trevas*. Como se isso tudo não bastasse, neste ano de 1938 aquele dia trevoso e amaldiçoado tinha caído num dia 13, número azarento e ameaçador. Finalmente, do ponto de vista astrológico, estávamos sofrendo então, em toda a sua força fatal, os influxos do planeta Marte, que, como todos sabem, é adverso e nefasto ao sangue humano.

Tudo isso (aliado ao ambiente político de suspeitas e delações, assim como à terrível e sangrenta história do Rapaz-do-Cavalo-Branco) pesava no meu sangue e na minha cabeça, enquanto eu caminhava, com um ar envergonhado de suspeito, sob os olhos enviesados de todos os moradores da nossa Vila. Gente que até a véspera me tratava com alguma cordialidade, agora, que minha intimação se tornara rapidamente conhecida, torcia a cara e cortava caminho para não falar comigo. Como era de esperar, a má vontade maior vinha das mulheres, principalmente as da Aristocracia rural sertaneja, damas pertencentes a um círculo do qual, bastante tempo antes, eu fora "expulso como infame", e que agora exultavam com minha perdição definitiva, espreitando-me por trás de todas as rótulas e persianas da rua.

Deixando a calçada, comecei, agora como um desafio, a caminhar pelo meio da rua, hábito que sempre tive e que sempre foi alegado, na Vila, como um dos argumentos mais definitivos contra o meu caráter. O pior, agora, é que eu, aos 41 anos de idade, já estava começando a me sentir envelhecido e cansado, com aqueles infindáveis processos, ligados à degolação de meu padrinho Pedro Sebastião Garcia-Barretto e à história do Rapaz-do-Cavalo-Branco. Eu fora chamado a depor sobre isso em 1930, perante os Tribunais Revolucionários surgidos com a vitória da Revolução. Cinco anos depois, o inquérito fora novamente aberto, quando se relacionou pela primeira vez toda aquela história de 30 com a "missão secreta" que o Rapaz-do-Cavalo-Branco teria vindo desempenhar na Revolução comunista de 1935. De modo que esta, de agora, era a terceira vez em que eu me via envolvido naquela teia de política, sangue, enigma e crime, relacionada com a família de minha Mãe, a suave e doce Maria Sulpícia Garcia-Barretto Quaderna. Os três processos se enovelavam no meu terror, formando um processo único, uma armadilha só, uma espécie de teia de aranha, de novelo-de-cobras ou de nó-de-lacraias, nos quais eu iria me enredar inapelavelmente, picado, ferroado e empeçonhado, talvez para sempre e de modo fatal.

Assim, era cambaleando que eu, aos poucos, usando, como podia, meus olhos terrivelmente prejudicados três anos antes, no dia em que chegara o Rapaz-do-Cavalo-Branco, me aproximava da Cadeia, tateando o chão com meu Cajado-profético, para, assim, poder andar com mais segurança. Sob o sol fagulhante do ainda quase meio-dia sertanejo, o Sertão me aparecia como uma enorme Cadeia de serras pedregosas. Ao mesmo tempo, porém, meu sangue orgulhoso e régio se rebelava contra essa visagem; e o Sertão me aparecia, então, como um Reino, o Reino do qual falava o genial Poeta sertanejo Leandro Gomes de Barros, num "romance" que minha Tia Filipa costumava cantar e que exerceu profunda influência na minha formação político-literária. Nesse romance, chamando o Brasil de "O Reino da Pedra Fina", dizia o grande poeta paraibano de Pombal:

*"Havia um grande País
de nação mouro-cruzada,
e havia as Pedras do Reino,
por outras pedras cercadas:
diziam que lá morava
uma Princesa encantada.*

*Aí, na Serra mais alta,
morava a Onça-divina:
da Pedra descia um veio
de Água muito cristalina.
Via-se inscrito nas Pedras:
'O Reino da Pedra Fina.'*

*Na Serra, ninguém subia,
nem muito perto se olhava,
porque, do centro da Furna,
vinha uma Voz que bradava:
'Faça alto! Quem vem lá?'
e logo às Armas chamava!*

*Então, ouvia-se a Voz
de um Cantador a cantar,
sobre o Prinspe legendário,
ao som de tiros no Ar.
Rufa o tambor, soa o Hino,
e a Fortaleza a salvar.*

*O Rei tinha duas pedras
na Coroa imperial:
perdeu uma e não achou
mais outra que fosse igual.*

> *Mas vai procurar de novo:*
> *e empenha seu sangue o Povo,*
> *que o Tesouro é colossal!"*

Creio, nobres Senhores e belas Damas, que com o que Vossas Excelências já conhecem sobre mim, bem podem avaliar o sentido cifrado, astrológico e sagrado desse Canto e do meu Castelo: "*as Pedras do Reino, por outras pedras cercadas*" são alusões do *romance* aos dois rochedos gêmeos da Pedra Bonita, de onde, há um século, meus antepassados reinaram sobre o nosso País; o Reino é o Brasil, este Sertão do mundo; o Rei, sou eu; também sou eu o Cantador cuja voz se ouvia, clamando às armas; a Serra mais alta, é a Borborema; a Fortaleza que salva é esta minha Obra, este meu Castelo, Fortaleza, Marco e Catedral-soterrada que eu possuo, como todos os Cantadores e Cangaceiros possuem os seus; a Princesa encantada, é Dona Heliana, a dos Olhos Verdes; assim como o Prinspe ou Príncipe legendário de quem eu conto a legenda é o meu primo e sobrinho Sinésio, o Alumioso, que tanto a amou; finalmente, a busca da pedra perdida da Coroa Imperial (busca na qual o Povo mouro-cruzado do Brasil empenha seu sangue) é a "Revolução da Guerra do Reino", que, se Deus bem me ouve, o Rapaz-do-Cavalo--Branco, enquanto eu permaneço aqui aprisionado, estará lá fora levando a bom termo, para glória do nosso sangue e da nossa Raça.

Folheto XLVII
A Aventura dos Cachorros Amaldiçoados

Para que se entenda o estado de espírito em que me encontrei é preciso que eu explique que, de repente, comecei a perceber que tinha cometido um desses enganos tolos que frequentemente nos levam a situações ao mesmo tempo vexatórias e ridículas: levado pelo nervosismo, saíra cedo demais de casa, e agora estava envergonhado de voltar. Sentia que o pessoal da rua descobriria imediatamente o meu estado de angústia e que, no dia seguinte, minhas idas e vindas seriam o assunto de todas as chacotas da rua. Ao mesmo tempo, temia chegar na Cadeia antes demais do Juiz-Corregedor: teria que ficar sentado à espera, encerrado entre quatro paredes e sentado num banco duro, o que aumentaria o meu pavor, colocando-me num estado de espírito pior ainda, que me deixaria completamente inerme e indefeso perante as manhas do Cabeça-de-Porco.

Talvez por causa disso tudo, de repente, quando dei acordo de mim, estava caminhando não para a Cadeia, mas em direção à Ponte, perto do Chafariz. Meus passos iam me encaminhando, sem muita participação do meu pensamento e da minha vontade, como se eu estivesse sendo atraído por alguma presença, lá para os lados do Rio Taperoá, seco e com a areia rebrilhando no sol.

O mais curioso é que não me encaminhei para a Ponte, que seria o local mais indicado para passar o tempo, pois ali eu poderia me acolher à sombra das pilastras e descansar um pouco. Em vez disso, entrei pelo beco que fica no oitão do Chafariz, demandando o trecho de beira-rio que fica ali por trás. Em momentos comuns, isso não se explicaria, porque aquele é um lugar imundo, que servia há tempo de monturo e depósito de lixo.

O Rio Taperoá permanece seco a maior parte do tempo, como sabem todos aqueles que leram o *Dicionário Corográfico da Paraíba*, do genial Coriolano de Medeiros. O nosso Prefeito Abdias Campos mandara construir em 1933 ou 34 um cais de pedra-e-cal margeando-o desde o Chafariz até a Usina de Luz. Do cais desce uma ladeira até o leito do rio, lá embaixo; e o terreno dessa ladeira é coberto de lixo, velhos chifres de boi, pedaços de couro apodrecido, cascos, costelas e caveiras, pois o Matadouro é logo ali perto, também à beira do rio.

Assim, só se explica que eu me dirigisse para lá por alguma razão obscura, pela perturbação em que me encontrava, porque é realmente um lugar repugnante. E logo eu me veria, ali, diante de uma cena que estava de acordo com a hora, o lugar e meu estado de espírito.

Mal entrei pelo beco do oitão do Chafariz, avistei um homem que estava de costas, sentado na amurada do cais, com as pernas pendendo para o lado do rio, de modo que eu só lhe via as costas — o tronco forte e a gorda nuca. Pela roupa e pelo tipo, porém, conheci logo que era Eugênio Monteiro, irmão do Comendador Basílio Monteiro e de meu amigo Eusébio (este conhecido na rua como Dom Eusébio Monturo).

Eugênio era um sujeito entroncado, moreno, calvo, de barba fechada mas raspada. Andava perto dos cinquenta anos e era o mais moço dos irmãos. Só vestia roupa preta e usava um desses chapéus duros, pretos, abaulados, de abas meio curvas, desses que alguns padres costumam usar e a que o Povo chama de *bacoras*. Agora, estava ali, vestido assim, de costas para o meu lado, olhando para o leito seco e sujo do Rio Taperoá, como se estivesse absorto em profundos pensamentos.

Para que bem se entenda a impressão que a conversa dele me causou, é preciso que eu diga que entre o ano de 1935 e este nosso de 1938, tinham começado a aparecer uns crimes estranhos, entre nós. Três, sobretudo, tinham impressionado mais do que os outros porque, segundo os falatórios da rua, vigiava, oculto dentro deles e entre outras implicações, o terrível problema político.

O primeiro fora, a princípio, encarado sob outro ângulo. O Sacristão da nossa paróquia lá um dia amanhecera morto a tiros, na porta de sua casa. Todas as manhãs, ele saía para bater o sino das seis horas, e naquele dia fora morto por um desconhecido que fugira. Primeiro, atribuiu-se o crime a problemas pessoais: diziam que a mulher o enganava, motivo pelo qual o amante e ela eram os mandantes. Mas depois, por maledicência, quiseram envolver o nome do Padre Renato na história. Ora, o Padre Renato era inatacável, do ponto de vista da castidade sacerdotal. No trato com as mulheres não se conhecia um deslize seu — ao contrário da maioria de seus antecessores. Mas era odiado pelas pessoas que, na rua, tinham ideias parecidas com as de Clemente. Isto porque era intransigentemente "conservador e obscurantista". Sua honradez pessoal, no caso, até aumentava o rancor das pessoas que o hostilizavam: gostariam de ter motivos para falar mal dele, e não os encontrando, transformavam em ódio a aversão inicial. Por outro lado, bastaria essa hostilidade do pessoal de Clemente para tornar o Padre Renato simpático à outra ala, a de Samuel: entre estes, o Padre Renato era considerado, não digo um santo, mas uma espécie de bastião e forte da Igreja em nossas paragens.

Talvez tenha sido, portanto, o pessoal de Clemente que desejou envolver o nome do Padre Renato no crime. Já o pessoal de Samuel começou a espalhar a versão de que a morte do Sacristão tinha sido realizada pelos comunistas, dispostos a atingir o Padre Renato através de seu auxiliar de confiança.

O ambiente tornava-se, aliás, cada vez mais propício a esse tipo de acontecimentos e de histórias. A morte de Elza Fernandes, moça que fora condenada e executada, ao que se dizia por ordem pessoal e especial de Luís Carlos Prestes, chefe dos comunistas brasileiros, tornava tudo crível e tudo possível, no âmbito nacional. Mas logo esse ambiente estranho contagiaria até a nossa pacata Vila.

Um dia, pouco tempo depois da morte do Sacristão, um rapaz da Burguesia urbana de Taperoá, Samuel Coura, foi assassinado a faca, numa emboscada. O crime também ficou insolúvel e causou rebuliço dez vezes maior do que a morte do Sacristão. Não era tanto pelo fato de Samuel Coura ser aparentado com um dos chefes políticos mais prestigiosos do Cariri, o Coronel Joaquim Coura: era o fato de ser irmão de um rapaz misterioso, Adalberto Coura que, tendo saído de nossa terra, quase menino, para estudar em Campina, na Paraíba e no Recife, voltara há pouco tempo para sua terra, ninguém sabe para fazer o quê. Diziam que Adalberto Coura "voltara comunista"; que tivera, no Rio, uma entrevista secreta com Luís Carlos Prestes; e que, no Recife, entrara em contato com Silo Meireles e outros chefes revolucionários, de modo que seu reaparecimento inesperado entre nós seria ligado a uma "missão secreta" de que fora encarregado para o Sertão.

Aí, foi a vez do pessoal de Clemente: começaram a aparecer boatos de que, de fato, a emboscada na qual morrera Samuel Coura tinha sido preparada para matar seu irmão Adalberto, que deveria ter sido assassinado, a mando dos proprietários e integralistas, como represália pela morte do Sacristão.

O pai de Adalberto Coura já andava apavorado com as "ideias novas" do filho. Tivera inúmeras discussões com o rapaz, de modo que o ambiente de casa já estava ficando insustentável para Adalberto. Com a morte de Samuel, a tempestade chegou ao auge, e o velho Feliciano Coura, chamando o filho estranho de Caim, expulsou-o de casa.

Foi aí que apareceu o terceiro crime: um padre moço, recentemente ordenado, e que fora enviado pelo Bispo para ajudar o Padre Renato, apareceu morto, enforcado, todo mutilado e com os olhos vazados a ponta de faca.

Aí, juntaram-se boatos espalhados pelas duas alas. Uns diziam que a morte do padre fora cometida pelos comunistas, em sua campanha de ódio contra a religião, considerada por eles como "ópio do Povo"; outros, que tinham sido os integralistas, que odiavam os padres moços que trabalhavam com o velho Padre Renato e que, segundo eles, "faziam o jogo dos comunistas".

Pois como vinha dizendo: naquele dia, aproximei-me de Eugênio Monteiro sentindo agravar-se em mim a terrível sensação de mal-estar que vinha experimentando. Não era só o processo, o depoimento: alguma coisa desconhecida, obscura, ameaçadora, parecia me esperar e me espreitar ali, sem que eu soubesse realmente do que se tratava.

Quando cheguei para perto, Eugênio não demonstrou a menor surpresa. Pelo jeito, parecia mesmo que me esperava; que só poderia ser eu, quem ali chegava, como se tivesse havido combinação de um encontro entre nós. Quase sem se mover, ergueu o queixo apontando com ele para os lados do monturo amontoado à beira do rio, e disse como se revelasse a presença de alguém, ali:

— O Diabo, Quaderna!

Olhei para a direção que ele indicara. Embaixo, no monturo, alguns cachorros estavam farejando o chão, dando pequenas corridas para aqui e para ali, enquanto outros, num grupo mais compacto, pareciam estar começando a disputar alguma coisa, alguma presa que tinham acabado de encontrar.

Meio espantado com os modos de Eugênio Monteiro, encarei-o e repeti, a modo de indagação:

— O Diabo?

— Sim, o Diabo, o velho Diabo, Quaderna! Você não acredita nele não? Eu acredito! Como é que eu posso não acreditar naquilo que acabo de ver?

— Você acaba de ver o Diabo, Eugênio? — perguntei, inquieto.

— Acabo de ver e ainda estou vendo, Quaderna! O Diabo está ali embaixo, naquele monturo!

Olhei de novo e só via os cachorros, cuja disputa começava, agora, a assumir uma certa ferocidade.

— Eu só estou vendo os cachorros, Eugênio!

— Quaderna — disse ele lentamente —, você sabe, melhor do que eu, que o Diabo pode aparecer como cachorro! Você já viu um bando de carcarás comendo um borrego morto? Quem é o Diabo, nesses casos? O borrego? O carneiro preto, pai dele? Os carcarás? Não sei, mas um desses ele tem que ser! Agora, talvez o Diabo seja um desses cachorros, e está ali! Você se lembra daquele homem, Gabriel, que foi comerciante aqui e depois se mudou para São José do Egito, no Pajeú?

— Me lembro, sim!

— Você se lembra de uma prima dele, chamada Luciana?

— Me lembro, também.

— Um dia, Gabriel foi à casa dela. Os tios dele, pais de Luciana, tinham saído. Ele entrou e encontrou a moça sozinha, deitada num sofá. Sentou-se junto dela, conversa vai, conversa vem, ele, a pretexto de examinar uma marca que a pulseira deixara no braço dela, começou a acariciá-la. O certo é que com poucos instantes Luciana tinha sido deflorada. Por falta de sorte dela e dele, a moça engravidou. A mãe, a velha Julieta, desconfiando do que havia, botou a filha em confissão e descobriu tudo. Levaram então Luciana para Campina e ela teve, lá, uma menina, que foi deixada com uma velha parenta de Gabriel que lá morava. Um ano ou dois depois, a velha Julieta foi lá e trouxe a neta para casa, passando a criá-la como se fosse filha adotiva. Aqui na rua, porém, todo mundo sabia que era a filha de Gabriel e Luciana. Depois daí, o que foi que aconteceu? Você sabe?

— Sei! A menina, que se chamava Leonor, cresceu e chegou aos 15 anos de idade. Aí Gabriel, seu pai, tomou-se de paixão sexual por ela, deflorou-a e casou-se com ela. O casamento tinha três objetivos: dar um desmentido público aos rumores de que Leonor era filha dele, evitar o escândalo de nova gravidez de moça solteira e satisfazer a paixão sexual que o tinha possuído.

— Foi isso mesmo, Quaderna, e eu fui testemunha do casamento. Olhe, eu não sou dos que pensam que essas coisas não acontecem "com as pessoas simples e inocentes do Povo", não. Não existe ninguém simples e inocente, Quaderna! — disse Eugênio, recordando-me, agora com um tom diferente, as palavras de Pedro Beato. E acrescentou: — De qualquer modo, porém, se o fato se tivesse passado com pessoas do Povo, teria terminado ou em nada ou em tragédia. Ou o casal de pai e filha teria continuado simplesmente a viver e coabitar, com o consentimento da mãe da moça, ou teria havido assassinato, como sucedeu com aquele morador da fazenda "Aroeiras" que violou a filha e matou-a depois (dizem, até, que ela está fazendo milagres). Mas, como se tratava de Gabriel, gente assim como eu e você, o fato teria que acabar como acabou: em farsa, uma farsa obscena e grotesca! Leonor, casada com o pai vinte anos mais velho do que ela, começou a desejar machos mais vigorosos e passou a enganar Gabriel. Ele, com o que fizera antes com a prima e a filha, já tinha os pés de cabra e o rabo, reveladores do Diabo que era: recebeu, então, de contrapeso, um par de chifres, tornando-se um Diabo completo, apontado a dedo por toda a rua, perseguido pelas risadas dos rastejadores de pecados, pelos intrigantes e pelas comadres, pelos virtuosos dissimulados e tenazes!

— Está certo! — objetei. — Mas foi Gabriel quem apareceu ali, agora, no monturo, entre os cachorros?

— Não! — falou Eugênio, sempre com a mesma voz grave e pausada. — Mas você está vendo ali aqueles cachorros, não está?

— Estou!

— Sabe o que é que eles estão disputando?

— Não! Deve ser algum pedaço de carne que trouxeram do Matadouro e largaram por aí!

— Bem, você tem certa razão. Que é um pedaço de carne, é, e que passou por um matadouro, passou, se bem que não pelo Matadouro em que você está pensando! Aquilo, Quaderna, é um menino recém-nascido, morto, que foi abandonado aí, hoje de madrugada!

Horrorizado, olhei de novo para lá, e vi, realmente, algo que parecia um boneco flácido e esbranquiçado, lívido, puxado pr'aqui e pr'ali pelos dentes e patas dos cachorros. Eugênio deu uma espécie de risadinha, satisfeito pela impressão que, afinal, me causara. E continuou:

— O menino nasceu há poucas horas. É filho daquela moça que, segundo diziam, ia casar com o tal do Gustavo Moraes, filho do usineiro ricaço do Recife que, ninguém sabe por qual motivo, veio comprar terras e minas aqui. Gustavo deve ter emprenhado a moça, que pariu esta noite. A mãe dela, mais eficiente do que a mãe de Leonor, matou o menino.

— Matou? — falei, recuando um pouco.

— Sim, matou! Vá lá e olhe, Quaderna: a moleira do menino está afundada, como se alguém tivesse enfiado o dedo nela até matar o coitadinho! Agora, lhe pergunto: que é que você vai fazer?

— Eu? Nada! Nem fui eu que emprenhei a moça, nem fui eu que matei o menino, nem fui eu que achei o corpo!

— Você não acha que tem certas obrigações, diante do que aconteceu?

— Não, quem tem é você, Eugênio! Em circunstâncias normais, eu iria chamar a Polícia. Mas estou metido num inquérito, tenho que ir para a Cadeia dar um depoimento e não quero chegar lá com mais esse problema, de jeito nenhum! Além disso, foi você quem encontrou o corpo do menino, de modo que a obrigação é sua.

— Então vá, Quaderna! Não tome providência nenhuma! — disse Eugênio, com ar queixoso. — Que importância tem que o meninozinho seja ou não devorado pelos cachorros? A almazinha dele já está no céu, e, de lá, pedirá por você a Deus, para que você se saia bem do seu processo! Vá!

Naquele momento, lembrei-me de que Maria Safira sonhara comigo como se eu fosse um Diabo apalhaçado e ridículo; e não pude me impedir, também, de pensar que o próprio Eugênio era um Diabo, um Diabo vestido de preto, grosso, entroncado e de chapéu-coco. Tinha certeza de que suas botinas pretas escondiam um pé de cabra e de que, se ele tirasse a bacora, apareceria em sua testa um par de chifres retorcidos e grotescos. Senti um profundo desgosto de ser quem era e de viver como vivia. Mas não disse nada. Rodando nos calcanhares, dei-lhe as costas e saí.

Folheto XLVIII
A Confissão da Possessa

Como um sonâmbulo, voltei pelo mesmo beco do oitão do Chafariz. Não tivera coragem nem de ir lá, olhar o meninozinho morto. Enveredei pelo Beco da Prefeitura, demandando a Rua Grande pelo largo da Igreja Nova.

Ali, antes de eu me dirigir finalmente à Cadeia, ainda teria que acontecer outra cena estranha, desta vez entrando eu na história, como protagonista. Foi que, na esquina da Rua Grande com o Beco da Prefeitura, uma mulher, Maria Safira, estava à espreita, esperando-me. Não me dirigiu a palavra nem esperou que eu me aproximasse para falar-me. Depois que notou que eu a tinha visto, fez-me um aceno com a cabeça em direção à Matriz, deu-me as costas, cruzou o largo deserto e começou a subir a ladeira da Igreja. Chegando à porta desta, cruzou-a e sumiu-se no interior.

Meu coração deu um salto no peito, pois eu já sabia o que aquilo queria dizer. Sabia que eu, cada vez mais, estava me afastando do mundo de Pedro Beato e do Padre Marcelo e entrando no de Gabriel e Eugênio Monteiro. Mas não tinha opção nem forças para resistir. Aterrado, sabendo no íntimo como aquilo era degradante e perigoso, sobretudo naquele momento, olhei em torno para as casas. Não havia viva alma na rua, as portas e janelas estavam todas fechadas por causa do sol, na sesta do após-meio-dia. Mas quem podia garantir qualquer coisa? Certamente eu continuava sendo espreitado por trás de todas as rótulas. Até agora, meus sacrilégios com Maria Safira tinham ficado à margem dos falatórios. Mas quem sabe se aquele não seria descoberto?

Baixei a cabeça, cruzei o largo, subi a ladeira e entrei na Igreja, no encalço daquela mulher possessa, de olhos verdes. A princípio, ainda encandeado pelo sol de fora, não percebi ninguém. Depois, vi que o Padre Renato, sonolento, quase cochilando, estava sentado no confessionário, com Maria Safira ajoelhada, sussurrando seus pecados estranhos ao ouvido dele. Ela já me dissera que fazia confissões propositadamente incompletas, deixando escapar, porém, de vez em quando, coisas inconfessáveis, destinadas unicamente a perturbar o velho e honrado padre.

Desviando-me da vista do Padre Renato, sentei-me num banco, no recanto mais escuro da Igreja, num lugar em que o Padre não podia me avistar da posição em que se encontrava. Ele não se apercebera da minha entrada, o que me deixava mais tranquilo para olhar Maria Safira à vontade. Ela parecia uma mulher comum e devota, contando a um padre virtuoso suas pequenas preocupações e inocentes transgressões.

De repente, porém, notando que eu a olhava, apoiou-se somente com o braço esquerdo na borda de madeira da grade do confessionário e, com a mão direita, desabotoou a blusa, puxando para fora o belo peito branco, que me exibiu agressivamente. Depois, baixando a mesma mão, pegou o vestido pela orla inferior e ergueu-o. Fascinado, vi que ela estava nua, sob o vestido. Dali, dava para eu ver perfeitamente as coxas e o belo ventre, com o selvagem tufo de pelos sobressaindo embaixo. Ao mesmo tempo, e com o Padre sempre sussurrando seus conselhos, inocente sobre o que se passava, Maria Safira desviava o rosto e me olhava, com um sorriso enigmático e uma expressão dissimulada nos olhos enviesados, verdes e luzentes como os dos gatos.

A confissão acabava. Ela me fez um gesto, indicando-me o altar-mor. Havia um espaço vago entre ele e a parede do fundo: ergui-me cuidadosamente, evitando sempre que o velho Padre me visse, e ocultei-me ali, naquele lugar que ela me indicara. Ouvi então os passos do Padre Renato que saía da Igreja, assim como os de Maria Safira, que se aproximavam. Ela chegou para perto de mim e abraçou-me, sempre sem dizer palavra. Todo o seu corpo se achegou ao meu e ela sorriu, notando, pelo contato, que seu gesto sacrílego já obtivera, em mim, o efeito costumeiro contra algum resto de cardina que tivesse ficado no meu sangue. Então, suavemente, como uma onça no cio, deitou-se no chão de tijolo da Igreja e ergueu o vestido.

Não vou mais transgredir as leis de Deus contando o que se passou. Seria arriscar-me demais perante o Juiz, o Delegado e os nobres Senhores e belas Damas que me ouvem. Além disso, como Profeta católico-sertanejo que sou, não me atreveria a contar, por minha conta, cenas como essa. Este é, aliás, o motivo de eu ter, no começo, me referido a três cenas imorais, escritas pelo Visconde de Montalvão e por Carlos Dias Fernandes, uma de amor natural e duas de amor desviado: quem escre-

BANDEIRA DO GAVIÃO.

veu essas cenas foram eles e eles que assumam a responsabilidade. Daqui por diante, quando a minha história me obrigar a contar essas coisas, basta que eu mande voltar a uma delas para explicar o que preciso. É o que faço agora; quem quiser saber o que aconteceu ali, no escuro formado entre o altar e a parede, leia a cena do livro *A Afilhada de Monsenhor Agnelo, ou O Castelo do Amor*: "o dardo foi exibido no momento propício e encaminhou-se para a fonte desejada, que palpitava. O atrevido soldado de capacete vermelho, encontrando a relva umedecida, rasgava docemente as barreiras e penetrava inteiramente na gruta negra e vermelha do Castelo do Amor."

Folheto XLIX
A Cadeia

Não trocamos uma palavra, durante todo esse tempo. Agora, ao contrário do que acontecia até ali, eu já estava era atrasado.

Por isso, deixei Maria Safira na Igreja e, saindo por uma porta lateral, passei para a Praça, desci o beco da casa do Capitão Clodoveu Torres Villar e então me vi cara a cara com o antigo prédio da Cadeia.

A nossa Cadeia é um velho prédio de dois pavimentos, de paredes largas, "com beira, sobeira e bica", como dizem os nossos velhos documentos. O pavimento térreo, onde fica, mesmo, situada a Cadeia, é um lugar atijolado e malcheiroso. O Corregedor, porém, tinha se instalado em cima, no pavimento superior, reservado para as reuniões da antiga Câmara. De qualquer modo, para chegar até ele, a gente tinha que passar pelo vestíbulo e pela cela-comum de baixo, onde, por trás de sujas e ferrujosas grades, estavam os assassinos, ladrões de cavalo e ladrões de bode do Cariri. Assim, ao entrar, senti logo a catinga insuportável de mijo, merda e suor, que aquela rafameia desprendia, reunida e trancada na cela. A sensação de tontura que eu já vinha sentindo aumentou então a tal ponto que pensei que ia ter uma vertigem, uma biloura, a "oura da folia" de Clemente, ou um troço qualquer da mesma natureza. Cambaleando e com a vista escura, subi a escada de madeira, apoiando-me ao sólido mas sujo corrimão, todo estaqueado a ponta de faca, sabre e canivete — obra dos inumeráveis soldados de Polícia e criminosos que tinham passado por ali durante mais de um século. Cheguei, desse modo, ao amplo salão do primeiro andar, aposento de paredes brancas, forro e chão de madeira empoeirada; e avistei logo, metido numa toga negra, toda debruada de vermelho (o que lhe dava um ar ao mesmo tempo imponente e venenoso de Rei e Cobra-Coral), o terrível personagem que era o Juiz-Corregedor. Estava por trás de uma grande e pesada mesa antiga, de braúna, sentado numa cadeira que parecia um trono, com assento e espaldar alto, de couro. A seu lado, estava minha adversária e antiga companheira de viagem, Margarida Torres

Martins, loura, distinta e inacessível, sentada com ar virginal e eficiente diante de uma banqueta baixa, onde tinham colocado uma velha e enferrujada máquina de escrever.

* * *

O Corregedor era um homem gordo, moreno, de cabeleira lisa e negra, com astutos olhos de porco implantados numa testa baixa, e com uma crueldade dificilmente dissimulada no rosto, que ele procurava manter afável mas que, justificando seu apelido, parecia a cabeça de um cruzamento de Caititu com Cascavel. Não uma cascavel comum, mas uma dessas chamadas cascavéis-de-sete-ventas, envelhecidas e traquejadas nas trilhas da Caatinga, grossas, letais, já quase transformadas em cascabulho, e que fingem dormir placidamente enquanto nos espreitam para o bote que nos vai matar.

Não sei se Vossas Excelências sabem, mas existem três graus superiores de bicho envenenado no Sertão: a cascavel, a cascavel-de-sete-ventas e o cascabulho. O cascabulho é uma cascavel-de-sete-ventas que vai envelhecendo e, à medida que envelhece, vai encurtando e engrossando, de tão ruim que é; quando chega a cascabulho mesmo, já está tão curta e grossa que fica feita, quase que só, mesmo, de cabeça e maracá. De mordida de cascavel ainda há quem escape; mas um sujeito que for mordido de cascabulho, pode ser São Bento, o cabra já cai fedendo.

Pois bem: é por isso que eu dizia que o Doutor Joaquim Cabeça-de-Porco era uma mistura de caititu e cascabulho. Corria entre nós, espalhada pelo Professor Clemente, a notícia de que ele se celebrizara nos processos instaurados em 1930 pelos famosos "Tribunais Revolucionários" e "Comissões de Inquérito". Aí, funcionando como acusador, fora tão cruel e eficiente que impressionara o Governo revolucionário e radical de Antenor Navarro, o qual (por isso e ainda por ser vagamente aparentado com o Cabeça-de-Porco) terminara por lhe dar esse posto importante e cobiçado de Corregedor, degrau infalível para o Tribunal de Justiça da Paraíba.

Agora, como Corregedor, vindo à nossa Comarca em visitação, tivera a sorte de encontrar, reaberto pelos acontecimentos sucedidos de 1935 a 1938 com o Rapaz-do-Cavalo-Branco, aquele estranho caso do assassinato de meu Padrinho, com todos os fatos e implicações políticas decorrentes dele. Acresce que, segundo os falatórios da rua, essa morte, a herança e os problemas surgidos entre os três filhos de meu padrinho Dom Pedro Sebastião eram ligados com o ambiente revolucionário dominante no Brasil; principalmente com uma certa "Coluna Sertaneja" que, levantando os sertões da Paraíba, de Pernambuco e do Rio Grande do Norte, pretendia reviver entre nós os feitos praticados em 1926 pela "Coluna Prestes".

Imediatamente o Corregedor pressentiu que aquela era a grande oportunidade que lhe aparecia de brilhar novamente num processo sensacional, dando o salto que lhe faltava para ingressar no Tribunal da Paraíba. Tanto mais porque as condições tinham mudado: o Governo revolucionário de 1930 acomodara-se no Poder, que agora queria manter a todo custo; ele, Corregedor, passara de acusador de "tribunais revolucionários" a vigilante e guarda da "ordem pública"; Antenor Navarro, seu protetor, morrera tragicamente em 1932; de modo que sua carreira dependia, agora, da argúcia e da implacabilidade com que ele deslindasse o caso do Rapaz-do-Cavalo-Branco e demonstrasse suas ligações com aqueles que pretendiam subverter o País e assaltar o poder no qual ele, Corregedor, estava tão bem instalado com seus correligionários.

Aliás, vi logo com que espécie de animal-de-presa eu tinha de tratar: pois assim que fui entrando, sem dar tempo nem de que eu me recuperasse da subida e da tonteira, ele me atacou, indagando com voz cortês mas severa:

— O senhor é Pedro Dinis Quaderna, Diretor da Biblioteca Municipal Raul Machado?

— Sou sim senhor! — balbuciei como pude.

E acrescentei logo, para me impor como pessoa de pró e homem de bem:

— Mas, além disso, sou ainda redator da *Gazeta de Taperoá*, jornal conservador e noticioso no qual me encarrego da página literária, enigmática, charadística e zodiacal. Posso dizer, assim, que, além de Poeta-escrivão e bibliotecário, sou jornalista, Astrólogo, literato oficial de banca aberta, consultor sentimental, Rapsodo e diascevasta do Brasil!

— Rapsodo? — estranhou o Corregedor, com um ar entre enojado e perplexo. — Diascevasta? Que é isso? Que é diascevasta?

Folheto L
O Inquérito

Vi que tinha conseguido minha primeira vitória contra o Corregedor: porque um acusador que confessa ignorância de alguma coisa sabida pelo acusado perde sempre um pouco de sua superioridade. Agradecendo intimamente a Samuel e Clemente que, talvez sem querer, tinham me fornecido aquela noção importantíssima da minha formação político-literária, expliquei:

— Os diascevastas, Sr. Corregedor, foram os eruditos que, segundo o Professor Clemente (um dos meus mestres de Literatura), colecionaram os cantos dos rapsodos gregos, e assim, reunindo-os, fizeram *A Ilíada* e *A Odisseia*, Obras-nacionais, Castelos-sertanejos e Marcos-paraibanos daquele povo de ladrões de cavalo, ladrões de bode e vaqueiros que são os Gregos! Eu, como Poeta e autor de romances, como *romanceiro* que sou, posso me considerar Rapsodo, um Cantador, um "trovador de chapéu de couro", como dizia o genial Carlos Dias Fernandes. Isso me outorga o título — que já assumi oficialmente, aliás — de "O Rapsodo do Sertão". Mas como, ao mesmo tempo, eu pretendo colecionar na minha Obra, devidamente tocados-da-bola pelo sangue e pelo fogo das pedras sertanejas, os cantos de todos os Poetas e fazedores-de--romances da Literatura Brasileira, posso me considerar também "O Diascevasta do Brasil". Sou, portanto, além de o único escritor do mundo que é, ao mesmo tempo, Rapsodo e Diascevasta, o único homem que, sozinho, "traz em sua Obra toda uma Literatura", como diz um dos meus livros-de-cabeceira, o *Almanaque Charadístico e Literário Luso-Brasileiro*, a respeito dos gênios das raças dos países estrangeiros!

O Corregedor estava ainda visivelmente espantado. Mas era, na verdade, um homem superior. Refazendo-se aos poucos, olhou-me com uma expressão que gradualmente readquiria a impassibilidade anterior e disse, meio irônico:

— Está bem, acredito! Mas o senhor foi indicado a mim como possuindo preciosas informações sobre o caso desse fazendeiro, Pedro Sebastião Garcia-

-Barretto, assassinado em 1930, e sobre tudo o que aconteceu aos três filhos dele, Arésio, Silvestre e Sinésio. É verdade, isso?

— É, Sr. Corregedor! Como já devem ter lhe dito também, esse fazendeiro era o parente mais parente que eu tinha neste mundo. Dom Pedro Sebastião era, ao mesmo tempo, meu tio, meu padrinho e meu cunhado. O que, aliás, não era de espantar, num homem que era tio dele mesmo!

— Como é? — indagou o Corregedor, novamente perplexo e revelando, com isso, que eu acabava de obter minha segunda vitória contra ele, naquela tarde.

— É fácil, e eu explico já a Vossa Excelência! Minha mãe, Maria Sulpícia, era irmã de meu padrinho Dom Pedro Sebastião. Meu Padrinho casou-se a primeira vez com Dona Maria da Purificação Pereira Monteiro, mãe de Arésio. Mas casou-se a segunda vez com minha irmã, Joana Quaderna, sobrinha dele e mãe de Sinésio. Tornou-se, assim, meu cunhado, além de meu tio, como já era. E, sendo casado com uma sobrinha, tornou-se tio afim dele mesmo!

O Corregedor fez "um ar de quem provara e não gostara", como dizia minha Tia Filipa. Mas resolveu passar por cima. Trocou um olhar com Margarida e continuou:

— O senhor conhece todas as pessoas implicadas nesse caso? É verdade que assistiu praticamente a todos os acontecimentos, tendo mesmo se envolvido na maioria deles?

— É verdade, Sr. Corregedor! Para falar mesmo a verdade, é mais ou menos impossível saber tudo, ter visto tudo, porque o caso de meu Padrinho e do filho dele, Sinésio, começa, de fato, com a chegada, aqui, do primeiro Barretto da estirpe, no século XVI. Mas, de um ponto de vista menos radical, pode-se dizer que a história começa em 1912, com a chamada "Guerra de Doze", quando os Garcia-Barrettos e outros chefes sertanejos importantes do antigo Partido Liberal do tempo do Império organizaram uma tropa de 1.200 homens armados e tomaram seis cidades, aqui no Sertão da Paraíba. Eu nasci a 16 de Junho de 1897, no auge do "Cerco de Canudos", que é a nossa "Guerra de Troia": estava, portanto, com 15 anos, quando estalou a "Guerra de Doze"! Minha mãe, Maria Sulpícia, quando se casou com meu Pai, trouxe para ele, como dote, dada por meu Padrinho, a fazenda "Maravilha" (ou "As Maravilhas", como era mais conhecida). Infelizmente, meu Pai, com os "percalços de sua atribulada existência", terminou perdendo de novo tudo o que recebera. Tornou-se, então, uma espécie de agregado da "Onça Malhada", a fazenda de meu Padrinho, lugar onde foi encontrar, também na qualidade de agregados, aqueles que depois seriam meus mestres de Literatura, o Doutor Samuel Wandernes e o Professor Clemente Hará de Ravasco Anvérsio. Minha virtuosa tia, Dona Filipa Quaderna, também nos acompanhou, pois meu Padrinho resolveu colocá-la ali como caseira da "Onça Malhada".

Margarida cochichou qualquer coisa perto do Corregedor e ele se voltou logo para mim. Antes, porém, que ele falasse, eu avancei:

— Eu sei que vivem dizendo que nós, Quadernas, éramos todos parasitas, que vivíamos às custas de meu Padrinho. O pessoal chega a dizer que meu Pai foi quem praticamente empurrou minha irmã para casar com o tio, com olho nas terras e nos dinheiros dos Garcia-Barrettos! Mas eu não me incomodo absolutamente, Sr. Corregedor! O que meu Pai foi, junto a meu Padrinho, foi uma espécie de Conselheiro e astrólogo particular, cargo que, depois de sua morte, eu passei a ocupar, acumulando-o com o de Poeta e Guarda do Selo dos Tesouros!

— Está bem, não duvido! Quanto a isso de "guarda do selo dos tesouros" logo voltarei ao assunto! Por enquanto, porém, vou fazer-lhe algumas perguntas, e veja como responde, porque, aviso logo!, vou decifrar essa história *de qualquer jeito*!

— Vou ajudá-lo também, *de qualquer jeito*, porque, como charadista e Astrólogo, Sr. Corregedor, minha profissão *também* é decifrar!

O Corregedor passou outro mau rabo-de-olho para mim, mas absteve-se de comentar e passou adiante:

— Me diga uma coisa: é verdade que dois perigosos chefes extremistas desta Vila estão, desde que se instalou o Estado Novo em Novembro do ano passado, escondidos em casas de sua propriedade?

— Eles não estão escondidos não, Excelência! Moram lá há muito tempo e todo mundo na rua sabe, porque eu nunca escondi isso de ninguém!

— Essas duas casas são pegadas ao casarão onde o senhor mesmo mora?

— São sim senhor!

— É verdade que elas se comunicam por portas internas?

— É sim senhor!

— Sua casa é pegada, pelo outro lado, ao prédio da Biblioteca que o senhor dirige?

— É sim senhor! A Biblioteca fica na esquina. Depois, do lado direito e pegada com a Biblioteca, fica a minha casa. Depois, pegada à minha pelo lado esquerdo, vem a casa do Professor Clemente. E finalmente, pegada à de Clemente, fica a casa do Doutor Samuel.

— Ah! — disse o Corregedor com ar maldoso. — Quer dizer que, segundo sua própria opinião, os dois chefes extremistas da Vila são esses dois! Note que eu absolutamente não mencionei o nome deles: é o senhor mesmo quem avança que os dois chefes extremistas da Vila são o Promotor da Comarca, Doutor Samuel Wan d'Ernes, e o advogado e professor, Bacharel Clemente Hará de Ravasco Anvérsio!

— São esses, mesmo, Doutor! — disse eu. — Não tenho remorso nenhum de fazer essa denúncia: somente assim eu tenho oportunidade de me vingar de todas as ironias, de todos os remoques que esses dois me dirigiram durante toda a minha vida e que eu tive sempre de suportar porque a convivência com os dois era indispensável à minha formação política e literária!

— Anote aí portanto, Dona Margarida, que o acusado, ou melhor, o depoente, confessa que os dois chefes extremistas da Vila são o Doutor Samuel e o Professor Clemente. Está certo? — perguntou ele, voltando-se para mim.

— Está, Excelência. Mas existe ainda, aqui na Vila, um terceiro chefe extremista!

— Quem é?

— O Comendador Basílio Monteiro.

— É possível? O Comendador, extremista? Um homem que é arrendatário do Açougue Público, dono do moinho, da torrefação, da padaria e de quase todas as vendas do lugar?

— É esse mesmo, Sr. Corregedor!

— Pois é um fim de mundo! Mas enfim, tudo é possível neste nosso vale de lágrimas! E como é que atuam esses três chefes extremistas? São rivais? Ou trabalham juntos, dirigindo a agitação?

— As áreas de mando e influência são diferentes, Excelência.

— Diferentes como? Qual é o papel do Promotor Wan d'Ernes nisso tudo?

— O Doutor Samuel chefia, aqui, os extremistas da Direita!

— E o Professor Clemente?

— O Professor Clemente chefia os extremistas da Esquerda.

— E o Comendador Basílio Monteiro?

— O Comendador chefia os extremistas do Centro!

— Como é? Extremistas do Centro? — disse o Corregedor, novamente sem poder ocultar seu assombro.

Então, fingindo-me de paciente ante sua ignorância, expliquei:

— O Comendador Basílio Monteiro, Excelência, é, raivosamente, adversário da Direita e da Esquerda, de modo que atua, extremamente, na área do Centro. É por isso que ele, apesar de governista, opõe-se, indignado, a qualquer medida que o governo do Presidente Getúlio Vargas toma mais para o lado da Esquerda e do Povo. É, portanto, um extremista do centrismo, um extremista do Centro!

— Sr. Pedro Dinis Quaderna, dou-lhe os meus parabéns por sua notável lucidez política e pela — como diremos, Dona Margarida? — pela *franqueza* com que vem dando depoimento sobre seus amigos. Espero, agora, que o senhor use, em relação a si mesmo, da mesma franqueza que usou para os outros. Chegou a sua vez, Sr. Quaderna! O senhor é extremista da Esquerda, da Direita ou do Centro?

— De nenhum dos três, Excelência! Eu sou Monarquista da Esquerda!

— Como é?

— Monarquista da Esquerda! — repeti mais alto, para ele ver que *era aquilo mesmo e não tinha por onde*, como dizia minha Tia Filipa.

— O senhor pode me explicar essa posição? O que foi que trouxe o senhor para ela?

— Os motivos foram vários, Excelência, e o senhor entenderá tudo melhor à medida que for me conhecendo mais. Um dos motivos mais importantes, porém, é que eu sou um Epopeieta.

— Um o quê, Bibliotecário Quaderna?

— Um Epopeieta, um poeta épico, um autor de epopeias!

— Quantas epopeias o senhor já escreveu?

— Por enquanto nenhuma ainda, Excelência, mas vou fazer uma de lascar o cano, qualquer dia desses! Como diz o Doutor Samuel, tanto ele mesmo, como eu e o Professor Clemente somos "três possessos da Literatura". Em segredo, cada um de nós vem planejando, há anos, uma obra-de-gênio, decisiva para o destino do Brasil. A de Samuel é uma coleção de poemas cifrados, escritos em estilo hermético-político-literário, um livro denominado *O Rei e a Coroa de Esmeraldas*. A de Clemente é um certo *Tratado Negro-Comunista da Filosofia Vermelha do Penetral*. A minha, é uma Epopeia, um Romance régio, "completo, modelar e de primeira classe"!

— O quê? Um romance? Afinal, o que é que o senhor quer escrever, um romance ou uma epopeia?

— Isso, a princípio, foi uma das minhas grandes dúvidas, um dos grandes obstáculos em minha carreira para o poder e a glória! O genial escritor paraibano Carlos Dias Fernandes tinha escrito textualmente em *A Renegada*: "As letras de um País são a expressão mais altíloqua da sua cultura e pode-se, por um Livro d'Arte, concluir a súmula do caráter de um Povo. A Epopeia é a cristalização de uma nacionalidade."

— Entendo! Depois de ler isso, resolveu o senhor escrever esse "livro d'arte" que fosse a cristalização da nacionalidade brasileira, não foi?

— Foi!

— Mas por que, então, desistiu da epopeia?

— Porque o mesmo Carlos Dias Fernandes, em *Talcos e Avelórios*, prova que, no mundo atual, o romance é a verdadeira epopeia! É por isso que eu, hoje em dia, estou certíssimo de que serei eu, e não Samuel nem Clemente, o autor da Obra-epopeica que cristalizará a nossa nacionalidade! Infelizmente, Sr. Corregedor, apesar de possessos da Literatura, nós três padecemos, todos, de uma terrível incapacidade de escrever! Somos geniais nas ideias e nas conversas, mas quando chega a hora de passar tudo para o papel a desgraça penetra e, em vez do santo, quem baixa é a fatalidade, de modo que não sai nada, por mais que a gente esprema o miolo do juízo! A causa da impotência de Samuel é a bebida, os pileques e carraspanas que ele toma de vez em quando e que o deixam arrasado. A de Clemente é uma enxaqueca epilético-filosófica que o acomete e que faz ele cair ciscando na cama, esverdeado (ou melhor, acinzentado), cego, babando e vomitando de gastura estomacal e filosófica! A minha, é o cotoco!

— É o quê?

— O cotoco, Excelência! O senhor nunca ouviu algum pernambucano atrevido dizer que nós, paraibanos, temos cotoco, não?

— Já! Mas o senhor, um bibliotecário, um homem instruído, dar crédito e importância a essas picuinhas?

— Excelência, como é que eu posso não dar importância, se eu tenho, mesmo, o cotoco?

— Que tolice! — comentou o Corregedor, meio impaciente. — Essa história vem de muito tempo atrás, Sr. Quaderna! Talvez o senhor não saiba, mas aqui na Paraíba foram muitos os casamentos de homens e mulheres da terra com pessoas de sangue judaico, os chamados "cristãos-novos". A célebre Branca Dias foi um desses casos. Foi por isso que a Inquisição teve que *atuar*, aqui na Paraíba, *com mais energia* do que em Pernambuco! — disse ele, fazendo com que eu, imediatamente, me lembrasse do Professor Clemente, de seu inquérito e do Inquisidor, o Visitador Furtado de Mendonça. — É por isso, também, que os pernambucanos inventaram essa história. Segundo eles, todos os paraibanos têm sangue judaico e, consequentemente, parte com o Diabo, motivo pelo qual herdaram um pequeno pedaço de rabo, o cotoco, transmitido pelo sangue judaico ancestral. Isso é dito pelos pernambucanos em tom pejorativo, é verdade. Mas não deixa, também, de ser um elogio, porque, segundo eles, é o cotoco diabólico que nos torna irrequietos, ativos e astutos. É um elogio à incansável atividade paraibana! — concluiu ele com ar patriótico.

— Acredito, Excelência, que seja uma vantagem nossa, paraibana, e um elogio deles, pernambucanos! Principalmente porque uma linhagem diabólica é uma coisa que pode ser até honrosa, dependendo do tipo de Diabo de quem a gente descende! Meu irmão, que corta, na madeira, gravuras para ilustrar folhetos, desenha diabos em forma de Onça, de Porco e de Bode! Uma vez, baseado numa ilustração da *História do Brasil* de Frei Vicente do Salvador, fez um desenho da Ipupriapa, uma diaba-fêmea do Mar e do Litoral, uma bicha horrorosa que, aliás, desempenhou um papel importantíssimo na odisseia marítima que empreendi e que faz parte de minha Epopeia! Olhe, Sr. Corregedor: aqui estão algumas dessas gravuras, que eu peço que Vossa Excelência mande juntar ao processo!

O Corregedor olhou as gravuras sem demonstrar interesse e passou-as a Margarida que as colocou ao lado da máquina sem examiná-las. Então continuei:

— Apesar de tudo isso, no meu caso particular, com todo o orgulho judaico-sertanejo, mouro-vermelho e negro-ibérico que sinto, o cotoco me prejudica e muito! Primeiro, ele existe mesmo, em mim, Sr. Corregedor: no fim das minhas costas, o osso que fica entre as duas bundas, tem uma pequena saliência, um pequeno rabo judaico-sertanejo, o cotoco enfim! Depois, não sei se por causa do osso, ou porque a dose de sangue judaico que eu tenho é maior do que a dos paraibanos comuns, o fato é que a coisa mais difícil para mim é ficar sentado num lugar mais de cinco minutos: o cotoco dana-se a incomodar, a bunda dói, e começa a me dar uma agonia da gota-serena, uma gastura na natureza que só passa quando eu me levanto e faço qualquer coisa! Ora, a qualidade mais indispensável para uma pessoa ser escritor é a capacidade de ficar sentado, feito um cu-de-ferro, pensando e escrevendo! É por isso que só agora, graças ao senhor e a Margarida, é que vou fazer meu romance-epopeico, uma Obra de fogo e sangue, "inflamada de furor épico, rubra, empenachada de altivez e de vitórias, dolorosa, das renúncias graves e da vida cantante, por amor a uma defesa, a um símbolo, a um ideal, à Pátria", como dizia a genial Albertina Bertha!

— Está bem, não duvido! Mas por que o senhor diz que escreverá essa obra graças a mim?

— Porque este inquérito a que estou respondendo é a grande oportunidade que tenho para escrevê-la! Começa que a Epopeia que vivo sonhando há anos é exatamente sobre o assunto do inquérito, isto é, sobre meu padrinho Dom Pedro Sebastião e seus três filhos, Arésio, Silvestre e Sinésio, ou melhor, sobre o Rei Degolado, o Príncipe Proscrito, o Príncipe Bastardo e o Príncipe Alumioso da Legenda Ensanguentada do Sertão!

— Rei? Legenda Ensanguentada? Príncipe Alumioso? Que diabo de confusão mais danada é essa, Sr. Quaderna? — falou o Corregedor, perdendo pela primeira vez de modo patente a linha que vinha mantendo apesar de tudo.

Falei com a mesma tranquilidade:

— Assim que eu recebi a intimação de Vossa Excelência e soube que Margarida ia servir de secretária aqui, vi que minha grande oportunidade era essa! Como o inquérito é sobre a história de Dom Pedro Sebastião, o nosso Rei Degolado do Cariri, eu darei meus depoimentos em pé, andando pra lá e pra cá na sala, como estou fazendo agora sem incomodar o cotoco. Tirando, depois, certidão por certidão de cada depoimento, obterei, no fim, escrito por Margarida, o material bruto da Epopeia. Daí em diante, o resto é fácil, e eu passarei a perna nos meus dois mestres e rivais, escrevendo a obra de gênio, decisiva para o Brasil, que eles não puderam nem poderão fazer!

Bruzacã, quando apareceu, com o nome de Ipupriapa ou Hipupiara, a Baltazar Ferreira. Para fazer esta gravura, Taparica se baseou no desenho publicado por Frei Vicente do Salvador na sua "História do Brasil", o que lhe garante absoluto rigor histórico.

— Sim, mas por que chamar o fazendeiro assassinado de *Dom* e de *Rei Degolado*? E que negócio de "Legenda Ensanguentada" é esse que o senhor arranjou para o Sertão?

— Sr. Corregedor, tudo isso são "coisas épicas e cifradas" que o senhor irá entendendo melhor à medida que for me conhecendo mais. Mas a Legenda Ensanguentada do Sertão é coisa indiscutível, até mesmo para uma pessoa formada e ilustre como o senhor!

— Como é?

— Se fosse apenas uma opinião minha, eu aceitaria que Vossa Excelência discordasse. Mas quem diz isso é o Doutor Gustavo Barroso, homem acadêmico, oficial, consagrado e portanto indiscutível. Diz ele que, assim como no mundão lá de fora existe a "Legenda Dourada" das vidas e dos milagres dos santos, aqui no Sertão a crônica das rebeliões, das emboscadas, das lutas e vinditas familiares forma uma espécie de "Legenda Ensanguentada". Gustavo Barroso, como integralista, é um dos autores preferidos do Doutor Samuel. No dia em que Samuel me leu esse trecho de Literatura acadêmica, vi que essa noção me era indispensável e adotei-a como uma das ideias centrais de minha bagagem literária de Epopeieta. Além disso, li num artigo do *Almanaque Charadístico* que não é qualquer feito que pode fornecer assunto para uma Epopeia: são as "façanhas de guerreiros e capitães ilustres; reis que decaem; tiranos assassinados; brilhantes reveses; quedas de tronos, coroas e monarquias; terríveis perfídias e combates sanguinolentos". Dizia ainda o artigo do *Almanaque* que "as Epopeias sempre têm, por personagens, reis, guerreiros, princesas e fidalgos que passam por grandes vicissitudes em algum cerco ou retirada ilustre". Ora, Sr. Corregedor, a história de meu Padrinho e de Sinésio tinha todos aqueles ingredientes de façanhas, assassinatos, brilhantes reveses, terríveis perfídias, combates sanguinolentos etc. Mas eu para arranjar, aqui neste País republicano e neste Sertão brabo, uns dois ou três fidalgos decaídos e Reis assassinados, só podia fazê-lo sendo monarquista, não tomando conhecimento da proclamação da República e adotando alguns tópicos do pensamento de Joaquim Nabuco, de Oliveira Lima, do Doutor Samuel Wan d'Ernes, de Gustavo Barroso e de outros extremistas fidalgos da Direita brasileira!

— E o Doutor Samuel Wan d'Ernes também é monarquista?

— Samuel é mais ou menos como Frederico Feital, personagem de *A Renegada*, de Carlos Dias Fernandes. Segundo este genial *romanceiro* paraibano, Frederico Feital "não era monarquista por convicção. No fundo, pouco lhe importavam, a seu temperamento de artista, os regimes políticos. Era seu gênio paradoxal que o enfileirava anonimamente à mínima e obstinada Falange, altiva e coerente, dos Ouropretos e Andrades Figueiras. Sendo o Partido Monárquico Brasileiro o baluarte feudal dos Nobres que se destacavam por virtudes intrínsecas, Feital, que detestava as coisas vulgares e não acreditava na evolução das massas plebeias, corruptoras do bom senso e do bom gosto, comungava as ideias monárquicas para se sentir honorariamente incluso naquele rol de Excetuados ilustres".

— Afinal, ele é, ou não, monarquista?

— É, se bem que de um modo muito diferente do meu. Por exemplo, Samuel mantém fidelidade à Casa de Bragança...

— E o senhor?

Era uma pergunta direta, perigosa e à qual eu não podia responder com muita precisão, de modo que procurei tergiversar:

— Eu posso dizer, de certo modo, que mantenho fidelidade à minha própria Casa.

— Sua *casa*? E o senhor também é de família real? Sua "casa" é a mesma do tal "Rei Degolado", seu padrinho?

— De certa forma, é, Doutor, uma vez que ele era meu tio! — disse eu voando sobre as palavras e acrescentando logo, para mudar de assunto: — Samuel, porém, acha que, da Casa de Bragança, somente Dom Pedro I foi um verdadeiro Rei, digno da fidelidade dele, um Rei autoritário, corajoso e Cavaleiro, como Dom Sebastião! Pelo contrário, odeia Dom Pedro II, que, segundo suas palavras, "foi um liberal subversivo e acabou com o morgadio, ferindo de morte, em favor da plebe, os feudos da Aristocracia brasileira". O pensamento monárquico de Samuel me interessa muito, porque prova a existência e a legitimidade da Fidalguia brasileira, e, consequentemente, dos Fidalgos e Reis que compareçam à minha Epopeia! É verdade que meus fidalgos e guerreiros são Sertanejos, e Samuel faz muitas restrições aos senhores-feudais do Sertão, só reconhecendo, mesmo, como de primeira classe, a Aristocracia dos engenhos de Pernambuco, da qual ele faz parte. Mas, mesmo dizendo que a Aristocracia sertaneja é "bárbara, violenta, sem educação, corrompida e bastarda", o fato é que aceita sua existência. E se não aceitasse, eu tenho dois outros mestres, tão fidalgos quanto ele e muito mais consagrados, porque são ambos Acadêmicos, um pertencente ao Instituto Histórico e Geográfico da Paraíba e o outro à Academia Brasileira de Letras. Esses dois podem me valer perfeitamente para provar a existência dos Fidalgos sertanejos, num momento qualquer que me apareça, de necessidade epopeica!

— Quem são esses dois?

— Um, é o genial escritor paraibano Epaminondas Câmara que, nos seus famosos *Subsídios para a História do Município de Taperoá*, afirma que os dois grandes elementos de povoação da nossa Vila foram "a Aristocracia rural e a Burguesia urbana, formada por alguns comerciantes que fizeram fortuna". O outro é aquele mesmo Gustavo Barroso, o da Legenda Ensanguentada: afirma ele que os Fazendeiros sertanejos são Príncipes e Reis, que os Cantadores são menestréis fidalgos, troveiros e trovadores — uns aedos, semelhantes aos gregos — e que os Cangaceiros são Cavaleiros medievais!

— O quê, homem?

— É isso mesmo e não se espante não, Excelência! Os Cangaceiros sertanejos são Cavaleiros medievais, como os Doze Pares de França! E tanto isso é verdade que, na França, na Idade Média, havia Cangaceiros!

— Oxente! Cangaceiros na França? Que conversa é essa, Seu Pedro Dinis Quaderna?

Eu, que não gostara do *Seu* aplicado a mim, respondi no mesmo tom:

— Eu lhe provo isso já, *Seu* Corregedor! O senhor conhece o romance chamado *História de Roberto do Diabo*?

— Romance?

— Sim, o "folheto" do genial poeta e Cantador paraibano João Martins de Athayde?

— Não tenho essa honra não!

— Pois, não lhe faltando com o respeito, é uma falha imperdoável na formação político-literária do senhor! O romance de Roberto do Diabo começa assim:

"*Na terra da Normandia,
na remota Antiguidade,*

> *vivia um tal Duque Auberto,*
> *cheio de fraternidade:*
> *era ele o Soberano*
> *de toda aquela Cidade."*

* * *

Parei, olhando o Corregedor com ar vitorioso, mas ele indagou, impassível:
— E daí?
— E daí? O senhor ainda pergunta? Me diga uma coisa: a Normandia não é na França?
— É!
— Pois bem! O Duque Auberto, pai de Roberto do Diabo, tentando distrair o filho da vida de maldades em que ele se mete, resolve organizar umas Cavalhadas, ou *justas*, como dizem o Doutor Samuel e João Martins de Athayde, ambos entendidos em fidalguias. E lá diz o *romance*:

> *"Juntaram-se os Príncipes todos,*
> *nacionais e estrangeiros.*
> *Mandaram chamar Roberto,*
> *o bandido cangaceiro:*
> *deram a ele um Cavalo,*
> *gordo, possante e ligeiro.*
>
> *E começaram as Justas:*
> *Roberto saiu primeiro.*
> *Meteu a Lança no peito*
> *de um Príncipe estrangeiro:*
> *este morreu de repente,*
> *sendo o melhor Cavaleiro!*
>
> *Num certo dia encontrou,*
> *num esquisito Roteiro,*
> *trinta homens bem armados,*

sendo o chefe um Cangaceiro:
antes de falar com eles,
ameaçou-os primeiro."

Disse esses versos e comentei vitorioso:

— Está vendo, Sr. Corregedor? É por isso que eu digo que os fidalgos normandos eram cangaceiros e que tanto vale um Cangaceiro quanto um Cavaleiro medieval. Aliás, os Cantadores e fazedores-de-romance sertanejos sabem disso muito bem, porque, como me fez notar o Professor Clemente, nos folhetos que Lino Pedra-Verde me traz para eu corrigir e imprimir na tipografia da *Gazeta de Taperoá*, as Fazendas sertanejas são Reinos, os fazendeiros são Reis, Condes ou Barões, e as histórias são cheias de Princesas e cavaleiros; de filhas de fazendeiros e Cangaceiros, tudo misturado!

— Entendo! — disse o Corregedor, sorrindo levemente. — Sem o senhor ser monarquista, o fazendeiro Pedro Sebastião Garcia-Barretto não podia aparecer em sua epopeia como "El-Rei Dom Pedro Sebastião, o Degolado": não haveria queda de tronos, coroas e monarquias, nem guerras fidalgas, nem terríveis perfídias, nem combates sanguinolentos, nem façanhas de guerreiros e capitães em algum cerco ou retirada ilustre. Está bem, entendo a primeira parte, a da monarquia. Mas falta explicar a segunda, a da esquerda. Monarquia da esquerda por quê?

— Bem, essa é a parte de influência que recebi do meu outro mestre, o Professor Clemente. Note que, segundo o *Almanaque*, além de Reis e fidalgos nobremente desgraçados, uma Epopeia exige ações guerreiras, como, por exemplo, cercos, retiradas épicas e combates sangrentos. Ora, segundo Clemente, as pessoas da História brasileira e sertaneja que fazem essas coisas são sempre da Esquerda e do Povo! A Direita das cidades, a "Burguesia urbana" (para usar a expressão do genial Epaminondas Câmara), o que quer é viver tranquilamente, roubando, na vida pacata e ordeira de quem já está bem instalado e só deseja mesmo é ordem pra poder furtar mais à vontade. Já a Esquerda, o Povo, principalmente no Sertão, tem sido desordeiro como o diabo! É verdade que Clemente não aceita essa parte que eu vou dizer agora, mas para mim, como Epopeieta, o que mais me entusiasma é que o Povo sertanejo, em suas desordens, tem se aliado sempre com os fidalgos

Fazendeiros contra a Burguesia! É *na-cabeça*, para a receita da minha Epopeia! Como me explicou o Professor Clemente, todas as rebeliões que o Povo brasileiro vem empreendendo há quatro séculos é uma Revolução só, dividida em diversas fases, a "Revolução Sertaneja dos Povos Mouros do Brasil", travada contra os Fidalgos ibéricos que aqui chegaram no século XVI e se instalaram no Poder até hoje! Começou ela no próprio século XVI, chefiada pelos Tapuias da "Guerra da Idolatria da Santidade". No século XVII, houve outra fase, desta vez chefiada pelos Negros, a "Guerra dos Palmares". No século XVIII, houve outra, a "Guerra dos Tapuias", acontecida principalmente aqui, no Sertão da Paraíba e do Rio Grande do Norte.

— E do século XIX até agora? — perguntou o Corregedor, curioso a despeito de si mesmo.

Infelizmente, porém, o assunto estava começando a ficar perigoso para mim por causa da família real sertaneja a que pertenço e da Coroa da Pedra do Reino, de modo que passei a responder com mais cuidado:

— Bem, Sr. Corregedor, do século XIX em diante o pensamento de Clemente se afasta um bocado do meu, de modo que não sei como deva falar.

— Seja claro sobre o *seu* pensamento e deixe o resto por minha conta! Em que é que seu pensamento difere das ideias do Professor Clemente?

— Em primeiro lugar, ele só considera como Brasileiros, mesmo, os povos Tapuias, os Negros e os descendentes dessas duas raças. Depois, ele é contrário à aliança sertaneja dos Fidalgos com o Povo, coisa que não posso deixar de lado como ele quer, senão nunca poderei fazer minha Epopeia! Já Samuel, o que quer é isolar, como únicos Brasileiros puros, uma casta de Fidalgos brancos, "descendentes dos Cruzados Ibéricos que vieram nas caravelas", como ele diz, e que, cavalgando o Povo, "farão a grandeza do Brasil, o filho glorioso da Ibéria". Clemente quer separar o Povo e, com ele, exterminar ou exilar "os Cruzados e os burgueses brancos", como ele chama. Meu pensamento, de cada um deles aceita uma parte e recusa outra. Agora, nós somos unânimes é em ser contra os Burgueses.

— Por quê?

— Clemente é contra eles por serem brancos e ricos. Samuel é contra porque eles não são Fidalgos. E eu, porque eles nunca montam a cavalo, não andam com bandeiras nem se metem em Cavalhadas, vaquejadas e outras cavalarias: por isso, são péssimos, como personagens de Epopeia! Meu sonho é misturar os

Fidalgos ibérico-brasileiros com os Fidalgos brasileiros negro-vermelhos, porque aí eu mostro que todos os Brasileiros são fidalgos e nossa gloriosa História do Brasil é uma Epopeia da gota-serena!

— E é verdade que todos os Brasileiros são fidalgos? Eu também? — perguntou o Corregedor.

Eu, que não era besta para classificá-lo como Burguês depois de ter falado mal dessa classe, respondi em cima da bucha:

— O senhor também, é claro! Para ser um Fidalgo completo, as únicas coisas que lhe faltam, Sr. Corregedor, são um cavalo e uma bandeira! Segundo o *Almanaque*, existem três graus de fidalguia: a nobreza-de-toga, a nobreza-de-espada e a nobreza-territorial. O senhor pertence à nobreza-de-toga, e é por isso que, enquanto o comum dos Burgueses veste aquelas roupas bestas deles, o senhor tem direito de usar esta belíssima roupa negra, toda bordada de vermelho, esta admirável toga negro-vermelha que torna o senhor tão elegante, tão nobremente, tão imponentemente fidalgo! — disse eu, dando corda no Corregedor. — Já Dom Luís Carlos Prestes, o Chefe dos comunistas brasileiros, é um guerreiro, um fidalgo de espada, motivo pelo qual, montado a cavalo na "Coluna Prestes", teve direito ao nobre título de "O Cavaleiro da Esperança". Por outro lado, como Capitão do Exército, Prestes é um típico "capitão ilustre", daqueles que, segundo o *Almanaque*, podem ser personagens de Epopeia! Quer ver outro fidalgo de espada brasileiro e sertanejo, Sr. Corregedor? Dom Jesuíno Brilhante, Cangaceiro e capitão ilustre, personagem da pequena mas genial epopeia do sertanejo cearense Rodolpho Teophilo!

— E o cangaceiro Jesuíno Brilhante usava toga?

— Vossa Excelência me perdoe a franqueza mas, como fidalgo de espada que era, Jesuíno Brilhante vestia coisa muito mais importante, um belo e nobre gibão todo medalhado, um chapéu de couro estrelado à cabeça, esporas de prata e um enorme punhal feito de ponta de espada, com cabo de ouro!

— De qualquer modo, agradeço o título de nobreza com que o senhor acaba de me agraciar. E Dona Margarida? Também pertence à Aristocracia brasileira?

— É claro, e à melhor Aristocracia rural sertaneja! Margarida, sendo uma Torres Martins e filha de fazendeiro, é uma típica Princesa sertaneja, filha de Barão! Ela descende, em linha direta, de Dom João Martins Torres, um dos primeiros Fidalgos portugueses que, por concessão de Sua Majestade Fidelíssima Dona Maria I, a Louca, se tornou senhor-feudal e dono-de-sesmaria aqui, no Sertão do Cariri!

Pela primeira vez naquela tarde Margarida me olhou com um pouco menos de aversão. Mas o Corregedor era homem duro e continuou, inflexível:

— Está bem, mas voltemos ao assunto. Quais foram os movimentos da tal revolução sertaneja do Brasil, no século XIX?

— Bem, aí é quando, em vez das rebeliões somente negras ou tapuias (como quer o Professor Clemente), começam as verdadeiras insurreições do Povo castanho brasileiro! Foram elas: a "Insurreição da Serra do Rodeador", em 1819; a "Guerra da Pedra do Reino", de 1835 a 1838; e aquele cerco ilustre, povoado de combates sanguinolentos e retiradas heroicas, que foi a "Guerra do Império do Belo Monte de Canudos", aí por 1897, ano do meu nascimento. No século XX já tivemos, aqui no Sertão da Paraíba, quatro novos episódios da "Grande Revolução Sertaneja do Povo Fidalgo-Castanho do Brasil". Foram eles: a "Guerra de Doze", acontecida, como lhe diz o nome, em 1912; a "Guerra do Santo Padre do Juazeiro", iniciada no Ceará e continuada aqui, em 1913; a "Guerra da Coluna Prestes", retirada ilustre sucedida, aqui, no ano de 1926; e a "Guerra de Princesa", de 1930, na qual morreu Dom Pedro Sebastião, pai de Sinésio e Rei-degolado do Sertão do Cariri! De fato, porém, ainda se podem acrescentar dois episódios que, apesar de mais particulares, foram também importantes: a "Guerra do Verde", de 1932, e a "Guerra do Reino", de 1935.

— Bem, aí é que chegamos realmente ao que desejo. E pergunto: seu primo e sobrinho Sinésio Garcia-Barretto (o tal do Dom Sinésio, o Alumioso, como o senhor prefere chamar) esteve metido nisso tudo?

— Esteve, sim senhor! Tanto ele como seu Pai e seus dois irmãos: Silvestre, o Bastardo, aliado seu, e o outro, seu inimigo irreconciliável, Arésio, o Cáprico!

— Cáprico?

— Excelência, "cáprico" quer dizer "bódico". Aprendi isso com Carlos Dias Fernandes, genial escritor e fidalgo paraibano que, sendo da Direita, tinha o costume de falar difícil! Carlos Dias Fernandes, um dos mestres queridos de Samuel, escrevia sempre "o Capro", em vez de "o Bode", motivo pelo qual entendi que um capro é um bode-fidalgo, um bode da Direita, e um bode é um capro-popular, um capro da Esquerda! De fato, porém, para mim tanto faz uma coisa como outra: porque, sendo monarquista, sou a favor dos Bodes fidalgos e ibéricos que vieram nas caravelas; mas sendo também da Esquerda, sou também a favor dos Capros negros e vermelhos dos Povos mouros do Brasil, tão fidalgos como quem mais o seja!

— Anote aí, portanto, Dona Margarida, que o depoente confessa ser comunista, se bem que de um tipo especial, porque é também monarquista! Está certo?

— Mais ou menos, Excelência! Eu preferia que o senhor anotasse exatamente como eu disse, Monarquista da Esquerda! Meu sonho é fazer do Brasil um Império do Belo Monte de Canudos, um Reino de república-popular, com a justiça e a verdade da Esquerda e com a beleza fidalga, os cavalos, os desfiles, a grandeza, o sonho e as bandeiras da Monarquia Sertaneja!

— Ótimo! — disse o Corregedor. — Entretanto houve gente, aqui na Vila, que me assegurou que o senhor, com tantos sonhos grandiosos, tem outras várias atividades que agora está ocultando de mim, por modéstia!

— Outras atividades? Quais são? — indaguei ansioso, julgando que ele já descobrira tudo o que se referia à minha linhagem real e à seita secreta da Pedra do Reino, que eu ressuscitara com o nome de "Ordem dos Cavaleiros da Pedra do Reino do Sertão".

Felizmente, porém, o Corregedor enveredou por um caminho bem menos perigoso:

— Disseram-me, primeiro, que o senhor é figura indispensável, aqui, entre o Natal e o Dia de Reis, na qualidade de Arlequim ou Rei do "Bumba-meu-boi", de chefe de cavalhadas, de Imperador do Divino, de Rei Dom Pedro da Nau Catarineta e de "velho" do Pastoril. Consta que o senhor, um funcionário, um homem de certa categoria, vive na mais vergonhosa promiscuidade com as mulheres de má-vida e com o que existe de pior na ralé daqui — os bêbados, os doidos, os ladrões de cavalo, os contrabandistas de cachaça, os cantadores, cavalarianos e vagabundos de toda espécie!

— De toda espécie, não, Excelência! Somente com aqueles que, pelo menos uma vez na vida, montaram a cavalo, tornando-se, assim, Cavaleiros e Grandes do Império!

Sem ligar *a mínima* para distinção tão importante, o Corregedor continuou:

— Disseram-me ainda que o senhor é dono de uma casa de recurso e tavolagem, intitulada "Estalagem à Távola Redonda", lugar onde os rapazes ricos e desocupados da Vila têm encontros suspeitos com mulheres de maus costumes, mediante uma taxa de pagamento ao senhor!

* * *

Passei um rabo-de-olho para Margarida que, eu tinha certeza, fora a informante do Juiz quanto àquele ponto; e resolvi me vingar dela. O Corregedor continuou:

— É verdade que o senhor é amigo íntimo dos cantadores, bêbados e vagabundos que atendem pelos nomes de Lino Pedra-Verde, Severino Putrião, Bola-Sete, Patativa e Marcolino Arapuá?

Joguei um verde para colher maduro:

— Sou amigo de todos esses, mas de Marcolino Arapuá, não!

Margarida cochichou com o Corregedor, que se voltou para mim, severo:

— Dona Margarida está aqui dizendo que, de todos, talvez esse tal de Arapuá seja o maior amigo seu!

Estavam confirmadas minhas suspeitas sobre as delações de Margarida. Conhecendo, como conhecia de nossa célebre viagem, seu feroz pudor virginal de jovem "virtuosa dama do cálice sagrado", resolvi me vingar por esse caminho. E comecei a bancar o discreto, a fim de espicaçar a curiosidade do Corregedor:

— Excelência — disse a ele —, de fato eu era muito amigo de Marcolino Arapuá, mas agora estamos meio rompidos, por um motivo que não sei se posso revelar...

— Não pode revelar? Ora não pode! Pode, e *tem* que revelar! Isso aqui é um inquérito, e o senhor não pode ocultar nada!

— É que, mesmo sendo hoje quase meu inimigo, eu tenho escrúpulos de implicar Marcolino em algum problema sério com a Justiça!

— Diga imediatamente, senão quem se implica é você!

— Está bem, o senhor manda! Pergunte, que eu responderei!

— Por que o senhor rompeu com Marcolino Arapuá?

— Porque no quintal da minha casa tem umas bananeiras, Excelência. Um dia, de tarde, fui chegando lá, e ouvi uma voz dizendo assim, entre as bananeiras e o muro: "Ah, minha filha, se você não tivesse o pé redondo, agora eu lhe dava um par de sapatos!" Cheguei para perto, e, quando vi, era Marcolino Arapuá que estava fudendo uma burra minha!

* * *

Ao dizer isso, olhei para Margarida: ela estava da cor de um tomate e completamente vesga, com as mãos como que paralisadas e encarquilhadas sobre o teclado da máquina. Sentindo-me vingado, continuei para o Corregedor, como se aquilo fosse a coisa mais natural do mundo:

— Eu que não gosto de molecagens com as burras da minha sela, aí fui e rompi com Marcolino!

— Sr. Quaderna — disse o Corregedor, tossindo discretamente —, isso não interessa ao inquérito, nem era sobre isso que eu estava perguntando!

— E eu sabia lá, Doutor? O senhor mandou, eu lasquei! Bem que eu não queria falar!

— Está bem, basta! Vamos passar à história do Rapaz-do-Cavalo-Branco porque tenho várias coisas a esclarecer sobre isso. Tem alguma coisa a objetar?

— Não senhor, de jeito nenhum! Pra mim, é até bom, porque assim meus depoimentos, tornados *oficiais* e *consagrados* por um documento do Governo como o inquérito, terão essa história como abertura! Ora, é exatamente por ela que eu pretendo começar minha Epopeia! E sabe por que, Sr. Corregedor? Primeiro, porque aquele sábado, dia 1º de Junho de 1935, talvez tenha sido o acontecimento que desencadeou a desaventura toda. Depois, porque é um acontecimento bastante bandeiroso e cavalariano para dar um tom régio à minha *Obra*. E finalmente porque os dois melhores "romances" do meu precursor e mestre, o Fidalgo sertanejo Dom José de Alencar, começam com cavalgadas, e eu não posso deixar que ele fique na minha frente de jeito nenhum! O senhor já leu *O Guarani* e *O Sertanejo*?

— Naturalmente, quando era rapazola! Depois de adulto, não!

— Precisa reler, Sr. Corregedor, precisa reler! José de Alencar é, até agora, o maior romanceiro, o maior fazedor-de-romances, o maior romancista-de-cavalaria do mundo, título de glória do qual só desfrutará, é claro, até o aparecimento do meu Castelo sertanejo e epopeico, momento em que passará para o segundo posto! Ora, se eu começar minha Fortaleza e obra com os acontecimentos daquele dia de 1935, levo, logo de entrada, uma vantagem da gota-serena sobre ele! O senhor há de se lembrar que *O Guarani* começa apenas com uma cavalgadazinha besta, dez ou doze Cavaleiros que acompanham Álvaro de Sá *em demanda*, para o "Solar do Paquequer", a casa-nobre do Fidalgo Dom Antônio de Mariz. *O Sertanejo* também começa com uma só cavalgada, a que acompanha o Capitão-Mor Gonçalo Pires Campelo e sua filha, a Princesa Dona Flor, na sua viagem de volta para a "Fazenda Oiticica", casa-nobre e torre-das-honras daquele poderoso Fidalgo sertanejo do século XVIII. Ora, sendo esses os dois romances-de-cavalaria mais épico-sertanejos do meu Precursor, vou, logo de saída, ganhando a briga para ele, porque vou começar meu Romance com uma cavalgada na estrada e uma Cavalhada na rua, num total de oitenta e quatro Cavaleiros, isto é, sete vezes Doze Pares de França para um começo de Epopeia só!

— Muito bem! — disse o Corregedor, impassível. — E já que chegamos a esse ponto, pode começar! Estou ansioso para ouvir!

Então, sempre andando de lá pra cá a fim de não incomodar meu honroso cotoco régio, diabólico, judaico e mouro-sertanejo, comecei a desfiar a história daquele dia memorável:

Folheto LI
O Crime Indecifrável

A Véspera de Pentecostes, dia 1º de Junho do ano da graça de 1935, foi dia de muitíssima gente em nossa Vila Real da Ribeira do Taperoá, Sertão dos Cariris Velhos da Capitania e Província da Paraíba do Norte. Nossa Vila era governada, naquele ano, por dois ilustres varões de nobre linhagem. Suas Senhorias, o Prefeito Abdias da Silva Campos e o Presidente do Conselho Alípio da Costa Villar, tinham resolvido que, naquele sábado, a Vila de Taperoá se apresentasse "festiva e galana", com umas Cavalhadas que festejassem dois acontecimentos importantíssimos para nós: a Missa, que o Bispo de Cajazeiras celebraria no dia seguinte, em comemoração ao fogo do Divino Espírito Santo, e as resoluções do Conselho que, vencendo os inimigos do Sertão, tinham mandado retornar aos sábados as feiras da nossa Vila.

Marcando a Cavalhada para essa data, parecia até que aqueles dois nobres varões já pressentiam os extraordinários acontecimentos que, por volta das quatro horas da tarde, vieram a se desencadear com a chegada do Rapaz-do-Cavalo-Branco e que trariam à nossa Vila indomável destroços sangrentos e reluzentes centelhas da minha "velha história perigosa"; história que todos julgavam "morta já e sepultada", mas que, naquele dia, iria ressuscitar para mal das pessoas mais influentes e poderosas do lugar. É a história que formará, um dia, o "centro trágico e nó heroico" da minha Epopeia, o alicerce de pedra e cal do meu Castelo real e sertanejo. Devo, portanto, passar a narrá-la, pelo menos em seus episódios principais.

***

— Sinésio, o alumioso Donzel que é o herói deste meu Canto, era o terceiro e último filho de Dom Pedro Sebastião Garcia-Barretto, poderoso e rico Fidalgo sertanejo que passou à Crônica paraibana com o honroso título de "O Rei Demente e Profético da Legenda Ensanguentada do Sertão". Esse "rico-homem" foi assassinado na sua "Fazenda da Onça Malhada", no aziago dia 24 de Agosto de 1930, quando o nosso Reino do Sertão dos Cariris Velhos estava inteiramente conflagrado, incendiado e devastado pela "Guerra de Princesa", travada naquele ano de 30 entre os Sertanejos e o governo do Presidente João Pessoa. Terei ainda que voltar a esses acontecimentos, porque eles formam, nas expressões do *Almanaque*, "*o centro e o nó do meu Enigma*". Por enquanto, porém, direi que a morte do velho Rei barbado e profético aconteceu em circunstâncias cruéis e *absolutamente enigmáticas*, indecifráveis: foi ele encontrado morto, assassinado a golpes de faca e trancado, sozinho, dentro do aposento, único mas elevado, de uma edificação quadrejada e alta que servia, ao mesmo tempo, de torre para a Igreja e de mirante para a Casa-Forte da fazenda.

— Um momento, Sr. Pedro Dinis Quaderna! — interrompeu o Corregedor. — Noto que o senhor de vez em quando retira um papel de sua pasta e lê alguma coisa escrita. O que é isso?

— São citações importantes ou pedaços já escritos que consegui arrumar durante todos estes anos, mesmo com o cotoco incomodando! Se Vossa Excelência não tem nada a objetar, prefiro ler, assim, estas partes! Fica mais claro e mais bonito!

— Está bem, desde que não prejudique a clareza do depoimento, não tenho nada a objetar. Outra coisa: mandei o Escrivão Belarmino Gusmão desenterrar os velhos autos do processo de 1930, e, por sua leitura, vi que o senhor estava entre as pessoas que encontraram o corpo do fazendeiro. O senhor vai me contar isso, mas, antes, preciso de algumas informações sobre a casa e o lugar onde tudo aconteceu!

— Sr. Corregedor, a velha "Casa-Forte da Torre da Onça Malhada" é, como diz Samuel, "uma casa-forte típica do áspero século XVIII sertanejo, um misto pesado, bárbaro e despojado de casa-de-missão jesuítica e Fortaleza". Se Vossa Excelência for lá, ficando de frente para ela verá, do lado esquerdo, a casa baixa, acachapada e sólida, pegada pela torre quadrada à igreja. Do lado direito desta, fica o sobrado de dois pavimentos. Assim, a capela fica no centro, ligando as duas casas, a baixa e o sobrado, com sua torre quadrada pegada ao casarão baixo e afortalezado da "Onça Malhada". Essa torre, como eu vinha dizendo, servia de mirante aos Garcia-Barrettos na "Guerra dos Tapuias", travada no século XVIII contra os sujos e bronzeados arqueiros Panatis, povo mouro-vermelho que se opunha, desde o século anterior, à penetração dos Sertanistas-fidalgos, paraibanos e pernambucanos, que depois se cruzaram com eles, vindos do Mar para o Sertão, através do leito seco e largo dos rios Paraíba e Taperoá.

— Me diga uma coisa: é verdade que, dentro da casa baixa, existe uma porta que dá para a escada da torre da capela?

— É, sim senhor! A escada é de tijolo, e a passagem da casa para ela, única via de acesso à torre, é vedada por uma porta maciça de braúna. Aliás, por duas portas, uma embaixo e outra em cima, no topo da escada!

— A escada é, mesmo, de tijolo maciço ou serviria somente para mascarar a existência de alguma passagem secreta?

— Não senhor, a escada era, e é, absolutamente maciça, Sr. Corregedor! Eu sei que nos romances estrangeiros de crime e sangue, costumam sempre lançar mão dessas facilidades, para resolver os enigmas, mas no meu caso absolutamente não existem essas coisas! Tanto o chão como o teto abobadado e as grossas paredes da pesada torre são feitos de pedra, tijolo e cal, de modo que não havia lugar para passagem secreta de qualidade nenhuma!

— Pois como foi que os assassinos entraram lá?

— Aí é que está o *nó*, Excelência: ninguém sabe como foi!

— O aposento da torre, o tal mirante, era utilizado para alguma coisa?

— Não senhor! Fazia uns cinco ou seis anos que ninguém subia lá!

— Não havia, lá, móvel nenhum? Por exemplo, alguma mesa ou secretária que tornasse a torre uma espécie de gabinete do dono da "Onça Malhada"?

— Não senhor!

— Então, o que foi que ele foi fazer lá, no dia da morte?

— E eu sei, Excelência? O que eu sei, porque vi, é que ele foi, e morreu lá, trancado! Não havia dentro daquele quarto nem móveis nem janelas. Apenas, como lembrança ainda remanescente da "Guerra dos Tapuias", havia em cada uma das quatro paredes uma seteira estreita e comprida, num total de quatro. As aberturas exteriores da seteira terminavam em arco, porque o sino da capela era a única coisa que havia no mirante e as seteiras serviam de abertura para os toques dele, como acontece com as janelas acabadas em arco das capelas comuns.

— Será que o assassino poderia ter entrado por essas seteiras?

— Não pode ter sido não, Excelência, porque as seteiras têm somente uns quinze centímetros de abertura pela parte de dentro, de modo que não pode, absolutamente, uma pessoa passar por elas. Os assassinos não podiam, também, ter entrado pela escada, por causa das pesadas portas de braúna!

— As portas estavam trancadas, quando acharam o corpo?

— Mas é claro, Sr. Corregedor! Vossa Excelência desculpe, mas está pensando que meu enigma de crime e sangue é algum desses enigmazinhos estrangeiros que qualquer pessoa decifra? Está muito enganado! Meu enigma é fogo, Excelência, é um enigma brasileiro, o mais bem tecido que já houve no mundo! As duas portas eram maciças, estavam fechadas, e a escada era a única via de acesso à torre! Além disso, como o senhor já deve ter lido nos autos, minha tia, Dona Filipa Quaderna, caseira da "Onça Malhada", tinha visto Dom Pedro Sebastião, meia hora antes de ser assassinado, entrar para o mirante, fechando ambas as portas por dentro, não só com a grande e antiga chave, mas também com as pesadas trancas de ferro que, descidas por dentro, tornavam as portas inarrombáveis.

O Corregedor assumiu um ar esperto, astuto, desconfiado; e disse:

— Ela não pode ter visto o fazendeiro fechar as duas portas, porque, depois de fechada a de baixo, não se pode mais ver a de cima!

— Tem razão, Sr. Corregedor, e eu ia, já, esclarecer esse fato! Realmente, naquele dia, quando sentimos falta de meu Padrinho e começamos a procurá-lo, topamos com a porta de baixo trancada por dentro. Mas mandamos chamar um machadeiro que arrombou a porta, e foi quando subimos a escada que vimos a segunda porta, também trancada por dentro. Foi só depois de arrombar essa segunda porta que encontramos o corpo.

— Quem foi que primeiro sentiu falta de Dom Pedro Sebastião? — perguntou o Corregedor, revelando, pelo tratamento de *Dom*, que usara, como essas histórias de Fidalguia e monarquismo da Esquerda são contagiosas. Mas fingi não notar nada e respondi:

— Quem primeiro sentiu falta de Dom Pedro Sebastião foi Arésio. Mas, antes mesmo que ele desse o alarme, minha tia, Dona Filipa Quaderna, também começou a sentir falta e nos disse!

— Além do senhor e de Arésio, quem mais entrou no aposento da torre?

BANDEIRA DA ONÇA.

— Está lá, também, no processo, Doutor: quem encontrou o corpo fomos eu, Arésio, Tia Filipa, o Doutor Samuel e o Professor Clemente.

— Vá anotando, Dona Margarida, tudo isso é muito importante! O senhor diz que, com as portas trancadas, o mirante era praticamente inacessível. Mas os assassinos poderiam tê-lo matado pelas seteiras, atirando de longe, através delas!

— Meu Padrinho foi morto a faca, Sr. Corregedor!

— Imaginemos, então, que, por fora, encostando escadas às paredes da torre da capela, tenham subido dois, três ou quatro assassinos. Nesse caso, pelas seteiras, pegando o velho fazendeiro descuidado e por todos os lados da torre de uma vez, podem tê-lo matado com chuços ou com facas de ponta amarradas fortemente a varas compridas!

— Não pode ser não, Sr. Corregedor! Não havia escada nenhuma, fora!

— Pode ter subido alguém pela corda do sino!

— Na "Onça Malhada" fazia muitos anos que não havia missa. A corda do sino tinha caído, de velha e esfiapada, e nunca mais tinha sido substituída!

— Bem, então podem ter levado as escadas, retirando-as depois!

— Também não pode ter sido não, Excelência! Havia vários homens trabalhando nas imediações da casa, eles teriam visto colocar as escadas! Além disso, por trás, a "Casa da Onça Malhada" é toda murada, porque fica quase a pique sobre um despenhadeiro, formado ali pelo enorme lajedo sobre o qual ela é edificada. Assim, a única parede na qual os assassinos poderiam ter encostado uma escada era a que dá frente para o pátio pedrado e lajeado da fazenda, de modo que teria sido impossível trazer a escada e encostá-la sem que os homens vissem. Não se esqueça, também, de que mesmo esse pátio é murado, pois a torre, a capela e as duas moradias da "Casa-Forte" são afortalezadas e a torre foi construída exatamente de modo a permitir que os Garcia-Barrettos atirassem nos Arqueiros tapuias do modo mais seguro possível! Finalmente, o senhor se lembre de que, em 1930, com a "Guerra de Princesa", a "Onça Malhada" estava fervilhando de gente armada, com centenas e centenas de cabras-do-rifle e cabras-do-eito armados e preparados para o que desse e viesse!

— Então, foi suicídio!

— A natureza dos ferimentos afastava essa possibilidade, Sr. Corregedor: naquele lugar inacessível, meu tio, cunhado e Padrinho, Dom Pedro Sebastião, foi encontrado, ainda quente e sangrando, poucos momentos depois de ter sido assassinado. Tinha levado várias cacetadas na cabeça, estava degolado, com a garganta cortada, e terrivelmente esfaqueado em todo o corpo, sendo que o ferimento que golfava mais sangue era naturalmente o da garganta. No entanto, ele estava só, e não havia, na torre, nenhum rastro, nenhum sinal dos assassinos!

— Nenhum sinal? Nem um botão de camisa? Nem um fio de cabelo? O fato foi verificado? Não havia nenhum indício?

— O fato foi verificado no processo, Excelência: não havia indício nenhum! Eu não já lhe disse que isto aqui é um enigma sério, um enigma de gênio, um enigma brasileiro, sertanejo e epopeico? Ora indício! Com indício, é canja, qualquer decifrador estrangeiro decifra! No caso, não havia nada: nem vela dobrada, nem disco mortífero, nem botões de camisa, nem abotoaduras de ouro, nem fios de cabelo, nem alfinete novo, nem nada dessas outras coisas que costumam fornecer pistas aos decifradores dos ridículos enigmas estrangeiros! Para o meu enigma, portanto, só um Decifrador brasileiro, e de gênio! Agora, havia era um pormenor estranho, que reforça nossa convicção de que a morte de meu Padrinho só pode ter sido praticada dentro da própria torre, gastando-se no crime um tempo tal que pessoas trepadas em escadas e usando chuços através das seteiras não podem tê-lo executado de jeito nenhum: é que, na espádua esquerda de Dom Pedro Sebastião, tinham ferrado, a fogo, um *ferro* desconhecido e que não é nenhum dos *ferros* familiares de ferrar boi do Sertão da Paraíba! Eu sei, porque no nosso "Instituto Genealógico e Histórico do Sertão do Cariri" temos um arquivo e registro desses *ferros*, arquivo que eu organizei por sugestão do Doutor Pedro Gouveia!

— Você ainda se lembra como era o *ferro*?

— Me lembro como se fosse hoje, Excelência! Era uma espécie de lua, ou melhor, para ser mais fiel à nobre Arte da Heráldica, um crescente, com as pontas viradas para cima e encimado por uma cruz.

— A marca do ferro na espádua de seu Padrinho era recente?

— A queimadura era recentíssima! Quando a gente entrou na torre, sentia-se ainda a catinga meio fumaçada e polvorenta de carne de bicho ferrada!

— E não havia nenhum sinal do fogo onde esquentaram o *ferro*?

— Nenhum, Excelência! Eu não já expliquei que no aposento elevado da torre da capela não havia nada, a não ser o sino?

— Eu digo é no mato, pelas imediações. Procuraram?

— Procuramos, sim senhor! Não havia sinal de fogo nenhum, por perto da "Casa-Forte da Onça Malhada"!

— Então, foi que trouxeram de longe o ferro quente! Como é que puderam conservá-lo em brasa tanto tempo, durante o caminho?

— E quem sabe, Excelência?

O Corregedor olhou-me durante alguns momentos, de modo fixo e com ar descontente. Depois, negaceou:

— A que motivo o senhor atribui a morte de seu tio e padrinho?

— Não atribuo a motivo nenhum, Sr. Corregedor, porque não tenho a menor ideia sobre isso!

— Ele era muito rico, não?

— Demais! Era o homem mais rico, mais fidalgo e mais poderoso do Sertão! Aliás, no caso, isso seria obrigatório: de outro modo, eu não poderia tê-lo escolhido como personagem central e Rei decaído da minha Epopeia, pois não se poderia chamar a "perfídia terrível" em que ele foi trucidado de "queda do trono, da Coroa e da monarquia do Sertão do Cariri"!

— Bem, então, se ele era rico assim, o motivo do crime pode ter sido roubo.

— Mas não foi não, aí é que está! Como depois nós verificamos, não tinha havido roubo nenhum! A única falta que se notou em toda a "Casa da Onça Malhada" foi a de três objetos, aliás sem grande importância e que podem, até, ter desaparecido antes daquele dia sem que ninguém tivesse percebido. Eram um anel que meu Padrinho usava às vezes, uma bengala encastoada de ouro e um tinteiro de bronze.

— É verdade que Arésio, o filho mais velho, viajou repentinamente, abandonando a casa logo no dia seguinte ao do enterro de Dom Pedro Sebastião?

— É verdade; o que, aliás, foi uma sorte para ele, porque do contrário poderia ter morrido no incêndio que uma mão desconhecida ateou à casa-forte na noite daquele mesmo dia 24 de Agosto de 1930.

— E o filho mais moço, Sinésio?

— Aí é que está o *nó*, Excelência, ou melhor, aí é que está a parte mais astrológica e zodiacal do *nó*! Naquele dia, quando nós descemos daquela torre astrosa e fatídica, nova e terrível surpresa nos aguardava, embaixo: Sinésio, o filho mais moço, mancebo que andava então pelos vinte anos, tinha desaparecido. Parecia que "a terra se abrira e ele fora sepultado em suas entranhas"!

— Sr. Quaderna, tenho observado que o senhor, de vez em quando, dá para falar difícil, o que perturba um pouco a clareza do depoimento!

— É uma questão de estilo, Sr. Corregedor, uma questão epopeica! Quando eu tirar as certidões, quero encontrar o estilo da minha Obra pelo menos já encaminhado! Além disso, Samuel, segundo Clemente, adota "o estilo rapão-ranhoso de cristais e joiarias hermético-esmeráldicas da Direita". Já Clemente, segundo Samuel, adota "o estilo raso-circundante, raposo e afoscado da Esquerda". Eu fundi os dois, criando "o estilo genial, ou régio, o estilo raposo-esmeráldico e real-hermético dos Monarquistas da Esquerda". Agora, porém, quando eu afirmei que a terra se abriu e meu primo e sobrinho Sinésio foi sepultado em suas entranhas, não estava falando assim somente por uma questão de estilo, não. Usei a expressão, primeiro porque é a usada em todos os "contos" do *Almanaque Charadístico*, de onde a copiei. Depois, porque, no caso, ela se aplica perfeitamente à estranha Desaventura de Sinésio, o Alumioso, e à Demanda Novelosa do Reino do Sertão!

— Explique-se melhor, porque o caso, aqui, não é de estilo não, é de inquérito! Como foi que o rapaz desapareceu?

— Bem, Sr. Corregedor, como era de esperar, as versões que apareceram foram as mais contraditórias! As circunstâncias enigmáticas da morte de Dom Pedro Sebastião e o sumiço misterioso e inexplicável de Sinésio impressionaram fatidicamente "a imaginação dos bárbaros e fanáticos sertanejos do Cariri", como costuma dizer Samuel. Dom Pedro Sebastião, aliado aos Dantas, da Serra do Teixeira, e ao Coronel José Pereira Lima, Senhor da Vila da Princesa Isabel — centro principal da "Guerra de Princesa" —, era uma das principais *colunas* sertanejas da rebelião contra o Presidente João Pessoa! Começaram, então, imediatamente, a correr boatos que atribuíam a morte do velho Rei e a desaparição de seu filho, Dom Sinésio, o Alumioso, a motivos políticos.

— Eu sei, e este é um dos motivos pelos quais resolvi estudar, pessoalmente, esse caso! Tive a honra de ser correligionário e servidor do inolvidável

Presidente João Pessoa, de modo que o senhor e seus companheiros podem ficar certos de que vou apurar, bem apurada, toda essa história!

Ao dizer isso, o Corregedor cerrou de repente os maxilares, como um porco-do-mato, e tomou, sem querer, uma expressão de ferocidade que me demonstrou logo que, ou eu ia com cautela, ou estava desgraçado para o resto da vida. Então falei, temeroso e solícito:

— Estou pronto a ajudar o senhor do jeito que possa! Mas como eu ia dizendo: quanto a Sinésio, os boatos surgidos eram ainda mais fantásticos e desencontrados. Segundo a versão mais divulgada, enquanto, na torre, os assassinos degolavam o velho Rei do Cariri, Sinésio, que estava embaixo, adormecido em sua cama, fora raptado por um grupo de Ciganos sertanejos. Segundo os boatos, os Ciganos — que estavam, também, a serviço dos seguidores mais fanáticos do Presidente João Pessoa — tinham ministrado ao Prinspe Alumioso adormecido o chá de uma tal de "erva-moura", que deixa o sujeito como que sonhando acordado!

— Sr. Quaderna, consta-me que o senhor, além de várias outras habilidades, é um grande entendido em raízes sertanejas. É verdade isso? — indagou lentamente o Corregedor, com uma expressão que me deixou frio.

— É, sim senhor! Mas, até hoje, só empreguei essa minha habilidade para o bem, juro por tudo quanto é sagrado! O que eu sei de raízes é o que aprendi no *Lunário Perpétuo* e nas coleções do *Almanaque do Cariri* que meu Pai publicava.

— Quer dizer que as habilidades de charadista, Astrólogo e raizeiro do senhor são heranças de família?

— São sim senhor, eu já puxei a meu Pai! Foi dele, aliás, que puxei também minhas qualidades poéticas, se bem que, modéstia à parte e não faltando com o respeito filial, como Poeta eu seja mais completo do que ele foi. Como o senhor deve saber, existem seis qualidades de Poeta e a maioria deles ou pertence a uma qualidade ou a outra. Os melhores, pertencem a duas categorias ao mesmo tempo. Mas somente os maiores de todos, os grandes, os "raros do Povo", pertencem, ao mesmo tempo, às seis categorias! Meu Pai, que Deus guarde, era Poeta de sangue e de ciência. Mas eu, modéstia à parte, sou dos poucos, dos raros, dos grandes, porque sou, ao mesmo tempo, Poeta de cavalgação e reinaço, Poeta de sangue, Poeta de ciência, Poeta de pacto, de estradas e encruzilhadas, Poeta de memória e Poeta de planeta! Mesmo porém tendo sido mais completo do que ele, grande foi a influência que recebi das qualidades de Poeta, historiador, Astrólogo e genealogista Sertanejo de meu Pai!

— Quer dizer, então, que, como leitor do *Lunário* e do *Almanaque*, o senhor já conhecia a tal "erva-moura" que deram a Sinésio!

— Excelência, eu não sei, com certeza, se deram a ele, ou não deram, o chá de erva-moura! As versões sobre o desaparecimento de Sinésio eram, como eu disse, as mais desencontradas possíveis! Num ponto, porém, todos os partidários dele concordavam: diziam que, depois de raptado, Sinésio fora levado para a Cidade da Paraíba, capital do nosso Estado, e encarcerado debaixo da terra, num subterrâneo cavado durante a "Guerra Holandesa" e que liga a Igreja de São Francisco à Fortaleza de Santa Catarina, situada em Cabedelo, a umas três ou quatro léguas de distância da Igreja!

— Esse subterrâneo não existe, Sr. Quaderna! Isso é patranha! Aqui no Nordeste, em todo lugar por onde os Holandeses passaram, no século XVII, o Povo inventa que existe um subterrâneo cavado por eles! São imaginações descabidas da ralé ignorante da Paraíba!

— Pode ser, Excelência, não sou eu que sustento essa história não: estou contando o que me disseram e vendendo a história ao senhor pelo preço que me venderam! Aliás, esta opinião do senhor era, também, a dos adversários de Sinésio. Mas, segundo os partidários de Dom Pedro Sebastião e Sinésio, o Presidente João Pessoa, primeiro, e, depois de seu assassinato, os seus seguidores mais fanáticos — como o Interventor Antenor Navarro, por exemplo — sabiam que o Prinspe Alumioso era uma vítima e refém precioso perante os Sertanejos rebelados da gloriosa "Guerra de Princesa". Por isso, queriam conservá-lo prisioneiro, como elemento de intimidação e trunfo para a derrota dos partidários dele! Mas as pessoas que, aqui na Vila e no resto do Sertão, eram contrárias a Sinésio, isto é, os partidários do usineiro e dono de minas Antônio Noronha de Britto Moraes, esses diziam que Sinésio estava morto e bem morto, sepultado não no subterrâneo, mas sim debaixo dos clássicos e comuns sete palmos de terra que cobrem todo mundo! Como Vossa Excelência pode ver agora, em qualquer dos casos a expressão do *Almanaque Charadístico* se aplica perfeitamente, porque, seja no chão ou no subterrâneo, o fato é que a terra se abriu e Sinésio foi soterrado — ficou ali, soterranho, sepultado em suas entranhas!

— Sr. Quaderna, tenho que fazer, agora, uma observação contrária à de ainda há pouco! Eu disse que às vezes o senhor dava para falar difícil: agora, devo observar que, para um Epopeieta, o senhor de vez em quando dá para falar errado! Agora mesmo, o senhor disse "soterranho", em vez de "subterrâneo", e disse, também, duas vezes, "Prinspe" em vez de "Príncipe"!

— Não é erro não, Excelência, é o Português pardo, leopardo, garranchento e pedregoso da Caatinga, como diz o genial Gustavo Barroso! Quando falo de Dom Sinésio, o Alumioso, eu prefiro dizer "Prinspe" porque é assim que escrevia o genial E. P. Almeida, guerrilheiro do "Império do Belo Monte de Canudos", na carta que foi encontrada em seu bornal de balas, em 1897! E é também assim que se escreve o nome do folheto de Heleno Torres: "A Princesa Fátima e o Prinspe Hedemon".

— Está bem, mas vá adiante! — disse o Doutor Joaquim Cabeça-de-Porco com ar enfastiado, enquanto, na carreira e de acordo com suas determinações, Margarida ora se detinha ora copiava tudo, ao teleco-teco da velha máquina de escrever.

Eu continuei:

— Essa dúvida sobre a "vida, paixão e morte" do Alumioso acarretava sérios problemas no tocante à herança e ao testamento do Pai dele. Naturalmente a pessoa mais afetada por isso era seu irmão Arésio, impedido de entrar na posse integral e efetiva da "Casa-Forte da Torre da Onça Malhada". Não poderia fazê-lo enquanto Sinésio não fosse declarado morto ou *ausente* — expressão esquisita para os leigos mas que faz parte das coisas da Justiça e que, portanto, Vossa Excelência, como Corregedor, conhece melhor do que eu, simples Poeta-escrivão como Pero Vaz de Caminha! E aí, entre os anos de 1930 e 1935, as notícias sobre Sinésio, o Ausente, apareciam e desapareciam, cada vez mais fantásticas, incertas e enigmáticas, e sempre ligadas às Revoluções ou tentativas de insurreição acontecidas no Brasil durante esse período. Relacionadas, principalmente, com as rebeliões e vinditas sertanejas! Como Vossa Excelência deve se lembrar, essas datas revolucionárias são: em 1930, a "Revolução Liberal"; em 1931, os primeiros tiroteios e greves comunistas que tiveram o Recife como centro; em 1932, a "Revolução Constitucionalista" de São Paulo e, aqui no Sertão, a mal estudada mas importante "Guerra do Verde e do Vermelho"; e, finalmente,

AUTOR HELENO F. TORRES
A PRINCESA FÁTIMA
E O PRINSPE HEDEMON

J. BORGES — H. TORRES

FOLHETO ONDE APARECE A PALAVRA PRÍNCIPE COMO PRINSPE.

em 1935, a "Revolução Comunista" cujos centros principais foram o Rio, o Recife e o Rio Grande do Norte, mas cujo episódio mais importante para a minha história foi a "coluna sertaneja" que, partindo de Natal, foi derrotada pelos Sertanejos na Serra do Doutor, no Sertão do Seridó, e que teve papel preponderante no desfecho da luta de Arésio e Sinésio Garcia-Barretto.

Folheto LII
Os Três Irmãos Sertanejos

— Ora, Sr. Corregedor, desde quando o velho Rei, Dom Pedro Sebastião, era vivo — e mais ainda depois de sua morte —, os moradores da nossa Vila tinham se separado, formando dois partidos em torno dos filhos dele! Uns tomavam o partido de Arésio, filho do primeiro casamento de meu Padrinho com Dona Maria da Purificação Pereira Monteiro. Os outros tomavam o de Sinésio, filho de minha irmã, Joana Garcia-Barretto Ferreira Quaderna. Na verdade, havia ainda um outro filho, Silvestre, nascido entre Arésio e Sinésio e no intervalo dos dois casamentos de meu tio e Padrinho. Mas o partido deste segundo filho ninguém pensava em tomar! Primeiro, porque ele próprio era partidário de Sinésio. Depois, porque ele era bastardo e pobre. E, finalmente, porque, depois da morte de Dom Pedro Sebastião, todo mundo, de repente, passou a considerá-lo como meio idiota!

— É verdade que, entre os filhos, Dom Pedro Sebastião tinha preferência especial por Sinésio?

— É, sim senhor! Arésio nunca se dera muito bem com o Pai, porque ambos tinham gênio violento e estranho e, ao mesmo tempo, eram muito diferentes na maneira de exercer essa violência! Creio, aliás, que essa hostilidade existente entre Dom Pedro Sebastião e seu filho mais velho, Arésio, foi o motivo que levou o Juiz da nossa Comarca a tomar, logo depois da morte do velho Rei e Capitão-Mor do Sertão do Cariri, uma decisão que a muitos pareceu estranha: a de nomear como inventariante dos bens do Rei Degolado, não seu filho mais velho Arésio, como seria natural, e sim o maior inimigo e adversário político de meu Padrinho, Antônio Noronha de Britto Moraes. Acresce que, com a desaparição de Sinésio, o problema da sucessão do nosso Rei do Cariri se complicara. Diziam que, de acordo com a Lei brasileira, teria que decorrer o prazo de dois anos para que, legalmente, o rapaz desaparecido fosse declarado *ausente*. Está certo isso, Doutor?

— Está, uma vez que ele não deixou, na Vila, procurador legalmente habilitado!

— Era exatamente isso o que diziam os partidários de Arésio, entre os quais figurava naquele tempo, em primeiro plano e por ter sido contratado profissionalmente, o Advogado que Vossa Excelência já conhece, o Bacharel Clemente Hará de Ravasco Anvérsio, criminalista, mestre-escola e Filósofo de altos méritos. Já os partidários de Sinésio, soprados pelo Promotor e curador de ausentes, o Poeta Samuel Wan d'Ernes, lembravam que a Lei fazia, ainda, outra exigência para que, no prazo de dois anos, o ausente fosse dado como legalmente desaparecido: a de que não houvesse notícias dele durante esse tempo. Está certo isso, também, Sr. Corregedor?

— Está, é isso mesmo!

— "Ora, notícias dele é o que não falta!" — diziam os mais exaltados Sertanejos do partido do filho mais moço. — "Sinésio está preso, escondido pelo Governo e pela Polícia-secreta deles, no subterrâneo que os Holandeses construíram, da Igreja de São Francisco até o Forte de Cabedelo!"

— "E pode-se, lá, chamar esse boato ridículo de *notícia*?" — retrucavam, indignados, os partidários de Arésio. — "Quem é que garante a existência desse subterrâneo? Quem foi que, algum dia, já entrou nele? Ninguém! Esse subterrâneo não passa de uma invenção do Povo ignorante desta terra infeliz que é a Paraíba!"

— Os partidários de Arésio tinham razão nesse ponto, como já expliquei! — falou o Corregedor.

— Sim, Excelência, mas, apesar da lógica dessa objeção, os partidários de Sinésio continuavam a acreditar no subterrâneo e a sonhar com o dia em que o jovem Prinspe Alumioso conseguiria vencer seus inimigos cruéis e desconhecidos, voltando à sua terra, para — como se esperava dele desde menino — causar a perda dos poderosos e fazer a felicidade de todos os pobres, desgraçados, infelizes e deserdados da sorte no Sertão do Cariri!

* * *

— Como Vossa Excelência pode ver por aí, os partidários de Arésio eram os mais razoáveis e esclarecidos! — disse eu, para lisonjear o Corregedor, que manifestara aprovação ao ponto de vista deles. — Não admira, aliás, que assim acontecesse, porque eram as pessoas mais ricas e bem-situadas da Vila. É verdade que, a princípio, houvera uma cisão entre essas pessoas, ficando com Arésio os membros da Aristocracia rural, e a Burguesia urbana cerrando fileiras ao lado de Antônio Moraes e do Comendador Basílio Monteiro, que, politicamente, seguia o usineiro pernambucano. Depois, por uma circunstância que logo explicarei, essas duas facções se juntaram, de modo que o elemento mais poderoso do Sertão ficou todo a favor de Arésio. Já os partidários de Sinésio eram os Almocreves, os cambiteiros, os Ciganos, as lavadeiras, os Vaqueiros, os cabras-do-eito, as Mulheres-Damas, os fazedores de chapéus de palha, os Cavalarianos, os cabras-do-rifle, as Fateiras, os Cantadores, os Cangaceiros...

— Enfim, eram recrutados entre o Povo, a ralé sertaneja, não é isso? — interrompeu o Corregedor, meio impaciente.

— Vossa Excelência chame como quiser! Eu, fiel aos ensinamentos de Samuel, Clemente, Carlos Dias Fernandes, João Martins de Athayde, Gustavo Barroso e outros Mestres, considero toda essa gente, especialmente os homens que montam a cavalo e as moças que, vencendo a Desgraça e a Fome, puderam permanecer bonitas, como Fidalgos e Princesas do Povo Brasileiro! O senhor note que, enquanto no resto do Brasil, prostituta é rapariga, aqui, no Sertão, é Mulher-Dama, o que enobrece demais essa gente, fazendo com que elas pareçam Damas de copas, ouro, paus e espada! Outra coisa, Excelência: dizia-se, ainda, na rua, que, no caso da herança do velho Rei, meu Padrinho, seria necessário que decorresse o prazo mais longo, de quatro anos, para que Arésio tivesse o direito de requerer, na Justiça, a abertura da "sucessão provisória". É verdade, isso?

— É verdade!

— Então, foi talvez por causa dessas discussões e do caráter duvidoso de todo o caso que o Juiz da Comarca, Doutor Manuel Viana Paes, resolveu nomear um curador para os riquíssimos bens deixados por Dom Pedro Sebastião!

— Não senhor, foi um ato de rotina processual! O Juiz *tinha* que fazer a nomeação!

— Entendo, Excelência! E ele não teria causado nenhuma estranheza, se sua escolha não tivesse recaído naquele mesmo inventariante nomeado anteriormente, aquele sombrio, moreno, poderoso e enigmático Antônio Moraes, rico usineiro pernambucano que, tendo resolvido botar uma indústria na Paraíba, precisara dos minérios do Cariri e começara, lá um dia, a comprar terras aqui. Depois, fora tomando gosto pelo lugar, "onde ainda se mantinham o estilo de vida e os modos da sociedade patriarcal". E fora, aos poucos, estendendo suas garras de gavião sobre tudo, entre nós; de modo tal que, ao açambarcar o algodão, o gado e os minérios de toda a nossa zona, espalhara entre nós um terror quase supersticioso, diante de seu poder, da sua fortuna, de sua capacidade de aniquilar os rivais, de espalhar o infortúnio, de esmagar os que se interpunham entre ele e o domínio total do Cariri — este Sertão onde, até 1930, se exercera o poder, também muito grande mas muito diferente, do nosso velho Rei, Dom Pedro Sebastião Garcia-Barretto!

* * *

Levado pelo embalo de Epopeieta, eu tinha dado um "cochilo de Homero" como depoente, e fora mais longe do que desejara, revelando ao Corregedor certas coisas que me convinha calar. Para corrigir meu grave erro, acrescentei imediatamente, para evitar que ele mandasse Margarida copiar:

— Foi aí que, exatamente no ano de 1932, uma notícia incendiou o Sertão, como uma pedra-lispe ou pedra-de-corisco que passasse sobre os carrascais empoeirados e pedregosos, queimando a terra sertaneja desde o Cariri até a Espinhara: Sinésio tinha sido finalmente encontrado, morto, na Paraíba!

— Em que lugar? No subterrâneo?

— Não senhor, mas ali perto, a uns duzentos metros de distância do cruzeiro da Igreja de São Francisco, aquele mesmo Cruzeiro que Carlos Dias Fernandes já vira, um dia, "fincado no meio do Adro e cercado por uma larga peanha de Pelicanos esculpidos em Pedra". Vossa Excelência conhece, por acaso, a "Casa da Pólvora", que fica na descida da Ladeira de São Francisco, na Paraíba, assim pelo lado esquerdo de quem está de frente para a Igreja?

— Já ouvi falar, mas não conheço não! Não tenho nenhum interesse por velharias, de modo que nunca me interessei em descer a Ladeira por aquele lado!

— Pois quando voltar à Capital, Doutor, não deixe de conhecer! Eu fui lá muitas vezes, quando estudava no Seminário, instalado no velho Convento franciscano pegado à Igreja! A "Casa da Pólvora" é uma velha edificação do século XVIII, construída quando o Reino de Portugal ainda pertencia ao Império do Brasil. Foi feita pelo Governador e Capitão-Mor da Paraíba, João da Maya da Gama, a mando d'El-Rei Dom João V, e concluída em 1710, conforme informação do genial escritor paraibano Irineu Pinto na sua Crônica-epopeica *Datas e Notas para a*

História da Paraíba. Ora, Sr. Corregedor, por uma coincidência que não deixou de impressionar violentamente as ardentes imaginações sertanejas, a "Casa da Pólvora", do mesmo jeito da torre da "Onça Malhada" onde morrera o Pai, é um pesado edifício de aposento único, com uma só entrada, de teto abobadado, e iluminado somente por seteiras. É construído "no estilo militar, pesado e austero do século XVIII brasileiro" — como nos explicou logo Samuel, discípulo predileto, para esses assuntos de gosto e Arte, do genial Carlos Dias Fernandes. Aí, portanto, nessa "Casa da Pólvora", em condições muito semelhantes às do velho Rei degolado, seu Pai, encadeado à parede por uma grossa e enferrujada corrente que lhe prendia o pé pelo tornozelo, como se fosse um perigo para o mundo ou "um calceta da Existência" — para usar a expressão do genial escritor brasileiro de 1917, Henrique Stepple —, foi encontrado, por uns meninos, o cadáver, já desfigurado e apodrecido, daquele verdadeiro Infante Sertanejo, o nosso Dom Sinésio Garcia-Barretto, o Alumioso, ao que parece morto de fome, maus-tratos, solidão e desespero. Depois de identificado por Arésio, que estava, então, na Capital, foi o corpo convenientemente sepultado, "com todas as honras que acompanham sob a terra os corpos dos Fidalgos, mesmo sertanejos, filhos-segundos, mancebos e infanções", como era o caso do nosso infortunado e alumioso Prinspe.

* * *

— Todo mundo esperava, Sr. Corregedor, que, com a notícia da morte de Sinésio, cessassem as controvérsias e discussões e Arésio entrasse em juízo, naquele mesmo ano de 1932, com uma ação que reivindicasse seus direitos. Mas isso não aconteceu. Parecia até que Arésio, contrariando seu gênio violento, se resignara com o infortúnio que se abatera de vez sobre toda a "Casa Real da Onça Malhada". Alguns opinavam que Arésio, não querendo abrir duas frentes de luta — uma com o riquíssimo curador de seus bens, Antônio Moraes, outra com a sombra ausente, mas ainda poderosa, do irmão morto —, aguardava, talvez, que chegássemos ao ano de 1934, quando se completaria o prazo dos quatro anos da morte do Pai e do desaparecimento de Sinésio. Poderia, assim, mais resguardado pela Lei, reivindicar seus direitos, sem entrar em choque frontal com Dom Antônio Moraes. De fato, como sucede sempre nas quedas das grandes Monarquias sertanejas, a desgraça penetrara de vez na "Casa da Onça Malhada". Dom Pedro Sebastião, tragicamente viúvo pela segunda vez, morrera degolado. Sinésio, primeiro fora raptado, preso e sepultado debaixo da terra, morrendo finalmente dessa maneira terrível e dolorosa que acabo de descrever. Silvestre, o segundo filho, o bastardo, entrou por uma enorme decadência, em comparação com a vida que levara conosco na "Onça Malhada" durante a vida de seu Pai. Passou a errar no abandono, por Vilas, ribeiras, estradas e povoados do Sertão do Cariri. Dizia-se que se tornara idiota, mergulhado numa espécie de "estoporamento do juízo", pela sucessão de tragédias que se abatera sobre o Pai e sobre o irmão mais moço, com quem ele fora sempre muito pegado. Contava-se que Silvestre tinha chegado ao extremo de se tornar guia-de-cego. O cego a quem ele se arrimara como "espoleta" — Pedro Adeodato, Pedro Cego de alcunha — era daqui da Vila. Era um meio-termo de cego, Cantador, beato e Cangaceiro aposentado. Vivia errante e pedinte, de lugar em lugar, vestido com um velho casacão militar, pardo e remendado, que ninguém sabia onde e quando ele obtivera — se bem que alguns de nós desconfiassem que tinha sido dado a ele por meu Padrinho-de-crisma, João Melchíades Ferreira, o Cantador da Borborema. Cantava, esmolava, rezava em altos brados e dizia desaforos a Deus e ao mundo, por tudo quanto era de feira no Sertão. Corriam histórias dos maus-tratos que ele infligia a Silvestre, o qual, apesar disso, era-lhe fiel e dedicado, na idiotice que lhe acabara, de vez, com qualquer resto de dignidade.

— E Arésio?

— Sr. Corregedor, entre 1930 e 1934, Arésio entregou-se a uma vida completamente desordenada. Aparecia e desaparecia aqui e ali, sem explicar a ninguém os motivos dessas idas e vindas a Patos, a Campina Grande, à Cidade da Paraíba, à Vila do Martins, ao Pajeú, ao Seridó, a Natal, ao Recife. Dom Antônio Moraes, atendendo a telegramas ou recados seus, enviava-lhe, sem discussão e para onde ele ordenava, as mesadas que o Juiz determinara. De modo que Arésio, sendo solteiro, podia perfeitamente manter a vida dissipada que escandalizava, aqui, as pessoas de bem da Vila. De vez em quando chegavam até nós os ecos de suas orgias, de seus atos violentos e desabusados, inesperados, inexplicáveis, meio insanos, mesmo. Mas como ele ficava por lá, e aqui só chegavam os ecos, muita coisa de sua vida durante esse tempo ficou obscura, até para aqueles que, como eu, Clemente e Samuel, tínhamos vivido, desde a meninice dele, em estreita ligação com os seus e com a sua Casa. Arésio teria ficado, talvez, um pouco esquecido aqui, se não fosse sua participação na "Guerra do Verde e do Vermelho", em 1932, e, nos fins de 1934, sua estranha reaparição entre nós.

— Estranha? Estranha por quê?

— Estranha porque nesse fim de ano Arésio voltou e, para surpresa e escândalo do Povo, hospedou-se na casa do figadal inimigo de seu Pai, Antônio Moraes. Desprezou a velha casa que os Garcia-Barrettos tinham na Vila e lá ficou morando com os Moraes, no aguardo, talvez, das providências legais para a herança. O pessoal mais pobre, que não gostava dele e era partidário de Sinésio, não deixou de verberar violentamente contra "o procedimento daquele filho desnaturado, daquele *condenado*, que traía, daquela maneira, o sangue de seu Pai". Já nos meios da Burguesia urbana da Vila foram muito louvadas "a prudência e compreensão de Arésio que, com aquele gesto, encerrava um desgraçado mal-entendido que nunca deveria ter separado as duas maiores fortunas do Sertão, os Garcia-Barrettos e os Moraes". Falava-se, mesmo, na rua, que até *o problema sério*, o problema da herança da "Onça Malhada", seria solucionado entre os Moraes e os Garcia-Barrettos, pois, ao que tudo indicava, Arésio ia se casar com Genoveva Moraes, única filha moça do velho inimigo de Dom Pedro Sebastião Garcia-Barretto. Fosse como fosse, e resolvido de vez *o problema sério*, o da herança, com esse casamento e com a morte-escura do Prinspe Alumioso, foi nesse estado de coisas que entramos no ano de 1935. Chegava, afinal, o momento em que Arésio ia entrar no domínio e posse integrais de sua enorme fortuna — do algodão, das inumeráveis cabeças de Gado cavalar, vacum, ovelhum e cabrum, do dinheiro acumulado durante todos aqueles anos através da exportação de couros e de pedras preciosas, das terras e pastagens imensas da "Onça Malhada", e sobretudo da grande fortuna em ouro, prata e pedras preciosas que Dom Pedro Sebastião deixara.

— É verdade que todo o dinheiro em prata deixado por seu Padrinho ficou sob sua guarda?

— É, sim senhor. Mesmo com meu Padrinho vivo, eu era uma espécie de Guarda do Selo e do Tesouro da Onça Malhada, de modo que, quando ele morreu, eu estava com todos os baús atulhados de prata.

— O que foi que o senhor fez desse dinheiro?

— Entreguei ao Juiz daqui, que mandou colocá-lo sob a guarda de Dom Antônio Moraes.

— E é verdade que Dom Pedro Sebastião ainda tinha escondido uma grande fortuna em ouro, prata e pedras preciosas numa certa furna do Sertão?

— É, sim senhor!

— É verdade que ele deixou um roteiro, um mapa desse tesouro, com o senhor?

— Sr. Corregedor, eu não sei se aquilo pode ser, de fato, chamado de mapa, mas, na verdade, ele deixou comigo um papel que ninguém entendia e que diziam ser o mapa do tesouro.

— Diziam? E o senhor, o que é que diz? O senhor acha que *era* o mapa?

— Acho que não, Excelência.

— Então por que é que se recusava a mostrar esse mapa a qualquer pessoa? Por que não entregou esse papel ao Juiz, também?

— Primeiro porque nunca considerei que aquilo fosse, mesmo, o mapa. Depois por uma questão de respeito à memória de meu Padrinho. Um dia, meu Padrinho me procurou e me deu aquele papel, dizendo-me que, quando começasse a sentir que a morte estava se aproximando, ele me comunicaria sua decifração, que era muito importante para mim e para Sinésio. Mas, depois de 1926, não sei se o senhor sabe que meu Padrinho ficou meio de miolo mole...

— Ouvi falar, como ouvi falar que foi o senhor a pessoa que mais contribuiu para isso, com as histórias de coroar seu Padrinho como Imperador do Divino e outras coisas desse tipo.

— Isso é uma injustiça, Sr. Corregedor, é calúnia desse pessoal! Eu coroava meu Padrinho era a pedido dele, porque desde 1920 e desde a passagem da "Coluna Prestes" que meu Padrinho estava ficando assim, de juízo virado. Pois bem: um dia, vendo que estava chegando o tempo, procurei meu Padrinho para falar com ele sobre o papel. Já naquele tempo começavam a correr boatos sobre o tesouro e uma versão de que o papel seria o roteiro desse tesouro. Procurei meu Padrinho e fiz a ele uma pergunta direta sobre o assunto. Ele, com umas palavras meio esquisitas, confirmou a existência do tesouro mas me disse que tinha escondido tudo tão bem que agora era incapaz de encontrar a fabulosa fortuna que tinha enterrado na furna. Lembrei então a ele o papel que me dera. Ficou muito contente, exaltado, com os olhos fuzilantes. Mas, quando pegou o papel, vi que, ou o papel não tinha sentido nenhum ou então meu Padrinho se esquecera da decifração, porque ele foi absolutamente incapaz de encontrar o sentido das palavras enigmáticas que tinha escrito.

— Foi por isso que você não se julgou obrigado a entregar o papel ao Juiz?
— Foi!
— E onde está o papel?
— Isso eu conto ao senhor, já, já! Por enquanto, fique anotado aí, nos papéis de Margarida, que corriam notícias de que meu Padrinho tinha deixado um tesouro de prata, ouro e pedras preciosas, uma fortuna incalculável, enterrada e perdida numa furna deste Sertão velho e pedregoso de meu Deus, e que todo o sangue derramado na "Casa da Onça Malhada" se originou disso. E foi quando, exatamente naquele memorável sábado, Véspera de Pentecostes de 1935, sucedeu aquele grande acontecimento sensacional que novamente complicou a história "de sangue e ouro" da herança dos Garcia-Barrettos.

Folheto LIII
Meus Doze Pares de França

— Naquele dia, Sr. Corregedor, a Vila estava cheia de gente que era um despropósito. Nos dias comuns de feira já desemboca, aqui na rua, uma boa multidão de "beiradeiros", saídos Deus sabe donde. Mas aquele era um sábado todo especial, de modo que a Vila parecia um formigueiro assanhado. Acontece que os Sertanejos tinham ganho, recentemente, uma pendência surgida entre eles e o Prefeito, que transferira as feiras de Taperoá, realizadas desde os tempos do Império, aos sábados, passando-as para as quintas-feiras. O barulho fora grande, mas terminara com a remoção do Prefeito e com a nomeação daqueles dois ínclitos varões, o Prefeito Abdias Campos e o Presidente do Conselho, Alípio da Costa Villar. Estes, mal se viram no Poder, fizeram retornar aos sábados as nossas feiras, e este era o motivo principal das festividades daquele dia. O Bispo de Cajazeiras tinha sido convidado, porque as novas autoridades queriam brindar o Povo com uma festa "litúrgica" e outra "guerreira", isto é, a Missa do Domingo de Pentecostes, celebrada pelo Bispo, em roupagens suntuosas, e as Cavalhadas, marcadas para a tarde do sábado, quando o rebuliço da feira começasse a amainar. O Bispo telegrafara que só chegaria no sábado à noite, de modo que não contaríamos com sua presença na Cavalhada, da qual participariam os melhores Cavaleiros do nosso Cariri. De qualquer modo, naquele sábado, tinha se juntado aos feireiros habituais e comuns uma sertanejada formigante, saída de tudo quanto era biboca e pé-de-serra, todos atraídos pelas Cavalhadas e dispostos a pernoitar na Vila, a fim de assistir à Missa do amanhecer do dia seguinte, Domingo de Pentecostes.

— Na sua opinião, o Prefeito e o Presidente do Conselho já tinham alguma notícia do fato que veio a acontecer depois, naquela tarde?

— Tinham não senhor, e a surpresa deles foi enorme, vendo reaparecerem os destroços daquela história de amores alumiosos e de crimes inexpiáveis de sonho e sangue; a história que formará, depois do meu depoimento, o centro-enigmático do meu Romance e Castelo!

— A que horas iam se realizar as Cavalhadas?

— De duas para as duas e meia da tarde, Excelência.

— O senhor esteve presente a elas?

— Não senhor!

— O senhor não é o Chefe e organizador de todas as festas desse tipo, aqui na Vila?

— Sou, Excelência, mas naquele dia, depois de deixar tudo pronto e determinado, eu tinha saído da Vila, por acaso!

— Por acaso? As informações que tenho são outras! Para onde o senhor saiu?

— De manhã, fui dar um passeio com Clemente e Samuel, para olharmos os quadros ibéricos de uma Capela descoberta no mato, e uns desenhos tapuias gravados nas pedras da Ilumiara Jaúna.

— Seus dois amigos e mestres, Samuel e Clemente, almoçaram na rua?

— Almoçaram, sim senhor!

— E você?

— Eu, não! Samuel e Clemente assistiram às Cavalhadas mas o Quaderna, aqui, estava ausente, fora do lugar dos acontecimentos!

— E não havia nenhum Quaderna representando o Chefe nas corridas da Cavalhada?

Pelo ar envenenado da cara de cobra, vi logo que Sua Excelência estava mais bem informado do que eu pensara a princípio, de modo que julguei de bom alvitre falar a verdade, para mostrar "a tranquilidade dos inocentes". Disse:

— Não senhor, meus doze irmãos bastardos estavam lá, na Praça, representando a família e o Chefe! Mas isso tinha que ser, era indispensável, porque, modéstia à parte, eles são tidos e havidos como os melhores Cavaleiros do Sertão do Cariri!

Margarida cochichou de novo com o Corregedor, que me encarou com seus olhos peçonhentos de Cascavel:

— Dona Margarida afirma que o senhor tinha quatro irmãos legítimos. Mas diz que os bastardos são mais de vinte, e não doze como o senhor está dizendo!

— Ah, Sr. Corregedor, se é assim, não posso contar mais nada não! Se é para eu contar a história só com os sonhos do estilo rapão-ranhoso da Direita, ou somente com a exatidão mesquinha do estilo raso da Esquerda, não vai, de jeito nenhum! Eu só sei contar as coisas no meu estilo, o estilo genial ou régio dos Monarquistas da Esquerda! Mas já que interromperam e me cortaram o fio, vá lá essa última explicação! É verdade: meu Pai, qualquer moça-donzela que facilitava as coisas para o lado dele era passada nos peitos, motivo pelo qual foi a primeira pessoa da família, neste século, a sair no jornal! O *Correio de Campina* publicou um retrato dele, com uma narração sucinta de sua vida amorosa, e deixando documentado para a posteridade que ele era conhecido como "O Pai-d'Égua do Cariri"! Esse foi, aliás, o motivo que nos levou à ruína econômica, com a fragmentação da nossa terra "As Maravilhas". É verdade, então, que meus irmãos bastardos são mais de vinte, e se não falei nisso foi porque, para a Epopeia, os que interessam, mesmo, são esses doze, que são meus Doze Pares de França!

— Como é? — disse o Corregedor, mais uma vez espantado.

— É isso mesmo, Excelência! Como meu Pai nos deixasse arruinados, vi que tinha de tomar certas providências para salvaguardar a fidalguia da família Quaderna! Não sendo rico, descobri, por exemplo, que meus irmãos mais moços, os bastardos, eram o único jeito que eu tinha de manter, de graça e ainda com lucro, uma escolta de Cavaleiros, semelhante àquela com a qual Dom Pedro I aparece em "O Grito do Ipiranga", quadro do genial pintor paraibano Pedro Américo de Figueiredo e Mello, Grande do Império do Brasil! Nós, os Quadernas, somos também Garcia-Barrettos, de modo que...

Margarida falou baixo, de novo, e o Corregedor dirigiu-se a mim, com ar meio embaraçado:

— Sr. Quaderna, perdoe que eu entre em pormenores íntimos sobre sua vida, mas preciso esclarecer tudo e Dona Margarida está me informando, aqui, que o senhor, de fato, é parente dos Garcia-Barrettos, mas — como direi? — é um Garcia-Barretto...

— Pode dizer, Excelência! Eu absolutamente não me incomodo mais de ser filho da puta! Ou melhor, de ser neto da puta, porque minha Mãe, coitada, é que era filha da puta, filha bastarda do Barão do Cariri e portanto irmã por vias travessas de Dom Pedro Sebastião Garcia-Barretto. Antes, eu ficava danado da vida quando alguém falava nessa filho-da-putice nossa. Mas lá um dia, numa discussão, Samuel declarou que isso de bastardia não tem a menor importância nessas coisas de fidalguia e linhagens reais, tanto assim que os Bragançãs, descen-

dentes de Dom João I e Nuno Álvares Pereira, são várias vezes bastardos e netos de padre! Depois daí, fiquei descansado e perdi a vergonha!
— Quer dizer que o senhor também é de linhagem real sertaneja?

* * *

Fiquei apavorado, com medo de que ele já tivesse ouvido falar na minha ascendência real paterna, vinda diretamente dos Reis da Casa da Pedra Bonita. Sim, porque de fato, como sabem, eu pertenço é a duas linhagens reais de uma vez. Mas a dos Garcia-Barrettos, a de minha Mãe, apesar de bastarda, é de ouro e Azul e confessável, enquanto a de meu Pai, a dos Quadernas, é negra e Vermelha, e é o estigma de crime e culpa da minha vida (se bem que seja, também, todo o fundamento da glória e do orgulho do meu sangue). Será que eu já estava descoberto? Se estivesse, estaria perdido. Assim, arrisquei:

— É verdade, Sr. Corregedor! Apesar de bastardo, por via materna eu sou um Garcia-Barretto, e portanto posso dizer, sem jactância, que pertenço à Casa Real do Sertão do Cariri! É nessa qualidade que esses meus doze irmãos bastardos me servem de Guarda de Honra, quando, por acaso, preciso fazer alguma cavalgada heroica, semelhante às de Dom Antônio de Mariz ou às do Capitão-Mor Gonçalo Pires Campelo, aqueles dois Carlos Magnos de Dom José de Alencar! E se o senhor duvida, peça, aí, o testemunho de Margarida, que no caso é insuspeita porque é minha inimiga e é uma "virtuosa dama do cálice sagrado de Taperoá"! Margarida, diga aqui ao Doutor: não é verdade que meus irmãos são Pares de França das minhas cavalhadas?

Vendo que o Corregedor, talvez a despeito de si, esperava a resposta, Margarida viu que era o jeito e confirmou:

— É verdade, Doutor Juiz!

— Que negócio é esse, Sr. Quaderna? — estranhou o Corregedor.

— Excelência, é coisa sabida! Os figurantes das Cavalhadas sertanejas são vinte e quatro Cavaleiros armados de lanças e representando os Doze Pares de França do Cordão Azul e os Doze do Cordão Encarnado! Os Azuis, são os Cavaleiros cruzados e cristãos, os Encarnados são os Cavaleiros mouros e muçulmanos. E o mais bonito, para mim, é que, representando os Vermelhos o partido dos Mouros, ainda assim tenham nomes iguais aos dos azuis, havendo, por exemplo, um Roldão e um Oliveiros azuis e cristãos, e outros Roldão e Oliveiros mouros e encarnados! E assim por diante, até completar os vinte e quatro Cavaleiros, com um nome de Par de França para cada par de dois! Foi por isso que eu destaquei doze prediletos, entre os meus irmãos bastardos, fazendo com que eles assumissem, nas Cavalhadas, o papel de Guarda de Honra minha!

— Uma curiosidade minha, Bibliotecário Quaderna: você colocou seus irmãos no Cordão Azul ou no Encarnado?

— Sr. Corregedor, acho que, com o que já lhe esclareci sobre minha posição política, a resposta é clara! Se eu fosse Samuel, teria colocado todos doze no Cordão Azul; se fosse Clemente, no Encarnado. Mas eu, fiel à minha orientação monarquista-da-esquerda, coloquei seis no Cordão Azul e seis no Encarnado. Tive, porém, o cuidado de que não houvesse repetição de papel na família Quaderna: com isso, garantia um título de Par-de-França-Sertanejo para cada um deles, e, ao mesmo tempo, organizava, com os doze juntos, o Destacamento azul-vermelho da minha Guarda-Real!

* * *

Eu falava demais, novamente, cego pelo orgulho que depois me perdeu. Mas, no momento, não percebi, e continuei, no embalo da honra:

— Meus doze irmãos formam, aliás, Sr. Corregedor, um lote de Guerreiros que orgulharia qualquer Rei! Num certo dia, importantíssimo para mim, eu chegara à conclusão de que, legítimos ou bastardos, todos os Quadernas eram Fidalgos, e decidi jamais consentir que nenhum de nós exercesse "qualquer profissão vil de Burguês", como diz Samuel. Lembrei-me de que todos nós, filhos de meu Pai, éramos um pouco Vaqueiros, caçadores, Cantadores etc. Podíamos, portanto, nos manter, todos, meio ociosos, meio criminosos, meio vagabundos e donos das nossas ventas, como todos os Fidalgos e Cavaleiros que se prezam! Era o único jeito de nos mantermos à altura da nossa linhagem, numa sociedade em que sobram poucas profissões-nobres, na estreita margem de atividades que a propriedade rural deixa. Foi por causa dessa decisão minha, Excelência, que nenhum Quaderna trabalha para filho da puta nenhum! Proibidos pelo consuetudinário-fidalgo da família, nenhum Quaderna tem patrão nenhum que exija de nós as obrigações e os trabalhos que têm os industriais, os comerciantes e outros desgraçados e danados Burgueses com vocação de burro de carga! Todos nós só temos profissões livres, ociosas e marginais de Fidalgos!

— Como assim? — objetou o Corregedor. — O senhor e alguns de seus irmãos não trabalham na *Gazeta de Taperoá*, o jornal do Comendador Basílio Monteiro?

— Ah, mas em condições muito especiais! Um dia, procurei o Comendador e sugeri a ele que introduzisse, no jornal, uma página literária, charadística e zodiacal. Eu queria dirigi-la, para ter prestígio e força perante os intelectuais da Vila. O Comendador já estava querendo tirar o corpo fora, quando eu disse que tinha uma exigência: era que ele não pagaria nem um tostão nem a mim nem a meus irmãos! Eu dirigiria a página como se fosse um jornal à parte. O trabalho extra seria todo feito por meus irmãos, como tipógrafos, riscadores e cortadores de madeira. Com isso, o jornal dele ganharia mais leitores e mais dinheiro, porque nós manteríamos, na página, uma seção de horóscopos e um consultório sentimental. A única coisa que eu queria em troca disso era a permissão de, trabalhando à noite, fora do expediente normal, eu e meus irmãos imprimirmos *folhetos* e *romances* que Lino Pedra-Verde venderia na feira, rachando todos nós o lucro. Vendo a possibilidade de melhorar o jornal sem gastar nada, o Comendador concordou imediatamente. Foi assim que começamos a trabalhar na *Gazeta*. Eu não estou, de fato, trabalhando para o Comendador, e sim para mim mesmo, porque a página é um suplemento separado e independente do jornal e eu sou o Diretor soberano dela. Por seu lado, meus irmãos trabalham é para mim, e não para o Comendador. É por isso que aumentei o meu prestígio de intelectual e Acadêmico sem arranhar, sequer, meus privilégios de Fidalgo!

— Bem, mas me disseram, ainda, que a Prefeitura paga ao senhor as Cavalhadas, organizadas e corridas pelos Quadernas!

— E Vossa Excelência quer coisa mais fidalga do que isso? Primeiro, mesmo que trabalhássemos para o Estado, seria coisa perfeitamente compatível com a nobreza-de-toga! Mas não é propriamente trabalhar para a Prefeitura, o que fazemos! Nós não somos propriamente funcionários, é esporadicamente que somos chamados. De fato, nós fazemos as Cavalhadas somente para nos divertir ociosamente, fidalgamente, e para imprimir na imaginação do Povo taperoaense as nossas imagens gloriosas de Cavaleiros do Sertão. Agora, se a Prefeitura, por conta dela, ainda por cima resolve pagar nossa fidalga diversão, ótimo! Aliás, todo Fidalgo é estipendiado! Fidalguia sem tenças, bolsas, comendas e estipêndios, não tem graça nenhuma! Era por isso então que ali, naquele sábado, dia 1º de Junho de 1935, estavam os meus doze irmãos prediletos ganhando o dinheiro da Prefeitura. Não porém para trabalhar, com obrigações plebeias de Burgueses, e sim para se divertirem numa Cavalhada ociosa, gloriosa e guerreira de Fidalgos--sertanejos, com bandeira e tudo!

E para que o Corregedor fosse logo travando conhecimento com os meus gloriosos Doze Pares de França do Sertão, desfiei, perante ele, a seguinte lista:

* * *

— No Cordão Encarnado, meu irmão Virgolino Pinagé Quaderna, que, na vida civil, é Cantador, fazia o papel de Roldão. Sílvio Junco-Brabo Quaderna, que é Vaqueiro e rabequista, fazia o papel de Oliveiros. Bento Guará-Vieira Quaderna, que é Tangerino e boiadeiro, era Gui de Borgonha. Euclides Seriema Quaderna, Almocreve, era Ricarte da Normandia. Matias Maciel Carnaúba Quaderna, Santeiro e Imaginário, era Urgel de Danoá. E Gregógio Camaçari Quaderna, fotógrafo e Poeta, era Guarim de Lorena. No Cordão Azul, Joaquim Braz Quaderna, tipógrafo do meu suplemento, era Bosim de Gênova. Augusto Maracajá Quaderna, Cavalariano, era Tietri de Dardanha. Antônio Papacunha Quaderna, tocador de pífano e Pintor das bandeiras e santos das procissões, era o Duque de Nemé. Rubião Timbira-Tejo Quaderna, fazedor de fogos e Fogueteiro, era Hoel de Nantes. Taparica Pajeú-Quaderna, cortador de madeira, Riscador e tipógrafo-ajudante, era Gerardo de Mondifér. E finalmente, último mas não derradeiro na minha admiração, vinha o predileto entre os meus prediletos, Malaquias Nicolau Pavão Quaderna, aguardenteiro, conquistador, folheteiro e Cambiteiro, no papel guerreiro e heroico de Lamberto de Bruxelas! Não se esqueça, Sr. Corregedor, de que todos nós éramos atiradores, Caçadores, montadores e trocadores de cavalos, de modo que mesmo os mais sedentários de nós, os meus tipógrafos, por exemplo, tomavam parte, com os outros, nas caçadas, nas cavalarias, nas "entradas" ociosas e fidalgas que eu organizava e que eram expedições guerreiras à altura do nosso sangue e da nossa estirpe! Se Vossa Excelência visse, naquele sábado, todo o meu pessoal preparado para a Cavalhada, ficaria entusiasmado, mesmo não sendo Sertanejo! Os Doze Pares de França do Azul vestiam calções azuis e saio de belbutina amarela caindo sobre botas de couro que vinham até o joelho. Usavam esporas longas e longos punhais de cabo de prata, capacete de flandre,

BANDEIRA DO ANJO QUE VINHA NA CAVALGADA
DO RAPAZ-DO-CAVALO-BRANCO.

e, amarrada ao pescoço, caindo para trás, uma capa azul com cruz de ouro. Os cendais que enfeitavam suas lanças eram azuis, assim como azuis eram as mantas-de-anca, gualdrapas e peitorais que enfeitavam as selas e os cavalos. Já nos Doze Pares do Cordão Encarnado, os calções eram vermelhos e vermelhas eram as estrelas que salpicavam os saios verdes. As capas encarnadas ostentavam, em vez de cruz, duas filas verticais de três crescentes cor de ouro, sendo também vermelhos os cendais das lanças, os peitorais, gualdrapas e mantas-de--sela dos cavalos. O matinador do Azul conduzia, presa à haste de uma comprida lança, uma Bandeira azul com esfera de Ouro no centro. O do Encarnado, uma Bandeira vermelha tendo ao centro um Crescente branco.

— Um *o quê*? — exclamou o Corregedor, dando uma espécie de bote para o meu lado.

Eu, pegado de surpresa e sem saber o motivo daquele salto, repeti mais alto:

— Um crescente branco!

— Você não disse que, na capa dos Cavaleiros do Azul, havia uma cruz?

— Disse, sim senhor!

— Que forma o senhor disse que tinha a marca, queimada a ferro em brasa na espádua de Dom Pedro Sebastião?

— A forma de um crescente, encimado por uma cruz! — disse eu, esmagado.

— Pois eu lhe pergunto, Sr. Quaderna: se fosse o senhor quem estivesse investigando o crime, não acharia estranha essa coincidência não?

— Sr. Corregedor, toda Cavalhada sertaneja tem esses emblemas!

— Acredito! Mas, por um motivo de pura rotina processual, convém anotar esse fato confessado pelo depoente, Dona Margarida. Anotou?

— Anotei, Doutor!

— Ótimo! Agora, pode continuar, Sr. Pedro Dinis Quaderna!

Folheto LIV
A Parada dos Fidalgos Sertanejos

O nó de lacraias começava a me enredar cada vez mais, nobres Senhores e belas Damas de peito macio. De modo que foi sentindo aumentar a sensação de aperto no estômago e fazendo um enorme esforço para que o Corregedor não notasse a minha perturbação que continuei a narração dos acontecimentos daquele terrível dia:

— Para assistir à entrada dos Cavaleiros na rua, Sr. Corregedor, tinham vindo à Praça quase todos os moradores da nossa Vila. A Aristocracia-rural e a Nobreza-de-toga tinham se distribuído num palanque, previamente armado para isso. A Burguesia-urbana sentava-se em cadeiras de braço e cadeiras de balanço, espalhadas pelas calçadas da Praça. Quanto ao Povo, como diziam Clemente e Dom Eusébio Monturo, "estava, como sempre, a pé e na poeira do chão". No palanque, estava, portanto, o que havia de melhor entre nós, quanto a Damas e varões de alta linhagem: sendo que, logo ao lado do Prefeito e do Presidente do Conselho, destacavam-se, flamejantes, as figuras dos meus dois Mestres, Clemente e Samuel, esses dois homens subversivos e perigosos mas sem dúvida geniais, a quem devo a maior parte da minha formação. Clemente trajava agora, ali no palanque, sua indefectível roupa de brim branco, imaculada, engomada cuidadosamente por sua mulher, Dona Iolanda Gázia. Trazia colete do mesmo pano e gravata cor de pérola, com um enorme rubi fincado nela, a modo de broche. Colocada sobre tudo isso, pusera a toga negro-vermelha que costuma usar nos grandes dias de júri, quando faz reluzir suas qualidades de jurista e Filósofo, diante dos Sertanejos embasbacados. Samuel usava sua inseparável roupa de casimira preta, colete castanho, gravata verde com esmeralda, e uma toga que tinha sido desenhada por meu irmão Antônio Papacunha Quaderna, o pintor de bandeiras, sob orientação e supervisão do próprio poeta Wan d'Ernes. Essa toga sempre causava ao nosso Promotor alguns problemas com os Juízes novos da nossa Comarca.

— Alguns problemas? Por quê?

— Porque era meio diferente das togas comuns. Era amarela, com orlas e emblemas verdes debruando tudo, o que Samuel encomendara a meu irmão por motivos de fidelidade integralista à cor verde!

— Veja a senhora, Dona Margarida, o radicalismo dessa gente! — disse o Corregedor, abismado. — Até nas togas esses homens introduzem o radicalismo político! Isso aqui está tudo minado pela agitação!

Para atenuar tudo, observei:

— Aliás, Sr. Corregedor, acho que era por causa disso mesmo que os Juízes estranhavam! Mas Samuel esclarecia sempre a eles que não via nada de estranho no fato de sua toga "ostentar as cores nacionais", argumento que sempre fazia com que os Magistrados recuassem, temerosos de desrespeitar a Nação! Depois, terminavam por se acostumar e até, às vezes, por aplaudir o nosso Promotor, ao conhecê-lo melhor. E quanto a essas questões de uniformes politicamente radicais, creio que aqui a nossa jovem Margarida vai ter que dar ao senhor algumas explicações, porque, naquele dia, estava lá também, no palanque, a mãe dela, Dona Carmem Gutierrez Torres Martins. Esta, Sr. Corregedor, é uma figura que Vossa Excelência precisa conhecer e cultivar! — falei, passando um rabo-de-olho para Margarida, que me atravessava, com olhos fuzilantes. — Dona Carmem é uma mulher intelectual, viúva de um velhinho muito mais velho do que ela e que ainda era vivo naquele tempo. É uma senhora magra, distinta, simpaticíssima e que, não sei por qual motivo, é detestada pela filha! Naquele tempo, ainda se poderia, talvez, encontrar um motivo para essa aversão, porque, segundo as más-línguas da Vila, Dona Carmem mantinha, há vários anos, uma "amizade intelectual" com o nosso Anjo decaído e promotorial, o Doutor Samuel Wan d'Ernes, seu companheiro de canto no coro da nossa Igreja! Mas hoje isso não se explica mais, porque, segundo ficou provado depois, essa amizade intelectual, se existia, não podia ser senão "um romance platônico", mal interpretado na rua pela maldade humana. Dona Carmem era Presidenta Perpétua das "Virtuosas Damas do Cálice Sagrado", organização radical que existe aqui e da qual Vossa Excelência precisa ir tomando conhecimento, porque é ligada à "Ordem dos Cavaleiros da Esfera Armilar", grupo extremista da Direita, fundado pelo Doutor Samuel Wan d'Ernes e Gustavo Moraes, o filho do usineiro Antônio Moraes. Como Vossa Excelência já deve ter sabido, consta que os Integralistas tentaram um golpe armado contra o Governo, na noite de 10 de Março passado. O chefe principal desse golpe foi o Contra-Almirante Frederico Villar, cuja família é, aqui em Taperoá, uma das mais poderosas!

O Corregedor interrompeu:

— Deixe de lado as "Virtuosas Damas do Cálice Sagrado"! Deixe também de lado suas análises pessoais da Política nacional, porque a interpretação dessas coisas fica por minha própria conta! Não preciso de esclarecimentos seus sobre assuntos gerais; quero saber é sobre o caso concreto e os acontecimentos ligados a seu Padrinho e ao Rapaz-do-Cavalo-Branco! Continue, portanto, a narração sobre aquele dia.

— Sim senhor! Dona Carmem, como eu vinha dizendo, na qualidade de Presidenta da "Vidacasta", usava, naquele sábado, sobre o vestido verde de mangas compridas, uma espécie de túnica ou estola branca, com cruz azul às costas, assim como ostentava à cabeça um chapéu, igual àquele com que Joaquim Nabuco aparece na *Crestomatia* — um chapéu com borla pendurada e formado, em cima, por uma tampa quadrada de papelão. No dela, o forro exterior era de seda azul, enfeitado com duas largas fitas de gorgorão cor de ouro, passadas por cima da tampa, em forma de cruz. Ao lado de Dona Carmem, estava o Comendador Basílio Monteiro, que não pertencia à Aristocracia-rural mas que estava no palanque, com sua opa roxa e seu barandão, na qualidade de Presidente da Irmandade das Almas. Estava o Coronel Severo Torres Martins, o velhinho, marido de Dona Carmem e Pai, aqui, da nossa Margarida: estava com sua farda amarelo-esverdeada de Comandante da Guarda Nacional, com dragonas de ouro, espada e tudo. Olhava para tudo com desinteresse e impaciência, aguardando o momento em que, "acabadas aquelas besteiras de cavalos, lanças e argolinhas, começasse a parte realmente importante da festa", quando então ele, Severo, pelo seu bom comportamento no palanque, seria premiado por Dona Carmem, que lhe permitiria comer bolos à vontade, na festa que estava pronta para receber o Bispo.

— Já lhe disse que deixasse essas coisas de lado! — disse o Corregedor, que notara o constrangimento de Margarida e falou com ar duro.

Mudei de assunto:

— O irmão do Comendador Basílio Monteiro, Eusébio, conhecido na rua pelo apelido de Dom Eusébio Monturo, o que devia à sua língua de prata e a seu bocão desabusado, não estava no palanque, porque, além de inimigo do irmão, era radical em Política "e não consentiria, de modo nenhum, em aparecer, de público, juntamente com a plutocracia sertaneja". Anticlerical e ateu, considerava-se "O Paladino do Povo", e acharia uma traição de sua parte colocar-se no palanque, ao lado da Aristocracia, em vez de no chão, "perto dos nossos irmãos sofredores, os pés-rapados da poeira". Estava agora, pois, ali, no chão, perto do palanque, com sua alta estatura, seus ombros meio curvados, seus olhos vesgos, seus longos cabelos e bigodes caídos, embranquecidos "nas lutas populares e nas revoluções libertárias", segundo ele mesmo declarava. De braços cruzados sobre o peito, mantinha um ar soberbo e desdenhoso, com o qual desejava demonstrar à Aristocracia taperoaense que ele, o Paladino do Povo, era superior a todas aquelas palhaçadas; que poderia ter subido ao palanque, mas não quisera; que estava na Praça por pura condescendência, e assim por diante. De vez em quando, Dom Eusébio Monturo voltava para o palanque uns olhos fuzilantes, detendo-os principalmente sobre o Professor Clemente que, sustentando ideias próximas das dele, "traía o Povo e a Revolução para se exibir, como um lacaio, ao lado dos senhores-feudais do Sertão". O fato, porém, é que o pessoal do palanque absolutamente não estava ligando para os desdéns nem para os furores de Dom Eusébio Monturo. Estavam, ali, "todas as pessoas de pró da Vila". Com exceção, é claro, do riquíssimo e poderoso Antônio Moraes e de sua família: excessivamente orgulhosos, não davam acesso a ninguém da rua à casa deles e não compareciam, também, a nenhuma das nossas festividades. Bastaria isso para mostrar como o Sr. Antônio Moraes era diferente do nosso velho Rei Degolado, meu padrinho Dom Pedro Sebastião Garcia-Barretto, que comparecia a todas, prestigiando mesmo, liturgicamente, a realização de algumas delas; o que deu origem a essa calúnia que me fizeram perante o senhor, de que eu teria contribuído para a demência final dele. Arésio, por seu lado, "muito feliz da vida, de cama e mesa na casa do arqui-inimigo de seu Pai" também não tinha aparecido para as festas. Aliás, também em vida de seu Pai, Arésio detestava "as palhaçadas a que ele se submetia", de modo que era sempre Sinésio quem comparecia ao lado do nosso Rei do Cariri e Imperador do Divino, sendo este um dos motivos da popularidade do filho mais moço e da impopularidade de Arésio, perante o Povo de nossa Vila. Agora, ao contrário do que acontecia com

Dom Eusébio Monturo, as ausências e os desdéns dos Moraes e de Arésio eram sentidos por todos os moradores da rua. Sentíamos que eles se consideravam como pertencentes a uma esfera infinitamente superior e que esse era o motivo de permanecerem lá, na sua casa-grande do "Alto dos Borrotes", dominando toda a Vila, solitários, cheios de si, fruindo, isolados e altivos, suas grandezas, seu bom gosto e também sua vida familiar enigmática e meio inconfessável de Fidalgos superiores ao nosso meio, emigrados das usinas de Pernambuco para as minas, para o algodão e o couro do Sertão da Paraíba.

* * *

— Do lado direito do palanque, eu ordenara que se dispusessem os "Caboclos de Lança" da minha "Tribo Coroada dos Panatis"; e, do lado esquerdo, minha "Nação Cabinda do Reisado Sudanês". Sabedor, por experiência, de como são necessárias todas as cautelas nessas coisas de monarquias — pois há sempre um pretendente qualquer à espreita, sequioso de poder e louco para tomar nossos tronos —, eu disseminara por entre os membros de ambas as *Nações* os meus irmãos bastardos que não estavam na Cavalhada. Tivera, é claro, o cuidado de colocar os mais acaboclados na "Tribo Panati" e os mais escuros no "Reisado Sudanês". Escolhera, além disso, dois dos mais bem-apessoados, fazendo, de um, "Rei Caboclo e Cacique", e do outro, "Rei Negro". Assim, minha família estaria a postos em torno do meu Trono, e todos os Quadernas teriam a seu dispor os lugares dignos de sua qualidade e hierarquia, como Príncipes de sangue do Reino do Sertão e do Império do Brasil!

— O senhor falou aí em seu trono, foi? — perguntou o Corregedor, com expressão falsamente descuidosa. — Quer dizer que o senhor também é Rei, como Dom Pedro Sebastião?

Ave Maria! No meu orgulho, eu tinha ido de novo muito longe! Estava arriscando a cabeça, porque se aquele implacável Corregedor descobrisse meu sangue real paterno eu estaria perdido! Então, tergiversei:

— Sr. Corregedor, estas questões de monarquia são muito complicadas, de modo que levam um pouco de tempo para entender! Do ponto de vista político e guerreiro, Dom Pedro Sebastião e seus três filhos é que constituem a "Casa Real do Cariri". Eu e meus irmãos somos apenas Príncipes e Guerreiros dessas coisas de Cavalhadas, tribos, Naus Catarinetas e outras fidalguias literárias e espetaculosas!

— De qualquer modo, porém, sendo o senhor, pelo lado materno, um Garcia-Barretto, mesmo bastardo, é Príncipe, motivo pelo qual creio que tem direito, também, ao tratamento de *Dom*!

— Bem, de certo modo, é verdade! — confessei, lisonjeado. — E se eu não tinha dito isso, ainda, ao senhor, foi por pura modéstia!

— Desculpe então a nossa falha, até agora, e queira continuar, *Dom Pedro Dinis Quaderna*!

— Obrigado! — disse eu, fingindo não ter notado a inflexão especial que ele usara.

E continuei:

— Os Panatis, que na minha vida real e principesca eram a tropa de Arqueiros do meu Exército particular, usavam mantos de pano enfeitado com vidrilhos e longas Coroas ou cocares de penas, que, pregadas a uma manta amarela e verde, pendiam até os ombros. Seus corpos tinham sido pintados com listras largas e horizontais, negras e vermelhas. Vestindo apenas a tanga ritual, traziam a cintura e os tornozelos enfeitados com penas de Gavião. Com seus companheiros, os Negros da esquerda, estavam ali, prontos a encher os intervalos da Cavalhada com suas danças de "Auto dos Guerreiros". Alguns traziam maracás, feitos de cabaços. Outros, tacapes. Outros, lanças compridas. A maioria, porém, estava armada com longos arcos de madeira, cujas flechas eram também enfeitadas com penas e que eles meneavam em gestos felinos de Onça-Parda, o que me fazia recordar sempre a introdução mitológica negro-tapuia da famosa *Filosofia do Penetral*, de Clemente. Segundo essa introdução, sendo o Sol macho-e-fêmea do Divino o gerador de tudo, os homens primitivos descendiam do cruzamento de um deus com um bicho ou pássaro, sendo que, como Clemente afirma sempre, "o animal mítico e gerador por excelência da Raça humana foi a Onça". Naquele dia, ladeado por dois Príncipes Pardos, meu irmão Tabajara Peba Quaderna estava à frente da Tribo, como Rei Caboclo. Seu traje era semelhante ao dos Arqueiros de suas fileiras, mas tinha algo a mais; a modo de insígnia real, trazia ele à cabeça um capacete de flandre, enfeitado de penas e com um certo jeito de elmo, o que, apesar de ter causado grande indignação a Samuel, lhe dava uma dignidade toda especial. Do lado dos Negros, quem estava à frente da Nação era Feliciano Nonato, o mais escuro de todos os Quadernas. Ladeado também por dois Príncipes, trazia capacete enfeitado de plumas, saio azul e calção vermelho. No peito, ostentava crescentes de prata e outras incrustações de vidrilho cor de ouro, o que, espero, Vossa Excelência não levará a mal, pois acontece em todo grupo mouro de Festas do Divino. Colete mourisco, colares de búzios, calções debruados e meias ajustilhadas cor de creme completavam sua roupagem. Nos pés, trazia sapatos de couro de Gato-Maracajá. Seus guerreiros vestiam de modo semelhante se bem que sempre mais modesto, para marcar bem as hierarquias. Assim, Sr. Corregedor, tudo estava preparado para começar. Os Cavaleiros Azuis e os Encarnados entraram na Praça, dispostos em duas filas paralelas, e dirigiram-se ao palanque. Eu tinha proibido que meus irmãos fizessem qualquer salamaleque ao Prefeito que, além de republicano, era simples membro da Burguesia-urbana — apesar de casado com uma ilustre Dama pertencente à Aristocracia-rural. E mesmo que ele fosse Fidalgo, o caso é que nunca se soube que os Príncipes de sangue fizessem saudações aos simples Gentis-homens de suas antecâmaras! Por isso foi que, chegando diante do palanque, em vez de saudarem o Prefeito e o Presidente do Conselho, o Rei Mouro do Encarnado e o Rei Cruzado do Azul trocaram uma saudação entre si e depois fizeram, um ao outro, as ameaças tradicionais. O Rei Mouro regougou, com voz forte:

> "Se tens a Força capaz,
> lutemos de peito a peito:
> vou brigar de qualquer jeito,
> sou Onça negra e voraz!
> Aqui, ninguém entra mais!
> Vamos, os dois, lutar sós!
> Não atendo à sua Voz,
> fogo de minh'Arma sai:
> vamos ver quem é que cai,
> quem ganha a Luta feroz!"

O Rei Cristão retrucou:

> "Esta é a nossa Batalha,
> sangrenta, macha e tirana!
> Minha espada, a Durindana,
> não amostra uma só falha!
> Na forja desta Fornalha
> eu ganharei a Vitória!
> Mas ficarão na Memória
> meus malfeitos e perigos,
> e os Cantadores antigos
> cantarão a minha Glória!"

— Após essas saudações e ameaças rituais, Sr. Corregedor, os dois Reis espicaçaram os cavalos e puseram-se, de novo, à frente das duas filas de Cavaleiros, que, então, se dirigiram para os lugares antes determinados. Uma girândola de foguetões estralejou no ar, e a banda de música, conhecida popularmente como "Sinhá-Zefinha", clarinou um dobrado marcial, o "Dobrado Euclydes da Cunha", composto especialmente para a festa por nosso genial Mestre-de-música e Mestre-de-capela, Jardelino Maciel, o mesmo que ensaiava as músicas do coro da Igreja, para o Doutor Samuel e Dona Carmem Gutierrez Torres Martins. Os cavalos, excitados pelos gritos e assobios do poviléu, pela música e pelos tiros dos foguetões, pisavam nervosamente o chão, ansiosos para correr. O Rei-de-Armas e Passavante, que era também um irmão meu, ia baixar a Bandeira azul-vermelha que autorizaria o início do primeiro páreo, de modo que tudo prenunciava uma Cavalhada brilhante, alegre, ordeira e animada, muito superior àquela que inicia *As Minas de Prata*, obra genial de meu precursor, Dom José de Alencar. Infelizmente, porém, Sr. Corregedor, eu tenho que pedir a toda essa gente que se imobilize aí, nessa atitude, meu irmão com o braço no ar, o pessoal de olhos aboticados e de boca aberta, a bandeira contra o céu etc., porque tenho, agora, que passar à Estrada que nos liga à Vila da Estaca Zero e contar algo de importância fundamental que estava acontecendo por ali.

Folheto LV
De Novo a Cavalgada

— É que, sem que as pessoas da Praça nem sequer desconfiassem, por essa Estrada de Estaca Zero vinha se aproximando de nós, naquele instante, uma outra Cavalgada que iria mudar inteiramente o rumo dos acontecimentos e o destino de muitas das pessoas mais importantes do lugar, incluindo-se entre estas, apesar de minha humildade, o modesto Cronista-fidalgo, Poeta-escrivão e Rei d'Armas da Casa Real do Sertão do Cariri que está lhe falando aqui, agora. Não vou descrever essa Cavalgada com pormenores, pois o senhor já conhece, mais ou menos, meu estilo régio. Basta que lhe diga que era composta quase toda de Ciganos, vestidos de gibões medalhados e cravejados. Vinham, nela, onças, veados, gaviões e cobras, trazidos em carretas ou caixões. Ela vinha precedida por duas bandeiras, uma com onças e contra-arminhos, outra com coroas e chamas de ouro em campo vermelho. Havia quatro homens que pareciam os mais importantes, os chefes e pessoas de pró dela: um frade-cangaceiro, Frei Simão de nome, o Doutor Pedro Gouveia da Câmara Pereira Monteiro, Luís Pereira de Sousa (mais conhecido como Luís do Triângulo) e o Rapaz-do-Cavalo-Branco. Essa cavalgada caíra, há poucos momentos, numa emboscada que lhe fora armada pelo grupo do Capitão Ludugero Cobra-Preta, tendo perdido, na luta, um dos seus porta-bandeiras, o Alferes José Colatino Leite. Agora vinha ali, já bem perto de Taperoá. Às bandeiras já mencionadas tinham acrescentado mais quatro, uma representando um Touro com asas, outra uma Onça, outra um Anjo de quatro cabeças e outra um Gavião.

— E é verdade tudo isso? Todas essas roupas fidalgas, essas bandeiras, essas onças, esses acontecimentos estranhos, tudo isso é verdade ou é "estilo régio"?

— Bem, se o senhor quiser, pode imaginar somente uns cavalos pequenos, magros e feios, uma porção de gente suja, magra, faminta e empoeirada, arrastando por aquela estranha Estrada uma porção de velhos animais de Circo, famélicos e desdentados, numa tropa pobre e amontoada. Para mim, porém, somente o facho sagrado da Poesia régia é capaz de dar a medida daquele evento extraordinário, de caráter epopeico! De fato, Sr. Corregedor, somente vendo esse pedaço de estrada por onde eles vinham agora é que a gente pode imaginar bem a cena! Da banda direita dos Cavaleiros ciganos, essa estrada, ali, é ladeada por um despenhadeiro que eles vinham beirando, havia já uns cinco minutos, em sua caminhada. Amparavam-se, porém, do abismo através de uma cerca-de-pedra que, segundo vi no *Dicionário Prático Ilustrado*, os Portugueses chamavam *castro*, umas trincheiras de pedra que eles herdaram dos Latinos, e nós, Sertanejos, herdamos dos Portugueses e Espanhóis. Nas pedras da cerca, o sol enceguecedor faiscava, centelhando em seu granito, incrustado de quartzo e malacacheta. Do lado esquerdo dos Ciganos, o morro pedregoso, que fora cortado a dinamite em 1924 para abrir lugar à estrada, subia quase a pino, descobrindo, por entre pedaços da camada de terra dura e seca, trechos espaçados do enorme lajedo, bruto e violáceo, que o constituía quase inteiramente, por baixo. Os pedaços de lajeiro que afloravam então, apresentavam-se cobertos de Coroas-de-Frade e Macambiras, rubras, amarelas ou roxas, às vezes com maravilhosas flores escarlates luzindo entre as folhas espinhosas, mas sempre selvagens, incendiadas pelo sol, como se fossem enormes tochas, ou lampadários, entre os quais errassem, solitárias e ferozes, Onças vermelhas ou fulvo-pardas — os Leopardos sertanejos. Tudo isto, para cumprir o que profetizara da minha Epopeia um excelso Vate brasileiro, quando cantou assim:

> *"As Pedras desabrocham solitárias,*
> *de Arquitetura esplêndida e fantástica:*
> *são-lhe, Bromélias, rubros Lampadários.*
> *E, por vida inda dar-vos, Leopardos,*
> *vivo-escarlates e indolentemente,*
> *os Guarases, à luz do Sol, traçavam*
> *a Coroa do Sangue Espadanante."*

— Entremeando tudo isso, Sr. Corregedor, a Caatinga, o carrascal áspero e pardo, queimado pelo Sol. Este, às duas e tanto da tarde, era tão violento que a vista se encandeava em suas cintilações. Nesses momentos, os Cavaleiros, meio cegos pelo Sol, que os impedia de ver o resto das Caatingas e Tabuleiros, tinham a impressão de que estavam caminhando por uma estrada, perdida nos ares ardentes e iluminosos, uma estrada que não tocava o chão, como as outras, mas sim pairava suspensa, pendurada da panela emborcada e fervente-azul do céu pelos raios de cobre do Sol. O vento incendiário da Caatinga, o "Sertão" abrasador, roncava por espaços no Tabuleiro, levantando, em ridimunho, colunas de folhas secas e gravetos, a mais de trinta metros de altura, o que aumentava a impressão da tribo de Guerreiros-vagabundos de que estavam caminhando, numa viagem-de-iluminação ou numa demanda-novelosa, por uma estrada que conduzia "à terra-estranha da morte". O senhor já ouviu falar, por acaso, do Cantador Pedro Ventania?

— Não, nunca me deram essa honra não!

— Pois ele foi engolido por uma Cobra, Sr. Corregedor, e foi pensando nele que eu falei, há pouco, na terra-estranha da Morte! Ventania estava na Caatinga, caçando raposas, quando, de trás de um lajedo, uma enorme Cobra-de--Veado deu-lhe um bote e começou a engoli-lo, primeiro os pés, depois as pernas, o bucho, o pescoço e a cabeça de olhos aboticados! Os companheiros de caça dele, paralisados pelo terror e meio tonteados pelo bafo da Jiboia, me contaram depois, que, quando Ventania já ia desembandeirando de cabeça abaixo para dentro da Cobra (ou melhor, de goela e de bucho abaixo), gritou, com uma voz meio engolida e já ressoando nas entranhas do chamado Bicho-Cobra, sua última frase neste mundo, e que foi: "Adeus, minha gente, que eu já vou em terra estranha!" Pois este nosso Sertão velho, Sr. Corregedor, talvez seja mesmo a terra-estranha da Morte, dominada pelos dentes das Onças, pelo veneno das Cobras, das Lacraias e de outros bichos — a terra na qual, ao contrário do que seria de esperar, aquele Donzel errante que era o Rapaz-do-Cavalo-Branco cada vez se adentrava mais naquele instante, sonhosamente em busca da sua vida, destroçada e perdida, sem que ele soubesse por quê. Por ali chegava ele, agora. E fora talvez já pensando na aparição desse sonhoso e angélico Donzel em minha Epopeia, que o genial Bardo brasileiro, Álvares de Azevedo, escrevera aqueles versos proféticos que dizem:

> "Criatura de Deus, se peregrina
> invisível na Terra, restaurando
> a Justiça aos que sofrem, certamente
> que é um Anjo de Deus!"

O Corregedor cortou, com ar incrédulo e irônico:

— Quer dizer que, na sua opinião, aquele Rapaz-do-Cavalo-Branco era uma espécie de Anjo de candura, inocente e inofensivo!

— Não, Sr. Corregedor! Um Anjo é uma coisa muito diferente do que as pessoas pensam! O senhor, não tendo sido discípulo de Samuel e Clemente, não pode conhecer a tríplice natureza da Onça do Divino, dividida em quatro partes: a Onça-Pintada, a Onça-Negra, a Onça-Parda e o Gavião de Ouro. Ou, em outras palavras, a Esmeralda, a Granada Negra, o Rubi e o Topázio. Os Anjos, sendo ligados ao Pai, à Onça Malhada, ao sopro do Sertão — o vento incendiário do Deserto — e à Sarça Ardente da Pedra Lispe, são seres de fogo, armados de espada e terrivelmente perigosos!

— Então, o senhor acha que o Rapaz-do-Cavalo-Branco era perigoso!

— Bem, Sr. Corregedor, quanto a isso estamos de pleno acordo! Não tenho a menor dúvida de que o Rapaz-do-Cavalo-Branco era perigoso, e basta ver tudo o que aconteceu depois da chegada dele para entender isso!

— Anote essa declaração, Dona Margarida, ela é fundamental para o inquérito.

— Eu acho, aliás, que foi por isso que o grande Bardo paraibano, Augusto dos Anjos, *vendo*, em seus sonhos de Iluminado sertanejo, aquela Estrada legendária e fatídica por onde o Rapaz-do-Cavalo-Branco apareceu, viu-a como *"uma imensa e rutilante Cobra, de epiderme finíssima de areia"*, povoada de Anjos e Demônios, e atribuiu ao Donzel aquela imprecação cifrada e enigmática que diz assim:

"Quem foi que viu a minha Dor chorando?
Saio. Minha Alma sai, agoniada!
Andam Monstros sombrios pela Estrada,
e, pela Estrada, entre esses Monstros ando!"

Folheto LVI
A Visagem da Besta Bruzacã

— Uma pergunta, Dom Pedro Dinis Quaderna: o senhor acredita no Diabo?

— Como é que posso não acreditar, Sr. Corregedor? Ainda agora, quando eu vinha para cá, ele apareceu ao irmão do Comendador Basílio Monteiro, ali, no monturo da areia do rio, perto do Chafariz! Eugênio Monteiro estava me lembrando quantas vezes, aqui no Sertão, a gente encontra, nessas chapadas nuas e pedregosas, seres alados e perigosos, cruéis e sujos, bicando os olhos dos borregos e cabritos! Quem são eles? Gaviões? Urubus? Dragões? Acho que tudo isso ao mesmo tempo, porque todos eles são encarnações do Bicho Bruzacã, a Ipupriapa macha-e-fêmea, a Besta que resume tudo o que existe de perigoso e demoníaco no mundo! O senhor já viu a Besta Bruzacã alguma vez?

— Não!

— Nem nunca ouviu falar dela?

— Também não!

— Pois eu me admiro muito, porque é a Besta mais horrorosa e conhecida por todo esse mundo velho por aí afora! É coisa sabida, Sr. Corregedor: ela é o Mal, o Enigma, a Desordem! Passa no Mar os seis meses do tempo de chuva. Durante esse tempo, tem duas ocupações: causa as tempestades e fica esperando, perto da Costinha, aqui na Paraíba, a chegada das Baleias, que ela sangra e devora como se fossem traíras ou Curimatãs. Aí, quando vem chegando Setembro, ela sai do Mar, soprando fogo pelas ventas, e vem para uma Furna de pedra perdida no Sertão. O fogo soprado pela respiração dela é que faz a seca! E ela aparece com muitas formas! Aliás, se o senhor não acredita em mim, veja a *História do Brasil*, de Frei Vicente do Salvador, que era homem fidalgo e frade, de modo que sua palavra merece respeito! Naquele tempo, a Besta Bruzacã era conhecida pelos Índios como a Ipupriapa, ou Hipupiara. Ela apareceu na praia, a um tal Baltazar Ferreira, donzel fidalgo, pois era filho de Capitão-Mor. Nesse dia, apareceu com cara de Cachorro, peitos de mulher, corpo e garras de Onça Malhada, motivo pelo qual eu acho que aquele era um dos dias em que ela já vinha para o Sertão: dizem que nessas horas sempre ela tem alguma coisa de Onça! Baltazar Ferreira conseguiu feri-la a faca! Se conseguiu, além disso, molhar a boca com sangue dela, ele se tornou imortal! De qualquer maneira, eu ainda conheci um descendente dele que é Tabelião numa vilazinha do Litoral, lá para os lados do Rio Grande do Norte! É um velho meio doido; e como ele tem o mesmo nome do ascendente, Baltazar Ferreira, tem gente que jura que ainda é o mesmo! Ele vivia impressionado com a história da Ipupriapa Bruzacã, e foi por isso que terminou se metendo, comigo e com o Rapaz-do-Cavalo-Branco, na *Odisseia marítima* que nós empreendemos com o Mestre Serafim, na grande barcaça "A Estrela da Manhã", viajando do Rio Grande do Norte até o Rio São Francisco, entre Alagoas e Sergipe!

— Ah, e a aventura do Rapaz-do-Cavalo-Branco teve também uma parte marítima?

— Teve sim senhor! Constou primeiro de uma "ilíada sertaneja e terrestre", e depois de uma "odisseia marítima e do litoral", motivo pelo qual meu Castelo sertanejo fará de mim um Epopeieta que, numa Obra só, será mais completo do que Homero teria sido, caso existisse!

— Ótimo! Mas continue o que você vinha dizendo sobre esse Bicho diabólico, isso me interessa muito! Desculpe, Dona Margarida, mas isso é tão interessante como expressão da psicologia dessa gente, que não posso me furtar a esclarecer o caso!

— E tem razão, Excelência! — disse eu. — Talvez não convença, assim, à primeira vista, mas o fato é que tudo isso foi importantíssimo para toda a nossa Desaventura! Olhe aqui: pedi a meu irmão Taparica, que é desenhista e gravador, que copiasse a figura que Samuel tinha me mostrado no livro de Frei Vicente do Salvador! Peço ao senhor que anexe a figura da Ipupiara ao meu depoimento! O senhor sabia que meu objetivo secreto e enigmático, quando acompanhei o Rapaz-do-Cavalo-Branco, era encontrar a Besta Bruzacã, feri-la, beber-lhe o sangue e me tornar astrologicamente imortal?

— As informações que eu tenho são muito diferentes, sobre o senhor e principalmente sobre ele, o Rapaz-do-Cavalo-Branco! — disse o Corregedor com uma expressão que me deixou trêmulo.

Então, para convencê-lo de vez da qualidade principal de "viagem filosófica e profética" da Demanda novelosa que tínhamos empreendido em 1935 e que terminara de modo tão terrível, voltei a insistir sobre o assunto:

— Vossa Excelência tem o direito de pensar assim, mas isso só acontece porque o senhor nunca ouviu falar nas aparições desse Demônio marinho e sertanejo! Sem se falar em mim, conheci três pessoas que viram Bruzacã, e nunca mais desinfeccionaram o sangue da picada peçonhenta que ela dá!

— E o senhor mesmo viu o Demônio?

— Vi, mas minha visagem vai ser contada ao senhor depois, por uma questão de ordem epopeica! Os outros três foram o velho Baltazar Ferreira, o Tabelião de quem já lhe falei; Mestre Serafim, o velho Capitão da barcaça "A Estrela da Manhã"; e o vaqueiro Manuel Inácio, cabra do Seridó, que avistou a Besta no Mar, perto da Praia de Touros, no Rio Grande do Norte. O senhor conhece a Praia de Touros?

— Não! — disse o Corregedor, meio enfastiado.

De certo modo, o que eu queria era mesmo enfastiá-lo, para diminuir o perigo do assunto, de modo que continuei:

— É uma praia histórica: segundo me contou Samuel, foi ali que a Esquadra brasileira, comandada pelo Almirante Conde da Torre, deixou, no século XVII, depois de uma batalha naval que durou vários dias, o pequeno Exército, comandado por André Vidal de Negreiros, Luiz Barbalho Felpa de Barbuda, Antônio Filipe Camarão, Henrique Dias e outros — Exército que realizou uma das mais belas "retiradas ilustres" da nossa História! É por isso que ali, no litoral do Rio Grande do Norte, dizem que, de vez em quando, à noite, por cima dos arrecifes, passeiam as almas dos danados Holandeses e também o Conde da Torre, fantasma recoberto de topázios, procurando levantar velas batidas, molhadas e rotas e reunir velhas Caravelas desarvoradas. Não sei se o senhor já reparou, mas o Litoral nordestino tem umas praias rasas, brancas, de areia fina e reluzente que range em nossos pés descalços, e outras pedregosas, altas, empinadas, feitas de rochas cor de ferrugem. O Cabo de Santo Agostinho e a Fortaleza de São Joaquim, praias onde o gringo Edmundo Swendson tinha terras, eram ambas deste último tipo, com um monte pedregoso, a pique sobre o Mar, e tendo, perto, embaixo, uma enseada de praia rasa, tranquila e serena, perto da barra de um rio. Ora, Sr. Corregedor, segundo afiança o genial Poeta brasileiro Vicente de Carvalho, o mar, "*o belo Mar selvagem*", é um "*Tigre a que o vento do largo eriça o pelo*", um estranho animal felino. É, também, um Velho de barba azul, "*condenado ao cárcere das Rochas que o cingem*". Por outro lado, deve existir, no Mar, alguma coisa profundamente ligada àquilo que Clemente chama "o Destino do rebanho humano", porque Vicente de Carvalho afirma, ainda, que, quando se põe diante do Mar, ergue imprecações, clamores e blasfêmias contra a Mão desconhecida que traçou nosso Destino: "*Crime absurdo o crime de nascer*", diz ele. "*Foi o meu Crime, e eu o expio vivendo.*" Pois como eu vinha contando: o vaqueiro Manuel Inácio vinha viajando com um gado que iria vender em Macau. Além do gado, levava, também, alguns burros carregados de couros, que deixaria lá em troca de Sal para o Sertão. Tomou, por acaso, o caminho da Fortaleza de São Joaquim, e seguiu uma estrada velha que beirava o Mar. Era o dia 24 de Agosto de 1919. Naquela data, perto do meio-dia, Manuel Inácio, sufocado de sol e calor, chegou a um bosque de cajueiros, onde corria um riacho. Fez uma parada, tirou a carga dos burros, botou os animais para beber no riacho, almoçou, e aproveitou os momentos em que o gado pastava para descansar um pouco. Espichado sob um cajueiro, notou, por mal de seus pecados, que ali, à sua frente, a terra se elevava suavemente formando um morro pedregoso que caía a pique no Mar, a uma altura enorme. Com o deslumbramento de todo sertanejo pela visão do Mar, resolveu subir o monte para ampliá-la. Ao chegar lá, ficou um momento, na certa como Vicente de Carvalho, pensando sobre o Destino do rebanho humano, sobre o número incontável de pessoas que tinham nascido, vivido, envelhecido e morrido sempre diante daquele mesmo velho Tigre de barbas azuis. De repente, segundo me contou depois o Tabelião Baltazar Ferreira (que foi quem me narrou essa história), o Vaqueiro começou a ouvir uns mugidos estranhos e poderosos. Pensou, a princípio, que fosse o seu gado, agitado lá longe por algum acontecimento fora do comum; mas logo mudou de opinião, porque, como ele contava, "rês nenhuma do mundo daria urros como aqueles". Aí, olhando para os lados do Mar, ele viu, sobre a dura e brilhante superfície verde e azul, iluminada cruamente pelo violento sol do meio--dia, uma Nuvem negra, cercada por uma orla brilhante da Coroa solar. Segundo contava o Vaqueiro a Baltazar Ferreira, foi somente aí que ele começou a perceber que a Terra é que se crispara, há pouco, dando aqueles mugidos que o tinham aterrorizado. Não sei, também, se o senhor sabe, mas os Vaqueiros sertanejos descobriram, há muito tempo já, que a Terra é uma Vaca, "uma vaca enorme, arcangélica e esquisita, que vive mijando rios para o mar", como explicava muito bem o nosso Profeta Nazário. Dizem eles que, num certo lugar da Terra, existe uma enorme Gruta, cuja entrada é comprida e estreita em relação à largura, uma Fenda cuja entrada é feita de pedra coberta de musgo verde e veludoso. O Mar, Tigre verde-azul, foi parido pela Vaca arcangélica da Terra através dessa Gruta verde, e é por isso que às vezes a Terra dá esses poderosos mugidos, chamando o filho estranho e felino, de cabelos verdes, nos momentos de perigo. Naquele dia, à medida que a nuvem estranha baixava, e se dirigia para a costa, as águas, embaixo dela, inchavam e se intumesciam. Começaram também a ferver, batendo com mais fúria ainda contra os Rochedos castanhos do morro. De repente, aquela inchação gigantesca das águas se fendeu, e Bruzacã fez aparecer no ar, surgindo das águas revolvidas e ferventes, sua maldita cabeça coroada! Ah, só quem já viu Bruzacã é que pode imaginar como são poderosas e aterrorizantes as formas que ela toma! São sete Chifres turvos e amolados, o Focinho peludo, a Corcova cerúlea! No cabelouro espesso, uma Cabeleira de serpentes e conchas entrançadas! O olhar de Cobra e o corpo feito à semelhança de um corpo enorme de Touro branco! Era a Besta marinha, partejada pelos lombos diabólicos e sagrados do Mar! Seu olhar chamejava, ora amarelo, ora azul como um aço de Martelo! Ao fogo do sopro das suas Ventas, ferviam as águas em borbulhas de Enxofre envenenado. O peito era coberto pelo musgo nojento que suja e mancha as paredes do Inferno alumiado! As espáduas eram cobertas de malhas feridentas cor de ferrugem e em cada uma das suas ancas verdes luzia uma estrela amarela, brilhando entre sargaços e a salsugem, entre ostras pegadas ao tronco, anoso e velho como um velho Rochedo extraviado! O Vaqueiro ouvia seu próprio sangue latindo, pedindo, suplicando que ele corresse e se afastasse do Bicho amaldiçoado. Ao mesmo tempo, porém, que ele sentia o horror, sentia também o fascínio do Bicho e da Desordem desmedida, obrigando-o a procurar ver, ver sempre mais, pois é destino sem fim, nosso, querer, como diz Clemente, "decifrar todo o Bicho deste Mundo". Aí, Sr. Corregedor, aquela nuvem negra, ou cor de sangue escuro, coroada pela rebrilhante orla solar, pareceu se curvar para perto das orelhas e da barba azul do Mar. Como se fossem dois Diabos invencíveis, a Nuvem e o Mar trocaram seus segredos indizíveis. As asas da Besta Bruzacã se agitaram, causando um repelão nas águas e um estremeço na terra. Línguas de fogo e estalos de corisco vadiaram por todo canto. As árvores mais próximas da praia crestaram-se imediatamente, abrasadas pelo vento incendiado, parido pelas asas da Besta e por suas ventas, fole de cem brasas! Fundiam-se pedras. E dizem, mesmo, que os meninos que tiveram a pouca sorte de nascer naquele momento nasceram todos cegos, com os olhos queimados pela ventania de fogo demoníaco. Aí, agitando como remos as patas dianteiras e usando como velas suas asas de morcego, cobertas de pedrarias, Bruzacã nadou para a praia, emergindo ali, por inteiro, sua figura gigantesca. Pousando os cascos na areia, rompeu pelo bosque de cajueiros e correu para o Sertão num galope estralejado de animal feroz, sumindo-se no horizonte, que fumegava. Disse o Vaqueiro que, à medida que a Besta se sumia na terra, ia sofrendo uma transformação: sua dupla natureza demoníaca ia perdendo o que tinha mais de monstro-marinho e assumindo outras partes mais felino-sertanejas, como garras e corpo de Onça, ou Cachorra-Cantadeira. O Vaqueiro, cujos olhos tinham sido miraculosamente preservados, desceu então o monte e olhou para o lugar onde ela se sumira. A passagem do Monstro tinha aberto, a fogo, na Mata, um rombo enorme, um túnel fumegante que dava para passar dois trens! Era como se tivesse passado um Cometa: o chão estava raso e coberto de cinzas. Mesmo mais para longe, numa distância enorme, as árvores estavam com as folhas crestadas e secas, como se tivessem sofrido dois anos de estio. As reses e animais de sua tropa estavam todos no chão, mortos, queimados, erguendo para o céu as patas reviradas! Abalado por tudo o que visageara, pesaroso pela perda do rebanho, mas ainda dando graças a Deus por ter escapado com vida, Manuel Inácio dali mesmo voltou. Agora, para os lados do Mar, tudo se acalmara. As águas, azuis aqui, verdes ali, violetas acolá, brilhavam de novo, serenas, limpas e afiançáveis. Sob o Sol de ouro e cobre, pareciam um Espelho azul e prata, um Espelho que só mostrava sua natureza de Tigre perto dos rochedos castanhos, que ele mordia e tentava despedaçar com suas garras. Na própria Terra, os mugidos tinham cessado: ouvia-se, agora, apenas um arfar incansável, que era, talvez, o sopro altivo, triste e corajoso dos humanos, debatendo-se, no Mundo, como insinuava Vicente de Carvalho, com nosso Destino cego e indecifrável. Vossa Excelência, Sr. Corregedor, me pergunta, então, como é o Diabo, se eu acredito nele, e como é que ele aparece... Não posso dizer com exatidão! Nessas horas de visagem, o sol costuma deslumbrar, encandear e cegar, fazendo a Terra tremer em nossa vista! Ouve-se, roncando, a ventania abrasada do Mundo, e a gente fica sem saber se é mesmo o vento, soprando em lufadas ardentes que nos crestam a pele e nos racham os lábios, ou se é a fornalha do Inferno que, fendendo o chão, se escancarou ali perto, dando saída à secura e à violência do fogo, assim como à tribo malfazeja dos Diabos que invadem o mundo, contribuindo para seu concerto e desconcerto com seus urros, pios e guinchos de Danados!

— Quer dizer que, para o senhor, o Mar e o Sertão são terras diabólicas?

— É verdade, Sr. Corregedor, mas não são eles somente não, é o Mundo todo! E lhe digo mais: por mais temerosa que seja a Besta Bruzacã em forma de monstro-marinho ou de Onça amaldiçoada, alada e cantadeira das furnas sertanejas, aí pelo menos ela ainda tem uma forma epopeica! Garanto ao senhor: eu tenho muito mais medo e muito mais horror ao Diabo das cidades, que tem cara de funcionário aposentado, que anda às vezes de bicicleta, vestido de preto, com chapéu-coco, com um ar esquerdo e maldoso, em pleno sol, sem suar nada, absolutamente nada, o que, como todo mundo sabe, é coisa do Danado! Mas, felizmente, se o Mundo tem essa face diabólica, possui também a divina. Mostrei ao senhor, como diz Clemente, "a face esburacada e demoníaca do Caos, no seu aspecto marinho e no seu aspecto sertanejo". Mas, ao lado dela, existe a outra, a angélica e paradisíaca. Aliás, não sou eu, simples charadista e Acadêmico sertanejo quem diz isso não, é gente consagrada e importante, como o Cantador e poeta Euclydes da Cunha. Euclydes da Cunha é, também, meu Precursor, como José de Alencar: é recusado, ao mesmo tempo, pela Direita e pela Esquerda, e ainda foi membro da Academia Brasileira de Letras. Com essa autoridade, que o torna indiscutível, ele nos demonstra no seu tratado *Os Sertões* que o nosso Sertão tem uma face de Inferno e outra de Paraíso. Acontece, porém, que Euclydes da Cunha, por mais genial que fosse, era apenas um precursor meu: não era Astrólogo e Decifrador, nem era o Gênio da Raça Brasileira, de modo que não sabia que, na verdade, a face do Sertão é tripla, e não dupla! É o Inferno, o Purgatório e o Paraíso; uma parte macha, uma macha-e-fêmea e outra somente fêmea — a *Saturnal*, a *Solar* e a *Lunar*. É por isso que, depois de olhar a Chapada infernal, com a Furna de Bruzacã, com a ventania do inferno, com os Gaviões bicando os olhos dos borregos e cabritos, Vossa Excelência, se quiser entender, bem mesmo, tudo isso, deve limpar os olhos e ver, no tempo das águas, num ano de boas chuvas, já em Junho, quando as trovoadas passaram e os rios se limparam do turvo das enchentes, uma água rasa e clara deslizando, como prata, sobre a areia incrustada de cristais reluzentes. E ainda: o fulgor das malacachetas; os seixos amarelos, brancos e vermelhos das encostas e ladeiras; os poços dos rios, já meio secos, cuja água se retém, entretanto, por entre grandes pedras, e que nos oferecem, quando estamos caçando e com sede, o descanso, a sombra, a carícia do vento tornado suave pela proximidade da água; e a floração das jitiranas, de campânulas roxas ou azuis; das marias-brancas puras e imaculadas, parecidas com o jasmim-cambraia; dos pingos vermelhos dos feijões-de-pombo, que aparecem comumente no descampado, mas que eu posso imaginar sob a fronde umbrosa dos angicos e baraúnas, ou mesmo sob os pés de pau-d'arco amarelo, misturando heraldicamente seu vermelho *de goles* ao amarelo *de ouro* que chove de cima sobre nós, cobrindo nosso rosto e nossos cabelos. Entendeu agora, Excelência? Segundo eu li num artigo do *Almanaque Charadístico*, os antigos possuíam uma "Fonte do Cavalo", na qual os Poetas bebiam sua água e sua inspiração. Homero, se tivesse existido, teria bebido nela. Pois esta tripla face do Sertão, que lhe descrevi, com sua Chapada diabólica, seu Purgatório de chamas e com sua Fronde paradisíaca de riachos, roçados, açudes e pomares, é a minha particular, única e régia "Fonte do Cavalo Castanho": é neste Sol que queimo meu sangue, é nesta Água que embebo meu Sol, esta é a Fonte do cavalo sertanejo que galopa no meu riso e no meu sangue, o sangue da terra de onde sai tudo o que sonho, como Visionário, Astrólogo e Profeta sertanejo que sou!

— Meu caro Dom Pedro Dinis Quaderna, observei que o senhor desfiou alguns trechos do que me disse assim meio enfiado, como quem já sabe tudo decorado!

— É verdade, Excelência! O fato é que, apesar do cotoco, eu tenho conseguido, não escrever definitivamente, mas pelo menos arrumar algumas anotações para a Epopeia, e essas que o senhor notou foram algumas delas!

— Mas o senhor falou em prosa!

— Pretendo versificar tudo um dia, seguindo o exemplo das melhores autoridades brasileiras sobre o assunto.

Encarnação da Besta Bruzacã. Pela baleia que Taparica colocou embaixo, vê-se a enorme superioridade até dos monstros latino-americanos sobre os bestíssimos monstrinhos estrangeiros que aparecem em outras epopeias — se bem que o cachalote aí representado seja brasileiro, pois foi copiado por Taparica do retrato de um desses bichos, que são frequentíssimos, aqui na Paraíba, na Praia da Costinha.

— Está bem, mas, como já lhe disse, o que me interessa mais é o inquérito e os acontecimentos ligados ao Rapaz-do-Cavalo-Branco. Na sua opinião, aquilo tudo que sucedeu a ele no dia 1º de Junho de 1935 foi um acontecimento saturnal, solar ou lunar? Infernal, do purgatório ou paradisíaco?

— As três coisas, Sr. Corregedor! É por isso que, na minha Epopeia, quando, lá um dia, o senhor for lê-la, olhando com cuidado encontrará um Inferno, um Purgatório e um Paraíso — o Pai, o Diabo, o Filho, a Mulher e o Espírito Santo —, Saturno, o Sol e a Lua. É por isso que eu lhe contava como, naquele dia, além dos bichos visíveis que vinham nas carretas, a Estrada estava povoada de bichos invisíveis — Arcanjos alvos e reluzentes, como um bando de Garças ou Cisnes de fogo, e Demônios escuros e peludos como morcegos gigantescos, com corpo de Onça, encarnações invisíveis de Bruzacã que enchiam o Tabuleiro seco e pedregoso com os ladridos diabólicos e os estalos e ridimunhos de suas asas sangrentas. Talvez fossem, mesmo, as Espadas de fogo dos Anjos e os ladridos dos Demônios — e não o Sol — que, retinindo nas pedras como uns martelos, estivessem desferindo aquelas lascas de fogo cintilante, capazes de encandear e cegar a vista. É possível, também, segundo vive dizendo Clemente em seus arrebatamentos de Filósofo sertanejo, que o próprio Mundo, diante do qual se encontrava o Donzel naquele instante, "fosse um animal monstruoso, uma Onça-Parda enigmática, que nós tivéssemos de capturar e domar, sob pena de morte". Não sei, Sr. Corregedor! O que eu sei é que, como diz o ditado, "quem tem medo de Onça não se mete a andar no mato". Agora, aqui, como Acusado, evoco aquele Donzel de linhagem sertaneja, cuja aparição desencadeou toda aquela história. E, sem eu querer, meu sangue repete aqueles versos do genial vate Antônio de Castro Alves, quando cantou em sua Viola de prata, cravejada de negro, um "joão sem direção", uma espécie de judeu-errante brasileiro e sertanejo, que não era senão o meu Donzel do cavalo branco, dizendo o Poeta em seu cantar-baiano:

> "Não sei quem sou. A mim, dentro do Peito,
> um Sol-terrível bebe o Sangue e a vida!
> Príncipe-errante que, no fim da Estrada,
> tem uma Esfinge, numa Cruz erguida!
> Sou o Pau-d'arco que, florado em Ouro,

a Morte e o Cetro na Coroa encerra:
Vivo — que vaga sobre o Chão da morte,
Morto — entre os vivos, a vagar na Terra!"

Folheto LVII
Invasão e Tomada da Vila

— Nesse momento, Sr. Corregedor, chegavam os Cavaleiros a um alto, no topo de uma ladeira da Estrada, lugar de onde se descortinam os primeiros telhados e a torre da Igreja Nova da nossa Vila.

— Um momento, Dom Pedro Dinis Quaderna! — interrompeu o Juiz. — É nas proximidades desse alto que existe um lajedo no qual o senhor costuma subir, ninguém sabe direito pra quê?

Ah, nobres Senhores e belas Damas de peito brando! Estremeci de terror, ante a pergunta e o tom em que fora formulada! Mas como vi que ele já estava pelo menos informado de alguma coisa a esse respeito, adotei novamente a atitude de "ser sincero para mostrar inteira boa-fé". Disse:

— É exatamente aí, Sr. Corregedor!

E como não queria me deter no assunto, voltei imediatamente à narração:

— Naquele lugar, o Doutor do cavalo preto, o Doutor Pedro Gouveia da Câmara Pereira Monteiro, deu uma ordem rápida, e a cavalgada apressou o passo. Os cavalos, animais de Cigano, treinados com rigor, não entraram propriamente no trote, no chouto, talvez para não quebrar a dignidade do cortejo. Apenas apressaram a pisada do "meio", numa quase "esquipação", e foi assim, nesse passo régio, que embocaram de Vila adentro. Como todo mundo estivesse reunido na Praça para as Cavalhadas, só mesmo os maiores madraços e os mais danados moleques de rua foi que avistaram, de início, a "desfilada moura", como, depois, a batizou Samuel. Mas foi, mesmo, para a Praça que ela se dirigiu, já então acompanhada por todos os bêbados, doidos, mendigos e moleques que estavam por ali, nas beiras das calçadas da periferia. De modo que, para usar uma expressão do meu Mestre e precursor, Dom José de Alencar, quando as pessoas gradas avistaram a Cavalgada de ciganos, foi já seguida da "república de todos os galopins da Vila". Posso então, agora, tirar todo o pessoal da Praça daquela situação incômoda e tensa em que o deixei. Acho que nem mesmo José de Alencar seria capaz de descrever a profundeza da impressão causada por aquele "comboio de mal-assombrados", quando, diante das autoridades, dos Fidalgos, dos burgueses e do Povo, desembocaram os Cavaleiros e as carretas dos animais enjaulados, com as bandeiras desfraldadas e o Frade-cangaceiro à frente. Parando todo mundo no centro da Praça, o Donzel-do-Cavalo-Branco, sempre com uma expressão ainda sonhosa e meio alheada de tudo, tirou do cinturão uma corneta de caça, uma buzina feita de chifre e cravejada de prata, e desferiu nela um toque surdo, grave e plangente. Como se aquilo fosse um sinal combinado, os homens que vinham com os Gaviões do cortejo tiraram as máscaras de couro e os protetores das garras dos pássaros e soltaram-nos, desapertando as correntinhas que os prendiam. Os Gaviões partiram para o alto, como flechas, dando pios agudos e selvagens, que pareciam tinidos de metal, e foram se distanciando em círculos cada vez mais altos, até que se perderam nos ares. Ao mesmo tempo, alguns Cavaleiros ciganos desmontavam com grande rapidez e abriam as jaulas, libertando no meio da Praça os Veados, os Pavões, as Garças, as Cobras e, sobretudo, as Onças — toda a fauna selvagem que vinha nas carretas. Foi um verdadeiro deus-nos-acuda, Sr. Corregedor! O Comendador Basílio Monteiro dizia-me depois, na redação da *Gazeta de Taperoá*, que "quase tivera um delíquio", comentando ainda, com uma frase habitual dele, que "uma cena daquelas só num país desgraçado, como o Brasil, porque num país organizado, na Alemanha ou nos Estados Unidos, seria rigorosamente proibida pelo Governo". A intelectual Dona Carmem Gutierrez Torres Martins, mãe aqui da nossa Margarida, afirmava, por sua vez, que descera do palanque sem saber como e, quando dera acordo de si, estava no Beco da Igreja Nova, onde lhe acontecera estranho caso com um cachorro esquisito que ainda hoje ninguém sabe se também tinha vindo nas carretas ou não. O Sargento-Delegado e os outros Soldados do nosso invicto e denodado Batalhão de Segurança do Estado da Paraíba escafederam-se para São João do Cariri, deixando a cidade "nas mãos daqueles salteadores que tinham invadido a rua, ninguém sabe com que intuitos sinistros", conforme dizia o telegrama enviado, logo à noite, pelo Prefeito, para o Governador. O Doutor Samuel e o Professor Clemente, sem se deterem a examinar as implicações poético-monárquicas ou comuno-filosóficas do acontecimento, sumiram-se sem que ninguém visse como. Aliás, esclareço que não por covardia, porque os mais corajosos foram os que correram logo: os mais frouxos ficaram pregados no chão, imobilizados pelo terror, só encontrando forças para correr depois, quando o pavor aumentou tanto que venceu a paralisação que tinha causado antes. O que eu achei mais estranho porém, Sr. Corregedor, foi que os Ciganos também correram. Esporeando os cavalos, puseram-se a salvo, acampando depois, quando já passara a confusão e todos os animais tinham fugido para a Caatinga, naquele mesmo Tabuleiro que fica fora da rua e perto do nosso aprazível "Cemitério da Consolação". Quanto aos simples assistentes e ao pessoal da Cavalhada, inclusive meus irmãos, esse debandou todo, assim como debandaram também os dois ilustres varões que nos governavam. De modo que, quando o pandemônio cessou, sem que tivesse havido nenhum acidente sério, só se mantinham na Praça o Doutor, o Frade, o Rapaz-do-Cavalo-Branco e Dom Eusébio Monturo.

Folheto LVIII
A Aventura da Onça Mijadeira

— Esse foi um ato, aliás, Sr. Corregedor, que me levou a admirar cada vez mais a coragem nunca desmentida daquele meu grande amigo, "O Paladino do Povo", o único verdadeiro Paladino que conheci, sempre pronto a arriscar sua preciosa vida por seus ideais e pela Justiça! As pessoas que não têm conhecimento das coisas viviam falando dele, dizendo que Eusébio tinha sido aposentado do seu lugar de funcionário público "depois de uma história de desfalque, na qual ele só não tinha sido preso em atenção a seu honrado e ilustre irmão, o Comendador Basílio Monteiro, e também porque este Brasil é um país sem jeito". Diziam que Dom Eusébio era um mentiroso terrível, "um infame maldizente, falcatrueiro e sem escrúpulos, capaz de jogar lama sobre as mais ilibadas reputações da rua". Mas eu, que tenho, cá, minhas opiniões, respondia sempre que Dom Eusébio tinha alguns defeitos, como todos nós, mas nenhum dos defeitos dele era pequeno, vulgar e mesquinho: eram todos grandes, generosos e avultados. Suas mentiras eram enormes, heroicas, urdidas com típica coragem. Até o desfalque que ele dera, não tinha sido, absolutamente, um desses desfalques mesquinhos, sujos e miúdos de funcionário público; não, fora logo um desfalque para valer, um alcance de empenar, um desfalque à altura da grande alma do nosso Paladino do Povo. Seguindo Samuel, eu explicava que "uma coisa é uma alma pura e outra é uma alma grande": Eusébio não seria, talvez, uma alma pura, mas era, sem dúvida, uma alma cheia de grandeza. E que era homem corajoso, isso não há mais quem discuta, mesmo entre as pessoas que não gostavam dele, na rua. O que acontecia é que era um pouco azarado em seus acessos de coragem. Em seus momentos de mau humor, Eusébio se virava por cima de mim, por causa de sua má-sorte. Chamava-me "O Covarde Sortudo", e apelidava-se a si próprio de "O Valente Azarado", acrescentando que, enquanto eu "tinha sorte na covardia", ele era "azarado na coragem". Se ele tinha razão no que se referia a mim, não sei, mas, em relação a ele, era verdade. Naquele dia, por exemplo, como eu vinha dizendo, foi Dom Eusébio Monturo a única pessoa que teve coragem de ficar na Praça. Ao se ver sozinho, "cercado só de feras e de fujões acovardados", como ele me contava depois, gritou, com voz desafiadora, como era de seu costume nas ocasiões de perigo: "Covardes! Correndo e desmoralizando o Povo Sertanejo! Mas O Paladino do Povo não corre não! Onélia, traz o meu rifle!"

— Anote aí, Dona Margarida, que, segundo se depreende dessas palavras, Dom Eusébio e seus amigos tinham, todos, armas em casa, isso apesar de todas as batidas que o inolvidável Presidente João Pessoa mandou realizar para apreender as armas dos Sertanejos em 1930!

Para aliviar o fato, ponderei:

— Sr. Corregedor, é verdade que Dom Eusébio Monturo tinha um rifle, mas isso absolutamente não ameaçava a segurança do Governo da Paraíba, porque nunca lhe sucedia estar ele com a arma, nos momentos de necessidade. Gritava então pela mulher, para que ela o trouxesse. Mas isso também não tinha resultado, porque Dona Onélia era surda como uma porta e nunca atendeu a essas ordens em momento nenhum. Isso chegou a tal ponto, que a frase "Onélia, traz o meu rifle" ficou proverbial, na rua, para os momentos de brabeza sem consequências. Pois bem: naquele dia, brabo que só uma Capota choca, Dom Eusébio Monturo ficou no meio da Praça, feito um pião doido ou uma cobra assanhada, virando-se para um lado e para o outro, e gritando: "Como é? Todos correm, é? Pois apareça uma Onça de coragem, para topar comigo!" Infelizmente, Sr. Corregedor, as Onças, perturbadas, também, pelo barulho, tratavam era de correr para os Tabuleiros e Caatingas, procurando lugares onde houvesse furnas, pedras e mato para elas se esconderem, de maneira que não aparecia nenhuma, para topar com Eusébio. Ele insistiu: "É possível que não apareça uma Onça para eu me vingar desta tentativa de desmoralização? Não posso ficar desmoralizado de jeito nenhum! Era o que faltava, esse comboio de Onças, correndo pra cima e pra baixo no meio da rua, sem licença da Prefeitura! Apareça uma Onça, que eu mostro a ela quantos nós existem do focinho ao fiofó!" Nesse momento, Sr. Corregedor, uma velhinha, Dona Nanu, que morava na Praça, gritou para Eusébio, de dentro da casa dela: "Compadre Eusébio, me acuda, que aqui tem uma Onça! Se o que você quer é Onça pra topar, venha, que aqui tem uma, debaixo da minha cama!" Como uma fúria, o Paladino do Povo correu para lá e entrou na casa. Sem atender aos pedidos de que não se arriscasse, feitos por pessoas que tinham se acolhido à casa de Dona Nanu exatamente para fugir das Onças e agora se viam, espavoridas, encurraladas com uma, Dom Eusébio Monturo entrou na casa da comadre, parou no limiar do quarto de dormir dela e disse, com ar solene e majestoso: "Onde está esse animal felino, cruel e predatório?" Dona Nanu explicou, de longe: "Está ali, debaixo da minha cama, por trás do penico-cuba! Mas o senhor está desarmado, Compadre Eusébio? Assim, não vá não! Não vá não, que é morte certa!" Aí foi que Eusébio ficou brabo! Gritou: "Não vou, minha Comadre? Que *não vou* é esse? Quem é que não vai? A senhora me desculpe, mas eu vou, vou demais! Não posso ficar desmoralizado de jeito nenhum! Já imaginou? Se eu não for, essas Onças vão ficar, dagora em diante, no maior dos atrevimentos! Que é que essas pestes estão pensando, hein? Que podem entrar na minha Vila, na Vila do Paladino do Povo, assim à vontade, entrando e saindo quando querem e até tendo o atrevimento de se meterem debaixo das camas de comadres minhas? Ah, não, estão muito enganadas! Taperoá não é cu-de-mãe-joana não!" E então, Sr. Corregedor, magnífico de coragem e paladinice, Dom Eusébio Monturo entrou no quarto, abaixou-se junto da cama, pegou a Onça pelo rabo e começou a puxá-la para fora. As pessoas que estavam na casa de Dona Nanu, vendo aproximar-se a conclusão heroica daquela aventura extraordinária, e notando, por outro lado, que os outros bichos já tinham desertado da Praça, acompanharam Dom Eusébio, que já transpusera a porta da rua. A Praça, também, pouco a pouco, se reenchia com os primeiros curiosos que iam voltando; de modo que foi diante desse pessoal sarapantado que Dom Eusébio Monturo apareceu triunfante, arrastando a Onça pelo rabo, como mais um troféu de sua nunca desmentida coragem. Infelizmente, porém, Sr. Corregedor, aí é que vem o azar de meu querido amigo. Pelo que se esclareceu depois, parece que todas as Onças que tinham vindo com os Ciganos eram ferozes. Todas, *menos aquela*, que era uma velha Onça de circo, decadente, fêmea e desdentada, mantida pelos Ciganos como chamariz de feira. Tinha sido, para o Doutor Pedro Gouveia, o ponto de partida para aquela ideia genial da entrada na Vila. Na hora do barulho, por engano, fora solta com os bichos selvagens. De modo que, quando Dom Eusébio Monturo começou a puxá-la para a Praça, diante do Povo embasbacado, a Onça começou a ganir de terror, com uns miados queixosos que pareciam o choro de um menino novo. E, o que foi a parte pior, mijou-se e cagou-se toda! Pois bem, Sr. Corregedor: a humanidade é tão ruim que, no mesmo instante, exatamente aquelas pessoas que estavam mais apavoradas e que, caso a Onça fosse mesmo feroz como pensavam, teriam sido salvas pelo gesto heroico de Dom Eusébio, foram as primeiras a cair na gargalhada. Mal o meu amigo, com um gesto sobranceiro e desdenhoso, largava o rabo da Onça, saltando também de lado para não ser atingido pelos esguichos de mijo e por algum perdido bolotinho de merda, um engraçado gritou: "A Onça mijou-se e cagou-se! Dom Eusébio Monturo é tão brabo que faz Onça se mijar!" Outro, levando a ideia adiante e aproveitando o fato do Paladino se encontrar de costas, gritou: "Eusébio Mijurético!" Dom Eusébio, furibundo, voltou-se e gritou: "Apareça um sacana, aí, que seja homem, para dizer, de frente, o que disseram comigo de costas!" Imediatamente, Sr. Corregedor, todo mundo se amoitou. Ficaram calados, mudos e acovardados. Dom Eusébio provocou-os de novo: "Estão vendo? Estão vendo que são uns covardes, mesmo? Pois a covardes eu dou é o meu desprezo!" E, ao dizer isso, saiu. Imediatamente o coro dos desocupados começou a acompanhá-lo em surriada: "Eusébio Mijurético! Purgante de Onça! Cagão de Maracajá!" Ainda o acompanharam por alguns instantes. Mas logo, vendo que não obtinham mais a atenção dele, mesmo os mais encarniçados deixavam Dom Eusébio Monturo em paz e voltavam à Praça, curiosos de saberem quem eram aqueles três estranhos Cavaleiros que tinham chegado e o que pretendiam, afinal, em nossa Vila.

Folheto LIX
O Grande Pretendente

— Ao voltarem, porém, perceberam que os três já tinham se sumido da Praça. Porque, Sr. Corregedor, a maior sensação daquela tarde memorável ainda estava para acontecer. Nem foi, propriamente, a entrada sensacional dos Cavaleiros, nem a libertação dos bichos, nem a aventura, azarada mas paladínica, de Dom Eusébio Monturo. Foi que o Frade, o Rapaz-do-Cavalo-Branco e o Doutor, tendo se dirigido, assim que a Praça se esvaziou, para o cartório de Seu Belo Gusmão, inteiraram-se, lá, de que essa modelar repartição já fechara suas portas desde o meio-dia. Encaminharam-se, então, à casa do Juiz da nossa Comarca, o Licenciado Doutor Manuel Viana Paes. E, esbarrando os cavalos à sua porta, interpelaram o Magistrado pela voz do Doutor: "Temos a honra de falar ao Doutor Manuel Viana Paes, Excelentíssimo Senhor Juiz de Direito da Comarca de Taperoá?" De cima de um armário onde tinha se encarapitado com medo, o Juiz respondeu com voz insegura: "Sou o Doutor Manuel Viana, mas se Vossa Senhoria ainda tem alguma Onça aí, peço-lhe que me evite a companhia dela! É contra meus princípios ser devorado por felinos!" Esclareço a Vossa Excelência, Sr. Corregedor, que, apesar de formado e esclarecido, o Doutor Manuel Viana Paes é um sertanejo, da Ribeira do Sertão do Rio do Peixe, de modo que não deixava de acreditar nuns certos rumores que correm, por aqui, a respeito de quem é comido por uma Onça — ou devorado por um Jaguar, para ser mais tapirista e epopeico. Segundo certos adeptos do Catolicismo-sertanejo, quem tem a desgraça de ser comido por uma Onça não ressuscita no último dia não, quem ressuscita é a Onça! Por isso, meio cismado, o Doutor Viana, sempre de cima do armário, indagou ainda, cauteloso: "Quem é o senhor? Algum cigano? O Rei dos Ciganos?" O Doutor retrucou: "Qual cigano nem Rei nenhum, Senhor Juiz! Sou o Doutor Pedro Gouveia da Câmara Pereira Monteiro, Bacharel em Direito e Advogado! Vim aqui para defender os direitos espoliados do meu constituinte aqui presente, porque este mancebo é, ninguém mais, ninguém menos, do que Sinésio Garcia-Barretto, filho do fazendeiro Pedro

Sebastião Garcia-Barretto, assassinado nesta Comarca em 1930! Este é o rapaz que foi raptado no mesmo dia da morte de seu Pai, sumindo-se daqui até o dia de hoje, quando reaparece para reivindicar seus direitos a seu nome e à sua herança!"

* * *

— Quando o Doutor Pedro Gouveia pronunciou essa frase tremenda, foi como se um corisco de pedra-lispe tivesse caído aos pés do Juiz e dentro da Vila, por onde a notícia logo se espalhou como um incêndio, causando sensação maior do que a libertação das Onças. "Então" — dizia o Povo, terrivelmente abalado — "esse Rapaz-do-Cavalo-Branco é aquele mesmo Sinésio Garcia-Barretto, raptado em 1930, morto em 1932 e ressuscitado agora, milagrosamente, nesta Véspera de Pentecostes de 1935!" Lembro a Vossa Excelência que estávamos, então, naqueles dias de grande agitação política que antecederam a Revolução Comunista de 1935. O Povo acreditara, sempre, que Sinésio retornaria a qualquer momento para chefiar uma vaga Revolução Sertaneja que ninguém sabia realmente o que era. Assim não admira que estes tenham sido os acontecimentos que terminaram me obrigando a comparecer como acusado neste inquérito, aberto agora por Vossa Excelência. De qualquer modo, estou de consciência tranquila e, de certo modo, não tenho de que me queixar, porque, um dia, os acontecimentos daquele dia memorável abrirão caminho à minha modesta pessoa para que eu me torne o Gênio da Raça Brasileira!

— O senhor pretende ser o Gênio da Raça Brasileira? — indagou, irônico, o Corregedor.

— De fato, mesmo, já o sou, mas pretendo sê-lo também de direito, oficialmente declarado pela Academia Brasileira de Letras! Se eu for condenado neste Processo, mandarei tirar duas cópias de meus depoimentos, mandando uma para o Supremo Tribunal, como Apelação, e outra para a Academia, a fim de que os Imortais me deem, oficialmente, o título, nem que seja por levar em conta que eu criei um gênero literário novo, o "Romance heroico-brasileiro, ibero--aventuresco, criminológico-dialético e tapuio-enigmático de galhofa e safadeza, de amor legendário e de cavalaria épico-sertaneja"!

— Dom Pedro Dinis Quaderna, nem eu, nem a nossa Dona Margarida, aqui presente, queremos desanimá-lo, não é, Dona Margarida? Mas o senhor acha, mesmo, que tem condições para que a Academia Brasileira lhe outorgue, oficialmente, esse título?

— Ah, tenho, Sr. Corregedor! Primeiro, porque sou o mais autêntico representante da nossa Raça! Samuel é somente godo-ibérico, como diz ele. Clemente é apenas negro-tapuia. Ora, eles dois, num dia em que estavam examinando minha genealogia, chegaram à conclusão de que eu tinha tudo quanto era de sangue, inclusive umas gotas de negro e de cigano! Vossa Excelência me provou, ainda agora, que eu tenho sangue judaico, como Paraibano de cotoco que sou! Assim, sou o único escritor e Escrivão-brasileiro a ter integralmente correndo em suas veias o sangue árabe, godo, negro, judeu, malgaxe, suevo, berbere, fenício, latino, ibérico, cartaginês, troiano e cário-tapuia da Raça do Brasil! Finalmente, tendo estudado cuidadosamente, com auxílio do *Almanaque Charadístico* e das *Postilas de Retórica*, a receita das Obras de gênio, cheguei à conclusão de que a única história realmente indecifrável e completa, a única que possui todos os ingredientes de Obra da Raça, é a terrível desaventura que aconteceu a Sinésio, o Alumioso. Depois de pronto e devidamente *versado*, o meu será, portanto, no mundo, o único Romance-acastelado, cangaceiro-estradício e cavalariano-bandeiroso escrito por um Poeta ao mesmo tempo de pacto, de memória, de estro, de sangue, de ciência e de planeta. Ora, Sinésio, morto e desaparecido da maneira que lhe disse, mas também ressuscitado naquele dia, nas Caatingas e estradas sertanejas, foi uma espécie de "João-sem-Direção", personagem guerreiro, principesco e errante do Cantador nordestino Natanael de Lima. Por isso, ninguém pode realmente contar a história de Sinésio, ninguém sabe qual foi, mesmo, sua verdadeira direção, seu verdadeiro destino, de modo que ninguém, *exceto eu*, pode contá-la e ninguém, portanto, *exceto eu*, pode vir a ser o verdadeiro Gênio da Raça do Brasil!

— Muito bem, acredito! O senhor disse, aí, que somente o senhor é quem pode contar a história: registro e aceito essa declaração! Foi exatamente esse, aliás, o motivo que me levou a intimá-lo! O senhor portanto, Dom Pedro Dinis Quaderna, vai me contar essa história tintim por tintim! Vamos voltar, então, ao inquérito e aos acontecimentos daquele dia 1º de Junho de 1935!

— Vossa Excelência manda! Lá vai tempo! — falei, para disfarçar meu terror, que aumentava cada vez mais. E continuei:

Folheto LX
A Furna Misteriosa

— Como eu vinha dizendo, estávamos às vésperas da Revolução Comunista de 1935. Ora, Sinésio concentrara em torno dele, durante todos aqueles anos, as esperanças de justiça da ralé sertaneja, como o senhor chamou há pouco. O Povo nunca perdera a fé na sua volta, quando ele, ressurreto, realizaria a Restauração, ou instauração de não sei que *Reino*, um Reino sertanejo no qual os proprietários seriam devorados por dragões e todos os Pobres, aleijados, cegos, infelizes e doentes ficariam de repente poderosos, perfeitos, venturosos, belos e imortais. Por isso, naquele sábado, com a chegada epopeica do Rapaz-do--Cavalo-Branco, as duas ideias logo se juntavam num boato só. Sinésio viera para instaurar o Reino, e a guarda de Ciganos que o acompanhava não era senão a guarda-avançada de uma nova Coluna que o Guerreiro e Fidalgo-brasileiro, o Capitão Prestes, enviara ao Sertão para rebelá-lo e subvertê-lo, como já tinha feito em 1926, com a célebre "Coluna Prestes"!

— Anote, Dona Margarida, esse pormenor é importantíssimo! — disse o Corregedor.

Margarida obedeceu e ele indagou:

— É verdade que o Comandante das tropas revoltadas de Princesa em 1930, Luís do Triângulo, vinha acompanhando o Rapaz-do-Cavalo-Branco?

— É, sim senhor!

— Quer dizer que a coluna do Rapaz-do-Cavalo-Branco, no fundo, era uma fusão de remanescentes rebeldes da "Coluna Prestes" e do Exército daquele caricato "Território Livre de Princesa" que, em 1930, ousou levantar-se contra o Governo do Presidente João Pessoa, chegando aos extremos ridículos de proclamar a independência, forjando hino, bandeira, Constituição etc.?

— Sr. Corregedor, é difícil dizer isso com segurança, porque, aqui no Sertão, depois que esse pessoal sertanejo entra num movimento desses, todo mundo troca de nome, para escapar aos inquéritos e denúncias. Se havia gente da "Coluna Prestes" ou que lutou contra a "Coluna Prestes" nas tropas do Rapaz--do-Cavalo-Branco, eu não sei. Agora, Luís do Triângulo, esse tinha lutado no "Reino de Princesa" e vinha na Coluna do Rapaz-do-Cavalo-Branco: disso eu tenho certeza, porque Luís do Triângulo era meu amigo e eu estive com ele naquele mesmo dia! De um modo ou de outro, essas foram as razões pelas quais as pessoas mais ricas de Taperoá imediatamente se trancaram em suas casas, apavoradas, enquanto, pelo contrário, as ruas começavam a fervilhar de novo com aquela multidão de pobres e pedintes que, pouco antes, esperava tranquilamente a Cavalhada. Foi então que sucedeu um acontecimento ao mesmo tempo inesperado e importantíssimo; um acontecimento que Vossa Excelência só poderá entender bem depois que eu lhe der algumas explicações. Eu já disse ao senhor que Dom Pedro Sebastião, Rei do Cariri, era o parente mais parente que eu tinha, sendo meu Tio, meu cunhado e meu Padrinho. Meu Pai, que era uma espécie de agregado, Conselheiro e Astrólogo particular seu, tomou-o para meu Padrinho de batismo, dando-me, por causa disso, o nome de Pedro (o outro nome, o Dinis, me veio de Dom Dinis, o Lavrador, Rei de Portugal, de quem nós, como todos os nordestinos que se prezam, modéstia à parte descendemos). Ora, com todos estes parentescos, e tendo sido, ainda, Dom Pedro Sebastião, meu protetor e pai de criação, não admira que, durante sua vida, eu tenha feito todos os esforços para aumentar o prestígio e o poder que ele tinha, no Cariri. Disseram ao senhor que fiz isso com má-intenção, mas é mentira! Foi por bondade e devoção quase filial que eu tive a ideia de aproveitar a religiosidade sertaneja e meio fanática de meu Padrinho para, fazendo-o desfilar nas Procissões, descalço, vestido de sacos de estopa e com a cabeça cheia de cinza, de opa roxa e com cajado de Peregrino à mão, impressionar o Povo com o espetáculo daquele homem poderoso que, voluntariamente, se humilhava assim, diante de todos! Fui eu, também, que convenci meu Padrinho a figurar como Imperador do Divino Espírito Santo, entre Natal e Reis, quando nós, com nosso "Auto de Guerreiros", dançávamos diante dele. Com essas coisas, o Povo Sertanejo, que já considerava meu Padrinho como seu Chefe espiritual, passou a ver nele um Rei, que impressionava os Pobres com as roupagens, mantos e Coroas que eu inventava para ele nessas coroações e cerimônias das Folias do Divino Espírito Santo! Lá um dia, porém, Sr. Corregedor, eu comecei a perceber que a imagem de Profeta e Rei que eu estava, aos poucos, forjando para meu Padrinho — com grande desgosto para a Aristocracia, os Burgueses e os intelectuais da nossa Vila — era sempre prejudicada numa parte importante. Para Rei, Dom Pedro Sebastião se prestava demais, mas faltava-lhe alguma coisa para Profeta. De fato, meu Padrinho tinha todas as qualidades imperiais de Rei Sertanejo, pois era rico, poderoso, barbado, enigmático, imprevisível e Cavaleiro. Para Profeta, era, ainda, maravilhosamente meio doido, meio fanático e piedoso: faltava-lhe, porém, para que fosse um perfeito e acabado Profeta sertanejo, a condição de "pobre e perseguido pela Justiça, pelo Governo e pela Polícia". Esta última parte ainda veio a ser corrigida, se bem que tarde, quando, em 1929, ele começou a ser hostilizado pelo governo do Presidente João Pessoa. Mas pobre, isso ele nunca foi. Percebi imediatamente que, ao primeiro Profeta que aparecesse, meio doido e barbudo como ele, mas ainda por cima pobre e perseguido pelos poderosos, a posição de Chefe espiritual conseguida por mim para meu Padrinho com tanto esforço poderia ser arrebatada, o que não me interessava de jeito nenhum, porque, sendo seu sobrinho, minha sorte e minha linhagem monárquica se identificavam de certo modo com a Monarquia e com a sorte dele!

Novamente levado pelo orgulho eu ia longe demais! Cego, porém, pelas sertanejíssimas divindades gaviônicas, não percebi nada, e continuei, enredando-me cada vez mais nas teias da cegueira, do orgulho e do processo:

— Lembrei-me então, Sr. Corregedor, de que, num pé-de-serra situado dentro das terras da "Onça Malhada", morava, há uma porção de anos, uma figura estranha, o Velho Nazário Moura, um sujeito que enviuvara, ficando na companhia de sua única filha, uma moça chamada Esmeralda Moura, mas conhecida pelo apelido de Dina-me-Dói. Depois que sua mulher morrera, o Velho Nazário ficara paralítico e dera para raizeiro, principalmente nas noites de lua, quando disparatava e dava para visagear e dizer coisas descabeladas. O Velho Nazário apareceu-me, logo, como a oportunidade que nós tínhamos de cortar o mal pela raiz, no que se referia à qualidade de Profeta de meu tio Dom Pedro Sebastião. Nazário era pobre, raizeiro e meio doido. Por outro lado, não tendo astúcia, nem ambição, nem grandeza, não poderia, nunca, ameaçar a posição de meu Padrinho. Convenci então Dom Pedro Sebastião Garcia-Barretto a mandar buscar o Velho Nazário Moura para a Casa-Forte da Onça Malhada. Daí em diante, cada ano, quando eu editava o nosso apreciado e famoso *Almanaque do Cariri* — tradição que vinha de meu Pai —, publicava as *Profecias e Eficazes Orações do Profeta Nazário*, para quem edificamos uma casinha, pegada a uma Capela que logo começou a virar local de peregrinações e consultas para os Sertanejos. Nas Festas mais importantes, eu não deixava de convencer meu Padrinho a comparecer a essa Capela. E como o Profeta Nazário, na qualidade de morador grato, dava a Dom Pedro Sebastião as mostras de um respeito quase religioso, o prestígio de meu Padrinho se firmou definitivamente entre o Povo. Chegamos ao ponto de aquela desvantagem inicial se tornar um atributo profético a mais: o Povo começou a considerar Dom Pedro Sebastião como uma espécie de divindade superior, terrível e distante, a quem até os Profetas prestavam tributo e vassalagem! Pois bem, Sr. Corregedor: naquele dia, exatamente no instante em que o Doutor Pedro Gouveia comunicava ao Juiz que aquele Rapaz-do-Cavalo-Branco era o mesmo Sinésio Garcia-Barretto, morto em 1932 e ressuscitado agora daquela maneira abandeirada e cavalariana, naquele mesmo instante, o Profeta Nazário surdiu de um beco, meio deitado e meio sentado, em seu carrinho de madeira, barbado, paralítico, sujo, esmolambado, fedorento, grisalho, revirando os olhos e com todos os demais atributos de um verdadeiro Profeta sertanejo. Vinha empurrado por sua filha Dina, e dando grandes brados para o Povo. O Doutor Pedro Gouveia, que desmontara do cavalo, entregara ao Juiz Manuel Viana uma procuração, na qual Sinésio o constituíra Advogado, e uma petição que deveria ser anexada aos autos do inventário da herança deixada por Dom Pedro Sebastião. Sinésio e o Frade tinham permanecido montados; e foi quando o Doutor Pedro voltava para junto deles que o Profeta Nazário, empurrado em seu carrinho, desembocou do beco defronte da casa do Juiz, gritando assim:

"Meu Povo, eu vi! Eu vi a Furna da Onça-Pintada, com a Onça de Pedra na entrada, e outra Onça, viva, dentro! Eu vi, eu juro que vi! Na entrada da furna estavam as Coisas todas, pintadas na Pedra: a Onça, o Veado, o Gavião de um lado, e, do outro, a Traíra, o Bode, a Carneira e as Lamparinas de barro, tudo pintado no Preto e no Vermelho! E a Onça estava lá, dentro da Furna, com os olhos de *brasa, cercada de coriscos amarelos e zelações azuis, e um bocado de pedras-lispes encarnadas despencando do céu! Era uma Onça Malhada Cantadeira! Tinha um olho de Pedra-verde e outro de Pedra-encarnada, e, além da cabeça de Canguçu, ela tinha asas e duas cabeças de Gavião! Tinha pau e caceta de Onça-macho e uma carreira de peitos de Bicha-fêmea no bucho, porque ela era a Onça sagrada do Macho-e-Fêmea! Cheguei a ver, de perto, os bicos dos peitos dela, que eram peitos de tarraxa, cada um formado por uma pedra preciosa amarela! Eu vi, eu tive a Visão! Na testa ela tinha uma Coroa, um Diamante enorme, cercado por um cordão de Pedras-verdes e por outro de Pedras-vermelhas! As asas dela eram de navalha enferrujada e o Sol brilhava nelas! O rabo era uma Cobra-Coral, e tanto as pedras dos olhos como as pedras dos peitos tinham poder e azougue. Por isso, se a gente conseguir pegar essa Onça, a gente vai ser tudo feliz, rico, bonito, poderoso e imortal, bebendo o sangue do Sagrado e o Sol de aço das navalhas das Asas dela! Ela me dizia: — Venha, Nazário! Chame o Povo e metam o pé na Estrada, que, se vocês acharem a minha Furna, vão encontrar o Ouro, a Prata e os Diamantes! Ganham a Coroa da Pedra Cristalina, e eu, ainda por cima, faço a felicidade de vocês!"*

Folheto LXI
O Caso do Cego Teológico

Quando terminei de repetir as palavras do Profeta Nazário, o Corregedor disse, com evidente má vontade:

— Pelo que o senhor me contou da aparição do tal Bicho demoníaco na praia do Rio Grande do Norte, vê-se perfeitamente quem foi que meteu essas ideias e essas palavras na cabeça desse pobre demente que o senhor não se envergonha de confessar que explorava, aproveitando-se de sua simplicidade, de sua loucura e do fato de que ele dependia de seu Padrinho! Vê-se, também, quem foi que andou metendo na cabeça do Povo essa história da libertação das onças, no momento em que o Rapaz-do-Cavalo-Branco tocava a buzina!

— Pois se o senhor duvida de mim, pergunte aí a Margarida! Margarida, não é verdade que soltaram umas onças aqui, no meio do Povo, naquele dia? E não é verdade que Nazário gritou para o pessoal que tinha tido uma visagem de Onça?

— É, Sr. Juiz! — disse Margarida, mais uma vez a contragosto. — Agora, se ele falou foi desse jeito, não sei não! Eu, por mim, já ouvi dizer muitas vezes que foi esse homem, aí, que meteu essas coisas na cabeça de Nazário!

— Está vendo? — falou o Corregedor, vitorioso. — O mais que pode ter acontecido é que Nazário tenha ficado impressionado com a libertação das Onças que ele acabara de presenciar, sendo essa a causa dos disparates que disse no momento! Então o senhor, talvez por estilo régio, interpretou tudo a seu modo!

— Foi essa, também, a opinião de Clemente, Sr. Corregedor, apesar de que o nosso Filósofo não deixou de encontrar, logo, um sentido filosófico, etnológico e subversivo para a visagem de Nazário! Mas o Povo sertanejo, incapaz dessas sutilezas, começou, logo, foi a ligar a visão da Onça-Cantadeira à missão que, segundo já se espalhava entre a ralé, Sinésio viria desempenhar na "Guerra do Reino do Sertão"; missão que, segundo o Povo, tinha, evidentemente, ligações ocultas e desconhecidas com as Onças que ele trouxera nas carretas e mandara libertar.

Por isso, a agitação, que já estava grande, começou a fermentar. E viria a crescer ainda mais com um novo incidente, provocado logo depois da fala do Profeta Nazário pelo Cego Pedro Adeodato Sobral, aquele mesmo Pedro Cego a quem Silvestre servira de guia, durante todos aqueles anos da desaparição de Sinésio. Naquele dia, sem que ninguém tivesse se apercebido dele antes, Pedro Cego tinha se introduzido no meio da multidão, de viola a tiracolo e conduzido por um rapaz coberto de andrajos que, de modo semelhante a seu patrão, conduzia uma rabeca. Os dois vinham acompanhados por um cachorro sertanejo, magro, arraposado, escorropichado, amarelo e de grandes orelhas meio-negras, um cachorro que, como soubemos depois, tinha o nome de "Cangati". Vossa Excelência, com certeza, sabe que os cegos sertanejos se agrupam em duas grandes categorias, os insolentes e os teológicos. Os teológicos são humildes, submissos, resignados, religiosos e pedem esmola de joelhos, nas calçadas e portas de igreja, ficando horas e horas ao sol, nessa posição martirizante e profundamente humilde, com um ar de sofrimento milenar, capaz de comover até o coração dos comerciantes. Cantam sextilhas como esta:

> *"O homem que pensa bem,*
> *sabendo se dirigir,*
> *vende a Terra e compra o Céu,*
> *faz escada pra subir*
> *em cima do chão da Terra,*
> *dando esmola a quem pedir."*

— Já os insolentes, aproximam-se de nós, dão-nos, com a mão esticada, uma espécie de facada em cima do fígado, e gritam asperamente: "Me dê uma esmola!" Quando não são atendidos, dizem os maiores desaforos, arregalam os olhos com o polegar e o indicador, exibindo as chagas purulentas e vermelhas que destroçaram seus olhos, e rogam-nos uma terrível praga, desejando que nós terminemos cegos como eles. Cantam assim:

> *"Que o Diabo lá dos Infernos*
> *seja o Deus que te conheça.*
> *Que o Urubu te persiga*

e que teu Sangue esmoreça!
Que te encontre logo a Morte
e cague na tua Sorte
cu da Mula-sem-Cabeça!"

— Pois bem, Sr. Corregedor: havendo essas duas qualidades de Cego, pode-se dizer que aquele, Pedro Adeodato, pertencia, ao mesmo tempo, às duas categorias, pois era um cego insolente sujeito a acessos teológicos. Cegara já adulto, aos vinte e cinco anos, mas tinha sido, antes, um pouco Caçador, um pouco Cangaceiro, um pouco Cantador, um pouco bêbado e arruaceiro. Naquele sábado, aparecera, também, em Taperoá, aonde não vinha há muito tempo. Não fora notado até aquele momento porque entrara na rua vindo da Vila do Desterro, pela estrada da Vila do Teixeira, isto é, exatamente pelo lado contrário ao da estrada de Campina e de Estaca Zero; e, tendo chegado quando as Cavalhadas iam começar, o Povo tivera a atenção desviada pela chegada de Sinésio e das Onças. Agora, porém, ouvindo as palavras do Profeta Nazário, Pedro Cego foi o primeiro a falar, aproveitando o momento de estupefação geral, causado pela comunicação da visagem da Onça-Cantadeira:

— "Eu sei, Nazário, eu sei!" — gritou ele, reconhecendo o Profeta pela voz. — "Eu sei onde é a Furna da Onça-Cantadeira! Quando eu ainda tinha vista e era Caçador, fui, muito tempo, caçador de Onça! Vocês sabem que faca, quando entra em carne de Onça, fica enganchada no sangue e nas fibras da carne da bicha, não sabem? É por isso que, em Onça, só se dá uma facada, porque a carne da bicha tem tanto azougue e se agarra na faca de um jeito, que não tem força humana que tire ela de volta! Pois bem! Um dia, numa caçada de Onça, me lembro que me perdi numa serra cheia de pedras, lá para os lados da Espinhara. Aí, por volta do meio-dia, me enrolei com uma Onça e a luta foi uma das maiores em que já me vi metido. Me lembro de ter dado dezessete facadas na barriga da bicha!"

— Oxente! — interrompeu o Corregedor. — E ele não tinha dito que facada em Onça só se dá uma, porque a carne engancha a faca?

— É verdade, Sr. Corregedor, mas, aqui no Sertão, é coisa sabida que toda história de Onça tem sempre um gaguejado, um pedaço mal contado pelo meio! Tanto assim, que ninguém ligou e Pedro Cego pôde continuar. Ele seguiu contando:

— "Depois das dezessete facadas e de duas horas de luta, a Onça começou a afracar, perdendo sangue, e terminou morrendo. Mas o certo é que, quando a briga acabou, eu estava completamente areado, sem saber onde me encontrava. Andei, perdido, vagando por todo este Sertão velho, três dias! Pra que lado eu andei? Pr'o lado do Mar? Pr'os lados do Piancó? Pr'as bandas do Pajeú? Pr'as do Seridó? Não sei! O que eu sei é que, ao cabo desses três dias, meu Compadre Nazário, eu me achei dentro de uma Serra cheia de furnas e lajedos. Pelos sinais que descrevi dela, depois, todo mundo achou que era a tal da Serra da Pintada! Perdido e com sede, vendo a hora de morrer por acolá, terminei desembocando, no pino do Sol, defronte duma Furna esquisita, com uma espécie de pátio na frente, com o chão de pedra e todo cercado de lajedos. Essas pedras, em roda da Furna, eram todas pintadas com figuras de gente e de bicho. Me disseram, depois, que aqueles bichos tinham sido pintados pelos *Caboclos*, o que eu não sei dizer se era verdade ou não! Agora, que tinha os bichos pintados, isso tinha, eu vi com esses olhos que estão cegos e que a terra há de comer! Era tudo quanto era de bicho, e tudo na maior safadeza! Era Onça comendo Veado, era Onça fudendo com Onça, era Onça fêmea sendo fudida por Gavião macho, era Onça macho fudendo Cabocla fêmea, era Onça fêmea sendo trepada por Veado macho, era o diabo!"

— "E não tinha uma Onça de pedra na entrada da Furna não, Compadre Pedro Cego?" — indagou o Profeta Nazário.

— "Não me lembro direito não, Compadre Nazário, mas era capaz de ter! Eu estava tão perturbado, que sou capaz de ter visto e não me lembrar direito! Mas, agora que você está lembrando, eu estou com ideia de ter visto uma história parecida! Parece que tinha, Compadre Nazário! Tinha, era isso mesmo! Tinha, lá, uma Onça de pedra, com um chifre amolado e envenenado na cabeça e um par de asas nas costas! Tinha, ora se tinha! E aí, quando eu fui me chegando pra perto da boca da Furna, comecei a sentir aquela catinga de Onça que todo caçador conhece e que não engana ninguém! E que diabo de catinga danada era aquela, que eu fui sentindo, e sentindo, e fui ficando meio doido, meio afogueado, vendo maretas, e aí comecei a ver umas faíscas de fogo faiscando pra todo lado, e na mesma hora eu comecei a ouvir a zoada do Mar e uma musga velha e cega, que parecia tocada por viola, pife e rabeca e cantada por mulher com boca fechada! E aí eu olhei pra dentro do escuro da furna, e vi foi dois olhos de fogo olhando pra mim, e a musga ia tocando, e ia me chamando, e eu sabia que, se entrasse lá, aquela Onça ia deixar eu fuder ela, e a trepada minha ia ser tão danada de cachorro-da-molesta que eu ia morrer e ressuscitar três vezes, não mais como eu era, mas sim igual à Onça, ajuntado com ela numa fudida só pelo resto da vida, na trepada mais comprida e gozosa do mundo, uma trepada que não se acabava mais nunca e que durava enquanto o Sol e o sol da Onça durassem! E aí, que diabo de encantação foi aquela, que começaram os estalos das asas e as faíscas de fogo, e de repente, no meio da minha encantação, eu comecei a ter medo, e a pensar que a Onça ia era beber meu sangue e comer minha carne, deixando somente os ossos brancos, debaixo do Sol! Eu queria enterrar os pés e desabar dali, correndo pra trás, mas a musga me tonteava, me chamava pra dentro e eu sentia que ia morrer! Minha sorte foi me lembrar de Meu Padrinho Padre Cícero e da Oração da Pedra Cristalina de Jerusalém, que eu tinha trazido do Juazeiro e trazia sempre amarrada no pescoço, escrita num papel e enrolando uma pedra que eu tinha trazido do chão sagrado da terra do nosso santo Padre, Meu Padrinho! Segurei a pedra na mão direita, e o papel na esquerda, e fui dizendo a Oração, que eu sabia decorada! Aí a musga foi baixando, e meus pés foram ficando menos pesados, até que ficaram maneiros, maneiros! E eu me afastei uns passos da boca da Furna, e as coisas foram melhorando, até que eu pude dar as costas para a Onça e correr de serra abaixo! Corri como um desadorado, como se tivesse vinte e quatro cachorros-da-molesta correndo atrás de mim! Daí em diante, não sei mais o que foi que aconteceu não! Me lembro somente de ter topado numa pedra e caído no chão. Pensei que ia me acabar, foi me dando uma agonia, tive uma oura, fiquei ali, sem dar acordo de mim, não sei quanto tempo, e o certo é que, quando acordei, foi com uns Tangerinos que estavam junto de mim, me dando água misturada com soro-de-coalhada e garapa-de-rapadura. Eles tinham me encontrado perto de uma beira de estrada, a umas vinte léguas do lugar em que eu tinha me perdido, não sei quantos dias depois! Não houve jeito d'eu encontrar, depois de acordado, o caminho que tinha seguido, da Furna até ali, onde acordei. Aí, veio a minha cegueira, e foi quando tive de deixar de banda tudo quanto foi de Onça, caçada e tudo o mais! Mas, se essa Furna e essa Onça são importantes e sagradas como você, Compadre Nazário, acaba de dizer depois de ter visto elas numa visagem, pode ser que eu, saindo de novo para aquelas serras brabas da

Espinhara, acerte a me perder pelo mesmo caminho: e aí, com você me ajudando na procura, com a visagem, quem sabe se a gente não vai bater de novo com os costados na Furna da Onça-Cantadeira?"

Folheto LXII
O Atentado Misterioso

— Essas duas falas, Sr. Corregedor, contribuíram demais para aumentar, no Povo, a impressão causada por aquela sucessão de acontecimentos extraordinários. Foi isso, talvez, o que impediu os Sertanejos de, logo no primeiro momento, reconhecerem no Guia do cego, no homem da rabeca coberto de andrajos, no companheiro e dono do cachorro "Cangati", ninguém mais, ninguém menos, do que o irmão bastardo de Sinésio, Silvestre. Este, por sua vez, só tendo chegado depois à casa do Juiz, não tinha ouvido a declaração do Doutor Pedro Gouveia sobre a identidade do Rapaz-do-Cavalo-Branco. O Frade, porém, ouvindo tudo o que Nazário e Pedro Cego tinham dito, ficou, de repente, com um ar grave e inspirado. E, do alto do seu cavalo, dirigiu-se, um pouco a Nazário, um pouco a Pedro Cego e um pouco para o Povo todo, dizendo:

— "Meus filhos, quantas coisas sagradas e importantes foram pronunciadas aqui, agora! Tudo isso é coisa divina e misteriosa, de modo que vocês devem, antes de tudo, ouvir a palavra da Igreja, representada por mim! O nosso Príncipe-do-Cavalo-Branco vai descansar um pouco na casa que foi de seu Pai. E eu, como homem de Deus que sou, vou para a Igreja, a fim de me preparar espiritualmente, na Vigília, para o dia sagrado de Pentecostes, que será amanhã. Depois de assim preparado pela oração, voltarei para este lugar, daqui a pouco, porque tenho a revelar ao nosso bom e querido Povo coisas da maior importância sobre o nosso Destino, tanto o da terra quanto o do céu!"

— Enquanto o Frade dizia estas palavras, o Doutor Pedro Gouveia tinha montado novamente, juntando-se a ele e a Sinésio; e os três, esporeando os cavalos, começaram a caminhar em direção à velha casa que pertencia aos Garcia-Barrettos, aquela mesma casa que Arésio desprezara, ao regressar, e que permanecera fechada desde 1930, após a morte de El-Rei Dom Pedro Sebastião. Como logo se soube por informação do Doutor Pedro, Sinésio, "ao contrário do irmão ruim, e mantendo-se fiel ao sangue de seu Pai", fazia questão absoluta de ficar morando na velha casa, atitude que logo predispôs ainda mais o Povo em seu favor. Ora, além da velha Casa-Forte da fazenda — moradia primitiva e mais antiga do primeiro Garcia-Barretto sertanejo — a família tinha, realmente, aquela outra, na rua. Os Garcia-Barrettos tinham doado uma parte das suas imensas terras para constituir o patrimônio da primitiva paróquia de Taperoá. Antes disso, porém, tinham separado outro pedaço de terras para a Igreja, erguendo ali, logo, uma Capela dedicada a São Sebastião, que, como sabemos, era o Santo de devoção particular da família, e construindo, também, uma casa pegada à Capela. Nesta casa se hospedaria o santo Padre Ibiapina, nas suas passagens de missionário pelas terras do Cariri. Tudo isso se dera durante o reinado de Dona Maria I, a Louca, avó do Impostor Dom Pedro I, sendo Governador e Capitão-Mor da Paraíba Dom Fernando Delgado Freire de Castilho. Em torno dessa casa e da Capela de São Sebastião é que se tinha edificado a nossa Vila. Os Garcia-Barrettos continuavam a morar na velha casa de Dom José Sebastião, a antiga "Casa-Forte da Torre da Onça Malhada". O casarão da rua era, apenas, moradia eventual da família, quando seus chefes vinham à rua para comparecer às feiras, às Missas, ou para cumprir suas obrigações monárquicas, isto é, para desfilar sob pálios, nas Procissões, para subir aos palanques nas posses dos Prefeitos, seus prepostos, para o dia Sete de Setembro, para as Cavalhadas, para as coroações dos Imperadores do Divino e outras realezas grandiosas do mesmo tipo. Pois era para esse casarão da rua que Sinésio, o Frade e o Doutor iam se encaminhando naquele momento quando, na Rua Grande, sob o portal do chamado "Casarão das Pinhas", avistaram um mendigo que, sentado na calçada, parecia alheio a tudo o que acontecera, e ali estava, com o rosto quase inteiramente coberto por um grande chapéu de palha de abas largas e caídas, e com o corpo inteiramente envolvido por uma espécie de cobertor ou manta colorida, que o cobria até os pés, como se ele estivesse com frio ou adoentado. Sinésio, que fora, ao que parece, o único dos três a dar importância ao mendigo, esbarrou seu belo Cavalo branco — que, segundo soubemos depois, tinha o nome terrível de "Tremedal" — e, junto da calçada, falou com ele.

— Seja o mais preciso que lhe for possível agora, Dom Pedro Dinis Quaderna! — falou o Corregedor. — Deixe de lado, um pouco, o estilo régio, porque esse pormenor é importantíssimo para a elucidação do assassinato de Dom Pedro

Sebastião, da morte e ressurreição de Sinésio, e de toda essa história da — como é que o senhor chama? — da desaventura novelosa e guerreira da tal "Guerra do Reino". Que foi que o Rapaz-do-Cavalo-Branco disse ao mendigo?

O assunto era perigoso, de modo que procurei tergiversar e falei vagamente:

— Excelência, isso tudo aconteceu há três anos, e até hoje ninguém chegou verdadeiramente a um acordo sobre quais teriam sido exatamente as palavras trocadas entre os dois. Uns dizem que Sinésio apenas ofereceu uma esmola, que teria sido recusada pelo mendigo. Outros dizem que ele falou no Testamento e no Tesouro, ambos deixados por Dom Pedro Sebastião, indagando alguma coisa sobre o Roteiro perdido desse Tesouro. E, finalmente, a maioria diz que Sinésio teria feito alusões misteriosas ao Reino e à sua Missão, o que não deixa de ser estranho, diante da aparente insignificância daquele mendigo.

— E qual é *sua* opinião pessoal sobre essas três versões?

— Excelência, eu não tenho opinião nenhuma, e, na dúvida, passo a história adiante pelo preço que me venderam! Dizem que as palavras que Sinésio proferiu foram as seguintes: "Meu Velho, posso fazer alguma coisa para ajudar você? Vim por causa do Crime, da Herança e do Reino! Você sabe alguma coisa sobre o Caminho e o Roteiro? Onde é que eu posso falar com Antônio Villar?"

— Como? — disse o Corregedor, quase pulando, de novo, da cadeira. — Antônio Villar? Ele perguntou por Antônio Villar? Anote, Dona Margarida, esse pormenor é importantíssimo! O senhor sabia, Dom Pedro Dinis Quaderna, que Luís Carlos Prestes, o Chefe dos comunistas brasileiros, mais ou menos por esse tempo estava entrando no Brasil secretamente, vestido de Padre, e adotando exatamente esse falso nome de Antônio Villar?

— Naquele momento, eu ainda não sabia disso não, Sr. Corregedor, mas soube logo mais, à noite, por intermédio do Comendador Basílio Monteiro! Mas, no caso de Sinésio, permanece uma dúvida. A maior parte das pessoas, aqui, acredita que não foi a Luís Carlos Prestes que ele se referiu, porque existe também, aqui na Vila, um Fazendeiro com esse nome, pertencente à mesma família do Contra-Almirante Frederico Villar.

— Está bem, tudo isso será apurado! E que foi que o mendigo respondeu a Sinésio?

— Dizem que ele respondeu assim: "Não senhor, não sei onde é que o senhor pode encontrar esse homem não, nem tenho o Dinheiro nem nada! Perdoe!"

— É estranho, não? — disse o Corregedor. — Primeiro, se fosse do fazendeiro que Sinésio tinha falado, o mendigo saberia dar a informação, porque esse Antônio Villar, o daqui, é conhecido de todo mundo. Depois, comumente, são os mendigos que nos pedem dinheiro e nós é que respondemos: "Não tenho agora não, perdoe!"

— Pois se não aconteceu assim, foi assim que me contaram essa parte, Sr. Corregedor! Dizem ainda que, então, Sinésio olhou demoradamente o mendigo, sem dizer mais nada, porém. Após um momento, esporeou o "Tremedal", muito levemente, com grande delicadeza, como sempre fazia para não feri-lo, segundo soubemos depois. Ele, o Frade e o Doutor tomaram, de novo, o caminho do casarão dos Garcia-Barrettos, que ficava ali perto, pegado à Capela (hoje Igreja de São Sebastião). No momento, porém, em que os três iam chegando na esquina da Rua Grande com a Praça onde teria se realizado a Cavalhada, o mendigo com quem ele acabara de falar ergueu-se sobre um joelho, puxou, de dentro da manta que o cobria, um rifle, já engatilhado, e atirou no Rapaz-do-Cavalo-Branco. Poucos segundos antes, no entanto, o cavalo "Tremedal" tinha topado ligeiramente numa pedra, baixando e reerguendo logo a cabeça, por causa da topada. Sinésio curvara-se para afagar o pescoço do animal, significando-lhe, assim, que aquela topada involuntária dada por ele em nada prejudicara seu dono: foi esse gesto de afeição ao belo animal que salvou a vida de Sinésio, sobre cuja cabeça a bala passou zunindo, indo se cravar adiante, na fachada da Capela.

— Me diga uma coisa, Dom Pedro Dinis Quaderna: na sua opinião, o pessoal que mandou emboscar o rapaz na estrada foi o mesmo que mandou o mendigo atirar nele na rua?

— O Povo por aqui acha que foi a mesma gente, Sr. Corregedor!

— E quem foram os mandantes?

— Dizem que foi o rico e poderoso Antônio Moraes, acrescentando alguns que ele ordenou tudo por inspiração do filho, Gustavo Moraes, e com o consentimento de Arésio Garcia-Barretto, irmão de Sinésio! Mas nada disso ficou bem esclarecido, Sr. Corregedor, de modo que volto aos acontecimentos provados e sucedidos diante de todo mundo. O falso mendigo, vendo que falhara no primeiro tiro, pôs-se rapidamente de pé. Viu-se, então, que ele não tinha nada de velho: era um rapaz moço, forte e mal-encarado. Manejando o rifle, que era um Cruzeta *casca-de-banda*, levou de novo a arma à cara e correu na direção de Sinésio, que parara o cavalo e se voltara para o lugar onde tinha soado o estampido. Mas enquanto o rifle era manejado, o Doutor Pedro e o Frade já tinham tomado as primeiras providências para defender o pupilo. O Doutor Pedro puxou uma pistola e esporeou o cavalo para cima do *Cabra*. O Frade, não conseguindo desafivelar logo o mosquetão que trazia às costas, compreendeu, porém, a intenção que movia o outro e impeliu também seu cavalo, a fim de, atropelando o homem do rifle, atrapalhar o segundo tiro. E foi o que aconteceu: perturbado com aquele tropel dos cavalos que vinham em sua direção ameaçando pisá-lo, o homem, que parecia visar somente Sinésio em sua tentativa, errou também o segundo tiro. Então, com velocidade surpreendente, o Cabra aumentou a carreira em que vinha, livrou-se agilmente dos cavalos e, cruzando com o Doutor e o Frade, correu na direção de Sinésio. No aperto em que se encontrava, não pudera colocar terceira bala na agulha, e tudo indicava que sua intenção era lançar-se sobre Sinésio, agora para esfaqueá-lo. O Doutor Pedro, porém, esbarrando o cavalo, voltou-se e disparou a pistola sobre o Cabra. Este percebeu, então, que não havia mais jeito: a tentativa falhara de vez, porque ele fora ferido, se bem que levemente, e agora os dois vinham de novo sobre ele. Jogando fora o rifle para poder fugir mais velozmente, correu ele então pelo Beco da Igreja, na direção da Rua da Usina. Enquanto isso, o Frade conseguira finalmente desafivelar o mosquetão, e estava mirando o cabra que corria, quando o Doutor Pedro gritou: "Frei Simão, não atire não! Vamos pegar o Cabra vivo, para ele revelar por quem foi mandado!"

O Corregedor interrompeu de novo, com aquela mesma expressão aguda e cortante:

— Um momento, Senhor Dom Pedro Quaderna! O senhor tem certeza de que foi pelo nome de Frei Simão que o Doutor Pedro Gouveia tratou o tal Frade?

Ah, nobres Senhores e belas Damas! Vossas Excelências, que conhecem a história da Pedra do Reino, bem sabem o que este nome de Frei Simão significava para todos nós, pois Frei Simão era o nome sagrado e profético do nosso parente Manuel Vieira, o Moço, aquele mesmo que, em 1838, tinha presidido, como sacerdote, às degolações ordenadas por meu bisavô, Dom João II, O Execrável! Esfriei de novo, sem saber até que ponto o Corregedor conhecia o que esse nome de Frei Simão significava para nós. Mas, do jeito que falara, parecia que ele quisera, apenas, documentar o fato para que Margarida o anotasse. Assim, resolvi não entrar em maiores esclarecimentos; limitei-me a responder:

— É verdade, Sr. Corregedor: foi pelo nome de Frei Simão que o Doutor Pedro chamou o Frade. A narração dos acontecimentos que se seguiram então é, também, mais ou menos contraditória. Num ponto, porém, todos estão de acordo: foi nesse momento que, lá de longe, do Tabuleiro que fica entre o leito seco do Rio Taperoá e a Estrada de Estaca Zero, começaram a aparecer uns sinais luminosos, acendendo e apagando em direção à Rua da Usina. Pareciam sinais feitos com um espelhinho que alguém manejasse no meio do Tabuleiro, escondido entre as pedras e os Xiquexiques, acendendo e apagando o sol do espelho com a mão.

— Muito bem, Dom Pedro Dinis, veja agora o que vai me dizer, porque esse ponto é muito importante! Se da Rua da Usina se vê essa parte do Tabuleiro, é lógico que, de lá, se vê a Rua da Usina, não é verdade?

— É, sim senhor!

— Pois me diga outra coisa: o tal lajedo, que o senhor frequenta, não fica entre o Tabuleiro e a Estrada, dominando a Vila a cavaleiro?

— Fica, sim senhor!

— Muito bem! Dona Margarida, anote essa confissão do depoente, ela é importante para a elucidação de tudo!

Novamente a boca do meu estômago se contraiu, apertando mais o nó. Foi com dificuldade que continuei:

— Quando os sinais de sol começaram a se acender e se apagar no meio do Tabuleiro, o Cabra, que já tinha atingido a Rua da Usina e parecia ter a intenção de correr para os lados do Chafariz, margeando a areia do Rio, mudou subitamente de intenção, e, descendo o Cais, começou a descer para o leito do Rio Taperoá, como se quisesse ir para o Tabuleiro, ao encontro da pessoa que manejava o espelho. O Doutor Pedro e Frei Simão iam chegando já à Rua da Usina, quando, de repente, o Cabra pareceu tropeçar na carreira em que ia e caiu de bruços na areia do Rio. Frei Simão e o Doutor Pedro apearam-se junto do Cais e começaram a descer cautelosamente, com as armas apontadas para o Cabra, como se temessem uma cilada de sua parte. Mas, quando chegaram perto, viram que o homem estava em convulsões, com uma perna que se estirava e se encolhia, enquanto o sangue saía, às golfadas, pelo buraco que uma bala lhe abrira mesmo em cima do fígado. Foi aí que se verificou que a bala do tiro do Doutor Pedro tinha pegado somente o ombro dele, por trás.

— E o tiro que matou o Cabra, tinha vindo de longe?

— É o que tudo indica, Sr. Corregedor, porque ninguém ouviu o tiro na rua. Devem ter atirado nele provavelmente com um fuzil munido de luneta, porque o tiro foi acertado com grande precisão. Quanto à pessoa que tinha atirado, deve ter fugido logo, com grande rapidez, pois os que correram para as proximidades do lugar de onde tinham vindo os sinais luminosos não encontraram ninguém.

— De onde o senhor acha que partiu o tiro?

— Dizem, aqui na rua, que foi do meio do Tabuleiro, do mesmo lugar de onde vinham os sinais do espelho. O senhor, o que é que acha?

— Eu não acho nada, estou somente investigando o caso. Continue!

— O que eu tenho a narrar d'agora em diante é pouca coisa, Sr. Corregedor! Esses, que já contei, foram os acontecimentos principais que marcaram, entre nós, o reaparecimento de Dom Sinésio, o Alumioso. O Povo, que tinha acorrido todo para a Rua da Usina, esperava, silencioso, a volta do Doutor Pedro e de Frei Simão, como que aguardando uma explicação ou uma palavra de ordem que desse sentido a todos aqueles acontecimentos. O Doutor Pedro Gouveia, que parecia homem dotado para essas situações, não se negou a isso. E, do alto do seu cavalo, falou, com certa imponência:

— "Povo de Taperoá! Aquele rapaz, desaparecido daqui em 1930, maltratado por cruéis inimigos, que mataram seu Pai e o raptaram no mesmo dia; aquele rapaz, tão querido por todos os Pobres do nosso Sertão, voltou hoje aqui para reivindicar seus direitos *sagrados*! Há interesses poderosos, aliados contra ele e contra seus direitos! Como vocês viram, mal ele vai chegando à terra que para ele se tornou *sagrada* por causa do sangue de seu Pai, tentam matá-lo, para impedir o Moço-do-Cavalo-Branco de fazer a felicidade da Pobreza! Sozinho contra todos, raptado, perseguido, encarcerado, maltratado, órfão, agora ameaçado de morte, com quem poderia ele contar, senão com o Povo, esse Povo bom, sofredor e pobre, do Sertão? Foi sempre ao lado desse Povo que ele esteve, foi sempre a seu lado que ele *apareceu*, e é isso que os seus inimigos não perdoam! Por isso, eu e Frei Simão, protetores e amigos do Rapaz-do-Cavalo-Branco, pedimos a ajuda do Povo Sertanejo para Sinésio Garcia-Barretto!"

Folheto LXIII
O Encontro de Dois Irmãos

— Sem que ninguém notasse, Sr. Corregedor, Sinésio — que se apeara do cavalo junto à Igreja — tinha se aproximado e ficara por trás do Povo, segurando "Tremedal" pela rédea, ao mesmo tempo que o abraçava pelo pescoço. O Doutor Pedro, que o vira chegar enquanto falava, resolveu então causar efeito sobre o Povo: e, ao pronunciar suas últimas palavras, apontou, com gesto magnífico, sua mão espalmada em direção ao pupilo e protegido. Todo mundo se voltou para o rapaz, e foi enorme a sensação causada pela peroração do Doutor. Foi nesse momento que, do meio do Povo, surdiu Silvestre, o irmão bastardo de Sinésio, acompanhado por Pedro Cego e "Cangati". Ele ouvira, finalmente, a revelação do *fato espantoso* e, vendo o Doutor apontar seu irmão mais moço, precipitou-se para ele, puxando o Cego, que o acompanhava como podia, ambos às quedas e tropeções.

— "Sinésio?" — indagou ele, esgazeado. — "O senhor disse *Sinésio*? Pelo amor de Jesus Cristo e de Nossa Senhora! Você é Sinésio? É Sinésio, mesmo? Eu sou Silvestre! Sou Silvestre, seu irmão!"

— Ao ouvir essas palavras, Sr. Corregedor, dizem que Sinésio, profundamente emocionado, deu um passo para o irmão, o que foi suficiente para que os dois ficassem face a face. Silvestre parou e sua imobilidade era tanto maior quanto tinham sido grandes os tropeções e carreiras até ali. Dizem que, colocando as duas mãos nos ombros de Silvestre, Sinésio disse algumas palavras em voz baixa e com os lábios trêmulos...

O Corregedor interrompeu:

— Já ouvi outra versão, segundo a qual esse Rapaz-do-Cavalo-Branco não disse nada nesse momento! Dizem que ele teria ficado imóvel, emocionado, com as mãos nos ombros do outro e olhando seus olhos, isso durante uma boa porção de tempo, até que o tal do Frei Simão interrompeu a cena!

— É, tem umas pessoas por aí que contam assim! — expliquei. — Mas outras, fidedignas, me contaram que, pelo contrário, Sinésio falou, dizendo:

"Então, Silvestre, ainda me conhece? Sou Sinésio! Sou eu, meu irmão!" E os dois se abraçaram, chorando. É verdade que, logo no dia seguinte, surgiram várias versões do acontecido, dizendo logo os partidários de Arésio que as palavras não tinham sido exatamente essas!

— Há quem diga, mesmo, que, em vez de Silvestre, o Rapaz-do-Cavalo-Branco teria chamado seu pretenso irmão de Silvério!

— É, mas muita gente, também, diz que ele acertou e chamou o irmão foi de Silvestre, mesmo! E mesmo que não tivesse acertado, Sr. Corregedor, os sofrimentos podem tê-lo perturbado um pouco, causando o erro! O senhor pensa que ver o Pai assassinado, ser raptado no mesmo dia, ser preso sem culpa nenhuma, ser soterrado, morrer de fome, solidão e desespero, e, ainda por cima, ressuscitar numa estrada sertaneja, é alguma brincadeira? De qualquer modo, sei que Silvestre, abraçado ao pescoço do irmão, dizia: "Meu Deus, será verdade mesmo? Será que Sinésio está vivo? Sim, é ele, meu coração me diz que é!" Só no outro dia é que começaram a aparecer outras versões! Naquele momento inicial, porém, ninguém cuidava de saber exatamente o que se dissera ou não: o Povo já estava, também, todo em prantos, conduzido por Frei Simão e pelo Doutor Pedro, os quais, assim que tinham visto os dois irmãos se abraçarem, tinham puxado os lenços e, cobrindo o rosto, haviam começado a chorar convulsivamente, numa emoção que imediatamente contagiou todo mundo!

— É verdade que Frei Simão, ao ouvir o nome de Silvestre, teria dito umas coisas estranhas, que ninguém entendeu direito, mas que tiveram uma repercussão enorme perante o Povo?

Esfriei de novo, aterrorizado, porque aquilo era, novamente, ligado ao grande segredo da minha vida — minha linhagem real paterna. Pegado de surpresa, fiquei, durante um momento, olhando o Corregedor, sem nada responder. Ele insistiu:

— O que foi que Frei Simão disse?

— Sei não, Excelência! — falei, tentando escapar. — Também não entendi direito aquelas doidices não! Dizem que, depois de ter chorado em quantidade suficiente para emocionar e abalar o Povo, Frei Simão conseguiu se dominar! Aí, chegando seu cavalo para junto dos dois irmãos, apeou-se e caminhou para eles. Dizem que Sinésio, tomando o irmão pelo braço, apresentou-o ao Frade, dizendo:

"Frei Simão, este aqui é meu irmão, o segundo, aquele que era pegado comigo e que eu lhe disse que ficaria do nosso lado, de qualquer jeito! É Silvestre!" Dando mostras de um espanto visível para todos, Frei Simão arregalou os olhos e gritou: "O quê? Como foi que você disse? Você disse, aí, *Silvestre*, foi, Sinésio? Rapaz, você se chama *Silvestre*? Pergunto porque, se você se chama, mesmo, Silvestre, o Doutor Pedro precisa saber disso imediatamente!" E então, excitado, falando alto para que o Povo também ouvisse, o gigantesco Frei Simão gritou para o companheiro que se aproximava: "Doutor Pedro, chegue aqui pelo amor de Deus! Veja se o nosso Sinésio não é, de fato, uma criatura de Deus! Veja se tudo isso não é coisa divina, coisa do Divino Espírito Santo! Olhe, veja quem está aqui, ressuscitado: Silvestre, o Guia, aquele mesmo Rei e Profeta da Serra do Rodeador! É o nosso Silvestre Quiou, O Enviado!" O Doutor Pedro Gouveia, ouvindo que aquele rapaz, moço daquele jeito, era o mesmo Profeta aparecido na "Guerra da Serra do Rodeador", abriu a boca, arregalou os olhos e persignou-se, murmurando: "Ave Maria! Minha Nossa Senhora! É coisa do Divino Espírito Santo, isso não tem pra onde!" Depois disso, sem dizer mais nada, ficou olhando o Povo assombrado, enquanto brincava, de modo aparentemente casual e descuidoso, com a Cruz meio episcopal que lhe pendia do pescoço, amarrada a uma larga fita amarela e branca. Quanto a Silvestre, sem ligar importância ao que o Frade e o Doutor estavam dizendo, limitava-se a repetir mais ou menos o que tinha dito: "Mas meu Deus, será verdade mesmo? É verdade, tudo me diz que é verdade! Sinésio ressuscitou, e ressuscitou, com ele, o sangue de meu Pai! Louvado seja Nosso Senhor Jesus Cristo! Sinésio ressuscitou, ressuscitou o Prinspe da Bandeira do Divino do Sertão! Louvado seja Nosso Senhor Jesus Cristo!" "Para sempre seja louvado!" — começavam, já, a repetir, em coro, os Sertanejos, sempre meio dispostos a uma boa ladainha. Então, Sr. Corregedor, sucedeu um outro fato mais ou menos inesperado. De repente, Silvestre, certamente impressionado com tudo o que acontecera, ajoelhou-se na poeira do chão e beijou a mão do ressuscitado, o que terminou por desgarrar, de vez, tudo quanto era fanatismo sertanejo represado. Tudo poderia, aliás, ter continuado assim, nesse tom *régio*, o que me permitiria, logo de início, manter o timbre heroico, trágico e epopeico da minha história. Infelizmente, porém, devo ser verídico, e, naquele momento, Pedro Cego interveio, atrapalhando o final da cena com um daqueles "ataques de insolência" que, nele, costumavam sempre alternar-se com os teológicos. Mal Silvestre se erguia, o terrível Cego lhe caía em cima, dando-lhe, com a ponta do cajado, uma estocada nas costelas: "Que é que você está fazendo aí, seu safado, se esfregando na poeira, como um jumento, e obrigando essas pessoas ilustres a perder tempo? Venha logo, aqui, cantar um negócio comigo, peste! Quer ganhar a vida sem trabalhar, é? Pra que é que eu pago a você, hein, seu corno? Chegue, vamos cantar, aqui, uma toada, que é pra esse Doutor, aí, me dar uma esmola!" Pegando então na viola, Sr. Corregedor, ele deu em suas cordas uma vigorosa batida-de-ponteado, logo seguida de um pinicado bem marcado e forte. Ouvindo isso, e como se nada tivesse acontecido, Silvestre retirou a rabeca das costas. De seu rosto, tinham-se apagado completamente todos os sinais de emoção epopeica, motivo pelo qual esse final de cena talvez seja cortado da minha Obra. Foi já rindo que ele desferiu, também, nas tripas de gato de sua rabeca sertaneja, um toque violento, áspero e fanhoso. Então, sem que ninguém tivesse previsto — mas também sem espanto nenhum de ninguém —, os dois iniciaram, depois de breve confabulação, a desafio-de-memória e em homenagem a Sinésio, o seguinte romance-de-loa, em estilo narrativo:

> *"Quem quiser ter seu sossego,*
> *deixe a minha Companhia,*
> *pois minha Mãe me pariu*
> *numa áspera Caatinga!*
> *Armas, rifles e Cavalos,*
> *serra abaixo, serra acima,*
> *e os Ciganos me furtaram*
> *em terras de Mouraria!*
> *Quatrocentos me matavam,*
> *quatrocentos defendiam,*
> *até que me sepultaram*
> *numa Cadeia que havia!*
> *Um Gavião me educou,*
> *um Cervo me salvaria,*
> *sete anos bebi leite*
> *da feroz Onça parida,*

outros sete comi Pão,
sete, o Vinho da bebida!
Três vezes sete, vinte e um,
e eis que o Morto volta à vida!
Por sete anos fui preso
e ainda lá estaria,
não fosse o sangue do Rei
que me ressuscitaria!"

Tocata
Os Doidos

Folheto LXIV
A Cachorra Cantadeira e o Anel Misterioso

Quando eu acabei de recitar esse enigmático "romance", o Corregedor falou:

— Dom Pedro Dinis Quaderna, eu, se fosse o senhor, cortava essa versalhada da sua futura Epopeia, porque ela parece uma charada, uma espécie de logogrifo em verso!

— Pois é exatamente por isso que ela deve entrar, Sr. Corregedor! Essa palavra que o senhor usou, "grifo", é exatamente a prova de que esses versos são indispensáveis à minha Epopeia!

— Por quê? — perguntou ele, espantado.

— Por causa de Homero, Excelência! Não quero, nem devo, esconder a Vossa Excelência que, depois de conseguir da Academia Brasileira de Letras o título de "Gênio da Raça Brasileira", pretendo disputar, no vasto Império da Literatura Universal, o cargo, também ainda vago, de "Gênio Máximo da Humanidade"! Ora, assim como fiquei com uma certa "cisma" com o Conselheiro Ruy Barbosa em relação ao primeiro título, tive também, a princípio, uns certos sobressaltos com Homero, para o segundo: foi quando li nas *Postilas de Retórica e Gramática*, publicadas em 1879 pelo Doutor Amorim Carvalho, que, de todos os Poetas, "o primeiro, no tempo e na glória, é Homero". Esse Doutor foi "retórico" do Imperador Dom Pedro II. Mesmo sendo Pedro II um impostor e usurpador, essas coisas de monarquia são muito sérias, de modo que o cargo de "Retórico Imperial" é venerável e a palavra do Doutor Amorim Carvalho não é brincadeira! Por isso, quando li isso, fiquei meio cego de terror, com medo de que aquele peste de grego tivesse se antecipado e me tomado o cargo. Mas Clemente e Samuel me tranquilizaram um dia, provando-me, primeiro, que Homero não existiu — opinião de Clemente — e, depois, que tinha mau gosto e era incompleto — opinião de Samuel. É evidente que, para uma pessoa ser nomeada "Gênio Máximo da Humanidade", precisa, primeiro, existir! Depois, segundo o Doutor Amorim Carvalho, uma Obra, para ser clássica, precisa ser *completa*, sem o quê nem é *modelar* nem de *primeira classe*! Homero, além de não ter existido, era incompleto: como pode, portanto, ser o "Gênio Máximo da Humanidade"? Apesar disso, porém, Sr. Corregedor, resolvi tomar certas precauções contra ele, e a presença, em minha Epopeia, do "enigma grifo-esfingético em versos" que lhe recitei é uma delas!

— A senhora está entendendo, Dona Margarida? Eu estou tendo alguma dificuldade! — disse o Corregedor.

— Pois explico tudo em dois minutos! — disse eu, com boa vontade. — O suplemento anual do *Almanaque* chama-se "Édipo". O primeiro número dele, explicando a razão do título, contou o mais famoso enigma do povo de Homero, os Gregos — aquela charada que a Esfinge propôs a Édipo, Rei de Tebas. A tal da Esfinge era um cruzamento de grifo com leoa. Ou, melhor, em termos sertanejos, um cruzamento de Onça, Cavalo e Gavião. Devia ser meio mordida-de-cachorro-da-molesta, porque só mordida é que uma bicha podia ser faminta daquele jeito, Sr. Corregedor! Ela devia ter alguma Cobra esfomeada na raiz do sangue, ou então tinha comido Canário doido em pequena, troço que, como o senhor sabe, é a coisa que dá mais fome-canina no mundo! A Esfinge perguntava a quem passava perto dela: "Qual é o bicho que, quando é pequeno, tem quatro pés, depois tem dois e morre com três?" Quem não respondia, ela comia, com osso e tudo! Quando chegou a vez de Édipo, ele respondeu, tornando-se, desde então, patrono dos charadistas e decifradores: "Esse bicho é o Homem, que, quando é pequeno, engatinha de quatro pés, depois passa a andar com dois, e finalmente, já velho, apoia-se numa bengala que passa a ser seu terceiro pé." A Esfinge, vendo decifrado seu logogrifo, teve uma raiva tão da gota-serena que estourou o alferes-queiroz lá dela, teve um infausto-do-leocádio e morreu! Ora, Sr. Corregedor, pra mim, esse grande enigma dos gregos e de Homero é uma merda completa! Primeiro, nem todo velho anda de bengala! Aqui mesmo, em Taperoá, conheço o Coronel Chico Bezerra que nunca precisou de bengala e anda teso, duro, espigado, como se tivesse engolido uma! Depois, nem todo homem adulto anda com dois pés: existe o "perneta" que anda com uma perna só, e existe o chamado "cotó" que não anda com perna nenhuma! Finalmente, nem todo menino engatinha de quatro pés: já vi muito menino por aí que começa a vida engatinhando de bunda, arrastando o zebescuefe no chão! É por isso que, modéstia à parte, minha charada epopeica, o logogrifo em versos que vai iniciar minha Epopeia, é muito superior ao enigma-mor dos Gregos, povo de Homero!

— E qual é a decifração do seu enigma? — indagou o Corregedor.

— Excelência, a meu ver o logogrifo que Pedro Cego e Silvestre cantaram é a própria história de Sinésio, O Alumioso! Acho que isso é claro para qualquer bom decifrador!

— Claro? — protestou o Juiz. — Sua charada é ainda mais mal-armada do que a da Esfinge! Quer ver uma coisa? Nos versos, fala-se em quatrocentos Ciganos, e os que trouxeram o Rapaz-do-Cavalo-Branco eram quarenta!

— Por isso não, Excelência! Esses aumentos fazem parte do próprio estilo epopeico! Homero, mesmo, aumenta extraordinariamente o número de Cangaceiros gregos comandados pelos Reis lá dele; e, em Canudos, Euclydes da Cunha faz o mesmo, tanto para o lado do Exército quanto para o lado dos Sertanejos!

— Está bem, vá lá! Mas, no seu Enigma, tem coisa ainda pior! Me diga uma coisa: como é aquela parte que fala nos anos em que Sinésio esteve sumido?

— *"Três vezes sete, vinte e um, e eis que o Morto volta à vida!"*

— Em que ano nasceu Sinésio?

— Em 1910, veio com o cometa!

— Então, em 1935, ele estava com vinte e cinco anos, e não com vinte e um!

Eu, que, sentindo minha angústia aumentar, estava já doido para ir-me embora, aproveitei para ver se terminava meu depoimento e disse:

— Mas Sr. Corregedor, que vocação extraordinária de decifrador é a sua! O senhor tem toda razão, e vou é desistir desse enigma besta, na minha Epopeia! De qualquer modo, agradeço a colaboração que o senhor me deu, e aqui me despeço, porque já lhe contei o que aconteceu de mais importante, na chegada de Sinésio a Taperoá!

— Já mesmo, Dom Pedro Dinis Quaderna? — disse o Juiz com ar venenoso. — Tem certeza? O senhor já contou tudo? Tudo mesmo? Não escondeu nenhum dado fundamental?

— Não senhor! Do que eu me lembro, assim, já contei tudo!

O Corregedor respirou fundo e atirou:

— Pois aqui na Vila houve gente de coração mais aberto do que o seu; gente que me disse, entre outras coisas, que o senhor, naquela hora em que aconteceu tudo, estava justamente no tal Lajedo de onde se avista a Rua da Usina e o rio, e de cujas proximidades partiu o tiro que matou o "cabra"!

* * *

Aterrado, fiquei olhando para o Corregedor, sem encontrar coisa alguma para dizer. Aquela simples frase dele mostrava-me que a teia amaldiçoada da qual eu pensava já ir saindo estava apenas começando a me enredar. Fiquei atordoado. Quando, afinal, consegui falar, perguntei com voz insegura:

— O senhor recebeu alguma denúncia contra mim?

— Quem tem o direito de fazer perguntas aqui sou eu, e não o senhor! Mas, fazendo uma exceção, vou responder a essa, sua. Acontece que recebi uma carta anônima que o denuncia como implicado em todo este caso. A carta abre uma questão muito grave, porque nela se afirma que todo o caso do fazendeiro Pedro Sebastião e de seu filho Sinésio tem estreitas ligações com a Revolução que os comunistas tentaram em 1935 e que, até agora, não desanimaram de levar adiante! A carta está aqui! — acrescentou ele, folheando seus papéis e exibindo o documento, que se absteve de me dar.

Perguntei:

— Sr. Corregedor, a letra da carta é de homem ou de mulher?

— É impossível saber isso!

— Por quê? É letra de máquina? — perguntei, olhando de través para Margarida.

— Não, mas a pessoa que escreveu a carta imitou, nela, as letras maiúsculas de imprensa.

— E o que é que a carta diz, Excelência?

— Ah, diz muita coisa, Dom Pedro Dinis Quaderna! Diz várias coisas que eu irei lhe perguntando e que o senhor irá me explicando, à medida que o inquérito se desenrole! Por enquanto, porém, saiba o senhor que, aqui, lhe fazem quatro acusações graves! Primeiro, dizem que a viagem que o senhor organizou, com um Circo, em 1935, depois da chegada de Sinésio aqui, tinha como fim oculto encontrar o tesouro deixado por Dom Pedro Sebastião. Segundo o denunciante, esse tesouro tinha sido amontoado por seu Padrinho como resultado dos negócios dele com "o gringo Edmundo Swendson" no ramo das pedras preciosas, de maneira que era uma fortuna incalculável, em diamantes, topázios e águas-marinhas. Diz-se também, na carta, que, além das pedras preciosas, seu Padrinho, ajudado por suas artes de Astrólogo e quiromante, tinha encontrado dois caixões enormes, abarrotados de moedas de ouro e prata, dinheiro português e espanhol, enterrado no tempo dos flamengos. Diz-se que Dom Pedro Sebastião tinha enterrado essa fortuna numa furna sertaneja que ninguém sabe onde se encontra, com exceção do senhor, pois consta textualmente da carta que "somente o dito Pedro Dinis Quaderna é capaz de dizer alguma coisa sobre o roteiro do tesouro". Ora, esse tesouro é ponto importante para a decifração do caso, porque, segundo diz a carta, quando o senhor se juntou a Sinésio, naquela viagem, o principal objetivo dos dois era encontrar o tesouro que financiaria a Revolução, em sua parte sertaneja. A segunda acusação grave que se faz aqui é que o senhor, na mesma noite em que Sinésio chegava à Vila, propiciou, na sua estalagem e casa-de-recurso, um encontro entre seu primo, Arésio Garcia-Barretto, e um tal Adalberto Coura, sujeito que morava no sótão da estalagem e que não saía nunca, porque estava escondido da Polícia. Dizem que, ao mesmo tempo, o senhor enviava a Sinésio um pacote de papéis que, segundo uns, continha o roteiro do tesouro, e, segundo outros, uma porção de documentos subversivos que lhe tinham sido entregues por Adalberto Coura "da parte de um tal Antônio Villar, nome usado por Luís Carlos Prestes, chefe dos comunistas brasileiros". Finalmente, a outra acusação, a mais grave de todas, diz que o senhor foi o principal culpado do assassinato de seu Padrinho, o fazendeiro Dom Pedro Sebastião! Me diga uma coisa: essa história do tesouro e do Circo é verdade?

— É, sim senhor! Havia o tesouro, e eu organizei, mesmo, um Circo para que nós todos pudéssemos viajar pelo Sertão, com Sinésio, O Alumioso, meu sobrinho, o Rapaz-do-Cavalo-Branco! Desde menino que eu era entusiasmado com circo, por causa do "Circo Arabela" e do "Circo Estringuine" que andavam por aqui, com moças equilibristas de coxas maravilhosas, com Onças, com fitas de Cinema e peças de Teatro. Foi num Circo que eu vi uma fita, *A Carne*, com aquela mulher extraordinária, Isa Lins. Foi aí que travei conhecimento com Grácia Morena, mulher de cara sexual, que aparecia com ousados decotes abertos entre os peitos. Vi *O Guarani*, que depois, como *A Carne*, leria sob forma de romance. Vi *Sangue de Irmãos*, de Jota Soares, "filme de aventuras, de costumes sertanejos". Vi *Reveses*, de Chagas Ribeiro, que me deixou entusiasmadíssimo, porque nele apareciam cavalos e Vaqueiros, como nos romances sertanejos cavalarianos e bandeirosos. No "Circo Arabela", porém, o que mais me entusiasmava não eram propriamente os Cavaleiros, fazendo piruetas em cima de cavalos. Era a própria Arabela, mulher belíssima, de coxas nuas, com as calcinhas aparecendo, em cima do arame ou equilibrando-se em cima dum cavalo. Vi-a fazendo um número em que ela se espichava em cima de uma Onça e depois a Onça se espichava em cima dela. Foi no Circo que vi um teatro maravilhoso, uma peça chamada *O Terror da Serra Morena*, com assunto tirado de um "folheto". E vi os Palhaços, com o Palhaço Sabido e o Palhaço Besta, de fofa e de gola branca. Mas, sobretudo, foi no Circo que eu e Arésio, pela primeira vez, conhecemos mulher, numa noite, depois do espetáculo. Arésio, com seu prestígio de rapazinho rico e vigoroso, conseguiu duas moças-do-arame, a mais bela para ele, a menos bela para mim, de modo que nós fomos iniciados nos camarins, com as luzes apagadas, separados apenas por cortinas, pelas paredes de pano que serviam aos cubículos. Depois, quando me fiz adulto, tornei-me Chefe de cavalhadas, de autos de guerreiros, de Bumba-meu-boi, de Nau Catarineta etc. Mas tudo isso vive parado, só aqui na Vila. Por isso, eu sonhava em me tornar dono de Circo. O Circo era o jeito que eu tinha de transformar toda essa Literatura, todo esse Teatro-de-rua em Literatura-de-estrada, isto é, uma Literatura cavaleira e epopeica, que nos tornasse, a todos nós, heróis errantes pelas Estradas e caatingas do Sertão, como o Valente Vilela! Por isso, com a chegada dos Ciganos que vieram com Sinésio e que sabiam, todos, fazer piruetas em cima dos cavalos, vi que aquela era minha oportunidade, e foi assim que organizei meu Circo, combinando tudo com o Doutor Pedro Gouveia!

— Quer dizer que o Doutor Pedro também entrou nessa história do Circo?

— Entrou, sim senhor! O interesse dele era encontrar o testamento e o tesouro deixados por meu Padrinho. Ora, o senhor sabe que essas coisas custam dinheiro, e Sinésio não tinha dinheiro nenhum. O Circo terminou, assim, resolvendo, também, o problema dele, porque nós fazíamos as viagens que eram necessárias à busca do tesouro, e a renda dos espetáculos, além de pagar as despesas, ainda me dava algum lucro; principalmente porque eu levei com a gente doze mulheres da minha casa-de-recurso, e organizei com elas um Pastoril do qual eu era o "Velho" e que foi a nossa principal fonte de renda!

— Muito bem, vê-se bem que, assim como sua estalagem é uma "casa-de-recurso", o dono não fica atrás, é homem também de recursos e expedientes de toda natureza! E a história da entrevista de Arésio com Adalberto Coura? É verdadeira, também?

— É, sim senhor!

— E o pacote de papéis? É verdade que o senhor mandou a Sinésio, na noite de 1º de Junho de 1935, um pacote de documentos subversivos?

— Não senhor! Eu mandei, mesmo, o pacote, mas não eram documentos subversivos não, era uma cópia manuscrita do *Caminho Místico*, de Santo Antônio!

— Santo Antônio de Pádua, o Português?

— Não senhor, Santo Antônio Conselheiro de Canudos, o Sertanejo! Eu sou devoto dele e de Padre Cícero, na minha qualidade de Profeta do Catolicismo-sertanejo!

— Catolicismo-sertanejo?

— É a minha religião, Excelência! Não estando muito satisfeito com o Catolicismo romano, fundei essa outra religião para mim e para meus amigos! O pessoal aí da rua, que sempre ouve cantar o galo, mas não sabe onde, ouviu falar nesse Antônio, o Conselheiro, e pensou que eu estava me referindo ao outro Antônio, o Villar, pseudônimo de guerra de Luís Carlos Prestes, criando-se, então, essa história de documentos subversivos!

— Está bem, vou apurar tudo isso! E a outra acusação? Então o senhor foi um dos assassinos do seu Padrinho e pai de criação, de seu benfeitor Pedro Sebastião Garcia-Barretto?

— Eu? Não senhor! Deus me livre!

— Então o senhor nega qualquer participação na morte dele?

— Nego, sim senhor! Eu ia, lá, matar meu Padrinho, Doutor? Meu Padrinho foi, para mim, um segundo Pai!

— Veja bem o que responde, porque o senhor pode se complicar! O senhor não deixou de me esclarecer nenhum indício importante sobre aquele crime de 1930?

— Não senhor!

— Faça o favor de levantar a mão esquerda!

Um pouco atemorizado pelo tom de violência cortante que o Corregedor assumira de repente, ergui a mão à altura do rosto dele, com a palma virada em sua direção, como se quisesse, assim, deter a brutalidade da investida.

— Vire a mão! — disse ele, bruto e brusco. — Assim, está bem! Agora me diga: que anel é esse que o senhor usa no dedo anular? Onde o conseguiu?

Senti que meu sangue, já perturbado pela tonteira, pelo medo e pela crueldade do interrogatório, "refluía todo para o coração", como dizem os contos do *Almanaque Charadístico*. Passei a mão no rosto, para ver se me recobrava um pouco. Mas, nesse momento, como olhasse casualmente para fora, pela janela, tive a impressão de que, do outro lado da rua, defronte da Cadeia, na esquina da casa de um homem nobre da rua, o Capitão Clodoveu Torres Villar, havia um par de olhos amaldiçoados, que me espreitavam há algum tempo e que, no mesmo instante, desapareceram. Eram olhos maldosos e escarninhos. Num relampo, o ar se encheu de dragões peçonhentos, de asas de morcego, que, esvoaçando em torno de mim, começaram a me entrar para o sangue, através dos meus ouvidos, que começaram, também, a ser despedaçados por batidas de martelo na bigorna do Divino. Conheci que o "mal sagrado" vinha se aproximando, e que, daí a pouco, numa fração de segundo, eu estaria espancando o chão com a cabeça, em contorções desesperadas, escumando pela boca como um danado. Os olhos malditos reapareceram, agora sem dono e fulgurantes, despedindo setas de fogo que encheram o ar de Gaviões, muito parecidos com aqueles do dia em que perdi os olhos. Senti-me sufocado, julguei que ia morrer, abri a boca, quis falar, mas aí o Sol tornou-se enceguecedor e eu, perdendo a consciência, caí no chão, deslumbrado, fulminado, com o Sol na cabeça e a tempestade no coração.

* * *

Quando acordei do "ataque", da "grande aura" que só acomete os gênios, Margarida estava sustentando minha cabeça em seu colo alvo e aristocrático, e um Soldado de Polícia esperava, impassível, que eu "tornasse", para me dar um copo d'água que ele segurava na mão, mantendo o resto do corpo em posição de sentido. Somente o Corregedor, implacável, continuava com a mesma expressão, dura e inquisitorial.

— Não foi nada não, já estou me sentindo melhor! — disse eu, fracamente, mas já experimentando uma indizível sensação de bem-estar, não só porque é assim que me sinto depois dos meus ataques, como porque estava começando a me dar muito bem no calor e na maciez do colo de Margarida.

Ela, porém, não sei se notando que eu começava a me aproveitar, soergueu um pouco minha cabeça e fez menção de se levantar. Para evitar isso, falei mais depressa:

— Foi o calor da sala e a impressão de mal-estar que comecei a sentir, depois que passei pela cela dos presos, lá embaixo! Obrigado, Margarida, Deus lhe pague sua bondade e sua gentileza!

Margarida fez, logo, uma cara ruim, de novo, e o Corregedor falou:

— O senhor, se quiser, pode se sentar nesta cadeira!

— Não senhor, obrigado! — disse eu, ficando de pé. — Se eu me sentar, isso pode incomodar o cotoco e prejudicar a Epopeia! Peço, aliás, que todos dois me desculpem o espetáculo constrangedor que devo ter dado, com esse ataque esquisito!

— Não, não houve ataque esquisito nenhum! O senhor somente sentiu-se mal e teve um ligeiro desmaio, é mais ou menos de esperar! — disse o Juiz.

— Não, Sr. Corregedor! — insisti. — Não tenha constrangimento de me envergonhar não! Sei, muito bem, que não foi um simples desmaio! Não fiquem constrangidos por terem visto isso; deve ter sido horrível de assistir, mas acreditem que é pior para quem vê do que para quem tem! Eu deveria, de fato, ter vergonha desses ataques, mas li, a respeito deles, umas palavras de Baptista Pereira — aquele distinto escritor brasileiro que, por ser genro do Conselheiro Ruy Barbosa, contraiu a genialidade do sogro. Segundo essas palavras, a Epilepsia é a "grande aura", o "mal sagrado" que só acomete os verdadeiros gênios. Assim, nem percam tempo tentando disfarçar de mim o que viram, porque, para ser sincero, eu me sinto até orgulhoso de ser epilético! É mais uma prova de que sou predestinado, pela Providência Divina e pelos Astros, a ser o "Gênio da Raça Brasileira"!

— E o senhor é epilético? — perguntou, frio, o Corregedor.

— Garantir, mesmo, que sou, não posso não, Sr. Corregedor, porque nunca fui a um médico para verificar isso, com medo de que ele, por acaso, me curasse e me tirasse, assim, essa característica da genialidade. Mas tenho quase certeza de que sou, pelo motivo que passo a lhe expor. Depois que li aquelas palavras do genial genro de Ruy Barbosa, fiz uma promessa a Santo Antônio Conselheiro para ficar epilético e me tornar gênio. Pois bem: daí a três dias — prazo que eu tinha dado ao Santo sertanejo — fui para cima do meu lajedo, virei-me para o lado do Pajeú e de Canudos, ajoelhei-me e fiquei assim, uma porção de tempo. De repente, minha cabeça deu "um estalo do Padre Vieira" e tive o meu primeiro ataque. Daí em diante, fiquei assim! De vez em quando, caio no chão, escumando pela boca e mordido de cachorro-da-molesta! Mas, como já disse, não tenham vergonha por mim, não, porque isso é até motivo de orgulho, uma vez que é o mesmo "mal sagrado" de um Príncipe brasileiro, o Impostor Dom Pedro I, e de um Poeta genial, Dom Joaquim Maria Machado de Assis!

— Pois Dom Pedro Dinis Quaderna, com todo o seu "gênio" e a sua "fidalguia", lamento comunicar-lhe que o senhor está em maus lençóis! — disse o Corregedor, respirando fundo e atirando a flecha envenenada que guardara para o fim. — A carta que recebi é extensa e faz cerca de sessenta acusações contra o senhor. Entre estas, duas muito importantes! A primeira, diz que o senhor descende daqueles fanáticos execráveis que, na Pedra do Reino, de 1835 a 1838, subverteram o Sertão com uma "seita" sanguinária, degolando mulheres, crianças e cachorros. Diz a carta que o senhor mesmo se encarregou de lembrar isso à ralé sertaneja daqui, conseguindo, assim, por mais estranho que pareça, assumir uma certa ascendência sobre ela. Dizem que o senhor fez isso, a princípio, apenas para explorar o Povo, inclusive em dinheiro; mas que, depois, com a chegada de Sinésio, foi por causa disso que pôde aliciar tanta gente para a expedição do tal Rapaz-do-Cavalo-Branco. Segundo a carta, o fato de pertencer àquela família sanguinária e subversiva é o motivo da sua ascendência sobre os Cangaceiros, Cantadores, Vaqueiros e mais toda essa ralé sertaneja de fateiras, prostitutas, tangerinos e contrabandistas de cachaça. Finalmente, a carta revela um outro fato, gravíssimo: é que esse anel que o senhor usa, é o mesmo anel que foi retirado do dedo do fazendeiro Dom Pedro Sebastião Garcia-Barretto, momentos depois de ter sido ele degolado por seus assassinos.

* * *

Pronto, nobres Senhores e belas Damas de peitos macios! Estava descoberto o meu grande crime, aquela Culpa que eu vinha procurando ocultar tão cuidadosamente, desde que se iniciara o depoimento. Tive a sensação de que há muito tempo eu pressentia uma acusação dessas, na minha vida. Era esse o motivo real das minhas apreensões. Não só das que experimentara há pouco, quando vinha para a Cadeia, mas da apreensão geral, muito mais antiga, surgida com o Sol do meu sangue, quando, sem motivo palpável nenhum, eu já me sentia culpado sem ninguém me acusar diretamente, sem que suspeita nenhuma de Juiz nenhum tivesse sido soprada a meu sangue, o qual, porém, já se sentia enfermo, infeccionado por uma culpa que me perseguia e me envenenava.

 O Corregedor, vendo que eu não dizia nada, insistiu:
 — Então? O que é que me diz? As duas afirmações são verdadeiras?
 — São, sim senhor! Minha descendência da Casa Real da Pedra do Reino é verdadeira, e é verdade também que eu, no dia 24 de Agosto de 1930, tirei o anel do dedo do meu Padrinho e fiquei com ele!
 — Alguém viu o senhor tirar o anel?
 — Não senhor!
 — O senhor não disse que havia outras pessoas com o senhor, quando acharam o corpo?
 — Disse!
 — Quer dizer que o senhor tirou o anel escondido?
 — De certa maneira, foi!
 — Por que o senhor fez isso?
 — Sr. Corregedor, foi uma dessas coisas que a gente faz sem nem ao menos saber por quê. Pensei em pedir licença a Arésio, como filho de meu Padrinho, para ficar com aquela lembrança. Mas a confusão estava enorme. Tirei o anel e coloquei-o no bolso, pensando em comunicar o fato mais tarde. Mas aí comecei a ficar envergonhado, porque ia parecer que eu o tirara de má-fé, ia parecer um furto. Aí, deixei que as coisas ficassem como estavam.
 — O senhor veja que ocultou fatos importantíssimos para a elucidação do caso todo! Por que não disse que estava no lajedo perto do qual dispararam o tiro? Por que não me contou nada sobre as ligações que estabeleceu, no espírito dos Sertanejos ignorantes, entre a seita da Pedra do Reino e a expedição sediciosa de seu primo e sobrinho, Sinésio, O Alumioso? E, sobretudo, por que escondeu de mim a história do anel de seu Padrinho?
 — Confesso meu erro, Sr. Corregedor! Em tudo, tive medo de me complicar com a Justiça e calei a boca!
 — Pois o senhor está complicado é agora e, francamente, sua situação é grave! Como é que eu posso, d'agora em diante, confiar no senhor?

— Vou ver se dou um jeito, contando tudo o que sei, desde o começo, tintim por tintim! Por onde Vossa Excelência quer começar a ouvir?

— Pela história da Pedra do Reino, já que, segundo a denúncia, foi isso que fez os Sertanejos ignorantes irem atrás de suas conversas para a expedição de Sinésio!

— Muito bem então, Excelência! Vou dizer! Escute!

Folheto LXV
De Novo a Pedra do Reino

Comecei então, nobres Senhores e belas Damas, a épica e famosa "Crônica dos Reis da Pedra do Reino", nos seguintes termos:

— Não tenho dificuldade em contar essa história a Vossa Excelência, porque colecionei cuidadosamente uma porção de textos de geniais escritores paraibanos e pernambucanos sobre ela. Alguns desses textos, devidamente "versados", serão incluídos na minha Epopeia. Por isso, trago sempre comigo a cópia manuscrita que fiz deles, desde que Gustavo Moraes doou à nossa Biblioteca uma coleção da *Revista do Instituto Arqueológico de Pernambuco* e outra da *Revista do Instituto Histórico e Geográfico da Paraíba*. Não sei se Vossa Excelência sabe, mas Samuel e Clemente já provaram que a História é da Direita e a Sociologia é da Esquerda. Temos, aliás, uma prova disso, porque o patrono da História brasileira, Varnhagen, é "de sangue godo, lambe-cu do Impostor Dom Pedro II, católico e Visconde", enquanto o da nossa Sociologia, Manoel Bonfim, era "católico-sertanejo, rebelde e socialista". Ora, Gustavo Moraes era integralista e participante, no Recife, do movimento da revista *Fronteira*, ligada a Manuel Lubambo e ao Padre Antônio Fernandes. Foi por isso que, entre nós, reforçou o interesse pela História e pela Genealogia, com algumas ideias que tinha bebido no Recife e que terminou difundindo entre nós, nas memoráveis sessões do nosso "Instituto Genealógico e Histórico do Sertão do Cariri". Confesso que, até o dia em que li essas revistas e outras obras doadas por ele à Biblioteca, eu escondia minha descendência régia como se fosse um crime e uma mancha. Mas depois, um dia, caiu nas minhas mãos um livro do genial escritor pernambucano, o Doutor Francisco Augusto Pereira da Costa. Foi um deslumbramento para mim, Sr. Corregedor! Como, certamente, já explicaram a Vossa Excelência na infame carta anônima, a linhagem real dos Quadernas tinha dois ramos principais, o dos Vieira-dos-Santos e o dos Ferreira-Quadernas. Mas o Rei principal, mesmo, foi meu bisavô, Dom João II, O Execrável!

— Dom João II, O Execrável? Que confusão é essa?

— Não se espante não, Excelência! O nome dele, mesmo, era João Ferreira-Quaderna, assim como o nome de Dom Pedro I era Pedro de Alcântara de Bragança. Mas todos os escritores que escrevem sobre a Pedra do Reino só chamam meu bisavô de "o execrável João Ferreira"! Ora, eu aprendi, pela leitura da *História da Civilização* de Oliveira Lima e da *História Geral do Brasil*, de Varnhagen, que nossos Reis e Imperadores têm sempre um *Dom* antes do nome e um cognome depois. Reis do Brasil e de Portugal, por exemplo, foram Dom Manuel I, O Venturoso, e Dom Sebastião, O Desejado! No estrangeiro, é a mesma coisa, tirando-se o Dom. Na França, houve um que, a se tirar pelo nome, era viciado em passarinhar: chamava-se Henrique, O Passarinheiro! Dizem que ele não podia ver um passarinho: caga-sibito que passasse na frente dele estava lascado, ele matava! Na Alemanha houve outro Rei que me fez levar, um dia, uma vaia terrível de Clemente e Samuel!

— Quem foi?

— Frederico, O Grande! Eu, ouvindo um dia uma discussão dos dois, achei o nome dele safadíssimo!

— Não entendo! Por quê?

— Eu não estava vendo o nome escrito não, estava somente ouvindo, de modo que pensei que ele se chamava Frederi Cu-Grande! Assim, vendo que ilustres escritores pernambucanos chamavam meu bisavô de "o execrável João Ferreira-Quaderna", vi logo que aquilo era uma coisa régia e grandiosa e que o nome monárquico dele devia ser Dom João II, O Execrável!

— Mas isso é um nome pejorativo! — disse o Corregedor que, naquele dia, apesar de todas as minhas lições, ainda estava meio cru nessas questões de Monarquia.

Eu, compadecido dele, expliquei pacientemente:

— Nessas questões de linhagem real, Sr. Corregedor, essas coisas pejorativas não têm a menor importância! Filipe, O Belo, da França, falsificava dinheiro, motivo pelo qual passou à História com o nome comprido mas bonito de Filipe, O Belo, O Moedeiro Falso! Ora, eu pensei assim: "Se esse Rei da França falsificava dinheiro, que é que tem que meus antepassados, Reis do Povo Brasileiro, degolassem mulheres, meninos e cachorros? Crime por crime, os da minha família foram muito menos chinfrins, porque degolar pessoas é muito mais monárquico do que passar dinheiro falso!" Está vendo, Excelência? Esse negócio de Rei é assim mesmo! Dom João II, O Príncipe Perfeito, que foi Rei de Portugal, cometeu um desses crimes régios, parecidos com os do meu bisavô: deu uma facada no cunhado, o Duque de Viseu, que, ali mesmo, na hora, esticou a canela!

— Quer dizer que o senhor, além de pertencer, pelo lado materno, "à linhagem real sertaneja dos Garcia-Barrettos", ainda pertence, pelo lado paterno, à "linhagem real da Pedra do Reino"? Os Quadernas são também, na verdade, como diz a carta, de linhagem real?

— São, sim senhor! E não sou eu, um Quaderna, quem diz isso não, é um verdadeiro "Príncipe da Literatura Brasileira", o genial Pereira da Costa! Foi por causa do que ele escreveu que eu me convenci, de uma vez por todas, primeiro de que era Rei, depois que tinha de ser Monarquista da Esquerda! Está aqui o texto dele, ando sempre com o papel em minha pasta. Escute!

Li então para o Corregedor e Margarida aquelas palavras sacramentais de unção e consagração que tinham exercido papel tão importante em minha vida, aquelas palavras de Pereira da Costa que começam assim: "Foi na Pedra Bonita que se firmou a reunião desses novos Sebastianistas, e nos subterrâneos dos seus Rochedos foi o Templo de seus falsos Sacerdotes e o Sólio-Real dessa imaginária e caricata Monarquia." Quando eu acabei de ler, o Corregedor sorriu:

— Falsos sacerdotes! Monarquia caricata e imaginária! E o senhor recebe isso não só resignado, como até orgulhoso, segundo parece?

— É isso mesmo, Excelência! Pereira da Costa era um escritor oficial e consagrado, membro do "Instituto Arqueológico de Pernambuco", de modo que a palavra dele é palavra de Príncipe, não voltaria atrás nem que ele depois, arrependido, quisesse se desdizer! Se ele consagrou meus antepassados como Reis do Brasil, mesmo que considere caricata a nossa Monarquia nós estamos consagrados e acabou-se, nem Deus agora dá jeito! Quanto ao fato dele considerar caricata e imaginária uma Monarquia sertaneja tão gloriosa e cavalariana quanto a da Pedra do Reino, isso é problema dele! Não tenho culpa de Pereira da Costa, com todo o seu gênio, ser burro desse jeito! Depois, acontece que todas as monarquias são imaginárias e caricatas!

— E o senhor, mesmo pensando assim, é monarquista?

— Sou, sim senhor! Sou da Esquerda régia, ou, se Vossa Excelência prefere, um Monarquista da Esquerda!

— Por que essa contradição?

— Porque acho Monarquia bonito, com aquelas Coroas, tronos, cetros, Brasões, desfiles a cavalo, bandeiras, punhais, Cavaleiros e Princesas, como no folheto de *Carlos Magno e os Doze Pares de França*! É por isso que meu parente Dom Silvestre José dos Santos foi Rei do Brasil, na Serra do Rodeador, em Pernambuco, com o nome de Dom Silvestre I, O Enviado. Na Pedra do Reino, estiveram juntos, reinando, os dois ramos da família, os Vieira-dos-Santos e os Ferreira-Quadernas. Os Vieira-dos-Santos eram os quatro filhos do velho Príncipe Dom Gonçalo José dos Santos: João Antônio, Pedro Antônio, Isabel e Josefa; ou melhor, Dom João I, O Precursor, Dom Pedro I, O Astucioso, a Princesa Isabel e a Rainha Josefa. Do ramo dos Quadernas, estavam lá o velho Príncipe Dom José Maria Ferreira-Quaderna, meu trisavô e pai do meu bisavô, Dom João Ferreira-Quaderna, subido ao Trono sertanejo do Brasil com o nome de Dom João II, O Execrável. Mas os dois ramos terminaram se unificando, porque meu bisavô casou-se com as duas irmãs, primas dele, a Rainha Josefa e a Princesa Isabel!

— Casou-se com as duas irmãs de uma vez?

— Sr. Corregedor, Vossa Excelência já deve ter notado que o Catolicismo-sertanejo tem suas leis e seus mandamentos próprios! A poligamia, o pensamento socialista-sertanejo, a devora dos proprietários por Cachorros degolados e ressuscitados como Dragões eram alguns dos itens do nosso credo da Pedra do Reino!

— Veja, Dona Margarida, que fim de mundo! — disse o Corregedor. — Eu sabia que aquela gente tinha sido cruel e fanática, mas nunca pensei que fossem, também, tão perigosos e subversivos! E veja como isso vai se ligando aos poucos, para a explicação de tudo o que aconteceu, aqui! Sinésio, sendo filho de sua irmã, Sr. Pedro Dinis Quaderna, era, também, descendente desse pessoal, não era?

— Era, sim senhor! Eu e Sinésio somos descendentes de Dom João II, O Execrável, e da prima e segunda-mulher dele, a Princesa Isabel, degolada por ordem do marido, no dia 16 de Maio de 1838, juntamente com a outra Rainha, minha tia-bisavó Dona Josefa!

— Que horror! Que monstruosidade, a do seu bisavô! — disse o Juiz.

— Excelência, nessa questão de degolar as esposas, meu bisavô não era nada, comparado com o rei Henrique VIII, da Inglaterra! Além disso, depois eu descobri que todos os Reis cujas vidas são narradas na *História da Civilização* tinham historiadores que escreviam sobre as vidas deles umas espécies de Epopeias chamadas "Crônicas" e onde vinha a relação de tudo quanto era crime e safadeza que eles tinham praticado. Foi assim que fiquei de novo orgulhosíssimo, vendo que os Reis sertanejos, antepassados meus e de Sinésio, tinham tido Cronistas nas pessoas de seis geniais escritores brasileiros — Varnhagen, Pereira da Costa, Sebastião de Vasconcelos Galvão, Antônio Áttico de Souza Leite, Euclydes da Cunha e o Comendador Francisco Benício das Chagas!

— E todos esses se ocuparam, mesmo, da Monarquia sertaneja da Pedra do Reino?

— Se ocuparam, sim senhor! Mas, para mim, o melhor foi o genial Antônio Áttico de Souza Leite, porque fez uma Epopeia, com cavalos e Cavaleiros, combates sanguinolentos, Reis assassinados, Rainhas e Princesas degoladas e tudo! Espero, um dia, "versar" tudo o que ele escreveu, metendo o resultado na minha Obra, no meu Castelo sertanejo! Mas como, antes disso, eu já pretendia fazer um certo proselitismo entre os Sertanejos, mandei imprimir na tipografia da *Gazeta* uma cópia "revista e melhorada" da Epopeia em prosa do genial Souza Leite. Na capa, vinha o título: *Memória sobre A Pedra do Reino, ou Reino Encantado, na Comarca da Vila Bela da Serra Talhada, Província de Pernambuco*. Debaixo do título, eu coloquei a gravura que meu irmão Taparica Pajeú tinha riscado e cortado em madeira. Publiquei, também, um folheto em versos sobre o mesmo assunto, escrito por meu velho primo João Melchíades, ilustrando sua capa com a mesma gravura de Taparica. A gravura foi feita de acordo com o desenho que o Padre Francisco José Corrêa de Albuquerque fez do lugar sagrado da Pedra do Reino. Vossa Excelência conhece esse desenho?

— Não!

— Pois procure a revista do "Instituto Arqueológico" e veja, porque é uma beleza! É um anfiteatro grande, com o esqueleto do meu bisavô amarrado em dois troncos de árvore, com um bocado, mais, de caveiras de gente e de cachorro, pedras, pés de pau, subterrâneos encantados, o diabo! Mas, como no folheto não cabia tudo o que existia no desenho, eu mandei Taparica tirar as coisas mais desonrosas na primeira cópia: o esqueleto de meu bisavô foi uma! Depois, na segunda gravura, ele copiou somente as duas grandes pedras cilíndricas e paralelas que, segundo os Reis meus antepassados, eram as duas torres da Catedral soterrada e encantada dos Sertanejos. No meio delas, Taparica colocou um retrato do nosso bisavô, com Coroa na cabeça, para impressionar! Olhe, Sr. Corregedor, eu tenho aqui, na minha pasta, exemplares dos dois folhetos, de modo que posso dar ao senhor uma cópia de cada um, para serem anexadas ao processo!

* * *

Li então para o Corregedor toda aquela história que Vossas Excelências já conhecem, nobres Senhores e belas Damas. Quando acabei, entreguei a ele os exemplares dos folhetos, que foram passados a Margarida e anexados ao inquérito. Então o Corregedor falou:

— Dom Pedro Dinis Quaderna, agora tudo começa a se esclarecer! Só não entendo é como, a partir daí, o senhor pode provar que é, mesmo, descendente em linha masculina e direta desse pessoal da Pedra do Reino!

— É fácil, Sr. Corregedor! Antônio Áttico de Souza Leite não foi muito claro porque só escreveu sobre a Pedra do Reino, deixando de lado o que sucedeu depois. Acontece porém que minha bisavó, a Princesa Isabel, no momento de ser degolada, pariu, como o senhor deve se lembrar, um menino que rolou pela pedra abaixo. Esse menino foi meu avô, Dom Pedro Alexandre, criado pelo Padre Manuel José do Nascimento Bruno Wanderley. Quando ele cresceu, o Padre Wanderley casou-o com uma filha natural sua, Bruna Wanderley, minha avó. É por isso que os Quadernas ora nascem morenos como eu, puxando ao sangue mouro-mameluco dos Vieira-dos-Santos e dos Quadernas, ora nascem louros, como era o caso de minha irmã Joana Quaderna, puxando ao sangue godo-flamengo de minha avó Bruna, filha do Padre Wanderley.

— Quer dizer que a linhagem real da Pedra do Reino continuou através de uma filha de Padre...

— É, sim senhor, o que não quer dizer nada, porque a dos Braganças também descende de um filho de Bispo! Dom Pedro Alexandre, meu avô, casou com a filha do Padre Wanderley; ela emprenhou e pariu meu Pai, Dom Pedro Justino, a quem eu, Dom Pedro Dinis, sucedi, com o nome de Dom Pedro IV!

Ave Maria, nobres Senhores e belas Damas! Quando eu vi, já tinha dito isso e não havia mais jeito de voltar atrás! O Corregedor partiu como uma fera:

— Quer dizer que o senhor é que é o verdadeiro Rei do Brasil? Afinal de contas, quem era o Rei, mesmo, daqui? O senhor ou seu Padrinho, Dom Pedro Sebastião?

Vi que minha situação estava ficando cada vez mais perigosa, mas como não havia mais jeito, continuei a confessar:

— De fato, Sr. Corregedor, o Rei, por direito e por sangue, sou eu! Ou melhor, eu é que sou o Imperador, dominando sobre todo o vasto Quinto Império do Escorpião! Meu Padrinho era somente Rei do Cariri, um dos sete Reinos integrantes do Império todo! Outro desses Reis vassalos e tributários meus foi Dom José Pereira Lima, o invencível guerrilheiro de Princesa!

— Ah, quer dizer que o senhor reconhece, formalmente, que a insurreição de Princesa seria, para o senhor, um novo episódio da Pedra do Reino! E provavelmente, quando Sinésio apareceu por aqui, montado em seu cavalo branco, era tudo isso que o senhor tinha em mente, procurando unir os Sertanejos para nova sedição contra as autoridades...

— Sr. Corregedor, o que eu queria mesmo, confesso, era ser Imperador do Sertão e do Brasil, para me tornar Gênio da Raça Brasileira. Agora, que para isso eu queria unir o movimento da Pedra do Reino com a Guerra de Princesa e a Demanda Novelosa que empreendemos com Sinésio, isso eu queria!

— Muito bem! Anote essa confissão do acusado, Dona Margarida! Agora, uma pergunta que lhe faço por curiosidade, Dom Pedro Dinis Quaderna! Me diga uma coisa: seus irmãos legítimos não eram, todos, mais velhos do que o senhor?

— Eram, sim senhor!

— Então como é que se explica que o senhor tenha sido o herdeiro do Trono?

— Eu redigi um papel pelo qual eles abdicavam desse direito, e todos quatro o assinaram.

— Sem opor dificuldade?

— Sem opor dificuldade! A princípio, julgando que se tratava de renúncia a alguma herança de terras, ficaram hesitando. Mas depois que viram o que era, assinaram tudo, até achando graça! Manuel, o mais velho, chegou a dizer para os outros: "Esse Dinis tem cada coisa! Eu estou lá ligando pra essas coisas do tempo do ronca, do tempo de Dom João Pamparra e de Dom Pedro Cipó-Pau!" Agora, o que acontece é que eu nunca ousei, de fato, assumir o Trono! — menti. — Eu descobrira que as pessoas que realmente encarnam os Países, os chamados "Gênios das Raças", são sempre Poetas, e não Reis! Assim, para que diabo eu ia me meter nessas empreitadas, arriscando-me a morrer degolado, como meu Padrinho? Por isso, limitei-me a desempenhar, junto a Dom Pedro Sebastião, as funções de Astrólogo, Conselheiro, Rei de Armas, Guarda do Selo e dos Tesouros do Cariri. Quando Sinésio apareceu depois, em 1935, foi a mesma coisa: ele era o Príncipe-do-Cavalo-Branco e eu desempenhava, junto a ele, as mesmas funções que tinha exercido junto a seu Pai!

— O senhor confessa, então, que tomou o partido de Sinésio contra Arésio?

— Confesso, sim senhor! Aliás, era uma questão de sangue e parentesco! Sinésio, além de ser meu primo pelo lado dos Garcia-Barrettos, era meu sobrinho, por parte da minha irmã Joana! Arésio era somente primo, porque era Garcia-Barretto, mas não era Quaderna! Mas, apesar de tomar o partido de Sinésio, eu via perfeitamente que ele ia arriscar a garganta, que seu destino provável era acabar como o Pai, degolado. Resolvi, então, deixar ver como corriam as coisas: ficaria ao lado de Sinésio, como Astrólogo e Rei de Armas. Se as coisas corressem bem com ele e com a expedição, minha situação seria ótima. Se corressem mal, eu não teria me comprometido diretamente na "Guerra do Reino". Poderia, então, tendo visto tudo, escrever a minha Crônica-epopeica, *A Desaventura de Sinésio, O Alumioso*, começando-a com a história de meu Padrinho, continuando com a de Sinésio e tornando-me, com ela, "Gênio da Raça Brasileira", oficialmente reconhecido como tal pela Academia Brasileira de Letras!

— Quer dizer então que o Chefe guerreiro da tal viagem revolucionária e sediciosa que vocês fizeram foi, mesmo, o Rapaz-do-Cavalo-Branco?

— Foi, sim senhor!

— Anote, Dona Margarida! Vamos então voltar ao dia da chegada de Sinésio, Dom Pedro Dinis Quaderna! Preciso de informações exatas sobre todos os personagens que tinham mais interesse na vida ou na morte do Rapaz-do-Cavalo--Branco. O senhor vai, portanto, fazer um esforço para recordar onde estavam e que faziam essas pessoas, no momento em que o Doutor Pedro Gouveia declarou ao Juiz da Comarca que o Rapaz-do-Cavalo-Branco era Sinésio. A seu ver, quem eram as pessoas mais afetadas pela reaparição do rapaz?

— Acho que eram, em primeiro lugar, Arésio, irmão dele, por causa da herança; o usineiro Antônio Moraes, com seu filho Gustavo e sua filha Genoveva; e finalmente as duas filhas do antigo sócio de meu Padrinho, o gringo Edmundo Swendson, isto é, a moça Clara, que era a mais velha, e a caçula, Dona Heliana, a que tinha os olhos verdes! Vou então, conforme seu pedido, ver se consigo me lembrar e contar onde estavam e o que faziam todos esses, no momento em que Sinésio, ressuscitado, reapareceu aqui!

Folheto LXVI
A Filha Noiva do Pai, ou Amor, Culpa e Perdão

— Enquanto, na rua, se aprestavam as Cavalhadas, sucedia na casa de Antônio Moraes um episódio importantíssimo para a nossa história. Devo esclarecer que, além da casa da fazenda "Angicos", Dom Antônio Moraes tinha aquela, que fica naquele alto e que Vossa Excelência pode avistar, daqui desta janela. É uma velha casa de fazenda que pertenceu ao Coronel Deusdedit Villar, homem da mesma família do Contra-Almirante, Sr. Corregedor. Como o senhor poderá ver se vier até aqui, hoje ela está abandonada e meio derruída. Caíram os telhados que cobriam a calçada de pedra que rodeia a casa, e que formava, assim, o copiar. Caiu o velho cruzeiro de madeira, plantado sobre uma base de pedra-e--cal e que era tão caro ao "esteta Gustavo Moraes", como dizia Samuel. Caiu o muro de pedra que os Moraes tinham mandado construir e que separava o pátio da casa dos marmeleiros do alto do Tabuleiro. Foi derrubada a torre que Gustavo Moraes mandara erguer, um pouco à imitação da velha "Casa-Forte da Onça Malhada"; de fato, esta era bastante mais antiga, mais severa e forte, e Gustavo Moraes não perdoava isso à família Garcia-Barretto, inimiga e rival da sua: por isso, numa revolta contra o tempo e contra os fatos, procurara suprir artificialmente as diferenças, tentando ficar em pé de igualdade com a família do meu Padrinho. Mas o certo é que, abandonada, arruinada e solitária, a casa ainda está ali, e Vossa Excelência, se quiser, pode ir lá, em diligência para o nosso inquérito. Naquele ano, estava restaurada e perfeita, abrigando o esplendor e a fortuna com que os Moraes nos deslumbravam, as ideias, o luxo e as novidades que traziam do Recife. Naquele dia da chegada de Sinésio, estavam lá Antônio Moraes, seu filho mais moço, Miguel, e sua filha Genoveva, aquela que exerceu um papel tão terrível na vida de Arésio Garcia-Barretto. Não estavam, no momento, nem o filho mais velho, Gustavo, nem Arésio que, como já disse, estava morando lá, como hóspede. Arésio, com seu gênio sombrio, estranho e violento, desaparecia às vezes durante dois ou três dias, sem dar explicações a ninguém sobre isso. Aquele era um desses dias.

Desde a véspera, sexta-feira à noite, que ele se ausentara da casa dos Moraes, de modo que no momento em que Sinésio foi dado a conhecer, ninguém sabia onde se encontrava seu irmão mais velho. Aliás, Sr. Corregedor, acho que muita coisa da minha história ficará logo esclarecida, se eu disser a Vossa Excelência que se trata de uma história de casas arruinadas. Em ruínas, está, como lhe disse, a velha e grande casa do "Alto dos Borrotes", comprada por Antônio Moraes aos herdeiros do Fidalgo Dom Deusdedit Villar, Coronel de Milícias e Capitão-Mor do Sertão do Taperoá. Em ruínas está a velha casa edificada por Dom Edmundo Swendson, pai de Clara e Heliana, perto da Fortaleza de Nazaré do Cabo, a cavaleiro sobre a barra do Rio Suape, no litoral de Pernambuco. Em ruínas está a "Casa-Forte da Onça Malhada", incendiada na noite do dia 24 de Agosto de 1930. E finalmente está em ruínas a antiga "Fortaleza de São Joaquim da Pedra", situada no litoral do Rio Grande do Norte e pertencente, também, ao pai de Clara e Heliana, as duas moças que, por um equívoco ao mesmo tempo funesto e alumioso, terminaram efetuando o "cruzamento de amor e sangue" que encruzilhou e crucificou o destino de Sinésio. Mas, como eu vinha dizendo: o primeiro acontecimento importante daquela tarde sucedeu na casa do usineiro e dono de minas Antônio Moraes. Foi-me comunicado, logo na noite daquele sábado memorável, por um pedreiro, Teodoro Barba-de-Bode, que era meu discípulo e membro mais ou menos influente da "Ordem dos Cavaleiros da Pedra do Reino".

— Ah, quer dizer que o senhor confessa que fundou essa Ordem?

— Confesso, sim senhor! Como Vossa Excelência deve se lembrar pela narração de Antônio Ático de Souza Leite, isso de fundar uma seita para cobrar joias em dinheiro é uma tradição da minha família — e também, aliás, de toda Monarquia que se preza. Pois bem: Teodoro Barba-de-Bode tinha sido contratado, uns vinte dias antes, para executar uns trabalhos de pedreiro na velha casa dos Moraes. Gustavo, filho mais velho, dirigira as reformas da casa, introduzindo nela várias modificações ditadas pelas novas ideias que trouxera do Recife. Como nos explicara o Doutor Samuel, Gustavo bebera essas ideias junto a um estranho grupo de intelectuais recifenses da Direita, grupo congregado em torno de um Padre jesuíta mais estranho ainda, o Padre Antônio Fernandes. Esse Padre era um hindu-português de Goa, homem enigmático e político, que adquirira renome no Recife, principalmente depois da acirrada polêmica que mantivera com um

Filósofo francês. Conseguira reunir, em volta de si, Poetas, jornalistas e políticos, jovens e ardorosos. Alguns deles estavam entrando, como eminências-pardas, no poder do Estado, em Pernambuco. Outros tinham fundado uma revista de Arte e Literatura, *Fronteira*; e fora ao contato do grupo esteticista e belamente reacionário de *Fronteira* — como dizia Samuel — que Gustavo Moraes adquirira as ideias com as quais, primeiro nos chocara, e depois nos deslumbrara a todos nós, intelectuais sertanejos de Taperoá. Esse grupo de intelectuais recifenses da Direita "pusera em moda o estilo Barroco brasileiro; o despojamento monacal dos Mosteiros e das Casas-de-Missões jesuíticas; os espelhos, os cristais, as pratarias; a Aristocracia dos Engenhos; o Catolicismo meio inquisitorial dos Ibéricos; o gosto pela arquitetura dos velhos sobrados de azulejos; das velhas Igrejas — com suas esculturas em madeira, seus retábulos e painéis pintados a óleo sobre tábuas de cedro — assim como pela arquitetura das velhas Fortalezas brasileiras dos séculos XVI, XVII e XVIII", o que soubemos ainda pelo Doutor Samuel Wan d'Ernes. Assim, de acordo com essas "boas e velhas ideias tradicionais", Gustavo Moraes rasgara de aberturas as paredes da casa da família Villar — comprada por dinheiro muito acima de seu valor — enchendo-a de nichos e santuários, nos quais colocara santos de barro cozido ou de madeira, comprados por tudo quanto era de sacristia e igreja velha da Paraíba e de Pernambuco. Ao chegar do Recife para Taperoá, Gustavo mandara procurar, na rua e nas casas de fazenda da nossa Vila, mesas velhas, cadeiras, consolos e tudo quanto era de velharia dessa qualidade. Distribuíra tudo isso pela casa, cobrindo as mesas-de-centro e forrando os oratórios com as coisas mais extravagantes — paramentos sacerdotais franjados de ouro, toalhas de renda, estribos de selas antigas, lavatórios de louça azul e branca e móveis que ninguém usava mais por terem se tornado "fora de moda". A casa ficara com tal aspecto que um dia a Velha do Badalo, uma velha doida que existe por aqui e que vende coentro de porta em porta, chegando na sala de visitas dos Moraes, julgou que estava numa capela, ajoelhou-se diante de uma mesa-de-centro enfeitada de paramentos roxos, benzeu-se e rezou bom pedaço de um terço, antes que os empregados a detivessem. Pois o contrato dos Moraes com o pedreiro Teodoro Barba-de-Bode referia-se a essa reforma. Naquele dia 1º de Junho de 1935 ele fora chamado para abrir umas seteiras nas duas paredes dos oitões da casa; depois da primeira parte das reformas, Gustavo Moraes percebera que a casa dos Garcia-Barrettos tinha, a mais, aquele elemento de "arcaica rusticidade e beleza", e, inconformado, mandara abrir seteiras na dos Moraes. Chamado ao "Alto dos Borrotes" para fazer o trabalho de alvenaria e cantaria, Teodoro Barba-de-Bode, sabendo da inimizade que reinara outrora entre Antônio Moraes e meu Padrinho, Dom Pedro Sebastião, foi me consultar, indagando se devia, ou não, aceitar a incumbência, temeroso que estava "de sofrer algum malefício, por trabalhar naquela casa, ocupada por gente que pertencia ao partido do Diabo".

— Vê-se que o senhor instruiu bem os membros de seu Partido subversivo! — disse vivamente o Corregedor.

Eu suspirei:

— Vossa Excelência já sabe de tudo e assim é melhor que eu confesse tudo de uma vez! De fato, Excelência, sempre achei que guerra é guerra, e, no caso, na luta entre os Moraes e os Garcia-Barrettos, tratava-se da sobrevivência do meu sangue e da minha Coroa! Esse foi o motivo de eu ter explicado a todos os meus amigos que devíamos cerrar fileiras em torno de Dom Pedro Sebastião Garcia-Barretto, porque Antônio Moraes era do lado do Diabo! Apesar disso, porém, naquele dia eu tranquilizei Teodoro. Disse que ele podia, sem remorso, aceitar a encomenda de Gustavo Moraes, pois era até bom, para nós, que algum dinheiro pertencente ao lado do Mal e do Diabo passasse para uma pessoa que, como ele, estava do lado do Bem e de Deus. Expliquei-lhe que, com a morte do nosso velho Rei, Dom Pedro Sebastião, a nossa luta não se acabara, mas tinha assumido uma tática nova. Que, dentro dessa tática, ele devia aceitar aquela oportunidade rara: nenhum de nós tinha acesso à casa dos Moraes. Assim, ele aproveitasse, e entrasse lá, fazendo bem o serviço, mas com os olhos e os ouvidos bem abertos, pois como ninguém dá importância a um Pedreiro, talvez lhe aparecesse a sorte de tomar conhecimento de alguma coisa vital, de alguma informação preciosa para o nosso Partido!

— Está ouvindo, Dona Margarida? — disse o Corregedor, escandalizado. — Está vendo como esse pessoal é perigoso e sem escrúpulos? Anote, tudo isso é muito importante!

Margarida anotou e eu continuei:

— Naquele sábado, pois, Teodoro trabalhou a manhã toda, num altíssimo andaime, colocado num quarto situado do lado esquerdo do corredor que ligava a sala de visitas à sala de jantar do casarão. Estava realizando, já, o trabalho de caiação daquele lado, pois já abrira, na parede, as seteiras encomendadas por Gustavo Moraes. Teodoro tencionava, como quase todo mundo na Vila, ir para a rua à tarde, para assistir às Cavalhadas. Tinha tido, aliás, o cuidado de deixar isso bem claro, na véspera: no sábado, largaria o trabalho ao meio-dia, só voltando ao "Alto dos Borrotes" na segunda-feira pela manhã. Aconteceu, porém, que, no dia da chegada de Sinésio, aí pelas onze horas da manhã, Teodoro fez uma pausa em cima do andaime, para descansar, deitou-se um pouco e terminou adormecendo, com a cabeça repousando em cima de uma rodilha de estopa. Com o torpor causado pelo cansaço e pela fome que precede a hora do almoço, dormiu um bocado e ficou lá em cima, esquecido, com o pessoal da casa julgando que ele tinha largado o serviço, conforme o ajuste, e se retirado para a Vila. Todos os serviçais do casarão, atraídos pelas Cavalhadas, tinham descido para a Vila, depois de servido o almoço. A mulher de Antônio Moraes, Dona Eulália, não se dava bem com o marido e nunca estava onde ele estivesse, de modo que tinha ficado na casa que a família tinha no Recife, no bairro da Benfica. Quanto a Gustavo, aí pelas duas horas da tarde seu motorista lhe trouxera o carro com o qual ele nos deslumbrara naquele ano, comprado no Recife por uma fotografia publicada no *Diário de Pernambuco* e classificado por Samuel como "uma Limusine presidencial ou régia". Apanhara o carro e seguira também para a rua. Não porém para ver a Cavalhada e sim para viajar com a moça Clara Swendson Cavalcanti que ia, com ele, para a "Fortaleza de São Joaquim da Pedra", sua casa, situada numa alta e escarpada praia do litoral do Rio Grande do Norte. Arésio, como já expliquei, tinha desaparecido desde o dia anterior. Desse modo, no vasto casarão silencioso e agora quase deserto, tinham ficado somente o poderoso e sombrio Antônio Moraes, sua filha Genoveva, seu filho mais moço Miguel — um rapaz doente, considerado meio idiota e ao qual ninguém dava importância — e, finalmente, Teodoro Barba-de-Bode, adormecido nas tábuas horizontais de seu alto andaime. Dormindo, ele não viu o belo almoço da família Moraes, refeição que, segundo Samuel, "constituía, já por si, uma obra de Arte, com uma toalha de linho branco e rendas colocada sobre a vasta mesa, com jarros de prata cheios de vinho e água gelada, e com antigas porcelanas azuis e brancas de Macau". Não viu, também, saírem os domésticos que iam para a Cavalhada, nem ouviu a "limusine régia" de Gustavo arrancar e se dirigir para a rua, guiada pelo motorista vestido de uniforme cáqui, com boné militar e luvas castanhas de couro. E, o que foi mais grave, não viu quando Genoveva entrou para seu quarto depois do almoço, deitando-se na cama antiga que lhe servia de leito de solteira. Genoveva usava, naquele momento, um vestido de linho "cor de pérola" que, como tudo o que aquela família usava ou fazia, representava algo de estranho e chocante para todos nós. Ela e seu irmão Gustavo, que lhe era muito afeiçoado, tinham sido os primeiros a exibir em nossa Vila aquele tal gosto meio monacal e, ao mesmo tempo, refinado, pelo que era antigo e esquisito. Uma das surpresas, porém, que o pessoal da Vila tinha quando tentava imitá-los, era descobrir que aquelas aparências de pobreza e despojamento saíam mais caras do que suas riquezas ostensivas e comuns. Outra surpresa era notar que, para o pessoal do círculo de Gustavo Moraes, uma coisa era usar alpercatas de couro por "gosto monacal e refinado", e outra muito diferente era usá-las à força, por pobreza. De qualquer modo, porém, os Moraes, por sua simples ação de presença, estavam começando a influenciar as pessoas mais ricas da Vila; sendo que, entre essas, começou logo a se destacar, dada sua categoria intelectual e seu abono econômico, a Mãe aqui da nossa Margarida, a Poetisa e jornalista Dona Carmem Gutierrez Torres Martins, que, tendo notícia, por Samuel, das excentricidades e refinamentos de gosto dos Moraes, fazia tudo para imitá-los ao pé da letra, e ardia em ânsias de ser convidada por eles, nem que fosse uma vez, para as recepções do casarão.

    Margarida lançou-me outro olhar feroz, mas não tugiu nem mugiu — ou melhor, não berrou nem rinchou, para ser mais sertanejo. Aliás, eu sabia que podia tripudiar à vontade, naquele assunto. A coisa de que ela tinha mais vergonha neste mundo eram as ridicularias intelectuais da Mãe e a caduquice do Pai, de modo que, para que eu não me detivesse na história, deixaria passar qualquer coisa que eu dissesse. Por isso, não comentou e eu continuei:

    — O vestido que Genoveva Moraes usava naquela tarde era do tipo ditado pelo gosto "monacal e despojado" que, como já disse, só as pessoas ricas podiam usar. De fazenda caríssima, era formado, quase que só, por uma túnica larga, apertada nos quadris por uma espécie de "cordão de São Francisco". Ela, que era alta e morena, de cabelos e olhos pretos, tinha quadris e busto magníficos. Eu não tenho grande atração pelas mulheres morenas não, Doutor!

Samuel, toda vez que começa a se exaltar muito em seus acessos de fidalguia e branquidade, gosta de chamar atenção para minha cor moreno-carregada, e diz que eu tenho "sangue casteado de Cavalo castanho", o que, na linguagem dele, é alusão às pitadas de sangue negro, vermelho, cigano, judaico e mouro que carrego. Não é de admirar, assim, que meu sangue castanho seja tarado pelas moças louras e brancas, principalmente da Aristocracia. Por outro lado, esses "segredos do sangue", como chama Samuel, me fazem pressentir que as moças louras têm uma certa atração por minha cara feita a machado, assim como por meu sangue de Cavalo! — disse eu, lançando o olhar mais expressivo que pude conseguir para Margarida, que, fechando a cara, virou-se para o outro lado.

Continuei, depois de suspirar:

— Pois bem! Apesar dessa tara do meu sangue castanho pelas mulheres agalegadas, digo a Vossa Senhoria, com franqueza, que nunca pude ficar sossegado diante de Genoveva Moraes! Ela era dessas mulheres que, quando entram numa sala, deixam os homens perturbados e as outras mulheres de mau humor. Principalmente porque aqueles peitos magníficos, de que eu falei há pouco, ela tinha o atrevimento de usá-los soltos, por baixo do tal vestido monacal de linho. Diziam mesmo as más-línguas da rua que, "nos dias em que ela estava azeitada, mesmo, usava só o vestido, por cima do couro limpo". Acho que nunca ninguém tinha comprovado isso. Mas bastava o primeiro fato e a simples possibilidade do segundo para escandalizar e indignar metade da Vila e fascinar a imaginação da outra metade. Nos pés, Genoveva usava apenas uma sandália, presa ao tornozelo por uma correia também de couro. Ora, quando, naquele sábado, Teodoro acordou — aí pelas duas e meia da tarde, mais ou menos —, Genoveva estava deitada em sua cama, adormecida, fazendo a sesta. Acontece que a casa da família Villar era uma casa sertaneja típica. Gustavo Moraes, quando fizera as reformas, ao contrário do que esperavam na Vila mas seguindo as ideias do pessoal da revista *Fronteira*, deixara de estucá-la para que ela ficasse "com as pesadas vigas de braúna à mostra, de acordo com o estilo monasterial e afortalezado do Barroco do áspero século XVIII brasileiro". Assim, os grossos "brabos", as amplas "tesouras" e as pesadas "linhas" de madeira pousavam diretamente sobre as grossas paredes, sustentando o enorme telhado à vista de todo mundo. Os quartos e salas eram separados apenas por meias-paredes, de modo que o nosso Teodoro, do alto do seu andaime, assim que acordou, viu logo a moça Genoveva, deitada no mais completo abandono e desalinho, nos encantos de sua intimidade. É verdade que, na casa, reinava a semiobscuridade comum ao interior dos casarões sertanejos quando estão de janelas fechadas. Mas a luz das seteiras recentemente abertas era suficiente para aclarar as coisas. Gustavo explicara, aliás, a Samuel, que as seteiras que mandaria abrir tinham dois objetivos. O primeiro, ligava-se ao gosto do seu grupo e destinava-se a dar à velha casa "o ar, meio de Igreja, meio de Fortaleza, da arquitetura colonial brasileira". O segundo, era "diminuir a sinistra obscuridade que dominava a casa em certas horas do dia", quando a ventania escaldante do Sertão obrigava aqueles delicados da Zona da Mata a fechar as janelas "para conservar, dentro da casa protegida pelas grossas paredes, uma temperatura mais fresca e agradável". No terceiro motivo, Gustavo Moraes não falara: era aquele sobre o qual já falei, isto é, o desejo que todos os Moraes tinham de não ficar atrás em coisa nenhuma, nas comparações com a casa da "Onça Malhada". Assim, naquela tarde, Teodoro, vendo a moça adormecida naquele desalinho de intimidade e aconchego, ficou apavorado, temendo que os Moraes, caso o descobrissem, julgassem que ele ficara ali de propósito, escondido, para espreitá-la. Teodoro tinha notícia do gênio violento, orgulhoso, sombrio e maldoso do enigmático Antônio Moraes, e sabia que, se fosse descoberto, não sairia vivo da aventura. Vinham-lhe à lembrança as histórias que corriam na rua sobre um homem que, lá um dia, tinha aparecido morto junto a uma velha casa em ruínas que existia ali por perto, junto da Lagoa salgada situada nas terras dos Moraes. O homem fora morto por um tiro de rifle, e tinha sido encontrado sem o couro da sola dos pés, castrado e todo mutilado a faca, o que indicava que, antes de morrer, tinha sido submetido a terríveis torturas. O caso tinha ficado obscuro, mas dizia-se, na rua, que a morte do homem fora ordenada por Gustavo Moraes, em circunstâncias "que não tinham ficado esclarecidas de propósito, porque havia ali, misturadas, as coisas mais inconfessáveis". Com essa história na cabeça, Teodoro achou melhor se manter, no momento, em absoluto silêncio: quando Genoveva acordasse e saísse do quarto, ele resolveria o que fazer, de acordo com o rumo que tomassem as coisas. Ou recomeçaria a trabalhar, fingindo que tinha saído para o almoço e voltado depois para continuar o serviço, ou procuraria descer sem ser notado, tomando o caminho da rua, o que talvez fosse melhor, uma vez que a casa estava quase vazia. Continuou, portanto, deitado no andaime, parado e calado, sem imaginar que, dali de cima, iria ver lá embaixo, daí a pouco, uma cena que iria aumentar mil vezes mais o perigo que sua vida porventura estivesse correndo.

* * *

Notei que, a despeito de si mesmos, Margarida e o Corregedor estavam acendendo os olhos e as ventas, motivo pelo qual tomei coragem e continuei:

— Tinha se passado uma meia hora desde que Teodoro acordara. Contava-me ele no mesmo dia, à noite, que, por maior que fosse seu medo e por mais que tomasse a virtuosa resolução de "não olhar", de vez em quando Genoveva, adormecida, mudava de posição, exibindo tais encantos que todas as suas prudentes decisões eram aniquiladas e ele "olhava". Olhava sofregamente, como quem sabia que essas ocasiões são raras para um pedreiro e é preciso aproveitá-las, sob pena de arrependimento e remorso para o resto da vida. E foi aí, Sr. Corregedor, que, passando um bom pedaço de tempo, Teodoro ouviu o som de passos que vinham pelo corredor. Com as maiores cautelas, virou a cabeça, evitando que o andaime rangesse e revelasse sua presença ali. Viu, então, Antônio Moraes que se aproximava e parou diante do quarto da filha. Ele pareceu hesitar um pouco, mas depois, erguendo a mão, empurrou a porta que, estando apenas cerrada, cedeu e se abriu, dando-lhe passagem. Ele entrou, depondo a um canto, sobre uma arca, o chapéu-de-chile e a bengala. Aproximou-se, então, da cama e olhou a filha durante largo espaço de tempo. Depois, sentou-se à beira do leito e esboçou um gesto que, a princípio, pareceu a Teodoro de simples carinho paternal. O senhor conhece o *Romance de Dona Silvana*?

— Não!

— Minha Tia Filipa costumava cantá-lo quando eu era menino. Me lembro dele mais ou menos, e sei que começava assim:

> *"Andava Dona Silvana*
> *pelo corredor acima,*
> *viola de ouro levava,*
> *vai cantando uma Modinha.*
> *Chegou-se pra ela o Pai*

> *a quem o Diabo impelia;*
> *a cada passo que dava*
> *de amores a acometia:*
> *— Silvana, tu não te atreves*
> *uma noite a seres minha?*
> *— Fora uma, fora duas,*
> *fora, meu Pai, cada dia,*
> *malas penas do Inferno*
> *quem por mim las penaria?*
> *— Pená-las-ei eu, Silvana,*
> *que las peno todo dia.*
>
> *Já perto da meia-noite,*
> *eis seu Pai que a acometia:*
> *— Mas se eu soubesse, Silvana,*
> *que estavas já corrompida,*
> *oh, las penas do Inferno*
> *por ti não las penaria!*
> *— Mas esta não é Silvana,*
> *é a Mãe que a paria.*
> *Também pariu Dom Alardos,*
> *senhor da Cavalaria!*
> *Também pariu a Dom Pedro,*
> *Prinspe da Infantaria"* etc.

Quando parei aí, o Corregedor indagou, entre severo e curioso:

— O senhor está insinuando que o pedreiro viu, naquele dia, entre Antônio Moraes e a filha, uma cena desse tipo?

— Senhor Corregedor, foi o que ele me disse! Teodoro julgou, a princípio, que Antônio Moraes estava simplesmente acordando a filha. Assim, a surpresa e o medo que ele teve foram terríveis, quando viu o homem, por cima do vestido, apalpar e acariciar os seios de Genoveva, seios que, segundo ele sabia pelos boatos, deveriam estar desnudos, embaixo. Mas, mesmo assim, parece que, depois de algum tempo, essa carícia por cima do vestido começou a ser insuficiente ao usineiro. Aí, pelo largo decote em forma de barco, ele acariciou o ombro descoberto e logo insinuou a mão para dentro, acariciando já diretamente a pele macia e o bico dos seios. Como Genoveva não acordasse, dizia-me Teodoro, "o pecado e a doidice daquele homem do Diabo foi crescendo": ele se deitou ao lado da moça e, sem deixar de acariciar o seio com a mão esquerda, deslizou a direita embaixo, por sob o vestido que, com isso, se ergueu. Então, o homem montou, deitando-se sobre Genoveva...

— Que história é essa, Sr. Quaderna! — interrompeu o Corregedor, asperamente, mas já um pouco azougado.

— Foi o que me contaram! — defendi-me.

— E a moça não acordou?

— Era o que eu ia dizendo, quando o senhor me interrompeu! Teodoro disse que, quando Antônio Moraes se montou mesmo, como um pai-d'égua que não distingue a filha das outras potrancas do rebanho, ele teve a impressão de que Genoveva já tinha acordado, pois viu no rosto dela uma expressão estranha, de quem sorria a contragosto. Mas, ao mesmo tempo, ela conservava os olhos meio fechados e a cabeça pendida para trás, de modo que ele não pôde me esclarecer, em sã consciência, se ela estava dormindo ou não, se estava ou não conivente com o que ia se passando. Aliás, explica-se essa dúvida de Teodoro, porque, naquele momento, apavorado com o que já vira, ele se encolheu no andaime e, com os olhos fechados, os dentes cerrados e o coração batendo, ficou, durante o resto da cena, sem olhar mais nada. Mas o resto da cena durou pouco e, se ele não via nada, não fechara os ouvidos, de modo que logo ouviu um gemido surdo, um gemido abafado, de Genoveva.

O Corregedor, com um ar falso e paternal, voltou-se para Margarida:

— Dona Margarida, a senhora me perdoe! — disse ele. — Eu não sabia que o inquérito ia tomar esse rumo, e esse foi o motivo de eu ter aceito o seu gentil oferecimento! Se a senhora acha melhor, interromperei o depoimento, e pedirei ao Cartório que me mande um escrevente qualquer!

— Não, não tem importância! — disse Margarida, com o ar angélico e martirizado de quem, pelas "Virtuosas Damas do Cálice Sagrado", fazia qualquer sacrifício.

Eu desconfiava, porém, de que suas narinas estavam ofegantes não propriamente de indignação; não era a ânsia de sacrifício dos mártires que a fazia manter-se como secretária do inquérito. Mas o Corregedor hesitava ainda e ponderou:

— É que, pelo que vejo, terei que investigar certos pormenores sobre o caso e não sei como possa fazer isso, com a senhora aqui!

— Vossa Excelência pode continuar, essas coisas não me atingem! — disse Margarida, ficando ainda mais vermelha e agitada do que estava.

— Eu, então, aceito e agradeço, porque, no caso, preciso de segredo absoluto e um escrevente não seria a mesma coisa que a senhora! Muito bem, Sr. Quaderna, vamos então continuar! O senhor, porém, veja como conta as coisas!

— Doutor, acho que estou contando tudo do jeito mais discreto possível! Depois que o senhor chamou minha atenção por causa da história de Marcolino com minha burra, tenho procurado ser o mais delicado que sei: até procurado falar difícil eu tenho! Agora, o que não sei é como contar uma história danada como esta de jeito delicado e discreto! O senhor faça o seguinte: vá perguntando as coisas do seu jeito, porque aí fica menos difícil de responder!

— Está bem! O senhor disse que a moça proferiu um gemido abafado: na sua opinião, o que foi que houve? O usineiro chegou a — como direi? — a consumar o delito?

— Teodoro disse que não sabia dizer se sim ou não!

— Pode ser, então, que só nessa hora a moça tenha acordado: gritou, com a surpresa, e o Pai então teria abafado o grito, colocando-lhe a mão na boca!

— É o que Teodoro acha, também, mais provável, principalmente porque, segundo ele me garantiu, Antônio Moraes permaneceu vestido o tempo todo!

— Vestido?

— Sim, Excelência, Teodoro afirmou, sempre, que Antônio Moraes não tirou a roupa, nem quando entrou, nem depois! É verdade que isso não garante grande coisa, e Teodoro disse que não podia avançar hipótese nenhuma com segurança, pois somente quando cessaram, embaixo, os ruídos abafados e os murmúrios que se seguiram ao gemido de Genoveva, foi que ele teve coragem de olhar de novo para lá. Já então, Antônio Moraes saía pelo corredor e Genoveva estava de pé, no meio do quarto, com um jeito meio indeciso. Antônio Moraes saiu pela frente da casa, e Teodoro viu Miguel, seu filho mais moço, de pé, na porta do seu quarto, que ficava do outro lado do corredor, defronte da camarinha de Genoveva. Pela posição em que Miguel estava, era impossível afirmar, também, se ele vira ou não alguma coisa do que se passara. Genoveva saiu do quarto para o corredor. Ao se deparar com o irmão, os dois se olharam um pouco, em silêncio. Depois, Miguel voltou a entrar no quarto, fechando a porta atrás de si, e Genoveva, cabisbaixa, saiu para os lados da sala de visitas, a da frente. Teodoro, aproveitando a oportunidade, desceu como um gato a escada do andaime, cruzou o corredor na ponta dos pés para o lado da cozinha e, saindo por trás da casa, entrou no mato do cercado, fez uma grande volta pelo Açude do Estado — evitando, assim, de passar pelo pátio da frente — e conseguiu chegar à Vila sem que ninguém o visse. À noite, passados já os acontecimentos terríveis que se desencadearam com a chegada de Sinésio, foi me procurar na "Távola Redonda" para me contar a história e pedir instruções. Eu o aconselhei a calar a boca, porque, de fato, se a história se espalhasse, os Moraes eram gente para acabar com a vida dele em poucas horas. Garanti-lhe silêncio da minha parte e despedi-o, porque tinha muita coisa a pensar e decidir, naquela noite terrível, decisiva para todos nós. Assim, Sr. Corregedor, esta é a primeira vez que conto esta cena diante de terceiros. Fiz isso em atenção ao senhor e atendendo à sua ordem de contar tudo, tintim por tintim!

— Muito bem! — disse o Corregedor, novamente impenetrável. — E as outras pessoas que o senhor considerou afetadas pela chegada do rapaz?

Folheto LXVII
O Emissário do Azul e as Juras de Castidade

— É o que passo a contar a Vossa Excelência! — continuei. — Peço, aliás, toda a sua atenção, porque o que vou contar agora envolve, ao mesmo tempo, três pessoas que foram de importância decisiva para o destino de Sinésio, isto é, Gustavo, Clara e Heliana. Acontece que, enquanto em sua casa se passavam esses estranhos acontecimentos, Gustavo Moraes, no automóvel, em viagem para o Rio Grande do Norte, mantinha com Clara, irmã mais velha de Heliana, uma entrevista importantíssima. Ele realizara, há dois dias, uma viagem secreta para a "Fortaleza de São Joaquim da Pedra", onde conversara com o pai de Clara, combinando com ele aquela viagem de regresso da moça que tinha passado uns dias em nossa Vila. Agora, apanhara-a no "casarão das pinhas" onde ela estivera hospedada e que pertencia a uns parentes seus, o pessoal da família do Major Liberalino Cavalcanti de Albuquerque. Com Clara, fazendo-lhe companhia para a viagem, viera uma velha parenta sua que, daí a dois dias, deveria regressar com Gustavo no automóvel, deixando a moça em casa, com o Pai. De modo que, no "automóvel presidencial" de Gustavo, iam agora, ali, pela estrada, para o Rio Grande do Norte, o motorista e a velha parenta na frente, e, no banco traseiro, ele e Clara. Gustavo, Sr. Corregedor, era um rapaz esbelto, de estatura pouco acima da mediana. Diferentemente do resto dos Moraes, que eram todos morenos, mas de um moreno que era carregado e sombrio em Antônio Moraes e corado e viçoso em Genoveva, Gustavo Moraes era moreno-claro e pálido, com lábios estranhamente e desagradavelmente vermelhos. Tinha o rosto fino e cabelos pretos bastíssimos, lisos. Sua barba era tão cerrada e escura que ele a raspava duas vezes por dia. Por isso, seu rosto fino, pálido nas faces, era de um azul-esverdeado nas mandíbulas, no queixo e no pescoço, sombreados pela barba preta, cuidadosamente escanhoada. Vendo o aspecto dele, não era necessário nem um Mestre, como eu, nas duas Astrologias, a Onomântica e a Transcendental, para fazer seu "diagnóstico astroso": qualquer simples iniciado em Astrologia notava logo que se tratava de um capricórnio-saturnal. Como Vossa Excelência deve saber, o "Capricórnio" — ou, sob sua forma fêmea, a "Cabra" — é um signo governado, em Trono noturno, pelo influxo maléfico-esverdeado de Saturno, com a presença e atuação do verde-lodo, da safira, do chumbo e do óxido de enxofre. Acho que, de todos os personagens que compareçam a esta história, era Gustavo Moraes o que eu conhecia menos bem. O motivo disto era, primeiro, o orgulho dos Moraes que, na Vila, só convidavam praticamente o Doutor Samuel Wan d'Ernes, "por ser, como eles, um Fidalgo dos engenhos pernambucanos, exilado e perdido nesta bárbara e bastarda terra do Sertão". O segundo motivo era o ódio mortal que existia entre eles e a família de meu Padrinho, Dom Pedro Sebastião. Os Moraes eram uma família muito rica, de usineiros pernambucanos. Estabeleceram-se em Taperoá principalmente em busca do algodão e dos minérios sertanejos, que estavam começando a ser explorados naquele tempo. Só se entendia a presença, em nosso fim de mundo, do sombrio e orgulhoso Antônio Moraes pelo fato de ele ter se tornado sócio e testa-de-ouro de uma empresa estrangeira. De fato, já naquele ano, como Clemente e Samuel nos explicaram, a "Sanbra" e a "Anderson Clayton", firmas anglo-americanas e judaicas, tinham começado a disputa dos nossos mercados de algodão, e "outros grupos enigmáticos, a serviço d'Eles, estavam se apossando dos minérios de cobre e tungstênio da Paraíba". Segundo Clemente, "essa era a origem escusa de toda aquela escusa fortuna de Antônio Moraes", a quem, por causa dessas interpretações, eu hesitava e hesito ainda em outorgar o tratamento de *Dom*. Logo que viera se estabelecer entre nós, Antônio Moraes comprara uma grande propriedade, os "Angicos". Segundo dizia a Samuel, chegara à conclusão de que a indústria açucareira de Pernambuco estava ultrapassada e encaminhava-se para a falência. Por isso, resolvera mudar de atividade e os minérios do Cariri eram fundamentais para isso. Clemente porém dizia que aqueles montes e montes de pó-de-pedra que reluziam nas beiras dos caminhos dos "Angicos" continham coisas muito enigmáticas e perigosas. Eram "minérios raros, indispensáveis às indústrias bélicas d'Eles". De fato, logo depois, Antônio Moraes começou não só a extrair, mas também a comprar barato umas pedrinhas pretas que ele chamava de "colombitas" e que mandava para o Recife, onde elas eram embarcadas em navios, embaladas em grandes caixas de madeira destinadas "a Eles". De uma forma ou de outra, estabelecido nos "Angicos", ligado às companhias estrangeiras pelo algodão e pelos minérios, Antônio Moraes começou a querer rivalizar com Dom Pedro Sebastião sobre o domínio do nosso Reino do Cariri. Como, além disso, tivesse surgido entre os dois uma questão de terras por causa de um pedaço estéril de Tabuleiro que separava as duas propriedades (e pelo qual ninguém entendia que dois homens tão ricos e poderosos se batessem tão violentamente), um ódio mortal surgira entre os dois Fidalgos, que viveram assim até a morte do velho Rei, em 1930. Os negócios principais da "Onça Malhada" eram os couros, o algodão e as pedras preciosas. Os de Antônio Moraes eram os minérios, de modo que eles poderiam, talvez, ter convivido sem briga. Mas como, ao lado disso, Antônio Moraes tivesse se aliado à "Sanbra" e, a princípio por influência do gringo campinense Christiano Lauritzen, tivesse introduzido novos métodos industriais de beneficiamento de algodão em Taperoá, a separação, a luta e o ódio entre os dois aumentaram a ponto de a situação ficar insuportável. Não é preciso dizer que essa separação e esse ódio tomaram também, imediatamente, o caráter de luta política. Foi assim que, na "Guerra de Doze", que ensanguentou o Sertão paraibano em 1912, o nosso velho Rei do Cariri tomou o partido do Coronel Rêgo Barros, dos Dantas e do Bacharel Santa Cruz, representantes do velho Partido Liberal do tempo do Império; Antônio Moraes imediatamente tomou o outro lado, o do Senador Epitácio Lindolpho da Silva Pessoa, herdeiro do Partido Conservador e do primeiro partido republicano do Senador Venâncio Neiva. Também foi por causa disso que, em 1930, na "Guerra de Princesa", Dom Pedro Sebastião tomou o partido dos Sertanejos comandados pelo Coronel José Pereira, e Antônio Moraes o da Polícia e do governo do Presidente João Pessoa. Assim, por causa desses ódios entre as duas famílias, eu não conhecia Gustavo tão intimamente quanto conhecia Arésio, Silvestre e Sinésio. Quanto à moça Clara, eu a conhecia sempre melhor, desde o tempo em que servira de emissário de meu Padrinho, Dom Pedro Sebastião, junto ao Pai dela, o "gringo" Dom Edmundo Swendson, sócio do velho Rei Degolado no negócio dos couros e das pedras preciosas. Aliás, para que Vossa Excelência não estranhe o nome das duas Damas jovens e alouradas que desempenharam papel tão terrível no destino de Sinésio, devo lembrar que são umas quatro ou cinco as estirpes fidalgas nórdico--sertanejas e flamengo-nordestinas que existem entre nós: os Wan der Leys, os Wan d'Ernes, os Von Sohstens, os Lauritzens e outros, alguns deles chegados no século XVII, outros depois, mas todos importantes. Os Swendsons e os Lauritzens são dos mais recentes. O primeiro Swendson veio para cá com aquele outro Fidalgo sertanejo-dinamarquês, Dom Christiano Lauritzen, Senhor da Vila Nova da Rainha de Campina Grande. Como sabem todos os bons historiadores e genealogistas do Nordeste, Dom Christiano Lauritzen veio para o Brasil no século XIX. Deixou o Recife e o Litoral, e veio se estabelecer em Campina Grande, onde se casou com a filha de um Fidalgo sertanejo, Dom Alexandrino Cavalcanti de Albuquerque, Senhor da Fazenda "Cabeça-do-Boi". Dom Alexandrino, como se vê por seu nome, pertencia ao ramo sertanejo e paraibano dessa famosa estirpe fidalga dos Cavalcantis de Albuquerque, da qual descende todo nordestino que se preza, motivo pelo qual todos nós nos consideramos descendentes de El-Rei Dom Dinis, O Lavrador, distinto soberano e Cantador português, quase tão bom, em seu tempo, quanto Francisco Romano e Inácio da Catingueira no nosso. O casamento do dinamarquês Christiano Lauritzen com Dona Elvira Cavalcanti de Albuquerque integrou definitivamente o "gringo" na Aristocracia brasileira e foi origem de uma nobilíssima progênie que ainda hoje abrilhanta o nosso sertão da Paraíba. Quanto a Dom Edmundo Swendson, veio ele, da Dinamarca, com Christiano Lauritzen, e casou-se com outra Cavalcanti, parenta de Dona Elvira, mas do ramo dos Cavalcantis do Sertão da Serra Negra, sertão que se estende da Paraíba até o Rio Grande do Norte. Os Cavalcantis de Albuquerque Lauritzen fixaram-se na velha sesmaria da "Cabeça-do-Boi", situada a umas cinco ou seis léguas de Campina Grande, em pleno Sertão do Cariri, numa das regiões mais ásperas e pedregosas da nossa Província. Os Cavalcanti-Swendsons, com Dom Edmundo à frente, dedicaram-se ao tráfico das pedras preciosas, motivo pelo qual resolveram se fixar no litoral do Rio Grande do Norte. Num grande monte pedregoso, situado a pique sobre o Mar, ali bem perto do lugar em que o Vaqueiro vira a Besta Bruzacã sair dos lombos do verde Tigre para as terras fogosas do Sertão, Edmundo Swendson encontrou uma velha, grande e quadrada Fortaleza do século XVII, com torreões seteirados nos quatro cantos e com velhas paredes de pedra subindo muito alto, numa linha inclinada que, partindo das rochas batidas pelo Mar, davam àquela Fortaleza um aspecto ao mesmo tempo de cadeia, de quartel e de Castelo à beira-mar. Dom Edmundo comprou, por uma ninharia, todo o pedaço de terra onde estava a velha e maciça Fortaleza; e o pessoal que morava por perto achou a coisa mais esquisita do mundo, "aquele gringo comprar exatamente o trecho de praia mais alto e pedregoso, sem coqueiros nem cajueiros que dessem lucros". Espantar-se-iam ainda mais quando "o gringo" começou a limpar o entulho que recobria a velha Fortaleza, restaurando-a em suas linhas originais e trazendo sua mulher para morar com ele, ali, "naquele fim de mundo, naquele lugar soturno". De fato, porém, Dom Edmundo Swendson precisava de um lugar que, servindo-lhe de casa, servisse também de ancoradouro à frota de barcaças que ele adquiriu e aumentou aos poucos, na medida das necessidades do seu comércio de couro e pedras preciosas. Só depois e aos poucos, por intermédio de meu Padrinho, que financiara, como sócio, os primeiros negócios de Dom Edmundo, é que fomos sabendo todos esses pormenores. Quando eu o conheci, seus negócios já cobriam o Nordeste inteiro, e iam do ouro do Piancó ao berilo e às águas-marinhas do Sertão do Picuí. Isto sem se falar de outros negócios que ele realizava lá para os lados do Sertão do Rio São Francisco e que incluíam o mármore, os couros de boi, de bode e de carneiro. As barcaças da frota do "gringo" eram, aliás, construídas no Sertão do São Francisco. Eram maiores do que as barcaças comuns; movidas a vela, tinham na frente aquelas "carrancas" que costumam colocar nos barcos do Rio São Francisco. No nosso litoral, as barcaças, além de menores, não têm carrancas, de modo que os barcos do "gringo'" foram encarados como novo fator de estranheza para o pessoal da praia. Como dizia Samuel, esses barcos "com as figuras rostrais esculpidas na proa pareciam verdadeiros e antigos Navios de madeira", o que, aliás, tivemos oportunidade de verificar na viagem que fizemos neles e que marcaria um dos episódios mais importantes da "odisseia marítima" de Sinésio, O Alumioso. Essas barcaças de Dom Edmundo subiam e desciam o Rio São Francisco. As maiores iam somente do Mar até Penedo, onde pegavam a carga deixada pelas menores, que desciam até ali desde o Sertão das Piranhas. De Penedo então voltavam as maiores, subindo pelo Mar para o Norte e fazendo escala em Maceió, em Barra do Camaragibe, em Tamandaré e São José da Coroa Grande, até chegarem à Barra do Rio Suape, em Pernambuco, lugar onde Dom Edmundo Swendson tinha outra casa, perto da Fortaleza de Nazaré do Cabo. Daí, com outras escalas em Itamaracá e na Baía da Traição, da Paraíba, chegavam até a antiga "Fortaleza de São Joaquim da Pedra", o Castelo rochoso, situado à beira-mar, no litoral do Rio Grande do Norte, a tal Fortaleza da qual eu vinha falando. Fora assim, Sr. Corregedor, o Fidalgo nórdico-sertanejo Dom Christiano Lauritzen quem pusera seu compatriota Edmundo em contato com Dom Pedro Sebastião, Rei do Cariri; e eu acredito que, se Christiano Lauritzen não tivesse morrido quando morreu, as relações existentes entre os Garcia-Barrettos e os Cavalcanti-Swendsons não teriam se rompido depois da morte de meu Padrinho, com repercussões tão terríveis sobre o destino das duas filhas moças de Dom Edmundo — Clara e Heliana — e dos dois filhos varões legítimos de meu Padrinho — Arésio e Sinésio. Mas, quando se trata dessas questões de sina, de destino, parece que uma espécie de cegueira se abate, mesmo, sobre todos os implicados, Sr. Corregedor! Eu mesmo, desde o começo, poderia ter previsto tudo o que ia acontecer. Sabia que Dom Pedro Sebastião era amigo e sócio do Fidalgo dinamarquês-sertanejo. Mas, cego, nunca pensei que fossem dar no terrível resultado em que deram os "cruzamentos de sangue e de destino" que ocorreram entre Sinésio, nosso Príncipe da Legenda Ensanguentada do Sertão, e as duas filhas de Dom Edmundo Swendson, Dona Clara, a loura, e Dona Heliana, a dos olhos verdes, que foi o grande amor de sua vida. Clara era a filha mais velha de Dom Edmundo e de Dona Catarina Cavalcanti de Albuquerque, naquele tempo já falecida. Puxara mais à raça do Pai. Era mais alta do que baixa, tinha grandes olhos redondos e azuis, os cabelos de um louro bronzeado, o nariz reto, o queixo e as ancas firmes. Quem conhece, como eu, o folheto da *Descrição das Mulheres por Seus Sinais* notaria que ela tinha quatro defeitos físicos que, como acontece sempre nas moças bonitas, eram, nela, quatro encantos a mais: suas panturrilhas eram um pouco espessas e musculosas, contrastando de modo um pouco forte demais com os tornozelos e os joelhos finos; suas pernas eram um quase-nada arqueadas, sendo que na direita havia, entre o joelho e o tornozelo, na parte de fora, um sinal arredondado, claro; a testa ampla contrastava, um pouco mais do que o permitido, com o queixo, que era forte nas mandíbulas mas fino na ponta; e finalmente, quem olhasse durante tempo suficiente seu dorso, notaria que a espádua direita era um pouco mais alta do que a esquerda. Clara herdara esse último defeito de sua Mãe. Mas, em Dona Catarina, a diferença entre as duas espáduas era mais pronunciada, principalmente porque seus ombros eram magros e um pouco altos, ombros de asmática. Os ombros de Clara, porém, eram cheios, servindo de remate a braços esplendorosos. Era isso que transformava num encanto a mais aquela espádua um pouco abaulada que, em sua Mãe, era realmente um defeito físico. Clara, porém, não tinha consciência dessas diferenças; e a humilhação que sentira desde menina por aquilo que julgava ser uma espécie de mancha ou vergonha familiar hereditária dava a seus olhos azuis uma tristeza, uma certa altivez melancólica que os salvavam da frieza ou da insignificância que se casam, na maioria das vezes, a essa cor. Por outro lado, tenho hoje a convicção, Sr. Corregedor, de que a espádua alta e o sinal da perna não eram senão a marca que a Divindade apusera nela para dar um aviso aos demais: eram a marca do Terrível, a marca que fazia de Clara uma "assinalada"; ainda que, como os acontecimentos posteriores iriam demonstrar, muito mais assinalada e terrível do que ela fosse sua irmã, a doce, bela e sonhosa Heliana, a moça dos olhos verdes e das mãos cobertas que foi como uma pedra-de-raio a fulminar o destino de Sinésio.

* * *

— Eram, pois, mais ou menos as duas e meia da tarde daquele sábado, Sr. Corregedor! — continuei. — Gustavo Moraes tinha apanhado Clara no casarão das pinhas e agora viajavam pela estrada que, cortando o Cariri, entra, perto da Vila do Junco, para a do Seridó do Rio Grande do Norte. Iam por aquela região áspera que, naquele Junho, já começava a ficar crestada, pois o estio de 1935 começou antes do tempo. A conversa entre os dois parecia meio difícil, quase penosa mesmo, entremeada, segundo me contaram depois, de pausas, de pensamentos ocultos e de subentendidos.

— Como foi que o senhor tomou conhecimento disso?

— Sr. Corregedor, lembro mais uma vez que sou um Epopeieta, de modo que tenho certas liberdades que me são outorgadas pelo Gavião macho-e-fêmea e sertanejo que me serve de Musa. Entre essas liberdades, está a de adivinhar e profetizar as conversas que não ouvi!

— Está certo, mas isso aqui ainda não é a Epopeia: é um depoimento que, depois, vai lhe servir de material bruto para ela e, para mim, de processo. Assim, deixe de lado suas liberdades de Epopeieta e seja claro. Como foi que o senhor soube dessa conversa?

— Está bem, vou dizer a Vossa Excelência! Não lhe escondo que, como Astrólogo e dizedor de sortes, mantenho, na "Távola Redonda", um consultório astrológico e sentimental onde compareçem moças, rapazes, cavalheiros e senhoras dos mais poderosos desta Vila! Assim, as histórias que ouço diariamente, lá, são as mais incríveis! Raras são as pessoas, aqui da rua, cuja vida íntima eu não conheça, às vezes nos pormenores mais comprometedores! Olhe, Sr. Corregedor: eu estou com 41 anos de idade, e ainda fico espantado com a facilidade que as pessoas têm de contar certas coisas e de conversar na frente dos outros sobre os assuntos mais íntimos. Isso acontece muito quando o terceiro é uma pessoa colocada abaixo dos que conversam: parece que eles julgam essas pessoas cegas ou surdas, incapazes de entender qualquer coisa! Pois foi o que aconteceu naquele dia com Gustavo e Clara. Eles conversavam, no carro, na presença do motorista e da velha parenta que, dentro dos nossos costumes sertanejos, servia de companhia à moça em sua viagem. Daí os subentendidos e alusões secretas da conversa. Acontece, porém, que aquela senhora idosa, que eles pareciam julgar cega, surda, muda e burra como uma porta, tinha me tomado, há muito tempo, como confidente e consultor astrológico. Ao contrário do que julgavam, tinha uma maldade cortante, uma má-ideia sistemática sobre as pessoas, o que lhe dava um faro de cachorro para descobrir os segredos e as maldades dos outros. Foi ela quem me contou tudo, e com uma argúcia, uma penetração que teriam deixado Gustavo assombrado, caso tivesse tido conhecimento de nossa conversa. Aliás, Sr. Corregedor, tendo-se em vista que a chegada de Sinésio se daria cerca de uma hora depois, a conversa de Clara com Gustavo parecia comunicada de alguma coisa de profético ou de pressentimento. Gustavo vestia calças de uma fazenda meio aveludada, de cor vinho-castanha. O paletó era de linho branco, desses que a gente chama aqui de "lonado". A camisa era azul. Os sapatos, pardos, e as meias azuis, da mesma cor da camisa. Estava com gravata verde-clara e trazia bengala de castão de prata, que segurava com as duas mãos, apoiada verticalmente no chão do carro. De vez em quando, nos momentos de maior reflexão, apoiava o queixo sobre o castão da bengala, baixando a cabeça e entrecerrando os olhos, num gesto que lhe era habitual e que estava sendo imitado por tudo quanto era de intelectual da nossa Vila. Conto todos esses pormenores para dar a Vossa Excelência uma ideia da impressão, do espanto que ele vinha causando na rua, com aquelas elegâncias tão diferentes das nossas. Até a data de sua chegada recente do Recife, o homem elegante que nos surpreendia e esmagava a cada instante com sua superioridade e sua originalidade nesse campo era o Doutor Samuel Wan d'Ernes. Quando, porém, Gustavo Moraes apareceu entre nós, depois de tantos anos de ausência, desbancou em dois tempos o nosso Promotor que, sem outra alternativa para se sair bem do cotejo, escondeu sua humilhação e seu despeito atrás de furiosas comparações entre sua própria "sobriedade" e a "pretensão", o "espalhafato de mau gosto" das roupas de Gustavo Moraes. Isso não o impediu, porém, mesmo cobrindo o rival de remoques, primeiro de invejá-lo e depois de imitá-lo furiosamente, quase morrendo de alegria e orgulho depois que passou a ser convidado para a casa dos Moraes. Quanto a Clara, vestia, naquele momento, um vestido preto, meio transparente, com ramagens lilases, que se casava maravilhosamente com seus cabelos louros. As meias cor de creme, finíssimas, ajustavam-se perfeitamente às pernas, cobertas pelo vestido até pouco abaixo do joelho. Corretamente sentada no banco traseiro do carro, tendo juntos os pés calçados de sóbrios sapatos pretos, repousava ambas as mãos sobre os joelhos que elas ajudavam a se manter unidos. Ouvia Gustavo com uma expressão indefinida, entre atenta e sonhadora. E Gustavo falava, falava sem cessar, como era, aliás, seu hábito. Tudo o que ele dizia, tinha sempre bom gosto, elegância e originalidade, "um bom gosto e uma inteligência até excessivos", como notou Samuel a princípio, "uma originalidade meio artificial que terminava causando uma sensação de mal-estar; uma frieza e uma agudeza meio assustadoras, que afastavam toda possibilidade de haver alguma coisa de vivo e de bondoso naquela alma". Mas isso eram sutilezas de Samuel, no tempo em que ainda não fora recebido pelos Moraes. Nós todos, sem nos importar com suas análises, nas raras ocasiões em que tínhamos oportunidade de ver e ouvir Gustavo, ficávamos seduzidos e embasbacados pela inteligência e pela novidade de tudo o que ele dizia. Naquela tarde, pois, Gustavo dava conta a Clara da viagem que fizera dois ou três dias antes, por aquela mesma estrada, para a Fortaleza de São Joaquim da Pedra, onde fora se entender com o Pai dela sobre vários assuntos (sendo um deles a viagem que agora fazia, levando Clara de volta para casa). Gustavo dizia a Clara:

— "Cheguei lá na Fortaleza na terça-feira, pelas cinco horas da tarde, Clara. Confesso a você que não esperava encontrar aquela casa maravilhosa que encontrei! É verdade que você já tinha me falado nela. Eu já sabia que seu Pai tinha tido o bom gosto de restaurar uma velha Fortaleza, situada à beira-mar, para se instalar nela. Mas, não sei por que — talvez por causa da Fortaleza de

Santa Catarina que é situada, aqui na Paraíba, numa praia rasa, em Cabedelo —, eu não esperava aquela Fortaleza enorme, acastelada em cima de pedras altíssimas, batidas pelo Mar! Olhe, Clara, dos séculos XVI, XVII e XVIII, foi isso o que de melhor nos ficou, em Arquitetura! Mesmo a arquitetura dos sobrados e casarões é menos bela do que a arquitetura despojada e monacal das Igrejas, Mosteiros e Casas-de-Missões, e do que a arquitetura nobre, maciça, militar e acastelada das Fortalezas do tipo de 'São Joaquim da Pedra'! No dia em que cheguei lá, fazia uma tarde fresca e suave, e o sol, já descaindo, iluminava com uma luz dourada as enormes pedras cor de ferrugem, batidas pelas ondas; assim como iluminava, também, as altas e grossíssimas paredes que circundam a Fortaleza, paredes feitas de pedra-e-cal, escurecidas pelo tempo e cujo reboco caiu, roído pelo vento, pelas águas, pelo sal do Mar, de modo que as pedras enormes aparecem com uma nobreza vetusta que comove e nos dá um solene sentimento de respeito. Seu Pai aliás, Clara, teve o bom gosto de só refazer, no velho Forte, o essencial à restauração, não tirando o *caráter* da velha edificação acastelada e militar!"

— Essa expressão, "o caráter", Sr. Corregedor, assim como outras originalidades da fala de Gustavo estavam em moda nos círculos intelectuais e católico-reacionários da revista *Fronteira*! — expliquei. — Quando ele as pronunciava, acentuava o que dizia juntando todos os dedos da mão direita e esfregando-os delicadamente uns nos outros, como se estivesse tirando pó das suas pontas, num gesto que trouxera do Recife e que logo se tornaria, também, moda, entre todos os intelectuais que se reuniam em nossa Biblioteca Municipal Raul Machado. Gustavo continuou, dizendo a Clara:

— "Meu carro ficou embaixo, abrigado numa construção nova que seu Pai fez, longe da Fortaleza, ao pé do promontório. Subi a pé, passando pela porta situada no lance térreo da construção e encimada pelo Escudo das Quinas. Segui pelo interior do Forte, por uma espécie de túnel ou galeria de teto abaulado..."

— "Sim, é o *corredor*, como eu e Heliana chamávamos, quando éramos meninas" — comentou Clara.

— "Pois o corredor, como diz você, está caiado de novo. Entretanto, sob a mão de cal, a gente pode ver a irregularidade das enormes pedras que dão à parede um ritmo, uma força, uma nobreza conventual realmente admiráveis!" —

falou Gustavo, novamente esfregando a ponta dos dedos, levantados para cima como uma flor de pétalas fechadas.

— "O resto, então, eu já sei!" — disse Clara, com um sorriso leve e uma expressão sonhadora. — "Você subiu por uma escada de pedra que fica no fundo do corredor e faz uma curva, subindo pela direita. Aí, subindo a escada, chegou no pátio da Fortaleza, lá em cima. Meu Pai, certamente, estava esperando você na porta da casa..."

— "Que abre a frente para o pátio e para as amuradas do Forte e que é a antiga casa-forte do Capitão que comandava a Fortaleza! Que maravilha é a casa de vocês, Clara! Sinto vergonha porque as nossas melhores famílias brasileiras ainda não perceberam que essas Fortalezas deveriam ser os verdadeiros Castelos da nobreza nordestina, por serem nobres edificações à altura da torre de Duarte Coelho, em Olinda, ou da Casa da Torre de Tatuapara, na Bahia! Enquanto isso, enquanto damos todas essas nobres edificações ao desprezo e ao abandono, seu Pai, um dinamarquês, foi mais sensível do que a nossa Aristocracia; mais atento ao que existe de verdadeiramente grande e forte, como expressão do fundo épico da nossa Raça! Conversei muito com ele, Clara! É um *homem*, um homem dos meus, um forte, um daqueles que nós deveríamos mandar trazer para aqui às carradas, da Europa, para equilibrar, com um bom contingente godo e nórdico, o caldeamento racial ibérico-brasileiro. Os Fidalgos portugueses e espanhóis como contingente inicial dos nossos melhores e maiores, está muito bem! Minha aspiração é exatamente confirmar e exalçar em nosso sangue o sangue cavalheiresco e católico dos Conquistadores ibéricos! Infelizmente, com o que houve depois, com a mistura de Negros e Índios nos contingentes raciais do Povo Brasileiro, precisamos de uma raça nórdica, marinheira e empreendedora, para o sangue do Brasil com que sonhamos!" — disse ele, com uma expressão estranha e um entusiasmo meio doentio. — "Isto sem se falar em que nossa própria Aristocracia só teria a ganhar, cruzando o velho sangue ibérico com o nórdico, unindo-se, num tipo só, as qualidades senhoriais das duas Raças, o que, aliás, sucede com sua família. Aqui na Paraíba, há três famílias onde se deu esse feliz caldeamento racial: os Lauritzens, os Von Sohstens e vocês, os Swendsons. Os Von Sohstens, como bons viquingues que são e num grande rasgo de fidelidade ao ímpeto épico e marítimo de sua Raça, estão se dedicando à pesca da baleia, perto de Cabedelo, na Costinha, no litoral da Paraíba. O velho Christiano Lauritzen praticamente fez a grandeza de Campina Grande. Agora, é seu Pai, com esse belo tráfico de pedras preciosas e sua frota de barcaças! Infelizmente, três famílias dessas ainda é muito pouco! O Brasil, *depois da nossa vitória*, deverá fazer todos os sacrifícios, mandando buscar mil, dois mil, cinco mil homens como seu Pai, pagando-lhes a peso de ouro o serviço único e exclusivo de embelezar nossos homens e nossas mulheres, de procriar, de clarear e alourar nossa Raça, afinando-lhe o sangue, e fazendo-se assim, da nossa terra, um laboratório de experimentação racial, organizado de acordo com um plano preestabelecido! A Raça resultante teria todas as qualidades da nórdica e todas as da latina!"

— "E o que foi que você conversou com meu Pai?" — perguntou Clara, mudando de conversa e sorrindo um pouco do entusiasmo de Gustavo.

— "Falamos de tudo aquilo que você sabe: de você, da situação do País e da nossa em particular, de mim, dos negócios..."

— "E a respeito de Arésio Garcia-Barretto? Você falou na possibilidade do casamento dele com sua irmã Genoveva?"

— "Sim, falamos disso, é claro, dada a amizade que havia entre seu Pai e o de Arésio. Seu Pai acha que, se Arésio quer, e Genoveva também, essa é a solução ideal para a situação que se criou. Quando afirmou isso, ele me disse que falava como amigo que foi do velho fazendeiro morto e como atual amigo e sócio do meu Pai!"

— "E por falar em Arésio e Genoveva, continua tudo no mesmo pé, entre os dois?" — perguntou Clara, curiosa.

— "Continua!" — disse Gustavo. — "Pelo menos, é a minha opinião, não sei nada por intermédio deles! Você sabe Genoveva como é: não fala nada sobre essas coisas, retraída e orgulhosa como sempre foi. Quanto a Arésio, é o selvagem do qual você já tem notícia, apesar de nunca tê-lo visto, não é isso? Não digo assim por antipatia a ele. Pelo contrário! Para falar a verdade, tenho admiração e orgulho por aquilo que, em Arésio, mostra a força e a violência ancestral dos Senhores e Cavaleiros que foram os troncos da nossa Aristocracia! Por mim, o casamento dele com minha irmã se fará!" — concluiu ele com uma expressão que fez Clara erguer para ele e logo abaixar de novo seus olhos azuis.

— "E o testamento do pai de Arésio?" — indagou ela, depois de uma pausa, e já novamente com os olhos baixos. — "Meu Pai falou alguma coisa sobre isso?"

— "Seu Pai, como eu esperava, não sabe nada sobre esse pretenso e misterioso testamento! Diz que, em todo caso, se é que ele existe mesmo, ninguém sabe mais nenhuma notícia a seu respeito. O problema não seria nada se o velho fazendeiro degolado não tivesse se casado com a primeira mulher, Mãe de Arésio, com separação de bens, e, com a Mãe do *outro*, com comunhão de bens! Houve ainda, ao que dizem, algumas doações, feitas em vida do velho, ao rapaz que desapareceu. Agora, porém, no pé em que estão as coisas, se o Juiz julgar tudo como nós esperamos, o rapaz será declarado *ausente*, e tudo será resolvido da melhor maneira!"

— "Ausente é a mesma coisa que morto?" — indagou Clara, sem levantar os olhos.

— "Para o caso da herança, acho que sim!" — respondeu Gustavo, olhando-a fixamente, com uma expressão inquiridora.

— "Quer dizer que, *quanto ao mais*, não é a mesma coisa?" — insistiu Clara, com a mesma expressão e ainda de olhos baixos.

— "O que é que você quer dizer com isso?" — perguntou Gustavo com voz surda.

— "Eu, não quero dizer nada! No entanto, veja que você mesmo, quando falou dele ainda há pouco, não disse *o rapaz que morreu*, e sim *o rapaz que desapareceu*."

— "Tanto faz uma coisa como outra, e era *o rapaz que morreu* que eu queria dizer, porque não há mais dúvida de que Sinésio morreu mesmo!" — disse Gustavo, pronunciando com dificuldade o nome do desaparecido. — "De qualquer modo, se ele um dia aparecesse, você ainda se consideraria noiva dele?"

— "Não sei!" — falou Clara, como se o assunto também lhe fosse penoso e sempre sem levantar os olhos.

— "Aliás, segundo você me disse" — insinuou Gustavo, numa meia-pergunta —, "não houve propriamente um noivado comum e firme, entre vocês dois, porque o pedido foi feito a seu Pai e de modo inteiramente inesperado. Aliás, foi o Pai dele quem pediu! E foi seu Pai quem concordou, não foi isso mesmo?"

— "Foi!" — assentiu Clara.

— "E, caso ele aparecesse, você se acharia na obrigação de manter a ele essa palavra, dada por seu Pai, cinco anos atrás?"

— "Não sei!" — repetiu Clara. — "Qual é a opinião de meu Pai? Você falou com ele a respeito disso?"

— "Falei muito por alto, porque, *por culpa sua*, Clara, eu não tinha uma atitude definitiva na qual me basear para falar com ele sem indiscrição de minha parte!" — disse Gustavo; e como Clara deixasse passar sem comentário aquelas palavras, *por culpa sua*, que ele acentuara de propósito, continuou: — "Falei com seu Pai somente por alto. Ele me contou que você tinha noivado com esse Sinésio com o consentimento dele e atendendo a um pedido, feito por carta, do Pai do rapaz. Naquele tempo, o Pai de Sinésio e o seu eram sócios e amigos, de modo que o consentimento era quase obrigatório! Seu Pai me deu a entender, porém, que, com a morte do Pai, a desaparição do filho, e as modificações havidas nas relações entre as duas famílias, ele se considerava desobrigado em relação a esse noivado. Mas falou somente quanto à parte pessoal dele, é claro; disse que, quanto a você, só você mesma poderia decidir!"— concluiu ele; e, vendo que Clara se mantinha em silêncio, um lampejo de fria cólera passou por seus olhos. Mas ele logo se dominou, graças a sua boa educação. Depois de uma pausa, falou de novo, perguntando:

— "Você já se decidiu?" — o que disse forçando sua natureza e seus hábitos de perfeito cavalheiro, uma vez que, formulando essa pergunta, não deixava de incorrer numa intromissão na vida íntima de Clara. Mas a moça fugiu, de novo, a uma resposta direta:

— "Não sei!" — disse ela, lentamente. E acrescentou, pesando as palavras: — "De qualquer modo, esteja Sinésio vivo ou morto, fique eu noiva dele ou não, casasse ele comigo ou não, isso não significaria nada diante do juramento que eu e você fizemos, não é mesmo?"

— Parece, Sr. Corregedor, que havia qualquer coisa de envenenado nas últimas palavras de Clara. Gustavo empalideceu muito além do que já era, ficando com um ar de sonâmbulo. Seus lábios, normalmente vermelhos daquela maneira desagradável a que já me referi, estavam inteiramente descorados, e foi assim que ele falou:

— "O nosso juramento! Você o manteria, de qualquer modo?"

— "Sim, estou disposta a mantê-lo de qualquer maneira! E você?"

— "Também! Sou capaz de repetir as palavras agora, diante de você, como uma renovação de votos! É o sagrado juramento coríntio da nossa *Ordem da Esmeralda do Graal*, o juramento dos nobres, dos raros e dos poucos!"

— Então, Sr. Corregedor, depois dessas palavras estranhas, sempre com um ar meio esquisito de possesso do "mal sagrado", Gustavo tirou um pequeno Evangelho ou Missal do bolso interno do paletó e recitou as seguintes palavras, que, instruído pela velha parenta, localizei e copiei:

— "O corpo não é para a fornicação, mas para o Senhor, e o Senhor é para o corpo. Fugi da fornicação. Todos os outros pecados que o homem cometer, são cometidos fora do corpo; mas aquele que comete fornicação, peca contra seu próprio corpo. Digo que seria bom para o homem não tocar em mulher alguma! Porque eu quero que todos vós sejais como eu mesmo (que não toco em mulher). Digo também aos solteiros e às viúvas que é bom para eles permanecerem assim (castos) como eu. O homem que está sem mulher, está cuidadoso das coisas que são do Senhor, de como há de agradar a Deus. Mas o homem que está com mulher, está cuidadoso das coisas que são do mundo, de como há de causar prazer a sua mulher. E, assim, anda dividido. E a mulher solteira e virgem, cuida nas coisas que são do Senhor, para ser santa no corpo e no espírito. Mas a mulher que é casada, cuida nas coisas que são do mundo e de como dará prazer a seu marido. Assim, aquele que casa sua filha virgem, faz bem. Mas aquele que não a casa, faz melhor!"

* * *

— Quando Gustavo acabou de dizer essas palavras, Sr. Corregedor, Clara estava olhando para ele com uma expressão também estranha e enigmática. Ninguém poderia dizer o que estava se passando exatamente por trás daqueles belos olhos azuis, naquele momento mais frios do que de costume — se zombaria, se uma fria aversão, ou se amor. Talvez fosse uma mistura de tudo isso. Entretanto, ela não fez nenhum comentário sobre o que ouvira. Como se lhe tivessem ocorrido outras lembranças, situadas numa outra ordem de ideias, perguntou:

— "E minha irmã Heliana?"

— "Que é que tem Heliana?" — indagou Gustavo, um pouco surpreso com a mudança de rumo da conversa.

— "Você esteve com ela?" — insistiu a moça.

— "Não, não estive propriamente com ela! Tentei falar-lhe, uma vez, mas ela fugiu."

— "Onde estava ela, quando você a viu?"

— "No pátio da casa, perto da amurada que dá vista para o mar lá embaixo. Estava olhando para longe, com expressão distraída, na direção de quatro ou cinco barcaças que estavam ali ancoradas, com as velas frouxas mas ainda não enroladas. Que beleza é a frota de barcos de seu Pai, Clara! As barcaças mais comuns daqui são menores e têm as velas feitas de pano branco. As dele, vindas do Rio São Francisco, como ele me explicou, são enormes, com velas coloridas e com figuras rostrais esculpidas em madeira, na proa. Para lhe ser franco, confesso que sinto até uma sensação de prazer, só em falar nisso! É como se nos transportássemos para os tempos heroicos do nosso País, o tempo dos Conquistadores! Pois Heliana estava ali, sentada naquela saliência que serve de banco à amurada, parecendo, ela também, uma figura fora do tempo, olhando cismadoramente para o Mar verde-esmeralda e azul-turquesa, lá embaixo. Estava com ela a mulher que lhe faz companhia."

— "Chama-se Maria Elvira!" — explicou Clara. — "O trabalho de Maria Elvira é somente esse: fazer companhia a Heliana para atender a seus caprichos e, ao mesmo tempo, tomar conta dela. Mas, por favor, conte como tudo se passou!"

— "Eu fiquei um instante parado na porta da casa, depois de tê-la avistado. Ela parece que me pressentiu, porque, de repente, voltou a cabeça, meio assustada, ergueu-se e depressa, quase correndo, de olhos baixos, fingindo que não tinha me visto, atravessou o pátio e desceu pela escada, saindo do Forte. Você me desculpe eu falar assim, mas ela corria com uma expressão meio selvagem, meio arisca... Não sei, também, se deva lhe contar o que aconteceu depois..."

— "Por quê?" — indagou Clara, franzindo o cenho, mas deixando transparecer, a contragosto, uma certa inquietude.

— "Você me conhece e sabe que estou lhe falando com o coração nas mãos, de maneira que entenderá, também, que só falo disso porque é a você! Acredite, Clara: sinto até uma sensação de culpa por ter seguido sua irmã, apesar de ter feito isso quase inconscientemente, num impulso! Foi um gesto quase instintivo, de minha parte, aquele de procurar quem parecia fugir de mim! Outra coisa que posso alegar em meu favor é que eu não tinha a menor ideia do que se ia passar!

Depois, pensando naquilo que tinha feito, outra coisa que me intrigava era o fato de eu ter evitado que Heliana visse que estava sendo seguida por mim. Por que fiz isso? — tenho me perguntado muitas vezes, de quarta-feira para cá. Encontrei duas causas para esse comportamento, tão estranho a meus modos. Primeiro, logo no começo, foi o temor de que Heliana, vendo-me, fugisse de novo, antes que eu pudesse falar com ela, e eu queria muito saber como era a única irmã que você tem. Depois, do meio para o fim, foi a obscura consciência, que começava a me inquietar, da indiscrição que eu estava cometendo! Daí em diante, eu já ficaria era profundamente envergonhado, se fosse surpreendido espreitando Heliana, que defendia sua solidão de modo tão evidente e selvagem. Foi aí que me escondi para que, quando ela se afastasse mais, eu pudesse voltar à Fortaleza sem ser visto por ela. Infelizmente, porém, foi esse também o instante em que Heliana tinha chegado ao lugar que talvez buscava, de modo que ela parou, com Maria Elvira, e eu fiquei encurralado por trás das moitas em que tinha me escondido, obrigado, já, agora, a cometer até o fim a indiscrição da qual há pouco queria fugir. As duas pararam junto a uma espécie de monte de pedras, pedras de tamanho médio, escuras, entulhadas umas por cima das outras, numa encosta situada não muito longe do Mar."

— "Heliana estava com alguma coisa nas mãos?" — interrompeu Clara, erguendo os olhos e quase ansiosa, ao ouvir a referência de Gustavo ao monte de pedras.

— "Não!" — respondeu Gustavo. — "Mas a mulher, Maria Elvira, tinha, no caminho da Fortaleza até ali, tirado um pequeno galho de mato, do qual tirara as folhas com um canivete, arrepiando-lhe a casca em tiras, com a lâmina, perto da ponta da varinha."

— "Então, já sei o que aconteceu daí em diante!" — disse Clara, parecendo mais aliviada. — "Isso que você viu Maria Elvira fazer é um *hissope*, como a gente chamava, quando éramos pequenas. Vou lhe dizer como tudo se passou, quer ver? Quando elas chegaram junto das pedras, começaram a procurar casas de abelhas, enxuís que por ali sempre se encontram, na loca de alguma pedra maior ou nos buracos formados por duas ou três das menores, amontoadas!"

— "Foi isso mesmo!" — concordou Gustavo, surpreendido ao ver Clara adivinhar tudo.

— "Elas acharam as abelhas?" — perguntou Clara.

— "Acharam, sim!"

— "Então vou dizer o que houve depois. Maria Elvira deve ter acendido fogo para fazer fumaça e espantar as abelhas."

— "É verdade!" — confirmou Gustavo. — "O cheiro bom das folhas e madeiras mal queimadas chegava até o lugar em que eu estava escondido. Mas será que você sabe até o que aconteceu depois?"

— "Daí em diante, é fácil adivinhar!" — disse Clara, agora segura. — "Depois de darem bastante tempo às abelhas para que saíssem, tonteadas pela fumaça, Heliana enfiou a varinha no enxu, e as cascas arrepiadas saíram, todas, molhadas de mel. Ela costuma fazer isso desde menina, é louca por mel de abelha, que ela dizia ter gosto misturado de flor e de sol!"

— "E você sabe o que é que ela faz com o mel, depois de tirá-lo assim?"

— "O que ela faz?" — perguntou Clara, perplexa.

— "Bem, pelo menos o que ela fez! Não sei nem como lhe contar isso, eu não devia ter falado!"

— "Não, conte!" — falou Clara, agora entregando-se ao desânimo e à inquietude. — "Lá em casa, nós já estamos todos habituados com as estranhezas de Heliana! Não é que eu tenha vergonha nenhuma dela; não acho nada de censurável no que ela faz, mesmo quando os outros acham que aquilo é mais do que esquisitice! Vá, diga: o que foi que Heliana fez, então?"

— "Desabotoou o vestido!" — disse Gustavo com uma expressão falsa e desmentindo, com ela, a resistência que afirmara sentir em contar tudo. — "Depois de desabotoá-lo, abriu-o no peito e começou a passar o mel no busto! Nos seios! Para ser mais preciso, nos bicos dos seios!" — acrescentou ele com um sorriso forçado, desagradável. — "Ela ficou assim, passando o mel nas aréolas, devagar, uma porção de tempo, parecendo distraída e sonhadora. Não sei se era por efeito da luz, mas, do lugar em que eu estava, ela me parecia pálida, com os cabelos compridos soltos nos ombros, finos, estirados e levemente agitados pelo vento que soprava do Mar. De que cor é o cabelo dela, Clara?"

— "Castanho-claro e, como você pressentiu de longe, muito fino e leve. Mas ela não é propriamente pálida, é alva como eu, se bem que não seja loura!" — explicou Clara, aliviada por poder desviar o assunto.

— "Foi a impressão que eu tive, pelo menos assim como pude vê-la, de passagem e de longe!" — disse Gustavo. — "Mas os olhos dela são da cor dos seus?"

— "Não, são verdes! Ou melhor, são azul-esverdeados! Verde-azulados! Afinal, como é que se diz?" — disse Clara, tentando sorrir. E acrescentou, com tristeza: — "Eu lhe peço desculpas, por ela!"

— "Desculpá-la, eu? Não, de modo nenhum! Eu sou quem deve lhe pedir desculpa! Aliás, só estou lhe contando isso para, de certa forma, me explicar e me desculpar perante sua família! Eu nunca poderia desconfiar de que iria ver alguma coisa desse gênero!"

— "Eu sei!" — concordou Clara. — "Nós já temos passado por outras situações semelhantes, todas constrangedoras. Heliana sempre foi meio estranha e selvagem, desde menina! Eu me acostumei, e posso dizer que, de certa forma, já posso aceitá-la como ela é. Meu Pai, coitado, é que só falta morrer de desgosto! Acredito que, diferentemente do que você pensou, não foi por espírito de Conquistador ou por fidelidade racial que ele foi morar em São Joaquim, não! É por causa de Heliana que ele prefere viver isolado, naquela Fortaleza afastada, longe de todo mundo! É por causa dessas coisas que, de vez em quando, ele manda Heliana, somente com Maria Elvira como companhia, para Nazaré do Cabo, em Pernambuco, para Penedo, em Alagoas, ou mesmo para o Sertão das Piranhas, onde nós temos uma fazenda. No Cabo, em Pernambuco, existe uma Fortaleza parecida com a nossa, lá, de São Joaquim da Pedra. Meu Pai tentou comprá-la também, para fazer dela outra das nossas moradias. Era conveniente porque ela fica em cima, mesmo, das pedras da Barra do Rio Suape, onde nossas barcaças têm porto e fazem escala. Mas ele não conseguiu comprar a terra da Fortaleza, de modo que ela ficou lá, arruinada, sem restauração. Então meu Pai comprou um terreno alto, perto do Forte, e, defronte da velha Fortaleza, construiu uma casa assobradada. Às vezes, nós passamos tempos nessa casa do litoral de Pernambuco, principalmente quando meu Pai precisa controlar melhor as viagens e as cargas das barcaças. Eu evito sempre de ir para lá, já me basta o isolamento de São Joaquim! Mas Heliana adora essas viagens, e meu Pai aproveita esse gosto dela para distraí-la e, ao mesmo tempo, para evitar que ela passe muito tempo num lugar só. Porque, quando acontece isto, Heliana termina sempre fazendo alguma coisa no gênero do que você viu!" — disse Clara, com alguma tristeza.

— "Seu Pai prefere você a Heliana, não é verdade?"

— "Não sei, talvez. Pelo menos, é o que todos parecem pensar!"

— "Foi o que concluí, pelo que observei e também por certas palavras que ele deixou escapar."

— "Talvez não seja propriamente uma preferência! É que eu sou mais razoável e também muito mais parecida com ele!"

— "Notei isso, é estranho!" — disse Gustavo, olhando Clara diretamente nos olhos. — "Você se parece terrivelmente com seu Pai!"

— "Terrivelmente? Terrivelmente por quê?"

— "Não sei! Acho que disse *terrivelmente* no sentido de *demais*. De qualquer modo, foi como elogio que falei, porque, para mim, dizer que você parece com seu Pai é um elogio!"

— "Para mim, também! Já Heliana, todo mundo diz que ela parece mais com minha Mãe quando era moça, se bem que todos dizem, também, que minha Mãe era muito menos bonita! Minha Mãe era uma pessoa assim, isolada no meio dos outros, como Heliana, se bem que não tanto! De qualquer modo, foi bom que você tivesse visto Heliana como viu, porque, assim, não fica mais enganado!"

— "Enganado em que sentido?" — perguntou Gustavo, empalidecendo novamente e contraindo tanto as mãos que agarravam a bengala que os dedos embranqueceram. — "O que é que você quer dizer com isso?"

— "Você poderá assim, de olhos abertos, pesar os prós e os contras da sua amizade comigo!"

— "Ninguém pesa os prós e os contras de uma amizade, Clara!" — disse Gustavo com a voz meio estrangulada. — "Agora, se você dissesse *amor*, aí seria diferente!"

— "Amor?" — disse Clara, quase com ironia. — "Eu fiz o juramento dos raros, dos nobres e dos poucos, de modo que sou proibida de tocar em todas essas coisas! Além disso, não sei se sou noiva ou não, porque esse Sinésio que eu só vi uma vez, há cinco anos, e com quem meu Pai contratou meu casamento, muita gente acredita que ele ainda está vivo!"

— "Você, Clara, quando quer, sabe dizer as maiores crueldades!" — disse Gustavo pondo-se ainda mais lívido.

— "Você também! Acho mesmo que foi com você que aprendi isso e muitas outras coisas mais!" — retrucou Clara no mesmo tom. — "De qualquer maneira, para mim e para você, e até para Sinésio, caso ele volte um dia, será a mesma coisa; tanto faz que eu seja noiva ou não! Casada ou solteira, casada com Sinésio *ou com qualquer outro*, eu só daria, a ele ou a esse outro, o amor coríntio, que é puro e casto e que, portanto, pode ser dividido, sem magoar ou ferir ninguém!"

— Gustavo olhou para Clara sem dizer nada, Sr. Corregedor. Estava ainda muito pálido e a mão que conduzia a bengala continuava contraída como uma garra, sobre o castão de prata. Ele inclinou a cabeça, como num assentimento, mas não disse mais nada. Ficou com o rosto voltado para fora, olhando a desolada e áspera paisagem do Seridó, coberta de pedras, galhos secos e cardos. A paisagem corria ante seus olhos, com a velocidade do automóvel. E, naquele mesmo instante, Sinésio entrava na rua, montado em seu cavalo branco.

Folheto LXVIII
O Caso do Cachorro Malcomportado

Quando acabei de contar isso, o Corregedor estava me ouvindo com uma cara meio dura. Perguntou:

— Dom Pedro Dinis Quaderna, isso tudo que o senhor contou agora é verdade, mesmo, ou é "estilo régio"?

— Bem, Sr. Corregedor, como eu já disse, soube de todas essas histórias por intermédio de terceiros, e, "como dizia a vaca quando começou a correr atrás de Mestre Alfredo, quem conta um conto aumenta um ponto". Assim, não seria nada demais que eu, por minha vez, aumentasse meu ponto, pois é, mesmo, uma característica das Epopeias essa de seu fogo vir sempre coberto de fumaça. Mas, como "não há fumaça sem fogo", o senhor tenha paciência, "compre cinco tostões de cá-te-espero" e, no fim, com a argúcia jurídica e gaviônica que todos lhe reconhecem, poderá decifrar, com os elementos que estou lhe fornecendo, a estranha desaventura de Sinésio, O Alumioso, e Quaderna, O Decifrador, na Demanda Novelosa do Reino do Sertão! Uma explicação, porém, preciso lhe dar. Já lhe contei que meu Pai me transmitiu sua enorme admiração por José de Alencar. Foi exatamente quando eu começava a aprender com meu Padrinho, João Melchíades, a "Arte da Poesia". Eu já estava furiosamente entregue à leitura dos folhetos, quando li *O Guarani*. Por isso, entendi logo que, na história de José de Alencar, havia um Rei, Dom Antônio de Mariz, acastelado no seu Solar do Paquequer; uma Princesa loura chamada Ceci; outra morena, chamada Isabel; havia um escudeiro e uma guarda de Doze Pares de França do Cordão Azul, comandada por Álvaro de Sá. Havia um Príncipe mouro-vermelho, Peri, e os Tapuias-aimorés eram uma espécie de Cavaleiros descalços e Arqueiros, pertencentes ao Cordão Encarnado. Depois, instruído por Clemente e Samuel, vi Joaquim Nabuco escrever sobre José de Alencar, dizendo: "Cecília é um tipo mal esboçado, uma criança que devia fechar melhor a janela à noite (para não estar atraindo a sensualidade brutal de Loredano com seus encantos). Ninguém sabe se ela amou, ou não, Álvaro de Sá, nem por que amou Peri. Esse Anjo está muito perto de ser um monstro, apesar de seus grandes olhos azuis. Cecília tinha dezoito anos quando se resolveu a acompanhar o Tapuia de tez de cobre para viver com ele no Deserto. Todos querem saber o que vai ser da filha de Fidalgos que se abandona assim a um selvagem, apesar de todo o rubor que lhe tinge de uns longes cor-de-rosa as linhas puras do colo acetinado. Sua prima Isabel tem mais pudor, talvez, mas é de uma sensualidade desenfreada. Mesmo quando ela tinha somente na fisionomia a alma do amor, era já de uma sensibilidade tal que o leve roçar da espiguilha no seu colo aveludado (o da outra era acetinado!) causava-lhe sensações voluptuosas. Isabel é uma bacante. O Sr. José de Alencar só pensou, ao criar essas duas, em formar esse eterno contraste de suas heroínas, as morenas e as louras." Joaquim Nabuco dizia, ainda, que na obra inteira de José de Alencar só se via era essa eterna e cansativa oposição, "o Corpo com seus instintos de Fera, e a Alma, com sua castidade. O Jumento e o Anjo alternam-se a cada instante, as duas naturezas, a animal e a divina". Depois que li tudo isso, Sr. Corregedor, tive uma iluminação! Vi que, na história de Sinésio, havia uma Princesa loura como Ceci, que era Clara, e outra morena como Isabel, que era Genoveva Moraes. E tomei conhecimento doutra Princesa cuja biografia é narrada também por José de Alencar: é Lúcia, ou Lucíola. O maior encanto, o maior enigma dessa mulher é que ela tem duas naturezas separadas, a de Anjo casto e a de Jumenta no cio. Quando se revelava, nela, a natureza de Anjo, diz José de Alencar que "tudo era branco e resplandecente como sua fronte serena: por vestes, trazia somente cassas e rendas, por joias, somente pérolas; nem uma fita, nem um aro dourado manchava essa nítida e cândida imagem". Mas, quando aparecia a natureza de Jumenta no cio, tudo era diferente. O narrador de sua história, que a possuiu uma vez, fala disso assim: "O penteador de veludo voou pelos ares, as tranças luxuriosas dos cabelos negros rolaram pelos ombros, arrufando-se ao contato da pele veludosa, e eu vi aparecer aos meus olhos pasmos, nadando em ondas de luz, no esplendor de sua completa nudez, a mais formosa bacante que esmagara outrora, com o pé lascivo, as uvas de Corinto. A posse foi delírio, convulsão de prazer tão vivo que, através do imenso deleite, traspassava-me uma sensação dolorosa, como se eu me revolvesse no meio de um sono opiado sobre um leito de espinhos. O prazer a estorcia em cãibras pungentes. Todo o vinho tinha lhe passado pelos lábios. Agitando as longas tranças negras, retraiu os rins num requebro sensual, imitando os mistérios de Lesbos e o rito afrodisíaco das virgens de Pafos. Mas seu amor era como certas plantas vorazes — a urze das paixões, o cacto selvagem dos nossos campos." Está vendo, Sr. Corregedor? Além disso, José de Alencar esclarece que, quando estava assim, como Asna selvagem no cio, as roupas de Lucíola eram inteiramente diferentes da cassa virginal e branca. Usava ela "um vestido escarlate, com largos folhos de renda preta, bastante decotado para deixar ver as suas belas espáduas. Júbilo satânico dava a essa estranha criatura ares fantásticos entre as roupas de negro e escarlate". Ora, apesar de toda a genialidade de José de Alencar, Joaquim Nabuco descobriu nele um grave defeito. Diz Nabuco, a respeito dessa contradição de Lucíola, que José de Alencar não tinha "o direito de dar uma vida independente, florescente de sensualidade, ao corpo, e uma outra, de virgindade e pureza, à alma". Foi aí que eu vi que podia ganhar minha luta com José de Alencar, porque, com a história de Sinésio, eu poderia ser muito mais completo do que ele, por causa de Heliana. Clara era como Cecília, Genoveva como Isabel: uma, loura e angélica, a outra, morena, ardente e no cio. Mas Heliana juntava tudo isso, não em contradição e separadamente, Sr. Corregedor, e sim em unidade, unindo a Verbena, a urze, a urtiga, o Vinho, o mel das abelhas e o amor felino da Onça jovem e fêmea, isto é, o negro-escarlate da Paixão e a cassa da Pureza, ambas ardentes. De fato, pelo que pude ver e adivinhar de seu amor por Sinésio, assim era Heliana! E eu, tendo conhecido Heliana como menina-e-moça e, depois, como moça e mulher, poderia dizer dela tudo o que José de Alencar disse de tantas outras, sempre separando em muitas o que, em Heliana, era espanto e unidade, fogo e canto do sangue. É que, quando eu e Sinésio vimos pela primeira vez aquela que seria a Dama e princesa de sua vida, ela estava com doze anos, a mesma idade da irmã de Lucíola. Era um fruto verde, como a Emília de *Diva*. Depois, "aveludada pela pubescência", despertava nela a mulher, na "atitude da corça arisca", assim como Gustavo pôde vê-la naquele dia, perto do Mar. O cabelo dela era como se tivesse sido formado somando-se o louro de Ceci e Clara com o escuro de Lucíola e Isabel, para dar num cabelo castanho-claro, fino, macio, dourado. Seu amor era "vinho, fruto e chamas embebidas em mel", e era daí que se originava também a penugem macia e rara que lhe dourava as coxas "alvas mas amorenadas pelo

Sol". Assim, tudo o que lhe disse é verdade e pode ficar documentado em seu inquérito. Mas é, também, estilo régio, e vai me servir, na minha Epopeia, para eu ser mais completo, modelar e de primeira classe do que José de Alencar!

— Muito bem! Vá, então, adiante, a respeito dos outros acontecimentos importantes daquele dia!

* * *

Continuei:

— Bom, para contar o que aconteceu ainda de mais importante naquela Véspera de Pentecostes de 1935, devo agora seguir os passos de Arésio desde o momento em que ele soube da chegada de seu irmão Sinésio na Vila. Como já disse, Arésio, desde a noite de sexta-feira, estava desaparecido, ausente da casa dos Moraes, onde se hospedara. Ninguém sabia onde ele se encontrava, o que, aliás, era comum suceder, de modo que ninguém estranhou isso, a princípio. Arésio às vezes metia-se no mato durante dias e dias, caçando, o que fazia com uma obstinação e uma ferocidade terríveis. Às vezes, viajava repentinamente, a cavalo, ou então de carro ou na carruagem que fora de seu Pai e que ele, estranhamente, conservava em uso, quando já ninguém andava mais assim, aqui na Vila. Nesse último caso, quando a viagem era feita de carruagem, podia-se, porém, saber que ele ia para uma velha casa arruinada, situada num cercado solitário e selvagem da fazenda dos Garcia-Barrettos. Outras vezes, em saídas que davam o que falar, na rua, durante dias e dias, Arésio organizava grandes "festas saturnais e orgiásticas" na minha "Estalagem à Távola Redonda". As "saturnais" tinham sido batizadas assim pelo Doutor Samuel Wan d'Ernes, que sempre participava delas para beber vinho à custa de Arésio, o qual, nessas ocasiões, entregava-se às fantasias mais desvairadas, às liberalidades mais extravagantes, às mais "enlouquecidas e delirantes dissipações", como dizia o genial Bardo brasileiro Álvares de Azevedo. Era perigoso contrariá-lo nesses momentos. Não era aconselhável nem ao menos ficar nas suas proximidades, porque Arésio, inesperadamente e sem motivo, agredia, às vezes, o primeiro que aparecia, simplesmente porque não tinha gostado de um olhar insistente e curioso ou interpretara mal um gesto inocente e descuidado da pessoa. Mais de uma vez, Sr. Corregedor, eu o vi quebrar os móveis da "Távola Redonda", atirando-os contra as pessoas ou contra as paredes!

— E o senhor não protestava não?

— Não senhor! Primeiro, porque seria arriscado. Mesmo gostando de mim como gostava, lá à maneira dele, num momento como esses Arésio podia me desconhecer, e eu estaria gravemente ferido ou morto em dois tempos! Depois, ele pagava sempre em dobro, generosamente, todos os prejuízos que me dava. Finalmente, como, mesmo nos dias de "saturnal" comum e sem quebra de móveis, ele gastasse à larga, dando-me bons lucros, eu não me incomodava absolutamente com suas violências.

Margarida cochichou qualquer coisa no ouvido do Corregedor que se voltou para mim, dizendo:

— Dona Margarida está falando aqui que foi por intermédio de Arésio que o senhor montou essa casa-de-recurso e tavolagem! É verdade?

— É, sim senhor! Arésio sempre demonstrou por mim, em todos os dias de sua vida, uma estima inalterável, uma estima que ele, estranhamente e diferentemente de tudo o que se esperava dele, não me retirava, nem mesmo quando eu cometia certos atos e tomava certas posições que, em outro qualquer, ele consideraria crimes imperdoáveis. Ele sempre achou graça em mim, que fui seu companheiro mais velho, na "Onça Malhada".

— É verdade que, depois de aparecer o dissídio entre Arésio e o Pai dele, o senhor tomou o partido de Sinésio contra o do irmão mais velho?

— É, sim senhor, e esse foi um dos tais atos de que falei há pouco. Arésio tinha uma profunda aversão, um ódio cerrado, intenso e irreconciliável pelo Pai e pelo irmão mais moço! Naquele sábado, com o sol já descambando para o poente, enquanto o Povo sertanejo, sarapantado com tudo o que acontecera, começara a se aglomerar diante da velha casa dos Garcia-Barrettos onde Sinésio se fechara depois do incidente do cabra, o Bispo de Cajazeiras, Dom Ezequiel Veras, entrou em nossa Vila, passando, porém, quase despercebida a sua chegada, por causa do tumulto que dominava a rua. Chegou o Bispo e dirigiu-se logo para a Casa Paroquial, entrando pelos fundos da moradia do nosso velho Vigário, Padre Renato, varão encanecido e endurecido, desses de virtude antiga, implacável e sem contemplações. O Padre, que tinha mandado um mensageiro esperar o Bispo, a fim de que este já entrasse na Vila sabendo tudo o que estava acontecendo, trancou-se logo com Dom Ezequiel, a quem narrou, agora com todos os pormenores, o que sucedera até aquele momento. A entrevista do Vigário com Dom Ezequiel foi secreta, não assistindo a ela nenhum dos Padres da comitiva do Bispo nem os dois Padres jovens que ajudavam o nosso virtuoso Pároco em seu trabalho entre nós, isto é, o Padre Daniel e o Padre Marcelo.

— É verdade que o Padre Renato tinha dificuldade de se entender bem com esses dois auxiliares dele?

— É, sim senhor!

— De qual dos dois ele gostava menos?

— Acho que era do Padre Daniel, que era o mais cheio de ideias, o mais agitado, pelo menos no começo!

— Anote isso, Dona Margarida, é muito importante! Pode continuar, Dom Pedro! — disse o Corregedor, já denotando uma familiaridade que me desagradou por um lado, mas que por outro me mostrou como o "Dom" já se tornara corriqueiro para ele, ligado ao meu nome.

Continuei:

— A conselho do Padre Renato, combinou-se então que só fossem avisadas da chegada de Dom Ezequiel "as pessoas ricas, mais esclarecidas e mais responsáveis, da Vila". De uma em uma, cuidadosamente, a fim de não se chamar a atenção do Povo, deveriam elas ser convocadas para a Casa Paroquial. Foram logo encarregados dessa missão delicada o Sacristão, José Deda, e Siá Maria Cabocla, uma mulher que, por seu agarrado com os Padres da nossa Vila, era chamada zombeteiramente, ora de "A Padreca", ora de "A Sacristã". Passando da maneira menos notada que fosse possível, o Sacristão e a Padreca deveriam ir às casas escolhidas e determinadas por Padre Renato, recomendando às pessoas convocadas que viessem de uma em uma, pelos lados da Rua de São José e da Praça da Feira, de modo a evitar as proximidades da Rua Álvaro Machado e da Praça das Cavalhadas onde se encontrava Sinésio. Como o senhor pode imaginar, para a Aristocracia e a Burguesia urbana taperoaenses a chegada de Dom Ezequiel foi um desafogo. Todos, agora, sentiam-se meio protegidos, e a sensação geral de alívio foi resumida e expressa pelo Comendador Basílio Monteiro com a frase de que "O barco, com um bom timoneiro à proa, significava meio caminho andado, principalmente agora, quando todos pressentiam que havia, já, quem velasse nas trevas e indicasse, pela antiga lanterna da autoridade, a entrada segura para o porto". Assim, Sr. Corregedor, com as maiores cautelas, escondidas do Povo, foram se reunindo na Casa Paroquial as pessoas mais poderosas da nossa terra. Chegou o Comendador Basílio Monteiro, que tirara suas vestes suntuosas de Presidente da Irmandade das Almas para ser menos notado. Chegou a nossa querida Dona Carmem Gutierrez Torres Martins, ainda com as roupas de Presidenta Perpétua da "Vidacasta", acompanhada por seu marido, o velhinho Severo Torres Martins, e aqui por nossa cara Secretária, Margarida, filha dela, que bem pode contar essa parte da reunião.

O Corregedor voltou-se para Margarida e indagou:

— É verdade, isso? A senhora compareceu, mesmo, a essa reunião?

— Compareci, Doutor! — disse Margarida, baixando os olhos e pondo-se vermelha, pois já sabia que eu ia contar ao Corregedor tudo o que se passara com o Pai e a Mãe dela na Casa Paroquial.

O Corregedor voltou-se de novo para mim:

— Está bem! Mas, mesmo Dona Margarida tendo ido lá, continue contando, você mesmo! Quero saber de tudo é através de suas versões e opiniões! Depois, se eu achar necessário, vou acareá-lo com as outras pessoas implicadas ou citadas no inquérito!

Respondi, seguro:

— Quem não deve, não teme, Sr. Corregedor! O que eu estou lhe contando é a pura expressão da verdade, e, desta vez, nem Margarida pode me desmentir nem duvidar do que digo, porque foi a Mãe dela quem me contou tudo! Mas, como eu vinha dizendo: chegou o Coronel Francisco Bezerra, homem pertencente a uma das mais antigas e fidalgas linhagens do Sertão do Seridó do Rio Grande do Norte. Chegou o Coronel Francisco Fernandes Pimenta, homem pertencente a outra poderosa e grande família, espalhada pelos sertões do Sabugi e do Cariri. Chegou o Coronel Júlio Motta, da antiga linhagem dos Mottas, de Limoeiro. Chegou o Coronel Pedro de Farias Castro. Chegou o Coronel Joaquim Coura, de família pertencente às hostes do velho Partido Liberal, do tempo da Monarquia. Chegou o Coronel José Carneiro de Queiroz, com seu irmão, Manuel, ambos correligionários políticos do Coronel Coura. Chegou o Coronel Liberalino Cavalcanti de Albuquerque, parente de Clara e Heliana pelo lado materno. Chegou o Coronel Jocelino Villar de Carvalho, Chefe das antigas hostes monarquistas do Partido Conservador. Chegou o Coronel Deusdedit Villar de

Carvalho, primo do outro, Deusdedit Villar de Araújo, mas seu adversário político e mais conhecido, na rua, pelo nome de sua fazenda — Deusdedit do Sete-Estrelo. E outros e outros, que seria fastidioso citar. Vossa Excelência, porém, não estranhe que, na lista, eu tenha deixado de me referir ao Prefeito Abdias Campos, ao Presidente do Conselho Alípio da Costa Villar, ao Professor Clemente e ao Doutor Samuel: apesar de poderosos, eram, todos quatro, meio suspeitos ao Padre Renato, uns por "anticlericalismo", outros por "indiferença religiosa" e outros, ainda, por "demasiada estranheza nos modos e no comportamento". À medida que chegavam, o Padre Renato, seus auxiliares e os Padres da comitiva do Bispo iam atendendo a um e a outro como podiam, dentro das acomodações, meio monacais, meio "casa de solteiro", da Casa Paroquial. Esperava-se a chegada do último convidado, que tardava um pouco porque era o que morava mais longe. Enquanto o esperavam, estabelecera-se, na sala, aquele tipo de conversação, meio abafada mas animada, que precede o momento realmente importante das reuniões — casamentos, enterros etc. Num desvão de janela, conversavam Dona Carmem Gutierrez Torres Martins e o Comendador Basílio Monteiro.

Margarida levantou os dedos da máquina, e falou com voz opressa:

— Doutor, o senhor proíba esse homem de continuar falando!

O Corregedor, surpreso, voltou-se para ela:

— Parar? Por quê?

— Isso que ele quer contar, agora, não tem interesse nenhum, para o inquérito!

— Ah, não! — protestei. — Tem interesse, e muito! Se eu não contar tudo, depois o Doutor, aí, vai dizer que eu estou mal-intencionado, escondendo leite, feito vaca sem-vergonha! Não senhora, de jeito nenhum! Ou eu conto tudo, ou tomam nota de tudo, ou eu não assino meu depoimento, não tem quem me faça! Doutor, eu tenho ou não tenho o direito de contar tudo o que considere importante?

— Tem! — disse o Corregedor. — De que se trata, Dona Margarida? É algo inconveniente? Quer que eu chame outra pessoa para anotar o inquérito?

Margarida curvou-se, vencida:

— Não senhor, deixe! É melhor, mesmo, que seja eu quem ouça e anote tudo!

— Pois então continue, Bibliotecário Quaderna! Quanto à senhora, Dona Margarida, não se incomode não: vou apurar tudo e todas as contas dessa gente vão ser ajustadas! Vá, fale, Sr. Quaderna! — disse o Corregedor, voltando ao tom cortante do início e tirando-me o título de "Dom" que já tinha se acostumado tanto a me conceder.

Continuei, com um suspiro:

— O marido de Dona Carmem e Pai, aqui, da nossa Margarida, isto é, Severo Torres Martins, o velhinho arrumado e bonito de quem já falei a Vossa Excelência, estava perto da mulher dele e do Comendador Basílio Monteiro, mas não prestava atenção nenhuma ao que os dois diziam. Limitava-se a babar, lançando, de vez em quando, um olhar impaciente para os bolos e doces que estavam na saleta anexa, preparados desde a manhã, pelas mãos das beatas, para a chegada do Bispo. O velhinho não estava interessado em nada, a não ser nesses doces. Esperava, contido mas meio indócil, desde o meio-dia, que acabassem com aquela maçada de Cavalhadas, festejos, discursos e conversas inúteis, para que então ele se lançasse ao que verdadeiramente importava. Segundo Dona Carmem me contou depois, aqui a nossa Margarida, junto dele, vigiava-o com expressão ansiosa e atenta, temerosa que estava de que ele praticasse alguma coisa "que talvez cobrisse a família inteira de vergonha". Aliás, aproveito a oportunidade para assegurar a Margarida que não havia razão nenhuma para esses temores dela de que o Pai "fizesse vergonhas à família": aqui na Vila, todos nós gostávamos muito do velhinho Severo Torres Martins, e contávamos, uns aos outros, as graças dele, mais ou menos como Pais afetuosos ou irmãos mais velhos contam as traquinagens do caçula. Afinal de contas, Sr. Corregedor, todos nós conhecíamos a situação surgida entre ele e a mulher! Dona Carmem Gutierrez era filha de um rico "corretor de açúcar" da Paraíba, homem que, depois de uma juventude rica e ociosa, entrara em decadência financeira. O casamento de Dona Carmem com o rico Fazendeiro sertanejo Severo Torres Martins — naquele tempo com 45 anos e trinta anos mais velho do que ela — tinha sido a única solução encontrada para a ruína familiar dos Gutierrez. Dona Carmem, agora, em 1935, era mulher de 40 anos. Usava, ainda, as modas e os atavios do tempo em que fora moça. Era magra, de pernas finas e arqueadas. Usava uma franja que lhe vinha até os olhos. O resto dos cabelos, pretos e estirados, cortados à nazarena, ladeavam-lhe o rosto formando dois arcos negros que, partindo do alto da cabeça — onde se repartiam por uma risca —, vinham até o meio das bochechas. Tinha o rosto e todo o corpo finos e magros, os olhos grandes, pretos e meio aboticados. E, como os braços eram, também, finos e arqueados, ladeando o busto magro, Dom Eusébio Monturo, homem de língua solta e irreverente, dizia que o enorme medalhão que Dona Carmem fazia pender sempre do pescoço de uma longa corrente de prata destinava-se a indicar às pessoas se ela estava de frente ou de costas. Eusébio costumava acrescentar: "Aquela mulher é toda entre parênteses! Tem a cara entre parênteses, por causa do cabelo. Tem o corpo entre parênteses, por causa dos braços de macaco raquítico. E, por causa das pernas finas, cabeludas e meio arqueadas para dentro, tem, até, a *perseguida* entre parênteses!"

  O Corregedor deu um salto da cadeira e, meio estuporado, sem saber bem o que dizia, gritou para Margarida:

— Pra cadeia! Preso! Está preso!

Margarida assombrou-se um pouco, pensando que aquilo era com ela. Perguntou, cautelosa:

— Pra cadeia? Preso? Quem?

— Ele, é claro! — rugiu o Corregedor. — Ele, o "Dom"! Está preso! Vá chamar os soldados, Dona Margarida!

Apesar dessas palavras ameaçadoras do Corregedor, eu estava tranquilo. Sabia que Margarida não suportava a Mãe, motivo pelo qual não ficaria verdadeiramente ofendida pelo que eu dissera. Por outro lado, quanto ao Pai, ela quereria evitar escândalos maiores. Eu calculara exatamente até onde podia ir, e, de fato, não me enganei. Sem demonstrar aversão maior nem menor do que aquela que tinha comumente por mim, ela interveio:

— Deixe isso pra lá, Doutor! Se esse homem for preso, vai haver escândalo; e, mesmo, como eu já disse, essas coisas não me atingem! O que eu quero saber é se isso que ele disse interessa para o inquérito ou não, se eu anoto ou não!

— Anote, anote! Serve, pelo menos, para dar uma ideia do caráter desse homem!

— Do meu, não! — protestei. — Do de Dom Eusébio Monturo, que foi quem disse esses disparates! Eu, por mim, nunca falei mal de Dona Carmem, que era minha amiga e também nossa companheira, nas reuniões e cavaqueiras literárias da Biblioteca, assim como colaboradora da página literária e charadística que eu mantenho na *Gazeta de Taperoá*!

— É verdade, isso, Dona Margarida? — perguntou o Corregedor.

— Isso, o quê?

— Isso de sua Mãe ser intelectual e colaboradora do jornal desse sujeito!

— É, Doutor Juiz! Minha Mãe tinha essas manias literárias, que trouxe da Paraíba, e alguns espíritos perversos daqui exploravam essa fraqueza dela!

— O depoente era um desses?

— Era o Chefe! — disse Margarida com ar feroz.

— Não se incomode não, que o café dele está se coando! — falou o Corregedor, com ar de quem assumia um compromisso sagrado, apesar do ditado que deixara escapar. — Pode continuar, Sr. Pedro Dinis Quaderna!

— Muito bem, Excelência! Como eu ia dizendo: apesar desses atributos físicos a que já me referi, Dona Carmem usava aquele tipo de saia curta e blusa folgada na cintura e apertada nos quadris, ao modo de 1920. Costumava usar, também, um decote generoso que descobria o começo e o meio do busto magro, sempre protegido, em parte, pelo enorme medalhão do qual falava Dom Eusébio Monturo e que pendia da corrente de prata, pousando no lugar em que, normalmente, estaria começando o rego dos peitos, caso isso, nela, existisse um pouco mais. Era, talvez, por causa dessas roupas ousadas que lhe aconteciam tantas aventuras, ou, melhor, que ela sempre escapava "por um triz" de ser vítima de alguma armada. Raro era o dia em que, saindo às ruas da nossa Vila, tão pacatas para as outras mulheres, Dona Carmem não chegasse em casa, ou na Biblioteca, contando um caso terrível que "quase" lhe sucedera. Aparecia sempre algum desconhecido, algum sertanejo bronco ou homem de maus costumes que a seguira e teria, mesmo, atentado contra seu pudor se ela não tivesse "tomado, a tempo, providências tão enérgicas". Outra característica importante da personalidade de Dona Carmem é que ela, aí por 1919 ou 20, fizera, com seu marido, pela Europa, uma viagem que, segundo o Professor Clemente, "não havia jeito de prescrever". A todo momento, essa viagem à Europa era invocada como apoio para as opiniões de Dona Carmem em casos de bom gosto, de teatro, de música, de moda e de literatura. Pois bem: naquela noite, ela conversava com o Comendador Basílio Monteiro. De vez em quando, curvava-se profundamente, num gesto que lhe era habitual e que, conforme a necessidade, indicava, ora a profunda dor de que ela estava possuída ante uma comunicação dolorosa feita pelo interlocutor; ora um espanto enorme e mudo; ora uma vênia de respeito apesar das discordâncias que ela se reservava sobre as opiniões de quem falava; ora o riso ante uma "saída de espírito", um riso tão forte e convulsivo que ela não tinha forças para suportá-lo na posição vertical. Nesses momentos, os homens que tinham o privilégio de fruir da companhia de Dona Carmem costumavam, por mera curiosidade científica, espichar o pescoço e os olhos, tentando ver alguma coisa do que existia — ou não existia — abaixo do decote, pois, em tais momentos, é claro, o vestido se afastava do busto, deixando ver as profundezas. Infelizmente, porém, no momento exato, Dona Carmem costumava apertar o medalhão contra o peito com a mão espalmada, num gesto que parecia um *mea culpa* de Padre, em hora de Missa, de modo que, assim, ocultava da vista dos curiosos todas as surpresas que o vestido cobria.

— Deixe esses pormenores de lado e volte à história — disse o Corregedor severamente.

Obedeci:

— Quem falava, agora, ali, na sala de visitas da Casa Paroquial, era o Comendador Basílio Monteiro, e o assunto era, como não podia deixar de ser, o importantíssimo sucesso da chegada, à nossa Vila, de Sinésio, ressuscitado e montado em seu cavalo branco.

— "Eu nunca esperaria um acontecimento daqueles, minha cara Dona Carmem!" — dizia o Comendador. — "Confesso à senhora que, apesar de ser o homem ponderado que a senhora sabe, estive a ponto de ter um delíquio! Vou lhe dizer uma coisa: fatos como esse só acontecem aqui, porque, infelizmente, este nosso Brasil é um País desgraçado! Num País decente, num País civilizado, como a Alemanha ou os Estados Unidos, uma coisa dessas não acontece, porque o Governo proíbe e toma, logo, todas as providências!"

— "Sim, foi tudo tão *inesperado!*" — disse Dona Carmem, acentuando a frase com o tom intelectual da revista *Fronteira*, curvando o peito e quase mostrando os ditos, daquela vez.

— "Qual foi a reação da senhora?" — perguntou o Comendador, espichando os olhos no momento exato em que Dona Carmem interpunha o medalhão entre os caroços magros do peito e o rosto do homem, ansioso de curiosidade frustrada.

— "Ah, Comendador, não lhe conto! O senhor ainda não soube de nada?"

— "Não!"

— "É possível? Como se explica isso? Não lhe contaram a desagradável aventura que se passou comigo não?"

— "Não senhora, Dona Carmem! Eu não soube de nada, absolutamente de nada!"

— "Pois vai saber agora mesmo, meu caro Comendador! Eu estava, como o senhor sabe, no Palanque, quando aqueles homens esquisitos soltaram as feras enjauladas no meio da Praça e começou o rebuliço! Senti uma fraqueza nas pernas, mas vi que, se desmaiasse, as Onças me comeriam, pelo que resolvi não desmaiar! Daí por diante, não sei mais, com exatidão, como as coisas se passaram: não sei se me tiraram do Palanque, meio desmaiada, não sei se saí sozinha, não sei se corri, não sei se me empurraram por causa do pânico geral. O que eu sei é que, quando dei acordo de mim, estava no beco que sai da Praça, parada, perturbada, imobilizada pelo terror, como acontece nos pesadelos, e sem saber que providência tomasse para escapar do perigo. De repente, eu me senti agarrada por trás, na altura dos quadris, ou, melhor, pela cintura e por mãos que, habituada como sou a essas tentativas, vi logo que não podiam ser de homem! Aliás, para ser mais precisa, vi logo que aquilo não era, de jeito nenhum, *mão de gente*! Apavorada, me virei para trás. Sabe o que era que estava me agarrando?"

— "Era uma Onça!" — disse o Comendador, com os olhos brilhando pela excitação da história.

— "Não, não era não, Comendador, e foi disso que me admirei! Naquele momento, ali, naquele lugar, a dois passos do local onde tinham soltado os bichos, o lógico, o natural, era que fosse uma Onça. Mas não era não, era um Cachorro! Um cachorro grande, pardo, esquisito, mas um cachorro! Fiquei apavorada e não sei, mesmo, se acharei palavras para lhe contar o que se passou daí em diante!"

— "Não, conte! Fique à vontade, Dona Carmem! O que foi que aconteceu? O cachorro tentou mordê-la?"

— "Não, ele não tentou me morder! Foi tudo muito esquisito, uma coisa muito *estranha*! Quando eu me virei, o cachorro tinha se agarrado em minha cintura com as patas dianteiras. As patas traseiras estavam no chão, e o senhor não imagina a situação embaraçosa em que fiquei quando, de repente, ele começou a fazer, com as ancas, uns movimentos estranhos em direção às minhas pernas e aos meus quadris! Ficou assim um bom pedaço de tempo, sem me soltar mas também sem me morder, e eu não sabia quais eram, na verdade, as intenções dele, ali, com aquela posição e aqueles movimentos estranhos! O pior é que, apavorada, eu não conseguia reagir nem me mover do lugar! Só depois que ele me soltou por sua própria vontade é que consegui reunir forças para fugir!"

— "E o cachorro absolutamente não mordeu a senhora, Dona Carmem?" — perguntou o Comendador, curioso.

— "Não, não me mordeu! Olhe, Comendador, eu lhe digo uma coisa: já tenho tido que tomar providências enérgicas contra várias tentativas estranhas de homens de vários tipos, porque não sei o que é que eu tenho que sou um verdadeiro visgo para atrair ousadias dessa gente! Mas, de todos esses momentos desagradáveis, confesso que este de hoje foi o mais estranho e embaraçoso de todos! A coisa foi a tal ponto que, quando ele me soltou, meu primeiro pensamento foi: *Atrevido desse jeito, esse cachorro não pode ser daqui, de jeito nenhum!*"

— "Aí é que a senhora se engana, Dona Carmem!" — contestou o Comendador. — "A senhora fala assim, mas é porque ainda está pensando nos cachorros sertanejos do nosso tempo, uns cachorros mais educados e respeitosos do que esses cachorros perdidos, de hoje! Tudo, agora, é um fim de mundo, minha senhora Dona Carmem, e os cachorros de hoje em dia não respeitam mais ninguém, são, todos, influenciados pelo comunismo! A senhora não se admire mais de nada, porque, do jeito que as coisas vão, daqui a pouco até os cachorros sertanejos menos conceituados vão andar por aqui no maior dos atrevimentos! Se ainda fosse um cachorro de respeito, um cachorro civilizado, como os da Alemanha, ainda ia! Mas um cachorro reles desses, um cachorro qualquer, de pé-de-serra, sentir-se no direito de se escanchar nas cadeiras das senhoras, aí não, é demais! E a senhora vai ver, isso é somente o começo! D'agora em diante, tudo vai caminhar de mal a pior! Com esse impostor perigoso que chegou aqui, hoje, com essa ciganagem, com essa negralhada ladrona que lhe serve de acompanhamento, a desordem vai ter tal impulso, vai aumentar tanto, que, daqui a pouco, uma senhora de respeito não vai mais poder sair para a rua sem que os cachorros atrevidos faltem com o respeito devido a ela! Isso, com os cachorros: das pessoas então, não quero nem falar! A senhora sabe que o molecório da Vila está todo assanhado? Soube o que se passou, hoje à tarde, com o nosso fotógrafo, Seu Siqueira, logo depois da chegada desse rapaz perigoso que ninguém sabe quem é, mas que está cercado pela negralhada cigana?"

— "Não, não soube de nada!" — disse Dona Carmem, aboticando ainda mais os olhos aboticados, para demonstrar interesse.

— "Pois eu lhe conto! Não sei se a senhora soube que, logo depois da chegada do impostor, apareceu na rua, puxado em cima de um carrinho, o tal do Nazário Moura, um velho doido que o pessoal ignorante daqui tem como Profeta e que começou, logo, a gritar disparates, aumentando a agitação! Mal ele acabou de gritar suas sandices — e de ouvir outras tantas de Pedro Cego — foi empurrado de volta, para fora da Praça, por sua filha, Dina-me-Dói, que é quem serve de cireneu ao Profeta! Quando eles chegaram perto da venda de Bino, o tal do Profeta Nazário Moura mandou a filha comprar fumo de rolo para seus cigarros. Aí, um bando de desocupados, assanhados pela chegada desse perigoso rapaz e chefiados por João Grilo, um ajudante de padaria, empurrou o carro de ladeira abaixo. Seu Siqueira estava, naquela hora, tirando um retrato da velha viúva, Dona Francisquinha Gabão, que estava vestida de preto, de chapéu preto e de véu preto, com sombrinha preta fincada no chão e sentada, muito tesa e bem-composta, diante da máquina-de-retrato, na sala da frente da casa de Seu Siqueira que, como a senhora sabe, serve de oficina a ele. A senhora conhece tanto Dona Francisquinha como Seu Siqueira. Sabe que todos dois são muito moucos, de modo que não se espantará pelo fato de, naquele instante, eles estarem ainda inteiramente alheios à agitação e à balbúrdia que tomou conta da nossa Vila! Seu Siqueira é homem sério e ponderado, e tem, como todos nós, horror a esse ambiente que está subvertendo até os costumes dos cachorros sertanejos! Pois bem: naquele momento, Seu Siqueira estava, já, com a cabeça enfiada dentro da máquina de fole, equilibrada no tripé. As chapas e o foco estavam, já, quase prontos, e ele estava coberto com aquele pano preto dos fotógrafos. Foi exatamente nesse instante que o carro, impelido furiosamente de ladeira abaixo, ganhando velocidade e conduzindo o Profeta que vinha aos gritos, pedindo socorro, bateu no meio-fio da calçada e projetou violentamente o tal do Nazário Moura para dentro da oficina de Seu Siqueira. O Profeta caiu com o corpo em cima da máquina e com os pés na cara do nosso honrado correligionário, que caiu no chão com a violência da pancada. Com as pernas reviradas para o ar, numa situação muito desagradável para se ficar diante de uma senhora de respeito, Seu Siqueira, sufocado pela indignação e pelo pano preto, gritou: *'Chuva de aleijado! É o comunismo! Até agora, Dona Francisquinha, ainda suportei essas campanhas do comunismo contra os cidadãos pacatos, mas chuva de aleijado é demais! Vou me mudar!'* E eu soube, de fontes fidedignas, que a resolução dele é mesmo inabalável: vai se mudar para Patos, onde o comunismo também já está causando desordens, mas pelo menos ainda não chegou a esse extremo de jogar chuva de aleijados na cabeça dos cidadãos ordeiros e produtivos da sociedade! Agora, veja a senhora, Dona Carmem, se tenho razão ou não tenho, quando digo que, com essa negralhada e esses impostores que invadiram a nossa Vila, isso aqui vai ficar, mesmo, um fim de mundo!"

Folheto LXIX
A Estranha Aventura do Cavalo Concertante

— **N**esse momento, Sr. Corregedor, o marido de Dona Carmem e pai, aqui, da nossa Margarida, o velhinho Severo Torres Martins, que tinha deixado passar, aparentemente sem ouvi-las, a história do fotógrafo e a aventura desagradável vivida por sua mulher, conseguiu iludir a vigilância da filha. Marcou carreira para a mesa dos doces e, chegando lá, antes que pudessem impedi-lo, enfiou a mão no bolo maior, que estava pousado no centro da mesa. Tirou, assim, um grande punhado do açúcar que confeitava o bolo, encheu a boca e, ao mesmo tempo, com a maior destreza, meteu outro punhado de bolinhos menores e pastéis-de-nata no bolso. A nossa Margarida, com medo de escândalo maior, achou melhor, talvez, deixá-lo assim mesmo, de modo que o velhinho ficou na maior das felicidades, junto da mesa, de boca cheia, mastigando e lambendo os beiços, com a cara branca de açúcar. Coincidiu que, naquele momento, o Bispo foi passando por perto de Dona Carmem, que aproveitou a deixa. Outra das fraquezas dela era apresentar sempre o marido elogiando "o aprumo e a lucidez perfeita em que ele se encontrava, nos seus setenta anos fortes e espigados". Assim, ela falou para o Bispo:

— "Dom Ezequiel, permita que eu beije a sua mão!" — disse Dona Carmem, começando a se ajoelhar.

— "Não, não se ajoelhe não, minha filha!" — foi dizendo Dom Ezequiel.

— "Ah, não, de modo nenhum! Ajoelhada, faço questão da hierarquia e das genuflexões! Vossa Excelência certamente não se lembra de mim, sendo o homem ocupado que é e vendo tantas caras novas! Sou Carmem Gutierrez Torres Martins, Presidenta Perpétua das Virtuosas Damas do Cálice Sagrado de Taperoá, a Vidacasta, como nós chamamos! Estive com Vossa Excelência em Patos, numa visita que o senhor fez lá. Fui a Patos naquela ocasião, chefiando a ala feminina da comitiva de Taperoá, que lhe foi prestar as devidas homenagens."

— "Ah sim, lembro-me perfeitamente da visita a Patos!" — disse o Bispo, sem desmentir Dona Carmem, mas também sem se comprometer. — "Como vai a senhora?"

— "Vou muito bem, Excelência, e agradeço a Vossa Excelência o seu interesse, e a gentileza de se lembrar! Lembrou-se de mim nas suas orações, como lhe pedi? Não, não responda, é uma indiscrição minha perguntar isso, só agora percebo! Mas Vossa Excelência não conhece meu marido, Severo Torres Martins! Olhe, é este aqui! É um homem admirável, Dom Ezequiel, permita que eu tenha a corujice de falar assim! Severo está com setenta anos, mas faz gosto! Aprumado, duro, forte que é uma beleza! E, o que é mais importante, inteiramente lúcido! Severo, filhinho, fale aqui com Dom Ezequiel!"

— "Ezequiel? Conheço! Não é o vaqueiro de Antônio Villar?" — disse o velhinho, aproximando-se, lambendo os beiços sujos de açúcar e com os bolsos atulhados de sequilhos.

— "Filhinho, esse aqui é Dom Ezequiel! Dom Ezequiel, este é meu marido, Severo Torres Martins!" — disse Dona Carmem, procurando não tomar conhecimento do equívoco do marido.

— "Muito prazer! Seu criado!" — disse Severo estendendo educadamente a mão ao Bispo, de modo correto, se bem que um tanto ensinado.

— "Severo, beije a mão de Dom Ezequiel!" — disse Dona Carmem, tornando-se mais animada à medida que via o marido se sair bem.

— "Eu? beijar mão desse *vulto*? Por quê? Beijo nada!" — falou Severo, com um tom displicente mas firme, inteiramente inesperado ante os modos do começo. E acrescentou: — "Meu Pai já morreu: por que é que eu iria, agora, beijar mão de barbado? Só beijo se ele me der um doce!" — concluiu ele, querendo logo aproveitar a oportunidade de aumentar sua provisão de sequilhos e pastéis.

— O Bispo, Sr. Corregedor, que já estava começando a ficar meio intrigado, riu aliviado, julgando que Severo estava gracejando com o dito popular, "não faço isso nem que você me dê um doce". Dona Carmem, ou se iludiu também, ou quis aproveitar o engano do Bispo para disfarçar e bater em retirada:

— "Ah, Severo!" — disse ela. — "Já está você com suas brincadeiras, filhinho! Severo é assim, Dom Ezequiel, não repare os modos dele não! Nos primeiros momentos de cerimônia, ele fica calado, mas depois, principalmente se simpatiza com a pessoa a quem está sendo apresentado, não se cala!"

— Foi pior, Sr. Corregedor! Severo, pensando de novo nos bolos, deixara de prestar atenção ao sentido, de modo que só ouvia, agora, o zumbido das palavras da mulher. As duas últimas soaram em seus ouvidos como uma palavra só, *sicala*, uma palavra que, tocando em certas coisas, despertou, nele, uma porção de recordações misturadas, umas do Sertão, mas a maioria ligada à célebre viagem que ele e Dona Carmem tinham feito à Europa:

— "Sicala?" — indagou ele, pondo-se novamente alerta e vivo. — "Conheci, era um cavalo! *Sicala* era o cavalo de sela do Coronel Queiroga, de Pombal! E o que eu achei mais esquisito era ele ser, ao mesmo tempo, um cavalo e um teatro! Digo isso porque depois, quando a gente viajou para a Europa, eu e Carminha, a gente passou numa cidade da Itália, e o cavalo do Coronel Queiroga estava lá, com o nome de *Sicala de Milão*! Eu não me lembro direito como era não, porque, ali na Europa, a confusão é grande! Mas me lembro que era uma coisa assim: ou era o cavalo que tinha se virado num teatro, ou era o teatro que era um cavalo que cantava! Sei não, a misturada era grande! Mas eu me lembro bem que Sicala estava lá: não me lembro se tinha cabeça e rabo, mas tinha frente e fundo, isso tinha! O pessoal entrava pela frente e saía pelo fundo do cavalo, e eu só me admirava era de que um homem sério e sisudo, como o Coronel Queiroga, de Pombal, deixasse aquele pessoal estrangeiro tomar essas liberdades com o cavalo de sela dele! Digo isso, porque, comigo, a coisa é outra! Por fundo de cavalo meu, eu não deixo nem entrar nem sair galego de qualidade nenhuma!"

— "Filhinho, que brincadeiras disparatadas são essas?" — disse Dona Carmem, aflita, já arrependida de ter mexido naquela casa de maribondos. — "Você, tão respeitoso, tão sério, tão lúcido, vir com essas conversas para o nosso Bispo?"

— "Bicho?" — perguntou Severo intrigado. — "E esse *vulto* preto, aí, é um bicho? Que bicho é esse, Carminha? É um dos bichos que soltaram da jaula, agora de tarde? Se é, que diabo de qualidade de bicho é essa, que usa saia preta? Será uma burra preta que fala, como Sicala cantava? Ou é um macacão-de-cheiro, vestido de saia?"

— "Filhinho, pelo amor de Deus!" — disse Dona Carmem, mais morta do que viva.

— "Ah, já sei o que ele é!" — continuou Severo, sem dar importância à interrupção e provando que estivera mais atento do que se pensara à conversa de sua mulher com o Comendador. — "Já sei que qualidade de bicho é esse, aí! É um cachorro desses que aparecem de saia, nos Circos, pulando fogo! Uma vez, passou um Circo aqui, e lá eu vi um cachorrão grande, vestido de saia, engraçado, que pulava uns arames de fogo! Você se lembra, Carminha? E era um cachorro grande, de saia, quase do tamanho desse tal Ezequiel, aí! Agora, uma coisa eu lhe digo, Carminha: abra o olho com esse cachorro de saia preta, porque esses cachorros de Circo são espertos e safados como o Diabo! Não vá ser esse, aí, o cachorro que fudeu você, no beco, hoje de tarde!"

* * *

Aproveitando os dois segundos de estupefação do Corregedor, nobres Senhores e belas Damas que me ouvem, eu disparei, falando na carreira, para evitar a repreensão e mesmo a Cadeia que, infalivelmente, se seguiria, caso eu desse oportunidade a que o espanto acabasse, começando a indignação:

— Como Vossa Excelência vê, Sr. Corregedor, o Pai aqui da nossa Margarida tinha voltado ao estado de inocência da infância e era isso o que o tornava tão estimado de todos nós, nenhuma pessoa daqui levando a mal ou estranhando nele aquilo que, noutros, seria inconveniente. O Bispo Dom Ezequiel, que era uma pessoa boníssima, parece que entendeu tudo, também; e, não querendo deixar Dona Carmem mais aflita do que já estava, aproveitou a entrada dos dois últimos convocados que vinham chegando, e afastou-se discretamente. O pessoal, pressentindo que a reunião, mesmo, ia enfim começar, fez logo um silêncio cheio de tensão. O Bispo colocou-se na cabeceira da grande mesa oval que servia para as reuniões da Irmandade, tendo, à direita, o Padre Renato e o Padre Marcelo, e, à esquerda, o Padre Daniel e o Comendador Basílio Monteiro que, na qualidade de Presidente da Irmandade das Almas, tinha o privilégio de iniciar, junto aos Padres, o grupo dos leigos. Aliás, como Presidente da Irmandade, o Comendador estava se sentindo ali como uma espécie de anfitrião; foi explicando isso que começou suas palavras nos seguintes termos:

— "Excelentíssimo e Reverendíssimo Sr. Bispo, Reverendos Padres, minhas senhoras, meus senhores! Na qualidade de Presidente da Irmandade das Almas e como filho natural da nossa Vila, sinto-me no dever de iniciar a reunião, como pessoa humilde que recebe, em sua casa, pessoas ilustres e importantes! Acontecimentos da mais alta gravidade sucederam e estão acontecendo ainda, em nossa Vila. E, parece que por um decreto emanado das profundezas insondáveis da Providência Divina, acontece tudo isso, por sorte nossa, no mesmo dia em que devia chegar aqui essa figura de Pastor e Prelado que é o Bispo Dom Ezequiel, figura exemplar de antístite paraibano. Não preciso dizer a todos que a situação do nosso País é gravíssima. O Comunismo, lobo disfarçado de ovelha, prepara seu assalto às instituições, e somente os cegos é que não viram, ainda, o perigo que nos cerca por todos os lados, ameaçando retirar Deus dos altares, a Pátria do convívio das nações e a Família de sua posição inabalável de centro da sociedade. O Chefe escolhido e confesso desta agitação é aquele mesmo homem nefasto, já conhecido de todos nós desde que, em 1926, passou pelo Sertão da nossa pequenina e gloriosa Paraíba, ensanguentando o solo sagrado da nossa terra com o sangue dos mártires, dos Sacerdotes, das pessoas ordeiras e pacatas. Que o diga o sangue do Padre Aristides Ferreira Leite, degolado em Piancó pela 'Coluna Prestes', juntamente com outros heroicos defensores da honra sertaneja. Mas, naquele ano de 1926, o nefando Luís Carlos Prestes agitava o Brasil não ainda em nome do Comunismo, mas sim movido por um ideal de certa forma elogiável, aquele mesmo ideal que veio a se corporificar e legitimar, depois, na gloriosa e vitoriosa Revolução de 1930."

— Levado pelo som de suas palavras, Sr. Corregedor, o Comendador Basílio Monteiro tinha ido um pouco mais longe do que desejava, uma vez que a maioria dos presentes era pouco entusiasta da "gloriosa Revolução de 1930". Mas "o fogo sagrado do ideal e da eloquência" se apossara, mesmo, do Comendador, de modo que ele continuou no mesmo tom:

— "Depois, porém, Luís Carlos Prestes abandonou, pelo Comunismo, a trilha que tinha seguido até ali! A bandeira que ele sustentava e conduzia caiu-lhe das mãos e veio recair nos braços do grande Herói paraibano que, hoje, passados cinco anos de sua morte, todos nós ainda choramos, o Presidente João Pessoa, o maior dos Brasileiros, 'o incrível João Pessoa' — para usar a expressão do genial escritor Adhemar Vidal —, o Mártir que ungiu com seu sangue as liberdades republicanas do Brasil!"

— "Muito bem!" — disseram fracamente duas ou três vozes discretas, um pouco discretamente demais para o que esperava e desejava o orador, o qual, começando a se aperceber de que devia abandonar aquele terreno polêmico, voltou ao assunto principal:

— "Meus senhores! Todo mundo sabe que Luís Carlos Prestes, exilado do Brasil desde 1927, foi procurado pelos revolucionários, nas vésperas de 1930, para se colocar novamente à frente da insurreição que se preparava. Mas ele repeliu aqueles que o convidavam, porque, segundo suas próprias palavras, se convertera ao Credo vermelho e só acreditava, daí por diante, numa Revolução inspirada pelo Comunismo ateu, regime que ele faria tudo para implantar em nossa Pátria! Prestes não teve escrúpulos, então, de se apropriar de vultosa quantia em dinheiro que os revoltosos de 1930 lhe tinham entregue; e, desde aquela data, não houve um só dia em que ele não conspirasse e não tramasse o assalto ao Poder. Todo mundo sabe que ele, vestido de Padre e com um passaporte falso, entrou novamente no Brasil, sob o nome de Antônio Villar. Todo mundo sabe que ele e seus companheiros estão conspirando na sombra, preparando uma Revolução para, talvez ainda neste nosso ano de 1935, tomar o Poder e instaurar uma República soviética em nossa Pátria. O fantasma vermelho do Comunismo ameaça-nos por todos os lados. Os cidadãos pacatos não podem mais trabalhar, porque os Comunistas e revoltados de toda natureza inventam, a toda hora, greves, picuinhas, agressões e atentados de todos os tipos, para perturbar o progresso e o trabalho produtivo e ordeiro. Hoje, mesmo, o honrado fotógrafo de nossa Vila, homem remediado e de boa família, sofreu um desses atentados; o mesmo, quase, pode-se dizer de uma das Damas mais ilustres da nossa sociedade. E por que se atrevem a tanto, os agitadores? — pergunto. Porque estamos invadidos e ameaçados, com os nossos campos talados e nossa Vila assaltada pela agitação. Sim, meus caros conterrâneos! Hoje entrou aqui, na nossa querida Vila de Taperoá, um grupo armado, que introduziu em nossa terra a desordem e o morticínio, ameaçando a vida dos Pais de família e a honra de suas filhas e esposas. Segundo os primeiros boatos, trata-se de uma tribo de Ciganos. Mas serão Ciganos, mesmo? Como se explica, então, o atrevimento com que se comportaram diante das autoridades? Os ciganos são gente matreira e sem confiança; mas são, também, subservientes, procurando sempre tratar bem as autoridades a fim de não serem compelidos a abandonar sua vida de vagabundagem e ladroeira! E, caso a versão seja verdadeira, todo mundo sabe que o Cigano Praxedes é homem perigoso, que já andou envolvido em mais de um caso misterioso, em mais de um crime, em mais de um atentado a bala. Digamos que são Ciganos: como se explica, então, que viesse com eles um Sacerdote, um Frade, um homem de Deus, quando todos nós sabemos que não se pode confiar na religião dos Ciganos? E além disso, todo esse pessoal que chefia a tribo é, perdoem-me o vigor da expressão, estranho e suspeito. Quem será esse tal Doutor Pedro Gouveia? Quem será esse Frei Simão, ou melhor, quem é o lobo vestido de ovelha que se esconde por trás desse nome, quando todos nós sabemos que *não é o hábito que faz o Monge*? E chego ao ponto nevrálgico da questão: quem será, na verdade, este rapaz que se apresenta hoje, aqui, com o nome daquele moço infortunado que morreu há três anos, em 1932, coroando, sua morte, a série de infortúnios e tragédias que se abateu sobre a ilustre família Garcia-Barretto? Quem terá sido o homem que atirou nesse rapaz, morrendo logo em seguida, a tiro, de maneira tão misteriosa? A meu ver, esse atentado, ou melhor, esse simulacro de atentado, não passou de uma outra farsa, com a qual os Comunistas pretendem jogar areia e uma cortina de fumaça diante dos olhos das pessoas respeitáveis. A situação é grave, meus Senhores! Nosso País está dividido entre dois extremismos. A meu ver e salvo melhor juízo, um deles é mais perigoso, de modo que, apesar do conhecido equilíbrio das minhas posições, chego quase a dar razão aos que se ergueram na defesa de Deus, da Pátria e da Família. Mas, de qualquer modo, o fato é que os dois são, entre si, adversários implacáveis, assim como, para nós, inimigos irreconciliáveis das nossas instituições. O que sucedeu hoje, aqui, é, portanto, muito claro. Quem quiser formar sobre os acontecimentos de hoje uma ideia segura, basta verificar de que lado ficou, logo, a ralé, esse Povo indisciplinado, mal-educado e analfabeto que é a mancha vergonhosa da face do nosso Brasil. Na Inglaterra ou nos Estados Unidos, um fato desses não aconteceria! Pergunto: de que lado ficou esse Povo, ignorante, fanático e miserável? Do lado daqueles que invadiram nossa Vila nas caladas da noite! Logo, estes, e não os outros, é que são os revolucionários, e seus adversários devem receber todo nosso apoio! Ouçam meu brado de alerta! Sim, porque o pior aqui, hoje, é a cegueira daqueles que, entre nós, deveriam ser as colunas, os sustentáculos da sociedade! Ninguém quer ver o perigo! A continuar assim, quando cuidarmos, estaremos com o inimigo dentro das nossas muralhas, com os cidadãos mais conspícuos da Pátria sendo fuzilados! Certamente acham que eu exagero! Mas pergunto e repito: o Padre Aristides não foi fuzilado e sangrado em Piancó, em 1926, por essa mesma gente que agita e subverte, hoje, o nosso País? Assim, ninguém tenha dúvida! O que aconteceu hoje, aqui, é algo de muito grave! A Coluna suspeita que entrou em nossa Vila é um grupo Comunista armado, e o atentado cometido contra aquele que parece ser o Chefe deles só pode ter duas explicações: ou foi cometido por grupos extremistas adversários, ou, o que me parece mais provável, foi somente uma farsa, destinada a mascarar alguma dissensão interna, alguma condenação imposta por algum secreto Tribunal Revolucionário ao homem que morreu. É preciso colocar de sobreaviso os olhos que não querem ver e os ouvidos que não querem ouvir. Pouco antes da nossa reunião, ouvi algumas opiniões, colhidas aqui entre as melhores pessoas da nossa sociedade, a maioria achando que o acontecimento de hoje nada tem a ver com os Comunistas e a Revolução, que é somente uma briga de família. Todos sabem que fui, durante toda a minha vida, um seguidor da família Pessoa e do Partido Epitacista, herdeiro de Venâncio Neiva e do velho Partido Conservador, da Monarquia. Assim, fui sempre adversário da nobre família Garcia-Barretto. Mas adversário leal e sincero! Nada tenho a ver com os dramas que perseguiram essa ilustre família. O que me preocupa, portanto, nos acontecimentos de hoje, é tudo o que está oculto por trás deles. Dizem que a Coluna rebelde que invadiu hoje a nossa Vila nada tem a ver com a Revolução preparada pelos Comunistas. Dizem isso baseados no fato de que ela vem acompanhada por um Frade. Respondo, em contrapartida: assim como Luís Carlos Prestes entrou no Brasil vestido de Padre e com o nome de Antônio Villar, um dos seus homens de confiança pode ter vindo para o Sertão da Paraíba, vestido de Frade e com o nome de Frei Simão do Coração de Jesus. Além disso, mesmo que esse Frade fosse um verdadeiro Sacerdote, ungido e consagrado, de que garantia pode isso nos servir, num tempo em que o próprio Clero está infiltrado de revolucionários, principalmente entre os Padres jovens?"

— Aqui, Sr. Corregedor, o Comendador Basílio Monteiro lançou um olhar fuzilante e denunciador contra o Padre Marcelo e o Padre Daniel. Segundo Dona Carmem me disse depois, notava-se seu desejo de que esse olhar fosse anotado e sublinhado pelo Bispo. Dom Ezequiel, porém, era homem prudente e conciliador: ficou impassível, por não entender, por não ouvir, ou então por achar que a denúncia não era tão grave quanto o Comendador julgava. Este continuou:

— "Pergunto, ainda, o seguinte: os Senhores não acham estranho que o rapaz, Chefe dessa Coluna que nos invadiu hoje, tenha indagado ao homem do atentado onde é que poderia encontrar Antônio Villar? Objetam-me que, aqui em Taperoá, na sua pacata fazenda 'Panati', existe um fazendeiro com este mesmo nome, o nosso honrado Antônio Dantas Villar que, por sua posição social e por suas tradições de família, está acima de qualquer suspeita de Comunismo. Mas o nosso, o Antônio Villar que todos nós conhecemos, qualquer pessoa poderia tê-lo indicado ao Rapaz-do-Cavalo-Branco! Assim, não se explica que o homem que morreu tenha respondido que não sabia onde o tal Antônio Villar se encontrava! Indagam, ainda, os incrédulos: — Que interesse existe, para os Comunistas, em invadir e ocupar uma Vilazinha perdida e isolada no Sertão da Paraíba? Respondo, em primeiro lugar, que nossa Vila não é tão *perdida* assim, e nem o será nunca, a não ser que os Comunistas a botem a perder, de vez! Em segundo lugar, pergunto: — Que interesse havia, para Luís Carlos Prestes, em atacar Piancó, em 1926? Piancó é uma Vila mais longínqua, mais isolada e menos importante ainda, do ponto de vista estratégico, do que a nossa gloriosa Vila de Taperoá! Lembrem-se de que o nosso Cariri paraibano está situado a meio caminho, numa posição central e portanto estratégica, em relação aos dois maiores e mais importantes focos Comunistas do nosso Brasil, isto é, Natal, Capital do Rio Grande do Norte, e Recife, Capital do progressista Estado de Pernambuco! Em Natal e no Recife, o Exército está minado pela Revolução! Ao contrário, todos sabem que o Batalhão sediado na Capital da Paraíba, o nosso glorioso e invicto 22º Batalhão de Caçadores, é legalista e tradicionalmente fiel às instituições! Eis aí, então, o verdadeiro motivo de os Comunistas procurarem apoio, não na Capital paraibana, e sim no Sertão do nosso Estado. Dir-me-ão que, neste caso, seria mais lógico que eles escolhessem, para invadir, a Cidade de Campina Grande, a Rainha da Serra da Borborema, a mais progressista e importante do Sertão. Mas eu explico também, facilmente, o motivo de não terem, eles, agido assim: é que, havendo em Campina um Quartel e um Batalhão da Polícia Paraibana, a repressão seria imediata e violenta! Assim, era muito melhor fazer o que eles fizeram, atacando e invadindo uma Cidade menor, que provavelmente se entregaria sem luta, como de fato se entregou, podendo, agora, servir de base para o ataque, a Campina Grande primeiro, e à Capital depois! Não foi assim que agiu, em 1912, a Coluna revolucionária dos Chefes sertanejos, o Doutor Dantas e o Bacharel Santa Cruz? Está ainda em nossa memória a lembrança das cenas de saque, de sangue, de violência contra a vida e a propriedade, de assaltos à honra e ao pudor, cenas levadas a cabo aqui, em nossa Vila, pela Coluna dos revoltosos daquele ano, comandados pelo Negro Vicente, por Seu Hino, por Germano, Severino Mãezinha e outros Chefetes de grupo, a mando de dois Chefes sertanejos que não se envergonharam de manchar seus títulos de raça e ilustração, assaltando e tomando seis cidades sertanejas. Lembrem-se de que esses dois Chefes levantaram 800 homens de armas, assaltando e tomando Monteiro, São Tomé, Taperoá, Patos, Soledade e Santa Luzia do Sabugi. Assaltaram, ainda, a sétima, a Vila Real de São João do Cariri, preparando, assim, a tomada de Campina Grande, quando o Exército interveio e os revolucionários de 1912 foram desbaratados. Lembrem-se de que essas coisas não são episódios isolados, pois, na 'Guerra de Doze', fazia sua estreia nas lutas e insurreições sertanejas o filho de um dos Chefes, João Duarte Dantas, aquele mesmo que depois, em 1930, mataria o Presidente João Pessoa, cometendo o magnicídio que deflagrou a Revolução de 1930! Sei que aqui, nesta ilustre Assembleia, existem pessoas inatacáveis, que foram correligionárias desses dois Chefes revoltados! Não me refiro aos presentes, que sempre estiveram ao lado da Lei e não aprovaram a Revolução de 1912!"

— "O senhor está enganado!" — disse imediatamente o Coronel Joaquim Coura. — "O senhor falou, aí, que foi, sempre, correligionário dos Pessoas. Eu, ao contrário, fui sempre adversário deles. Aqui, na Vila, segui, sempre, os Garcia-Barrettos; desde muito moço, desde o Barão do Cariri, Pai do nosso Chefe, Pedro Sebastião Garcia-Barreto, degolado em 1930 pelos agentes do Governo da Paraíba! Quanto à Revolução de 1912, tenho muito orgulho de ter tomado parte nela! Assim como tenho orgulho de ter tomado parte na 'Guerra de Princesa', sempre ao lado dos Dantas, do Coronel José Pereira e dos Garcia-Barrettos!"

— "Eu também! Eu também!" — ecoaram várias vozes, já num tom meio hostil.

— "Deixemos, então, esse terreno, pois não é a Guerra de Doze nem a de Trinta o que me preocupa agora!" — disse o Comendador. — "Passo a um exemplo tirado do Estado do Ceará: não foi assim que agiram os romeiros revoltados do Padre Cícero, quando saíram do Juazeiro, invadindo e tomando todas as Vilas e Cidades sertanejas, e chegando, assim, até as portas de Fortaleza, a Capital do Estado, que tomaram e saquearam, em 1913? Pois foi de modo semelhante, pela mesma razão, com a mesma astúcia e tática, que agiram os rebeldes que invadiram, hoje, a nossa Vila, sob o disfarce de uma tribo de Ciganos. Ciganos armados? Ciganos que, segundo corre na rua, reagiram a bala contra uma emboscada na estrada? E está provado que o plano deles deu certo! Tanto assim que a Polícia fugiu, deixando os nossos lares e as nossas casas de comércio expostas à sanha dos salteadores! A essa altura, estamos à mercê deles! Não existem mais autoridades constituídas, não existe mais Prefeito, não existe mais Delegado, não existe mais Polícia, não existe mais Juiz de Direito, não existe mais nada! O nosso Prefeito, agora, é Luís do Triângulo! O Delegado, é o Cigano Praxedes! O Juiz de Direito, é o Doutor Pedro Gouveia! A nossa Lei, é a do trabuco dos Cangaceiros! Uma República comunista está instaurada em Taperoá! E eu diria, mesmo, que o nosso Pastor agora é Frei Simão, se não nos restasse, aqui, a figura do nosso Bispo, que, como um raio de luz ferindo as trevas, chegou no momento exato, apontando ao nosso barco o caminho do porto que nos servirá de abrigo seguro. Este é o motivo da nossa reunião. Esperamos, agora, a palavra de Sua Excelência Reverendíssima, para seguir cegamente a sua orientação, o roteiro que ele tem a nos oferecer e cujas linhas certamente já concebeu nos escaninhos de seu privilegiado espírito e no escrínio do seu coração paternal!"

Folheto LXX
O Carneiro Cabeludo

— O Comendador sentou-se, Sr. Corregedor, e, sob expectativa geral, Dom Ezequiel ergueu-se para nos apontar "o caminho do porto". Infelizmente, porém, se ele tinha mesmo, como dissera o Comendador, "um roteiro seguro", concebido "nos escaninhos do espírito e no escrínio do seu coração paternal", nunca nós viemos a saber qual era. Porque, quando ele ia começar a traçá-lo, ouviu-se um violento estrondo na porta da frente da Casa Paroquial, que até aquele momento permanecera fechada a chave. Com a violência da pancada dada por fora, a fechadura saltou longe, arrancada juntamente com um pedaço da madeira, que se lascara. Aí, as pessoas que estavam na sala, todas já com os nervos tensos pelo que vinha acontecendo na Vila e agora tomadas de surpresa e espanto pelo estrondo, avistaram Arésio Garcia-Barretto, ainda meio desequilibrado pelo pontapé que dera com o solado de sua meia-bota na folha de madeira da porta, arrombando-a como acabo de contar. Com o impulso que dera, o pé dele já pousou no chão na parte de dentro da sala. A folha de madeira da pesada porta bateu na parede e voltava violentamente. Ele segurou-a com a mão, recuperou o equilíbrio e entrou de vez na sala, tendo estampada no rosto uma expressão que apavorou logo todos aqueles que o conheciam. "Estava inteiramente desvairado!" — dizia-me, depois, o Comendador, ainda assombrado com a violência, a quase demência do ato insano e brutal que Arésio cometeu. Devo, porém, ao senhor, umas palavras de explicação que esclareçam, embora não justifiquem, tudo o que ele fez. O filho mais velho de meu Padrinho era naquele ano, Sr. Corregedor, um homem de 35 anos, mais alto do que baixo. Mas era tão "ossudo, membrudo e fortalezado", que sua estatura alta ficava equilibrada pela robustez, dando a impressão de que ele era de altura só muito pouco acima da mediana. Qualquer pessoa que punha os olhos em cima dele, via logo que era um homem dotado de extraordinária força física, uma força que se tornava ainda maior e mais perigosa pela ferocidade de seu temperamento intratável, sujeito a impulsos estranhos e indomáveis, a desequilíbrios perigosos e desconhecidos em sua natureza total. Era moreno e carrancudo, de cabelos bastos, negros e encaracolados. Tinha a barba negra e cerrada. Não fina, como a de Gustavo, mas dura, grossa e crespa, sempre raspada, com exceção do bigode, preto e quase retangular, aparado do mesmo tamanho da boca e cobrindo todo o lábio superior. Suas sobrancelhas também eram bastas e cerradas, negríssimas, e o sobrecenho, contraído e fechado, contribuía para aumentar ainda mais a impressão de ferocidade do rosto inteiro. Vestia naquele instante uma roupa de casimira cinzenta, e, sob os punhos limpíssimos da camisa branca, viam-se seus pulsos grossos, peludos e nodosos, terminando pela mão quadrada e grande, de dorso também coberto de pelos, larga e grossa. Dom Eusébio Monturo, que tinha o hábito de fazer comparações disparatadas e que não suportava Arésio, costumava dizer que ele parecia um cruzamento "de Jumenta com carro preto", ou então "de um Carneiro preto, lanzudo e criminoso com uma Diaba fêmea que tivesse trepado com o Carneiro sob forma de Cabra". Apesar dos exageros e da língua solta de Dom Eusébio Monturo, um Mestre em Astrologia como eu saberia logo que, ao dizer isso, ele estava mais perto da verdade do que os outros talvez pensassem. De fato, Arésio, nascido a 22 de Março de 1900, tinha recebido, ao nascer, os influxos malfazejos do Planeta Marte, e pertencia, exatamente, ao signo do Carneiro, o que talvez explicasse a expressão de "cruzamento de Carneiro com Diaba fêmea" que Dom Eusébio usava em relação a ele. Como Vossa Excelência deve saber, Marte, Planeta ubicado no quinto Céu, é astro ardente, seco, do fogo, noturno e de caráter masculino. Os nascidos sob seu influxo têm estatura média ou alta, cabelos negros ou vermelhos, às vezes lisos, às vezes encaracolados, "mas sempre curtos, duros e com aparência de escova", segundo nos ensina o *Lunário Perpétuo*. O corpo dos "marcianos" acusa brutalidade: a cabeça é forte, o tronco é quadrado e peludo, os olhos são penetrantes e de expressão fixa, a voz é forte e metálica. São sempre corajosos, mas rudes e agressivos, com tendência à irascibilidade, ao ódio e à crueldade. Impõem seu comando e são impelidos, pelo sangue de seu Planeta, a satisfazer as exigências de seus sentidos violentos e implacáveis, isto de modo brutal e em tudo — no jogo, nos prazeres do amor, nas bebidas e, eventualmente, nas orgias a que se entregam. A comida preferida deles é a carne sangrenta e meio crua, principalmente a carne de caça, assim como todos os demais pratos preparados com condimentos fortes. Nos casos benéficos, saem do contingente "marciano" da Humanidade os grandes Guerreiros, os Soldados e, aqui no Sertão, os grandes Cangaceiros. Nos casos em que o influxo de Marte pega uma alma pequena e uma compleição mesquinha surgida de outras circunstâncias, nascem os ferreiros e os açougueiros, que vão satisfazer, no exercício destas profissões, o gosto marciano pelo sangue, pelos metais e pelos instrumentos cortantes. Por outro lado, Sr. Corregedor, no caso de Arésio, o influxo de Marte se agravava, porque o signo em que ele é mais poderoso é exatamente o do Carneiro, cujo elemento é o Fogo, cuja pedra é o Rubi — pedra vermelha e cálida —, cujos metais são o Ferro, o Ímã, o Azougue e o Aço, e cuja cor é o Vermelho-sangue. Assim, quem combina o Signo do Carneiro com alguma conjunção maligna de Planetas hostis, tem disposições incontroláveis para a violência, o egoísmo, os perigos, a sensualidade e a lascívia, para as rixas violentas e para as orgias, podendo praticar os maiores excessos, e chegar até aos crimes de sangue. É que o Signo do Carneiro impressiona o fel, o sangue, os rins e as partes genitais, sendo sua influência sobretudo violenta dentro da primeira Década e "crítica" quando se dá "em trono e exaltação de Marte", o que sucede, exatamente, a 22 de Março, dia do nascimento astroso e fatídico de meu primo Dom Arésio Garcia-Barretto, o Príncipe Cáprico desta minha fatídica e astrosa Epopeia! Foi somente, pois, por não serem Mestres em Astrologia que as pessoas da sala ficaram espantadas com a brutalidade do gesto, para eles inesperado e absurdo, de Arésio. Todos os que estavam na reunião eram favoráveis, ou, pelo menos, manifestavam uma indiferença benevolente a ele, no seu conflito com o Pai e com o irmão mais moço por causa da herança da "Onça Malhada". Por outro lado, o Bispo Dom Ezequiel, ancião de caráter tranquilo e bondoso, entrado suavemente numa velhice compreensiva e cheia de mansidão, era estimado no Sertão inteiro, como um modelo de virtude. Pois foi exatamente para o Bispo que Arésio marchou depois de entrar na sala, com os olhos meio alheados, como se não visse mais ninguém. Os olhares de todos, esses estavam fixados nele e somente nele, como não poderia deixar de ser. Personagem visadíssimo, profundamente afetado pelos acontecimentos da tarde e pela chegada de Sinésio, aparecia ele agora em público daquela maneira violenta depois de se manter desaparecido desde a véspera, e irrompia inesperadamente na reunião para a qual não tinha sido convidado, primeiro porque ninguém sabia onde ele se encontrava, depois porque todos o temiam. Encaminhando-se para Dom Ezequiel, Arésio olhava-o fixamente nos olhos, e, segundo todos disseram depois, mantinha uma posição estranha enquanto andava, com o braço esquerdo erguido quase à altura do ombro e estirado para a frente, com mão aberta, espalmada, em direção ao Bispo. Quando ele chegou junto de Dom Ezequiel, este estendeu-lhe a mão, como para dar a beijar o anel episcopal, isto apesar de que a mão com que Arésio parecia lhe solicitar isso fosse a esquerda, e não a direita, como manda o protocolo. E foi aí que tudo se precipitou. Quando Dom Ezequiel estendeu benevolamente a mão direita para ele, Arésio segurou-a com a mão esquerda e deu um puxão no Bispo que, perdendo o equilíbrio, foi como que caindo em sua direção. Mas Arésio, em vez de ampará-lo, soltou-lhe a mão, e, com o punho direito cerrado, deu-lhe um violento soco no rosto. Dom Ezequiel rolou no chão, com o rosto banhado em sangue, saído do nariz e de um corte que se abrira embaixo de seu olho. Todos ficaram imóveis, boquiabertos, paralisados pela violência e pelo inesperado do gesto insensato. Os Padres, primeiros a sair do estupor, correram para o Bispo e começaram a lhe prestar o primeiro socorro. Quanto a Arésio, olhou um momento a cena, como se não tivesse nada a ver com aquilo. Depois deu meia-volta, e, sem trocar palavra com ninguém, sem dar nenhuma explicação sobre o que fizera, tomou de novo o caminho da porta e saiu da sala, perdendo-se na meia escuridão que já tinha começado a cobrir a Vila naquele momento.

Folheto LXXI
O Caso do Jaguar Sarnento

Quando acabei de contar essa parte da história, o Corregedor ficou um momento pensativo, mas logo, sacudindo a cabeça, voltou ao ataque:

— Muito bem, Dom Pedro Dinis Quaderna! — disse ele. — O senhor me contou vários acontecimentos sucedidos naquele dia. Deixou, porém, de se referir ao personagem mais importante de todos!

— Quem é, Sr. Corregedor?

— O senhor, Dom Pedro Dinis! Chegou, portanto, a sua hora, e eu quero saber, antes de mais nada, se é verdade mesmo, como diz a carta de denúncia, que o senhor estava no lajedo perto do qual dispararam o tiro!

— É verdade, sim, Sr. Corregedor! Enquanto, aqui na rua, se desenrolavam esses acontecimentos espantosos, eu, o Profeta e Astrólogo-épico que os previra e que os tinha esperado, confiantemente, durante os cinco anos que se tinham passado entre a morte de meu Padrinho e a ressurreição de Sinésio, estava ausente, alheio a tudo! Não é estranho? Estava fora, e impossibilitado, portanto, de participar de coisas que seriam decisivas para a vida de todos nós e, sobretudo, para a Epopeia que eu sonhava escrever há tanto tempo! O senhor perguntará: "Por que você estava fora?" A resposta é simples: é que, naquele dia, eu tinha resolvido almoçar no meu Lajedo sagrado!

— De fato, não deixa de ser estranho! Almoçar num Lajedo, quando o senhor tem tantos lugares abrigados para fazer suas refeições! Qual foi o motivo dessa decisão sua?

— De vez em quando, sinto vontade disso, Sr. Corregedor! É sempre como numa espécie de pressentimento; vem-me aquela vontade e eu digo para mim mesmo: "Hoje, preciso almoçar no meu Lajedo!" Naquele dia, aconteceu isso, não sei por quê! Comecei com aquela vontade, aquela vontade, e de repente senti que não devia ficar na Vila. De manhã, saí com Samuel e Clemente, para visitar uma Capela e a Ilumiara Jaúna. Nós nos perdemos na Caatinga, na volta.

Mas depois, ajudados pelo velho João Melchíades Ferreira, achamos de novo o caminho. Clemente e Samuel vieram para a Vila, e eu, que já saíra com meus alforjes preparados, fui almoçar no Lajedo, mesmo sabendo que, ao fazer isso, iria deixar de tomar meu lugar de Chefe na Cavalhada que eu mesmo tinha preparado com tanto cuidado para as duas horas da tarde.

— O senhor costuma faltar às Cavalhadas que organiza?

— Não senhor! Acho que aquela foi a primeira vez, e acho também que será a última! Digo isso porque chefiar Cavalhadas é uma das maiores glórias da minha vida! É um dos momentos em que me sinto como Carlos Magno chefiando seus Doze Pares de França; ou melhor, para ser mais patriota, como Dom Pedro I chefiando os Dragões da Independência, conforme aparece esse usurpador da coroa dos Quadernas no monumental quadro *O Grito do Ipiranga*, pintado pelo genial Pintor paraibano Pedro Américo de Figueiredo e Mello, Barão do Avaí, Cavaleiro da Ordem da Rosa e Grande do Império do Brasil!

— Quer dizer: o senhor confessa que nunca tinha faltado a Cavalhada nenhuma! Confessa que foi para o lugar de onde atiraram no cabra! E o único motivo que dá como explicação de tudo isso é uma espécie de "pressentimento" que lhe deu?

Vi que estava me desgraçando cada vez mais, de maneira que o único caminho que me restava era o de abrir mais meu jogo a fim de mostrar boa-fé. Resolvi ir adiante em minhas confissões e avancei:

— Sr. Corregedor, conhecendo, como conheço, os Enigmas e os fins ocultos de tudo o que se passou nessa história; conhecendo os fios secretos que ligavam todos os acontecimentos; conhecendo, ainda, o papel que tinha e tenho a desempenhar na "Guerra do Reino" e na "Demanda Novelosa do Reino do Sertão", só posso atribuir, mesmo, minha ausência da Vila naquele instante a uma disposição oculta da Providência Divina! Isto é tanto mais evidente porque, como já disse, aquela era a primeira vez que eu me atrevia a faltar a uma Cavalhada! Eu tivera, aliás, o cuidado de prevenir meus irmãos, que faziam o papel de Rei Mouro do Cordão Encarnado e de Rei Cristão do Cordão Azul, para que, em seus movimentos a cavalo, não fizessem nenhuma mesura que pudesse ser interpretada como preito de vassalagem ao Prefeito e ao Presidente do Conselho! Conheço muito bem a Humanidade, e sabia que, ao primeiro sinal de fraqueza da família Quaderna, o Prefeito, o Presidente do Conselho ou qualquer outro "Rico-Homem" da Vila começaria logo a conspirar, iniciando seu trabalho de sapa para usurpar o Trono do Cariri, trono que, desde a morte de meu Padrinho, eu venho acumulando com os outros de Gênio da Raça Brasileira, Rei do Quinto Império do Sertão, Imperador do Divino, do Sete-Estrelo do Escorpião, Profeta e Sumo-Pontífice da Igreja Católico-sertaneja. É por isso que, como já disse, o pessoal, na hora de saudação, não se voltou para o Palanque. Tranquilizado eu, portanto, por essas providências que tinha determinado, achei-me no direito de atender a meu pressentimento, indo almoçar no Lajedo que se encontra no lado direito de quem vai pela Estrada de Estaca Zero, Soledade e Campina Grande e que vai, daí, para o Mar, "o Mar, o Mar livre", como dizia Ruy Barbosa! Ora, Sr. Corregedor, se eu saía da rua em ocasião tão importante, foi, primeiro, por aquele desígnio secreto da Providência, e, depois, porque a Véspera de Pentecostes é um dia importantíssimo na Liturgia do meu Catolicismo-sertanejo, uma data decisiva nos rituais astrológicos, zodiacais, mouro-cruzados e negro-vermelhos que o integram!

— Bem, esse Catolicismo-sertanejo me interessa muito, porque, a meu ver, sua Igreja está estreitamente ligada, por seus rituais, com a morte do Rei Degolado, seu Padrinho, e com a ressurreição do tal Príncipe Alumioso da Bandeira do Sertão! Como foi que o senhor chegou à formulação dessa nova seita religiosa?

— Sr. Corregedor, a criação da minha Igreja Sertaneja foi muito parecida com a da minha Poesia-epopeica! Foi uma questão, ao mesmo tempo, de fé, de sangue, de ciência, de estro e de planeta! Tudo surgiu a partir da minha herança do sangue da Pedra do Reino, de uma crise de Fé, de uma visagem que tive e do cruzamento dos Astros zodiacais com as vicissitudes da minha vida-errante, extraviada e perdida por tudo quanto foi caminho e descaminho deste nosso Sertão velho da Paraíba do Norte! Não sei se já contei a Vossa Excelência que fui destinado, por meu Pai, a ser o Padre da família Quaderna!

— Já, mas não entrou em maiores detalhes! — disse o Corregedor.

— Cheguei a fazer vários anos do Seminário, Sr. Corregedor! Mas, depois, descobri que não tinha vocação e saí!

— Consta, por aqui, na rua, que o senhor foi expulso do Seminário!

— Sim, e foi exatamente isso que me obrigou a descobrir que não tinha vocação! Mas o que eu queria dizer é que, enquanto fui Seminarista, eu viajava daqui até Campina, a cavalo, para, lá, tomar o trem da Paraíba! Me diga uma coisa, Sr. Corregedor: o senhor já leu o folheto chamado *O Estudante que se Vendeu ao Diabo*?

— Não!

— Lino Pedra-Verde versou, um dia, essa história, fazendo o "romance" que eu imprimi e passei a vender aqui, na feira! É uma beleza, só o senhor vendo! Passa-se tudo na Espanha: o Estudante vai para a Universidade de Salamanca, e, na estrada, o Diabo dá a ele um Espelho, em troca da sua alma! Desde que li essa história, eu fiquei sabendo que os espelhos eram objetos ligados ao Diabo, às transações diabólicas e à posse das coisas boas da vida, isto é, o Poder, o dinheiro, as mulheres, as Coroas, os cavalos encantados, os tesouros etc. Desde aí, também, nunca mais deixei de carregar um espelho comigo, principalmente quando ando nas estradas do Sertão!

O Corregedor deu outro bote para meu lado:

— O quê? — falou ele, arregalando os olhos. — Quer dizer que o senhor carrega sempre um espelho no bolso?

— Carrego, sim senhor! — disse eu, espantado.

— O senhor não disse que os sinais de sol que atraíram o cabra para a morte foram feitos com um espelho?

— Disse, sim senhor! — falei de novo, boquiaberto, porque era outra coincidência fatal que nunca tinha me ocorrido.

— Bem, então o senhor não há de reparar que isso me impressione! Foi de perto do Lajedo que saíram os sinais de sol feitos com um espelho, e o senhor estava no Lajedo, com um espelho no bolso... Anote, Dona Margarida! Muito bem! Agora, Dom Pedro Dinis, pode continuar a narração da sua visagem!

Sentindo a sensação de aperto no estômago se agravar, continuei:

— Sr. Corregedor, como eu vinha dizendo, posso garantir que o venerável e vetusto Seminário da Paraíba, instalado no velho Convento franciscano do século XVIII e situado perto da Casa da Pólvora onde Sinésio foi achado morto, foi minha Universidade, a Universidade de Salamanca da minha vida! Naquele tempo em que eu o frequentava, lá um dia eu ia viajando pela estrada quando, cansado, parei junto de um serrote de pedras, para repousar e almoçar. O serrote ficava junto de uma encruzilhada. Era já perto do meio-dia e o sol estava de lascar! Fiquei debaixo de um pé de Imburana que havia ali, sombreando as pedras, e resolvi esfriar um pouco o corpo, antes de almoçar. Momentos antes, quando estava tirando a sela do meu cavalo, eu tinha ouvido um tinido de metal dentro do bolso da carona. Meti a mão ali, e vi, então, que o pacote em que eu conduzia meus materiais de fazer a barba tinha-se aberto. Tirei para fora esses materiais, sentei-me perto do tronco da Imburana, encostei o espelho nele e, enquanto esfriava o corpo, peguei a navalha e comecei a afiá-la no afiador de couro que é o meu. Aí, Sr. Corregedor, por azar e fatalidade, juntaram-se quatro coisas perigosas e invocativas: encruzilhada de Estrada sertaneja, metal de navalha, espelho de aço e cristal e, finalmente, couro com esmeril. Eu, na minha cegueira incauta, continuava passando e repassando a navalha de aço no afiador. Num certo momento, meus olhos pousaram, por acaso, no Espelho que permanecia ali, em minha frente, em pé, encostado ao tronco. No mesmo instante, dei um salto e um grito de terror: refletido no espelho, estava o vulto de uma Onça, na estrada! Virando-me, aterrorizado, para o lugar em que, pela posição da imagem refletida, a Fera deveria estar, não vi nada! Onde estaria a Onça? Será que eu teria me enganado? Olhei de novo, rapidamente, para o espelho: lá estava, de novo, a Onça! Voltei-me para trás, pela segunda vez: nada! Ah, Sr. Corregedor, foi um dos momentos mais graves da minha vida! Só depois, já no curso da minha viagem com Sinésio, foi que pude avaliar, em toda extensão, o poder e a força diabólica do Espelho, o que depois contarei, quando narrar a Vossa Excelência a nossa incursão infernal pelo Reino Perigoso do Ladrido. Naquele dia, porém, vi logo que a Onça que eu avistava era uma típica "visagem de Espelho", parecida com aquela que o Diabo tinha proporcionado ao Estudante de Salamanca nas estradas poeirentas da Castela espanhola! Fiz das tripas coração, tomei coragem, resolvi desafiar o Destino e examinar a visagem. Iria me arrepender amargamente desta resolução! Olhei de novo a Onça, agora com cuidado. O que mais me aterrorizava é que ela não tinha o contorno preciso das Onças comuns. Não era, de modo nenhum, uma Onça que vagasse pela estrada ou pelas veredas, entre as pedras, as Caatingas e os espinhos do Sertão! O que acontecia era o seguinte: ou a Onça crescera e se tornara imprecisa no intervalo que decorreu entre a minha primeira olhada e a outra, ou então ela já era imprecisa, mesmo, e eu não me apercebera no primeiro momento. O fato, porém, é que, agora, eu via que a Onça era mesmo formada pelas pedras, o mato, as estradas, o Sol, de modo que, refletida no Espelho diabólico, eu estava envolvido por ela, colocado no próprio campo de pelos de seu dorso. Me diga uma coisa, Sr. Corregedor: quando o senhor era pequeno, alguém lhe contou a história do Bicho Homem e do Bicho Mundo?

— Não!

— Tia Filipa me contou, várias vezes! Dizem que, no começo, quando Deus tinha acabado de fazê-lo, o Bicho Homem vinha por uma estrada, quando encontrou o Bicho Mundo e atreveu-se a enfrentá-lo. No meio do combate foi que ele percebeu que, de fato, o Bicho era fêmea, o que tornava a luta perigosa e desigual para o Homem. Mas era tarde! Com os poderes de encantação fêmea que tinha, a Bicha envolveu o Homem, encantou-o, diminuiu ele de tamanho até transformá-lo num homem e então, quando ele estava do tamanho de um piolho em relação a ela, soltou-o entre seus pelos, para ele viver ali agarrado, como um carrapato. É por isso que todos nós, agora, vivemos assim, agarrados, chupando o sangue do Mundo e errando por entre seus pelos. Contei essa história a meu Padrinho-de-crisma, o Cantador João Melchíades, e ele escreveu sobre isso uns versos que diziam assim:

> *"Foi no começo da Tinha,*
> *da Peste, ao combate louco:*
> *Deus foi, distraiu-se um pouco,*
> *perdeu o fio da Linha!*
> *O Homem, divino, vinha*
> *na Estrada do Sol do Mundo.*
> *Na luz do Sol moribundo*
> *bateu-se com a Bicha Estranha,*
> *e a feiticeira Castanha*
> *o encantou, no Profundo!*
> *Agora, encantado a fundo,*
> *erra entre os pelos da Sonsa*
> *que é Fêmea, que é Parda, é Onça,*
> *que ele não vê porque é baixo*

> *e que, julgando que é Macho,*
> *ungiu com o nome de* Mundo*!"*

— A propósito de que, essa versalhada? — indagou o Corregedor.
— Ora, Sr. Corregedor, é claro! É que, ali na estrada, era isso que eu estava vendo pela primeira vez, graças ao aço e ao azougue diabólico do Espelho! Só agora eu via que, de fato, eu não passava de um piolho, de um carrapato chupa-sangue e pardo, errante entre os pelos da Onça! O pior, porém, é que não se tratava nem de uma Onça digna, uma Onça Malhada como aquela que o Profeta Nazário e Pedro Cego tinham visto! Era uma Onça enorme e mal definida, leprosa, desdentada, sarnenta e escarninha, uma Entidade malfazeja que, ao mesmo tempo que me envolvia e tragava, era tragada, também, aos poucos, por um Buraco perigoso, oco e vazio, cheio de cinza. Enquanto era devorada pelo Buraco, ela erguia o rosto cego e maldoso contra a face do Tempo, que a crestava cada vez mais, encarquilhando e desfazendo em Pó, em cinza e em sarna, o que ainda lhe restava de sua vida demente e sem grandeza! Por entre os pelos e chagas sarnentas dessa Onça-Parda, eu não via agora, mas sabia, com certeza, que errava a Raça piolhosa dos homens, raça também sarnenta e sem grandeza, coçando-se idiotamente como um bando de macacos diante da Ventania crestadora, enquanto espera a Morte à qual está, de véspera, condenada!

Eu já tinha terminado a narração da minha visagem. Mas o Corregedor parece que esperava alguma coisa de sensacional, para o fim, porque perguntou:
— E então?
— Foi só isso! — confessei.
— Só?
— Bem, se eu quisesse impressionar o senhor, poderia inventar um final mais grandioso, mas não estou aqui para lhe mentir, de modo que devo confessar que não sucedeu mais nada! Nem sequer desmaiei, como Pedro Cego, quando viu a visagem dele! Acho mesmo que, prosaicamente, cochilei um pouco, pois tinha me espichado no chão para meditar sobre o que vira, o sono veio e adormeci. Mas, de qualquer forma, foi um acontecimento decisivo para mim porque, a partir daí, nunca mais a imagem da Onça-Parda se desligou, para mim, da imagem do Mundo. A cara da Onça, mesmo, eu nunca mais vi, como naquele dia: mas, de vez em quando,

uma paisagem sertaneja, tornada mais peluda, parda e espinhosa por ser coberta de Facheiros, me lembra o couro sarnento dela! Eu já lhe disse que Samuel e Clemente me consideram absolutamente incapaz de ser o Gênio da Raça Brasileira?

— Mais ou menos!

— Mas acho que não lhe disse o motivo principal da opinião deles!

— Acho que não!

— Dizem eles que sou incapaz de escrever qualquer coisa que se aproveite porque, em contato com os folhetos e romances de safadeza, eu contraí três defeitos gravíssimos, o "desvio heroico", o "desvio obsceno" e a "galhofa demoníaca". Eu fiquei realmente impressionado com isso, Sr. Corregedor, porque, por um motivo ou por outro, de fato, foi nisso que me tornei, num safado galopeiro e galhofeiro. Eu ria de tudo, em tudo o Diabo me mostrava e me mostra seu Espelho danado de mil faces. Pensam que eu rio por alegria, ou então, só por escárnio e deboche. Mas que alegria posso ter, sem ser Imperador do Brasil e sabendo que meu riso provém de uma tentação? Meu riso também não era de desespero: é apenas que eu vejo a Danada em todos os seus aspectos! Foi, felizmente, nesse tempo, que me caiu nas mãos um livro do genial escritor paraibano Humberto Nóbrega a respeito de Augusto dos Anjos. Li, nesse livro, que os Poetas que têm "a preocupação de cantar a Dor universal" têm uma espécie de face bifronte: por um lado, são "facetos, êmulos de Gregório de Mattos na arte de chasquear"; por outro, veem "na alegria uma doença e na tristeza a sua única saúde". Um Poeta desse tipo é, segundo Humberto Nóbrega, ao mesmo tempo "patético, trágico, burlesco e espirituoso"; é um "fescenino e irreverente" e também um "hipocondríaco que padece de melancolia".

— Que é que isso tem a ver com a Onça que o senhor viu? — perguntou o Corregedor.

— É que, mesmo tendo eu tomado precauções, nunca mais permitindo que se juntassem perto de mim aqueles quatro elementos diabólicos, aquela visagem me jogou, de uma vez para sempre, no buraco cheio de cinza, na descoberta de que o mundo era um Bicho sarnento e os homens os piolhos e carrapatos chupa-sangue que erram por entre seus pelos pardos, sobre seu couro chagado, escarificado e feridento, marcado de cicatrizes e peladuras, e queimado a fogo lento pelo Sol calcinante e pela ventania abrasadora do Sertão. Aliás, acho que estou exagerando um pouco: não foi propriamente no desespero que caí, foi numa espécie de vazio cego e meio insano. Naquele dia, quando acordei do meu cochilo dormido embaixo da Imburana, fiquei um momento me coçando, olhando em torno e procurando sentir com as ideias aquilo que já pensara com o sangue. Sentia que algo de decisivo me acontecera. Sabia que, por mais que eu tentasse me distrair daí para a frente, eu mesmo estava, como a Onça, sendo calcinado por aquela ventania do Inferno. Tudo aquilo que eu possuía de sangue e de vida, estava, aos poucos, sendo queimado, calcinado, transformado em cinza, em sarna e em pó. Quisesse ou não quisesse, eu tinha nascido da Onça cega e sarnenta do Mundo. Assim, não admirava que meu destino e meu sangue estivessem ligados ao sangue e ao destino dela, daquela Onça que procurava, penosamente, indignamente, se manter de pé, com as quatro patas em cima da terra dura e seca do mundo, exposta à ventania de fogo e cinza quente que a crestava, atraindo-a para o centro do buraco cego de onde era soprada. Lembro-me de que, enquanto me coçava, com um terror desanimado e sem grandeza, o pensamento que me dominava era o de que eu só tinha, para opor à visagem malfazeja que o espelho me mostrara traçada nas pedras e espinhos do Sertão, aquelas quatro ou cinco ideias abstratas que tinham me fornecido no velho Convento franciscano que servira ao Arcebispo da Paraíba, Dom Adauto Aurélio de Miranda Henriques, para instalar o Seminário da Paraíba, minha pobre e — descobrira eu agora! — impotente Universidade de Salamanca! Só uma voz eu ouvira, lá, e que tinha força para, talvez, se contrapor ao buraco cego e vazio da Visagem, soprada pelo vento seco e quente da Morte: era a voz daqueles Cantadores que, como os nossos, do Deserto do Sertão, tinham cantado, no Deserto Judaico, chefiados pela voz rouca e cheia de brasas de Isaías e Ezequiel. Mas esses, Profetas parecidos com o nosso Nazário Moura — e a terminar com os dois últimos e mais danados deles, João e Emanuel —, exigiam, em troca da força e do exorcismo que me dessem, que eu fosse sóbrio, casto e humilde. Ora, o senhor já sabe que meu maior desejo, desde que nós, os Quadernas, perdemos a terra e a Coroa, era exatamente conseguir nova oportunidade de Trono, para, com isso, me entregar à gula, ao vinho, às mulheres e aos combates guerreiros, tornando-me um homem poderoso, desejado e temido. Eu não queria me tornar um rico vulgar e sem imaginação, como o Comendador Basílio Monteiro, porque, com meu sangue fidalgo, nunca dei para Burguês.

Meu sonho sempre foi o de ser um daqueles grandes Senhores, Cangaceiros e Príncipes que apareciam nos folhetos. Era arriscado. Mas, se eu me tornasse Gênio da Raça Brasileira, poderia alcançar tudo isso sem matar ninguém e também sem ter a garganta cortada, destino de todo Guerreiro que se preza. Foi aí que li *Sonho de Gigante*, um livro de J. A. Nogueira, que Samuel me emprestou. Falava-se, lá, na possibilidade de um Brasileiro escrever um livro bifronte, tendo, por um lado, o "arremesso patriótico e épico" e, por outro, a "gargalhada vergalhante"; um livro que aliasse "a hilaridade a um fundo mais ou menos visível de amargas preocupações e escura melancolia", com "uma face de sonhos lunares e amor ao Absoluto, e outra solar, heroica". Vi, então, que, mesmo com aquelas contradições e mais com a obsessão da cinza que a visagem da Onça tinha instilado em meu sangue, talvez por aí eu conseguisse instaurar, no meu sangue, a unidade, e na Arte a mais alta nobreza do "estilo régio". Dos folhetos, havia dois que me impressionavam muito: eram a *História de Carlos Magno e os Doze Pares de França* e *O Rei Orgulhoso na Hora da Refeição*. Pela leitura deles, eu via que os Heróis parece que só faziam três coisas, na vida: porque, quando não estavam na mesa, comendo e bebendo vinho, estavam, ou na Estrada, brigando, montados a cavalo, armados de espadas e com bandeiras desfraldadas ao vento, ou então na cama, montados em alguma Dama, trepando senhoras e donzelas desassistidas. Vida era aquela, a vida dos Cangaceiros medievais como Roberto do Diabo, ou dos Guerreiros sertanejos como Jesuíno Brilhante, homens vestidos de Armaduras de couro, armados de espadas compradas em Damasco ou no Pajeú, bebendo vinho de Jurema e Manacá, vencendo mil batalhas e sempre aptos a possuir mil mulheres. Estas, mesmo quando não gostavam disso no começo, terminavam gostando no fim: primeiro, por causa da fama deles; depois porque, como me dizia uma recém-casada sertaneja em meu "Consultório Sentimental e Astrológico", "esse negócio de fuder no começo é um pouco incomodatício, mas depois até entrete". Estava eu, pois, nesses impasses, quando descobri aquilo que minha família escondia cuidadosamente de todos nós: nossa descendência do Rei Dom João Ferreira-Quaderna, O Execrável, em cruzamento com a Princesa Isabel, prima dele!

— Ah, e sua família escondia isso de vocês?

— Escondia, sim senhor! Aquele meu bisavô de sangue godo, o Padre Wanderley, Pai da minha avó, Bruna Wanderley, cortara do nosso nome o

Ferreira e só deixara o Quaderna, que meu bisavô, O Execrável, usava pouco e ficara praticamente desconhecido. Meu Pai, Dom Pedro Justino Quaderna, sabia de tudo, porque o Pai dele, Dom Pedro Alexandre, lhe contara. Mas, depois de casado com minha Mãe, uma moça fidalga se bem que bastarda, filha do Barão do Cariri e irmã de Dom Pedro Sebastião Garcia-Barretto, resolvera "sepultar aquelas histórias todas no olvido e no passado", como dizia ele, no seu estilo almanáquico, e já prenunciando o Poeta que eu iria ser, por herdar a "ciência" dele — bebida no *Lunário Perpétuo* e no *Livro de São Cipriano*. Além disso, meu Pai era lido e relido no *Dicionário Corográfico do Estado da Paraíba*, de Coriolano de Medeiros, e nas *Datas e Notas para a História da Paraíba*, do genial Irineu Pinto. Daí em diante, meu Pai se tornou, além de redator do *Almanaque do Cariri*, um pouco médico, com as receitas do *Lunário*, um pouco Poeta, um pouco orador, e um pouco historiador e Genealogista. O Professor Clemente e o Doutor Samuel, quando morávamos na "Casa-Forte da Torre da Onça Malhada", costumavam ridicularizar meu Pai, a quem chamavam "O Fidalgote Raizeiro". *Raizeiro*, por causa das receitas do *Lunário* e dos chás de ervas, e *Fidalgote* porque meu Pai, não sei como, descobrira que nós, Quadernas, éramos descendentes do Rei Dom Dinis, O Lavrador. Esse foi, aliás, o motivo de meu nome: lendo, não sei onde, que um bisneto, por linha bastarda, de El-Rei Dom João II, de Portugal, tinha recebido o nome de Dom Pedro Dinis de Lencastre, resolveu "seguir também essa tradição da família" e me botar o nome de Dom Pedro Dinis Quaderna. O que foi, de fato, para mim, um traçado régio dos Astros: primeiro, por causa do nome Pedro — pedra e Dom Pedro I —, e depois porque Dom Dinis era, como eu, ao mesmo tempo Rei e Cantador, o que indicava coisas muito sérias na minha pretensão de ser Rei e Gênio da Raça, isto é, Poeta, Decifrador e Cantador nacional do Brasil. Apesar, porém, de todas as precauções de meu Pai, meu Padrinho-de-crisma, João Melchíades Ferreira, o Cantador da Borborema, me revelou tudo sobre a Pedra do Reino — a história das degolas, o Vinho encantado, as noivas que meu bisavô *dispensava* na noite de núpcias e antes dos maridos etc. Vi que meu bisavô fora Rei, mas fora, também, Profeta de um Catolicismo que Pereira da Costa chamava de "particular", sertanejo. Vi também que aquele era o Catolicismo que me convinha, uma religião que, a um só tempo, me permitia ser Rei e Profeta, e ter tantas mulheres quantas pudesse, comer as carnes que quisesse em qualquer dia da semana e beber tanto vinho quanto me desse na veneta, incluindo-se entre estes o Vinho sagrado da Pedra do Reino, que nos mostrava o Tesouro antes mesmo que ele fosse desencantado e descoberto. Era, em suma, uma religião que me salvava a alma e, ao mesmo tempo, permitia que eu mantivesse meu bom comer, meu bom beber e meu bom fuder, coisas com as quais afastava a tentação da visagem da Onça e da Cinza. Ao mesmo tempo, eu tomava, por caminhos de acaso, conhecimento dos "escritos" deixados pelo Profeta e santo Peregrino do Sertão, o Regente do Império do Belo Monte de Canudos, Santo Antônio Conselheiro. Na Astrologia, eu já fora iniciado por meu Pai que, como redator do *Almanaque do Cariri*, era Mestre nos Arcanos do Tarô e dono da Chave da Cabala. Assim que tomei conhecimento dessas coisas, fundi num fogo só esses elementos dispersos, e descobri imediatamente que a nova Religião fundada por mim, o Catolicismo-sertanejo, estava em harmonia absoluta com o programa da minha vida, influenciada, como sempre e em tudo, por Samuel e Clemente. Como Catolicismo, era uma religião bastante monárquica, cruzada e ibérica para satisfazer o primeiro; e como Sertaneja, era suficientemente popular e negro-tapuia para ser considerada com simpatia pelo segundo. Posso, então, concluir, dizendo a Vossa Excelência que foram esses os acontecimentos que me trouxeram à minha atual condição de Profeta da Igreja Católico-sertaneja e Príncipe de Sangue do Trono do Sertão do Brasil!

— Entendo! — disse o Corregedor.

— Então, já pode entender também por que a Véspera de Pentecostes era, naquele ano de 1935, tão importante para mim, a ponto de me tirar da Vila no momento em que ia se realizar uma Cavalhada! Do ponto de vista litúrgico, político e guerreiro, começaria, no dia seguinte, o tempo do Fogo pentecostal. Por outro lado, do ponto de vista astrológico e zodiacal, naquele ano o Tempo de Pentecostes coincidia com a força total do Signo de Gêmeos, que é o meu. Por isso, naquela manhã, antes de sair a cavalo com Clemente e Samuel, fui para a minha "Estalagem à Távola Redonda". Os vinte e quatro Cavaleiros que iam tomar parte na Cavalhada esperavam, lá, por mim, para receber ordens — incluindo-se entre eles, é claro, meus irmãos que iam ser Cavaleiros e Reis, à tarde. Entreguei a todos as roupas, os mantos, as selas, as lanças e demais arreios e apetrechos-de-boniteza para a festa. Dei ordem para que fosse servido a eles, na "Távola Redonda", um almoço que eu extorquira — e pago a peso de ouro — da Prefeitura. Dei a meus irmãos as últimas instruções. Ensinei como deviam se portar com as bandeiras e estandartes, diante do Palanque, para não mostrar nem vassalagem nem subserviência diante daquelas autoridades da República. Lamentava não poder presidir ao almoço daqueles Cavaleiros da "Távola Redonda", mas tinha minhas obrigações litúrgicas noutro ponto. Comecei, por minha vez, a fazer meus preparativos para almoçar no Lajedo, onde iria cumprir alguns rituais altamente importantes e eficazes da Igreja Católico-sertaneja. Para isso, teria de cumprir certas obrigações litúrgicas, vestindo-me de modo especial: calça e camisa "gandola" cáquis, alpercatas-de-rabicho e chapéu de couro estrelado de metal à cabeça, com signo-de-salomão e tudo. Tinha, ainda, o manto, é verdade. Mas este, eu o coloquei, dobrado, no bolso direito da carona de "Pedra-Lispe", primeiro porque ia sair acompanhado de meus dois Mestres, e depois porque eu só tenho coragem de vesti-lo na estrada, já longe dos olhares dos indiscretos da Vila. Maria Safira, amante minha, tinha saído. Mas, antes de sair, ordenara a Dina-me-Dói — a filha do Profeta Nazário, que morava conosco na "Távola Redonda" — que me preparasse um farnel com paçoca, rapadura e queijo de coalho. Havia, ainda, um chaguer de couro, cheio d'água bem fria, e um pichel, também de couro de bode, cheio, até o gargalo de madeira, com meu famoso "Vinho Tinto da Malhada". Tomando tudo isso, e mais umas cajaranas que Lino Pedra-Verde tinha me mandado de Estaca Zero, coloquei comidas e bebidas no bolso esquerdo da carona. Voltei ao interior da "Távola Redonda", fui ao meu quarto e, abrindo meu cofre de segredo, peguei meu "anel de pedra amarela, de topázio", meu "anel de pedra verde, de esmeralda" e meu "anel de pedra vermelha, de rubi", assim como meu lenço de cambraia, perfumado a benjoim e capim-sândalo. Peguei também o manuscrito do *Caminho Místico* do Peregrino do Sertão, e o *Caderno de Anotações Astrológicas e Genealógicas* que tinha sido de meu Pai. Fechei o cofre, voltei à rua, desamarrei "Pedra-Lispe" do pé de Tambor, e montado, fui me juntar a meus dois Mestres, com quem saí para a Caatinga. Como já disse, perdemo-nos no mato, mas terminamos encontrando o caminho da volta, já ao meio-dia, graças a meu Padrinho, João Melchíades, que nos guiou até a Estrada Real. Aí, Clemente e Samuel seguiram com ele para a rua. Assim que os três dobraram na primeira curva da Estrada, olhei em torno, certifiquei-me de que estava realmente só.

Então, tirei do bolso da carona o Manto litúrgico. Explico isso, porque tenho outro, o régio, feito de pedaços costurados de couro de Onça e Gato-Maracajá. Mas aquele era o Manto profético, feito de pano vermelho, cortado por uma Cruz de ouro e tendo quatro crescentes, também de ouro, colocados nos quatro quadriláteros vermelhos formados pelos braços da Cruz. Tinha escolhido esse Manto, primeiro porque o Vermelho é a cor litúrgica de Pentecostes, e depois porque, num tempo que eu julgava próximo, por causa do "Século do Reino", aquela seria, aproximadamente, a forma e a cor dos nossos Estandartes, das bandeiras de nossas tropas, para a "Guerra do Reino do Sertão do Brasil"!

Folheto LXXII
O Almoço do Profeta

Ah, nobres Senhores e belas Damas de peitos brandos! Vejam como é perigoso a gente se deixar possuir pelo fogo sagrado do sonho e da Poesia! Quando eu vi, tinha deixado, já, escapar essa confissão tremenda! O Corregedor, por outro lado, foi implacável. Como um Gavião, frechou sobre a presa que eu lhe oferecia, e, de dedo em riste, falou para Margarida:

— Anote! Esse pormenor é importantíssimo para o inquérito!

Aterrorizado, fiquei um momento em silêncio, olhando para ele, magnetizado por seus olhos de cobra, enquanto Margarida, impassível, anotava tudo, ao teleco-teco da máquina de escrever. Quando ela acabou, ainda meio atarantado, vi, porém, que o jeito era continuar no mesmo tom, como se aquilo que eu tinha dito fosse coisa sem gravidade e perigo maior. Assim, falei:

— Além do manto de Cavaleiro, eu trouxera, também, minhas outras insígnias imperiais e proféticas. O senhor já ouviu falar num Rei de Portugal chamado Dom Henrique?

— Dom Henrique, O Navegador? Já!

— Não senhor, não é esse não! É outro, um velhinho, tio de Dom Sebastião. Ele era Cardeal, e, quando Dom Sebastião morreu na Batalha de Alcácer-Quibir, o velhinho subiu ao Trono. Ora, além dele ser Cardeal, estava velho e senil que era uma coisa demais! Portugal precisava de um herdeiro para o Trono que, sem isso, iria cair nas mãos de Filipe II, da Espanha, que era, também, tio de Dom Sebastião. Aí, o velhinho se animou. Conseguiu uma licença da Santa Sé para gerar um herdeiro para a Dinastia. Acontece, porém, que se a Santa Sé podia dar a licença, não podia fazer o milagre que tornaria a licença eficaz. Pois bem: o velhinho já estava tão senil e caduco que meteram várias ideias na cabeça dele. Uma dessas, foi a de mamar nos peitos de uma Ama jovem para ver se, assim, recuperaria a virilidade, gerando um filho para o Trono. Conto isso somente para ilustração: porque, a mim, o que interessa em Dom Henrique é que eu sou, como ele, uma espécie de Cardeal-Rei, ou melhor, de Imperador e Profeta, sendo este o motivo das minhas insígnias. Naquele dia, como já disse, meu rifle "Seridó" já ia amarrado no arção da sela. A minha legendária espada "Pajeú" já estava pendurada à minha cintura. Assim, empunhei meu Ferrão sagrado e real, isto é, minha legendária lança "Cariri", a aguilhada sertaneja que me serve, ao mesmo tempo, de Cetro real, de Báculo profético e de Lança guerreira. E como já estava com meu chapéu de couro estrelado à cabeça, completei-o com a parte superior de metal, formando, assim, a legendária Coroa de couro e prata do Sertão. Agora, eu, Dom Pedro Dinis Quaderna, O Decifrador, podia me considerar legitimamente e liturgicamente vestido com as roupagens e insígnias indicadoras da minha qualidade de soberano, profeta e grão-mestre da "Ordem do Reino". Como o senhor vê, o meu é um posto que nada deve ao do meu antepassado Dom Dinis, O Lavrador, aquele outro Rei de Portugal, que, sendo Poeta e Cantador como eu, tinha sido também, no seu tempo, grão-mestre da "Ordem de Cristo". Então, assim como lhe digo, de Coroa de couro e prata à cabeça, de manto vermelho às costas e empunhando a Lança com a mão direita, sustentei as rédeas com a esquerda e, pinicando "Pedra-Lispe" no cachorro-da-espora, esquipei cerca de quilômetro e meio pela estrada, em direção à Vila, depois de dar tempo suficiente para que João Melchíades, Clemente e Samuel se adiantassem a mim. Cheguei, então, ao lugar que procurava. Apeei-me, puxei "Pedra-Lispe" para fora da estrada, amarrei-o pelo cabresto num pé de marmeleiro, e, a pé, comecei a subir o terreno ladeiroso, espinhento e empinado que leva a meu Lajedo. O cheiro do mato, ali, era, agora, um cheiro de folhas de marmeleiro machucadas, cheiro que se misturava a outro, mais longínquo, de madeiras resinosas mal queimadas. Não muito longe, alguém devia estar queimando alguma coivara e era o cheiro dela que se misturava ao das folhas de marmeleiro pisadas e acumuladas na sombra. Desde que eu era menino, Sr. Corregedor, aquele lugar era sagrado para mim. Uma vez, errando por ali ao acaso e à aventura, eu encontrara um ninho de Juriti, pousado numa forquilha de marmeleiro. Havia, nele, dois ovos pequenos, lindos, brancos, puros, reluzindo sobre a penugem fofa e ainda quentes do calor da fêmea que voara, espantada por meus passos. Naquele sábado de 1935, como para me advertir dos acontecimentos que iriam suceder, houve também uma aparição-de--pássaro. Não foi uma Juriti: foi uma Codorniz que levantou voo de repente, quase de cima dos meus pés, assustando-me e encantando-me. Acho que o senhor, homem da Capital, nunca passou por isso, e portanto não pode saber como é! A gente vai andando no mato, e, de repente, um Tejo enterra os pés de bem perto, fazendo um estrupício danado! O coração da gente fica batendo com o susto e a excitação, principalmente quando se traz, por acaso, a espingarda. Mas, o melhor de tudo, é ouvir, logo depois que o bicho correu ou voou e tudo está calmo de novo, o silêncio e os barulhos normais do mato. Pois bem: naquele dia, a Providência e os astros enviaram a Codorniz para me avisar, e eu, homem cego e pecador, não entendi logo a advertência. Pelo contrário: como se aquele fosse um dia normal de Lajedo, comecei a subir o serrote que leva à minha pedra-de-ara, picando-me nos espinhos dos cactos e queimando-me nos acúleos cáusticos das Favelas e das folhas de Urtiga. Quando cheguei ao pé do Lajedo, já tinha levado uma furada de espinho de Mandacaru um pouco acima do joelho e uma queimadura de Urtiga na mão. Isso, porém, não poderia ser considerado aviso especial da Providência, pois estava dentro do cabedal de acontecimentos normais daquela excursão. Mas o que veio logo depois, isso foi aviso, e aviso claro. A subida do Lajedo é facilitada por alguns blocos que tinham se destacado de cima, lascados pelo calor ou pelos raios, assim como por saliências, furnas e outras lascas menores, o que formava uma espécie de escada irregular e complicada, até o topo da pedra grande. Comecei a subir. Quando já estava perto da parte de cima, numa última volta que a subida dava, senti, de repente, uma dor terrível no pescoço, como se algum Demônio tivesse me picado com uma agulha envenenada: um Maribondo--Caboclo, cuja casa eu tinha assanhado sem ver, dera-me uma ferroada. Novamente a Providência me dava um aviso, e eu insistia em continuar, inteiramente cego aos recados divinos! Cheguei à parte de cima da grande e alta pedra. Ia respirando fundo, coberto de suor e meio tonto, tanto pela dor como pelo veneno cáustico do terrível Maribondo vermelho, de duas polegadas de tamanho. À medida, porém, que a dor ia aliviando um pouco mais, o suor e o calor começaram a se dissipar, ante a ventania que soprava ali, no alto, ainda fresca e pura por estarmos no mês de Junho, o mais agradável aqui do Sertão. Fiquei então sentado uma porção de tempo, recuperando-me ali, em cima da pedra, ao abrigo da folhagem de três árvores grandes que cercam meu Lajedo e cujas frondes ficam situadas acima do seu topo, uma Braúna, um Angico e um pé de Tambor. A dor ia desaparecendo aos poucos, pelo menos em sua primeira fase. É verdade que, provavelmente, daí a pouco, eu começaria a sentir frio, febre e dor de cabeça, com os gânglios do pescoço e dos sovacos inchados. Mas como, felizmente, esses sintomas ainda não tinham aparecido, fiquei ali um bom pedaço de tempo sem fazer nada, a não ser devanear e sonhar, olhando a maçaranduba do Tempo e vendo, por entre os galhos do pé de Tambor, os telhados das casas da Vila, que podem ser avistados dali. Não todos, mas os da Rua da Usina e os da Rua do Chafariz, os telhados castanhos, batidos de Sol.

— A Rua da Usina é a rua da qual o cabra baixou para o leito seco do Rio Taperoá, sendo morto então, não é isso?

— É, sim senhor! Mas isso não tem grande importância! O que interessa é que estava chegando a hora do almoço e eu precisava cumprir meus rituais da Ordem da Pedra do Reino.

— O quê, homem? — disse o Corregedor, com uma expressão cheia de segundas-intenções. — Os rituais da Pedra do Reino? Não me diga que você degolou algum cachorro ou mesmo algum menino!

— Não senhor, o que fiz foi coisa muito mais importante do que isso! Ergui-me da ponta de pedra em que estava sentado, tirei o chapéu de couro, que coloquei a um lado. Forrei uma saliência chata do Lajedo, que me servia de Altar, com o Lenço de cambraia. Pendurei no pescoço, por uma corrente longa, o anel amarelo de Topázio. Coloquei, no anular esquerdo, o anel de Rubi vermelho, e, no direito, o anel verde de Esmeralda. Assim preparado, num dos lados do Altar de pedra, abri o *Caminho Místico*, do Santo Peregrino do Sertão, isto é, Santo Antônio Conselheiro de Canudos. Do outro, abri o *Caderno Astrológico* que meu Pai me legara, copiado cuidadosamente pelo próprio punho dele, com tinta negra e vermelha, herança inestimável para minha carreira de Poeta de sangue, de ciência e de planeta, de Decifrador e Mestre dos Arcanos do Tarô. Coloquei também sobre o altar o pichel de vinho, o farnel com paçoca e queijo de coalho, e então comecei a cerimônia. Sim, Sr. Corregedor, a cerimônia. Porque na Igreja Católico-sertaneja, o almoço não é somente uma refeição: é um nobre e litúrgico ritual, cuidadosamente planejado para servir ao mesmo tempo ao prazer, ao espírito e ao sangue dos nossos Fiéis! Modéstia à parte, não existe, no mundo, religião mais completa do que a minha! Nela, o almoço, principalmente quando organizado à base de paçoca com carne de sol e queijo de coalho, e também a bebida de vinho e a posse das mulheres, tudo isso é colocado a serviço da edificação da alma dos meus adeptos e seguidores! Veja o senhor: o Judaísmo e o Cristianismo dos santos, mártires e profetas, permitem o Vinho, mas são religiões severas e incômodas como o diabo! O Maometanismo é uma religião deleitosa: permite que a gente mate os inimigos e tenha muitas mulheres. Em compensação, proíbe o Vinho! A Igreja Católico-sertaneja é a única religião do mundo que é bastante "judaica e cristã" para levar ao Céu e, ao mesmo tempo, bastante "moura" para nos permitir, aqui logo, os maiores e melhores prazeres que podemos gozar nesse mundo velho de meu Deus! Aliás, Vossa Excelência já deve ter notado isso, quando ouviu, há pouco, a história da Pedra do Reino que eu li para o senhor, porque tudo aquilo que aconteceu por lá eram os rituais executados por meus antepassados em sua extraordinária Desaventura trágico-epopeica. A carne de sol, o queijo de cabra, o vinho, as sobremesas de rapadura do Ceará ou de goiabada de Arcoverde, as mulheres — tudo isso faz parte dos rituais religiosos com que prestamos nosso culto à Divindade Sertaneja!

— Divindade sertaneja? E existe uma, especial? Quem é? Não é Deus, não?

— Conforme, Sr. Corregedor! Como o senhor sabe, essas coisas de religião são difíceis e complicadas. Isso, no geral. No que se refere ao Catolicismo-sertanejo, ele é, muito mais do que o romano, povoado de coisas astrosas e fatídicas que o senhor só irá entendendo melhor aos poucos! Por enquanto, basta que eu lhe diga que a nossa Divindade Sertaneja é o mesmo Deus mouro, judaico e católico, se bem que seja mais parecido com aquele Deus do Deserto do que com o Deus que o Padre Renato nos apresenta na Missa. O nosso Deus é mais parecido com aquele que queimava a boca dos Profetas com uma brasa e que aparecia no Sertão da Judeia "vestido de coivara"!

— "Vestido de coivara?" — disse o Corregedor, intrigado.

— Eu digo desse jeito por "patriotismo sertanejo e brasileiro"! Mas, se o senhor prefere, pode dizer de um jeito mais estrangeiro. Nesse caso, o senhor se referirá ao Deus que aparece no Deserto judaico "sob a forma de uma Sarça ardente"! Além disso, o senhor precisa saber de outras diferenças. Por exemplo: a Santíssima Trindade católica, comum, é formada por três Pessoas. A nossa Santíssima Trindade tem cinco, e é sempre figurada através do animal heráldico e armorial brasileiro por excelência, a Onça Malhada. É por isso que, naquele dia, como eu vinha contando, eu me voltei, primeiro, para a direção do Pajeú, onde estão as duas Torres de pedra do nosso Reino. E, abrindo o Livro escrito pelo Peregrino do Sertão, comecei a recitar, em tom de salmodia, minha primeira invocação a Adonai, à terrível Divindade sertaneja e oncística que atende, também, pelo nome de Aureadugo!

— Pelo nome de quê? — perguntou o Corregedor, novamente espantado.

— De Aureadugo, Excelência. "Adugo" é o nome tapuio da Onça Malhada. "Aureadugo" é o nome formado pela contração do artigo "áureo", isto é, "de ouro", parte tapirista de Deus, com a preposição "adugo". O "Aureadugo" é, portanto, a Onça Malhada e de Ouro do Divino. É o mesmo Adonai judaico e esses são os nomes mais terríveis do Deus sertanejo do Deserto da Judeia. Por isso, naquele dia, voltando-me na direção do Pajeú, falei assim: "Ó Adonai! Ó meu Deus judaico-tapuia e mouro sertanejo! Considerai que qualquer coisa é bastante para me tirar a vida! Uma gota de salmoura que desça ao coração entupindo uma artéria, uma veia importante que se rompa em meu peito, uma sufocação de tosse, uma forte opressão interna, um fluxo impetuoso do meu sangue, uma Cobra-Coral que me morda, uma febre, uma picada, um corisco de pedra-lispe incendiada, um raio, uma pedrinha de areia nos rins, um inimigo audacioso, uma pedra que se despenque de um serrote — tudo isso e qualquer coisa pode me cortar o Nó do sangue, roubando-me a vida em dois tempos! Por isso, Senhor, não leveis a mal que, enquanto estou aqui no Mundo, capaz de gozar esta vida que Vós mesmo engendrastes — juntando o barro da terra sertaneja com o Sol e o furor dos vossos lombos —, eu vos preste as homenagens deleitosas que devo à Divindade e que as inicie bebendo uma boa lapada do meu Vinho Tinto e Sertanejo da Onça Malhada!" Dizendo estas palavras, Sr. Corregedor, peguei o pichel de couro de bode, tirei-lhe a tampa de madeira e, levando o gargalo à boca, ergui a cara para o céu e tomei a primeira grande lapada de vinho. Um doce calor e um suave formigamento começaram logo a me percorrer o sangue, aliviando mais a dor da ferroada do maribondo e convidando-me logo a me espichar em cima do Lajedo, para cochilar. Mas, nessas coisas de religião, eu sou duro e fiel: havia, ainda, várias partes do ritual a cumprir, de modo que reagi e não me deitei. Eu lera estas palavras, que acabo de ler para o senhor, no Livro do Peregrino do Sertão. Voltei a página, molhando o dedo na língua, exatamente como via o Padre Renato fazer com o Missal, nas missas dos domingos. Aí, li de novo, em voz alta: "Ó Adonai, ó Adugo, ó Jaguar Sertanejo do Terrível! Considerai que sou um pecador, eu, bocado de terra parda e sertaneja amassada no sangue e no Sol! Por isso, em terra brevemente me vou de novo a converter! Lembrai-vos de quantas vezes, contra minha vontade, já me vi metido nas correrias, guerras e emboscadas do Sertão! Posso, de novo sem querer, me ver metido noutra e ser assassinado, com meu corpo deixado ao Sol, na estrada empoeirada, para ser comido pelos Carcarás! E mesmo que eu tenha a sorte de morrer na cama, ainda assim nada muda: serei sepultado na terra dura, quente e seca do Sertão, para ser pasto de animais cegos e salamandras de fogo, de pele luzidia! Sim, porque o General Dantas Barretto já adverte todos nós de que, no chão sertanejo, 'os raios do Sol candente batem em cheio, com intensidade destruidora, e o solo abre as entranhas por grandes fendas em que se precipitam répteis famintos, à procura de alimentos que não encontram à superfície de fogo'. Assim, este corpo, que agora me dá tantos estremeços de prazer com Maria Safira, há de apodrecer. Minha cara, minha boca, meus cabelos, hão de cair aos pedaços. Meus olhos vão ser comidos pelos Gaviões! Meu corpo se tornará um esqueleto, a princípio fétido e medonho; depois, embranquecidos pelo Sol, meus ossos hão de separar-se uns dos outros! Minha cabeça há de se apartar do tronco, como aconteceu com a de meu bisavô na Pedra do Reino! Assim, já que vou ser comido pelos Gaviões e Carcarás, pelos Urubus e Cachorros-do-Mato errantes no Sertão, ó Senhor, não leveis a mal que agora, enquanto estou vivo, eu me deleite comendo a carne dos bichos que cacei e matei, principalmente esta carne de paçoca e estes nacos de carne de sol assada, tirados do lombo e do patim do Bode que sangrei ontem, em vossa homenagem!" Voltei então as costas para meu Altar, Sr. Corregedor, e, numa trempe de pedras que já havia lá, suja de cinza por outros rituais semelhantes que eu celebrara noutros dias, acendi fogo. Usei, para isso, folhas secas e gravetos, que incendiei tirando faíscas com uma placa de aço, na pedra do meu Corrimboque. Tirando uma panela, que escondera, há muito tempo, numa pequena loca da pedra, coloquei e esquentei nela minha cheirosa e gostosa carne de sol com paçoca que a endemoninhada Maria Safira tinha preparado. Essa parte de comer carne assada, é, aliás, Sr. Corregedor, um dos rituais que eu cumpro com mais prazer e gosto no meu

Catolicismo-sertanejo. Principalmente quando, como naquele dia, a paçoca está enriquecida com ovos cozidos, cebolas e toicinho-de-terreiro, tudo bem torrado, bem adubado e bem salgado! Comecei então, como vinha dizendo, a comer ritualmente os nacos de carne de sol, misturando-os com a paçoca e evitando os entalos e engasgos da comida seca e salgada, gostosíssima, com deliciosos e grandes goles do meu Vinho Sertanejo da Malhada. Quando me fartei de carne assada e paçoca, terminando outra parte do ritual, voltei ao Altar, folheei o Livro do Peregrino do Sertão e o *Almanaque Astrológico, Zodiacal e Genealógico do Cariri*, salmodiando de novo, nos seguintes termos: "Ó Adonai! Ó Onça Tapuia, Negra e Malhada do Divino do Sertão! Esta República dominada por Burgueses gordos é, sem dúvida, um grande mal para o Império do Sertão do Brasil! Ela pretende minar e desmoralizar o Povo da Onça Castanha e o nosso Catolicismo-sertanejo, esta obra-prima de Deus, religião mais perfeita e mais antiga do que o Catolicismo romano! Este, tem somente vinte séculos, enquanto a nossa sagrada Religião da Pedra do Reino foi fundada no Deserto sertanejo da Judeia, junto às Pedras do Reino do Sinai e do Tabor! O Presidente da República, seus cupinchas e os gordos ricos, entendem que podem governar, trair e vender o Império do Brasil a seu bel-prazer! No entanto, o Brasil está predestinado para o Monarca Castanho do Povo, aquele que foi legitimamente constituído por Deus para fazer o bem e a grandeza do Povo Brasileiro! Quanta injustiça nós, Católicos-sertanejos, contemplamos amargurados! O poder do Presidente não é legítimo, a República não é legítima! Todo poder legítimo é uma emanação da Onipotência eterna do Deus Sertanejo através do Povo, e portanto está sujeito à regra divina da nossa Santa Igreja da Pedra do Reino, tanto na ordem temporal como na espiritual! Todos os Brasileiros deveriam estar obedecendo a Quaderna, Pontífice, Rei e Profeta, porque, obedecendo a ele, é a Deus que todos obedecem! É evidente, para todas as pessoas de bem, que esta República permanece sob um princípio falso e só traz o mal, para o Povo Brasileiro! Ainda, porém, que ela trouxesse algum bem, ainda assim é má por si mesma, porque contraria a Lei sagrada do Povo e do Sertão! Quem não sabe que o digno Príncipe, o Senhor Dom Pedro Dinis Quaderna, deveria, logo, ser coroado como Dom Pedro IV, O Decifrador, Rei do Sertão, Imperador do Brasil e Sumo Pontífice da Igreja Católico-sertaneja, sendo, como tal, reconhecido pelas Nações? Negar estas verdades seria o mesmo que dizer que o Sol não é divino e não descobre sempre um novo dia, aos raios de seu fogo de Ouro! É erro, e erro grave, dizer que a família real dos Quadernas não deve mais governar o Brasil, como fez há um século, na Pedra do Reino do Sertão do Brasil! Uma coisa é o Sertão, outra é o Mundo! Se o Mundo fosse divino, ainda se poderia duvidar. Mas o Sertão é que é divino, e o Sertão só jura e pune pelo sangue real dos Quadernas! Por isso, esta República da iniquidade cairá por terra e, mais cedo ou mais tarde, Deus fará a devida justiça! A República se acaba breve: é princípio de Espinhos! O Príncipe é o verdadeiro dono do Brasil! Das ondas do Mar, Dom Sinésio Sebastião sairá com todo o seu Exército. Tira a todos, no fio da Espada, desse papel da República, e o sangue há de ir até a junta grossa. Quem for Republicano, mude-se para os Estados Unidos! O Tempo está chegando, o Século vem vindo! preciso que Deus e o Povo não deixem em silêncio a causa verdadeira e a origem de todos os obstáculos que o Presidente da República e seus cupinchas levantam, para impedir que a Família imperial dos Quadernas chegue de novo ao Trono do Brasil: é o medo, é o horror de que todos ficaram possuídos, ao saber que, na Pedra do Reino, há um século, Dom João II, O Execrável, mandou sacrificar sete mil Cachorros que, se o Reino tivesse continuado, teriam ressuscitado como indômitos Dragões, para devorar os poderosos e confirmar o Império, acabando a escravidão do Povo, a traição ao Brasil, e instaurando, de uma vez para sempre, a justiça e a monarquia do Povo, através da Coroa de couro e prata da Onça Malhada do Sertão!"

— De onde o senhor tirou toda essa lenga-lenga disparatada? — perguntou o Corregedor, irritado.

— A maior parte das minhas palavras, Sr. Corregedor, era tirada das lições e escritos do Peregrino do Sertão. Mas o senhor compreende que eu tinha que acrescentar e adaptar certas coisas, para tudo ficar mais claro para o Povo Brasileiro, não é mesmo? Por exemplo: Santo Antônio Conselheiro diz, de fato, é que "o digno Príncipe, o Senhor Dom Pedro III, tem poder legitimamente constituído por Deus para governar o Brasil". Mas eu substituí Dom Pedro III por Dom Pedro IV. Por outro lado, sempre que falo na Família Imperial, tenho o cuidado de esclarecer que estou falando dos Quadernas, senão daqui a pouco os Braganças vão logo ficar assanhados, pensando que minha referência é a eles. Eu estava, Sr. Corregedor, vivendo um tempo de grandes esperanças! Minha família tinha reinado sobre o Brasil exatamente de 1835 a 1838, de modo que o Século do Reino vinha chegando, e era tudo isso que se refletia nas minhas preces e invocações, no Lajedo. Terminada, então, aquela que acabo de contar, entrei pela parte da comida de queijo de coalho, que comecei a comer aos pedaços, com pão bem manteigado, ainda sempre acompanhando os bocados com meu Vinho Tinto da Malhada. Depois de terminar o queijo com pão — parte das mais litúrgicas, porque, como o senhor sabe, o pão e o vinho tinto são coisas muito sérias — voltei ao meu Altar e, segurando em direção ao Céu o meu anel de pedra-amarela de Topázio, falei assim: "Ó meu Planeta! Ó Sol de Mercúrio! Ó Espada mercúrio-solar que o Zodíaco me destinou! Ó Lâmina astral de dois Gumes! Cobri-me com vossos raios, em exaltação, sob o influxo do meu duplo Signo Gêmeo e Arqueiro! Garanti minhas qualidades para as Artes e as Ciências Ocultas! Garanti-me meu Vinho, meu Reino, meu Poder, os Bodes para os sacrifícios, a Coroa e o Cetro no Trono da Pedra do Reino! Ó meu astroso e fatídico Planeta! Livrai-me da atual Mulher, mercuriana e endemoninhada que se apossou do meu sangue, e fazei aparecer diante de mim a Outra, a Venusiana de signo louro-cabrum com que sonho há tanto tempo! Dai-me aquela a quem seu Planeta, regando o órgão feminino da geração, coloque, no centro mesmo do seu corpo, um ponto sagrado de Reino e Sangue, firme e seguro para mim, tanto na esfera espiritual como na esfera sexual!"

Ao recitar essa parte, não deixei de lançar um rabo-de-olho para Margarida, para ver se ela tinha entendido meu apelo oculto. Mas Margarida, revelando, mais uma vez, sua natureza cruel e indiferente, não me deu a menor importância, nobres Senhores e belas Damas de peitos brandos! Então, dando um suspiro, voltei-me novamente para o Corregedor e continuei a narração:

— Terminada essa reza-forte, e acabado o queijo de coalho com pão, fui à carona, que levara comigo para o alto da pedra, a fim de retirar, do seu bolso, uns Umbus e Cajaranas que tinha trazido, assim como o pacote com os tacos de rapadura que seriam minha sobremesa naquele dia. No momento em que, enfiando a mão, tinha pegado tudo e já ia retirá-la, senti de novo uma violentíssima picada na ponta do dedo médio da mão direita: tinha sido picado por um Lacrau, ou melhor, por uma Lacraia, porque era uma bicha enorme, aurivermelha, uma bicha que eu, louco de dor e de raiva, consegui fazer sair do esconderijo e esmagar com a sola das alpercatas, em cima do Lajedo. Lembrei-me logo de que entre os versos de um Epigrama que eu tinha feito, aqui, contra um Poeta escalavrado, havia uma estrofe que dizia:

> "O Bode fede a Vida
> mas a Lacraia pica e traz a Morte.
> Vida é carne sentida:
> é Sina mal cumprida
> entre Clarões de má Cegueira e Sorte."

— O que é que o senhor quer dizer com isso? — perguntou o Corregedor.
— Sei não senhor! Eu estava comendo carne de bode e bebendo vinho, e agora, picado por uma lacraia, era como se o Bode fosse um signo da Vida, e a Lacraia envenenada um signo armorial da Morte! Era mais um aviso dos astros e da Providência! O que eu sei é que, se não caí logo morto, ali, estatelado, foi porque já estava ficando vacinado aos poucos com a espinhada do Mandacaru, as queimadelas de Urtiga e com o veneno do Maribondo-Caboclo. Acho também que o Vinho tinto ajudava, espalhando o sangue, sendo esse o motivo de eu não ter morrido! Sentei-me, esperei um bocado para que a dor aliviasse mais, e só então comecei a comer os Umbus e as Cajaranas, cujo suco, por sorte, como todo mundo sabe, é ótimo para veneno de Lacraia fêmea. Estava, agora, chegando ao fim da refeição ritual, de modo que tinha de me apressar nas preces, voltando a me dirigir de novo diretamente à Onça Malhada do Divino. Terminando de comer as frutinhas, fui novamente ao Altar e falei para a Divindade assim: "Quando chegar o Século do Reino, e for anunciada a Vigília de fogo, o Senhor enviará a Coluna de brasas sobre o acampamento e o território dos estrangeiros e dos criminosos e poderosos aliados seus. A Onça de fogo do Sertão destruirá seus Exércitos, despedaçando as rodas dos carros-de-combate, e todos os traidores serão arrojados do Sertão para o fundo do Mar. Dirão assim os Estrangeiros: 'Fujamos dos Brasileiros e outros Latinos, porque o Deus de Fogo peleja a favor deles e contra nós!' E o Deus de Fogo dirá a Quaderna: 'Estende a tua Mão desde a Pedra do Reino até o Mar, para que as águas de Sal se voltem contra os Estrangeiros e corroam seus Carros diabólicos, suas máquinas de fogo e sua cavalaria de en-

genhos de chamas!' E assim será! Quando Quaderna estender sua mão, quando o Rei brandir o seu Cetro e o Profeta seu Báculo, o Príncipe do Povo, o Moço-do-Cavalo-Branco será suscitado e o Mar fará soçobrar os traidores, refluindo depois, ao amanhecer, para o lugar que ocupava. Naqueles dias, o Rei escreverá um Canto para o ensinar ao Povo do Brasil, aos filhos do Sertão do Mundo. E depois de suscitado o Príncipe pelo Canto, o Senhor do Fogo ordenará a Sinésio, filho de Dom Pedro Sebastião, dizendo: 'Anima-te, sê forte e tem coragem, porque tu farás entrar os filhos do Sertão no Reino que lhes prometi; e Eu estarei com o Povo.' Como de fato: logo que Quaderna acabar as palavras deste Canto e desta Lei no seu Livro, ordenará aos Sertanejos que levem a Arca-de-Pedra-da-Aliança ao Trono. E dirá: 'Tomai este Livro e enterrai-o ao pé das Torres de pedra da Catedral encantada do Reino, para que ele sirva de fundamento e pedra-angular para o Império do Brasil.' E quando os Estrangeiros fugirem, desbaratados, juntamente com os traidores que os apoiam, encontrar-se-á o sagrado Deserto do Sertão com as Águas salgadas e sagradas do Mar. Assim, naquele dia, o Senhor do Fogo livrará o Sertão, e o Povo verá seus inimigos mortos na Praia do Mar, pelo castigo que a mão poderosa da Divindade executará contra eles, contra sua injustiça, sua dureza e sua iniquidade. Então Quaderna, subindo à sua Pedra, entoará com o Povo o sagrado Canto que o mesmo Quaderna fez, dizendo: 'Cantemos ao Deus de Fogo do Sertão, porque ele manifestou gloriosamente seu poder, precipitando no Mar as máquinas e as empresas, os engenhos infernais dos Estrangeiros e traidores, castigando a força e o opróbrio dos Poderosos que nos oprimiam e exaltando o Sertão, com sua coragem, suas pedras, seus espinhos, seus cavalos e seus Cavaleiros!'" Persignando-me então, Sr. Corregedor, dei as costas ao Altar pela última vez, e comecei a comer tacos e tacos de rapadura, sendo que, agora, não os acompanhava mais com Vinho e sim com gostosos goles d'água, bebidos no gargalo do meu chaguer de couro. Este, deixando rever um pouco de umidade, tinha esfriado a água de dentro que, derretendo a rapadura dentro da boca, chegava mesmo na hora e estava uma delícia, principalmente com a sede que tinham me deixado o Sol, o sal da carne e o Vinho do pichel. E, chegando ao fim dessa parte, foi erguendo a água sacrifical para Deus que lhe dirigi minha última súplica, dizendo: "Meu Deus Sertanejo! Minha Onça Malhada, meu divino Jaguar de sangue, fogo e pedras preciosas! Eu não creio em nada! Vinde inflamar meu sangue com aquele dom de fogo chamado a fé, mesmo que vossa Fé venha a me queimar com a ventania deste meu Reino sagrado e sangrado, o Espinhara, o 'sertão' incendiário e abrasador! Esta ventania de fogo queima e maltrata, mas cura e cicatriza, e é, portanto, o começo da Salvação. Ó Onça-Vermelha do Pai! Ó Onça-Negra do Encourado! Ó Onça-Parda-e-Castanha do Filho! Ó Corça Branca! Ó Gavião de Ouro do Sol do Espírito Santo! É preciso que a Onça do Mundo — sarnenta, chagada e purulenta — se transfigure na Onça de Ouro Malhado, assentada, não mais sobre o Buraco vazio, devorador e cego da cinza, mas sim sobre o Lajedo firme e forte do Divino! Só assim meu Reino será verdade, só assim meu sangue e meus ossos serão verdade, só assim será verdade a Furna do Mundo e a Furna sagrada para onde todos nós caminhamos e que sagra a Onça da Vida pela Onça da Morte, realizando sua união final com a Onça Sagrada do Senhor de Fogo! É isso o que espero de Vós, Senhor, agora e por todos os séculos dos séculos, Amém!"

BANDEIRA DO TOURO ALADO.

Folheto LXXIII
Cavalhadas de São João na Judeia

— Saciado da fome que vinha sentindo desde que tinha me perdido na Caatinga, Sr. Corregedor, e religiosamente dessedentado da sede espiritual do Deserto Sertanejo, espichei-me então à sombra do pé de Braúna que ficava à direita do Lajedo. Deitado meio de lado, com a cabeça numa pedra sobre a qual eu colocara o manto enrolado, à guisa de travesseiro, comecei a olhar o Tabuleiro que ali, naquela hora, centelhava para todo lado, sob o Sol violentíssimo do meio-dia sertanejo. Meus olhos, treinados como os dos Gatos-Maracajás, percorriam os lugares importantes em que naquele momento estavam, ou deviam estar ao que eu presumia, os Personagens mais importantes da terrível história de sangue, de amor e de cavalarias bandeirosas, ligada ao nome e à pessoa de Dom Pedro Sebastião, o Rei Degolado que fora meu tio, cunhado e Padrinho. Note Vossa Excelência que, naquele momento, mais ou menos à uma hora da tarde, Sinésio, O Alumioso, ainda não tinha chegado ali, de modo que não deixa de ser um sinal astroso e fatídico que, sem qualquer causa aparente, eu estivesse me lembrando dele e do Pai. É verdade que eu pensava em escrever um Romance-epopeico tendo como centro-de-enigma-e-de-crime-e-sangue a morte de meu Padrinho. Mas por que me lembrava disso exatamente agora? Eu evocava o velho Rei barbado e profético em Canudos, em 1897; na Pedra do Reino do Pajeú, para onde ele viajara uma vez comigo, na célebre viagem ligada ao Tesouro e seu roteiro; evocava-o na "Guerra de Doze", travada no Sertão da Paraíba, em 1912; também em 1930, quando ele, vestindo seu famoso Gibão medalhado de guerra, lutara contra o famoso "Batalhão Provisório" do Presidente João Pessoa. Via-o ao lado de seu filho predileto, o mais moço, Sinésio, nas coroações de Imperador do Divino Espírito Santo. E finalmente via-o mais uma vez deitado no chão da Torre da Casa-Forte da Onça Malhada, ensanguentado e degolado, na mesma posição em que, ainda sem fôlego pela subida da escada e pelo arrombamento da porta, eu o tinha avistado, começando a gritar desatinado, pelo terror, pelo choque e pelo desespero. Agora, deitado ali sobre meu Lajedo, eu estava começando a sentir mais os efeitos do vinho, dos signos e dos rituais astrológicos da Igreja Católico-sertaneja. A grande vantagem dos Zodíacos, cartas de Baralho, bandeiras, Brasões, mantos com Cruzes e Crescentes, estrelas de Prata, Lanças e outras insígnias régias da minha Igreja e da minha Monarquia, era que, com eles, eu enchia o Buraco cego e vazio do Mundo e o Deserto-assírio da minha alma. Sentindo meu sangue pulsar com violência, não havia mais como duvidar de mim. Meu sangue me garantia a existência do meu corpo, e o corpo, a da minha Alma. Por sua vez, o Mundo tomava outro aspecto. Além de, agora, divinamente embriagado, ter certeza de que eu mesmo existia, olhava para o lugar onde, pouco antes, tinha visto o pardo Mundo — Onça sarnenta, assentada sobre o abismo da Cinza — e não via mais esse animal tinhoso, e sim uma Onça Malhada, bela, reluzente e gloriosa, gigantesca, de pelo cor de ouro e malhas pardo-avermelhadas. A Raça piolhosa dos Homens e os Lacraus peçonhentos que eram os animais, apareciam-me, agora, como uma Cavalgada muito bem organizada, realizada por Reis, Valetes, Rainhas, Damas e Bispos, montados a cavalo, uma Cavalgada bela, gloriosa, cheia de espadas e bandeiras. Sua caminhada pela tez de fera do Mundo não me parecia mais uma agitação covarde e mesquinha, como uma tentativa ignominiosa e inútil de fuga realizada por inapeláveis condenados à Morte, mas sim uma Cavalhada como as que eu fazia aqui na rua e que eram, também, rituais do meu Catolicismo — as minhas Procissões. Essa Cavalhada do Mundo — da qual Deus era o Chefe e Rei-Mouro-e-Cruzado (como eu era das minhas) — não se arrastava mais, acovardada e feia, em direção do Reino de Cinza da Morte, mas sim galopava valentemente em direção ao Sol Divino, ao Sol do Terrível. Por isso, o Mundo não me aparecia mais como um animal doente e leproso, como um lugar sarnento e pardo, nascido do Acaso, mas sim como um Sertão glorioso, fundado na Pedra, ao mesmo tempo harmonioso e ardente. Do mesmo modo, a parte deste Mundo que me fora dada — o Sertão — não era mais somente o "sertão" que tanta gente via, mas o Reino com o qual eu sonhava, cheio de cavalos e Cavaleiros, de frutas vermelhas de Mandacaru reluzentes como estrelas, bicadas pelas flechas aurinegras dos Concrizes e respondendo às cintilações prateadas de outras estrelas — as estrelas dos peitos das Damas, as Estrelas negro-vermelhas dos Sexos femininos, as estrelas de metal ostentadas nos estandartes das Cavalhadas ou nos chapéus de couro usados pelos Tangerinos, Vaqueiros e Cangaceiros, os Fidalgos da minha Casa Real, com suas coroas de couro de Barão. O próprio Deus não era mais aquele sopro tênue das outras religiões: aparecia-me como a Santíssima Trindade Sertaneja, um Sol ardente e glorioso, formado por cinco animais num só. Era a Onça Malhada do Divino, integrada por cinco bichos: a Onça-Vermelha, a Onça-Negra, a Onça-Parda, a Corça Branca e o Gavião de Ouro, ou seja, o Pai, o Encourado, o Filho, a Compadecida e o Espírito Santo.

— Dom Pedro Dinis Quaderna, já notei, duas vezes, que, na sua religião, o Encourado faz parte da Santíssima Trindade e o Espírito Santo é sempre representado por um Gavião. Por que é isso? — perguntou o Corregedor.

— Bem, Excelência, tudo isso aparece aí, primeiro, porque é verdade, depois por causa da influência de Samuel, de Clemente e, de certa forma, do Padre Daniel. O Encourado é um revoltoso do Partido Negro-Vermelho, e portanto precisa ser reabilitado e integrado na Divindade. Depois, no meu Catolicismo, os bichos que servem de insígnia ao Divino são todos rigorosamente brasileiros e sertanejos. Por exemplo: na minha linguagem, nunca entram leões ou águias, bichos estrangeiros, mas sim Onças e Gaviões. Ora, além dessa fidelidade brasileira e sertaneja, sempre achei essa história de representar o Espírito Santo por uma pombinha meio inapropriada. Fique logo claro que o Espírito Santo não tem nada com isso: a culpa é de quem inventou! Essa história da "pombinha" não tem nada de Profecia-sertaneja, é idiotice desses Profetas do estrangeiro! É por isso que, no meu Catolicismo-sertanejo, o Espírito Santo é um Gavião, bicho macho e sangrador, e não essa pombinha que sempre me pareceu meio sem graça. Segundo nossas crenças, Sr. Corregedor, foi a Onça Malhada do Sol Divino que nos fez, a mim e ao Mundo, segundo sua própria imagem. Assim, não admira que o Jaguar divino fizesse em relação ao Mundo o mesmo que eu, como Rei, faço com o Sertão. Por isso é que Deus pegou o Campo azul e incendiado da bandeira do Céu, dispondo nele as peças de ouro e prata de seu Brasão, coruscante de sóis e estrelas, com o Cruzeiro, o Sol e o Escorpião. Até mesmo a Morte, Sr. Corregedor, era, agora, para mim, uma sagração bela e heráldica, armorial. Aparecia-me como uma gigantesca Cobra-Coral, enroscada no Céu à nossa espreita. Era negra de "sable", branca de "prata" e vermelha de "goles", com asas de Gavião, com dentes e garras de Onça — uma Cobra cujo veneno passava a ser, para nós, o óleo sagrado, necessário para ungir-nos, indispensável à sagração sem a qual não podemos unir-nos ao Divino para identificar-nos com ele, para nos tornarmos também divinos. Bem, Sr. Corregedor: então, naquele dia, os sonhos do vinho tinto e os sonhos zodiacais e embandeirados do Catolicismo-sertanejo começaram a se juntar com as cintilações que o Sol ia tirando aqui e ali em pontas de pedra, em lascas de quartzo e em cristais de malacachetas; e, de repente, quando menos eu esperava, tive uma "viração".

— Uma "viração"? O que é isso? De que "viração" o senhor está falando? É, por acaso, à brisa sertaneja que o senhor quer se referir?

— Não senhor! Aliás, não lhe faltando com o respeito, o senhor está revelando pouco conhecimento dessa questão das ventanias sertanejas! Sr. Corregedor, aqui no Sertão — terra espinhenta, parda, pobre e pedregosa da Esquerda — absolutamente não existe nenhuma "brisa", que é uma ventaniazinha romântica, besta e da Direita, muito frequente no estrangeiro, e que, no máximo, pode aparecer aqui no Brasil, uma vez ou outra, só na Zona da Mata! O vento daqui do Sertão, ou é o *cariri* noturno, ou o *espinhara*, o vento abrasador do meio-dia e das tardes da Caatinga! Quando eu digo "viração", refiro-me a outra coisa muito diferente. As "virações" são uns acessos apocalípticos que me assaltam de vez em quando, atacado que sou do "mal sagrado" dos Vates, dos Poetas escumejantes e dos Profetas. Sofriam disso, também, Dom Pedro I, Machado de Assis e dois Profetas sertanejos que viveram no Deserto Judaico!

— Quem eram? Antônio Conselheiro e seu bisavô?

— Não senhor, o Profeta Ezequiel e o Profeta João de Patmos, mais conhecido como São João, O Evangelista, assim como meu bisavô era conhecido por Dom João, O Execrável. Ezequiel era sujeito a "virações". Digo isso porque o Padre Renato, aqui, um dia, numa Missa, leu um trecho da Crônica-epopeica que ele escreveu. O Profeta conta, nesse trecho, que, estando um dia olhando um Deserto cheio de ossos — que deviam ser esses esqueletos, caveiras e costelas de boi que a gente encontra aqui, às dúzias, no Sertão —, teve, de repente, uma visagem. Os ossos se juntavam aos poucos, iam se reunindo até completarem os esqueletos, e lá vinha uma ventania de fogo, e os esqueletos dançando, e começavam a aparecer umas grandes pedras preciosas se incendiando em cima daquilo tudo, e surgia uma Safira enorme, e um Crisólito, tudo incendiado pela luz do fogo, e Carros de chamas, e Querubins armados de espadas reluzentes, com asas de ouro e prata, e o Anjo, e o Touro com asas, e a Onça e o Gavião... Era um negócio terrível, Excelência, um verso mortuário, cheio de ossamentas e, ao mesmo tempo, glorioso, prateado, cheio de cravações de pedras estreladas. Não sei se já disse a Vossa Excelência que eu, Samuel e Clemente temos, todos três, nossos "jogos políticos e de Partido"...

— Não, não disse não! Jogos políticos? Isso me interessa muito! O que é que o senhor chama de "jogos políticos"? São as tramas que tecem para conseguir seus objetivos?

— Não senhor, são os jogos, os jogos mesmo! Clemente, que só vê, no Mundo, a realidade parda e afoscada dos famintos e miseráveis, escolheu, como jogo preferido dele, o "jogo da Dama", que, "sendo pobre e despojado, feito de pedras negras e pedras brancas, é bem a figura e imagem da luta dos Povos negros contra os brancos e ricos do Mundo". Samuel, que só vê a parte sonhadora e brasonada do Mundo, com seus Fidalgos, escudos e bandeiras, escolheu o "jogo do Xadrez", por ser povoado "de Reis, Rainhas e Bispos, que governam os Peões, montados em Cavalos e protegidos por Torres fidalgas e guerreiras de combate". Eu, sem ter mais o que escolher, resolvi, como sempre, unir as duas ideias opostas deles num jogo só, o do Baralho, conciliando os naipes aurinegros do Povo, isto é, Paus e Espadas, com os naipes aurivermelhos da Fidalguia brasileira, Copas e Ouro. Assim, em vez de rebaixar o Povo, o que eu faço é erguer o Povo aurinegro e os Reis aurivermelhos a uma Fidalguia só, com os Reis negros de Paus e Espada conquistando as Damas aurirrubras de Copas e de Ouro. É que, tendo sofrido a influência concomitante de Clemente e Samuel, tanto acho belas as partes esquerdistas e despojadas da realidade sertaneja — fosca, parda, pedregosa, empoeirada, faminta, miserável, cheia de ossamentas de Vacas, Cabras e jumentas mortas — como acho belo o Sonho de prata e joiaria que, às vezes, vem se juntar a ela para transfigurá-la. Muitas vezes já me aconteceu isso, quando, nas tardes de muito sol, estou, por acaso, em cima do meu Lajedo. Estou ali, em cima, olhando o Mundo sertanejo, fosco e empoeirado, porém já se animando de uma Coroa gloriosa que o Ouro do sol-poente vai lhe emprestando. Se, nesse momento, sucede passar por ali um Cigano, montado num cavalo cujos arreios estão enfeitados de moedas e medalhas, e o Sol começa a tirar faíscas nesses metais ou nas malacachetas incrustadas nas pedras, na mesma hora dá-se, em mim, uma "viração"; meu sangue e minha cabeça se incendeiam, e a realidade parda e afoscada se funde ao fogo do Sol e dos diamantes do sonho. O Sertão selvagem, duro e pedregoso vira o "Reino da Pedra do Reino", e enche-se de Condes calamitosos e Princesas encantadas, eles vestidos de Pares de França das Cavalhadas, e elas de Rainhas do Auto dos Guerreiros. O pobre "tabuleiro sertanejo" vira uma enorme Mesa de Baralho, dourada pelo Sol glorioso e ardente. Assim, Sr. Corregedor, não é querendo ser orgulhoso não, mas esse fenômeno da "viração" a que eu sou sujeito, é coisa muito venerável, uma vez que sucedia àquele outro Apóstolo e Profeta Sertanejo que foi São João de Patmos, O Evangelista. Acontecia, também, a todos aqueles outros Profetas sertanejos que contaram a história do Cristo. O senhor já leu o Evangelho?

— Li uns pedaços, todo não!

— Devia ler, Sr. Corregedor, é uma das melhores crônicas epopeicas que já se escreveram, com a queda do trono, coroas e monarquias do Cristo-Rei, com a catástrofe sangrenta da morte dele, com a degolação de João Batista etc. Pois bem: no Evangelho, Mateus, Marcos e Lucas contam que, lá um dia, aquele rapaz, a princípio simples e pobre, chamado Manuel Jesus e filho de um Carpinteiro sertanejo, subiu a um serrote, a um Lajedo pedregoso e espinhento como os daqui. João, Tiago e Pedro estavam olhando para ele quando, de repente, tiveram uma "viração". O rosto daquele rapaz comum começou a ficar refulgente como o Sol e suas vestiduras pegaram a resplandecer. A partir daí, nunca mais aquele rapaz foi o mesmo: aquele donzel-errante, aquele joão-sem-direção do Deserto judaico, "virou-se" na figura do Cristo-Rei, um homem de palavras de fogo, um corisco a quem passaram a perseguir como um Cachorro danado e a quem terminaram vestindo com um Manto vermelho e coroando com uma Coroa real de espinhos; um Rei de Copas e Espada, de coração sangrento, sustendo nas mãos um Cetro de madeira que ele molhava com seu próprio sangue, como insígnia de sua realeza. E se estas visagens deixaram de acontecer a Pedro e a Tiago — não sei! —, o certo é que nunca mais deixaram de acontecer a João. Tanto assim que, numa de suas visões — ou visagens, que é a mesma coisa —, ele estava, um dia, olhando quatro Cavaleiros judaico-sertanejos que passavam, montados em cavalos magros, feios e comuns, quando, de repente, cavalos e Cavaleiros "se viraram" em cavalos e homens de Cavalhadas, sonhosos, heroicos e medalhados!

— Como é? — disse o Corregedor, fazendo uma careta. — E lá na Judeia também havia Cavalhadas?

— Havia, exatamente como aqui no Reino do Sertão e no Reino da Normandia, Sr. Corregedor. Ah, quanto a isso não tenha a menor dúvida, porque está lá, contado num livro consagrado. João conta que viu o Cordeiro abrir quatro selos e de cada selo sair um Cavalo, um branco, um vermelho, um preto e um amarelo, todos montados por Cavaleiros que traziam Arcos na mão e Coroas na cabeça, do mesmo jeito que, aqui nas Cavalhadas sertanejas, trazem lanças e capacetes. Como o senhor vê, com isso fica provado que na Judeia havia Cavalhadas. Com uma diferença, somente, para as daqui: nas Cavalhadas e Pastoris sertanejos, os cordões são somente dois, o Azul e o Encarnado. Nas Cavalhadas judaicas, organizadas pelo Cristo, como se vê por essas palavras de São João, havia quatro: o Branco, o Negro, o Encarnado e o Amarelo. Sabe quem teve, aqui no Brasil, uma "viração" parecida com aquela da transfiguração do Cristo, Sr. Corregedor?

— Não!

— Euclydes da Cunha! Este, como um dos Profetas das terras desérticas de Canudos, *viu* Santo Antônio Conselheiro morrer do jejum de protesto e dos efeitos de um ferimento de bala. Como visionário e Profeta que era, viu, esticado no chão, o Santo e Profeta de todos nós, Sertanejos. Teve, aí, uma viração, e viu o Conselheiro transfigurado e exaltado, ressurreto "entre milhões de Arcanjos descendo — gládios flamívomos, coruscando na altura — numa revoada". É por tudo isso, Sr. Corregedor, que eu digo que Ezequiel e João eram os Conselheiros judaicos! É por isso que eu disse que, no dia em que chegou aqui o nosso Príncipe-do-Cavalo-Branco, estreando sua grande Marcha desaventurosa de calamidades, vinha cercado por legiões de Arcanjos e Demônios perigosos!

— Entendi! Pode continuar!

— Tudo aquilo era muito importante para mim, Sr. Corregedor. Primeiro, por causa da "aventura da visagem da Onça", que já lhe contei. Depois por causa de outra, a "aventura da visão do Lajedo" que me sucedeu e que passo a lhe contar. Até hoje eu não sei direito como foi aquilo. Eu tinha me perdido na Caatinga. Não sei se me sentei em dado momento, tendo adormecido e acordado depois. Acho que foi o que aconteceu, porque de repente dei comigo deitado, todo coberto de gafeiras, apodrecendo como um lázaro, ao pé de um enorme Lajedo, alto e inacessível. Aparecia-me a figura da Morte Caetana com sua Cobra-Coral e seus Gaviões. Sem falar, só olhando para mim, ela me fazia saber que unicamente escalando aquele rochedo, erguido verticalmente e cheio de Urtigas, é que eu cicatrizaria minhas gafas feridentas, unindo-me ao Divino. Eu deveria subir como num sonho, num pesadelo. Cortando-me e ferindo-me nas lascas, com a sola dos pés caindo ao contato com a pedra fumegante, conseguia chegar ao cimo. E aí, milagre dos milagres!, eu descobria, afinal, ou melhor, eu sentia com meu sangue, que *tudo* era divino: a Vida e a Morte, o sexo e a secura desértica, a podridão e o sangue. O Lajedo parecia com a Pedra do Reino, a do chuvisco prateado, e eu sabia, com o sangue, que, se conseguisse escalá-lo, experimentaria, no alto, de uma vez só, o gozo do Amor, o poder do Reino, a fruição da Beleza e a união com a Divindade, os quatro êxtases que lembram ao homem que, nesta Terra-Desértica, neste Sertão assírio e judaico, ele tem que se sobrepor à Esmeralda verde-lodo da Terrestre e ao Rubi vermelho e sangrento da Paixão, para atingir, assim, o Topázio de ouro da Hierosólima. Era uma coisa tão importante, Sr. Corregedor, que o senhor acredite: naquele dia, quando acordei realmente deitado perto dum Lajedo, tive uma decepção ao ver que não estava gafo e feridento conforme sonhara. Mas, daí em diante, tudo isso se incorporou às visagens e rituais da minha Igreja. Agora, ali, bêbado de vinho e de sonhos, meu Lajedo começou, também, a se povoar, mas não de cavalos, e sim de Mulheres, que logo começaram a me acariciar da maneira mais excitante que o senhor possa imaginar. Enquanto elas faziam isso, outra Mulher, nua, espichava-se deitada, em cima da pedra, ao meu lado, chamando-me para cima dela. Embaixo, no Tabuleiro pedregoso do Xadrez sertanejo, é que estavam, mesmo, as Damas, Cavaleiros e Peões do meu Reino, com Castelos pra todo canto, rios de prata serpeando pra todo lado, e punhais e diamantes cintilando no ar, com tropéis de cavalos e Bandeiras amarelas e vermelhas desfraldadas ao vento. De certo modo, é explicável que eu visse aquilo, porque, tendo sido criado por meu Pai, eu herdara dele a condição de Mestre nos arcanos das Três Astrologias. De fato, o que me aparecia agora, ali, era uma visagem de todo o Império do Sete-Estrelo do Escorpião, com seus Sete pontos cardeais e seus Doze lugares sagrados — seis do Mar e seis do Sertão — governados pelos sete Planetas e pelos doze Signos do Zodíaco. Essa foi, aliás, a minha última visagem, enquanto acordado. Porque, imediatamente depois dela, amodorrado na madorna da saciedade, da embriaguez, do mormaço e da sombra, peguei no sono.

A "viração", porém, continuou, agora agravada por todas essas coisas dementes que o sonho costuma nos trazer. Não havia, mais, aquela oposição entre a Mulher nua, que me tentava em cima do Lajedo, e o Reino do Sertão que se agitava e me deslumbrava lá embaixo. Agora, tudo era uma coisa só, pois o Reino me aparecia, ao mesmo tempo, como uma cena de Batalha bandeirosa e como uma bela Mulher nua, estendida e deitada sobre a grande cascata de ouro de seus próprios cabelos, com o corpo perfeito também dourado pelo Sol. Por esse "Reino da Princesa da Pedra Fina" que era ela, por essa Terra-encantada, povoada de grutas e colinas, errava eu, também encantado e enfeitiçado, descobrindo, acariciando, tocando, descerrando, e logo assolando, invadindo, bebendo, penetrando, mordendo, despedaçando — espichado sobre fontes umbrosas e regatos, em cujo musgo e a cujo remanso, na sombra esverdeada e fresca, reluziam frutas entreabertas e corolas: as corolas encarnadas das Rosas-vermelhas, as macias e brancas da flor do jasmim-cambraia, todas brilhando entre lianas coleantes que envolviam meu tronco e meu pescoço, acariciando-me as costas e buscando também avidamente o que morder e apertar. E foi chegando o momento em que tudo aquilo começou a se reunir numa sensação de tanto gozo e glória, que os cascos do Cavalo começaram a galopar em meu peito e nas minhas têmporas, pulsando e estremecendo ao ritmo do meu sangue. E eram cargas e tropéis, Guerreiras estranhas em desfiles e combates-mouros, ao som amarelo e vermelho dos Clarins, tudo se confundindo com o galope dos cavalos, com os gemidos da Mulher que estava chegando ao cume do Reino juntamente comigo, e finalmente com o tiro amarelo e ensolarado de um mosquete, que, ao mesmo tempo que partia de mim, me atingia no sangue, nos olhos e no centro de mim mesmo, com o estralejar e a fulguração do Cobre incendiado.

Folheto LXXIV
A Astrosa Desaventura dos Gaviões Cegadores

— Creio, Sr. Corregedor, que umas duas horas tinham se passado. Eram, mais ou menos, de duas para duas e meia da tarde. Naquele instante, já tinha acontecido aquela cena entre Antônio Moraes e Genoveva, e estava se desenrolando a conversa entre Gustavo e Clara, no automóvel. Eu comecei a acordar. Somente então verifiquei que aquele "sonho de joiaria e safadeza" que eu vinha sonhando tinha, de fato, algumas ligações com a "realidade raposa e afoscada", ali constituída pela Estrada e pelo Tabuleiro, lá embaixo. Realmente, fora essa realidade que provocara pelo menos a parte final do meu sonho, pois a Estrada que passava a cerca de uns cem metros do Lajedo estava, de fato, naquele instante, povoada por um tropel ruidoso de carretas, miados de animais selvagens, piados metálicos de Gaviões e gritos de almocreves tangendo burros. Sem saber direito do que se tratava (pois estava ainda adormecido quando aquilo começara), era talvez isso o que eu vinha ouvindo em sonho — aqueles cascos de cavalos, o tinir dos estribos batendo nas esporas de metal dos Cavaleiros, o chiar das rodas das carretas, os gritos surdos dos cargueiros que conduziam os animais enjaulados e as bagagens. Só mais tarde, já mais perto do crepúsculo — e enquanto Arésio dava no Bispo aquele soco terrível que o prostrou, ensanguentado —, é que eu viria a saber, aqui na Vila, que aquela era a cavalgada que nos trazia de volta a figura alumiosa do nosso Prinspe da Bandeira do Divino do Sertão. Mesmo que o soubesse, porém, eu não poderia ter observado nada naquele instante, porque a outra parte do sonho, a do tiro do mosquete em meus olhos, tinha também sua razão de ser, como descobri imediatamente, por mal dos meus pecados. Sucede que eu tinha me deitado à sombra da Braúna. Mas, enquanto eu dormia, o Sol tinha caminhado um bom pedaço, de modo que tinha me atingido a cara. Mesmo com os olhos ainda fechados, sua luz violenta me encandeava completamente. Possivelmente fora essa luminosidade que, no sonho, "se virara" num tiro amarelo de mosquete, semelhante àqueles que tinham sido disparados pelos Brasileiros durante a

"Batalha dos Guararapes", no século XVII (como Samuel e Clemente não se cansavam de me dizer desde que eu era menino). Isto, quanto aos olhos somente, graças a Deus. Porque, felizmente, no outro "centro vital" que eu sentira explodir no sonho, quem me atingira não fora gringo safado de qualidade nenhuma, mas sim a bela Galega que eu tivera a sorte de encontrar naquele dia, nua e deitada, evocada e invocada pelo Vinho e por meus rituais astrológicos de encantação. Quanto aos olhos, porém, Sr. Corregedor, logo aconteceria algo que ia agravar minha situação: no momento em que ia acordando, não tomei consciência imediata de que o Sol já chegara a meu rosto, de modo que, sem tomar precaução nenhuma, abri os olhos diretamente para ele. Fui imediatamente deslumbrado por uma luz fulgurante, que me deixou, desta vez, completamente encandeado, durante isso o tempo exatamente necessário para me impedir de ver claramente a cavalgada de Sinésio, O Alumioso, que ia passando pela estrada, em procura da Vila (onde entraria daquele modo aciganado, glorioso e epopeico que já lhe contei). A impressão do círculo do Sol, em meus olhos, enchera minha vista obscurecida de fantasmagorias e cosmoramas luminosos, nos quais eu via o enorme globo fulgurante boiar numa espécie de vasto fogo feito de chumbo derretido, por entre velas, Barcos e bandeiras, Esferas de ouro e frutos incendiados. Minha fronte começou a latejar de dor-de-cabeça, como se realmente tivesse sido atingida de raspão por uma bala incandescente. Para atrapalhar ainda mais minha vista, acontece que a cavalgada de Sinésio estava levantando uma poeiragem enorme, na estrada. O pó pardo-vermelho, dourado pelo Sol, envolvia os Cavaleiros, que passavam, numa nuvem de imagens tão "alumiosas e encobertas" quanto o próprio Príncipe que ali vinha. A dor, agora, dava-me a sensação de um anel de ferro quente ou de um cinturão de fogo que apertasse impiedosamente minha fronte. E como, ao mesmo tempo, eu começasse a ouvir um som de trompa — provavelmente a mesma buzina de caça que Sinésio tocaria logo depois, na Praça —, o fogo sagrado da Epopeia começou a me agitar, soprado pelas cordas da Tiorba do genial Bardo brasileiro, Dom Raymundo Corrêa. Involuntariamente, começaram a se agitar e estremecer dentro de mim, queimando-me o sangue e a cabeça, aqueles seus versos proféticos, nos quais, já prevendo a chegada de Dom Sinésio Sebastião, O Alumioso, ao Reino pedregoso do Sertão, acompanhado de Fidalgos cangaceiros e aciganados pela estrada, Raymundo Corrêa cantara assim, uns quarenta anos antes do fato:

"O Sol requeima a solitária Estrada.
Silêncio. Mas, além, já chega o Bando:
o trom dos Cascos vem se aproximando
do galopar d'A Estranha Cavalgada!

São Ciganos, fiéis da Onça-Parda:
castanhos-encantados, vão passando!
E as Trompas, a soar, vão agitando
o aurirrubro da Tarde ensolarada.

E a Caatinga se queima e se estremece:
da Cavalgada o estrépito que aumenta
cega-se ao Gume e às pedras desta Serra!

O Silêncio, outra vez, fogoso, desce:
o Sol sagra, do Rei, a Voz Poenta,
e O Alumioso ao sol-dos-mortos erra!"

* * *

— Assim, Sr. Corregedor, encandeado como estou lhe dizendo e evocando os versos de Raymundo Corrêa, ouvi o tropel que passava e se afastava cada vez mais. Não tinha visto, claramente, nada, e julgava, em minha momentânea cegueira profética, que fosse algum Circo ou tribo comum de Ciganos que se dirigia para a feira, aqui na Vila. Permaneci ali, ainda algum tempo, em cima do Lajedo, de costas para a rua e com o rosto voltado para a estrada, com as mãos colocadas sobre os olhos para fechá-los, protegê-los e para ver se assim o encandeamento melhorava mais depressa e eu recuperava a claridade da vista. Mas não havia jeito. Mal eu entreabria os olhos, para experimentar, voltavam as bolas-de-fogo, os pontos luminosos, as manchas de chumbo derretido que, tornando-se insuportáveis quando eu insistia em manter os olhos abertos, permaneciam, mais atenuadas e vistas ao contrário, quando eu os fechava de novo. Deve ter sido enquanto fiquei ali, tentando melhorar meus olhos, que a cavalgada de Sinésio entrou na Vila, soltando os animais enjaulados e provocando todos aqueles acontecimentos que contei, incluindo-se entre eles a "visagem" do Profeta Nazário e a de Pedro Cego.

— Uma pergunta, Dom Pedro Dinis Quaderna! Noto que essas "visagens" do Profeta Nazário e de Pedro Cego têm estreita correlação com seu Catolicismo-sertanejo. Eles eram seus discípulos?

— De certo modo eram, Sr. Corregedor! Ouviam, todo ano, a leitura do *Almanaque do Cariri*, que eu continuava a publicar depois da morte de meu Pai, e conheciam todos os "folhetos" que eu imprimia e vendia na feira, principalmente o da Pedra do Reino, porque da divulgação dele eu fazia questão, por ser isso muito importante para o proselitismo da minha Seita!

— Anote isso, Dona Margarida! É um pormenor importantíssimo para a solução do caso! Pode continuar, Dom Pedro Quaderna!

— O fato, Sr. Corregedor, é que, como eu vinha dizendo, foi mais ou menos na mesma hora da libertação das Onças que eu recuperei a claridade dos olhos. Mais do que isso, aliás: como um dom sagrado mas passageiro que eu tivesse recebido e que desejasse se despedir, mais forte, no último instante em que morava em mim, minha visão não voltou simplesmente "normal", como era antes — exceto nos momentos de "viração". De repente, fiquei dotado de uma vidência-visageira fora do comum, uma vidência profética e astrológica como nunca eu tinha tido. Ai de mim, Sr. Corregedor! Mal sabia eu, naquele momento, que essa vidência régio-zodiacal me fora dada por um instante apenas, só para que eu, imediatamente, caísse, de uma vez para sempre, nas intermitências de uma cegueira cruel, profética também, mas dura e terrível de suportar!

— Uma cegueira? E o senhor cegou? Está cego?

— Estou, sim senhor! Além de epilético, cego! Já viu que coisa mais dolorosa para um pobre Epopeieta? O que me consola nessa tragédia é que isso de ser cego fica muito bem para um "Gênio da Raça" como eu! Homero também era cego, o senhor sabia?

— Então, o senhor está cego! — disse o Corregedor, balançando a cabeça.

— E cegou exatamente na hora em que, perto do senhor e do Lajedo onde o senhor estava, dispararam o tiro que impediu, talvez, que se apurasse essa história toda! Sabe que essa cegueira sua chegou mesmo na hora, Dom Pedro Dinis Quaderna? Cego, o senhor vai me dizer que não viu nada! Cego, o senhor torna-se objeto de compaixão! Cego, o senhor não poderá identificar os assassinos, nem mesmo que nós venhamos a descobri-los! Olhe, Sr. Quaderna, não quero ser indelicado não, mas não deixa de ser estranho que o senhor tenha escolhido exatamente essa hora, para cegar! E, depois, que cegueira mais estranha é essa sua! O senhor veio aqui para a Cadeia sem guia, subiu a escada sem tatear, acertou facilmente com os degraus, sentou-se numa cadeira que lhe mostrei com um gesto há pouco, viu que eu estava vestido com uma toga negra e vermelha... Que é que significa isso?

— Sr. Corregedor, de fato, é uma cegueira muito estranha, essa que me assaltou os olhos, naquele dia. A meu ver, ela é parenta próxima da epilepsia--genial que também me atacou, como lhe disse. Deixaram-me, as duas, numa espécie de vidência-penumbrosa, na qual o Mundo me aparece como um Sertão, um Desertão, o De-Sertão de que falavam os geniais escritores Manoel de Oliveira Lima e Afrânio Peixoto, repetindo velhos cronistas brasileiros do tempo dos Conquistadores, segundo me contaram Clemente e Samuel. É aí que o Sertão me aparece como o Reino da Pedra Fina do qual já lhe falei. Há pouco, quando eu vinha chegando aqui para a Cadeia, tive essa ideia de que o próprio Sertão era uma Cadeia enorme, cercada de pedras e sombras, de lajedos fantásticos e solitários, parecidos com Lagartos venenosos, cinzentos e empoeirados que dormissem numa Terra Desolada. Ou então parecidos com as ruínas, os esqueletos gigantescos e queimados de uma Cidade de pedra, incendiada. Ora, acontece que eu, como discípulo do Padre Daniel, sou Católico; mas, como aluno de Clemente, sou, também, um devoto da Mitologia Negro-Tapuia do Brasil. Foi, aliás, plasmando esses dois elementos que eu construí o esqueleto central do Catolicismo-sertanejo. Ora, segundo Clemente, o nosso Sertão é a terra mais antiga do Mundo, é o berço da Raça Humana. Diz ele que nós, Sertanejos, somos descendentes diretos do Tapuia, do "Homem castanho inicial", brotado da terra parda do Sertão num dia em que ela estava umedecida, e, depois, errante por entre os espinhos e as muralhas de pedra sertanejas. Aliás, acho essa ideia de Clemente mais lógica do que as ideias de outras Mitologias estrangeiras. É muito mais lógico que o Homem-castanho, emigrado daqui para a África, tenha se tornado negro, lá, pelo calor, tornando-se branco, pelo frio, na Europa, e permanecendo castanho no Egito ou na Índia. Outra coisa que irrita Clemente é a preferência inteiramente arbitrária que dão, no Mundo, ao que ele chama "a Mitologia biológica inglesa". Ele indaga, indignado: "Por que afirmar que o homem descende do Macaco? É muito mais lógico que tenha sido de outros bichos, principalmente a Onça!" Isso, ele diz nos momentos de raiva. Mas, nos momentos de maior calma, explica que o Homem não descende de bicho nenhum e que a Mitologia Negro-Tapuia está muito mais perto da verdade científica do que essas outras Mitologias saxônias, tão arbitrárias quanto qualquer outra e com o agravante de serem pretensiosas. Olhe, Sr. Corregedor, sempre que vou dizer alguma coisa sobre a Caatinga sertaneja, valho-me de três geniais escritores brasileiros, o General Dantas Barretto, o Tenente-Coronel Durval de Aguiar e o Capitão Euclydes da Cunha. Dou sempre preferência ao General Dantas Barretto, primeiro por ser o mais graduado de todos, na hierarquia militar, depois por ser escritor tão admirável que só chamava o trem de "a rugidora Serpente mecânica". Aqui, porém, para o que tenho a dizer, devo lançar mão do Tenente-Coronel Durval de Aguiar. O senhor já leu alguma coisa dele?

— Não, nem nunca, nem ao menos, ouvi falar desse escritor!

— É pena! Ele e o General Dantas Barretto exerceram, em relação a Euclydes da Cunha, o mesmo papel que Samuel e Clemente em relação a mim! Descrevendo a Pedra do Reino do Sertão, diz o Tenente-Coronel Durval de Aguiar que essa terra é constituída, toda, de "serras de pedra, naturalmente sobrepostas, formando Fortalezas e redutos inexpugnáveis". Euclydes da Cunha, plagiando o Tenente-Coronel, descreve também o Sertão e fala em "alinhamentos de penedias, caprichosamente repartidos", que semelham, "de fato, grandes cidades mortas", cidades ante as quais o Sertanejo passa "sem desfitar a espora dos ilhais do cavalo em disparada, imaginando lá dentro uma população silenciosa e trágica de almas do outro mundo". E é aí que eu vejo que Euclydes da Cunha absolutamente não pode ter sido o "Gênio da Raça Brasileira". Veja que leviandade, a dele! "Imaginando!" Imaginando, uma porra! Tem, mesmo! Essa população de almas do outro mundo, existe, mesmo, aqui, em nossas pedras, de noite, de dia e no pino do meio-dia! Bastariam as Onças, os Gaviões, os Carcarás, os Veados, os Bodes, as Cobras e os Morcegos sertanejos, para provar que o nosso Reino amuralhado de pedras está povoado de Deuses e Demônios, de Anjos e Divindades! Como me explicou Clemente, Sr. Corregedor, foi das trepadas das Divindades solares entre si que nasceram a Terra e a Água, mijada por eles. Depois, daí em diante, o mais foi fácil: pingos de *gala* de Deuses machos ou pingos de *boi* de Deusas fêmeas que caíam no barro da Terra, fazem nascer ou bichos ou plantas. Se um Deus qualquer, depois daí, trepa com uma Veada, ou se uma Deusa se deixa cobrir por um Gavião, nasce um homem ou uma mulher, conforme o caso. Foi, portanto, dessas trepadas das Divindades tapuias com as Onças, os Gaviões, os Bodes, as Cabras, os Veados e outros bichos, que nasceram os Tapuios castanhos, antepassados diretos dos Sertanejos e indiretos de todos os outros homens. É por isso que o Sertão, nos meus momentos de maior cegueira profética, me aparece como esse Reino pedregoso de que lhe falei; Reino por onde erro eu, agora, como o Valente Vilela, mas também destroçado, processado, vagabundo, perdido, extraviado e cego, incapaz de ver outra coisa a não ser esses Lajedos, essas Caatingas espinhosas, esses morros descalvados, essa Raça Sertaneja e esses bichos, semelhantes aos que, às vezes, aparecem em nossos pesadelos. Minha sorte, porém, é que a cegueira que me assaltou os olhos é intermitente! Cego como estou, às vezes, quando menos espero, sem qualquer prenúncio que me avise, um raio fende o escuro-penumbroso em que vivo mergulhado, e então eu *vejo*, o que atribuo, também, ao "mal sagrado" dos Gênios, de que acabo de ser acometido em sua presença. Aí, nesses momentos, eu vejo *mesmo*, vejo pra valer! O que eu avisto, o que eu enxergo então, nesses momentos de "raio de pedra-lispe" e de "corisco e fulminação", é visto em zonas interrompidas, mas deslumbrantes, de claridade enceguecedora, é visto como nenhuma coisa foi vista até agora pelo comum dos mortais!

— Pelo comum dos mortais? E o que é o senhor? Algum iluminado, ou alguma Divindade tapuio-sertaneja, por acaso? — disse o Corregedor, irônico.

— Eu não chegaria a dizer tanto, por modéstia e humildade cristã! No máximo, o que me aconteceu foi um decreto insondável da Providência Divina, que não podia permitir que o "Gênio da Raça Brasileira" fosse inferior, em nada, ao "gênio da raça grega"! Minha cegueira seria muito parecida com a cegueira poética e profética de Homero, caso tivesse existido, mesmo, esse mavioso e distinto Poeta, autor das traduções gregas da *Ilíada* e da *Odisseia* — o que digo porque, como Samuel já provou, o autor, de fato, dos originais brasileiros dessas duas obras, foi o genial Bardo nordestino, Doutor Manoel Odorico Mendes. Acredito, também, que foi mais ou menos no estado de cegueira e iluminação em que me encontro que Ezequiel, o renomado Poeta judaico-sertanejo de que lhe falei há pouco, teve aquela sua "visagem do campo de ossos" e aquela outra, precursora da Mitologia Negro-Tapuia, na qual lhe apareceram umas águias, uns grifos e uns touros, sustentando o trono do Divino; visagem que eu tive logo o cuidado de assertanejar mais, transformando as águias em Gaviões, os grifos em cruzamentos de Onça com Seriema, e o leão do Divino na Onça do Divino!

— O senhor, com coisas tão estranhas no pensamento, deve ter uma cabeça bastante aperreada do juízo, Dom Pedro Dinis Quaderna! — disse o Corregedor, falando como se fosse para mim, mas, de fato, para ser apreciado por Margarida.

Fazendo-me de inocente, concordei:

— É verdade, e tenho mesmo, Excelência! Durante toda a vida, sofri a influência da Esquerda clementina, influência que é *clássica* e despojada, por ser luz-matinal, popular, do rubi, celeste e do Sol. Sofri, também, por outro lado, a da Direita samuélica, que é *romântica*, por ser noturna, lunar-satúrnica, fidalga, da esmeralda, inférnica, verde-lodo e da Lua. Somando-se o elemento clementino ao samuélico, temos o quadernesco. É por isso que eu, sendo da tarde, do topázio, do purgatório, de mercúrio e do Sol, sou, ao mesmo tempo, clássico e romântico, isto é, "completo, genial, modelar e régio". Eu, Sr. Corregedor, tendo nascido com dois olhos sertanejos, solares e clássicos, sofri depois, no Seminário, a influência romântica e profética do genial Bardo alagoano e judaico, o Padre Ferreira de Andrade, ficando daí em diante, no mundo, com um olho cego — queimado pela demência romântica do Deserto judaico e sertanejo assim como pela asa de fogo e navalha da Musa do genial Poeta paraibano Augusto dos Anjos. O outro olho permaneceu clássico e popular, como nascera. O que é mais curioso, porém, é que o olho romântico e queimado, que é o direito, depende do olho clássico e vidente, que é o esquerdo! E vice-versa! Porque, se o Gavião romântico e fogoso-desértico não tivesse queimado e despedaçado um dos meus olhos, o outro não teria obtido o privilégio de ver, na realidade parda e afoscada, essas Cavalhadas e batalhas, cheias de bandeiras, essas Estrelas e moedas que vejo de vez em quando coroando as frontes dos Cavaleiros sertanejos. Também, se eu não gastasse toda a prata e todo o Sol do meu sangue com o olho clássico e vidente, o outro não seria capaz de enxergar o sofrimento e a miséria, a feiura desdentada e barriguda das pessoas, os morcegos, os urubus e as corujas das Furnas sertanejas, onde moram as Divindades infernais, satúrnicas e subterrâneas do meu Mundo astrológico e zodiacal!

— Entendi! Continue, então, a narrar os acontecimentos do dia 1º de Junho de 1935, em cima do seu Lajedo.

— Depois de me manter, um bom pedaço, com os olhos fechados, como contei a Vossa Excelência, achei que já passara tempo suficiente para me recuperar e abri os olhos. Eu tinha me voltado, novamente, para o lado da Vila, de modo que os telhados da rua apareceram subitamente diante de mim. Curioso é que eu via tudo, agora, mais nitidamente do que antes. Três casas se destacavam na minha visagem profética: o antigo casarão da família Villar, mais perto de mim do que as outras; a casa dos Garcia-Barrettos; e o Casarão das pinhas, perto do qual estava o "cabra" que atirou em Sinésio. Ora, essas eram aquelas casas onde se encontravam, como já disse, personagens dos mais importantes, no caso. E acredite Vossa Excelência que eu "vi" tudo aquilo num repente, como nunca antes vira coisa alguma, na minha vida! Parecia que o Mundo me revelava, pelo menos em sua parte sertaneja, "não suas aparências, mas seu próprio sangue, suas entranhas pardas, a alma felina e estranha que gerou a nossa", como diz Clemente sempre que me explica a "Introdução Mitológica Negro-Tapuia" de sua célebre "Filosofia do Penetral". Mas aquilo foi só um instante, Sr. Corregedor! Primeiro, porque a enorme bola de chumbo derretido que o Sol imprimira na minha visão não tinha propriamente se desvanecido. Parecia, apenas, ter se destacado dos meus olhos e adquirido vida própria, pois começou a boiar à meia altura, no horizonte, entre o Lajedo e a Vila. Depois, porque foi então que sucedeu, mesmo, a catástrofe irreparável e definitiva: essa mesma bola incandescente de chumbo, enorme, mais alta do que um homem, fendeu-se pelo meio, surgindo de dentro dela dois Gaviões, um macho e outro fêmea, os quais, como duas flechas, cortaram os ares na direção do meu Lajedo, desferindo seus piados, ásperos como um som de metal. Que Gaviões seriam esses, Sr. Corregedor? Seriam dois daqueles que tinham vindo com Sinésio e que estavam sendo, naquele instante, soltos na Praça? Seriam Gaviões comuns, do Sertão, aparecidos ali por acaso? Seriam os dois Gaviões pertencentes à Moça Caetana, a jovem e cruel Divindade negro-vermelha da Morte sertaneja? Seriam enviados da Fatalidade astrosa, resolvidos a marcar minha fronte com aquilo que o genial Poeta brasileiro Fagundes Varela chamava "o sigilo do Gênio"? Não sei! Eu pensava que, assim que eles me avistassem, iriam se desviar do Lajedo e de mim, como normalmente acontece com os Gaviões, de modo que não tomei precaução nenhuma para me proteger; e foi isso o que me desgraçou, Excelência, porque foram eles que me cegaram, despedaçando e ferindo meus olhos para sempre!

— Dom Pedro Dinis Quaderna, não vou discutir se o senhor está cego ou não. Mas uma coisa eu garanto, porque estou vendo: seus olhos não estão despedaçados não, estão aí, inteiros e limpos que fazem gosto!

— Pode ser, Sr. Corregedor! Para falar com exatidão, não sei, realmente, como foi que os Gaviões agiram! Não sei se eles usaram o bico, as garras, ou se, apenas, se limitaram a encostar nos meus olhos, um em cada olho, o cu de cada um, incendiado e flamejante! O que eu sei, porque ainda cheguei a ver isso, é que eles fenderam os ares em minha direção e, aproximando-se com terrível rapidez, logo chegavam junto à minha cabeça, em torno da qual começaram a esvoejar, como sempre acontece nos meus ataques do "mal sagrado". Apavorado, ouvi os estalos, os golpes secos das suas asas que me arrodeavam a cabeça, cada vez girando com mais velocidade. Tonteei, senti um calor estranho cercando minha cabeça e a testa. Os olhos começaram a esquentar e doer, de modo insuportável. Uma ventania de fogo soprou na minha cara. E alguma coisa eles devem ter feito, porque, de repente, meus olhos estalaram, como se tivessem sido chocados pela fornalha do Inferno. Foi a derradeira coisa que enxerguei, Sr. Corregedor: ceguei imediatamente, com o sangue e as lágrimas escorrendo, misturadas ao humor salgado e vital dos meus olhos despedaçados!

Folheto LXXV
O Ajudante de Profeta

— Com um grito de dor e desespero, ajoelhei-me na Pedra e fiquei por ali, durante um bom pedaço de tempo, acariciando com as duas mãos, do modo mais suave que me era possível, a região que cercava meus pobres olhos dilacerados. Minha sensação era de desespero total, convencido como estava de que meus olhos estavam irremediavelmente cegos. E a influência dos Poetas brasileiros, principalmente a dos Acadêmicos, é tão poderosa em mim que, na minha desgraça, as palavras que me ocorriam para nomeá-la eram aqueles célebres versos do genial pernambucano Eustáquio Gomes, que dizem:

> "A Cegueira é o inquilino dos Olhos,
> como a Ignorância é o locatário
> de todas as Paixões malévolas."

— Bonito! — disse o Corregedor.
— Também acho! — concordei. — Mas, mesmo assim, minha preocupação era terrível! Seria que, cego, iria me tornar um ignorante, com a Ignorância, locatária das Paixões malévolas, tornada inquilina da minha cabeça através dos olhos inúteis? Será que isso não iria me impossibilitar, burrificando-me, de ver realizado o grande sonho da minha vida — o de me tornar "Gênio da Raça Brasileira"? Eu sentia na boca um gosto estranho de metal salgado, que devia ser o gosto ferrujoso do sangue e do sal das lágrimas a escorrer dos olhos para a boca. Esse gosto fazia-me entender, agora, o motivo pelo qual os olhos dos Cegos sempre me tinham parecido, até então, como que feitos de prata cegada ao Sol. É que eu sentia agora, em minha própria Face cega, que meus olhos tinham sido transformados, pela Ave-de-rapina do Sol sagrado, em dois globos de Prata derretida, globos que logo se endureceriam, tornando-se opacos para sempre. Eu sabia, agora, que aquela bola de chumbo derretido, que povoara meus últimos

instantes de visão e que acompanhava minha cegueira singular, nunca mais me abandonaria, permanecendo comigo até o fim da minha vida.

— E o senhor ficou no Lajedo até a noite?

— Não senhor! Enfim, ficar ali é que não resolveria meu problema! Melhor seria tentar regressar aqui à Vila, para procurar o médico. Assim, tateando e arrastando-me, queimando-me de novo nas Urtigas e ferindo-me nas arestas da minha Pedra sagrada, comecei a descer o Lajedo, a fim de empreender meu primeiro caminho de Cego, de volta para casa. Arranhando-me, magoando-me de todas as maneiras imagináveis, gemendo, imprecando em brados enfurecidos contra a Catástrofe divina e diabólica que desabara sobre mim, consegui, finalmente, descer a Pedra, cruzar o pedaço de Tabuleiro ladeiroso que fica entre ela e a estrada, e chegar, depois, ao lugar onde se encontrava meu fiel cavalo "Pedra-Lispe". Assaltava-me uma terrível sensação de insegurança, agora que conseguira descer do Lajedo, mas estava ali, inerme, no Tabuleiro. Era como se todos os perigos do Mato sertanejo me rondassem. Tinha medo de encontrar uma Onça; uma Cobra que me engolisse como engoliu Pedro Ventania; algum Novilho desgarrado, selvagem e enfurecido que despedaçasse minhas tripas com as pontas aceradas de suas aspas; ou alguma Cobra-Coral que, picando-me o tornozelo, conseguisse injetar o sangue da Moça Caetana na corrente do meu sangue real, através da figura, também real e mortal, dos Cristais de seu veneno. Ouvi, então, "Pedra-Lispe" dar o ligeiro nitrido com que sempre saúda minha aproximação. Seguindo a direção do som, consegui chegar até ele, abraçando-me então com o nobre animal, em cujo pescoço, chorando, encostei a testa escaldante, ainda fumegosa do fogo gaviônico que me cegara. Aí, Sr. Corregedor, minha Divindade sertaneja deu-me um sinal, indicando que começava a se amercear de mim. Ouvi uma voz que se aproximava, cantando pela Estrada, como quem vinha da Vila de Estaca Zero para a Ribeira do Taperoá. A voz era fanhosa, rouca e áspera, e pareceu-me logo familiar. O que mais me impressionou, porém, foi que ela vinha acompanhada pelos toques prateados de uma Viola. Foram, novamente, os Cegos sertanejos que vieram à minha imaginação, Sr. Corregedor. Agora, eu sabia, não por fora, mas de dentro mesmo do sangue, porque é que a voz e a Viola das pessoas que são cegas sempre me pareciam mais "de Prata" do que as dos Cantadores comuns. Aí, já próxima, a voz deu um grito-de-guerra, dizendo: "Corre, meu Povo!

Corre que o Alumioso chegou e a Guerra do Reino vai começar!" E então entoou uma *estrofe corrida*, que não me deixou mais nenhuma dúvida sobre quem era o Cantador que vinha chegando. Os versos eram os seguintes:

> *"Eu sou Lino Pedra-Verde,*
> *sou Besouro de ferrão,*
> *eu sou a Tirana-Boia,*
> *perigo deste Sertão.*
> *Pra brigar no Ferro frio,*
> *não sirvo, não presto não.*
> *Mas, solto aqui nesta Terra,*
> *com uma Viola na mão,*
> *eu sou Onça comedeira,*
> *Tigre e Rei do meu Brasão,*
> *sou Punhal, bala de Prata,*
> *sangue de Cobra e Leão!"*

* * *

— Muito bem, Dom Pedro Dinis Quaderna! — comentou o Corregedor. — De todas as suas charadas em verso, esta é a mais fácil de decifrar, pelo menos para nós, não é, Dona Margarida? Pelos versos, entendo que o Cantador que vinha chegando era Lino Pedra-Verde, não é isso?

— É isso mesmo, Excelência, e dou ao senhor os meus parabéns pela familiaridade que está começando a ter com meu estilo régio!

— O senhor sabe que, segundo todo mundo fala aqui na rua, esse Lino Pedra-Verde, além de intermediário seu em vários negócios escusos, é o elemento de ligação entre o senhor e os fanáticos, tolos e ignorantes que o senhor conseguiu aliciar para a tal Ordem da Pedra do Reino? Sabe disso?

— Sei sim senhor!

— E o senhor, sabendo disso, confessa que teve um encontro com Lino Pedra-Verde na mesma hora em que mataram o "cabra", a dois passos do lugar de onde partiu o tiro?

— Confesso, sim senhor, porque é a pura verdade e eu sou incapaz de mentir, mesmo que isso me prejudique!

— O encontro do senhor com ele foi, mesmo, casual, como você deu a entender? Ou será que houve alguma combinação prévia entre o senhor e Lino?

— O encontro foi casual, Sr. Corregedor!

— Foi mesmo? Me diga uma coisa: o senhor sabia que Lino Pedra-Verde devia vir à Vila, naquele sábado?

— Sabia, sim senhor, porque ele não perde feira, aqui, e era dia de feira!

— E sabia, também, que a Estrada por onde ele devia vir era aquela?

— Sabia, sim senhor!

— Muito bem! Anote tudo isso, Dona Margarida, é outro dado fundamental para a decifração do caso! Pode continuar, Dom Pedro Dinis Quaderna!

* * *

— Os passos de Lino se aproximaram, Sr. Corregedor. Eu não via nada, extraviado na cegueira! Aí, Lino parou, o que sei porque seus passos pararam, e houve um momento de silêncio, durante o qual imagino que ele ficou me olhando estupefato, aterrorizado pelo aspecto, na certa terrivelmente impressionador, do meu rosto manchado pelo sangue e pelos humores que escorriam dos meus olhos dilacerados. Então, após esse momento de silêncio e espanto, Lino Pedra-Verde falou:

— "Dom Pedro Dinis Quaderna, meu Rei e meu Senhor! Que é que você está fazendo aí, sozinho, parado no meio da Estrada? Estás querendo dar parte de doido, Dinis?"

— Sr. Quaderna, quando fizer a sua Epopeia, tenha cuidado com os tratamentos. Agora mesmo, aí na frase de Lino, o senhor usou um tratamento todo solene no começo, depois passou para "você" e finalmente para "tu"! Cuidado, porque isso é um descuido grave, num Epopeieta!

— Não senhor, não foi descuido não, o senhor está enganado! Os tratamentos que venho empregando são escolhidos com todo cuidado! Para que o senhor entenda bem certas particularidades que Lino usava no seu tratamento para comigo, é preciso que eu lhe explique certas coisas. Primeiro, eu tinha procurado ensinar aos Cavaleiros da Ordem da Pedra do Reino algumas fórmulas cerimoniosas tiradas dos romances de José de Alencar e de Zeferino Galvão, este um genial escritor pernambucano e sertanejo, da Vila de Pesqueira, autor de *O Mosteiro de Nîmes* e de *Heloísa d'Arlemont*. Aquele "Dom Pedro Dinis Quaderna, meu Rei e meu Senhor" que Lino me dera no começo vinha daí. Mas, ao mesmo tempo, meus familiares me tratavam por Dinis. Ora, Lino tinha sido meu companheiro na "Onça Malhada" e meu colega na "Escola de Cantoria" de João Melchíades, de modo que, ora usava o tom cerimonioso e régio, ora o familiar. Aliás, essa mistura de tratamentos era e é tradição da nossa Casa. Na Pedra do Reino, os súditos de meu bisavô Dom João II, O Execrável, ora o tratavam de "Rei e Majestade", ora o chamavam "simplesmente de Joca", segundo está escrito na Crônica-epopeica de Antônio Ático de Souza Leite. Assim, quando Lino se dirigiu a mim daquele modo, perguntando se eu estava doido, absolutamente não estranhei a familiaridade dele. Limitei-me a responder:

— "Você pergunta o que eu estou fazendo aqui, só, parado na estrada? Estou aqui, me arrastando como posso, Lino, tentando voltar para casa. É Lino, mesmo, que está aí, não é?"

— "É ele mesmo, Dom Pedro Dinis Quaderna!" — disse Lino, convicto. — "Estou indo aqui, em demanda do Taperoá, porque vai haver, lá, a maior confusão. Vai se abrir um boi-de-fogo danado, lá, agora, e eu quero estar na rua para entrar de cu-de-boi adentro! Quero logo lhe avisar que estou com a gota-serena, ouviu?"

— Com a gota-serena? — estranhou o Corregedor.

— É verdade, Sr. Corregedor, e, para falar a verdade, não teria sido necessário que ele dissesse isso, para eu saber. Pelo acento delirante e arrebatado de sua voz, eu já tinha conhecido, desde a chegada dele, que Lino tinha tomado uma ou duas lapadas do "Vinho encantado e sagrado" da Pedra do Reino. Assim, o que me espantava, não era ele "estar com a gota-serena" e com a "molesta dos cachorros", pois é assim que o Vinho sagrado nos deixa sempre. O que me admirava era ele não demonstrar nenhuma estranheza por me ver ali, cego, com o rosto todo ensanguentado. Resolvi então chamar a atenção dele para isso:

— "Você deve estar espantado, Lino, por me ver assim, com o rosto cheio de sangue!" — disse.

— "Você, Dinis? Que nada! Sua cara está limpa como o Sol!"

— "O quê, Lino?" — estranhei, espantado. — "Que é que você está me dizendo?"

— "Eu é que pergunto o que você está me dizendo, Dom Pedro Dinis! Você parece que tomou também umas lapadas do nosso Vinho? Ou foi a aparição da pantarma do Prinspe que endoidou você? Aí, na sua cara, não tem sangue de qualidade nenhuma, Dinis!"

— "E meus olhos, Lino? Não está saindo sangue deles, não?"

— "Está nada, meu Senhor Dom Dinis! Por que você pergunta isso?"

— "É que estou cego, Lino! Ceguei dos dois olhos de uma vez!"

— "Coitado do Rei! Coitado de Quaderna!" — disse Lino, cuspindo de banda e acrescentando, enquanto eu ouvia o som de suas mandíbulas mastigando a "erva-moura" da Pedra do Reino, que eu lhe ensinara a mascar: — "Como foi que o senhor cegou? Faz tempo?"

— "Faz muito não, Lino! Foi agora mesmo, ali, em cima do meu Lajedo sagrado! Mas o que eu estou admirado é de meu rosto não estar cheio de sangue, porque senti perfeitamente quando o sangue escorreu dos meus olhos."

— "Ah, e o sangue correu dos seus olhos, foi, Dinis? Como foi isso? Você estoporou, foi?"

— "Sei não, Lino! Sei que almocei, comi carne de sol com paçoca, tomei umas lapadas do Vinho Tinto da Malhada, dormi, e, quando acordei, foi com o Sol na cara e nos olhos! Com isso, comecei a avistar umas coisas esquisitas, lá por cima da casa de meu Padrinho, Dom Pedro Sebastião Garcia-Barretto, que a gente avista daqui, como você sabe. De repente, comecei a ouvir e ver, na Estrada, umas coisas esquisitas também — uns miados de Onça, uns esturros, uns piados de Gavião, batidas de cascos de cavalos e chiados de rodas de carreta. Aí, dois Gaviões me atacaram, esvoaçando e batendo as asas em redor da minha cabeça. Daí em diante, não sei mais o que foi que aconteceu não, Lino. Sei é que, de repente, meus olhos começaram a esquentar, senti aquela dor desadorada, eles chocaram, estalaram, e eu ceguei!"

— "Meu Jesus, minha Nossa Senhora! Então você ouviu essas coisas passando na estrada, foi? Era *ele*, não era?" — indagou Lino, em delírio, sem ligar muito para o que me acontecera e pensando, só, no Rapaz-do-Cavalo-Branco.

— "Ele, quem?" — perguntei espantado, porque, com os olhos daquele jeito, a lembrança de Sinésio não me ocorrera, absolutamente, depois do aparecimento dos Gaviões.

— "Era o nosso Prinspe, Dom Sinésio, O Alumioso, que voltou, Dinis!" — gritou Lino, como se tivesse sido atingido pelo raio.

— "O quê, Lino? Que é que você está dizendo?" — perguntei, incrédulo, e atribuindo sua exaltação a uma doideira causada pelo Vinho da Pedra do Reino.

— "Bem que você nos dizia, meu Rei Dom Pedro Dinis Quaderna!" — continuou Lino, exaltando-se cada vez mais. —"Bem que você profetizou, para a *era* entre 35 e 38, o aparecimento do Rapaz-do-Cavalo-Branco, no *Almanaque do Cariri*! Venha, venha comigo! Vamos pra Taperoá, porque o Prinspe-do-Cavalo--Branco ressuscitou e vai começar a tribuzana, o boi-de-fogo da Guerra do Reino do Sertão!"

— "Lino, deixe de conversa!" — adverti-o. — "A gente está falando numa coisa e você vem com outra! Falei que apareceram umas coisas em cima da casa de meu Padrinho, mas não era sobre Sinésio que eu estava falando não! Escute o que estou lhe dizendo, homem! Estou cego, e estou espantado porque você não vê sangue na minha cara! Como é que você não está vendo isso, se eu senti o gosto da água-dos-olhos misturada com sangue, na minha boca? Senti perfeitamente quando meus olhos se rasgaram, deixando escorrer para baixo a água-da-vista! Tenho certeza, porque ainda estou sentindo, inclusive, o gosto de metal enferrujado que tudo isso deixou na minha boca!"

— "Bem, Dom Pedro Dinis, disso aí eu não me espanto não, porque, quando eu apareci ali, naquela curva da Estrada, você estava aqui, parado no meio do tempo, feito doido, com sua faca-de-ponta atravessada na boca!"

— "A faca? Na boca?" — falei eu, meio apalermado.

— "Sim!" — insistiu Lino. — "Quando eu apareci, você estava mordendo a faca, feito doido! E lhe digo mais uma coisa: eu quase corro, com medo, porque, do jeito que você estava, de alpercatas-de-rabicho, roupa parda e chapéu de couro na cabeça, com a faca assim na boca, feito um cachorro-da-molesta, parecia uma assombração de Cangaceiro, aparecida no meio do Mundo! Deve ter sido a faca-de-ponta que lhe deu esse gosto de metal e ferrugem na boca! Você estava com ar de leso, mordendo a faca e passando a língua nela! Quando eu fui chegando, você, certamente sem se sentir, tirou a faca da boca e ficou com ela na mão!"

— E era verdade isso que ele dizia? — indagou o Corregedor.

— Era, sim senhor!

— Anote isso, Dona Margarida, é importante! O senhor estava com a faca na mão, não foi isso que o senhor disse?

— Foi sim senhor! Só quando Lino disse aquilo foi que eu notei que estava, de fato, com a faca ainda na mão! Eu me lembrei então, vagamente, de que, quando tinha começado a descer o Lajedo, tinha tirado a faca da cintura, colocando-a atravessada na boca para o caso de precisar dela. Enfiadíssimo, envergonhado diante daquele meu súdito e seguidor que me surpreendera numa leseira daquela, meti de novo a faca na bainha e falei para Lino, ainda duvidoso:

— "Quer dizer que meus olhos estão inteiros, Lino?"

— "Estão, Dinis!" — respondeu ele, com segurança.

— "Então como é que se explica que eu esteja cego, cego de guia? Não estou vendo você não! Não estou vendo nem a claridade do Sol! Quando olho para ele, só vejo é aquela bola de prata, boiando no fogo!"

— "Então vá ver que o que você fez foi estoporar mesmo, como eu tinha pensado, Dinis! Também, você é doido e extravagante que só a peste! Que extravagância mais desadorada essa sua! Comer carne de sol, tomar vinho e se espichar em cima de lajedo, é coisa conhecida, é danado pra estoporar! É morte ou cegueira certa, e cegueira dessas da gota-serena! Vou lhe dizer uma coisa, meu Rei velho de guerra: você ainda teve sorte! Podia ter estoporado por um lugar menos sadio, e aí era morte certa! Assim, estoporando pelos olhos, felizmente não morreu, só fez foi cegar! Quer que eu lhe sirva de guia até a rua?"

— "Quero, Lino, me faça esse favor!"

— "Pois então chegue aqui, venha montar no 'Pedra-Lispe'! Eu lhe ajudo!"

— "Não, espere! Deixe, primeiro, eu tirar o manto da Ordem de Distinção da Pedra do Reino!"

— "Não, não!" — protestou Lino. — "Tirar o manto pra quê? Logo agora, numa hora dessas, quando o Alumioso ressuscita e volta, é que o Rei quer tirar o manto? Não me diga que você perdeu a fé! Não me diga que sua Profecia estava errada! Não me diga que não foi o nosso santo Alumioso que voltou!"

O Corregedor interrompeu:

— Ele fez, mesmo, essa referência, clara assim, ao Rapaz-do-Cavalo-
-Branco?

— Fez, sim senhor! Eu, porém, no centro da catástrofe que me ferira, não tinha dado, até ali, às palavras estranhas de Lino, a atenção que elas mereciam. O que me chegara até ao juízo, por entre a poeira e o sol do meu desgosto, eu tinha atribuído ao vinho e à erva-moura do Reino. Agora, porém, já ia, aos poucos, me acostumando à desgraça e começava a voltar, mais, à realidade. Por outro lado, ele falara, agora, de modo tão claro, que comecei a suspeitar que alguma coisa de terrível importância estava sucedendo ou começando a acontecer. Já montado em "Pedra-Lispe", que Lino segurara pelo cabresto e ia puxando, falei para ele:

— "Lino, que história é essa que você está dizendo aí? Você falou na ressurreição do Príncipe-do-Cavalo-Branco, foi? Que história é essa?"

— "Que história é essa? Que história é essa, uma porra! Você, Dom Pedro Dinis, você que é nosso Rei e Profeta, está duvidando? Até nem parece que foi você quem sustentou a Fé da gente, durante estes cinco anos! Olhe, Dinis, vou lhe dizer uma coisa: aconteceu hoje, aqui na Estrada, ainda agora, a coisa mais sagrada que podia nos acontecer! Eu estava em Estaca Zero. Saí para um roçado, e tive uma visagem, no caminho, uma coisa horrorosa, um Cavaleiro do Inferno que depois lhe conto! Voltei para a rua, e encontrei lá o maior cu-de-boi que se possa imaginar! Parecia que o mundo estava se acabando: era menino chorando, era grito de mulher tendo ataque, era o diabo! Vendo que a gritaria era maior do que um estrupício comum, perguntei o que tinha acontecido. Me disseram que tinha passado uma Cavalhada, toda luzida, com um Frade e uma bandeira na frente, e com um Rapaz no meio, montado num cavalo branco! Aí, Dinis, fui eu que fiquei feito doido! E não era para menos, porque isso era o que você e o Profeta Nazário tinham profetizado todo ano, desde 1930, no *Almanaque do Cariri*, desde que roubaram e mataram o filho mais moço do nosso Rei Degolado, Dom Pedro Sebastião! É o nosso Prinspe Alumioso do Cavalo Branco, que voltou ressuscitado, para fazer a desgraça dos ricos e a felicidade dos pobres aqui do Sertão! Ah, meu velho Dinis, você não imagina o *borborinho* que aquele Povo todo estava fazendo, na Estaca Zero! Estava tudo com ar de doido, e eu só ouvia era os gritos! Um dizia: — *O Prinspe da Pedra do Reino voltou e passou aqui pela estrada, em procura de Taperoá!* Outro gritava: — *Vou ver se tenho a sorte dele me aceitar pr'a Guerra do Reino, porque então ressuscito também e nunca mais morro!* O pessoal do Prinspe, Dinis, tinha passado por Estaca Zero sem parar, galopando, de modo que o Povo, meio ourado, não tinha tido a ideia de seguir atrás dele. Eu, por mim, como lhe disse, tinha chegado atrasado. Assim, só quase uma hora depois que passou a Cavalhada, foi que o primeiro devoto meteu o pé na Estrada; mas, agora, já está tudo quanto é de gente vindo de Estaca Zero, a pé, por aí, de Estrada afora! Eu tive a sorte de amorcegar um Caminhão, que me deixou no Cosme Pinto! Pelo pessoal do caminhão, soube que o primeiro tiroteio da Guerra do Reino já aconteceu, perto dum Lajedo, entre Cosme Pinto e Estaca Zero. Venho, por isso, na frente do pessoal da minha rua, mas de qualquer modo, me atrasei da Cavalhada do nosso Prinspe. Agora, vou chegando a Taperoá, e, se Deus quiser, a Guerra do Reino vai começar comigo dentro dela! Agora, eu lhe pergunto uma coisa: você, que estava aqui na Estrada, viu passar por ela o nosso Prinspe? E se esse Rapaz que veio por aí, montado num cavalo branco, for, mesmo, o nosso Alumioso, você conhece ele?"

— "Eu sei lá, Lino Pedra-Verde! Se fosse antes, eu conhecia! Mas assim como estou, cego, sei lá!"

— "É mesmo, isso é o diabo! Isso era, lá, hora de cegar, Dom Pedro Dinis Quaderna! Sem você, sem uma pessoa filantrópica como você — que é entendido no *Lunário* e em outras coisas litúrgicas —, o nosso Reino não vai de jeito nenhum! Só você é capaz de decifrar esse entrançado! O que foi que você disse que viu aqui na Estrada, antes d'eu chegar?"

— "Não posso lhe dizer direito ainda não, Lino, porque foi tudo muito confuso! O que eu posso lhe garantir é que, pouco antes de cegar, eu vi passar, ou melhor, eu *ouvi* passar pela Estrada uma tropa de Cavaleiros, com as rodas das carretas chiando e com uns miados que pareciam de bichos de Circo enjaulados! Na verdade, não posso dizer que vi nada, porque estava já, naquela hora, com os olhos encandeados e magoados pelo Sol! Mas, se não cheguei a ver, mesmo, os cavalos e os Cavaleiros, vi as imagens deles, projetadas na poeira, iluminada pelo Sol!"

— "Ave Maria!" — gritou Lino, entusiasmado. — "E como é que, tendo visto uma coisa dessas, você, meu Rei, ainda tem coragem de dizer que não viu nada? Viu, você viu! Viu, e vamos embora logo, para a rua, porque é *ele*! Ah, Dom Pedro Dinis Quaderna, está esquecido daquilo que você mesmo escreveu, na Profecia do começo deste ano, no *Almanaque*? Vamos pra Taperoá, porque essas *imagens* que você viu é a *lanterna-mágica do Sol*, é o *Cosmorama da pantasmagoria* que Frei Simão e a Velha do Badalo profetizaram para a volta do nosso Prinspe, Dom Sinésio Sebastião, O Alumioso!"

— A Velha do Badalo? — estranhou o Corregedor. — Também é Profetisa?

— É, sim senhor, se bem que seja, mais, do tipo de Profeta de folheto! O "Badalo" é uma terra que tem, aqui em Taperoá, e que só dá doido! A velha Maria

Galdina é de lá, e vive cantando umas modas-antigas, umas cantigas-velhas, do tempo do ronca e de Dom Pedro Cipó-Pau! No *Almanaque do Cariri* do ano de 35 eu tinha publicado uma dessas cantigas, e Lino, agora, pelo que eu via, estava achando que essa cantiga se referia à chegada de Sinésio!

— Entendi! — disse o Corregedor, cortante. — Estou entendendo, Dom Pedro Dinis Quaderna, e o papel que você desempenhou nisso tudo está cada vez mais claro para mim! Pode continuar!

Ah, nobres Senhores e belas Damas! Eu sentia, perfeitamente, que estava me enredando cada vez mais no novelo-de-cobras que o Destino tinha fiado para mim. Mas o que é que podia fazer? Continuei:

— Lino continuava falando na maior exaltação, Sr. Corregedor, já agora ligando minha cegueira à reaparição de Sinésio. Dizia ele:

— "Sabe duma coisa, Dinis? É bem possível que não tenha sido estoporamento! Vá ver que foi a Visão da Pantasmagoria do Prinspe que cegou você! Você, Dinis, apesar de Rei e Profeta, é homem safado e pecador! Talvez esteja com algum pecado cabeludo nessa sua consciência preta, e foi por isso que não teve o direito de avistar o nosso Prinspe Alumioso da Bandeira do Divino! Você mesmo escreveu na sua Profecia deste ano que o nosso rapaz santo teria de voltar como Criatura pura e limpa de toda mancha! Ora, é claro, claríssimo, que uma Criatura assim não pode ser avistada por um sacana como você! Mas, por outro lado, pecador ou não pecador, de consciência limpa ou podre, está escrito que o Reino só vai para o Prinspe pela mão daquele que é o Rei e o Profeta da Pedra do Reino! É por isso que, se você não foi capaz de ver o Prinspe, pôde, pelo menos, ver o Cosmorama dele! E basta! Tendo visto isso, sua obrigação, Dinis, é reunir o Povo lá em Taperoá, contando para todos como vai começar a Guerra do Reino do Sertão do Brasil! Vamos embora, Dom Pedro Dinis Quaderna! Vamos, que o Sol está se chegando para o poente, e eu quero chegar na Vila com ele ainda de fora, com luz que dê para eu ver a cara alumiada do nosso Prinspe!"

Fuga
A Demanda do Sangral

Folheto LXXVI
A Gruta Sumeriana do Deserto Sertanejo

— Quando chegamos aqui à Vila, Sr. Corregedor, encontramos a rua subvertida pelo grande acontecimento! Os Burgueses e os "senhores feudais da Aristocracia rural" — como chama Clemente —, certos de que a Revolução Comunista tinha começado, tinham se trancado a sete chaves e, depois, ido para a reunião com o Bispo, como já contei. Mas a rua estava cheia de gente do Povo, de modo que, à medida que eu passava, se não via nada, ia ouvindo os gritos, os choros e as imprecações "da Plebe sertaneja, suja, mal lavada, malcheirosa e fanática", como diz Samuel. Pedi a Lino Pedra-Verde que me levasse diretamente para minha casa, aquela que é pegada à Biblioteca; e que, depois, voltasse à rua, para se informar, o mais discretamente possível, do que acontecera, a fim de me fazer uma narração segura de tudo. Arriei na minha espreguiçadeira e Lino saiu para cumprir o meu mandado. Daí a pouco voltava ele, ainda mais excitado. Narrou-me tudo: a chegada de Sinésio, a emboscada do lajedo, o atentado da rua, a morte do "cabra" e a visagem do Profeta Nazário, devidamente completada pela de Pedro Cego. Eu vi, logo, imediatamente, que estava diante de acontecimentos decisivos para o meu destino. Eram acontecimentos zodiacais e astrológicos, que interessavam não somente à sorte do Brasil, mas à Obra, ao Castelo Sertanejo que estava para ser edificado pelo Gênio da Raça Brasileira, predestinado a cantar aquela sorte e aquele Prinspe. Pedi então a Lino que fosse procurar Clemente e Samuel, avisando-os da desgraça que se abatera sobre mim e solicitando a presença urgente deles, pois eu tinha gravíssimos assuntos a discutir com os dois. Lino Pedra-Verde foi encontrá-los reunidos, na casa de Clemente, que era a mais próxima, pegada à minha. Estavam agarrados numa discussão ardorosa, motivada, como não podia deixar de ser, pela reaparição milagrosa e enigmática de Sinésio, pelas visagens que Nazário e Pedro Cego tinham comunicado à multidão e pelo verdadeiro sentido político daquilo tudo. Como a casa de Clemente era bem perto, eles não demoraram a chegar, conduzidos por Lino Pedra-Verde, para a sala da frente, pegada à Biblioteca, onde eu me encontrava. Ambos estavam, ainda, com as roupas de cerimônia com as quais tinham comparecido ao Palanque, e foi assim, de togas sobrepostas, que entraram na sala onde eu, acariciando a testa em torno dos olhos irremediavelmente despedaçados, continuava sentado na espreguiçadeira, imerso no maior desespero, na maior desolação que se possa imaginar. Meus dois Mestres estavam profundamente perturbados. Não com minha cegueira, mas com a ressurreição de Sinésio. De fato, a nossa situação diante da família de meu Padrinho levava a isso. Eu, parente, agregado e protegido, era mais velho do que Arésio somente três anos, e treze mais do que meu sobrinho e primo Sinésio. Eu, Clemente e Samuel tínhamos morado muito tempo na "Onça Malhada", na casa do velho Rei Degolado, Dom Pedro Sebastião. Clemente e Samuel, porém, eram bastante mais velhos, de modo que tinham assistido, já como adultos, ao nascimento de Arésio e Sinésio, assim como ao do outro filho de meu Padrinho, o bastardo Silvestre. Tinham sido, mesmo, como que os preceptores e pedagogos nossos, meu e, mais especialmente, dos três Príncipes, Arésio, O Proscrito, Silvestre, O Bastardo, e Sinésio, O Alumioso. Até aquele dia, ambos tinham como certa a morte de Sinésio. Agora, de repente, daquela maneira miraculosa, aparecia o Mancebo ressuscitado, para reivindicar seus direitos à herança e à vingança do Pai. Sim, porque essa era a opinião unânime do Povo: chegara o Justiceiro, o vingador esperado. O fato é que, talvez por causa disso, nem Samuel nem Clemente se dignaram dar importância à minha cegueira. Talvez fosse por causa da inumanidade que caracteriza sempre os grandes homens, que não costumam descer de suas altas preocupações para dar importância a coisas de pouca monta como a simples desgraça individual de um ser humano. Talvez fosse porque nunca me levavam realmente a sério, considerando-me um ex-discípulo que, para vergonha sua, tinha se tornado apenas um charadista e Decifrador, indigno das preocupações e da compaixão deles.

— Será que eles perceberam, logo, que o senhor estava cego? — indagou o Corregedor.

— Perceberam, Sr. Corregedor! A princípio, imaginei que Lino não dissera nada e eles ignoravam o fato, apesar de que, como eu vim a saber depois, o Cantador caolho dera com a língua nos dentes, inclusive na rua, onde a notícia logo se espalhou no meio do Povo, como uma faísca elétrica. Mas, além disso,

Lino tinha contado tudo diretamente aos dois. Mesmo assim, quando eles entraram na sala, ignoraram minha catástrofe. Dirigiram-se a mim, mas foi para continuar a conversa que Lino interrompera e para comentar o estranho caso da ressurreição de Sinésio, com as profecias e tudo. O mais animado era Clemente. Samuel, apesar de todos os esforços que fazia para esconder isso, estava inquieto com a possibilidade de aquilo ser, mesmo, uma Coluna comunista. "Se assim for" — dizia ele —, "isso significará o meu fuzilamento sumário pela Canalha." As dúvidas, porém, permaneciam de parte a parte; a Esquerda também estava inquieta, porque Clemente, por sua vez, não estava ainda muito seguro sobre "a verdadeira orientação ideológica" daquele estranho grupo de Ciganos. Notei, mesmo, que meus dois Mestres estavam se tratando mutuamente com grande cortesia, o que absolutamente não era comum. Depois é que eu entenderia o motivo disso: tinham feito uma espécie de pacto de garantia mútua. Se a Coluna fosse da Esquerda — como pensava o Comendador Basílio Monteiro —, Clemente protegeria e esconderia Samuel, que faria o mesmo com o rival, caso o grupo de Luís do Triângulo e do Cigano se revelasse como da Direita. Eu, vendo que eles, absolutamente, não tomavam conhecimento da minha desgraça, arrisquei timidamente, na primeira pausa, uma informação e uma queixa a respeito da catástrofe-trágica que introduzira a Cegueira entre os inquilinos de meus olhos, entre as minhas Paixões malévolas, "entre as vicissitudes da minha atribulada existência". Os dois mal conseguiram fingir um interesse distraído pelo fato. Samuel veio logo com as Literaturas direitistas dele, para me consolar:

— "Olhe, Quaderna" — disse ele, sério —, "isso que, à primeira vista, parece uma desgraça, pode até ser uma coisa benéfica, pelo menos para você, que deseja ser um Poeta épico e fazedor de romances, como nos confessou hoje! Aliás, só lhe dou essas informações porque minhas ideias são outras e o fato de você fazer um romance não me causa prejuízo nenhum. Já lhe disse que, na minha opinião, a Obra da Raça Brasileira será um Livro de poemas cifrados, um livro que só um Poeta, aqui, é capaz de fazer!" — disse ele, com um tom presunçoso que me irritou ainda mais. E acrescentou: — "Mas você tem outro pensamento, acha que deve escrever algo no gênero épico. Pois siga esse caminho. Dou-lhe, de graça, um conselho: por que você não escreve uma espécie de 'romance brasileiro e medieval de cavalaria', parecido com os do genial escritor pernambucano de Pesqueira,

Zeferino Galvão, e aproveitando para isso a Crônica da família Garcia-Barretto? Você deveria partir não de seu Padrinho, mas da ressurreição maravilhosa desse Rapaz-do-Cavalo-Branco! Mesmo pertencendo a essa Aristocracia bárbara, bastarda e corrompida do Sertão, Sinésio é um Barretto, um descendente, portanto, da ilustre estirpe pernambucana dos Morgados do Cabo. Assim, se você contar a história dele, pode reintegrar, nela, o Brasil em seu verdadeiro caminho, o caminho ibérico-flamengo! Note que o genial Zeferino Galvão, apesar de nunca ter saído de Pesqueira, só escrevia seus romances com ação passada na Provença, dando, com isso, uma grande prova de fidelidade às raízes da nossa fidalga Raça! Ele escreveu uma trilogia chamada *Heloísa d'Arlemont*, composta de três obras geniais, *A Corte de Provença*, *O Mosteiro de Nîmes* e *A Guerra dos Camisardos*. Na minha opinião, a Obra da Raça deve ser escrita em versos e por um Poeta. Mas já que você deseja ser um épico, escolha, para escrever sobre o Rapaz-do--Cavalo-Branco, um romance de cavalaria, ibérico-flamengo e brasileiro, como os de Zeferino Galvão, ou mesmo, de certa forma, como os desse romancista para adolescentes, José de Alencar, que você tanto admira, com seus gostos de leitor de almanaques!"

— Na mesma hora, Sr. Corregedor, Clemente começou a protestar, querendo levar Zeferino Galvão no ridículo, atrevimento do qual só recuou quando soube que o grande escritor da Vila de Pesqueira tinha sido membro do Instituto Arqueológico de Pernambuco e era, portanto, um escritor acadêmico, consagrado e indiscutível. Mas, mesmo recuando nessa parte, continuou discordando de Samuel quanto ao resto:

— "Olhe, Samuel" — disse ele —, "não quero ser indelicado com você, principalmente tendo nosso pacto em vista. Mas discordo de uma porção de coisas, aí no que você disse. Em primeiro lugar, a Obra da Raça Brasileira tem de ser um Livro filosófico-revolucionário, escrito em Prosa e por um Filósofo, um homem mergulhado pelo sangue e pela cultura na realidade social do nosso País. Mas, mesmo que a Obra da Raça devesse ser épica, como pensa Quaderna, não poderia, de modo nenhum, ser um ridículo romance de cavalaria ibérico--flamengo! Deveria ser, sim, um romance picaresco, satírico e popular, como já provei hoje pela manhã; um romance sem herói individual — coisa ultrapassada e reacionária — e cujo personagem fosse um homem-povo, um símbolo da fome e da miséria, enfrentando os Poderosos pela astúcia, errante e mal-andante pelas Estradas sertanejas! Esse Zeferino Galvão, genial como fosse, era um traidor do Brasil!"

— "De jeito nenhum, Clemente, desculpe o que lhe digo!" — tornou Samuel, sempre procurando ser delicado, por causa do pacto. — "Acho perfeitamente legítimo que um escritor brasileiro, desgostoso com os plebeísmos e misturas que corromperam o início fidalgo da nossa Raça, escreva sobre outro tempo e outro lugar, como fazia Zeferino Galvão com a Provença do século XVII. Que culpa tinha esse pernambucano ilustre de que a realidade atual do Brasil não esteja à altura dos nossos sonhos de Poetas fidalgos? Acho que essa escolha de Zeferino Galvão é até uma prova de bom gosto, porque, quando a gente deixa de lado a realidade mesquinha e vulgar, pode exilar das nossas Obras a vida grosseira e manchada, deixando lugar somente para a imaginação, a Legenda e o sonho!"

— "Veja, Samuel" — objetou Clemente —, "entenda que minha crítica não é feita por Zeferino Galvão ter saído das fronteiras convencionais do Brasil, não! O que eu critico é que, ao sair dessas fronteiras, ele não tenha seguido o caminho mouro e etiópico, caminho que, este sim, reconduziria o Brasil a suas verdadeiras raízes!"

— "Nada disso!" — insistiu Samuel. — "Zeferino Galvão só não acertou inteiramente porque, ao deixar essa terra de Cafres e gaforinhas em que se tornou o Brasil, escolheu a Provença, terra que, sendo ainda meio ibérica, é ainda meio morena! De gente moreno-ibérica, já nos bastam o sangue português e o espanhol, que vieram a princípio, mas que, depois, com a negralhada que se meteu, foram se perdendo e abastardando. O que é necessário agora, para recuperarmos o sangue da Raça, é um bom contingente de sangue nórdico, para fundir assim, no nobre cadinho brasileiro, a raça de Fidalgos brasileiros dos nossos sonhos!"

O Corregedor interrompeu, observando:

— Noto, Dom Pedro Dinis Quaderna, que havia certa semelhança de ideias e de palavras entre o Doutor Samuel e Gustavo Moraes.

— É verdade, Sr. Corregedor. Para ser justo, devo dizer que Samuel já tinha muitas dessas ideias. Mas depois que Plínio Salgado passou aqui, no Sertão do Cariri, e principalmente depois que Gustavo Moraes veio do Recife para cá, essas ideias receberam grande impulso e uma nova formulação. Havia, aqui na Paraíba, no grupo do jornal *A União*, três escritores que influenciavam Samuel nessas fidalguias ibéricas, isso antes do Integralismo: eram Carlos Dias Fernandes, Eudes Barros e Adhemar Vidal. Pois foi na linha de tudo isso que ele concluiu, naquele dia, dizendo: "Zeferino Galvão, a meu ver, deveria ter escolhido a Flandres, ou talvez, melhor, a Borgonha, que, ficando a meio caminho entre a Ibéria e a Flandres (e tendo tido um mestiço de nórdico-português, Carlos, O Temerário, como seu último Duque), serviria melhor para auscultar os ritmos do sangue da nossa Raça; o que digo de dentro do problema e por experiência própria, porque, como legítimo Wan d'Ernes, sou um legítimo Fidalgo ibérico-flamengo e brasileiro!" Assim falou Samuel, Sr. Corregedor, e meu sonho de ser o Gênio da Raça Brasileira me tornava de tal modo possesso da Literatura, que, a despeito de toda a minha desgraça, aquelas conversas estavam, já, começando a incendiar minha cabeça. Meu objetivo secreto era erguer, eu mesmo, o meu Castelo, conciliando aquelas opiniões, irredutivelmente contrárias e incompletas, de Samuel e Clemente. Eu escreveria uma Obra em prosa, como queria Clemente. Mas essa Obra em prosa seria animada pelo fogo subterrâneo da Poesia e pelo galope do Sonho, como queria Samuel. Seria escrita por um Poeta de sangue, de ciência e de planeta; toda entremeada de versos; e nela se uniriam, pela primeira vez, a Literatura sertaneja de beira-de-estrada — na linha do *Compêndio Narrativo do Peregrino da América Latina* — e a Literatura fidalga da Zona da Mata — na linha de *A Corte de Provença*, de Zeferino Galvão. Por isso, já começando a me esquecer um pouco da cegueira e também sem abrir muito meu jogo para não esclarecer meus rivais, falei:

— "Olhem, para mim, o problema não será, propriamente, descobrir *como* escrever a história de Sinésio. Para mim, o que é, mesmo, indispensável, é assistir a todos os acontecimentos até o fim, para, de tal modo, saber de tudo e ter *o que escrever*! Como vocês já me provaram muitas vezes, não tenho imaginação para inventar, só sei contar o que vi. Ora, sei tudo o que se passou com os Garcia-Barrettos até o dia de hoje. Daqui por diante, nessa questão que, pelo visto, vai se travar entre Arésio e Sinésio, o problema fundamental é o do Testamento e o do Tesouro que o Pai deles deixou. Pelo que estou entendendo, o Advogado do Rapaz-do-Cavalo-Branco, Doutor Pedro Gouveia da Câmara Pereira Monteiro, sabe disso melhor do que nós. Assim, será à busca do Testamento e do Tesouro que ele encaminhará Sinésio. Pois bem: nessa história toda, houve um acontecimento que, a meu ver, precisa ser bem interpretado, porque pode ser a chave de muita coisa que já aconteceu e ainda vai acontecer daqui por diante. Sabem o que é? É essa visagem que o Profeta Nazário teve e que Pedro Cego completou. Você ouviu a história deles, Clemente?"

— "Ouvi!" — disse o Filósofo, com olhos acesos.

— "Qual é sua opinião sobre a visagem? Acha que é coisa de pouca importância?"

— "Vamos em termos e por partes!" — disse Clemente, cauteloso. — "Acho, com você, que a visagem do Profeta Nazário é coisa da mais alta importância. O que ela não é, é visagem! Nada daquilo foi inventado, Quaderna. Nazário e Pedro Cego devem ter visto alguma coisa que pareceu a eles tão estranha, que falam disso em tom místico, reacionário e obscurantista. Me digam uma coisa: eu já contei a vocês a aventura que me sucedeu, certa vez, numa Caatinga sertaneja e no decorrer da qual fiz uma descoberta arqueológica da mais alta importância para o Brasil?"

— "Não!" — disse eu, acendendo, por minha vez, olhos rebrilhantes de curiosidade.

— "É verdade! Estou falando disso pela primeira vez, porque, dada a importância da descoberta, eu queria guardá-la para o meu *Tratado da Filosofia do Penetral*. Mas, com os acontecimentos de hoje, vou revelar tudo, desde que vocês me garantam segredo absoluto sobre o que vão ouvir. Vocês garantem?"

— "Garantimos, Clemente!" — dissemos eu e Samuel ao mesmo tempo.

— "Vocês já ouviram, alguma vez, alguma referência à legendária Cidade cário-asteca, fenício-incaica e egípcio-tapuia, soterrada aqui e ali no Sertão brasileiro?"

— "Já ouvi algumas referências vagas!" — disse Samuel. — "Sempre pensei, porém, que essas histórias de inscrições petrográficas fenícias, aqui, fossem intrujices de desocupados."

— "Pois você está enganado, Samuel!" — falou Clemente com ar grave. — "Estudei detidamente o assunto e posso lhe garantir, hoje, que os cário-troianos, os astecas, os incas, os tapuias, os sumerianos, os egípcios, os fenícios e os ciganos, tudo isso é uma coisa só! Aí por 1924 ou 1925, não me lembro direito, passou aqui pelo Sertão da Paraíba um sábio estrangeiro a quem os Sertanejos chamavam Ludovico Chovenágua. Ele foi recomendado a nós pelo próprio Presidente daquele tempo e eu tive oportunidade de lhe servir de guia, dando-lhe várias informações que ele considerou preciosas e que transcreveu em seu livro, o safado, sem comunicar a fonte em que bebera. Vou dar algumas indicações que vão fazer vocês ficarem de queixo caído. Primeiro: vocês sabem que as inscrições e desenhos petrográficos brasileiros e sertanejos são feitos com 'letras do alfabeto fenício e da escrita demótica do Egito'? Sabiam que existem, aqui no Sertão, inscrições com 'caracteres da antiga escrita babilônica, chamada sumeriana'? Temos, também, alguns 'escritos com hieróglifos egípcios', outros cretenses, alguns da Cária — povo aliado dos Troianos, na Guerra de Troia —, da Ibéria e da Etrúria. Um antigo funcionário da Comissão Brasileira Demarcadora de Limites encontrou, no Sertão, ruínas de uma Cidade, que julgou 'ser de origem fenícia'. E existem outros dados. Os Fenícios, quando andaram por aqui, construíram vários estaleiros, alguns com aterros e subterrâneos, e a maior parte deles no Litoral do Estado do Rio Grande do Norte — em Maracu, no Lago Verde e no Açu, assim como um perto de Touros. Varnhagen conta como os Cários e os Troianos, depois de derrotados pelos Gregos, na 'Guerra de Troia', emigraram para o Brasil, e cita inúmeras palavras comuns aos Tapuias, Egípcios, Sumerianos e Cário-Troianos. Aliás, depois da 'Guerra de Troia', os povos aliados e confederados contra os Gregos fundaram várias cidades em homenagem a Troia. Assim, houve uma Troia perto de Veneza, outra no Lácio; houve uma Troia etrusca, outra na costa atlântica da Ibéria. A nós, porém, interessa mais é o resto: à medida que todos esses Povos contornavam a África e se dirigiam para o Brasil, não faziam mais do que sentir o fascínio das origens e o desejo de regresso às raízes Tapuias de que se originavam. Foi assim que se fundaram duas Troias no litoral brasileiro, uma no Rio Grande do Norte — cujo nome virou, depois, Touros — e outra na Bahia — que virou Torre. Os Cários, por sua vez, fundavam, no Sertão, a cidade de Carnatum, cujo nome, com o decorrer do tempo, se corrompeu em Canudos. Sim, porque foi no Nordeste, segundo afirma Ludovico Chovenágua, entre os Rios Tocantins e São Francisco, que os Cários se estabeleceram. Vejam quantas coincidências estranhas! Os Fenícios tiveram estaleiros no Litoral do Rio Grande do Norte, sendo essa, talvez, a origem dos subterrâneos e aterros que o gringo Edmundo Swendson encontrou na Fortaleza de São Joaquim. Por outro lado, Canudos, o local da 'Troia Sertaneja', foi fundada pelos Cário-Troianos! Não é uma coisa maravilhosa? Pois bem: mais maravilhoso ainda é o que me aconteceu. Durante as minhas investigações arqueológicas e paleográficas, eu me perdi, um dia, na Caatinga sertaneja do Seridó, do Rio Grande do Norte. Vocês sabem que essas inscrições e ruínas encontram-se sempre em grandes aglomerados de pedras e lajedos. Pois bem. Extraviado, encontrei, de repente, um amontoado de pedras com um buraco, que parecia a entrada de uma gruta. Havia morcegos e maribondos, que espantei, fazendo um facho de marmeleiro. Com essa tocha me servindo de lanterna, entrei no buraco, cheguei ao fundo, segui por um corredor lateral que era, evidentemente, construído pela mão do homem, e assim, cheguei ao fim do corredor, onde me encontrei numa vasta sala escavada na pedra. As paredes eram recobertas por murais, com guerreiros sumerianos, sacerdotes astecas, reis incas, sacerdotisas cárias nuas — estas com os peitos desnudos pintados de amarelo, com o ventre, os braços e o rosto pintados de vermelho. O mais estranho é que havia uma semelhança completa, não só nos tipos físicos representados, como nos ornamentos e roupas dos personagens. Da sala, saíam corredores e compartimentos menores. Num deles, encontrei diversas múmias, deitadas no chão, arrumadas umas ao lado das outras. Perto delas, havia enormes discos de pedra, divididos em doze setores uns, em dezesseis, outros, cada setor com um signo particular. Todos tinham semelhança com os chamados 'relógios astecas' a que Alexandre Borghine depois fez referência em seu livro, publicado em 1923. O mais importante, porém, é que havia, numa sala cujas paredes de pedra eram decoradas com animais — Onças, corças, Gaviões, seriemas, emas etc. —, um tesouro incalculável, de cintos, colares, coroas e joias, tudo incrustado de diamantes, topázios e águas-marinhas!"

— "E você tirou alguma coisa, Clemente?" — perguntei de ventas e olhos acesos de excitação, apesar de sentir nas palavras graves do Filósofo um cheiro de intrujice muito meu conhecido.

— "Não, estava tudo encaixotado, em caixotes pesadíssimos! Por outro lado, eu estava apavorado, com medo de me perder. Voltei na carreira, saí da Furna, e voltei para o campo raso, a fim de procurar, de novo, o caminho de volta. No outro dia, sem dizer nada a ninguém, voltei com um Vaqueiro experimentado ao local em que pensava ter me perdido, mas não houve jeito de achar mais a entrada. Todos os aglomerados de pedra se pareciam uns com os outros, de modo que terminei desistindo. Enfim, o importante é que, de fato, Nazário e Pedro Cego podem ter achado ou esse lugar ou outro parecido, deixado, também, pelos Cário-Tapuias e Fenícios. A maneira como eles contaram a história, é meio mística e reacionária. Mas, de fato, se nós conseguirmos reencontrar uma Furna dessas, o achado e a revelação do Tesouro podem ser da mais alta importância, tanto para minha visão-filosófica do Mundo, como para a nossa Cultura e, sobretudo, para os fundamentos da Revolução Brasileira!"

Folheto LXXVII
Cantar do Fidalgo Pobre

Quando Clemente concluiu a narração de sua aventura extraordinária, voltei-me para Samuel e indaguei:

— "E você, Samuel? Nas suas aventuras e desventuras de Fidalgo, andando pelos Engenhos pernambucanos, fez alguma descoberta sonhosa e legendária dessas?"

— "Quaderna" — disse o Fidalgo —, "eu não preciso ter um dia fora do comum para viver essas coisas, porque toda a minha vida foi e é, a cada instante, um Sonho e uma Legenda gloriosa! Eu, derradeiro varão da minha Casa, vivo eternamente numa Gruta Encantada, muito superior, em sonhos e tesouros, à que esses Profetas sertanejos, Nazário, Pedro Cego e Clemente, viram!" — disse ele, sorrindo superiormente e já meio esquecido do pacto. E acrescentou: — "Vocês sabem que eu tenho horror a esse fúnebre Poeta paraibano aqui de vocês, Augusto dos Anjos. Mas, no meio de toda a obra dele, há um só poema que me toca. Com ele eu posso repetir:

"Meu Coração tem catedrais imensas,
templos de priscas e longínquas datas,
onde um Nume de amor, em serenatas,
canta a Aleluia virginal das Crenças.

Na ogiva fúlgida e nas Colunatas
vertem Lustrais irradiações intensas
cintilações de Lâmpadas suspensas
e as Ametistas, e os Florões e as Pratas."

— "Sim, Samuel!" — falei. — "Mas você acha que a visagem de Nazário tem algum fundamento? Isso é o que importa saber, agora! Que é que você acha? O que foi que Nazário viu?"

— "O que Nazário teve, Quaderna, foi uma visão graálica, de natureza poético-extática, um pouco bárbara, como tudo o que é do Sertão, mas que, bem interpretada e corrigida por um verdadeiro Poeta, bem pode ser encaminhada a seu verdadeiro sentido: o do Quinto Império, sonhado por todos os nossos visionários, Profetas e iluminados, desde Antônio Vieira até Gustavo Barroso! Agora, que entusiasmo eu posso ter com uma *visão* comunicada, aí, no meio dessa canalha sertaneja, maltrapilha e malcheirosa, numa cena tipicamente plebeia, oncística e clementina? A única coisa que me encanta nisso tudo é o aparecimento desse Donzel, quem quer que seja ele, montado num Cavalo branco! Ah se isso tivesse acontecido na Zona da Mata! Aí, não haveria dúvida: saberíamos logo que era o jovem Fidalgo, signo e insígnia da Raça, ardente, puro e casto, o nosso Encoberto; o nosso Encantado, predestinado a realizar o novo Império da Ibéria, o eldorado e cordiforme Brasão da América Latina!"

— "Está bem, Samuel" — disse eu —, "concordo. Menos com uma afirmativa sua, aí! Você disse que o Rapaz-do-Cavalo-Branco era puro e casto. Pois, se é, será de maneira bem diferente da castidade do Rei Dom Sebastião, porque, segundo Lino me contou, ele vinha, na estrada, com o retrato de uma Moça no escudo!"

— "Isso não indica nada contra a castidade dele!" — retrucou Samuel. — "Em primeiro lugar, aquela pode ser, apenas, a figura mítica da Dama que os Cavaleiros sempre têm. Mas, provavelmente, o que aquele retrato é, mesmo, é uma alusão à Rainha e Luz do Céu, à '*Lumen Coeli Regina*'. Quem sabe o que, na verdade, terá acontecido ao Rapaz-do-Cavalo-Branco? Talvez ele tenha visto a Senhora do Céu, num êxtase místico e guerreiro, votando-se, daí por diante, à busca do Divino e à solidão do Deserto! Sim, é isso! Deve ser isso! Essa seria a única causa de um Donzel tão puro e tão heráldico ter vindo buscar esse bárbaro Deserto Sertanejo! Quem sabe se ele não é 'O Cavaleiro Pobre', o jovem Cavaleiro ardente e casto, fanático e possuído pela Divindade, cantado pelo genial Poeta militarista, fidalgo e tradicionalista que foi Olavo Bilac? Vocês conhecem o poema de Bilac, pelo menos através da reinterpretação tapirista que fiz dele. A história é uma maravilha: é a de um Cavaleiro que, um dia, teve uma visão dessas. Depois daí, colocou no Escudo a face da Dama Celeste, radiosa e pura. O mundo passou a lhe parecer um vasto e inútil Mausoléu. Enquanto os outros viviam, gozavam e amavam, ele vivia devorado pelo Fogo do Divino, pois somente o Divino, depois que ele o vira, seria capaz de saciá-lo e purificá-lo, mesmo que fizesse isso pelo fogo e pela Destruição. Então, depois de procurar a Morte mil vezes, nos prélios da Fé, o jovem Cavaleiro retirou-se para o Deserto, onde terminou seus dias, envelhecido, louco, com os olhos em brasa, rouco, devorado e destruído pelo Terrível que vira e por seu próprio coração incendiado. Você se lembra, Quaderna? O poema que eu fiz a partir do de Bilac é mais ou menos assim:

> *'Ninguém sabe quem era o Cavaleiro Pobre,*
> *que viveu solitário e morreu sem falar.*
> *Era simples e sóbrio, era valente e Nobre*
> *e pálido como o Luar.*
> *Antes de se entregar às fadigas da Guerra*
> *dizem que um dia viu qualquer coisa do Céu:*
> *e achou tudo vazio! E pareceu-lhe a Terra*
> *um vasto e inútil Mausoléu!*
> *Desde então, uma atroz, devoradora Chama*
> *calcinou-lhe o Desejo e o reduziu a Pó!*
> *E nunca mais o Pobre olhou uma só Dama,*
> *nem uma só! Nem uma só!*
> *Conservou, desde então, a Viseira abaixada,*
> *e, fiel à Visão, e, ao seu Amor, fiel,*
> *trazia uma Inscrição de três letras, gravada*
> *a fogo e sangue no Broquel.*
> *Foi aos prélios da Fé. Na Terra-Santa, quando,*
> *no ardor do seu guerreiro e piedoso Mister,*
> *cada filho da Cruz se batia, invocando*
> *um nome caro de Mulher,*
> *Ele, rouco, brandindo a Espada no ar, clamava:*
> *— Lumen Coeli Regina! — e, ao clamor desta Voz,*
> *nas hostes dos Incréus como uma Fúria entrava,*
> *irresistível e feroz!*
> *Mil vezes, sem morrer, viu a Morte de perto,*
> *mas negou-lhe o Destino essa sorte melhor!*

> *Foi viver no Deserto! E era imenso o Deserto,*
> *mas o seu Sonho era maior!*
> *E um dia, a se estorcer, só e despedaçado,*
> *louco, velho, feroz, naquela Solidão,*
> *morreu, mudo, rilhando os Dentes, devorado*
> *pelo Fogo do próprio Coração!'"*

— Quando Samuel acabou de recitar isso, Sr. Corregedor, Clemente não pôde se impedir de protestar:

— "Samuel, nem esse poema foi você quem fez, nem o original é de Bilac: é de um poeta estrangeiro, não me lembro qual!"

— "Clemente" — retrucou Samuel —, "já lhe disse isso não sei quantas vezes! O poema é meu, porque eu colaborei nele! Por exemplo: ali, onde eu falo em *espada* Bilac colocou *pique*, '*brandindo o pique no ar*'! Do jeito que eu botei, é muito mais bonito! Quanto à outra observação sua, quero lhe explicar que, quando um Poeta brasileiro ou português *traduz* uma obra estrangeira, para mim, o original fica sendo o trabalho dele. Sou nacionalista, e, podendo, pilho os estrangeiros o mais que posso! Para mim, Manoel Odorico Mendes é o autor dos originais da *Ilíada* e da *Eneida Brasileira*: Homero e Virgílio são, apenas, os tradutores grego e latino dessas obras dele! Castilho é o autor do *Fausto* e do *Dom Quixote*, assim como José Pedro Xavier Pinheiro é o verdadeiro autor da *Divina Comédia*, que Dante traduziu para o italiano!"

— "Está bem!" — disse eu, interrompendo. — "Entendi, mais ou menos, a posição de vocês. Cabe-me, agora, a vez de explicar a minha. A meu ver, Sinésio vai ter que organizar uma expedição para procurar o Testamento extraviado e o tesouro escondido! Sim, porque, seja na furna visageada por Nazário, ou na outra, *cientificamente* descoberta por Clemente, o fato é que o tesouro deixado pelo velho Rei Degolado do Cariri está enterrado por aí, numa furna sertaneja qualquer. Das pessoas que integraram a comitiva de meu Padrinho quando ele partiu para enterrar o testamento, a única ainda viva sou eu. Dom Pedro Sebastião Garcia-Barretto tinha me nomeado testamenteiro, e me prometera que, depois de enterrado o documento nessa furna, ele, quando se sentisse perto da morte, me revelaria o lugar. Ora, para Sinésio, a descoberta desse testamento é fundamental. Assim, o Rapaz-do-Cavalo-Branco e seus dois protetores — o Doutor e o Frade — terão que meter o pé no mundo, para encontrá-lo. Eu sou, portanto, pessoa indispensável à expedição, terei que ir, como guia dela. Por outro lado, essa ida é, para mim, indispensável, porque, se eu não presenciar todos os acontecimentos, não poderei contá-los depois, na Epopeia. Picaresca ou de cavalaria, minha Obra terá que se passar na estrada, no oco empoeirado e aberto do Mundo, no centro da maçaranduba do Tempo, e isso só será possível se eu acompanhar Sinésio, o Doutor e o Frade em sua expedição aventurosa à procura do testamento. Aí é que surge um problema importantíssimo: como é que vamos arranjar os meios para fazer a viagem? Nessas coisas de dinheiro, nunca ninguém fala, mas, sem dinheiro, pouca coisa se faz! Pois bem: desde que cheguei à conclusão de que terei de ir, venho pensando em organizar um Circo, para empreendermos a viagem. Sempre tive vontade de ter um Circo, e a hora é essa! Nós contaríamos com a ajuda de meus irmãos, que têm, todos, algumas habilidades. Alguns deles são tocadores de rabeca e pífano: será a orquestra! Se a tropa que veio com Sinésio é mesmo de Ciganos, alguns devem saber fazer piruetas e proezas em cima de cavalos. Outros, deitarão cartas. Das partes de dramas, comédias e tragédias, eu me encarrego, com o 'cavalo marinho', o 'mamulengo', a 'Nau Catarineta' etc. Comprometo-me, também, a levar um 'pastoril', formado com as mulheres-damas do Rói-Couro que frequentam a minha Távola Redonda. Assim, poderemos viajar de graça, divertindo-nos e, ainda por cima, tendo algum lucro, com acomodações para todo mundo e fazendo todas as expedições necessárias ao encontro do testamento. Sim, porque, na minha opinião, a história da furna do Profeta Nazário pode ter sido é uma *revelação de botija* referente ao tesouro e ao testamento do Rei Degolado! Agora, pergunto a vocês: caso o Doutor Pedro Gouveia me contrate para a expedição, vocês concordariam em viajar conosco, no meu Circo?"

— Os olhos dos dois se acenderam, Sr. Corregedor. Mas amarrados e seguros como eram, começaram logo a tomar precauções. Clemente falou primeiro:

— "Bem, Quaderna" — disse ele —, "é claro que a proposta nos interessa. Mas existem vários pontos que precisam ser aclarados e estabelecidos desde já, principalmente quanto à parte financeira! Em primeiro lugar, me diga: nós seríamos convidados como hóspedes, com todos os privilégios e honrarias, no Circo?"

— "Claro que sim!" — concordei, alegre, vendo que eles estavam inclinados a aceitar. — "Além da amizade que tenho a vocês, preciso demais dos conselhos literários e políticos dos dois!"

— "Teríamos comida, bebida e dormida de graça?"

— "Teriam, sim! Inclusive, dentro das acomodações sempre meio precárias de um Circo, eu conseguiria o melhor possível, com camarins especiais para vocês dois!"

— "E no caso de encontrarmos o Tesouro?" — perguntou Samuel. — "Teríamos parte na divisão dele?"

— "Bem, isso aí eu só posso responder depois de conversarmos com o Doutor Pedro Gouveia. Isso, porém, não demora, tenho certeza. Desse tipo de coisas eu entendo. Posso até apostar: daqui a pouco, chega alguém, da parte do Doutor, para nos procurar!"

— "Então, essa parte fica para ser decidida na presença do Doutor!" — disse Clemente. — "Sobretudo, é preciso ver quem é, mesmo, esse Rapaz-do-Cavalo-Branco e quais são suas verdadeiras intenções, os verdadeiros objetivos de sua aparição, aqui. Eu e Samuel somos funcionários públicos. Mas, se houver vantagem, trataremos de conseguir licenças para seguir na viagem e acompanhar, inclusive como profissionais — eu como Advogado e ele como Promotor —, o caso do testamento e da herança desse rapaz. Quanto a mim, como Filósofo, terei, ao mesmo tempo, oportunidade de realizar uma Viagem Filosófica, como aquela que o sábio brasileiro Alexandre Rodrigues Ferreira realizou no século XVIII, antecipando-se a todas as viagens de naturalistas estrangeiros pelo Novo Mundo!"

— "Pois, para mim" — interveio Samuel —, "essa expedição será uma viagem aventurosa e de sonho, como aquela que meu antepassado Sigmundt Wan d'Ernes realizou, em companhia do Poeta-fidalgo e Soldado-flamengo que foi Elias Herckman, quando viajaram ambos, no século XVII, em demanda, pelo Sertão da Paraíba, na busca desaventurosa exatamente de um Tesouro e de minas de prata, coisa que só pode, mesmo, tocar muito na imaginação de um Poeta e Fidalgo como eu!"

Eu não esclareci nada a eles, naquele momento, para não revelar minhas verdadeiras intenções. Mas para mim, de fato, a viagem ia ser era as duas coisas ao mesmo tempo! Seria uma Demanda novelosa e zodiacal, uma Viagem católico-sertaneja e sagrada em busca da Furna do Terrível e na qual, ainda por cima, talvez tivéssemos a sorte de encontrar o Tesouro da Pedra do Reino, identificado por mim, nas minhas elucubrações botijais e filosofais, com o tesouro de El-Rei Dom Sebastião. E já estava com o coração alvoroçado de esperanças quando, de repente, me lembrei, de novo, da catástrofe que despedaçara meus olhos, e dei um gemido trágico:

— "Ai, ai, ai de mim! Só agora me recordo! Não adianta nem eu sonhar, com o Circo e com a viagem aventurosa e desaventurosa que vocês estão planejando! Como poderei ir, se estou cego?"

— "Ora, Quaderna, isso é nada!" — disse Samuel, com a maior naturalidade. — "Isso é nada, para um homem como você! Seja forte, seja homem, homem! Como eu estava dizendo há pouco, o fato de estar cego, que, à primeira vista, parece uma desgraça, no seu caso pode até vir a ser um bem para você, uma vez que seu sonho é se tornar um Poeta épico! Não sei se você sabe disto, mas Joaquim Nabuco considerava a cegueira e o infortúnio como ingredientes indispensáveis para o sangue de um autor de Epopeias! Ora, Nabuco era um Barretto: não um Barretto como você e os outros Barrettos sertanejos, que são bastardos e corrompidos, mas um Barretto da família do Morgado do Cabo e, portanto, um legítimo e puro Fidalgo pernambucano, de modo que a palavra dele merece toda fé. Diz Nabuco que Camões só passou de Poeta lírico a Poeta épico depois que cegou. Acha ele, ao que parece, que, para Camões, isso foi um bem, afirmação da qual discordo, porque, como você sabe, considero os Poetas épicos como prosadores disfarçados — vulgares e enfadonhos como todos os prosadores. Mas, com as ideias que você professa, Quaderna, e com o sonho de se tornar Epopeieta, como diz você, sua opinião deve ser igual à de Nabuco: para você, Camões progrediu, quando passou de Poeta lírico a épico! Olhe, console-se, porque é coisa ungida e consagrada, dentro de sua ordem de ideias. Está aqui, na genial conferência que Nabuco escreveu sobre *Os Lusíadas*!" — disse ele, levantando-se e indo buscar, na estante, o livro a que se referira e do qual leu o seguinte trecho, que depois copiei e guardei, como documento:

"Alguma indiscrição em matéria de amores motivou a exclusão de Camões da Corte real, e, depois, o seu alistamento para combater os Mouros, na África, onde ele foi ferido, perdendo um olho. Esse ferimento marca uma época, na Literatura Portuguesa. Dissiparam-se, por causa dele, as esperanças de Camões como cortesão, e desfaleceu-lhe o orgulho de amante, vindo a sentir-se à mercê de quem lhe olhasse o semblante desfigurado. Sem a cegueira de Milton, o *Paraíso Perdido* teria sido bem outra composição. Sem o desfiguramento de Camões, de outro gênero teria sido a sua Obra poética. Foi essa disformidade que fez Camões renunciar, em desespero, ao Amor, à vida na Corte, a Lisboa, a Portugal, e desferir seu voo rumo a *Os Lusíadas*. A meia-cegueira converteu-lhe o Amor, que nele foi sempre uma obsessão sensual, no sentido do Divino. Transformou-lhe a Lâmina envenenada — que só lhe servia, antes, para torturar-se a si próprio — no Cinzel que deveria talhar o Poema nacional português."

Folheto LXXVIII
A Cegueira Epopeica

Quando Samuel terminou de ler esse espantoso texto-profético — demonstrando inteira insensibilidade ante a parte humana e não literária do meu sofrimento, eu gemi queixoso:

— "Mas é possível que vocês ainda não tenham percebido a extensão da minha desgraça? Estou cego, cego de guia, Clemente! A gente cego, e Samuel vindo com Literatura!"

— "Coitado de você, Quaderna!" — disse Clemente, tentando parecer menos insensível do que o rival. — "Capaz de você perder o emprego na Biblioteca, ou de ser aposentado com vencimentos ínfimos! Em qualquer caso, porém, seja você demitido ou aposentado, isso será muito menos prejudicial para você do que para mim e para Samuel! Olhe que pode vir, para a Biblioteca, um Diretor novo, que não tenha, conosco, as mesmas deferências que você tem! Além disso, as tertúlias literárias da nossa Aleserpa se realizam na Biblioteca e vão ser muito prejudicadas com isso!"

— *Aleserpa*? — disse o Corregedor. — Que é isso? Que é a Aleserpa? Alguma associação comunista, na certa!

— Não senhor! *Aleserpa* é o endereço telegráfico do nosso sodalício sertanejo, a Academia de Letras dos Emparedados do Sertão da Paraíba, que nós fundamos e que tem sede aqui em Taperoá, na Biblioteca!

— Ah, bem! E quantos são os Acadêmicos?

— Três: eu, Clemente e Samuel!

— Está bem, pode continuar.

— Ouvindo Clemente falar daquela maneira, eu não queria acreditar no que estava ouvindo. Seria possível alguém ser tão egoísta? E manifestei minha estranheza:

— "Como é, Clemente? Você tem coragem de achar que minha cegueira prejudica vocês mais do que a mim?"

— "É isso mesmo, e não se admire não!" — insistiu o Filósofo. — "Você, sendo um Charadista, um Decifrador profissional, um homem que se dedica a resolver e armar Enigmas e logogrifos, será até beneficiado pela cegueira! Lembre-se de que o patrono do Suplemento anual do *Almanaque Charadístico e Literário Luso-Brasileiro* é Édipo, que terminou seus dias cego. Sendo assim, você não pode se queixar de que o mesmo tenha acontecido com você, obrigado, agora, a seguir os passos trôpegos de seu Patrono pela estrada da cegueira. Como cego, quem sabe se você não irá, agora, receber, como compensação, a lucidez de Édipo? Édipo, tendo decifrado o 'enigma do homem ante a Esfinge', tornou-se, depois de cego, um Decifrador tão eficiente que teve a honra de ser escolhido como Patrono de todos os Charadistas do mundo. Pelo que me contou, aqui, o nosso Cantador caolho, Lino Pedra-Verde, foram dois Gaviões, um macho e outro fêmea, que cegaram você, não é verdade?"

— "É!" — respondi de má cara.

— "Pois você pode ficar certo, Quaderna, de que, d'agora em diante, você vai ser o único homem, no Mundo, capaz, ao mesmo tempo, de ver as coisas machamente e femeamente, o que, sem dúvida, é uma grande vantagem para o Decifrador e Epopeieta que você sempre quis ser! Na minha opinião, Édipo, quando moço e bom dos olhos, *avistava* coisas demais, motivo pelo qual não *via* nada! Só depois de cego foi que ele recebeu a lucidez esfingética e pôde se aperceber de que o Mundo e a vida são, como dizia o genial Tobias Barretto, 'uma integridade espantosa'. Creio que é por isso que os Professores alemães de Filosofia costumam afirmar que Édipo, como cego, tinha um olho a mais!"

— "É claro que tinha, era o olho do cu!" — disse eu, que, a essa altura, já estava encolerizado por ver a filosofia com que aqueles sujeitos encaravam a desgraça no meu couro. E acrescentei: — "E eu acho que é por isso que os Professores brasileiros de Filosofia aqui da rua dizem que pimenta no cu dos outros é refresco!"

— "Não seja vulgar, Quaderna, não seja mesquinho!" — disse Clemente, severo. — "Como é que você pode se preocupar com essas questões de cegueira ou não cegueira sua, uma questão meramente pessoal e de importância secundária, quando acontecimentos talvez fundamentais para o Brasil estão tendo início, como é o caso da chegada dessa Coluna, comandada pelo Rapaz-do-

-Cavalo-Branco? Nesse momento, a verdadeira questão, aquela que deve merecer o melhor de nossos pensamentos e das nossas ações, é essa! Quem sabe se esse acontecimento não marca o início da Revolução que vai estabelecer a República Popular do Brasil, a primeira da América Latina?"

— Anote esse pormenor, é muito importante, Dona Margarida! — disse o Corregedor.

Margarida obedeceu, e o Corregedor voltou-se de novo para mim:

— Muito bem! E o que foi que o Professor Clemente disse mais? Ainda falou nessa Revolução?

— Parece que ele ainda ia falar, Sr. Corregedor. Mas, aí, foi interrompido por Lino Pedra-Verde, que tinha sido meu colega na escola da "Onça Malhada" e também aluno de João Melchíades, de modo que conhecia vários versos "de caráter fatídico e político", todos muito populares "entre a puerícia e a juventude das escolas brasileiras". Lino continuava mascando a erva-moura, de modo que tinha baixado, nele, o espírito da profecia e da sapiência. Em tais momentos, ele dava para falar difícil, mania que pegara com João Melchíades, e foi assim que se dirigiu a nós:

— "Senhores Doutores, desculpem eu me intrometer na conversa de pessoas tão esfilantrópicas, mas tudo isso que estão dizendo me impressionou demais, porque tudo o que disseram é verdade e muito importante, de uma importância cachorra da molesta! Não pensem que eu, por não ser pessoa formada, por ser um ignorante, seja aí um berdoega ou um filho da puta qualquer! Dom Pedro Dinis Quaderna, aí, me conhece, e pode me fornecer um atestado de conduta, dado pela autoridade! Além disso, fui aluno de Vossas Senhorias. Deixei os estudos e passei afastado muito tempo de Vossas Mercês, mas não por sacanagem e falta de caráter! De modos que, de maneiras tais, entendi tudo o que Vossas Excelências disseram! Apesar de ser apenas um simples Cantador de fama nacional, conheço muito bem o distinto Poeta português Luís de Camões, autor dos '*Lusíadas* de Luís de Camões'! Aliás, Camões usava três palavras que eu também gosto de usar muito nos meus folhetos — *porém*, *carregada* e *todavia*! Por isso entendi o que disseram sobre o olho cego de Camões: é tudo verdade, verdade da boa! E tanto é verdade que Portugal e o Brasil são muito maiores e mais importantes do que a França e a Turquia juntas. Daí a gente recitar, como recitava no tempo da escola:

*'Camões, poeta Caolho,
grande Vate português,
enxergava mais com um olho
do que nós todos com três.

Na França, tudo é errado,
na França, tudo anda a esmo,
na França, pescoço é cu,
no Brasil, cu é cu mesmo!'"*

* * *

— "Está vendo, Quaderna?" — indagou Clemente, escarninho. — "Ouça a voz da sabedoria, aqui representada por esse digno Bardo de chapéu de couro, seu condiscípulo e correligionário. Ouça e console-se de sua cegueira! Édipo, enquanto teve vista, foi apenas um tiranete, igual a muitos outros, na Grécia. Mas, depois de cego, tornou-se um Decifrador, como você, Lino Pedra-Verde e Euclydes Villar. Camões, enquanto tinha dois olhos, era apenas um Poeta lírico, chorão e cortesão. Cegando de um olho, tornou-se Epopeieta, e só foi épico de segunda grandeza, imitador de Virgílio, por ser apenas meio-cego e não cego inteiro. Chega-se à conclusão de que o Gênio de um Epopeieta é tanto maior quanto mais olhos cegos ele tenha, sendo essa, provavelmente, a causa profunda de Homero ser considerado o maior de todos pelo Doutor Amorim Carvalho, Retórico de Dom Pedro II. Coragem, portanto, Quaderna! Quem sabe se agora você, cego dos dois olhos e com este magnífico Rapsodo e vate sertanejo lhe servindo de guia, não virá a ser o Camões da charada sertaneja, ou, melhor ainda, o Homero do Enigma Brasileiro?"

— O senhor acredite, Sr. Corregedor: apesar da maldade e das ironias que me apunhalavam nas palavras de Clemente, aquilo foi o começo do meu consolo. Para ser o Gênio da Raça Brasileira, eu era capaz de fazer qualquer acordo, e se o preço era a cegueira eu o pagaria contente. Se o fato de não ser cego significava alguma desvantagem em relação ao desgraçado do Homero, a inferioridade estava, agora, sanada, graças às divindades-de-rapina da Morte Caetana. A contagem de pontos até subira muito em meu favor, porque Homero era cego, mas não existira nem tinha sido completo. Eu, além de existir e ser completo, genial e régio, agora não deixara mais um flanco sequer aberto a meu adversário, pois até cego dos dois olhos conseguira me tornar! A ardente alegria que começava a experimentar por minha cegueira não me tirou, porém, o rancor contra Clemente e Samuel. Resolvi fazer aos dois algumas ameaças, coisa de que só lançava mão em casos extremos e que sempre surtia efeito. Por causa das vicissitudes que eu tinha passado sempre em minha "atribulada existência", eu era muito relacionado entre o Povo — cabras-do-rifle, Cangaceiros, tangerinos, Vaqueiros, Mulheres-Damas, Cantadores etc. Aqueles dois, apesar de viverem falando e filosofando sobre o Povo, viviam eternamente fechados entre o mofo das suas respectivas casas, a poeira e as teias de aranha da Biblioteca, enfim, no "mofo dos capões intelectuais", como costumava dizer meu primo Arésio Garcia-Barretto. Não sabiam nem como falar com a gente do Povo e tinham um secreto pavor e um secreto mal-estar diante de tudo o que ao Povo era ligado. Parecia, até, que eram separados por uma linha invisível, linha que eu tinha cruzado à força, muitos anos antes, quando, por várias circunstâncias, tinha sido expulso do meio em que vivera desde pequeno. Além disso, meus irmãos bastardos, que viviam do outro lado da linha, eram um elemento de ligação valioso, que eu não deixava de aproveitar. Era por isso que, de vez em quando, Samuel e Clemente me davam indiretas, falando nos "parentes desclassificados e acangaceirados de Quaderna". Pelo mesmo motivo, davam-se ao luxo de me fazer certas picuinhas, mas mantinham sempre uma boa margem de recuo, porque nem sabiam nunca como eu iria reagir, nem tinham desejo nenhum de renunciar à possível proteção que eu lhes daria em caso de perigo, com eles eventualmente ameaçados pelo pessoal "do outro lado da linha". E, finalmente, eu, a despeito de mim mesmo e dentro das minhas aventuras de "Covarde Sortudo", tinha participado das correrias, emboscadas, guerras e tiroteios desencadeados pela vida de meu Padrinho, Dom Pedro Sebastião; eu, dizia, apesar de covarde, tinha granjeado, na rua e principalmente para meus antigos Mestres, uma certa reputação de "malvado e assassino" que não deixava de me ser útil em certas ocasiões. Naquele dia, foi disso que me vali, dizendo:

— "É, vocês dois estão aí fazendo galhofa com a minha cegueira! A esperança de cada um é que essa Coluna e o Rapaz-do-Cavalo-Branco tenham vindo favorecer a

Esquerda ou a Direita! O fato, porém, é que a Polícia fugiu, e a nossa Vila está à mercê da Coluna! Vocês não se esqueçam de que Sinésio, além de Garcia-Barretto, é um Quaderna! É meu primo e meu sobrinho, de modo que, da Esquerda ou da Direita, contra mim é que a Coluna dele não vai ficar! Não se esqueçam também de que Sinésio, sendo um Quaderna, é descendente, como eu, da família que, além de dominar o Sertão na Serra do Rodeador e na Pedra do Reino, fez, no espaço de três dias, uma carnificina das mais eficazes, o que, afinal, não deve preocupar vocês dois, porque são, ambos, partidários do banho de sangue! Vocês já viram como o Povo está assanhado? Todos dois sabem como o Povo sertanejo é imprevisível nessas coisas: pode tomar o lado da Aristocracia rural e pode tomar outro rumo, completamente oposto! Agora, eu pergunto a vocês: e se a 'Guerra do Reino' começar, mesmo, com Sinésio ordenando, agora de noite ou amanhã de manhã, o fuzilamento de tudo quanto é gente poderosa, aqui? Vocês pensam que, sem uma palavra minha, o Advogado e o Promotor da nossa Vila vão escapar ao fuzil?"

— Um momento, Dom Pedro Dinis Quaderna! — disse o Corregedor, jubiloso. — Pare, porque tudo isso é importantíssimo! Anote, Dona Margarida! Isto! Agora, o senhor pode continuar!

* * *

Novamente eu tinha me deixado levar pelo entusiasmo cavaleiroso e régio, nobres Senhores e belas Damas! Minha situação tornava-se cada vez mais perigosa. Mas como o que já acontecera era irreversível e o mal praticado quase irremediável, joguei-me para a frente e continuei:

— Quando eu disse aquilo, Sr. Corregedor, Samuel e Clemente empalideceram. Lino Pedra-Verde, porém, saltou, como se tivesse sido atingido por um raio:

— "O Rodeador? Você falou aí, Dinis, foi na Serra do Rodeador e na Pedra do Reino? Isso sim, é importante! O resto do que vocês disseram é bom, mas importante mesmo foi a Guerra do Reino! Sim, é isso! Doutor Samuel e Professor Clemente, o que é que os senhores me dizem disso?"

— "Não sei, Lino!" — respondeu Samuel pelos dois. — "Não me recuso a tratar do assunto porque Varnhagen era um grande historiador brasileiro da Direita e falou sobre esses movimentos sertanejos, pelo menos em sua primeira fase, a da Serra do Rodeador. Mas, depois, surgiram tantas invencionices a esse respeito, que o assunto perdeu a seriedade. Aliás, parece que Varnhagen já previa que isso ia acontecer porque disse: 'O acontecimento não deixará, no futuro, de prestar fértil e curioso assunto à imaginação de Poetas e romancistas.'"

Foi a minha vez de saltar, porque aquilo me tocava demais no meu sonho de ser Gênio da Raça escrevendo um romance-epopeico sobre minha família. Além do mais, Varnhagen, sendo Visconde e católico, trazia uma boa contribuição monárquica para minhas ideias e minha genealogia. Por isso perguntei a Samuel:

— "Mas Samuel, como é que você sabe de uma coisa honrosa dessas e não me avisa, durante todos esses anos?"

— "Quaderna, você já é tão pretensioso sem isso, que avalio como não vai ficar depois que eu lhe mostrar na *História Geral do Brasil* uma referência expressa a sua família! Mas, de qualquer modo, está lá e eu vou lhe mostrar onde. Diz Varnhagen: 'Dediquemos um parágrafo a dar uma sucinta Notícia de certa ocorrência que teve lugar na Serra do Rodeador, no distrito do Sertão de Bonito, Província de Pernambuco, em princípios de 1820. Da crença de que no alto desta Serra havia um Lajedo, de baixo do qual saíam Vozes, se aproveitou um certo Silvestre José dos Santos para contar muitos Prodígios, espalhando Revelações feitas por Imagens aparecidas entre Luzes, prometendo constante Vitória e muitas Fortunas aos que se alistassem por elas. Movidos por curiosidade e superstição uns, levados outros por ambição e cobiça, se foram aí ajuntando dentro de pouco tempo umas quatrocentas pessoas. Mandados dissipar, não obedeceram. Pelo contrário: resistiram valorosamente aos primeiros Milicianos armados. Mas, por fim, foram submetidos pela Tropa, caindo prisioneiros muitos, aos quais El-Rei perdoou como a *Ilusos*, mandando-os restituir a seus lares.'"

Assim que Samuel leu isso, Clemente, apesar de toda a perturbação em que se encontrava pelos acontecimentos recentes, sentiu ferver seu sangue esquerdista. Jogou fora o constrangimento causado pelo pacto, e, pulando da cadeira, gritou:

— "Vê-se logo, e bem, a reacionarice e safadeza desse Visconde, cheira-cu de Dom Pedro II! Em primeiro lugar, Varnhagen omite o significado de reivindicação política e econômica que houve no movimento da Serra do Rodeador! Depois, deixa de se referir, propositadamente, ao massacre que as tropas do Rei Dom João VI, a mando do Governador reacionário Luís do

Rego, fizeram contra aqueles pobres Camponeses indefesos e iludidos pelo demente obscurantismo dos parentes de Quaderna! Está vendo como são as coisas, Quaderna? E é Samuel, esse Fidalgo de merda, que vive, aí, arrotando patrioteirismo, quem subscreve as palavras de Varnhagen, desrespeitando a Independência do Brasil!"

— "Eu?" — protestou Samuel, espantado. — "Em que foi que eu desrespeitei a Independência do Brasil? O que é que os parentes fanáticos de Quaderna, sejam os da Serra do Rodeador, sejam os da Pedra do Reino, têm a ver com a Independência do Brasil?"

— "Olhe, Samuel" — explicou Clemente —, "você sabe que eu faço restrições seriíssimas a esses movimentos sem qualquer coerência e conteúdo ideológico. Mas, mesmo assim, você, em vez de estar, aí, espalhando as interpretações reacionárias de Varnhagen, devia ler eram as palavras do Comendador Francisco Benício das Chagas, escritor muito mais sério e genial do que Varnhagen! É verdade que o Comendador, não sendo iniciado na minha Filosofia do Penetral, não tinha suficiente lucidez política para saber que a 'independência do Brasil', a farsa de 7 de Setembro de 1822, foi uma impostura. O Brasil só será de fato independente quando derrotar o imperialismo, lá fora, e a reação, aqui dentro! De qualquer modo, porém, o Comendador ouviu cantar o galo, nesse assunto. E até o sem-vergonha do nosso primeiro Imperador, Dom Pedro I, chegou a se referir ao significado político do episódio, dizendo, no seu 'Manifesto aos Brasileiros': 'Lembrai-vos das fogueiras do Sertão do Bonito!' Com isso, Dom Pedro I mostrou, não só que estava a par dos movimentos sertanejos, mas que tinha consciência dos desígnios políticos implícitos neles, apesar de todas as incoerências!"

— "Mas o quê, Professor Clemente!" — interrompeu Lino, novamente estupefato. — "É verdade, isso que o senhor está dizendo aí? O Imperador Dom Pedro I tinha notícias da Serra do Rodeador, da Pedra do Reino e das tribuzanas todas da família de Dom Pedro Dinis Quaderna? Chegou a falar nisso, por escrito, coisa documentada, garantida e do Governo?"

— "É verdade, Lino!" — confirmou Clemente.

— "Tá, aí só dizendo como nosso Mestre João Melchíades: que coisa filantrópica! Que coisa mais litúrgica para a família do nosso Rei, não é, Dinis?

O senhor pode me dizer, Professor Clemente, onde é que estão as palavras desse tal Comendador?"

— "Posso, pois não, Lino!" — disse Clemente, satisfeito por estar acertando a conversar com um homem do Povo. — "Olhe aqui!" — acrescentou ele, tirando o volume da estante e lendo para nós o seguinte trecho do genial escritor pernambucano, Comendador Francisco Benício das Chagas:

— "Os tristes e lamentáveis acontecimentos dados na Pedra do Rodeador, pelos fins de 1819, mediando entre a Revolução de 1817 — que fora sufocada pelo Poder Absoluto — e a de 1821, que vingou na invicta Vila de Goiana, foram como que o prenúncio da nossa Independência, que se proclamou no memorável dia 7 de Setembro de 1822. Mostram eles, bem claramente, que a reunião dos Povos, na Pedra do Rodeador, nesses tempos calamitosos, tinha fins verdadeiramente políticos. O Chefe do tal movimento, Silvestre José dos Santos — Dom Silvestre I —, alcunhado Mestre Quiou, que quer dizer o Maioral, na língua dos Índios, não era um simples aventureiro, um impostor e salteador, como se propalou então, durante o Governo violento e despótico do General Luís do Rego. Silvestre não era um impostor, quando ensinava aos Reunidos que uma Santa ia falar, da Pedra, para mostrar-lhes o que convinha adotar para melhorar a sorte de um Povo sofredor. Foi isso explicado, depois da Independência, pelos Patriotas bonitenses que estiveram em maior contato com o mesmo Silvestre. E qual era essa Santa que ia falar, apontando muitas coisas úteis que o Povo sofredor devia adotar? Era, certamente, a Santa Liberdade, era a Independência do Brasil! A reunião de gente na Pedra do Rodeador deu-se da seguinte maneira: pelo meio do ano até o fim de 1819, apareceu naquele lugar um Misterioso, dizendo ser seu nome Silvestre, e cuja Missão era escolher um Sítio..."

— "O quê?" — gritou Lino, escumando pela boca e esbugalhando os olhos. — "Aí está escrito assim mesmo, Doutor? Diz um *Misterioso*, é? É assim que está aí?"

— "É, Lino!" — disse Clemente, meio surpreso. — "Deve ter sido erro de tipografia! Provavelmente o que o Comendador escreveu foi *um homem misterioso*!"

— "Isso é sua opinião, isso diz o senhor!" — comentou Lino. — "Mas deve ter sido é *um Misterioso*, mesmo, que o Doutor escreveu! Porque essas pessoas da Santíssima Trindade sertaneja, essas pessoas como Padre Cícero e Silvestre, são sempre umas capacidades danadas de misteriosas! E como é que se fala, aí, da Missão que Silvestre Quiou, O Enviado, tinha? Diz aí que ele tinha de escolher um sítio, é? Me diga uma coisa: o que é um sítio? Não é um cerco, como o que houve em 1930, na Guerra de Princesa? É, eu sei que é, porque vi no jornal, e está escrito também assim no *Almanaque do Cariri*, publicado aqui pelo nosso Rei, Dom Pedro Dinis Quaderna! Hoje eu sei perfeitamente que Princesa, Canudos, a Serra do Rodeador, a Pedra do Reino, tudo aquilo foi um sítio da molesta, um cerco danado, uma Troia só!"

— "Sim, Lino, mas *sítio*, além de *cerco*, significa também *lugar, local!*" — explicou Clemente que, na sua qualidade de homem de Esquerda, achava-se sempre na obrigação de esclarecer o Povo. — "Mas vamos continuar a leitura do texto do Comendador:

— "Dias depois, soube-se no Povoado que esse Silvestre escolhera um Rochedo conhecido por Pedra do Rodeador, e aí estava reunindo gente para que, em tempo oportuno, ouvisse a uma Santa que ia falar, indicando o bom caminho que o Povo devia seguir. Dentro de vinte dias, o número dos Reunidos aumentou consideravelmente. O Comandante do Destacamento Policial ordenou, por um Ofício dirigido ao Chefe Silvestre, que fizesse dispersar aquela gente sem perda de tempo, pois que, se não o fizesse, por ele, Comandante, seria tomada a providência necessária, a fim de ser desmanchada aquela ilícita reunião. Nenhum efeito produziu, no ânimo de Silvestre, a intimativa, e o número de pessoas do Povo crescia de mais a mais, a ponto de formar um Arraial. Silvestre, não dispondo de recursos para sustentar as pessoas pobres que o acompanhavam, mandou intimar aos Proprietários que lhe mandassem Gado, farinha, milho, feijão etc., sob pena de, à força de Armas, serem satisfeitas suas requisições. Com isso, conseguiu ser atendido. Esse fato chegou ao conhecimento do Governador Luís do Rego, pois o mesmo Governador mandou, tendo como Chefe da diligência, o Tenente-Coronel Madureira, uma Força para dar um assalto à Pedra do Rodeador. Madureira, saindo do Recife à frente de um corpo de linha, chegou a Vitória de Santo Antão, e aí recebeu outro corpo de Milicianos, declarando que seu destino era Pajeú de Flores. A tropa saiu como se fosse para lá, mas, ao aproximar-se de Bonito, Madureira fez uma negaça. Munido de bons guias, internou-se pelos matos em direção à Pedra do Rodeador, onde chegou às três horas e meia da madrugada, dividindo a tropa em dois corpos, um de linha, sob seu comando, e outro dos Milicianos de Vitória de Santo Antão, comandado por um Capitão. Um destes corpos entrou pelo lado oriental do Rochedo, e, outro, pelo lado ocidental, nas quebradas do qual estava o Arraial fortificado do Rei e Profeta Silvestre. O Chefe miliciano chegou ao Arraial antes de Madureira. Houve grande tiroteio, ao qual, acudindo o Tenente-Coronel a passo de marche-marche e intervindo no conflito, houve grande carnificina. A grande população não teria sofrido tanto se os Soldados não tivessem incendiado as habitações do Arraial, fazendo vítimas das chamas muitos homens, mulheres e crianças, aprisionando e conduzindo para o Recife as mulheres e os meninos que escaparam e que foram soltos depois, porque se reconheceu não haver neles crime algum. O Chefe Silvestre foi, depois, visto em Goiana, fazendo parte do Exército dos Independentes, que tinham seus Chefes na cidade do Recife e em outros pontos. Silvestre era de cor morena, representando uns quarenta anos de idade. Sabia ler e escrever, era ativo, perspicaz e severo em suas deliberações. Nunca disse a ninguém *onde nascera, que profissão tinha nem do que vivia.*"

* * *

— Acho, Sr. Corregedor, que Lino Pedra-Verde ia comentar qualquer coisa a respeito dessas últimas palavras, tão proféticas, do Comendador. Mas, nesse momento exato, fomos interrompidos pela entrada de João Grilo, uma figura que morava na "Távola Redonda" — onde era meu assalariado — e que é personagem muito importante da minha história. Moreno, magro, de estatura média, com os cabelos imundos, crescidos e encaracolados, vestia sempre uma velha e esburacada camisa de meia, preta e encarnada, com listras horizontais largas. Tinha um amigo e companheiro inseparável, Chicó, tão sujo quanto ele, mas cuja camisa, também velha e esburacada, era de listras horizontais azuis e amarelas. Eram as camisas dos dois Clubes de futebol da nossa Vila, o "Taperoá Futebol Clube" e o "Esporte Clube Nordeste", esquadrões famosos no Sertão e heróis de jornadas heroicas que, a seu tempo, serão contadas. João Grilo era noivo de Dina-me-Dói, filha do Profeta Nazário e Dama de companhia de Maria Safira (assim como João e Chicó eram meus Pajens e estribeiros). Ele entrou, dirigindo-se a mim:

— "Seu Quaderna, tenho dois recados pr'o senhor. Um, é do tal Doutor Pedro Gouveia, que veio com o Rapaz-do-Cavalo-Branco: ele quer falar com o senhor, com o Doutor Samuel e com o Professor Clemente. Disse que os senhores fossem lá, no casarão dos Garcia-Barrettos, que ele quer ter um particular com os três. Mas eu, se fosse o senhor, atendia primeiro era ao outro recado. Este, é para o senhor, só; Seu Arésio está lá, na *Tava*, conversando com Seu Adalberto Coura, e mandou dizer que o senhor desse um pulo lá que ele tem um negócio urgente para falar com o senhor!"

— "João" — disse eu, meio severo —, "eu já lhe ensinei, não sei quantas vezes, como se dirigir a nós, e você não toma jeito! Não custa nada você me tratar por *Dom* Pedro Dinis Quaderna, e Arésio por *Dom* Arésio Garcia-Barretto! Esse negócio de *Seu* é feio pra burro! E, além disso, o nome é *Távola* Redonda, e não Tava, como você diz!"

— "Está certo, Seu Quaderna, mas nem o senhor é Bispo, pra eu estar chamando o senhor de Dom, e tanto faz dizer Tava como Tava! Mesmo eu falando desse jeito, o senhor não me entende? Então, é melhor o senhor deixar dessas conversas semiconfláuticas e vir logo pra Tava, porque aquele Seu Arésio, do jeito que está, é um perigo!"

Folheto LXXIX
O Emissário do Cordão Encarnado

— Samuel e Clemente estavam curiosíssimos, profundamente excitados com a perspectiva de terem acesso ao centro, mesmo, dos acontecimentos. Ao mesmo tempo, porém, estavam com medo de ir, principalmente por terem de atravessar todo aquele Povo reunido. Informaram-se cuidadosamente com Lino Pedra-Verde sobre "as disposições em que estava aquela gente", indagando, cheios de precauções, se "não havia alguma possibilidade de serem massacrados, caso aparecessem na rua, sem garantias". Lino tranquilizou-os, aconselhando-os a se aproximarem da casa dos Garcia-Barrettos pela parte de trás. Assim, poderiam passar despercebidos, porque a multidão estava toda aglomerada na parte da frente. João Grilo confirmou que o Doutor Pedro Gouveia estava esperando por nós no muro do quintal, com o portão traseiro trancado mas com gente à nossa espera por trás dele. Combinamos então que Clemente e Samuel iriam, na frente, para a casa dos Garcia-Barrettos. Eu iria conversar com Arésio e Adalberto Coura, saindo depois da "Távola Redonda" diretamente para encontrá-los. Saímos então; os dois para pegar a Rua do Chafariz, e eu para o fim da Chã-da-Bala, onde, numa casa afastada, sombreada por um grande pé de Tambor, ficava a minha "Estalagem à Távola Redonda". Todo mundo estava na Praça, diante da Casa dos Garcia-Barrettos, de modo que a Chã-da-Bala estava deserta, e eu percorri o caminho da "Távola" sem que ninguém me perturbasse. Sempre com Lino Pedra-Verde me servindo de guia, cheguei assim à porta de casa e entrei. No primeiro momento, não vimos ninguém. A "Távola" estava deserta, com a mesa do bilhar abandonada, as cadeiras trepadas em cima das mesas e sem ninguém para atender. Nem Dina nem Maria Safira estavam lá, e o próprio João Grilo, depois que me dera o recado, tinha ido também, com Chicó, se reunir ao Povo. Chegando na saleta onde ficava a escada que levava ao sótão, ouvimos duas vozes de homem, lá em cima. Só então me lembrei de que Arésio devia estar, mesmo, era fazendo companhia a Adalberto Coura na *água-furtada* em que este morava. Esta expressão era de Samuel, que odiava Adalberto Coura e que nos explicara que as pessoas como ele sempre moravam em águas-furtadas, lugares altamente próprios, acrescentava Samuel, "para todos esses Lacraus e piolhos-de-cobra sediciosos, inimigos do gênero humano, esconderem seus pensamentos e projetos endemoninhados". Subi a escada, com Lino me puxando à frente, e cheguei, assim, ao quarto de Adalberto Coura, aposento dividido por tabuados, de telhado baixo, empoeirado e desarrumado. Apesar da treva em que estava mergulhado por minha recente e estranha cegueira, notei logo que, além de Adalberto Coura e Arésio, havia, no quarto, uma terceira pessoa, que só depois iríamos saber quem era. Essa pessoa estava na sombra formada pelo telhado baixo e inclinado em declive, do sótão, e Lino Pedra-Verde, como me esclareceria depois, logo viu, pelos cabelos compridos, que era uma mulher. No momento em que entrei, Adalberto Coura, falando exaltadamente como era hábito seu, dirigia-se a Arésio, num tom em que se misturavam as súplicas e as ameaças. Era um rapaz magro, alvo, com cabelos pretos, franzino, ardente, com olhos que luziam como olhos de febre. Era bem moço ainda. Vestia calça escura, camisa branca, sem colarinho mas abotoada até o pescoço, meias e alpercatas de frade, o que lhe dava um aspecto de noviço na cela ou de jovem frade renegado.

— Muito bem! — interrompeu o Corregedor. — Seja, agora, o mais exato possível, porque este Adalberto Coura pode ser a chave de tudo o que aconteceu naquele dia. O que é que ele estava dizendo a seu primo Arésio? Você é capaz de repetir exatamente as palavras que ele estava dizendo quando você entrou?

— Sou sim senhor, porque me lembro como se fosse hoje! Ele estava dizendo: "Vá, Arésio, não recue diante de nada! Faça tudo, mas não deixe de se apossar desse dinheiro, porque só com ele na mão é que a coisa poderá caminhar!"

— Anote, Dona Margarida, isso é muito importante! — disse o Corregedor.

— Arésio retrucou assim: "E quem disse a você, Adalberto, que eu quero que a coisa caminhe?" Nesse momento, foi que ele percebeu minha chegada, e falou para mim, dizendo: "Ah, Dinis, você chegou! Entre e sente-se. Ouvi dizer que você cegou! É verdade?"

— "É, Arésio!" — respondi.

— "Esse Dinis enxerga mais longe do que se pensa e é um sabidão!" — disse ele, sem que eu entendesse bem o sentido de suas palavras. — "Fique aqui, meu caro Dinis, estou precisando muito de você. O nosso Profeta político, aqui, mandou me chamar para me dar um conselho do qual eu não precisava absolutamente, o de me apossar do meu dinheiro, de qualquer maneira! Fique descansado, Adalberto, porque, de minha parte, estou decidido a tudo para não perdê-lo; e quem se intrometer na minha frente para impedir isso será esmagado como um percevejo!" — concluiu ele com expressão sombria.

— "Sim, eu confio em sua violência e sei que você é capaz de esmagar qualquer um!" — disse Adalberto com estranho fervor e com um rubor de febre subindo ao rosto pálido.

— "Foi por acreditar nisso que você mandou me chamar?" — perguntou Arésio.

— "Foi!" — confirmou Adalberto. — "Não me envergonho de dizer que não tenho as qualidades que você tem e que serão indispensáveis quando chegar a hora de vingar todos os escorraçados, fazendo justiça aos oprimidos!"

— "E quem foi que meteu na sua cabeça a ideia de que eu quero fazer justiça aos escorraçados?" — perguntou Arésio, sem esconder um certo desprezo.

— "Ninguém meteu isso na minha cabeça, fui eu mesmo que me convenci!" — falou Adalberto. — "Você pensa que me engana, Arésio? Eu sei que você é solidário com os escorraçados porque você mesmo é um escorraçado; tenho certeza de que é como escorraçado que você se sente, porque eu mesmo sou um escorraçado e sei reconhecer meus iguais! Não é vergonha ser um escorraçado, vergonha é a dos que nos escorraçaram! Vergonha nossa seria deixar que a humilhação nos corrompesse! O que é necessário é lutar, colocando nossa humilhação, nosso ressentimento, a serviço da Verdade e da Justiça!"

— "Bonito, a verdade e a justiça!" — disse Arésio com expressão de mofa. — "O que é que eu tenho a ver com a verdade e a justiça? Foi por me julgar um apaixonado pela justiça que você me mandou chamar?"

— "Foi!" — repetiu Adalberto com a mesma expressão de fervor.

— "O Bispo morreu, Dinis?" — indagou Arésio, voltando-se para mim e aparentemente sem muita ligação com o rumo da conversa.

— "Não!" — respondi. — "Pelo menos, não tinha morrido até quando vim para cá. Dizem que ficou muito mal, desacordado, com o rosto inchado e sangrando, porque parece que houve, inclusive, uma hemorragia, que ficou enchendo a garganta e o nariz dele de sangue. Mas conseguiram estancar!"

— "Está ouvindo, Adalberto?" — perguntou Arésio. — "Eu quase mato um ancião indefeso! E é a um homem desses que você vem falar em verdade e justiça?"

— "É, sim!" — insistiu Adalberto Coura. — "Eu sei que existem homens que, sendo interiormente mansos e bondosos, têm que se esquecer disso em nome da justiça e da violência revolucionária!"

— "E indo, nesse caminho, até a crueldade?" — perguntou ainda Arésio.

— "Sim, indo até a crueldade, porque a crueldade é necessária! O gesto que você praticou hoje contra o Bispo teve um sentido e, para mim, foi a prova definitiva de que você tem todas as qualidades indispensáveis a um revolucionário! Acho que os outros ficaram perplexos, mas eu entendi o que você quis dizer e mandei chamá-lo. Cheguei, também, à conclusão de que está na hora do rompimento e da violência! Por enquanto, não existem ainda entre nós as condições para a luta revolucionária organizada. Só depois que o Sul e o Recife se manifestem é que poderemos nos levantar de vez. Mas temos que criar imediatamente o ambiente de ódios e ressentimentos que hão de favorecer a insurreição, e foi isso que sua agressão ao Bispo começou!"

— "Você se refere aos atos de terrorismo? O assassinato, inclusive?"

— "Sim, por que não? Na Rússia, não foi assim que tudo começou? Uma certa tolerância, a paz dos charcos, é programa de todos os grupos que detêm o Poder. A Paz, em certos momentos, só serve para favorecer a Ordem constituída, o que, em nosso caso, significa a manutenção da injustiça e do Mal! Por isso, é preciso começar a matar. Aliás, as mortes já começaram entre nós, com o assassinato do Sacristão, o do Padre..."

— "... E o do seu irmão também!" — concluiu Arésio. — "Foi você quem matou os três, por acaso?"

— "Não!" — disse Adalberto ficando ainda mais pálido. — "Mas fui eu que escrevi as cartas anônimas interpretando essas mortes em seu verdadeiro sentido! No nosso caso, os assassinatos estão moralmente justificados, porque já são um revide a tudo o que os poderosos têm feito contra os fracos! Além disso, do ponto de vista tático, os atos violentos despertarão reações ainda mais violentas; e se esse ambiente perdurar por uns três anos, já teremos ressentidos e vingadores em número suficiente para dar consistência à Revolução. Vamos aproveitar a confusão da rua: você indo comigo, terei coragem de matar o Juiz, o Prefeito e o Padre!"

— "E o que é que virá depois?" — indagou Arésio, curioso, a despeito de si mesmo e como se estivesse simplesmente a fazer uma análise de caráter que tinha diante de si.

— "O que virá depois" — disse Adalberto quase delirando — "será o banho de sangue purificador, e a instauração do sol da Justiça para todos!" — Ergueu-se da cama onde se mantivera meio deitado até aí e acrescentou: — "No nosso caso particular, o que virá é mais do que isso ainda, porque só depois desse banho de sangue é que começaremos, mesmo, a ser uma Nação! Uma Nação unificada e forte, capaz de enfrentar e derrotar a Besta Loura que vive sugando o nosso sangue!"

— "Ah, já estava tardando essa expressão!" — disse Arésio com ironia. — "Essa, você me desculpe, Adalberto, mas foi diretamente bebida nas ideias e conversas dos Mestres de todos nós, dos dois Capões, Clemente e Samuel, nossos Mestres amados e nunca esquecidos!"

— Os dois Capões? Foi assim que ele se referiu ao Promotor e ao Advogado? — estranhou o Corregedor.

— Foi, Excelência! Era sempre assim que Arésio se referia aos nossos Mestres. Adalberto, como todos nós, tinha sofrido a influência deles, e era disso que Arésio agora escarnecia. Mas o ardoroso e doentio revolucionário não se desconcertou. Disse, com a mesma veemência:

— "E que importância tem que minhas expressões venham da influência dos dois Capões, como você chama, se pelo menos nisso eles estão certos? É preciso somente ajustar e radicalizar o que eles vivem papagueando inconscientemente e inofensivamente para os Poderosos, para aqueles que é preciso esmagar! E você mesmo, Arésio, apesar de escarnecer assim dessa influência, já sustentou também tudo isso, ensinado e entusiasmado por eles!"

— "Sim!" — disse Arésio, em tom evocativo. — "Era aí por 1924 ou 1925, quando começaram a chegar aqui uns livros nacionalistas, vindos de São Paulo! Samuel enchia nossas cabeças com eles, e eu e Dinis sonhávamos com a fundação da Falange Nacionalista Latino-americana, ampliando nossos sonhos para o Continente inteiro, que nós queríamos ver unido num País só, o Ariel Ibérico sonhado pelo uruguaio Rodó e que nós queríamos levar ainda mais adiante dos seus sonhos! Lembra-se, Dinis? Tudo isso são velhas ideias! Eu ainda não me tinha posto inteiramente adulto e não sabia ainda, com a cabeça, o que queria, se bem que, na ação e com o sangue, já praticasse tudo o que desejava. Como era o nome daquele livro que Samuel lia para nós naquele tempo, Dinis?"

— "Não sei, ele lia tantos! Seria o *Sonho de Gigante*, Arésio?"

— "Sim, *Sonho de Gigante*, era isso! O 'gigante' era, naturalmente, o Brasil, País fatídico ao qual estava confiado o papel vertiginoso de organizador da União Latino-americana! Dinis, coitado, sonhava tanto que chegou a criar, na cabeça, o Partido político que iria realizar esse sonho. Era a Falange Nacionalista da América Latina, FANAL — nome bem escolhido, porque dava ideia de farol luzindo nas trevas, dizia ele. Como, de fato, nessas coisas, ele se interessa, mesmo, é pelas insígnias, chegou até a imaginar, junto com o irmão pintor, uma camisa para o Partido, camisa azul com uma Onça de ouro, malhada de pingos negros e vermelhos; a Onça ou Leopardo ibérico, com as malhas simbolizando o sangue dos Negros e Índios!"

— "Isso cheira a Fascismo italiano, Integralismo português e Falange espanhola!" — disse Adalberto. — "Além disso, tudo não passa de sonho!"

— "E é proibido sonhar?" — protestei logo. — "Antes de ser uma Nação, o Brasil foi um sonho na cabeça de uma porção de gente. Assim, deixem-me sonhar, desde agora, com uma das maiores Nações do mundo, pegando do México à Patagônia! E quem sabe se daqui a muitos anos a Etiópia, a Angola, a África, a Índia, Portugal e a Espanha não vão querer se juntar a nós, realizando, no Mundo, o sonho da Rainha do Meio-Dia?"

— "Sim!" — confirmou Arésio. — "Nós, os Latino-americanos, 'católicos e cavalheirescos, amigos da pompa e da Arte, seduzidos por todas as belezas — desde a plástica sensual até as mais elevadas manifestações do ritmo moral', como dizia o livro, seríamos os legítimos herdeiros do espírito mediterrâneo. Por isso, seríamos o Povo indicado para se opor à sacrílega, subalterna e desumana Cruzada industrial dos Americanos, herdeiros da brutalidade fanática e puritana dos Nórdicos, do egoísmo e do apego ao dinheiro dos anglo-saxões. Mas, como eu lhe dizia, tudo isso passou. Hoje, essa é uma ideia que pode seduzir o capão Samuel Wan d'Ernes, o capão Gustavo Moraes e o patrono de todos eles, o capão Joaquim Nabuco! Para mim, esses sonhos são insuficientes, não matam a sede do meu sangue! Sabe por que, Adalberto? Porque a solução apresentada por esse pessoal todo é a solução do espírito, o que é o mesmo que dizer a solução dos castrados! O tal J. A. Nogueira chegava a dizer, se não me engano, que o Brasil terminaria ganhando a luta surda, já travada entre ele e os anglo-saxões do Norte, porque a vitória final cabe sempre, não aos mais fortes, como Aquiles, porém sim aos mais cultos, aos mais espirituais e sagazes como Ulisses!"

— "Para mim, que sou um Decifrador, isso não está mal!" — confessei.

— "Pois eu concordo é com Arésio!" — disse Adalberto, exaltando-se cada vez mais. — "Eu, Arésio, talvez não passe de um fraco, de um espiritual e sagaz, como você diz. É por isso, exatamente, que preciso de você!"

— "Para que eu sirva de braço ao sopro do Espírito?" — perguntou Arésio.

— "Exatamente! Você é corajoso e violento e, se se encaminhar no rumo certo, poderá colocar a violência de seu sangue a serviço da Justiça. É por isso que, se eu confesso que preciso de você, você precisa entender que precisa também de mim!"

— "Para quê?" — disse Arésio, rebelando-se um pouco.

— "Para iluminar seu caminho com o fogo do espírito, porque isso eu tenho! Você, com as ideias do Doutor Samuel e do Professor Clemente, só viu a primeira metade da estrada; é preciso ver a segunda, Arésio! A primeira parte, consiste, realmente, em enxergar o inimigo, a Besta Loura Calibã que precisamos enfrentar e derrotar, aqui! Para isso, todos nós estamos de acordo em realizar a união da América Latina! Entretanto, mesmo entre nós que pensamos assim, existe, e deve se acentuar mais ainda, uma cisão, duas facções opostas, representadas, no século XIX brasileiro, por Joaquim Nabuco, de um lado, Sylvio Romero e Manoel Bonfim, do outro, como o livro de J. A. Nogueira, aliás, explicava, mas tomando o partido errado, o de Nabuco! Para Joaquim Nabuco e seus seguidores, o Brasil é, e deve se esforçar por ser cada vez mais, um prolongamento da Península Ibérica. No fundo, todos esses são traidores da nossa luta, saudosos da Europa, exilados e desenraizados aqui! Nosso caminho deve ser outro. Temos que aprofundar e ampliar a picada aberta por Sylvio Romero, Manoel Bonfim e Euclydes da Cunha. Sim, Arésio, na luta que inevitavelmente se vai travar entre os Latinos e os Nórdicos, deveremos ficar, primeiro, fiéis a nossas raízes ibéricas. É o primeiro passo, com o qual estamos todos de acordo. Mas não devemos esquecer, também, que todos os Povos submetidos e explorados do mundo são Negros, qualquer que seja a sua cor. Daí, a solidariedade que deve haver entre nós, Latino-americanos, os Negros e os Asiáticos!"

— "Olhe, Adalberto" — disse Arésio, pondo-se sério de repente —, "não tenho nada a ver com sua vida, mas de uma coisa preciso adverti-lo. Ou melhor, de duas! A primeira, é que essa última parte de suas ideias vem do capão Clemente. Por isso, como acontece com todas as ideias de capão, está cheia de lugares-comuns e fórmulas. Para Clemente, que nisso tem uma viseira, tudo se passa de acordo com esquemas preestabelecidos. Um desses, é que o Povo brasileiro, descendente de Negros e Índios, terá sempre um inimigo na casta dos Senhores, esta representada pelos Proprietários de terra, pelos Padres e pelos Soldados. Quem sabe se o caminho da América Latina não surpreenderá todo mundo? Uma das idiotices do capão Clemente é subestimar o papel das Forças Armadas e da Igreja, na América Latina. A outra advertência que tenho a lhe fazer é esta: cuidado com os Mestres e Senhores que ocupam a cúpula de seu Partido. Talvez eles não aprovem suas ideias, e podem entregar sua cabeça à Polícia com a maior sem-cerimônia! Você morrendo, representará, para eles, uma dupla vantagem: livram-se de um correligionário heterodoxo e perigoso, e criam um mártir para a luta!"

— "Eu não tenho nem Mestres, nem Senhores, Arésio!" — disse Adalberto. — "Na minha luta, não conto com ninguém! E com quem eu poderia contar? Mais ainda: com quem nós poderíamos contar, nós, Latino-americanos, Negros e Asiáticos? Com os Russos? Os Russos já desempenharam seu papel e não nos entenderão. Veja esse problema do qual eu falava há pouco: na Revolução, os Russos se aproveitaram de todas as cargas de ódios e ressentimentos surgidos pelos assassinatos, pelas bombas, pelas punhaladas, pelas execuções e fuzilamentos, e assim podem se dar hoje ao luxo de condenar o terrorismo. A mesma coisa eles farão no plano mais amplo, não reconhecendo, na luta travada pelos Povos negros do mundo, uma luta parecida com a deles em 1917! Quanto à minha cabeça, não me incomodo se a cortarem! Pode ser que, assim, minha família se torne ressentida e queira vingar a minha morte, nem que seja por espírito de vingança sertaneja. Aí, serão mais trinta ou quarenta ressentidos vivos em troca de um só morto; trinta ou quarenta ressentidos que serão trinta ou quarenta revolucionários em potencial!"

— "Está bem!" — disse Arésio. — "Mas eu tenho, ainda, uma objeção a fazer a suas palavras. Você falou como se fosse um igual dos Negros e pobres do mundo. Mas você tem que reconhecer que, queira ou não queira, é branco e de família poderosa!"

— "Eu sei, e você é igual a mim. Eu não teria fé nenhuma, nem em mim nem em você, se não tivesse ocorrido conosco o mesmo incidente — a expulsão realizada pela família, a velha história do Pai, do filho, do homem, do anjo e da espada à porta! Isso nos tornou proscritos, expulsos, escorraçados e ressentidos, aproximando-nos dos Negros e pobres do mundo pela humilhação. Olhe, Arésio: no Brasil, a situação é a mesma de toda a América Latina, porque, como dizia o livrinho de Nogueira, os Andes não separam duas culturas diversas e todos nós somos herdeiros da Península Ibérica. De modo que eu só penso em termos de América Latina, porque nosso caminho é o da união. Ora, acontece que, entre nós, os Conquistadores ibéricos dominaram os Povos negros e vermelhos, e foi sobre o extermínio ou sobre a escravatura que se fundaram esses arremedos de Nações que somos nós. Veja como o problema é grave: separadamente, nenhum de nós é ainda um País, e só unidos é que seremos, no Mundo, a Nação que temos o direito de ser. Mas vamos adiante: dentro de cada um dos nossos arremedos de Nação, qualquer que seja a cor de um Brasileiro ou Mexicano pobre, ele é um Negro, submetido e escravizado. Por mais estranho que lhe pareça, nosso destino peculiar de herdeiros dos Ibéricos só poderá se realizar na medida em que caminharmos na direção do Povo, isto é, dos Negros! Sim, porque os descendentes dos Conquistadores ibéricos que não fizerem isso, terminarão traindo. Subornados pela riqueza e pela tentação vulgar do conforto, fazem o jogo da Besta Loura e escravizam o Povo, vendendo a Nação em troca de uma pequena participação nos despojos, participação humilhantemente consentida por seus patrões da Besta Loura! O Brasil só será uma Nação quando reparar essa injustiça, acabando essa dualidade. Só assim, Arésio: acabando, pelo banho de sangue da pureza revolucionária, essa separação entre Brancos-ricos e Negros-pobres, e tornando-nos, todos nós, orgulhosamente Negros, Vermelhos e Brasileiros!"

— "A Onça amarela, com malhas negras e vermelhas, a Onça malhada de Quaderna!" — disse Arésio sorrindo.

— "Vá lá, se você prefere chamar assim!" — disse Adalberto erguendo os ombros.

— "Olhe, Adalberto, não nego que tenha simpatia por você!" — disse Arésio, pesando bem suas palavras, como se temesse mentir involuntariamente. — "Acontece, porém, que, como eu disse, para mim, tudo isso são ideias mortas e passadas! Veja bem que não digo ideias *erradas* ou mortas para todo mundo. Mas são ideias mortas *para mim*, porque, há muito tempo, deixei de me interessar pelo que pode ser certo ou que pode ser errado. Acho que essa busca incessante para distinguir o certo e o errado é coisa do espírito e não do sangue. Mas, de qualquer modo, a título de informação para você, vou lhe dizer uma ideia que me ocorreu, a mim que tenho muito poucas. É que eu, nós, nada temos a ver com a sorte do Povo. A questão não é de justiça, não, é de Poder. Se o Povo puder conquistar o poder, conquiste. Por enquanto, só existem dois tipos de Governo: o dos opressores do Povo e o dos exploradores do Povo. O primeiro, é o dos Tiranos, o segundo, é o dos Comerciantes. No primeiro tipo, o Povo é submetido e esmagado em nome da grandeza, no segundo é explorado em nome da Liberdade. Pois bem: ao contrário de vocês, que colocam suas opções em termos abstratos de Justiça, Verdade, Liberdade etc., eu coloco as minhas num plano puramente pessoal e concreto, o plano do Poder. Não nego que, em outros tempos, eu tenha me deixado seduzir por esses problemas que os dois capões colocavam diante de nós, a respeito do Brasil, do Povo brasileiro, da União Latino-americana, da Cultura Ibérica e de todas essas palavras sonoras que eles são mestres em inventar! Mas mesmo quando eu fazia isso, era por um motivo puramente pessoal: era por ter nascido aqui, por ser também, como diz você, um Ibérico transplantado, um meio-negro, de modo que, de certa forma, esse era o caminho para que eu, inconscientemente, aumentasse meu poder pessoal de homem! Por isso, interessava-me indiretamente a grandeza da América Latina, para que eu mesmo também crescesse, porque sou também um de vocês, com tudo o que isso implica de qualidades e defeitos, e orgulhando-me tanto das qualidades quanto dos defeitos!"

— "Sim!" — concordou Adalberto. — "E eu me lembro de um dia em que você teve, comigo, uma conversa importantíssima, e me disse algumas palavras que, para mim, foram o começo de tudo! Eu era quase um menino, e estava muito orgulhoso de você conversar comigo daquela maneira. Depois, quando você já tinha ido embora, eu não conseguia dormir. Peguei um caderno, e reproduzi o que você tinha me dito. Guardo sempre comigo a cópia dessas palavras, Arésio, e vou repeti-las para você. Eu copiei tudo à noite, depressa, com o pensamento correndo adiante da mão, pois estava com medo de me esquecer de alguma coisa mais importante. Posso ter cometido algum engano quanto às palavras, mas o pensamento, a essência do que você disse, creio que está aí, inteiramente fiel. E mesmo as palavras, acredito que sejam as suas. Eu ouvia você com tal fervor, que acho muito difícil ter me esquecido de alguma coisa. Em todo caso, ouça e seja você mesmo o juiz!" — concluiu ele, tirando um papel do bolso e lendo as seguintes palavras, das quais lhe pedi cópia e que anexo, agora, ao inquérito, porque é uma peça importante para esclarecimento do caso:

"Ah, esses negociantes e usurários do mundo! Querem nos moldar à imagem deles, a nós, Povos morenos dos países quentes, nós, os ardentes, os que ainda temos a capacidade de ser felizes, de fruir a vida, num mundo em que isso vai ficando cada vez mais raro! Eu gostaria que nos deixassem fruir da nossa Vida, que eles consideram suja, e enfrentar a nossa Morte, que consideram irracional! Ficassem para lá, com sua riqueza amontoada por séculos de trabalho estúpido e tenaz, com seu poderio acumulado em máquinas e dinheiro, com seus ideais puritanos de higiene e virtude! Mas não! Eles precisam nos vender seus produtos, para acumular mais dinheiro! Então, procuram nos corromper para nos dominar, sob o pretexto de que somos uns adolescentes bárbaros, encantadores mas irresponsáveis, que é preciso conter e domar com rédea curta, senão atrapalham e sujam a ordem do Mundo! A prova que apresentam disso é que nós, principalmente os do Povo, os mais pobres, os que mais deviam pensar no dia de amanhã, somos incapazes de amealhar. Deixamo-nos comer, de bom grado, pela fome e pelas doenças, contanto que possamos cantar e dançar imprevidentemente sob o Sol das nossas terras quentes e iluminadas. Então, a pretexto de salvar-nos dessa vida de ignomínia e dessa morte desonrosa, vêm nos corromper e nos roubar. Vendem-nos, ao mesmo tempo, os produtos para a nossa higiene e os ideais de um mundo organizado à base da poupança burguesa, da mealha, do trabalho duro, desumano e organizado. Mas tudo o que eles possuem e querem nos passar são os frutos apodrecidos da impotência para o prazer, para a alegria, para a felicidade animal e selvagem. Esses Povos de comerciantes, os mais tristes do mundo, nascidos e criados entre o frio, o escuro e a severa infelicidade dos ideais puritanos, querem impingir suas receitas de vida a nós, Povos morenos, criados ao Sol! Como é que poderão, nunca, nos entender? Esse Negro que se veste de Rei no *Auto dos Guerreiros* sabe que gastou quase tudo o que possuía para comprar o Manto e a Coroa, mas acha que a alegria de vesti-lo é compensação muito maior do que o preço pago. Aquele Caboclo, cassaco da cana-de-açúcar, sabe que o rio, contaminado, está cheio de doenças mortais que vão inchá-lo por fora e comer suas entranhas por dentro, entupindo seu coração de depósitos calcários de bichos estranhos ao sangue humano. Ele sabe de tudo isso, porque, todo dia, vê seus companheiros inchando e morrendo assim. Mas acha que, na sua vida miserável e sem perspectivas, primeiro só acha o que comer entrando no rio; e depois sabe que tem poucas alegrias iguais ao puro e selvagem prazer do banho de rio ao meio-dia, estando ele cansado e suado do calor do Sol. Aquele outro, que é Sertanejo, sabe que será morto, se escolher a vida livre das Caatingas, as correrias do Cangaço. Mas sabe, também, que, enfrentando essa vida incerta e essa morte certa, terá direito ao que nunca teve: uma vida sem dono, uma vida de Senhor e sem trabalho escravo. Por isso, não se importa de viver perseguido como um cachorro mordido. Sabe que esse é o preço que terá de pagar para poder possuir mulheres com as quais, antes, não poderia nem sonhar, as filhas da gente poderosa, lindas e orgulhosas, que passeavam os olhos por ele sem nem ao menos o avistarem, como se ele não existisse, e que agora o veem, com espanto, terror e perturbação, vestido com sua Armadura de couro e com as insígnias de prata de sua realeza, aparecendo diante delas não mais como um ser ignorado e desprezado, mas como o temeroso Senhor da sua honra e de seu destino, o Emissário de uma vida cruel, selvagem, errante e guerreira, fascinadora e terrificante. Todos esses são homens de Raça fidalga, degredados e degradados numa vida de ignomínia, inferior a eles. Quem teria o direito de acusá-los e incriminá-los, se se revoltam e procuram uma outra vida, mais de acordo com os impulsos e a raça do seu sangue? Quem teria o direito de reprovar a escolha que eles fazem, condenando-os em nome dos ideais desses Povos tristes e duros de Burgueses dominicais, apavorados pelos Pastores, pela opinião, pela filantropia das sociedades protetoras de animais e pela higiene? Como é que esses paroquianos podem entender a selvagem alegria de uma briga de touros ou de galos, com o prazer e o encanto da luta, das apostas, do jogo, da festa, da sagração da vida inocente e cruel? Eles jamais entenderão que a morte cruel de um touro ou de um galo vale a alegria de um punhado de homens; não aceitam isso porque prezam mais suas regras e fórmulas filantrópicas do que a alegria dos homens. Nós não precisaremos nunca de inventar uma imagem falsa da Vida para poder amá-la. Porque, na dureza e sob o Sol, nós aprendemos à força a amá-la, com o que ela tem de ardente e glorioso, mas também com o que possui de degradado, sangrento e sujo. O que é cruel e sujo também faz parte da vida, e terá que ser enfrentado com as armas do sangue, do riso e da luta, com a valente tenacidade do homem diante do que a Vida tem de mais desordenado — o sofrimento, a humilhação e a Morte."

* * *

— Quando Adalberto terminou de ler essas palavras, Sr. Corregedor, Arésio falou com uma estranha e inesperada entonação de melancolia na voz:

— "Sim" — disse ele —, "era assim que eu falava naquele tempo!"

— "Eu não lhe disse?" — falou Adalberto. — "Lembro-me de tudo! Eu escutei atentamente! No outro dia, viajei para o Recife, e foi a partir dessas palavras suas e da minha viagem, que se iniciou aquilo que você, há pouco, antes de Quaderna chegar, chamou ironicamente de minha *instrução revolucionária*. Agora, eu lhe pergunto: você acreditava, mesmo, em tudo aquilo que me disse?"

— "Acreditava sim, Adalberto! E se falei com alguma ironia quando me referi a sua instrução revolucionária, a ironia foi mais dirigida contra mim do que contra você!"

— "Então, por que é que se recusa a iniciar sua *instrução revolucionária*, assim como a apoiar e ajudar a minha?"

— "Creio que a explicação disso está nas minhas palavras, que você guardou e repetiu tão bem. Você, seduzido por uma parte, parece que deixou de prestar atenção à outra. Acho que você não anotou isso aí, devidamente, porque, sem querer, guardou mais o que correspondia a seus sonhos e seus desejos. Creio que seus amigos, mestres e companheiros do Recife não aceitam, de modo nenhum, minhas ideias. Não falo nem dessas de hoje, mas das daquele tempo, mesmo! Todos eles pensam por esquemas, e como as minhas ideias não cabem nos esquemas preestabelecidos por eles, nem sequer as examinam. Por exemplo: seus amigos são incapazes de ver que o Exército e a Igreja são, na América Latina, os únicos Partidos organizados, disciplinados e verdadeiramente existentes. São incapazes de ver que a hostilidade com que eles tratam esses dois Partidos é uma estupidez, que só favorece os nossos inimigos de fora. Sim, porque enquanto nós nos dilaceramos aqui em divisões estéreis, eles vão entrando, corrompendo, furtando e se apossando à vontade de tudo o que desejam. A união da América Latina tem que se fazer através dos nossos Exércitos, e para isso, temos que forjar um pensamento novo, uma nova Teoria do Poder, original, resultante das nossas qualidades e defeitos, das nossas peculiaridades e singularidades. Mas vocês ficam papagueando as ideias feitas que nos vêm de fora. O liberalismo é uma delas. Vocês não veem que o liberalismo só interessa, aqui, aos que querem nos roubar? É por isso que, lá fora, de vez em quando, começam a sair ataques contra o que os gringos chamam o caudilhismo latino-americano, o militarismo latino-americano, os golpes latino-americanos, as ditaduras militares latino-americanas. Os gringos sabem, muito bem, que se aparecer um verdadeiro Soldado, que reúna as qualidades do Caudilho e do Rei, nós levantaremos a cabeça. O Brasil primeiro, porque é maior; depois toda a América Latina, que formará um País de duzentos milhões de habitantes. É isso o que eles não querem, e vem daí toda a propaganda que fazem para nos impingir, de cima e por fora, o regime da Inglaterra vitoriana ou dos Estados Unidos puritanos, cruéis e avarentos. Pronto, já falei demais: aí está uma ideia de capão, que ofereço a você e a Dinis, para se aproveitarem dela como quiserem. Mas tenho que lhe lembrar, ainda, algumas coisas que eu dizia, mesmo naqueles meus tempos de entusiasmo. Não sei se você se lembra, mas eu dizia, também, que não poderia nunca aceitar a igualdade como ideal, porque, sendo também filho desse sangue Latino-americano, do sangue que dá os Cangaceiros, profetas e Caudilhos, eu sei que cada um de nós tem de realizar *a seu modo* a glória ardente da sua Vida, e enfrentar, também *a seu modo*, a sujeira e o sangue da Morte, ambas diante do Sol. Sim, porque diante dessas coisas, a Vida e a Morte, cada um tem de se atar sozinho, pois ficamos sempre inteiramente sós diante delas!"

— "Sim!" — insistiu Adalberto, como se teimasse em só ouvir uma parte das palavras de Arésio. — "Sim, eu sei! É preciso corrigir e ajustar o que existe ainda de desviado em seu pensamento, porque você dá alguns erros graves de interpretação. Há pouco, por exemplo, você disse que só existiram até hoje, no mundo, dois tipos de Governo, o dos comerciantes que exploram o Povo e o dos tiranos que oprimem o Povo. Dou certa razão a você. Quanto ao Governo dos comerciantes, estou inteiramente de acordo. Acho, mesmo, que uma das tarefas do pensamento Latino-americano é desmascarar as imposturas da Democracia liberal-burguesa, o regime dos comerciantes, como você chama. Aliás, nós temos tudo para isso, porque nossa tradição política não é essa, da Democracia burguesa. Entenda bem o que estou dizendo, para não torcer meu pensamento depois, Quaderna! Eu pessoalmente, talvez pelo fato de termos sido súditos de Filipe II, tenho mais simpatia por aquela Autocracia total que, no século XVI, determinava até o modo de vestir dos vassalos, do que pela impostura da Democracia dos comerciantes ingleses, que nos foi imposta artificialmente, por ideais superpostos, que não correspondem à nossa vida e à nossa formação. No século XVI, Arésio, a opção era entre a Autocracia coroada e meio teocrática de Filipe II e a República de comerciantes, da Holanda ou da Inglaterra. Hoje em dia, os Estados Unidos são uma espécie de Holanda em ponto grande — um Povo de comerciantes farisaicos e puritanos, organizado na mais poderosa das imposturas que já se fizeram em torno do Bezerro de Ouro!"

— "E qual será, hoje, a Autocracia total e meio teocrática que se opõe aos Estados Unidos? A Rússia?" — indagou Arésio, novamente irônico.

— "Sim, é a Rússia, por que não?" — retrucou Adalberto, com o mesmo fervor de antes. — "É a Rússia, com tudo o que o Comunismo tem de teocrático e de apocalíptico, de inquisitorial e escatológico, o que digo, não de modo pejorativo, e sim como Latino-americano e herdeiro da tradição autocrática de Filipe II! Mas o que eu ia dizer, mesmo, era que você esqueceu, nas suas palavras, de fazer uma distinção importante: existem, de fato, somente dois tipos de governo, o dos que exploram e o dos que oprimem o Povo. Mas, entre os que oprimem, existem, também, dois tipos: os que oprimem em nome da grandeza, como Filipe II, e os que oprimem para realizar a justiça, como Lênine!"

— "E qual é a diferença, para o Povo que é oprimido?" — indagou Arésio, meio impaciente.

— "A diferença é que os que oprimem em nome da justiça esperam instaurar a felicidade para todos!" — disse Adalberto no mesmo tom de fervor doentio.

— "Ah, a felicidade!" — disse Arésio com desprezo. — "Esse é um ideal mesquinho, no plano individual, e um sonho de capões quando passa para o coletivo!"

— "Um ideal mesquinho?" — disse Adalberto admirado. — "Não, é o ideal de todos! Todo mundo procura a felicidade, a tranquilidade, a alegria e a paz!"

— "Todo mundo?" — insistiu Arésio. — "Todo mundo, não! Das pessoas que estão aqui, quantas procuram a felicidade? Você, procura o sofrimento e um castigo, que, não sei por quê, deseja, desde que o conheci!"

— "Isto são frases!" — rebateu Adalberto. — "E mesmo que fosse verdade a meu respeito, Quaderna é alegre e procura a felicidade! Talvez até já tenha achado a tranquilidade, a paz e a alegria, se bem que eu não concorde com os métodos que ele empregou para isso!"

— "A verdadeira alegria, Adalberto, a alegria ardorosa e pura que nós somente pressentimos, é impossível para o homem, assim como a paz e a felicidade são os ideais mesquinhos dos frívolos, covardes e superficiais. Isso, no plano individual, como eu dizia. Se você pensa em todos os homens, esse ideal mesquinho de felicidade e paz se amplia, em tamanho e estupidez, no ideal da justiça. O mais que o homem verdadeiro procura, em seu conflito com o mundo, é colocar uma precária ordem em sua vida e um certo estilo em sua melancolia, em seu destino, que é, por natureza, despedaçado, triste, falhado, enigmático e trágico. Para isso, o homem tem duas fontes, duas raízes de defesa — o choro e o riso. Mas o choro e o riso verdadeiros, aqueles fincados profundamente e cujo ritmo se alimenta de sangue e de subterrâneo. Dinis Quaderna não é alegre, Adalberto. Quem passou o que ele passou e viu o que ele viu, não pode ser alegre. Os subterrâneos do sangue dele são como os meus, povoados de mortos sangrentos, que flutuam no rio da desordem. Apenas, enquanto eu resolvo meu conflito pelo choro e pelo suor do sangue e da violência, ele resolve o seu pelo riso; mas eu não sei qual o mais despedaçado, se o meu sangue ou se o riso dele!"

— "Pois reajam!" — gritou Adalberto. — "Reajam e lutem, porque, como eu estava dizendo, existem os que oprimem de início, sonhando com uma justiça mais alta, com uma sociedade nova, com uma vida em que ninguém, principalmente os pobres, que estão sós, tenha que enfrentar mais, sozinho, a sujeira e a desordem da vida! É por isso que eu acredito na América Latina! Quando nós não nos envergonharmos mais da nossa tendência para o caudilhismo, a guerrilha e o cangaço, quando nós provarmos que a nossa vocação autocrática pode ser orientada e inclinada para a organização de um verdadeiro Estado, aí sim, teremos todas as qualidades do nosso Povo retificadas e unificadas pela verdade. Ficará claro que só num verdadeiro Estado, organizado à base da verdade e da justiça, é que o homem pode realizar sua inclinação natural para o bem, a mansidão, a fraternidade, a generosidade, e tudo mais que nos afasta do egoísmo e da crueldade. Suas ideias, Arésio, deixarão de ser uma faca de dois gumes, e os mansos e misericordiosos não terão mais que se dilacerar na violência justa e na crueldade necessária, porque, pela primeira vez na História, a justiça e a misericórdia estarão reunidas e unificadas numa coisa só!"

— "É um belo sonho!" — disse Arésio. — "Infelizmente, nosso tempo não permite mais esses sonhos! O nosso tempo estala, Adalberto, é um tempo trágico!"

— "O mais trágico, nele, Arésio, não é que o vício e a maldade tenham aumentado, como dizem os superficiais, que acham, sempre, que, no passado, no tempo deles, tudo ia melhor. O pior, agora, é que a ordem e as virtudes antigas não são mais suficientes. É por isso que, entre outras coisas, as noções de liberdade e justiça das democracias liberais perderam a força de ação e reivindicação que possuíam no século XVIII. A tal ponto, que, hoje, essas noções não entusiasmam mais ninguém, a não ser os membros das Academias e dos clubes filantrópicos de comerciantes. Hoje, todos nós estamos exigindo, pedidas por nosso sangue e formuladas por nosso pensamento, uma liberdade mais violenta e uma justiça implacável, para que o homem abra seu caminho em direção àquilo que os religiosos chamam o Divino e que nós chamamos *o mais elevado e o mais nobre do humano!*"

— "Meu caro Adalberto" — disse Arésio —, "você é, e será sempre, um professor! Abra o olho, senão termina ficando como os dois capões! Isso é, aliás, a mesma coisa que eu vivo dizendo aqui ao nosso Dom Pedro Dinis Quaderna! Mas Quaderna, sendo meu primo, tem um pouco do meu sangue e é, pelo menos, um Poeta a cavalo, como diz o Padrinho dele, João Melchíades. Quaderna caça, anda e corre a cavalo pelas estradas, enquanto você fica aqui, trancado entre essas quatro paredes, pensando, sonhando e falando só! Cuidado com o mofo e as teias de aranha!"

— "Eu sei que estou correndo esse perigo, Arésio!" — concordou Adalberto. — "Foi por isso, aliás, que mandei chamá-lo aqui: tenho confiança em você, assim como, de certa forma, também ainda espero alguma coisa de Quaderna! Mas como é que poderemos agir indiscriminadamente, agir sem pensar? E como pensar sem nos isolarmos entre quatro paredes? É ainda a injustiça, a desordem do mundo em que nasci, que está me tornando um monstro mental e moral, como transforma em monstros físicos os barrigudos, inchados de vermes e amarelos de fome, que você viu na Zona da Mata e dos quais falávamos há pouco! Pois bem: aceito sua crítica a respeito do meu mofo e recebo de bom grado as suas ironias, contanto que você me ouça também, refletindo e pesando suas decisões. Talvez você até vá sentir desprezo pelo que vou lhe dizer agora, mas vou ainda mais longe nas minhas confissões. Você estava falando há pouco, em tom de zombaria, do livro de J. A. Nogueira. Pois olhe, está aqui: eu também fiz essa coisa ridícula, escrevi um livro, que mandei imprimir por minha conta, em Campina, e que contém o fruto dos meus pensamentos. Ou, se você preferir, que contém as teias de aranha e o mofo dos sonhos que sonhei durante os cinco anos em que estive ausente daqui. Você terá paciência de ouvir o resumo do que escrevi?"

— "Claro, estou até curioso, dependendo do assunto. E você, Dinis?"

— Eu concordei que também queria ouvir. Então Adalberto Coura tirou de sob o colchão da cama uma pequena brochura suja, com o título de *Pensamentos sobre o Estado*. O livro tinha algumas indicações que fizeram Arésio sorrir, porque indicavam a extrema juventude em que ainda se achava o autor. Em primeiro lugar, na capa, anunciava-se logo que aquela era a primeira edição, indicando-se, assim, que o autor esperava tal demanda do público que logo se seguiria outra. Depois, na folha de rosto do livro, via-se escrito "Coleção Livros Eternos — 1º Volume". Em terceiro lugar, a brochura era enfaticamente dedicada "à figura indelével de meu tio, Josué Coura, vagabundo, escorraçado e revoltado nas estradas do Sertão". Ora, Sr. Corregedor, o tio de Adalberto, Josué, filho de uma das nossas melhores e mais importantes famílias, era um excêntrico, meio doido, atacado da mania religiosa das peregrinações, um homem que vivia esmolambado e solitário, errando de estrada em estrada, ninguém sabe à procura ou à espera de quê. Finalmente, o livro tinha uma introdução, tão breve e minúscula quanto ele, mas não menos enfática, e que dizia textualmente: "Este livro está dividido em três partes. Das duas primeiras — ou seja, das partes sobre a Vida e sobre a Verdade — decorre a última, a parte sobre o Estado, a mais importante de todas, principalmente por anunciar a realização, no mundo, do verdadeiro Estado, num futuro de cuja chegada as atuais experiências e êxitos do Socialismo são os primeiros arautos. E embora os pensamentos nele contidos não expressem com fidelidade o alto esforço mental que exigiram do autor, o leitor perceberá que eles encerram a mais elevada Filosofia." Quando Adalberto Coura leu isso para nós, Arésio não pôde deixar de sorrir. A conversa se encarniçou então, em torno dos setenta e dois aforismos que o livrinho contém, e que, elaborados pelo "alto esforço mental do autor", revelavam, segundo sua própria opinião, "a mais elevada Filosofia", rival, portanto, da "Filosofia do Penetral", de Clemente. Aliás, os aforismos mostravam uma mistura daquelas ideias que Adalberto, muito moço ainda, ouvira de Clemente, de Samuel e do próprio Arésio, ou que bebera depois, em leituras desordenadas, feitas na nossa Biblioteca, em Campina Grande e no Recife. O ponto de partida do novo rumo tomado pela discussão foi o título dado por Adalberto Coura às três partes do livro, principalmente as duas primeiras, que versavam sobre a vida e sobre a verdade. Arésio, agora com mais energia, voltava a afirmar o direito à disputa e à violência. Dizia que todas essas afirmações a respeito da bondade e da justiça eram hipocrisias e disfarces para a fraqueza. O homem era, naturalmente, cruel e ávido, e a vontade de poder era a verdadeira mola de todos os nossos atos. Adalberto, fervorosamente, concordou com ele:

— "Mas eu estou de acordo com você, Arésio. A vontade de poder é a lei da vida, que é a luta para satisfazer suas necessidades e impulsos naturais! Agora, o que acontece é que o Estado deve existir, cada vez mais sólido e forte, exatamente para que todos os homens possam satisfazer, com perfeição e em segurança, suas necessidades e sua vontade de poder!"

— "Pois abra o olho com seus Mestres e patrões, aviso novamente, porque essa é uma parte de seu pensamento que não será tolerada nos esquemas deles!"

— "Isso não é comigo! Não tenho culpa de que eles não tenham inteligência ágil para entender que nós, Latino-americanos, não podemos pensar como os filósofos alemães do século XIX! É preciso reconhecer que nossos adversários têm razão em certas coisas. Toda alegria e toda felicidade provêm da consciência de algum poder. No atual estado de coisas, é impossível uma felicidade atingir todos os indivíduos, porque o poder alcançado por um e que produz sua felicidade é sempre o poder perdido por outro. Nossos adversários viram isso, mas tomaram o caminho errado, ficando do lado da desordem. É preciso mostrar que o diagnóstico está correto, mas que o único remédio é a instauração do verdadeiro Estado, ou Estado do Futuro, onde o interesse de um será o de todos."

— "E a verdade?" — disse Arésio.

— "Ah, a pergunta de Pilatos!" — disse Adalberto sem sorrir. — "Chama-se verdade, Arésio, uma afirmação com a qual mais de um homem concorda. Quanto maior o número desses homens, maior a importância dessa verdade. O resto, é confusão e sonho dos idealistas! Assim como não existe Verdade em si, também não existe falsidade em si. Uma falsidade é somente e sempre um choque de verdades. Daí eu dizer, no meu livro, que quanto mais verdades sociais e menos verdades individuais existirem, mais haverá progresso, compreensão e felicidade entre os homens."

— "Mas então, as afirmações do seu livro, sendo puramente individuais, estão sujeitas a todas as contestações!" — ponderou Arésio.

— "Aí é que você se engana! As afirmações do meu livro — entre as quais a mais importante talvez seja essa da verdade como coisa estabelecida socialmente pela maioria — são incontestáveis, porque o testemunho de todos os homens comprova que, no tempo da selvageria, havia um número de verdades infinitamente inferior ao de agora, com a Civilização e o seu desenvolvimento. E isso era de esperar: porque é a organização econômica total e absoluta que produz a organização das verdades parciais num todo indiscutível. Será da organização e da semelhança de todas as verdades num todo comum que decorrerá a paz entre todos. Essa, aliás, é a razão do sucesso sem precedentes que o Socialismo, todo baseado no fundo econômico, vem tendo na Rússia, por mais que você zombe dela!"

— "Não, eu não zombei coisa nenhuma! Estou somente verificando que sua Autocracia, sua Teocracia é bem mais violenta e unificada do que a de Filipe II, que inclusive não teve êxito! Agora, eu lhe pergunto, não por mim, mas por causa, aqui, do nosso Quaderna: e Deus? O que é que sua Teocracia vai fazer sem essa ideia central de todas as Teocracias?"

— "Como tudo mais, Arésio, a existência de Deus é relativa. Na América Latina, eu não posso deixar de examinar esse problema. Deus existe por enquanto, porque os homens Latino-americanos, que são aqueles com os quais terei que lidar, fazem perguntas a esse respeito. Mas, de fato, são os grandes Estados que instituem as grandes verdades; só um Estado total pode nos tirar do beco sem saída das verdades particulares, cujo choque produz a desordem atual. Sim, porque se verdade é a afirmação feita por um conjunto de homens, o Estado é um conjunto organizado de verdades. Da vida, surge a verdade, e de ambas surge o Estado!"

— "Mas Adalberto, parece até que você sonha com um mundo em que todo mundo agisse e pensasse da mesma maneira!"

— "Sim, e por que não haveria de sonhar com isso, se as diferenças até hoje só causaram sofrimento e desordem? Aliás, todo mundo sonha com isso, mas não tem coragem de confessar! Eu tenho essa coragem! No verdadeiro Estado, não haverá nenhum enigma, nenhum mistério, e todas as perguntas filosóficas terão respostas absolutamente idênticas por parte de todos os indivíduos. Ah, Arésio, não acredito que você não sonhe com isso, imaginando quanto será boa a vida num verdadeiro Estado, onde não exista a mais leve sombra de desordem, de oposições e choques. E vou mais longe ainda: digo-lhe que, no futuro, a concepção do Estado deverá substituir a concepção do Universo."

— "E como você espera instaurar essa ordem perfeita do verdadeiro Estado? Através da violência e da desordem da Revolução?"

— "Sim, pelo menos no começo! A construção do verdadeiro Estado terá que ser feita pela Revolução, mas sua continuação e solidificação será tarefa da Educação, de uma Educação total. Esta será tão perfeita, que cada pessoa de uma determinada idade pensará absolutamente do mesmo modo que outra de idade semelhante."

— "E os choques de geração?"

— "Não ocorrerá nada disso, porque cada faixa de idade será aproveitada em setores de trabalho independentes."

— "E os sonhos e pensamentos extravagantes de cada indivíduo?"

— "Também não haverá nada disso. Todos os pensamentos de todos os indivíduos girarão em torno das coisas e interesses do Estado, uma vez que, fora disso, nada será verdadeiro. Queira você ou não queira, Arésio, o mundo marcha para o Socialismo em grau cada vez mais elevado. Vai chegar o dia em que, de uma forma ou de outra, a organização total do Estado triunfará, o próprio Capitalismo marchando também para isso. Haverá então leis para o pensamento, para as ações, para os sentimentos, para as alegrias, para os julgamentos, para as individualidades e até para as surpresas. Você está fazendo cara feia, mas foi porque eu falei em leis. Talvez você veja que eu não estou divagando, se eu substituir a palavra e disser que haverá uma *conduta* estabelecida e determinada para cada situação. Não é esse o sonho do homem, há tanto tempo? Por que é que existem os ritos religiosos e sociais, se não para organizar um pouco a desordem da vida? Quando morre um parente nosso, todo mundo nos dá pêsames, para ter alguma coisa a dizer. Assim acontece em tudo, e a melhor sociedade será aquela que não deixar nada ao acaso e à invenção individual. É inegável, portanto, que o progresso da Humanidade está na transposição das pequenas para as grandes Verdades, das verdades e interesses dos grupos para os do Estado. É por isso que eu digo, sempre, que o nome de Humanidade é dado a alguma coisa que ainda não existe. O primeiro momento de existência real da Humanidade surgirá somente quando aparecer a primeira verdade que não receba contestação de nenhum homem. Daí em diante, a verdade irá se estendendo e tudo terminará sendo integralmente aceito por todos, pois tudo o que existir será unanimemente reconhecido como sendo uma única coisa, já que o pensamento de um será o pensamento de todos, será o pensamento do Estado."

* * *

Terminando de contar essa parte da história ao Corregedor — o que fiz valendo-me do exemplar da brochura de Adalberto Coura que tinha guardado comigo — passei-lhe esta, que ele mandou anexar aos autos do inquérito; e então comentei:

— Naquele dia, Sr. Corregedor, já no escuro da noite, Adalberto disse e leu essas coisas tremendas para nós. Quando repetiu a última frase, estava com uma expressão sonhosa e exaltada, no rosto pálido e magro de jovem Profeta, recém-saído da adolescência e ainda mal-habituado ao desconforto em que tinha sido jogado depois que fora expulso de casa, exatamente por causa daquelas ideias que acabara de expor. Quando ele acabou, Arésio disse:

— "Muito bem, meu caro Adalberto, ouvi e entendi tudo. Se não simpatizasse com você, diria três ou quatro palavras convencionais e ficaria por aí. Como simpatizo, digo-lhe que tudo isso são lugares-comuns, é a linguagem comum do rebanho em que você anda metido. Mas isso não vem ao caso. O que me interessa, agora, é satisfazer uma curiosidade, talvez para você inesperada. É que me interessa, demais, saber a opinião que Quaderna tem de tudo isso. Você também acha que tudo isso é lugar-comum, Dinis?"

— "Acho não, Arésio!" — disse eu com sinceridade. — "Não sei se é porque sou menos lido e menos bem informado do que vocês, mas confesso que, pelo contrário, estou é assombrado com tanta coisa nova. Nunca pensei que essas coisas fossem nem sequer pensadas!"

— "Está vendo, Adalberto? Anime-se, porque o proselitismo ainda é possível e você pode conseguir adeptos. Mas ainda quero saber uma coisa, Dinis: já que você se impressionou tanto, me diga, por favor, qual foi o pensamento que deixou você mais espantado nisso tudo."

— "O pensamento? Mas o pensamento de quê? Você se refere ao que Adalberto disse ou ao que ele leu no livro?"

— "A tudo."

— "Bem, de tudo, entre o que ele disse e o que nos mostrou no livro, o que mais me impressionou foram certas partes parecidas com as profecias do meu santo Peregrino, Santo Antônio Conselheiro de Canudos. Por exemplo: gostei muito de uma frase que diz: *É impossível existir um mundo sem vida ou a vida sem mundo*. Essa frase foi a que mais me impressionou. Primeiro, porque parece com aquelas do Conselheiro: *Em 1897 haverá muitos chapéus e poucas cabeças* etc. E depois, a frase me causou uma impressão danada porque eu não entendi patavina dela!"

— "Isto, gostei de ver!" — disse Arésio, rindo. — "Pois a mim, Adalberto, o que me impressionou mais, em tudo, foi o absolutismo de seu pensamento. Você ficou ainda mais simpático, para mim, pelo fato de se parecer mais com os Profetas que anunciaram a Revolução do que com os razoáveis de hoje, que jamais aceitariam seu sonho do verdadeiro Estado, do Estado total!"

— "Quer dizer que você aceita o fundamental do meu pensamento?" — perguntou Adalberto soerguendo-se de novo e com tal expressão de ansiedade que se fez um silêncio meio embaraçoso no quarto, depois que ele se calou.

Arésio, porém, foi duro:

— "Não, não aceito!" — disse ele, com firmeza. — "Eu disse que admirava seu absolutismo, mas não que concordava com seu *verdadeiro Estado*."

— "E por que não concorda? Você não acha que só assim é que poderemos sonhar com a Verdade absoluta, a Justiça absoluta?"

— "E quem disse a você que eu sonho com a Justiça, Adalberto? Olhe, não quero enganar você, de modo que vou lhe dizer o que resolvi, de uma vez por todas, a esse respeito. Como aconteceu com todos nós, aqui, um dia eu me vi diante dessas ideias de verdade e justiça, ideias que os dois capões não cessavam de discutir e que o Padre Renato também agitava de vez em quando, nos sermões dele. Sim, porque, no fundo, todos eles são, entre si, mais parecidos uns com os outros do que julgam. Podem discordar sobre o modo de realizar a Justiça, mas estão de acordo em que a Justiça e o bem devem ser procurados e realizados. No fundo, são todos uns capões e hipócritas, essa é que é a verdade! Eu tenho sangue forte, Adalberto, e por isso tenho horror à hipocrisia. Lá um dia, comecei a me rebelar contra todas essas teias de aranha, que se erguiam como obstáculos à satisfação dos impulsos do meu sangue. Tive a coragem de fazer uma pergunta: por que seria eu obrigado a procurar ser bom? Por que seria eu forçado a contrariar meu sangue, impedindo-me de ser cruel, de desejar o Poder, de exercitar minha violência, de possuir todas as mulheres que desejasse e que tivesse à minha disposição? Eu tenho ódio a esses hipócritas que se dizem partidários do bem e da justiça, da verdade e da bondade, e no entanto se envilecem no conforto, envilecendo também os filhos, que se habituam a adotar a humildade por covardia, a bondade por fraqueza, e o amor à pobreza por incapacidade de assaltar o Poder e o dinheiro! Não, Adalberto, nessa ordem de coisas, ou se é um santo ou um impostor. Eu tenho ódio à impostura e, por outro lado, meu sangue não permite que eu seja um santo — o que também confesso que não quero! Foi por isso que resolvi abandonar de vez todas essas ideias de verdade, justiça, bondade e bem, sendo pelo menos sincero com meus impulsos de maldade, desejo e violência."

— "Quer dizer que não posso contar com você?" — indagou Adalberto, com a mesma ansiedade.

— "Não, você não pode contar comigo para seus sonhos de justiça, revolucionária ou não! O que eu fiz com o Bispo, hoje, não foi, como você parece ter pensado, nenhum atentado terrorista, nenhum ato revolucionário, nenhum ato de reparação das injustiças feitas pelos ricos e poderosos com o Povo! Foi um ato inteiramente arbitrário e pessoal."

— "Inteiramente pessoal? Qual era seu objetivo, então?"

— "Não sei!" — disse Arésio, desviando a vista. — "Para falar a verdade, quando entrei na sala não tinha a menor ideia de dar um soco no Bispo. Dei porque, de repente, me veio essa vontade, sem que eu soubesse por quê. Por isso, é melhor que você procure outro parceiro. Já o aconselhei a procurar os Padres e os Soldados. Você, obsedado pelos esquemas, continua a ver neles um grupo de inimigos. Pois seja, não tenho nada a ver com seus equívocos! Mas já que você quer continuar com esses enganos, procure pelo menos o Padre Daniel, que é quase da sua idade e, sendo um dos seus iguais, é um jovem Profeta ardente, desejoso de justiça para todos e ansioso por ser martirizado por seus ideais."

— "A religião é nossa adversária, é o ópio do Povo e eu não quero aliança com padre de qualidade nenhuma!" — disse Adalberto um tanto infantilmente, a se levar em conta a advertência sobre os esquemas que Arésio acabara de fazer.

— "Isso é um mal-entendido que surgiu entre vocês, não sei por quê, pois, no fundo, você e o Padre Daniel querem a mesma coisa. Você mesmo disse, aqui, que era um Latino-americano típico. Siga, portanto, as linhas peculiares da luta política da América Latina. A meu ver, vocês que sonham ainda com a independência e a justiça na América Latina deveriam se juntar todos — padres, soldados e jovens intelectuais como você. Você acha que não: paciência! Por mim, não perco nada, porque não é com a grandeza da América Latina nem com a justiça para os pobres que eu me preocupo. Mas, já que você tem outras ideias, não se esqueça de que na Revolução de 1817, Frei Caneca e o Padre João Ribeiro, dois profetas e mártires que queriam a justiça e tiveram a coragem de morrer por ela, se aliaram a outros revolucionários que não eram padres, tentando, todos, instaurar, pela violência, o Estado justo, aquilo que para eles, naquele tempo, era o *verdadeiro Estado*. Está chegando novamente o tempo em que, na América Latina, vão se unir os negros de todo tipo, como você diz — os escorraçados, os humilhados, os doentes, os ressentidos —, para, sob o comando de Padres sectários, marginais, divisionistas, e de ardentes revolucionários doentios como você, tentarem outra Revolução. Tenha a coragem e a astúcia de sair na frente, Adalberto! Convide o Padre Daniel e partam, vocês dois, para os atos de terrorismo. Aliás, eu tinha mais respeito a vocês, porque pensava que já tinham entrado nisso e que essas mortes misteriosas que surgiram aqui tinham alguma coisa a ver com vocês. Sim, vocês já deviam ter se aliado. Que importa que, no grupo dos revolucionários, existam alguns que tenham fé em Deus e outros não? Não é a justiça teocrática e total, a ordem pura e o bem, que todos vocês querem instaurar? Por outro lado, você mesmo não disse que o Divino, dos religiosos, é o mesmo Humano mais elevado dos revolucionários? Quanto a mim, não gosto de imposturas, e digo aqui, claramente, que pretendo esgotar até o fim a sujeira, a glória e o sangue da vida, como qualquer revoltado. Veja bem: revoltado, e não revolucionário. Revoltado em proveito do sangue de sua própria vida, e não revolucionário sonhando com a justiça, o bem e outros ideais abstratos, os *ideais elevados da Humanidade* como você diz tão infantilmente em seu livro!"

— "Mas se você tem ódio à impostura" — insistiu Adalberto — "deve acompanhar-nos, porque o nosso é o único caminho para acabar com ela!"

— "Não, não é, meu querido Adalberto. Seu caminho é uma impostura, como é uma impostura o caminho do Padre Renato e do Padre Daniel. E, por mais estranho que isso lhe pareça, até mesmo você é um impostor!"

— "Eu? Por que você diz isso?" — disse Adalberto, espantado, como se aquilo fosse uma coisa que ele nunca tivesse esperado.

Arésio começou a cerrar a cara:

— "Digo isso, porque você é um padreco igual aos outros. Até esse lugar que você arranjou na casa de Quaderna cheira a padre a dez léguas de distância. E você, com esses pés finos e brancos, aí metidos em alpercatas, com essa camisa sem colarinho e esse corpo fino e magro, é mesmo um fradeco hipócrita, como todo frade que se preza! Você quer ver eu provar como você é um impostor, Adalberto? Então vou lhe fazer uma pergunta: você sabe quem é essa moça que está aí e que você chamou para cá unicamente para que ela ouvisse suas conversas e visse você brilhar diante de nós?"

— "É claro que sei!" — disse Adalberto, cada vez mais espantado. — "Essa moça se chama Maria Inominata e é minha noiva!"

— "Ouvi falar desse noivado. Soube, mesmo, que seu noivado com ela, filha de um simples *morador*, foi uma das causas de sua expulsão de casa, não foi isso? Você sabe que ela morava nas terras que foram de meu Pai?"

— "Sei, ela me contou!" — disse Adalberto.

— "Mas provavelmente você não sabe por que ela saiu de lá: essas coisas, nunca ninguém diz aos interessados! Você contou a ele, Maria, por que saiu da 'Onça Malhada'?"

— "Não!" — ouvi a voz de Maria Inominata responder num sopro e logo acrescentar, de modo quase inaudível: — "Pelo amor de Deus!"

Confesso que meu coração se confrangeu, porque eu também sabia de tudo, e o tom de Arésio revelava que ele estava entrando de novo naquela perigosa disposição de espírito que todos temiam nele. Indiferente ao temor e à súplica da moça, Arésio explicou então:

— "Ela saiu de lá, Adalberto, por minha causa! Um dia, passei diante da casa dela. Maria estava na porta e me olhou de um modo estranho! Ah, Adalberto, você tem razão quando diz, no livro, que o impulso sexual é um dos mais intensos! Há certos olhares que as mulheres nunca deviam lançar a homem nenhum! Maria Inominata é linda, como você, apesar de tudo, há de ter notado! Ela é muito atraente, com essa cor morena, esses cabelos castanhos e lisos que vão até a cintura, com esse busto não muito desenvolvido de adolescente, mas com as ancas e as coxas fortes, lisas, duras e bem-feitas. Eu ia partir para possuí-la ali mesmo, porque o olhar que ela me lançara significava que eu não seria repelido. Mas, nesse momento, saiu de dentro da casa, com uma foice na mão, o irmão dela, Amaro Inominato, um sujeito que, pela cara, a gente conhece que é perigoso. Eu estava desarmado, de modo que disfarcei e continuei meu caminho. Mas Maria e Amaro, apesar de eu não ter dito nada nem chegado a esboçar nenhum gesto, tinham entendido tudo. O Pai dela, o velho Manuel Inominato, é desses *moradores* antigos que, não tendo lido seu livro, Adalberto, julgam que podem manter uma vida digna, no meio da sujeição e da submissão. Ele era muito amigo de meu Pai e, não querendo ver a filha prostituída pelo filho do dono das terras, foi pedir proteção ao nosso inimigo, Antônio Moraes. Foram todos morar lá, nos Angicos, e nunca mais eu tinha visto Maria até hoje!"

— "E o que é que você quer me dizer com isso?" — indagou Adalberto, mais admirado e ainda não ofendido, porque se julgava na obrigação de se revelar compreensivo, por filosofia e pelas ideias progressistas que professava.

— "Quero lhe falar disso para lhe mostrar sua impostura!" — disse Arésio, cada vez mais cheio de dureza. — "Você, mesmo sabendo, talvez, o que se passara comigo e ela, resolveu noivar com Maria, primeiro para exibir seu senso de igualdade; depois, para *reparar a honra* de Maria, que você julgava ofendida; e finalmente porque, no fundo, tinha consciência de que só de uma moça inferior socialmente é que você teria coragem de se acercar. Os covardes e fracos como você, Adalberto, sentem-se mais seguros assim: ficam certos de ser aceitos por gratidão. No seu caso, quaisquer que fossem suas poucas qualidades viris, de homem, você poderia estar seguro de que iria deslumbrar Maria, pelo fato de um rapaz pertencente à classe superior desejá-la, não para amante, e sim para mulher! Mas, mesmo assim, tudo isso não bastou: você quis que hoje, aqui, ela visse você brilhando, *como professor*, diante de mim e de Quaderna! É por isso que lhe dou razão quando você escreveu no livro que todo desinteresse aparente é, no fundo, um interesse real, e que a pessoa só consente em diminuir seu poderio, ou em troca de um prazer, ou julgando que o está fazendo crescer. Pois bem, Adalberto, vou aceitar seu jogo: vou competir com você diante de Maria e usando as mesmas armas. Em primeiro lugar, quero também brilhar como professor diante dela, de você e de Quaderna. Digo-lhe, então, que não existe unidade nenhuma em seu pensamento. Se o ponto de partida dele foram aquelas ideias sobre o Povo, o Brasil, a América Latina, a Índia e a África, não vejo como ligar tudo isso ao verdadeiro Estado, ao Estado total dos seus sonhos. Para lhe ser franco, seu pensamento me deu a impressão de um monstro de duas cabeças, uma bela e outra demoníaca, não precisando dizer que a cabeça demoníaca, feia e monstruosa é a do verdadeiro Estado, e a bela é a da Rainha do Meio-Dia. A cabeça monstruosa surgiu quando eu menos esperava, não como uma conclusão harmoniosa, mas sim como um reverso monstruoso da medalha da outra. Para mim, isso não tem a menor importância, porque, como lhe disse, estou ainda no estágio primitivo, aquele no qual, como diz seu livro, *bem* é o que satisfaz os impulsos do meu sangue, e *mal* é o que os impede. Mas você quer realizar a justiça, é um homem dedicado aos outros, e não a si mesmo. Cuidado, então, com as contradições do seu pensamento. Cuidado para que sua exaltação do humano, feita a partir dos Povos negros do mundo, não caia numa espécie de negação total do nosso humanismo Latino-americano, do nosso amor quase pagão pela vida, do nosso modo de fruir do mundo como se soubéssemos que a nossa vida e o mundo foram feitos para ser dissipados!"

— "Você está querendo me ofender, Arésio, mas não julgue que está falando com uma pessoa comum!" — disse Adalberto, numa voz surda que desmentia um pouco suas palavras. — "Eu já tinha conhecimento de que a família de Maria saíra da 'Onça Malhada' por sua causa! Que é que me importa isso, *se não houve nada* entre você e ela? Quanto ao que você disse sobre meu pensamento, acusando-me de criar um monstro de duas cabeças, você está completamente errado! Eu tive o cuidado de pensar em tudo, Arésio. Foi por isso que falei, de propósito, na Autocracia teocrática e total de Filipe II, que nos governou. A tradição Latino-americana em política é exatamente essa, a de um Governo poderoso governando súditos ferozmente livres. Como pessoas, nós, os Negros do mundo, não damos grande importância ao Governo, porque, sendo todos nós verdadeiras comunidades de Fidalgos cobertos de andrajos, sabemos ser ferozmente livres e felizes de modo selvagem e independente! O verdadeiro Estado, então, cuidará de que não haja injustiça nem fome. Oprimirá e esmagará, até que os burgueses, envilecidos pelo conforto e pela traição, não tenham mais ambiente para continuar sugando sua riqueza e seu poder à custa da miséria e da doença do Povo. Quanto ao mais, o nosso próprio Povo se encarregará de fazê-lo. Sua imagem do monstro de duas cabeças também precisa ser retificada, porque, atualmente, o monstro que nos rodeia tem três cabeças, e não duas. A primeira, é a cabeça de ouro dos ricos; a segunda é a do Poder armado; e a terceira é a do Povo, a da miséria extrema. As duas primeiras são aliadas, porque os comerciantes montaram seu aparelho de repressão armada, juntando-se, para isso, aos Soldados. É preciso que o Povo, rebelando-se, corte a cabeça de ouro, porque aí o Monstro deixará de ser monstro. Das duas cabeças de ignomínia, a dos comerciantes desaparecerá, cortada, e a do Povo perderá sua feiura e sua humilhação, saindo da miséria. Com isso, o Exército passará a ser uma Milícia ligada ao Povo, identificada com o Povo. O Monstro será transformado num animal harmonioso, com duas cabeças não mais contraditórias e sim aliadas num perfeito entendimento, a do Povo livre e feliz, e a do Poder armado total, livre das imposturas da democracia dos comerciantes e colocada a serviço da justiça! É por isso que eu acredito ser o Brasil, ou melhor, a América Latina, o País destinado a realizar a mais bela forma de Socialismo já surgida no mundo! Viu agora, Arésio, como o verdadeiro Estado é a conclusão lógica, e não a contradição, das nossas ideias sobre a América Latina e os outros Povos negros do mundo?"

— "Não, mas não vou perder mais tempo discutindo, não, porque parece que, nessa história de lógica, você ganha, mesmo, para mim, meu querido Professor de justiça!" — disse Arésio, com uma violência cada vez mais concentrada. — "Mas você se esquece de que, em mim, a parte mais importante é a outra, a do sangue! Eu nunca renuncio a um prazer do sangue. Naquele dia, fui impedido, mas, agora, vou levar Maria Inominata comigo, porque Amaro está longe e você, como homem, não representa nem um décimo dele! Quero ver se você, depois, ainda quererá Maria, por filosofia, ou se é um impostor como eu estou julgando!"

— "Arésio, não faça isso não, sou eu quem lhe peço!" — intervim eu, aterrorizado e confrangido, sabendo quanto sofrimento aquilo iria causar a tantas pessoas, inclusive a ele mesmo, mas sabendo também, de antemão, que era inútil qualquer pedido.

— "Eu estou desarmado!" — disse Adalberto, como se isso tivesse algum efeito sobre o inexistente senso de lealdade de Arésio em tais ocasiões.

— "Tanto melhor, porque, quanto a mim, eu estou armado!" — disse ele erguendo-se e marchando para Maria, a quem segurou pelo braço.

— "Largue Maria!" — gritou Adalberto, aproximando-se dele e com um furor inusitado na voz.

Aí, tudo se precipitou. Arésio, puxando o revólver, deu com ele uma pancada violenta na cabeça de Adalberto, que caiu tonteado. A outra mão dele continuava fechada, como um anel de ferro, em torno do braço de Maria Inominata. Com uma torção, ele a impeliu em direção à escada, enquanto guardava o revólver na bainha. Ao chegar junto de mim, tirou a carteira cheia de dinheiro e me entregou tudo, dizendo:

— "Olhe aí, dono de pensão: esse dinheiro é pelo aluguel do quarto onde consegui a moça. Quando o professorzinho acordar, lembre a ele aquelas palavras de Santo Agostinho que o capão Samuel leu para nós, um dia. Você ainda se lembra? Os rapazes pagãos violavam as moças e mulheres cristãs que, habituadas à morna castidade dos maridos e noivos, também cristãos, ficavam terrivelmente perturbadas diante daquela sensualidade poderosa e brutal, tão cheia de novidades e tão sem escrúpulos. Iam, então, depois de violadas e possuídas de todos os modos, procurar o Santo, com remorso por terem gozado daquela maneira nunca antes experimentada e nunca tão intensa. Santo Agostinho absolvia todas elas, dizendo que não tinham culpa de que o corpo estremecesse involuntariamente e barbaramente ao ser solicitado, de modo tão violento e acariciador, no que tinha de mais íntimo. Pois você diga isso ao professorzinho. Hoje, a noiva dele talvez não chegue a sentir muito o que confessar, porque o sofrimento da primeira vez talvez impeça o prazer, se bem que eu esteja disposto a fazer tudo para que isso não aconteça. Mas como pretendo guardá-la comigo ainda por uma semana, telegrafarei depois a ele, para que Santo Adalberto absolva Maria de seus estremeços!"

Então, Arésio desceu a escada, impelindo Maria Inominata na frente dele e desaparecendo das nossas vistas. Assim que ele saiu, eu e Lino corremos para junto de Adalberto. Lino Pedra-Verde pegou uma quartinha d'água que estava em cima da mesa de cabeceira, e, molhando um lenço, começou a passá-lo na testa de Adalberto, que continuava de olhos fechados. Eu também me ajoelhara junto dele, e, tanto eu como Lino, julgávamos que o rapaz continuava desmaiado. De repente, com uma sensação misturada de constrangimento e compaixão, nós dois notamos, ao mesmo tempo, que Adalberto estava chorando. "Vão-se embora, pelo amor de Deus!" — disse ele, com ambas as mãos cobrindo o rosto. Nós vimos que, no momento, era o que havia de melhor a fazer. E como tínhamos combinado ir ao encontro de Samuel e Clemente para a entrevista com o Doutor Pedro Gouveia, descemos a escada e saímos também.

Folheto LXXX
O Roteiro do Tesouro

— Um esclarecimento só, antes de contar o resto, Dom Pedro Dinis Quaderna! — disse o Corregedor. — O senhor aceitou o dinheiro que Arésio Garcia-Barretto lhe deu naquela noite?

— Aceitei, Sr. Corregedor! Em primeiro lugar, eu precisava viver. Depois, o que é que adiantaria a Adalberto ou a Maria Inominata que eu recusasse o dinheiro?

— Está bem: anote esse pormenor, Dona Margarida! Agora, pode continuar!

— Ao chegar embaixo, tomamos o caminho da Rua do Chafariz, encaminhando-nos para a parte dos fundos do casarão dos Garcia-Barrettos: ali se daria a minha entrevista com o Doutor Pedro Gouveia, a mais decisiva, talvez, em todo aquele dia. Aproveitando o mais possível o escuro da rua, passamos despercebidos e chegamos ao portão traseiro que procurávamos e diante do qual não havia ninguém, pois todo mundo estava aglomerado diante da parte da frente da casa, na Praça. Bati discretamente, e de fato, segundo o que fora combinado, o portão foi aberto imediatamente. Vimo-nos diante de um dos Ciganos que tinham vindo na comitiva de Sinésio, um rapagote que, segundo soubemos depois, chamava-se Manuel Briante. Estava armado de rifle e perguntou quem éramos. Ao ouvir meu nome, deixou que passássemos. Recomendei porém a Lino que me esperasse fora, porque pressentia que, para o Doutor Pedro, quanto menos pessoas houvesse na entrevista, melhor. Eu era velho familiar também daquela casa, de modo que ninguém precisava me guiar. Cruzei o quintal, o terraço traseiro que ladeava a cozinha, entrei na sala de jantar e, passando pelo corredor, cheguei à sala de visitas onde estavam Samuel, Clemente e o Doutor Pedro Gouveia. Não estavam lá nem Frei Simão, nem Sinésio, e eu imaginei que os dois estavam no pavimento superior: o Doutor Pedro Gouveia só nos deixaria ter uma entrevista com Sinésio depois de tudo estabelecido entre nós, disso eu tinha certeza. Agora, eu iria travar conhecimento imediato, pela primeira vez, era com as astúcias e cortesias do

Doutor Pedro Gouveia, o homem mais gentil e cheio de habilidades que eu tive oportunidade de conhecer, Sr. Corregedor. Acho que, de todas as pessoas que conheci, a convivência com o Doutor Pedro Gouveia foi, para mim, a mais proveitosa e cheia de ensinamentos úteis.

— Mais do que a do Professor Clemente e a do Doutor Samuel?

— No que se refere a coisas práticas, sim, Sr. Corregedor! A influência de Clemente e Samuel foi mais lítero-política, mas a convivência com o Doutor Pedro iria, por um lado, me confirmar em certas descobertas de astúcias que eu já fizera sozinho, e por outro me abrir inúmeras perspectivas novas — chaves e caminhos que iriam me pondo ao alcance um número cada vez maior de ardis e defesas novas, coisas de valor inestimável para a vida prática! Assim que eu entrei, ele se levantou, pressuroso mas sem espalhafato. E falou, dando-me a primeira lição:

— "Este é um dos grandes momentos da minha vida, o dia em que travo conhecimento com três dos mais distintos intelectuais e acadêmicos residentes na Paraíba, três grandes homens dos quais um é sertanejo de Taperoá e os outros dois, vindos de fora, foram *desapropriados* para nós, de modo que os três, hoje, honram a nossa pequena e heroica Paraíba. Sr. Pedro Dinis Quaderna: com o Doutor Samuel Wan d'Ernes e com o Professor Clemente Hará de Ravasco Anvérsio já travei conhecimento há alguns instantes. Agora, tenho a honra de conhecê-lo. Estava esperando o momento de sua chegada para iniciar nossa conversa, entrando no assunto principal que me levou a ter a ousadia de pedir que viessem aqui. Mas sente-se, sente-se. Precisamos conversar!"

— "O Doutor Pedro Gouveia, Quaderna" — explicou Samuel —, "tem um assunto da mais alta importância para conversar conosco."

— "Para ser mais exato, dois assuntos!" — acrescentou o Doutor Pedro.

— "Mas esses dois assuntos se entrelaçam de tal maneira que terminam sendo um só. A primeira coisa que devo comunicar para começar nossa conversa é que o Excelentíssimo e Reverendíssimo Senhor Arcebispo da Paraíba fez-me a honra de me nomear Vidama do Cariri, Condestável e Rei d'Armas da Venerável Ordem do Templo de São Sebastião."

— "Como é?" — indaguei espantado, e já enxergando o perigo que aquele homem bem-educado, e ainda por cima Doutor, representava para minhas grandezas e monarquias.

— "Não me admira o seu espanto!" — disse o Doutor Pedro. — "Não me admira, porque eu mesmo me espantei a princípio. O senhor sabe o que é um *Vidama*?"

— "Não!"

— "O Vidama é o representante temporal e senhor dos feudos hereditários de um Bispado. O Vidama, além disso, comanda eventualmente as tropas armadas que o Bispo porventura mantenha. Sendo assim, o Senhor Arcebispo da Paraíba deu-me a grande e imerecida honra de me escolher para Vidama do Cariri, isto é, para encarregado dos bens temporais e Comandante das tropas do Arcebispado aqui no Cariri da Paraíba."

— "Ah, quer dizer que esses Cangaceiros ciganos que vieram com o senhor são as tropas armadas do Arcebispo da Paraíba?" — perguntei cada vez mais inquieto.

— "Não exatamente, se bem que, de certa forma, se possa entender assim! Mas as verdadeiras tropas do Sr. Arcebispo serão organizadas proximamente aqui na Paraíba, num sentido mais espiritual do que temporal e de uma forma que os senhores logo entenderão. Acontece que o Sr. Arcebispo está empenhado numa campanha para a reforma ou construção de templos em todas as cidades principais do Estado. Para isso, precisa angariar fundos, e instituiu três Ordens honoríficas na Paraíba, sendo que a do Cariri foi colocada sob a invocação de São Sebastião. No nosso caso, dadas as ligações de São Sebastião e d'El-Rei Dom Sebastião com a família Garcia-Barretto, acho que essa coincidência teve algo de verdadeiramente miraculoso!" — disse ele, mostrando-se cada vez mais bem informado. E continuou: — "Existe uma Ordem para o Litoral e o Brejo, uma para o Cariri e outra para o Alto Sertão, os sertões da Espinhara e do Rio do Peixe. É claro que o Grão-Mestre de todas elas é o Sr. Arcebispo, mas ele houve por bem me conceder plenos poderes no Cariri, sendo este o motivo de minha humilde pessoa carregar, hoje, esta Cruz aqui, pendurada ao meu pescoço pelo colar. Mas, para encurtar a conversa e para que não haja dúvidas sobre meus títulos e minhas atribuições, aqui está o pergaminho da minha nomeação."

Então, diante de nós todos, que estávamos ali fascinados, com os olhos reluzindo, o Doutor exibiu-nos um pergaminho, cuja cópia peço que seja anexada aos autos. Era assim:

"Dom Adauto Aurélio de Miranda Henriques, Arcebispo da Paraíba, usando das atribuições que lhe confere o Direito Canônico, invocando o Espírito Santo e as bênçãos de Deus para todos os que contribuam, de alguma forma, para a reforma e a construção de Templos dignos das nossas tradições de Fé, resolve:

Artigo 1º — Fica instituída a Venerável Ordem do Templo de São Sebastião, que se destina a perpetuar nossa gratidão a todos aqueles que prestarem relevante colaboração para a construção de templos na Paraíba.

Artigo 2º — Cada Ordem terá jurisdição sobre determinada parte do Estado, sendo este, em particular, o regimento da Venerável Ordem do Templo de São Sebastião do Cariri.

Artigo 3º — A insígnia da Ordem será uma Cruz semelhante à da Ordem de Cristo, que foi como que uma insígnia gloriosa de fé nos tempos do Descobrimento e da Conquista do Brasil. Para diferençá-la, porém, da Cruz da Ordem de Cristo, os esmaltes serão gravados em ouro e goles.

Artigo 4º — A Ordem conferirá condecorações, que se distribuem nos graus de Grã-Cruz, Comendador e Cavaleiro.

Artigo 5º — A Grã-Cruz será pendente de uma fita amarela e branca — as cores de Sua Santidade o Papa — pendente, em linha direita, do pescoço para o peito, e será usada, nas ocasiões solenes, com uma faixa das mesmas cores, passada a tiracolo, da direita para a esquerda.

Artigo 6º — Para cada uma das Ordens, é nomeado um Vidama e Condestável, sendo as nomeações lavradas por Decreto nosso, em nossa qualidade de Grão--Mestre.

Artigo 7º — *Mediante proposta encaminhada pelo Conselho das Ordens, havemos por bem nomear Vidama e Condestável da Venerável Ordem do Templo de São Sebastião do Cariri ao Doutor Pedro Gouveia da Câmara Pereira Monteiro, a quem agraciamos desde já com a Grã-Cruz da Ordem.*

Artigo 8º — *Ao Vidama e Condestável compete distribuir títulos e condecorações por serviços prestados, sendo os nomes dos agraciados inscritos no Livro de Ouro e Nobiliário da Ordem, livro que, depois de aprovado e encerrado, será recolhido aos arquivos da Arquidiocese* ad perpetuam rei memoriam.

Artigo 9º — *O lançamento no Nobiliário será feito em ordem cronológica, dele constando, além do nome do agraciado, sua nacionalidade, profissão, dados biográficos, títulos e condecorações.*

Artigo 10º — *O Vidama e Condestável está autorizado, além disso, a mandar fazer pergaminhos contendo as Cartas Patentes e de Agraciamento, o que deve ser feito de modo artístico e seguindo o padrão anexo.*

Artigo 11º — *Em casos especiais, o Vidama e Condestável está autorizado a agraciar e passar pergaminhos gratuitamente, considerando os méritos e serviços relevantes de pessoas escolhidas.*

Artigo 12º — *Os casos omissos serão resolvidos pelo Vidama e Condestável e comunicados ao Arcebispo para sanção, rogando-se aqui aos Senhores Párocos e Vigários que seja dada toda assistência e ajuda ao Condestável e membros da Ordem.*

Dado e passado neste Paço Arquiepiscopal da Paraíba, a 20 de Janeiro de 1935, dia do glorioso mártir São Sebastião.

> *Dom Adauto Aurélio de Miranda Henriques, Arcebispo da Paraíba."*

* * *

Tal era o extraordinário documento, diante do qual nossa imaginação imediatamente pegou fogo. Pelo menos a minha pegou, e tenho certeza de que a de Samuel também. O Arcebispo Dom Adauto, além de Príncipe da Igreja, era de uma das famílias mais fidalgas da Paraíba. Samuel lembrou imediatamente que, em 1757, o Rei Dom José I tinha enviado para cá uma Carta Patente na qual se dizia que, atendendo aos serviços e merecimentos de Francisco Xavier de Miranda Henriques, Cavaleiro professo da Ordem de Cristo e Moço Fidalgo da Casa de Sua Majestade, era ele nomeado Capitão-Mor da Capitania da Paraíba. O nosso Arcebispo e toda a grei dos Miranda Henriques descendiam desse antepassado ilustre, o que conferia uma autoridade fidalga toda especial à Ordem agora instituída. Eu porém, apesar de tão fascinado quanto Samuel, estava muito cismado com aquela história toda, assim como achando horrível aquele título de *Vidama*. Foi o meu pretexto para abrir as hostilidades. Falei:

— "Está tudo muito bom, Doutor, mas uma coisa eu lhe digo: esse negócio de seu título ser de *Vidama* vai dar em galhofa, aqui em Taperoá!"

— "Nada disso!" — interveio Samuel. — "Não há motivo nenhum para galhofa, a não ser por parte dos ignorantes de sua marca, Quaderna! O título foi muito bem escolhido e está heraldicamente correto!"

— "Pode estar correto como esteja, mas eu conheço o Povo e sei que a primeira coisa que eles vão fazer é transformar o título. Vão dizer *a* Vidama do Cariri, ou a Mulher-Dama do Cariri ou coisa pior ainda! Por isso, por segurança, acho melhor, ou o senhor publicar o nome como *O Vidamo*, ou então usar somente o nome de Condestável!"

— "Magnífica ideia!" — disse o Doutor Pedro, mostrando, desde logo, como era homem de acordos. — "Vou usar só o título de Condestável!"

Havia porém ainda um problema que teria de ser resolvido logo: era o do choque entre a minha soberania e as atribuições do Doutor Pedro. Eu não era idiota para conseguir uma posição durante anos e anos de lutas e ideias e, de repente, deixar que ela me fosse arrebatada em dois minutos, por um Vidama qualquer! Comumente, eu não falava em público das minhas realezas, nem reivindicava nada que pudesse ferir e chocar os outros, para não angariar inimigos. Entretanto, mesmo na vida dos políticos, feita de astúcias e transigências, há uns dois ou três momentos cruciais de choque grave em que as decisões têm de ser tomadas e os caminhos escolhidos, momentos nos quais a astúcia tem de ser deixada de lado. Ali, agora, eu via que estava diante de um desses momentos decisivos. Tudo tinha que ser resolvido de uma vez para sempre, antes que fosse tarde. Assim, preparando-me para uma luta de vida ou de morte, falei:

— "Existe, porém, um outro problema, Doutor Pedro, e ele precisa ser resolvido logo, antes de passarmos adiante. É que existem, aqui no Cariri, ligadas à família Garcia-Barretto, umas certas particularidades heráldicas e monárquicas, que não sei se são do seu conhecimento..."

— "O senhor se refere, naturalmente, à Ordem de Distinção do Reino do Cariri, da qual seu falecido tio, Dom Pedro Sebastião Garcia-Barretto, era o Grão-Mestre e o senhor o Rei d'Armas... Estou inteiramente a par disso. A par e de acordo, pois ninguém melhor do que eu reconhece a legitimidade dos seus títulos, Sr. Pedro Dinis Quaderna. Aliás, quero lhe declarar que o Sr. Arcebispo está a par também de tudo, e, de certa forma, foi a Ordem de Distinção do Reino do Cariri que inspirou a criação da Ordem do Templo de São Sebastião. Quero então, logo de início, esclarecer-lhe duas coisas: primeiro, é que a nossa Ordem é uma Ordem Arquiepiscopal *e só*, não se estendendo sua jurisdição absolutamente ao campo político e temporal! Eu sou Condestável, Heraldo e Rei de Armas somente dessa Ordem, e nada mais reivindico nem poderia reivindicar! A segunda é que eu não poderia nem deveria, nunca, objetar coisa alguma à Ordem de Distinção do Reino do Cariri, uma vez que todas as pretensões do meu protegido e pupilo Dom Sinésio Sebastião Garcia-Barretto se estribam nessas legitimidades: ou o pessoal da Ordem apoia Sinésio ou ele estará só! Quero lhe dizer assim, desde logo, que, não só reconheço a legitimidade da Ordem e a qualidade de Rei de Armas do senhor, como vou reivindicar, eu mesmo, minha inscrição nela, como agraciado, nem que seja no grau mais humilde e modesto, o grau de Cavaleiro!"

Que grande homem era aquele! Com uma penada só, afastava todos os meus receios! Não haveria briga nenhuma dele comigo: os horizontes se aclararam e um largo sorriso de felicidade e beatitude se estampou no meu rosto. Era a primeira vez que um *homem nobre*, de nobreza tão indiscutível ou mais indiscutível do que a de Samuel — pois era declarada oficialmente por um Príncipe da Igreja —, reconhecia publicamente minhas grandezas e monarquias! Clemente e Samuel, preocupadíssimos, olharam-me com o maior despeito deste mundo e houve um instante de grande silêncio e constrangimento. Então Samuel, não suportando mais aquilo, venceu a cerimônia que ainda tinha com o Doutor Pedro e falou:

— "Mas Doutor Pedro Gouveia, a seriedade dessa Ordem Arquiepiscopal e a importância dos seus títulos não permitem que o senhor, assim sem maiores exames — desculpe o que lhe digo — reconheça essas coisas caricatas de Quaderna como heraldicamente e fidalgamente legítimas!"

— "O senhor está enganado, Doutor Samuel!" — disse gravemente o Doutor Pedro Gouveia. — "Estou perfeitamente informado a respeito de tudo o que se passa aqui e sobre as pessoas realmente importantes da muito leal e nobre Vila Real da Ribeira do Taperoá. É por isso que tomei informações sobre cada um e todos, sobre as famílias, sobre as qualidades de raça etc. Porque, se bem que a Ordem seja mais de natureza espiritual, *raça* é uma coisa importante, importantíssima! Por isso tomei informações, e posso hoje declarar, com segurança, quais serão as pessoas realmente dignas de figurar entre os agraciados por um Príncipe da Igreja como Dom Adauto! Posso também dizer que posso ter encontrado alguém a sua altura, Doutor Samuel, mas ninguém que o excedesse em títulos de linhagem e sangue!"

— "O senhor se informou sobre mim também?" — indagou Samuel, curioso.

— "Sobre o senhor também, é claro! Creio, mesmo, que vou revelar hoje, aqui, sobre sua ilustre família, particularidades que nem o senhor mesmo conhece!"

— "O quê? É possível?" — disse Samuel, espantando-se.

— "É possível, o senhor verá!" — confirmou o Doutor. — "Olhe, Doutor Samuel: em Pernambuco, vocês têm a *Nobiliarquia Pernambucana*, de Borges da Fonseca. Aqui na Paraíba a nossa Nobiliarquia, o nosso Gotha, são as *Datas e Notas para a História da Paraíba*, de Irineu Pinto, e sobretudo os *Apontamentos para a História Territorial da Paraíba*, do genial João de Lyra Tavares. Sim, porque os Senhores de datas e sesmarias concedidas pelos Reis, foram, nos séculos XVI, XVII e XVIII, os troncos de nossa Aristocracia territorial e feudal.

Pois bem: segundo informação de Irineu Pinto, em 1719 um certo Diogo Vandernes governou a Paraíba, formando uma Junta de homens nobres, com João de Moraes Valcáçar, Feliciano Coelho de Barros, Francisco Souto Maior, Jerônimo Coelho de Alvarenga e Eugênio Cavalcanti de Albuquerque. Ora, como o senhor sabe, nessas Juntas governativas só entrava gente da mais alta fidalguia, escolhida entre os homens-bons *dos da governança da terra*, como dizem os velhos documentos, o que prova, mais uma vez, a ilustração e a aristocracia do nobre sangue dos Wan d'Ernes, de Pernambuco, que são os mesmos Vandernes, da Paraíba."

— "Mas como é que se escreve o sobrenome desse tal Diogo?" — indagou Samuel, querendo acreditar, mas ainda cauteloso.

— "O nome dele se escreve pegado, com *v* no começo e *s* no fim, mas a família é a mesma, sem dúvida nenhuma! Tanto assim que, a 16 de Fevereiro de 1759, aparece um filho de Diogo, Cosme Fernandes Vandernez, requerendo, na Paraíba, terras a El-Rei. Este escreve Wan d'Ernes ainda pegado e com *v*, mas com *z* no fim. As diferenças são causadas unicamente pelo desleixo e pela ortografia arbitrária do século XVIII, principalmente no que toca a nomes próprios. De qualquer maneira, fiz minhas pesquisas e posso atestar que a família do nobre e ilustre Sigmundt Wan d'Ernes, companheiro e familiar do Conde João Maurício, Príncipe de Nassau-Siegen, deitou raízes em Pernambuco — onde seus descendentes mantiveram o nome como ele sempre usou; mas passou, depois, à Paraíba, para onde veio um descendente seu, pai daquele Diogo e avô do Cosme que requereu terras em 1759. Daí para cá, não se encontra mais referência a nenhum Wan d'Ernes, o que me leva a crer que a família tenha se extinguido aqui na Paraíba!"

— "Bem, pode ser!" — disse Samuel lisonjeado. — "Talvez esse parente nosso tenha traduzido o nome para evitar complicações políticas, quem sabe? Há, também, a possibilidade de ter sido ele um bastardo. Esses Wan d'Ernes antigos eram uns danados! Talvez algum deles tenha tido um filho bastardo, a quem não autorizou usar o nome legítimo, tendo-o traduzido e aportuguesado assim. Quem sabe? É possível! Mas o que eu quero saber é com que finalidade o senhor perdeu seu precioso tempo fazendo essas pesquisas!"

— "Fiz essas pesquisas porque na Ordem do Templo de São Sebastião há graus e graus de nobreza. Era preciso fazer distinções, porque, quando fôssemos

ESCUDO DE ARMAS DO DOUTOR SAMUEL WAN D'ERNES.

inscrever os agraciados no Nobiliário, não iríamos igualar um comerciante qualquer, aí, com um legítimo Wan d'Ernes!"

— "Quer dizer que o senhor pensa em me agraciar como Cavaleiro da Ordem?" — perguntou Samuel, meio incrédulo a despeito de si.

— "Mas como, Doutor Samuel? O senhor indaga se eu penso em agraciá-lo como Cavaleiro? Não, não, seria muito pouco para um Wan d'Ernes! Se entrarmos em entendimento, o senhor será Comendador da Ordem do Templo de São Sebastião!"

— "Se entrarmos em entendimento? Que é que o senhor quer dizer com isso? Terei que pagar alguma coisa para entrar na Ordem?" — perguntou Samuel que, apesar de fidalgo, tinha horror a gastar dinheiro, fosse com que fosse.

— "O senhor não terá que pagar nada, é claro!" — tranquilizou-o o Doutor Pedro. — "Isso de pagar, fica para os comerciantes. O senhor é uma daquelas pessoas de mérito excepcional a que se refere o Decreto Arquiepiscopal, e como tal será considerado. Assim, a única dúvida que ainda tenho a seu respeito nisso tudo, é a respeito do nome das terras a que será ligado seu título de Barão!"

— "Barão? Eu? Eu serei Barão?" — disse Samuel quase sem voz.

— "Mas é claro que será, e, nisso, nem a Arquidiocese nem a nossa Ordem fazem favor nenhum ao senhor, cuja nobreza absolutamente não precisa dessas coisas! A única coisa que vamos fazer é outorgar-lhe um título de nobreza que reconhece, formalmente, o senhorio feudal e a linhagem ilustre do nobre sangue dos Wan d'Ernes! Que o senhor tem direito ao título de Barão e ao correspondente Escudo de Armas, que lhe será passado juntamente com a Carta de Brasão, isso é incontestável. O que quero saber é que terras escolheremos para ligar ao baronato! Isto é o senhor quem vai decidir. Se quer ligá-lo às terras dos Wan d'Ernes na Paraíba, será Barão do Riacho do Jacu, pois essa foi a sesmaria de Cosme Vandernez. Se prefere as de Pernambuco, será Barão do Guarupá. Qual é o nome de sua preferência?"

— "O de Barão do Guarupá, é claro: é nome pernambucano, é o senhorio de terras mais antigo da família e finalmente não tem essa horrível conotação sertaneja e bárbara de Riacho do Jacu!"

— "E qual será o brasão de Samuel?" — perguntei, despeitado, mas fazendo todos os esforços para me mostrar superior e sereno. O Doutor respondeu:

— "Bem, não é preciso criar nada de novo nem gastar os miolos procurando: o escudo terá que ser composto com o velho brasão dos Wan d'Ernes."

— "E os Wan d'Ernes têm brasão?" — perguntei desconfiado, porque Samuel nunca tinha nos falado disso, o que não deixava de ser estranho.

— "Claro que os Wan d'Ernes têm brasão!" — insistiu o Doutor. — "Existe até uma carta do Conde João Maurício de Nassau reconhecendo isso! O brasão é esquartelado por uma cruz de filetes de ouro. O primeiro quartel é de goles, ou vermelho, com uma cruz de lisonjas de azul coticadas de ouro. O segundo, é de verde, com cinco pombas volantes de prata, armadas de vermelho e postas em aspa, e assim os contrários. O timbre, é uma Anta, de sua cor."

— "Cinco pombas volantes em campo verde?" — interrompeu Clemente rindo, e achando finalmente um motivo para extravasar seu despeito, dez vezes maior do que o meu. — "Está bom, o brasão, está ótimo para esse galinha-verde, esse integralista de segunda ordem, lambe-cu de Plínio Salgado! Primeiro, porque o campo é verde, e verde é a cor dos integralistas. E depois porque, quem diz cinco pombas volantes, diz cinco caralhos voadores, que é a mesma coisa!"

— "Prezado Professor Clemente" — disse o Doutor Pedro cortesmente mas com firmeza —, "eu, se fosse o senhor, moderaria as expressões sobre a nossa Ordem e sua Heráldica! Porque se o senhor não reconhece a validade de ambas, está, *ipso facto*, desmoralizando a sua linhagem e os títulos de nobreza que Sua Excelência Reverendíssima, o Senhor Arcebispo da Paraíba, me autorizou expressamente a lhe outorgar!"

— "O quê?" — gaguejou Clemente. — "E o Arcebispo me conhece?"

— "Conhece, sim, e aprovou seu nome para a Ordem!"

— "Digno Antístite!" — comentou Clemente. — "Não sabia que ele já tinha ouvido falar de mim!"

— "Quem é que, na Paraíba, não conhece o senhor, pelo menos de fama? Um Filósofo, um professor, um jurista que honra a cultura brasileira!"

— "Mas Clemente é negro e comunista!" — disse Samuel, desesperando-se ao ver que o cafre iria ser igualado a ele.

— "A nossa Ordem não tem conotações políticas, Doutor Samuel!" — disse o Doutor. — "Mérito é mérito! Além disso, o Professor Clemente é bisneto do Visconde de Caicó!"

— "As notícias que correm aqui são muito diferentes!" — teimou Samuel. — "Consta que Clemente é bastardo. O avô dele, fazendeiro, teve sua filha raptada por um almocreve negro que, depois de seduzi-la e engravidá-la, foi capado pelos irmãos da moça!"

— "Isso é verdade, mas absolutamente não invalida minhas palavras, porque esse fazendeiro, avô do Professor Clemente, era exatamente filho do Visconde de Caicó. Outra coisa: nos cartórios de Caicó, Rio Grande do Norte, encontrei documentos que provam que o avô do Professor Clemente terminou consentindo no casamento da filha, o que torna a descendência perfeitamente legítima. Isso, porém, não seria nada se os ascendentes do Professor Clemente não estivessem no nosso Gotha Sertanejo, como fidalgos possuidores de terras. Mas estão: a 13 de Março de 1615, Pedro Hará de Ravasco requer e obtém do Rei, na Paraíba e no Rio Grande do Norte, terras da Ribeira do Gurajá. Esse Pedro Hará de Ravasco é ascendente direto do Visconde de Caicó, bisavô do Professor Clemente que, como Comendador da nossa Ordem, terá somente que escolher seu título: ou Barão do Gurajá, ou Visconde de Caicó, à sua escolha!"

— "Prefiro o de Visconde de Caicó!" — falou Clemente, para surpresa minha. Eu julgava, Sr. Corregedor, que ele ia recusar asperamente tanto o título quanto a versão de sua descendência do fazendeiro, da qual ele tinha tanta raiva e que lhe atribuía sangue branco ao lado do negro e do tapuia dos quais tanto se dizia orgulhoso. Mas não, o desgraçado aceitou! Seu rosto exultava: pela primeira vez se via colocado em pé de igualdade nobiliárquica com o Fidalgo dos engenhos pernambucanos. Havia muita diferença em ser neto de um fazendeiro comum e ser bisneto de Visconde. Para ser Visconde, ele faria o acordo, para nunca mais ter que discutir seus olhos agateados e as marcas de sangue negro que havia em todo o seu corpo. Eu, danado da vida, joguei tudo isso na cara de Clemente, exprobando-lhe, inclusive, a traição que ele fazia ao Sertão e a suas ideias de tantos anos. Mas o Doutor Pedro rebateu minhas palavras, vindo em socorro de Clemente. Disse:

— "Não há nada de estranho em o Professor Clemente ser Visconde! Os Cavalcantis de Albuquerque têm sangue tapuia, e o Barão de Cotegipe tinha sangue negro!"

Eu esperava que Samuel, diante disso, viesse com suas galhofas habituais sobre a nobreza bastarda, a nobreza cafre, castanha etc. Mas ele estava tão

ESCUDO DE ARMAS DO BACHAREL CLEMENTE
HARÁ DE RAVASCO ANVÉRSIO.

temeroso de desmoralizar a Ordem que o ia agraciar, tão envolvido pelo Doutor Pedro Gouveia, que não se atrevia mais a criticar nada. Então eu mesmo resolvi lutar. Intervim, indagando:

— "E Clemente terá brasão, também?"

— "Sim, é claro!" — respondeu o Doutor. — "O brasão dele é de ouro, com os dois cachorros negros dos leais, passantes e armados de vermelho, e com uma orla de goles, carregada de sete estrelas de prata. O timbre é uma Onça vermelha, passante, como os cachorros do escudo."

— "Cachorro preto, está muito bem escolhido como animal heráldico de Clemente!" — não pôde se impedir de observar Samuel. — "Mas veja que coincidência, Doutor: no meu brasão, existe uma Anta, e meu movimento literário é exatamente o Tapirismo; no de Clemente, existe uma Onça, e o dele é o Oncismo! Agora, tem uma coisa: nós chamamos Quaderna, comumente, de Quaderna, O Castanho! Não me diga que Quaderna também terá brasão e que no dele existe um Cavalo castanho!"

— "Existe, sim!" — disse o Doutor Pedro, e meu coração deu um pulo no peito. — "Existe um Cavalo castanho, sim. Não no escudo, propriamente, mas sim no timbre. O escudo dos Quadernas é esquartelado. No primeiro quartel, há, em campo de ouro, um veado negro vilenado, inscrito numa quaderna de quatro crescentes vermelhos. No segundo, em campo vermelho, cinco flores-de-lis de ouro, postas em santor, ou aspa, e assim os contrários. O timbre é um cavalo castanho, com asas, com as patas dianteiras levantadas e as traseiras pousadas, entre chamas de fogo!"

— "Valha-me Deus, Doutor Pedro!" — disse Samuel. — "Não é possível! Existem, aqui, duas versões sobre a família de Quaderna. Segundo a primeira, Quaderna descende daqueles fanáticos, assassinos e bárbaros, que se coroaram como Reis do Brasil, na Pedra do Reino. Mas o Pai dele, Pedro Justino Quaderna, um raizeiro e parasita dos Garcia-Barrettos, vivia espalhando outra versão, segundo a qual os Quadernas eram descendentes do Rei Dom Dinis de Portugal. Não me diga que o senhor se deu ao trabalho de pesquisar, também, a genealogia de Quaderna!"

— "Pesquisei, sim! Aliás, é meu intento fundar, aqui, um certo Instituto Genealógico e Histórico do Cariri, exatamente para institucionalizar e codificar essas pesquisas, ordinariamente deixadas ao acaso, aqui na Paraíba."

— "Nós já temos, aqui, a nossa Academia, Doutor Pedro!" — informei, pressuroso.

— "Eu sei, eu sei! Não é a admirável Academia de Letras dos Emparedados do Sertão da Paraíba? Mas, também aí, não haverá, entre nós, conflito de jurisdição, porque a Academia é literária e o nosso Instituto será histórico e genealógico. Aliás, não é preciso dizer que meus caros amigos aqui presentes serão convidados para a sessão inicial e serão, portanto, sócios-fundadores do Instituto!"

— "Magnífica ideia!" — aprovou Clemente. — "Mas o senhor não disse qual das duas versões sobre a família de Quaderna é a verdadeira, se a dos Reis do Pajeú, se a de Dom Dinis!"

— "As duas, meu caro, as duas, porque os Reis do Pajeú descendiam do Rei Dom Dinis de Portugal! Dom Dinis deixou alguns filhos bastardos, entre os quais Dom Afonso Sanches, de quem descendem os Albuquerques. Mas, de uma certa Maria Gomes, ele deixou dois filhos, Maria e outro Afonso. A moça casou-se com Juan de La Cerda, e o rapaz com uma certa Joana Ferreira. O filho de Juan de La Cerda chamou-se João de Lacerda e seduziu sua prima, Catarina Ferreira, filha de Afonso, gerando um bastardo que, sendo orgulhoso, não quis usar o nome da família Lacerda. Trocou as letras e chamou-se João Ferreira Dacerla. Este, teve outro bastardo que se chamou Dinis Ferreira Dacerna. O filho deste, também bastardo, chamou-se Pedro Dinis Ferreira Caderna: foi pai de João Ferreira Quaderna e avô de Dinis Ferreira Quaderna, o primeiro a vir para o Brasil. Mas o antepassado mais ilustre dos Quadernas brasileiros é um certo João Ferreira Quaderna, que viveu aqui no tempo do reinado curto e glorioso de Dom Sebastião. E vejam que coincidência estranha: quando Dom Sebastião legitimou os filhos bastardos de Jerônimo de Albuquerque, agraciou o Quaderna com um título de nobreza. Sabem qual foi esse título? O de Conde da Pedra do Reino! Creio que foi por isso que os Quadernas, depois, batizaram seu trono de pedra do Pajeú com o mesmo nome de A Pedra do Reino. É por isso que o brasão dos Quadernas é uma variante do escudo dos Lacerdas, porque a cada mudança de nome, havia trocas no brasão. Por exemplo: desapareceu o castelo, um leão de púrpura virou veado negro, surgiu o timbre do cavalo castanho etc. As flores-de-lis porém permaneceram. Mas o símbolo heráldico mais característico, mesmo, dos Quadernas é a quaderna de crescentes vermelhos e o grande Veado negro inscrito nele!"

— "Esta parte é que não está boa, Doutor!" — protestei imediatamente. — "O veado é um bicho meio suspeito, e meus inimigos virão, na certa, com galhofas para o meu lado por causa disso!"

— "Você teria razão, meu caro Quaderna, se o veado não fosse *vilenado* como é! Você sabe o que significa *vilenado*, em Heráldica?"

— "Sei não!" — confessei.

—"*Vilenado* quer dizer com o sexo à mostra e de esmalte diferente do resto do corpo do animal. O veado de seu escudo é negro, mas tem o sexo à mostra e pintado de vermelho!"

— "Bem, se é assim, a coisa muda de figura!" — falei. — "Se o veado do meu brasão tem o pau vermelho à mostra, eu posso provar a quem vier com graças que o nosso é um Veado sério, um veado macho, e não aveadado como poderia parecer. Entretanto, por segurança, e já que cautela e caldo de galinha não fazem mal a ninguém, vamos trocar, no meu escudo, o veado negro por um Jaguar preto, macho e vilenado de vermelho. Ou pode ser, também, a Onça castanha e a quaderna de crescentes pretos. Sei não, depois a gente decide! Agora, outra coisa, Doutor: mesmo que o senhor me dê esse direito, eu não quero ser Comendador, não. Prefiro ser Cavaleiro!"

— "Deixe de ser burro, Quaderna!" — falou Samuel. — "O título de Comendador é muito mais importante!"

— "Mas o de Cavaleiro é mais bonito!" — teimei. — "Sempre desejei ser declarado oficialmente, episcopalmente, regiamente, Cavaleiro, e minha oportunidade é essa: não quero ser Comendador não, quero ser é Cavaleiro!"

— "Pois será Cavaleiro da Ordem do Templo de São Sebastião!" — disse o Doutor Pedro Gouveia, com solenidade que me arrepiou. — "E seu título? Não tem curiosidade de saber alguma coisa a esse respeito não?"

Fiquei numa entaladela. Tudo indicava que meu título deveria ser o de Conde da Pedra do Reino. Mas, se eu aceitasse esse título não estaria renunciando, implicitamente, à Coroa real? Com as maiores cautelas do mundo indaguei isso, como se se tratasse de uma consulta inteiramente impessoal. A Providência Divina e os astros estavam, porém, decididamente a meu favor: o Doutor Pedro me deu informações seguras que me garantiam eu poder assumir, sem riscos, o belíssimo título de 12º Conde e 7º Rei da Pedra do Reino. Até os números, 12 e 7, eram fatídicos, astrosos e gloriosos, e fiquei um momento a sonhar, com as mais exaltadas esperanças. Logo, porém, o Doutor Pedro nos chamava de volta à realidade. Disse:

— "Bem, senhores, as cartas estão na mesa e o que vamos decidir agora é se o jogo se trava e continua, ou tem que ser interrompido definitivamente, de uma vez por todas! Nós não somos crianças e todos já devem ter entendido que, se eu aceno com possibilidades tão honrosas, é que tenho que pedir alguma coisa em troca. Como já expliquei, no caso de vocês três não se trata das exigências que seriam feitas às pessoas comuns. O que quero, dos três, é o apoio decidido e total à causa de Sinésio Garcia-Barretto, causa que hoje se inicia aqui!"

— "Bem, Doutor Pedro, vamos examinar tudo cuidadosamente!" — disse Samuel. — "O problema não é tão fácil como o senhor parece pensar. A grande dúvida é: será que o Rapaz-do-Cavalo-Branco que chegou hoje aqui com o senhor é o mesmo Sinésio Garcia-Barretto desaparecido em 1930? Se é, como foi que ele ressuscitou? É preciso vê-lo, é preciso provar que ele não morreu etc."

— "Tudo isso será provado e esclarecido a seu tempo!" — disse o Doutor Pedro com firmeza. — "Mas também não vou fazer a exigência absurda de que tomem uma decisão imediata. Hoje, infelizmente, o Rapaz-do-Cavalo-Branco não pode se deixar ver. Amanhã, porém, garanto que facilitarei um encontro dele com os três. Assim, a questão do agraciamento e das cartas de brasão fica em suspenso até a decisão de vocês. Uma coisa, porém, eu digo logo: o ponto fundamental de toda a questão é o problema do testamento e dos bens deixados por Dom Pedro Sebastião Garcia-Barretto. Algum dos presentes poderia me dar as informações iniciais a esse respeito?"

— "Eu posso!" — avancei. — "Vou revelar agora, ao senhor, o que nunca revelei a ninguém a esse respeito. Faço isso porque, de minha parte, já tomei minha decisão, Doutor Pedro. Meu sangue me garante que o Rapaz-do-Cavalo--Branco é Sinésio, meu primo e sobrinho, o Príncipe Alumioso da Bandeira do Divino do Sertão. Estou do lado dele, para o que der e vier!"

— "Dou-lhe os meus parabéns, nobre Conde da Pedra do Reino!" — disse o Doutor Pedro passando imediatamente a me tratar por meu título. — "Dou-lhe os meus parabéns, porque a decisão que o senhor tomou foi nobre e acertada, o senhor não se arrependerá! Amanhã combinaremos o que falta sobre seu brasão, e o senhor receberá o pergaminho e carta que lhe reconhecem o título que acaba

Escudo de Armas de Dom Pedro Dinis Quaderna, 12º Conde da Pedra do Reino e 7º Rei do Quinto Império e do Quinto Naipe do Sete-Estrelo do Escorpião.

de conquistar neste momento, o de Cavaleiro professo na Ordem do Templo de São Sebastião e Conde da Pedra do Reino!"

— "Registro e agradeço!" — disse eu, modéstia à parte com alguma majestade. — "Agora, vou então comunicar ao senhor tudo o que sei sobre o testamento e o tesouro!"

* * *

Comecei então a contar ao Doutor Pedro Gouveia tudo o que sabia a esse respeito. Meu Padrinho fora casado com Dona Maria da Purificação, mãe de Arésio, sob o regime de separação de bens, e com minha irmã, Joana Quaderna, sob o de comunhão. Além disso, sabia-se como certo que ele deixara um testamento legando tudo aquilo de que podia dispor a Sinésio. Assim, Arésio ficaria praticamente reduzido à miséria, caso se achasse o testamento e se provasse que o Rapaz-do--Cavalo-Branco era, mesmo, Sinésio. Constava que o testamento estava em poder do gringo Dom Edmundo Swendson, pai de Clara e Heliana. Dizia-se que meu Padrinho confiara ao gringo o testamento, que estava na Fortaleza de São Joaquim da Pedra, trancado a sete chaves, e que teria de ser encontrado e retomado à força, uma vez que Dom Edmundo Swendson, tendo rompido com meu Padrinho, era agora aliado dos Moraes, e tinha interesse, portanto, em favorecer Arésio, prestes a oficializar seu noivado com Genoveva. O mais importante, porém, em tudo, não era o testamento: era o tesouro que, se fosse encontrado pelo pessoal de Sinésio, daria o poder ao Rapaz-do-Cavalo-Branco com ou sem testamento, com legitimidade ou ilegitimidade de suas pretensões a filho de meu Padrinho. Desfiei, então, como vinha dizendo, tudo isso perante o Doutor Pedro Gouveia, que, enquanto eu falava, ia anotando as informações mais importantes. Aí, terminada essa primeira parte referente ao testamento, comecei minha narrativa sobre o tesouro. Disse:

— "Foi entre 1920 e 1930 que ouvi falar com mais exatidão sobre esse fabuloso tesouro dos Garcia-Barretos. Vou contar, primeiro, a parte que o pessoal considera mais real e de fato, e depois a parte da legenda que, a meu ver, é mais segura do que a primeira. Ocorre que, desde 1907 ou 1908, o comportamento de meu Padrinho começou a ficar meio estranho. Ele sempre fora um homem trancado, ríspido e autoritário, austero e religioso. De repente, deu para ficar meio fanático, atacado de mania religiosa, o que começou a perturbar suas relações com a primeira mulher. Passou a frequentar as procissões da Vila, não normalmente, como tinham feito seu Pai, seu Avô e ele mesmo, a princípio, mas sim vestido de opa roxa e de balandrau à mão. Na Quaresma, deu para cobrir a cabeça com sacos, polvilhando-se inteiramente de cinza dos pés à cabeça. Entregava-se então a terríveis jejuns e penitências. Começou, também, a preparar o túmulo no qual pretendia ser sepultado. Escolhera, para isso, não o Cemitério da nossa Vila, mas um lajedo enorme que ele mandou escavar e no qual começaram a trabalhar todos os canteiros daqui, homens habituados a lidar com a construção das amuralhadas cercas-de-pedra sertanejas. Depois, comecei a frequentar o Seminário. Habituei-me então a organizar aqui as festas anuais dedicadas ao Divino Espírito Santo. Meu Padrinho consentiu em aparecer nessas festas para ser coroado Imperador do Divino. Comparecia a elas acompanhado por seu filho mais moço, Sinésio, que, muito novo ainda, era coroado Príncipe no mesmo palanque que o Pai. Seguiam-se Cavalhadas, desfiles, Naus Catarinetas, cortejos, Procissões, tudo ao som da Música de rabecas, violas, pífanos e tambores. Parece que tudo isso ia subindo à cabeça de Dom Pedro Sebastião sem que nós suspeitássemos de nada. E o tempo foi passando. Morreu Dona Maria da Purificação, veio 1912 com todos os aperreios e inquietações da Guerra de Doze. Em 1921 ou 22, mais ou menos, Dom Pedro Sebastião começou a empregar uma fortuna na compra de terras na Matureia, em Itapetim, Brejinho, Piancó, Princesa, Monteiro e Picuí, isto é, em todos os lugares em que constava haver ouro ou prata, na Paraíba. Aí, começaram a correr aqui as mais estranhas notícias. Como o ouro e a prata extraídos por meu Padrinho não apareciam, começaram a espalhar, aos cochichos, que as enormes quantidades encontradas por ele desses metais preciosos estavam sendo fundidas em barras que eram enterradas numa furna de pedra que só meu Padrinho sabia onde se encontrava. Dizia-se que as pessoas que conduziam as barras eram, depois, assassinadas, para não se revelar o segredo. Por outro lado, como Dom Pedro Sebastião começasse também a trabalhar nas minas de topázio e água-marinha de Picuí, começou a correr o boato de que pedras preciosas e diamantes estavam sendo enterrados com o ouro e a prata. Corria também a notícia de que aquele antepassado de meu Padrinho, aquele velho Dom Sebastião Garcia-Barretto que morrera flechado pelos Tapuias, viera ao Sertão, pela primeira vez, para enterrar um tesouro, o Tesouro do Reino, caixas e caixas de madeira atulhadas de ducados e dobrões de ouro e de prata. Falava-se ainda numa versão estranha: esse mesmo velho antepassado nosso, o segundo Dom Sebastião, achara a decifração do velho enigma das Minas de Prata, que tantos Conquistadores e sertanistas antigos tinham procurado em vão. Deixara a seus descendentes uma caixa contendo velhos pergaminhos, mapas e roteiros. Essa caixa, deixada ao abandono durante muito tempo, fora encontrada por Dom Pedro Sebastião, e era este o motivo de ter sido ele o Garcia-Barretto destinado a tocar na fabulosa fortuna. Dizia-se que o motivo principal de todos aqueles que tinham procurado as fabulosas Minas de Prata de Robério Dias terem errado o roteiro fora o fato de que eles interpretavam mal certos topônimos fundamentais, o que os levara a pensar que a prata, o ouro e os diamantes estavam na Bahia. Dom Sebastião Garcia-Barretto decifrara certas inscrições e legendas tapuio-fenícias e chegara à conclusão de que o tesouro se encontrava era na Paraíba. Por exemplo: certos velhos documentos, conhecidos de todos, falavam em Itabaiana e no Serrote da Prata. O pessoal pensava que a referência era feita a Itabaiana de Sergipe. Ora, todo mundo sabe que existe uma Itabaiana na Paraíba, e que, no nosso município de Monteiro, existe um lugar chamado o Serrote Agudo da Prata. Falava-se ainda em florins holandeses, resultantes do apresamento e naufrágio de uma frota, e em velhas moedas portuguesas e espanholas. E começaram a se misturar essas versões todas, como sempre acontece nestes casos. Começou a correr um boato de que a furna do tesouro era a mesma do jazigo de Dom Pedro Sebastião, do túmulo cavado no interior do lajedo e que formava, segundo as notícias, uma enorme cova subterrânea. As moedas e as pedras preciosas estariam sendo carreadas em segredo, à noite, em lombos de burros, e trancadas no jazigo de pedra para serem sepultadas com o dono. Esse seria o motivo, diziam, de Dom Pedro Sebastião manter sempre, em torno de seu futuro túmulo, uma porção de *cabras* armados. Aí, chegou 1926. Aconteceram os combates, emboscadas, correrias e tiroteios da 'Guerra da Coluna'. Durante essa guerra, meu Padrinho ficou muito agitado. Ele tomou parte ativa nela, de modo que toda aquela agitação meio febril dele me parecia, um pouco, resultado da paixão política. Mas era que seu caráter já se encaminhava aos poucos da excentricidade para a demência. Deu para sair às vezes da 'Onça Malhada' à noite, inesperadamente, só, passando dias e dias fora de casa. Ao voltar, não falava com ninguém sobre a viagem, nem permitia a ninguém nenhuma referência sobre ela. De uma feita, chamou um grupo de homens de sua confiança, ordenando a eles e a mim que o acompanhássemos. Partimos de madrugada, com meu Padrinho à frente e armados até os dentes, como ele recomendara. Galopamos até as nove horas da manhã, mais ou menos, indo acampar finalmente perto de umas pedras que ficam mais ou menos a meio caminho entre Taperoá e Teixeira. Dom Pedro Sebastião mandou que nós nos escondêssemos, em grupos de dois ou três, por trás das pedras, lajedos e serrotes que margeiam a estrada. Eu estava aterrorizado, julgando que se reacendera a 'Guerra da Coluna' e que íamos emboscar alguma tropa inimiga que passaria por ali. Maldisse a minha pouca sorte que, depois de ter permitido que eu escapasse das empreitadas da Guerra ia agora me lançar noutra, inteiramente inesperada. Pensei em correr, em desertar, como tinha visto tanta gente fazer em 1912 e 1926. Mas, se eu tinha medo da guerra, tinha ainda mais de meu Padrinho, de modo que fiz das tripas coração e fiquei. Esperamos, esperamos e nada. O suor corria em bicas da minha testa. Ao meio-dia, o Rei do Cariri permitiu que comêssemos alguma coisa. E ali ficamos até as seis horas da noite, quando ele nos ordenou que voltássemos para casa, o que fizemos com ele à frente, num mutismo absoluto. E foi a partir daí que tudo começou a se agravar. Deixo de contar tudo com pormenores porque, para mim, tudo aquilo era de uma tristeza terrível. Conto apenas, porque é mais importante, que lá um dia, ele convocou aquele grupo de doze Cavaleiros que ele chamava de os Doze Cavaleiros de Doze..."

— Dom Pedro Dinis Quadrena — interrompeu o Corregedor —, consta, aqui, que foi o senhor o principal responsável pela loucura religiosa e monárquica de seu Padrinho. Dizem, inclusive, que foi o senhor quem meteu na cabeça dele essa história dos Doze Cavaleiros que tinham tomado parte na tal "Guerra de Doze", e que formariam, para ele, uma espécie de Guarda de Honra, de Doze Pares de França. Pelo que já sei do senhor, vê-se que é verdade. O senhor confirma isso?

— A parte dos Cavaleiros é verdade, foi ideia minha. Mas o resto, não; eu me limitava a cumprir as ordens que meu Padrinho mesmo me dava.

E continuei a contar a história do tesouro ao Doutor Pedro Gouveia. Falei:

— "Meu Padrinho convocou os Doze Cavaleiros, que se reuniram na grande sala da frente da 'Casa-Forte da Onça Malhada'. Dom Pedro Sebastião estava com Sinésio ao lado, porque Arésio se retirara em sinal de protesto. Arésio detestava as fantásticas estranhezas do Pai, pressentindo, com seu orgulho, que elas atraíam desconsideração para toda a família Garcia-Barretto (desconsideração que a maioria dos próprios Doze Cavaleiros mal podia disfarçar). O homem que, nos bons tempos da 'Onça Malhada' era o encarregado de reunir os cachorros para as caçadas, tocou na buzina de chifre. Selaram-se os cavalos e partimos todos, em demanda, para uma serra que havia no meio das terras dos Garcia-Barrettos, um lugar ermo e áspero, no qual se subia aos poucos, levando, porém, para um Serrote pedregoso de onde o chão caía a pique sobre a planície da Espinhara, lá embaixo. Esqueci-me de dizer que meu Padrinho e Sinésio estavam todos dois de gibão. Meu Padrinho tinha ganho, dado por um Presidente sertanejo que estava então no governo da Paraíba, um gibão *de honra e boniteza*, feito de duas qualidades de couro — couro castanho de vaqueta e couro amarelo de veado. Amedalhara-se também o gibão com moedas de prata, e Dom Pedro Sebastião mandara fazer um igual para Sinésio, que estava, então, com dezesseis anos e, ao contrário de Arésio, acompanhava o Pai em tudo. Caminhamos uma porção de tempo, com meu Padrinho e Sinésio à frente. Os cavalos começaram a subir com mais dificuldade a encosta que, suave a princípio, ia se tornando cada vez mais íngreme e pedregosa. Finalmente, depois de horas de caminhada difícil, por entre enormes blocos de pedra que pareciam ter sido despedaçados dos enormes lajedos de cima por raios ou pelo Sol, chegamos ao topo da serra, encimado pelo grande serrote. A um sinal de Dom Pedro Sebastião, nós nos detivemos a uma certa distância, dispondo-nos em semicírculo. Quanto ao Senhor da Onça Malhada, meteu o cavalo mais para cima, ladeando, com risco de vida, um despenhadeiro de quase cem metros de pedra a pique. Sempre acompanhado por Sinésio, grimpou, montado, a parte inferior do grande Serrote. Daí se descortinava quase toda a chapada que vai de Taperoá até o Pico do Jabre, no Teixeira. Meu Padrinho ficou durante uma boa porção de tempo montado, olhando a nua e bela paisagem, embaixo. Depois, puxou da cintura a buzina de chifre que tinha pedido ao homem dos cachorros, desferindo, nela, um toque áspero, belo, rouco e castanho como o som deste meu Canto. Sinésio olhava tudo isso sem dizer palavra. Quando o som morreu nas quebradas da serra, Dom Pedro Sebastião colocou a mão direita em concha no ouvido, como se esperasse ouvir uma resposta, enquanto seus olhos esquadrinhavam o vasto Tabuleiro que se perdia em sua vista, lá embaixo. Depois de repetir isso várias vezes, pareceu, de repente, que ele obtivera o resultado que aguardava, pois seu rosto se iluminou. Gritou para nós que, embaixo, o olhávamos espantados mas silenciosos, sem ousar fazer nenhum comentário: — *É ele, é ele! Eu não disse?* E, cravando na terra deserta e nua, no chapadão coberto de cactos e pedras que cintilavam ao sol violento do meio-dia, seus olhos de visionário, gritou para lá: — *Deus o salve, meu Senhor, Deus o salve!* Quem seria? O terrível Senhor de todas as coisas? O Rei? Nunca se soube! O olhar dele pareceu acompanhar a passagem de Alguém que cruzava, a cavalo, a chapada, lá embaixo. Digo *a cavalo* porque pela rapidez com que seus olhos acompanhavam o Cavaleiro invisível, não podia ser pessoa que estivesse passando a pé. O fato é que, quando o Cavaleiro já se perdia no horizonte, nós ouvimos Dom Pedro Sebastião dizer ainda, como numa bênção ou numa despedida: — *Deus o leve e o traga de novo, em paz!* Então, persignou-se e voltamos todos para a 'Onça Malhada'. Eu me lembrava daqueles versos de Álvares de Azevedo que dizem:

> *'Cavaleiro das armas brilhantes,*
> *onde vais, nos Sertões chamejantes,*
> *com a Espada Sanguenta na mão?*
> *Por que brilham teus Olhos ardentes*
> *e esses Gritos nos lábios frementes*
> *vertem Fogo do teu Coração?*
>
> *Cavaleiro, quem és? O Remorso?*
> *Do Corcel te debruças no dorso*
> *e galopas, chapada através.*
> *Oh! da Estrada acordando as poeiras*
> *não escutas luzirem Caveiras*
> *e o Profeta da Pedra a teus pés?*
>
> *Onde vais na Caatinga flamante,*
> *Cavaleiro das armas brilhantes,*
> *doido e ardente, qual Morto na tumba?*
> *Não escutas? Na pétrea Montanha*

> *meu tropel teu Galope acompanha*
> *e um clamor de Vingança retumba!*
>
> *Cavaleiro, quem és? Que mistério?*
> *Quem te força, na Morte, no Império,*
> *pela Tarde assombrada a vagar?*
> *— Sou o Sonho da tua Esperança,*
> *tua Febre que nunca descansa,*
> *o Delírio que te há de matar!'"*

— "A essa primeira saída, seguiram-se outras, sempre com as mesmas vestes de Vaqueiro, as mesmas armas, os mesmos toques da buzina de chifre, as mesmas palavras e a mesma passagem do Cavaleiro no chapadão, enquanto nós, na serra, nada víamos. Entretanto, impressionáveis como são os Sertanejos, apareceram logo algumas pessoas declarando que realmente não *viam* nada, mas *ouviam* o galope do Cavalo, primeiro chegando, cruzando a chapada e perdendo--se depois, na distância. Um dia, ousei fazer perguntas a meu Padrinho sobre sua visagem, sobre a identidade do Cavaleiro e sobre o sentido que tudo aquilo tinha para ele. Dom Pedro Sebastião fechou a cara, mas disse: — *É um Cavaleiro que eu vou encontrar e que vejo na chapada, lá embaixo.* — *E quem é ele?* — indaguei. — *Não sei!* — cortou meu Padrinho, com o ar obstinado de quem se recusa a passar adiante num assunto pessoal. Insisti: — *Mas ele passa, mesmo, a cavalo, como estão dizendo? Alguns dos nossos já estão começando a ouvir o galope de um cavalo!* — *Ah, já estão ouvindo!* — comentou Dom Pedro Sebastião entre irônico e vitorioso. — *Pois têm toda razão, porque é mesmo a cavalo que ele passa! Sim, a cavalo pela chapada, entre os raios do Sol e nuvens de fogo, coberto de mantos e pedrarias, por entre os bodes e as pedras, que ele roça com suas esporas, tirando faíscas nelas. No dia em que ele vem, eu já acordo com o ouvido fino de quem foi mordido de cobra. Quando ele vem muito longe, começo a ouvir os cascos de seu Cavalo, tirando fogo nas pedras. É então que me visto, pego as armas e convoco os Doze Cavaleiros com a buzina que antes me servia para a caça e agora serve para tocar a rebate. Corro para a serra com vocês e é assim que ainda não deixei de atender a nenhum dos chamados dele!* — *Os chamados dele? E ele fala com o senhor?* — perguntei. — *Não!*

— respondeu meu Padrinho. — *Para que, se nós nos entendemos perfeitamente, sem isso? Basta que eu saiba que ele está vigilante e que ele saiba, por sua vez, que, chegado o momento, eu estarei no lugar preciso. É para isso que nós nos encontramos, porque nossa hora chegará!* Aí, Dom Pedro Sebastião arredou-se e não houve insistência minha capaz de fazê-lo continuar."

* * *

— "Um dia, porém" — continuei —, "meu Padrinho se vestiu do mesmo jeito, e, sem convocar os Doze nem Sinésio, me mandou que o acompanhasse. Era, para mim, uma honra inaudita. O Barão do Guarupá e o Visconde de Caicó, aqui presentes, já tinham se insinuado várias vezes para conseguir um convite desses, tendo porém esbarrado sempre com a taciturnidade glacial de Dom Pedro Sebastião, que cortava toda vez as insinuações. Ele mandou que eu conduzisse um velhíssimo e pequeno baú de couro, todo tauxiado, que eu nunca vira. Montou no seu cavalo, e partimos em direção à serra. Desta vez, porém, não houve nem buzina nem passagem do Cavaleiro. Quando chegamos lá, meu Padrinho desceu do cavalo e mandou que eu fizesse o mesmo. Ficou durante alguns momentos olhando a planície áspera e quente, lá embaixo, murmurando, aqui e ali, algumas palavras inaudíveis. Depois, voltando-se bruscamente para mim, disse: 'Não trouxe Sinésio para não arriscá-lo, você é quem vai ser o Guarda do Selo dos Tesouros. O tesouro! Eles falam, falam, mas não sabem da missa nem a metade! É Belchior Moreia, é Robério Dias, é Dom Sebastião, é a Bahia... Nada disso, é a Paraíba, é Taperoá, é a Pedra do Reino e a Onça Malhada, com a data do Coraçá! Vou lhe dizer uma coisa: do jeito que as coisas vão com o tesouro, antes a sociedade com o homem dos navios, na Fortaleza de São Joaquim da Pedra! Os navios! Você devia vê-los, Dinis! São enormes, bonitos, pintados de amarelo e de vermelho, com serpentes, dragões e cabeças de cavalo e cachorro nas proas. Tem o "Narciso", o "Upanema", o "Pedra Verde", o "Garça Cor-de-Rosa", mas o mais bonito de todos é o *Estrela da Manhã*. As velas são brancas, mas quando eles passam em Penedo, nas Alagoas, desviam-se da coroa de areia vermelha onde estão os martins-pescadores flechando peixes, e onde está o rio todo cheio de barcaças com velas coloridas — azuis, vermelhas, amarelas, pretas com listras de ouro etc. Eles carregam açúcar, carvão, sal de Macau, e sobretudo carregam pedras — o topázio, a esmeralda, o sol, a lua; sim, porque existe a pedra chamada olho-de-gato, e outra chamada olho-de-tigre, e a pedra-da-lua e a pedra-do-sol, e tudo isso vai sendo encontrado e sepultado na pedra, com o ouro e a prata que servirá para os engastes. Você vai com Sinésio ver os navios: são muitos, viajam do Sertão para o Mar, e depois de deixarem o São Francisco e o Sertão das Piranhas, bordejam a costa pelo Mar, passando na Fortaleza de Nazaré do Cabo, em Pernambuco, e vindo até a de São Joaquim da Pedra. Vocês vão lá e não se arrependerão, porque é bonito e bom de ver!', disse ele, passando a mão pelo rosto e pela barba, como para dissipar um pouco o emaranhado dos sonhos. Depois, com ar mais razoável, disse: 'Tome aqui essa chave e abra o baú!' Eu obedeci, com os olhos reluzindo e as mãos tremendo de curiosidade. Havia, lá, uma porção de velhos pergaminhos, muito estragados pelo tempo, escritos num Português bastante antigo. Naquele dia, meu Padrinho me deu tudo aquilo. O primeiro estava escrito assim:

> 'Instrucção q. deo o Padre Antonio Pereyra o da Torre de Garcia d'Avila a João Calhelha do anno da Graça de N. Sñor. Jesu Christo de hum mil seis centos & cincoenta & sinquo annos. = Na Serra &tc. na mais alta das Pontas della pondose hum homem da banda do Sul ahi está o Haver & a ponta vae inclinada ao Leste & debaxo desta Ponta ao Leste bem abaxo quãdo faz grandes ynvernadas leva huma Beta & e se esta enorme Beta he de Prata ou de Ouro Deos o sabe & quando forem ao Taboleiro em sima, pondose da parte do Sul, hão de achar muytos Crystaes & da banda do Sul para o Norte outras Pedras muytas q. me parecem de concideração & donde morreo Gabriel Soares está huma Serra por nome Itaiuperá q. he de Xumbo mas anuncia o haver do Tesouro & tomem a Ribeyra donde nasce o rio chamado em tapuia Ubatuba & corram por ela abaxo & não fique Grota q. não vejam.'"

— "Os outros documentos eram todos escritos no mesmo Português antigo. Decifrei tudo cuidadosamente, tirando uma cópia que é esta que apresento aqui, pela primeira vez. Havia uma carta de Dom Sebastião Garcia-Barretto, na qual ele dizia que, tendo realizado uma entrada que partira do Pilar, se metera pelo Rio Paraíba e pelo Taperoá adentro. Dizia que o nosso antepassado, aquele

Dom Sebastião Barretto que afirmavam ser o Rei Dom Sebastião, viera para o Brasil trazendo *o haver do Reino e dos Mouros*. Dizia que Gabriel Soares, e Belchior Dias Moreia e Afonso de Albuquerque Maranhão tinham encontrado traços do tesouro e tinham deixado tudo em linguagem cifrada, dando pistas falsas para que pensassem que aquela fortuna incalculável se encontrava na Bahia. Mas não vou transcrever tudo em Português antigo, para não dificultar a leitura. Havia o seguinte:

> *'Assento do Coronel Belchior da Fonseca Saraiva Dias Moreia, o Muribeca. = No ano da graça de 1675, governando este Estado do Brasil o Ilustríssimo Senhor Dom Roque da Costa Barretto, mandou El-Rei Nosso Senhor a Dom Rodrigo de Castelo Branco que fizesse averiguar as Minas de Itabaiana a Itaperuá, pelas notícias e tradições de Belchior Dias Moreia. E foi o dito Dom Rodrigo ao Serrote Agudo, mas terminou se retirando, ambicioso das notícias que então corriam das esmeraldas, do ouro e da prata, e o mataram, deixando ele o Tenente-General seu Cunhado para ir examinar as Minas. No ano de 1675, fui eu, com Jorge Soares, uma das pessoas que Sua Alteza mandou a ver se eram de minas as Serras. Achamos um índio Cariri, velho de cem anos, que nos levou pelo campo frio, ao norte do Salitre, cortando muitas léguas de mato e Caatinga, sem água nem gravatá que a tivesse. Mas, com raízes de umbu e mandacaru, remediou-se a penúria da gente que abriu o caminho. O velho mostrou o caminho e o lugar onde Belchior Dias, meu bisavô, achou o que buscava. O índio disse que outro homem de sua nação fora quem levara ali a meu bisavô, dando-lhe umas Pedras que muito o tinham alegrado. Achamos sinais certíssimos de haver estado gente branca ali: foram o dito Belchior Dias e seu sobrinho Francisco Dias Dávila, o primeiro, no ano de 1628, e o segundo, depois. Mas não descobriram a Mina, porque não conheciam o que nós agora conhecemos, porque Belchior Dias lhes ordenara não mostrar nunca a branco nenhum aquele lugar, porque os Flamengos terminariam sabendo e viriam tomar a sua terra. Por isso, ele nunca quisera falar*

*nem mostrar o caminho. Se descobrirem essa incalculável riqueza
que a terra do Brasil tem sonegado há tantos anos dos olhos dos
cegos, Sua Majestade porá um freio ao Turco e sopeará os potentados
da Europa. Mas por não haver quem reconheça os sinais e as duas
Pedras, que estão incógnitas, Deus as descobrirá quando for servido.
Há o papel que o Padre Antônio Pereira, da Torre, deu a João, o
Calhelha, e a seus irmãos, mas não deram em nada porque as serras
são muitas, difíceis os sinais das Pedras e eles ignorantes de minas,
roteiros e metais.'"*

— "Havia outro documento, importantíssimo, que dizia assim:

*'À Sua Excelência o Mui Alto Senhor Conde de Sabugosa, Vice-Rei
do Estado no Brasil = Da parte do Coronel Pedro Barbosa Leal. =
Muito alto Senhor: Nos primeiros anos da povoação, entrou pelo Rio
Itaperoá o Tenente-Coronel Sebastião Garcia-Barretto, ao qual, vindo
naquela diligência, lhe trouxe o gentio do Sertão uma pedra cravada
de ouro. O filho dele fez seu caminho até a ponta da Serra, onde
fez uma Casa-Forte. O Alferes João Martins Torres, com quem falei
depois no Sertão do Taperoá, homem velho e de bom crédito, me
assegurou que vira a Casa-Forte e estivera assentado sobre uma peça
de campanha que ali se achava. Seguiu então, aquele, a sua rota, e
descobriu o que acusa o Roteiro, que é de Dom Sebastião. Foi à Pedra
Furada, passou a Serra Branca. E como a este tempo se sabia já do
Roteiro, resolvi entrar pelo mesmo caminho do Sertão; mas, mesmo
fazendo várias diligências, não descobri o tesouro. Mas é sem dúvida
que a Serra é a das Pedras, porque ali esteve o Garcia-Barretto e
cheguei a achar três letras de pedra postas a mão, a saber, um P, um D e
um Q, e entrelaçadas com estas, um A, um V e um S, de um lado, e do
outro, um S, um G e um B, tudo a pouca distância, com uma Cruz
sobre uma Laje. Segui a rota, atravessando setenta léguas de Caatinga
em que perdi vinte e oito cavalos, mas como me faltava o Roteiro,
não pude encontrar. Perto das Serras, nos campos do Coraçá, depois*

do Sítio do Curral do Meio, vi e passei pelo Serrote de pedras ametistas e me garantiu o Principal daqueles Cariris que, perto daquele Morro, achava-se outro, todo de pedras amarelas. A Serra é a que chamam da Pedra Furada, porque I quer dizer água, ta é pedra, e tudo significa Água da Pedra Furada. Isto mesmo se acha na Pedra, diz-se ao Reino, porque do centro dela sai uma ribeira de água por um Canal de pedra que entra de serra adentro sem se lhe ver o começo. Mandei entrarem cinco homens com fachos de cera acesos, e entrando eles cerca de três ou quatro braças, ainda continuava aquele canal de pedra para o centro da Serra. Os sinais do Roteiro são uma grande árvore de Sucupira, as duas Pedras, o capão de canas bravas a que chamam Tabocas e a grande árvore ainda hoje cravada de balas, do tempo da Conquista. Falta descobrir a Beta que vem referida no Roteiro, pois o homem chegou a afirmar que o haver do Rei e o ouro e a prata e as pedras são tantas quanto é muito o ferro em Bilbao. Queira Deus que no tempo do governo de Vossa Excelência se logre esta felicidade e que para dirigir e franquear este assunto, guarde Deus a Vossa Excelência por muitos anos. Aos vinte e dois de Novembro de 1725. Pedro Barbosa Leal.'"

— "Quando terminei de ler isso, meu Padrinho me mostrou uma porção de velhas escrituras referentes às terras dos Garcia-Barrettos na Paraíba e no Pajeú de Pernambuco, todas com referências ao Coraçá, à Pedra Furada, à Lagoa do Meio, ao Serrote Agudo da Prata etc. Depois me disse que o problema era o Roteiro, mas que o Roteiro ele tinha. Mostrou-me então um velho mapa do Nordeste, um daqueles mapas dos séculos XVI, XVII ou XVIII, cheio de emblemas, brasões, bandeiras, rosas-dos-ventos, serpentes marinhas, peixes com asas, onças e caravelas. No pergaminho, abaixo do mapa, havia uma espécie de explicação cifrada de tudo, escrita pelo próprio punho de meu Padrinho, Dom Pedro Sebastião Garcia-Barretto. Era a seguinte:

'Na encruzilhada das Onças, a 32 passos, o Covo de pedra com a Abada de ouro, ao poente do Poderoso. Perto do padrão de pedra que fica mais ao Sul, dentro do Penedo brocado, os dois tesouros do *grande Poder. Na testa da Casa de Pedra, o boi de ouro sem armas, e a 45 passos daí, o Cavalo de prata, rompido do lado direito e cheio de moedas velhas. No pino do Sol, o belo Haver mestiço de peças de ouro. No caminho da galeria subterrânea do Castelo de Pedra, o balde de cobre cheio de medalhas e diamantes. Na torre da Casa-Forte, as palagranas do Rei, cozidas em barro negro, com as Custódias de ouro e as caixas de diamantes. Embaixo do púlpito ou Trono, o Labrusco de ferro com um número incontável de Moedas latinas. Sob o Cruzeiro, dentro do chão, no rumo da Pedra incrustada, as 12 Armaduras de ouro e o ídolo de prata dos Reis Mouros de Castela. Para o lado das Covas, as alfaias do Bispo Negro com as caixas de diamantes da Sacerdotisa vermelha. Aos pés do ninho do Gavião, a Cancela e as cainças de Ouro que vieram de Alcácer. A 21 passos do Rochedo Espalmo, no leito das Areias negras, o tabuado de madeira, e, debaixo dele, a Cova cheia de moedas de prata com a efígie do Castanho. No meio dos dois Castelos, o haver de prata guardado pelo Bezerro: se quereis o haver, não toqueis no Bezerro. Perto, dentro do Leopardo de prata, estão as valias do Temível. Ao pé da Onça de Pedra da entrada, os diamantes do Antigo. A três passos das Urtigas e da lasca dos Peranhos, a entrada para o canal de pedra e para as 12 salas de Ouro, lavrada por desconhecidos. No fim da galeria, na Fonte, o legado do Restaurador, todo de ouro, debaixo do cascalho, ao bater do Sol na ponta de pedra, quando chega a hora sétima. A oito passos da corrente forte, a estátua da Moura, enorme, de prata e bronze, com um peito de rubi e outro de esmeralda, e tendo no ventre baixo a caixa de topázio amarelo e pelos de ouro: ao pé da Estátua, está o peso dela em diamantes. Ao pé do Rochedo de dois bicos, o sangue dos Guerreiros mortos. Na guarda da Porta subterrânea, os 12 homens esculpidos em pedra, com as letras púnicas no alizar do mármore. No escoamento, a Espada de copos de prata e pegadouro de brilhantes: ouvi o som, é som garcia dos barros e barrettos que aí chegaram. Na sobrefinca, as riquezas da Renegada, embaixo do terceiro arco. Na canga de pedra, as 7.000 dobras de* ouro: ao pino do meio-dia, bate-lhe o Sol na linha direita do Serrote Agudo. Guardai o roteiro e lembrai-vos da sua chave que está nas letras e no mapa: três do lado direito, três do lado esquerdo e a OnçA do meio, no coração do coração dos três. Achada a entrada o resto será fácil: na primeira Sala da furna de pedra, está a primeira Urna de prata, e dentro dela, a Onça Malhada de ouro. Na segunda, uma Corça de ouro, guardada por um enorme Gavião de ouro, com as asas de diamante. Na terceira, a Onça negra de diamante e carbúnculo, sustida pela Onça castanha de ouro. Guardai bem tudo isso, pois os dois picos de pedra guardam o todo do Terrível. Com o esconjuro do Sinal da cruz e a Sagrada Pedra Cristalina, Amém.'"

— "Quando meu Padrinho terminou de me mostrar isso, eu disse que tudo me parecia cheio de sentidos ocultos, mas que me era impossível decifrá-lo. Ele me disse que ocultara, de propósito, a decifração, para que o roteiro e o tesouro não caíssem em mãos estranhas. Disse-me que, chegado o momento, me comunicaria a chave do enigma e tudo me pareceria tão claro que eu me espantaria de não ter atinado com ela no mesmo instante. É verdade que, de vez em quando, tudo aquilo me pareciam referências à Pedra do Reino e aos dois rochedos gêmeos que eram as torres do nosso Castelo. Mas como meu Padrinho me prometia a revelação de tudo para depois, conformei-me na hora e voltamos para casa. Passou 1927, passou 1928, passou 1929. Começou o terrível ano de 1930 e novamente Dom Pedro Sebastião se viu metido nas lutas políticas da Paraíba. Começou a Guerra de Princesa. Um dia, em 1930, procurei meu Padrinho e pedi-lhe que me fornecesse a chave para a decifração do roteiro, porque, com aquelas lutas, combates e emboscadas em que ele andava metido, podia morrer a qualquer momento, e Sinésio ficaria sem saber o que importava. Ele concordou. Mandou que eu trouxesse o roteiro e o mapa e ficou horas e horas olhando. Depois, espantado, olhou para mim e disse que tinha se esquecido totalmente da decifração! Simplesmente: tinha se esquecido! Aquilo que era claro como água, antes, estava emaranhado e enigmático como um labirinto! Disse, porém, que eu não desanimasse, ele iria se esforçar e, assim que se lembrasse, me diria tudo, para que eu, como Guarda do Tesouro, o fizesse chegar às mãos do seu filho mais moço, Sinésio. Assim foi o tempo passando, até que chegamos ao fatídico dia 24 de Agosto de 1930. Nesse dia, pela manhã, meu Padrinho me comunicou que estava a ponto de decifrar tudo. Disse-me que subiria para a torre da Casa-Forte e que desceria de lá com a chave do roteiro pronta, porque encontrara o caminho da memória e agora iria até o fim. Subiu para a torre, e foi a última vez que o vi vivo: porque daí a umas duas ou três horas, quando sentimos falta dele, fomos encontrá-lo degolado, daquela maneira que todos conhecem. Perto dele, estavam o mapa e essa última parte do roteiro que acabo de comunicar-lhes. Ninguém deu importância a tudo aquilo. Apanhei o papel, guardei-o e é por isso que o tenho aqui, agora!"

Exibi então ao Doutor Pedro Gouveia, a Clemente e a Samuel, o mapa e o roteiro manchados do sangue do velho Rei do Cariri. Os três estavam siderados. O Doutor Pedro falou, afinal:

— "E depois disso, ninguém lhe falou mais do tesouro?"

— "Não! Agora, o que me impressionou hoje, demais, foram as visagens de Nazário e Pedro Cego, porque tudo indica que a furna da Onça que eles viram é a mesma do Tesouro. Seja este um tesouro ibérico de dobrões espanhóis e portugueses — como eu acho que pensa Samuel — ou seja um tesouro fenício-tapuia como aquele que foi visto por Clemente, o fato é que o tesouro existe e eu acredito que a entrada da furna é na Pedra do Reino. Minha ideia, portanto, é que eu, o senhor, Clemente, Samuel, Frei Simão, os ciganos e, naturalmente, Sinésio, organizemos uma expedição sob forma de Circo. Iremos à Pedra do Reino, seguindo, passo a passo, os topônimos dos documentos deixados pelo velho Dom Sebastião Garcia-Barretto. São setenta léguas de Caatinga desértica. No caminho, eu e o senhor iremos estudando o mapa e o roteiro, tentando encontrar a chave final da Charada enigmática que o velho Rei não pôde matar, tendo sido, talvez, assassinado por causa disso. Porque, uma coisa eu lhe digo: o tesouro é a riqueza mais incalculável que já terá sido dada a um mortal!"

— "Poderíamos fazer, com ele, a Revolução, a grande revolução brasileira com que vivo sonhando!" — disse Clemente, com olhar perdido e nostálgico.

— "O Brasil poderia ficar mais importante do que o Império de Filipe II, realizando nós, aqui, o Quinto Império profetizado por Antônio Vieira!" — disse Samuel com o mesmo ar melancólico do outro.

— "Nada disso, meus caros!" — falou de lá o Doutor Pedro Gouveia, com ar prático. — "Tesouro é tesouro: não tem dono, pertence a quem o achar! Se nós acharmos o tesouro, ele será nosso, isto é, de vocês, meu e do Rapaz-do-Cavalo-Branco. Estão de acordo?"

— "Estamos, sim, é claro!" — ecoamos nós três, descobrindo, mais uma vez, como aquele homem era hábil e precioso.

— "Pois então, ficamos de acordo!" — disse ele, como se nos despedisse. — "Amanhã, vocês terão a entrevista com Sinésio. Tomarão suas decisões a respeito da Ordem e da viagem e, se Deus quiser, sairá tudo pelo melhor!"

Nós nos erguemos. Despedimo-nos e saímos de novo pelo portão dos fundos, onde Lino me aguardava fielmente. Com ele à frente, tomamos o caminho da Praça, onde estavam se desenrolando fatos da maior importância.

O MAPA DO TESOURO.

Folheto LXXXI
A Cantiga da Velha do Badalo

Quando nós chegamos diante do casarão dos Garcia-Barrettos, a confusão estava a maior do mundo, e nós nos misturamos à multidão. A parte da frente da casa estava completamente fechada e o Povo se mantinha ali à espera, numa atmosfera de tensão religiosa fora do comum. Notei logo que o dedo de meus irmãos bastardos andava por ali, porque na calçada, de cada lado do portão, estava uma figura esculpida em madeira por aquele que era santeiro e imaginário, Matias Quaderna. A primeira era um torso do Cristo, enorme, brutal, esculpido num só tronco de baraúna, com a cabeça coroada por raios estrelados e folhagens, e com quatro figuras entalhadas na parte de trás, como se tivessem sido geradas por seu lombo — uma onça, um touro alado, um anjo e um gavião. A outra era uma Nossa Senhora, também enorme, com chapéu de couro, estrelado de doze estrelas, à cabeça, com os pés sobre a Serpente e com as duas mãos apoiadas, uma num cervo, a outra numa Onça. Pendurados ao muro e perto das gigantescas imagens de madeira, estavam dois outros objetos que me indicavam a presença, ali, de meu irmão Antônio Papacunha Quaderna, o tocador de pífano e pintor de bandeiras de todas as procissões de Taperoá. Eram dois modelos, pintados em papel, para as bandeiras de procissões recentes. O primeiro, representava, no centro, uma árvore em cujos galhos viam-se umas Onças; embaixo da árvore, havia um Vaqueiro a cavalo e outro tangendo um boi. O segundo, era uma representação do Cristo crucificado. O corpo do Cristo era coberto de ferimentos que reluziam e que o faziam semelhante a um Leopardo ferido, coberto de malhas sangrentas: do lado direito, montado a cavalo, estava um Vaqueiro, ainda sustendo a lança que transfixara o peito do Crucificado; do lado esquerdo da cruz, estava uma Nossa Senhora vestida de cangaceira e com o peito traspassado por sete punhais compridos; um galho de mandacaru pendia dos braços da cruz, parecendo uma enorme ampliação da coroa de espinhos, e uma chuva de pingos de sangue caía do alto, formando, embaixo, um mar de sangue vermelho, preto e amarelo. Aliás, meus irmãos Antônio, Sílvio e Virgolino — tocadores respectivamente de rabeca, pífano e viola — estavam no meio da multidão, com outros tocadores seus companheiros e prontos para o que desse e viesse, como logo depois eu iria verificar. Por enquanto, porém, e dentro de certos limites, o Povo ainda estava sossegado, e resolvi tomar o sintoma do ambiente para auscultar as opiniões. Assim, avistando um grupo de mendigos que se mantinha meio afastado e relativamente em silêncio no meio da multidão exaltada, pedi a Lino que me levasse até lá. Esses mendigos não moravam na rua, mas sim em tudo quanto era biboca e pé de serra, só aparecendo na Vila nos dias de feira. Usavam, todos eles, uns camisões sujos e remendados, cajados e longas barbas proféticas e grisalhas, destacando-se entre eles a figura patriarcal do velho Misael Cascão, uma espécie de chefe e Rei que sempre julguei ter vindo ao mundo sem ajuda de pai e mãe, brotado das pedras e da terra parda do Sertão. Apesar de ter querido passar o mais despercebido possível, eu era uma figura muito conhecida e muito ligada a todos aqueles acontecimentos para não ser notado. De modo que, quando me dirigia para lá, fui descoberto, graças a Deus por pouca gente; e minha passagem, agarrado ao bastão de cego que Lino me improvisara, causou certa sensação:

— "É Seu Pedro Dinis Quaderna! É o Profeta da Pedra do Reino! Bem que ele tinha profetizado a vinda do nosso Prinspe!" — eram estas as frases que eu ia ouvindo à medida que me encaminhava para o grupo de mendigos.

— E é verdade que você tinha profetizado tudo aquilo, Dom Pedro Dinis Quaderna? — perguntou o Corregedor.

— Para falar a verdade, Sr. Corregedor, desde 1930 que eu esperava e profetizava, todo ano, a volta do meu sobrinho e primo Sinésio. Naquele dia, porém, esquecida de todos os anos em que eu errara a profecia, aquela gente só se lembrava da última, a que eu tinha publicado no *Almanaque do Cariri* para 1935. De qualquer modo, com certa dificuldade, consegui chegar junto ao velho Misael Cascão, no momento exato em que o Povo começou a notar a chegada de Samuel e Clemente, que tinham vindo comigo e que estavam ainda com roupas de cerimônia, de toga e tudo. Os mendigos estavam sentados na calçada, formando um meio círculo, no meio do qual, sentada também na calçada, mas encostada com as costas à parede da casa dos Garcia-Barrettos, estava a Velha do Badalo, com seu rosto de bronze e pedra, engelhado e roído pelo tempo. Somente então entendi por qual motivo os mendigos se mantinham como que alheados ao esvozear da Praça, num silêncio atento e fascinado. É que a Velha não se calava um só instante, desde várias horas — ao que me disseram — falando e dizendo coisas estranhas, num murmúrio contínuo que só podia ser decifrado com grande dificuldade. Qual seria o teor desses murmúrios eu pude avaliar pelo que se seguiu. Porque, assim que cheguei à roda, ela de repente começou a cantar, com uma voz que parecia sair do bronze e da pedra do seu corpo e de seu sangue. Cantou uma daquelas cantigas velhas e sepultadas, que somente ela e Tia Filipa ainda conheciam, na Vila. A música, a solfa dessa cantiga, nunca mais me saiu da cabeça, Sr. Corregedor; porque, assim que ela começou a cantar, eu me lembrei de que Tia Filipa também cantava aquilo às vezes, me botando pra dormir. Era assim:

"*Nosso Rei foi se perder*
nas terras do Malpassar.
Deitam sortes à Ventura
quem o havia de buscar.
O Cavaleiro escolhido
não se cansa de chorar:
vai andando, vai andando,
sem nunca desanimar,
até que encontrou um Mouro
num Areal, a velar.
— Por Deus te peço, bom Mouro,
me digas, sem me enganar,
Cavaleiro de armas brancas
se o viste aqui passar.
— Esse Cavaleiro, amigo,
diz-me tu, que sinal traz.
— Brancas eram suas Armas,
seu cavalo é Tremedal.
Na ponta de sua Lança
levava um branco Cendal,
que lhe bordou sua Noiva,
bordado a ponto real.

— Esse Cavaleiro, amigo,
morto está, neste Pragal,
com as pernas dentro d'água
e o corpo no Areal.
Sete feridas no peito,
cada uma mais mortal:
por uma, lhe entra o Sol,
por outra, entra o Luar,
pela mais pequena delas
um Gavião a voar!
Mas é engano do Mouro,
nós vamos nos aliar:
o nosso Rei encantou-se
nas terras do Malpassar
e, um dia, no seu Cavalo,
nosso Rei há de voltar!"

— Quando a Velha do Badalo terminou de cantar esse romance, meio--cavalariano, meio-profético — inclusive porque já trazia uma referência ao nome do cavalo de Sinésio —, um homem que estava no meio do Povo me avistou e gritou de lá:

— "Seu Quaderna, é verdade que esse Rapaz-do-Cavalo-Branco veio para começar a Guerra do Reino? Ele é, mesmo, Dom Sinésio Sebastião, O Alumioso que apareceu de novo pra fazer a felicidade de nós?"

— "Não sei!" — respondi com a voz soturna que a cegueira agora me emprestava. — "Como é que eu posso saber isso, se estou cego? De tarde, eu estava bonzinho dos meus olhos, ali perto da estrada de Campina, sentado em cima de uma pedra. Estava bonzinho, com os olhos perfeitos que Deus me deu e que eu sempre tive! De repente, passou pela estrada a tropa de Cavaleiros e carretas que vinha com o Rapaz-do-Cavalo-Branco: na mesma hora, dois Gaviões desceram do Sol e me cegaram! Estou cego, cego de guia!"

— "Valha-me Deus! Ave Maria! Nossa Senhora!" — gritou a mesma voz que tinha falado antes. — "Já vi que o Rapaz-do-Cavalo-Branco é Ele mesmo!

Vocês estão vendo o que eu dizia? É verdade ou não é? Cadê aquele cego que estava aqui, ainda agora?"

— "Que cego? Pedro Cego?" — indagaram algumas vozes.

— "Não, o outro que chegou depois e ficou por aqui, com a gente!"

— "Estão dizendo, por aí, que ele foi curado da cegueira, por milagre!" — explicou outra voz. — "Depois que atiraram no Rapaz-do-Cavalo-Branco, dizem que o cego chegou pra perto do Prinspe, tocou na roupa dele e ficou bom da vista!"

— "Pois ele ficou bom na mesma hora em que eu ceguei!" — disse eu, assombrado.

— "Meu Jesus Cristo! Minha Nossa Senhora!" — gritou, de novo, a mesma voz que falara primeiro. — "Acho que foi por isso que o cego daqui ficou curado! Na certa, tem sempre a mesma conta de cegos, no mundo: como o daqui foi curado por ter tocado na roupa do Prinspe, Seu Quaderna ficou cego no lugar dele!"

— "Ai, meu Deus!" — gritou uma mulher ainda jovem, sobrinha da Velha do Badalo e tão doida quanto ela, caindo redondamente no chão, torcendo-se e escumando pela boca como se tivesse sido mordida de cachorro-da-molesta.

— "Meu Jesus! Minha Nossa Senhora!" — começou a gritar a multidão, tocada pela faísca, pelo raio de corisco e pedra-lispe que sempre lhe dá nesses momentos.

— Acresce, Sr. Corregedor, que, como acabo de lhe dizer, por entre aquela sertanejada toda, tinham aparecido tocadores de viola, de rabeca, de pífanos e tambores, todos vindos para a Cavalhada e agora ajuntados ali como se tivesse havido uma combinação entre meus irmãos e eles. Logo quando foi da nossa chegada, segundo nos disse Samuel, algumas pessoas, junto dele, tinham começado "a tocar e cantar uns hinos bárbaros, umas músicas arrepiadoras, algumas sem letra, outras cujas palavras enigmáticas disparatadas parece que viviam no sangue daquela doida gente sertaneja". Uma dessas músicas eu a conhecia bem, era *O Piado do Cachorro*, uma música que se tocava em rabecas e pífanos, com tambores acompanhando. De repente, Lino Pedra-Verde, enervado pela erva-moura e pelo Vinho sagrado da Pedra do Reino, gritou para o Povo:

— "Minha gente, vamos cantar o nosso sagrado Hino da Santa Pedra do Reino!" — e ele mesmo, por conta própria, começou a entoar a música, com a voz fanhosa, insistente e áspera dos Cantadores. Além de meus irmãos, havia, na Praça, vários músicos que eram da nossa Ordem dos Cavaleiros da Pedra do Reino. Esses conheciam perfeitamente o hino, e logo começaram a acompanhar o canto de Lino Pedra-Verde com seus instrumentos.

— Uma informação, Dom Pedro Dinis Quaderna! — interrompeu, de novo, o Corregedor. — O senhor também cantou?

— Não senhor! Sempre me abstive, prudentemente, de fazer essas coisas em público!

— Por quê?

— Em primeiro lugar, por acanhamento, e depois para não ser mal interpretado pelas autoridades constituídas! Porque, repito mais uma vez a Vossa Excelência, minha política monárquica da Pedra do Reino sempre foi inteiramente pacífica e inocente! Mas como eu ia dizendo: os inumeráveis Cavaleiros da Pedra do Reino que estavam por ali, maltrapilhos mas fidalgos, disseminados entre a multidão da qual faziam parte, todos eles começaram a cantar, repetindo várias vezes as duas estrofes do nosso Hino; de modo que, daí a pouco, todo o Povo, impressionado e magnetizado, cantava também!

— Anote a senhora aí, Dona Margarida, que o nosso Dom Pedro Dinis Quaderna confessa que, naquele ano de 1935, os seus adeptos já eram inumeráveis, e que, no dia da chegada do Rapaz-do-Cavalo-Branco, todo o Povo cantava o tal Hino da Pedra do Reino!

Margarida anotou mais aquele fato terrivelmente comprometedor que eu deixara escapar, nobres Senhores e belas Damas. Quando ela terminou de anotar, o Corregedor voltou-se de novo para mim, dizendo:

— Agora, repita bem devagar, para que Dona Margarida também anote, as palavras textuais do Hino da Pedra do Reino!

— É fácil, Sr. Corregedor! — disse eu. — É fácil, porque ainda agora, aqui neste momento, já passados três anos, parece que eu estou vendo a cara que Lino Pedra-Verde fazia naquela noite, enquanto cantava!

— *Vendo*? — espantou-se o Corregedor. — E o senhor não estava cego? Aliás, quero lhe dizer que notei várias contradições a esse respeito em suas palavras, e só deixei passar todas elas porque queria que ficasse tudo registrado e documentado no inquérito! O senhor, além de ter *visto* várias coisas no quarto de Adalberto Coura, *avistou* as esculturas e quadros de seus irmãos e o grupo de mendigos na calçada, reunido em torno da Velha do Badalo!

— Sim, é verdade, não deixa de ser verdade! — disse eu, balbuciando. — Mas Vossa Excelência não se esqueça de que minha cegueira logo iria se revelar como uma cegueira toda especial, criada pela Providência exclusivamente para favorecer o Gênio da Raça Brasileira em seu cotejo com Homero! Depois, estou apenas usando uma imagem, como outra que Samuel usa frequentemente: assim como ele diz que foi assassinado moralmente pela calúnia, eu estava vendo tudo naquele momento era com os olhos da alma! Mas continuo: Lino Pedra-Verde, com o ar *mordido* que o vinho sagrado tinha dado a ele, cantou, impressionando terrivelmente a multidão:

"A Onça, por ser esperta,
já começa o seu Caminho.
Fez da sua Furna o ninho
e esturra que está alerta!
Será a Cadeia aberta!
Quanto ao Porco, é muito certo:
fugirá para o Deserto,
e a Onça, com seu bramido,
libertará O Ferido,
o nosso Prinspe-Encoberto!

A Onça vai esturrando
atrás do Porco-selvagem:
matá-lo-á na passagem,
com nosso Prinspe ajudando!
O Rei vai ressuscitando
no Prinspe, sua Criança.
E a Espora da remonstrança,
Pedra do Reino e da Prata,
no sangue desta Escarlata,
no sertão desta Vingança!"

Folheto LXXXII
A Demanda do Sangral

— Como lhe disse, Sr. Corregedor, depois da quarta ou quinta vez que Lino e os outros Cavaleiros da Pedra do Reino cantaram isso, a multidão, como se um sopro de insânia sagrada tivesse passado por ali, começou a repetir as estrofes, dizendo as palavras trocadas, estropiadas e do jeito que Deus era servido. Era uma coisa tão impressionante que eu mesmo comecei a ficar arrepiado. Mas Samuel e Clemente, aqueles homens incréus e ímpios, mesmo com as novas disposições em que se encontravam por causa da Ordem do Templo de São Sebastião, permaneciam frios. Samuel, aproveitando um momento em que Lino, cansado, parara de cantar um pouco, interrogou-o:

— "Lino, que disparates mais descabelados são esses? É terra do Malpassar, é onça, é porco, é prinspe, é espora! Que diabo de confusão é tudo isso?"

— "E o senhor não sabe o que são essas coisas não?" — perguntou Lino, espantado de que ainda houvesse, no mundo, gente capaz de ignorar fatos tão importantes e claros. — "Tá, Doutor Samuel, eu me admiro é que o senhor, um homem formado, que vive tão perto do nosso Dom Pedro Dinis Quaderna, ainda não tenha entendido a história toda, acontecida desde o começo, com o nosso Prinspe-do-Cavalo-Branco! Quaderna é homem monárquico, profético e astrológico, e pode muito bem explicar ao senhor que o nosso Donzelo da pedra sagrada é o mesmo Prinspe da Bandeira do Divino e da Pedra do Reino do Sertão. Eu mesmo ouvi Vossas Senhorias falando sobre isso, e é por isso que me admiro que o senhor agora esteja estranhando tanta coisa! Nosso Prinspe apareceu na Serra do Rodeador, no tempo do ronca, no tempo de Dom João Pamparra e de Dom Pedro Cipó-Pau. Estava escondido na Casa da Pedra de onde a Santa falava, no soterranho! O nome do nosso Prinspe varia, ora é Dom Sebastião, ora é São Sebastião, conforme a necessidade! Ali, na Serra do Rodeador, mataram o nosso Prinspe e mataram também o Profeta dele, Silvestre José dos Santos, o homem dos santos, também chamado de Mestre Quiou, O Enviado. Era o Profeta montado em seu alazão, e o Prinspe no cavalo branco! Mas o Prinspe ressuscitou, e apareceu de novo, na Pedra do Reino do Pajeú, sustentado pelos quatro Reis, os bisavós, aqui, do nosso Rei e Profeta, Dom Pedro Dinis Quaderna. Tem gente que fala em três Reis, mas eu sei, de fonte segura, que eram quatro: Dom João I, chamado também Dom João Antônio; Dom Pedro I, ou Dom Pedro Antônio; Dom João II, ou Dom João Ferreira-Quaderna, casado com a Princesa Isabel; e Dom Sebastião Barbosa, que era o mesmo Rei Dom Sebastião, escondido e encoberto na pedra, como sempre!"

— "O quê, Lino?" — interrompi eu, pois esse quarto Rei era novidade até para mim mesmo. — "E havia um quarto Rei, chamado Dom Sebastião Barbosa, na Pedra do Reino?"

— "Havia, sim! É coisa segura, porque este ainda chegou a ser conhecido pelo Major Optato Gueiros, da Polícia de Pernambuco! Que valha a palavra dele, já que eu sou um ignaro e, comparado com Vossas Senhorias, não passo de um batráquio contemplando as três estrelas do Escorpião! Mas o certo é que, ignaro ou não ignaro, tenho também alguns estudos que fiz com João Melchíades e aqui com meu companheiro na Arte da Poesia, Dom Pedro Dinis Quaderna, O Decifrador! Eu li o *Lunário Perpétuo* e o *Chernoviz*, assim como o *Tarô Adivinhatício*, de modo que conheço certas coisas bastante misteriosas e capacitárias, coisas que dão pr'o gasto! Por exemplo: eu sei, de fonte segura, que, na Pedra do Reino, mataram de novo o nosso Prinspe, que estava no Sacrário, trancado, escondido e encoberto pelo encantamento! O folheto que o nosso Quaderna, aqui, publicou sobre o assunto explica tudo: dessa vez, foram os Pereiras, a família de Sinhô Pereira! Não sei se Vossas Senhorias conheceram Sinhô Pereira, mas eu e Quaderna chegamos a conhecer: era um homem de família ilustre, um homem forte, valente como uma Onça e brabo que só uma Caninana! O nome dele era *nome sagrado*, porque Dom Sebastião Pereira era como ele se chamava! Foi por isso que, na força do nome dele, os Pereiras conseguiram vencer os quatro Imperadores da Pedra do Reino! E sabem quem era o pai de Sinhô Pereira? Era o Barão do Pajeú! O Barão tinha filhos legítimos, como Sinhô, e tinha um filho da puta, filho dele e de uma Cigana, o tal do Cigano Pereira! Esse pessoal todo, junto, deu um *fogo* na Pedra do Reino! Atiraram no sacrilégio das Torres encantadas, e, para *vencer o sangue, cobriram a terra de sangue* — sangue que ficou ali, vermelho, ensopando a poeira e queimado pelo Sol! Aí, o nosso Prinspe morreu de novo. Mas ressuscitou outra vez, agora no Império do Belo-Monte de Canudos, em 1897, já no tempo do reinado do nosso Dom Pedro III, mais conhecido como Pedro Justino Quaderna, pai aqui do nosso Dom Pedro IV! É por isso que, no Belo-Monte de Canudos, o nosso santo Conselheiro dizia: *Quem não sabe que o digno Príncipe, o Senhor Dom Pedro III, tem poder legitimamente constituído por Deus para governar o Brasil?* O pessoal pensava que ele estava falando era do filho de Dom Pedro II, mas como podia ser isso, se Dom Pedro II não tinha filho? É claro: o Conselheiro estava falando era do nosso Dom Pedro Justino Quaderna, porque no Reino é sempre assim que as coisas se passam: é um Rei castanho, no seu alazão, servindo de Profeta e sustança para o Prinspe-do-Cavalo-Branco! E o fato é que ali em Canudos foi aquela guerra desadorada, aquela Troia, tudo quanto foi de Polícia e Exército de todas as Turquias do mundo, lutando contra o sagrado Império do Belo-Monte! Para despistar, eles diziam que a raiva deles era contra o pessoal guerreiro que apareceu brigando na Guerra. Mas era mentira! A luta daqueles turcos do Diabo não era nem contra o Conselheiro, nem contra Pajeú, nem contra Pedrão, nem contra o Major Sariema, nem contra nenhum daqueles Chefes guerreiros de Canudos! Toda aquela guerra, foi porque o Governo de turcos tem medo e raiva do nosso Prinspe, do Príncipe do Povo! Sim, porque ele estava lá, como sempre, trancado no Sacrário. O pessoal de fora, cego, só via Aquele-que-aparecia, o Descoberto, o nosso Santo Peregrino, Antônio Conselheiro. Mas está aí o nosso Quaderna, que é bisneto dos Imperadores da Pedra do Reino e que sabe disso muito melhor do que eu. O que o Conselheiro fazia era somente cumprir as ordens do Prinspe, que vivia escondido e encoberto, dentro do Santuário, por trás de um véu bordado com o Sol, a Lua e as Estrelas! Aí, pressentindo o perigo, mandaram para lá um Herodes, o Corta-Cabeças que tinha sido Imperador de Roma, o Coronel Moreira César, o mesmo César que tinha mandado as onças comerem os Cristãos no circo de Roma e que lá, na Roma deles, tinha também mandado matar São Sebastião. E aí é que se vê, mesmo, o motivo do medo deles: é que São Sebastião é o mesmo São Jorge montado no cavalo branco e matando o Dragão; e é o mesmo Dom Sebastião, que liberta a Onça castanha e manda ela matar o Porco branco que vem do estrangeiro! E é o mesmo Dom Pedro Sebastião, pai de Dom Sinésio Sebastião e que foi degolado! Todos esses são uma pessoa só, a Onça da Ressurreição! É por isso que, na Pedra do Reino, o nosso Rei Dom João Ferreira-Quaderna ensinava que, além dos meninos e das mulheres, era preciso degolar os cachorros, que terminariam ressuscitados sob o comando da Onça, para acabar com os que maltratam o Povo! Então o Governo adivinhou que o nosso Prinspe estava vivo de novo, e mandaram o Coronel César, Imperador de Roma, para acabar a Guerra do Reino que o Povo sertanejo ia ganhar de vez, revirando essa merda toda numa tribuzana macha! O certo é que, ganha aqui, fode-se ali, terminaram matando de novo o nosso Prinspe! Mas aí chegava o nosso tempo e a vez desse Cariri velho do inferno das pedras! E apareceu o nosso velho Rei, Dom Pedro Sebastião, e lá ele mandava chamar para morar com ele o nosso Dom Pedro III! E lá Dom Pedro Justino se casava com Dona Maria Sulpícia, e lá nascia o nosso Dinis, o nosso Dom Pedro IV! E era tudo esperando o nascimento do Prinspe, porque, como Dom Pedro III tinha explicado no *Almanaque do Cariri*, Dom Pedro Sebastião Garcia-Barretto era o mesmo Dom Sebastião da Pedra do Reino, era o mesmo que matou o Porco para libertar a Onça, na África! Primeiro, nasceu o primeiro Prinspe, Arésio, que era contra o Povo. Era preciso, então, que o velho Rei emprenhasse outras mulheres, pra ver se nascia o Desejado! Ele emprenhou Maria Todo-Mundo, e lá nasceu, ressuscitado, o nosso Silvestre, ou melhor, Mestre Quiou, O Enviado, Profeta da Serra do Rodeador. Aí, Dom Pedro Sebastião casou com Joana, filha de Dom Pedro III, porque era preciso que o Prinspe tivesse o sangue do pessoal Quaderna, da Pedra do Reino! Tudo isso foi sendo explicado aos poucos, no *Almanaque*! E aí, em 1910, nascia o nosso Prinspe, vindo do Sol, montado num cavalo de asas e trazido pelo cometa! Era, afinal, o nosso Dom Sinésio Sebastião, o filho de São Sebastião, o Santo-do-Cavalo-Branco. E lá começou, de novo, a tribuzana da Guerra do Reino! Primeiro, foi em 1912, com a Guerra de Doze, com o nosso Rei Dom Pedro Sebastião montado no cavalo alazão dele, com o Negro Vicente, com Seu Hino, Germano, Severino Mãezinha e aquela cangaceirada toda! E veio a Guerra do Santo Padre do Juazeiro em 1913, e a Guerra da Coluna, em 1926, com Luís Carlos Prestes e a Guarda dos Doze que tinha ficado da outra guerra! E aí, em 1930, veio a Guerra de Trinta, a Guerra de Princesa, com o Governo já de novo pressentindo o perigo. Sabiam que o Povo ia terminar ganhando a briga, atrás do cavalo alazão do Rei e do cavalo branco do Prinspe! Aí, para que isso não acontecesse, mataram o nosso Rei Dom Pedro Sebastião, que foi degolado pelo Corta-cabeças da Roma de Canudos, aquele desgraçado! No mesmo dia, roubaram o filho dele, o Rapaz santo e sem mancha, o Prinspe do Povo. Enterraram o coitado com uma corrente amarrada no pé, lá longe, perto da Turquia, já perto da beira do Mundo e pra lá do inferno-das-quengas, três dias de viagem! Aí, no buraco debaixo da terra, deixaram o Prinspe morrer de fome, pra ver se, assim, ele ficava sepultado de uma vez e nunca mais ressuscitava! E ele morreu mesmo, coitado, de fome e desespero, sem Pai, sem Mãe e sem ninguém para punir por ele, sofrendo tudo quanto foi de maltrato, sem dizer malcriação nenhuma contra aqueles homens ruins! Mas não adiantou nada, essa maldade: porque, assim que se passou o prazo de um ano e um dia, o nosso Prinspe ressuscitou e reapareceu, sendo achado numa estrada por Frei Simão. Vinha vestido de uma túnica branca, com uma corda prendendo a cintura e com duas flores na mão, uma de Pau-d'arco amarelo e outra de Coralina encarnada — o Ouro e o Sangue! Estava esquecido de tudo, pelos sofrimentos que tinha passado, mas Frei Simão e o Doutor Pedro ensinaram tudo de novo a ele! Ele montou no Cavalo branco e voltou para o Cariri, para fazer a felicidade do Povo sertanejo! Como foi que ele apareceu, saindo de novo de debaixo da terra? Ninguém sabe! O que se sabe é que ele apareceu e entrou hoje aqui, porque Dom Sinésio, O Alumioso, Prinspe da Bandeira do Divino, é o filho de São Sebastião, Rei do Brasil e da Pedra do Reino do Sertão!"

Quando Lino Pedra-Verde terminou essa magistral explicação, estava com os olhos cheios de lágrimas, um pouco pela emoção e um pouco por embriaguez. Julguei que Samuel e Clemente, aqueles dois homens empedernidos, iriam se abalar e finalmente, abandonando a vida ímpia que tinham levado até então, se converter à nossa santa Fé católico-sertaneja! Mas qual! Continuaram na mesma obstinação, na mesma quizila de sempre, duvidando de tudo o que é sagrado, e, o que é pior ainda, tentando explicar a chegada de Sinésio e dos Cavaleiros que o acompanhavam como um episódio dos movimentos subversivos de cada um dos dois. Samuel veio logo com as implicâncias direitistas dele contra o Sertão. Disse:

— "Olhe, Lino, tudo isso que você está dizendo é uma confusão terrível, que só podia partir, mesmo, da cabeça de um Cantador sertanejo instruído por Quaderna, como você! Não nego que, de certa forma, até simpatizo, em bloco, com o que você diz, mas é preciso esclarecer tudo, senão o resultado é péssimo! Confundir, por exemplo, um Rei cruzado, católico e cavaleiresco, um Rei fatídico como foi Dom Sebastião, com essas barbaridades sertanejas da Pedra do Reino e de Canudos, é coisa que devia ser proibida na Constituição! O Sebastianismo, Lino, foi a coroa e a rosa da Raça Latina! Foi fruto do sangue português e superior a tudo o que a própria Espanha pôde conceber nessa linha, porque Dom Sebastião foi uma pessoa que existiu mesmo e se transcendeu em Mito; enquanto na Espanha, o máximo que se conseguiu, no mesmo estilo, foi uma criação meramente literária. E espúria, ainda por cima, porque foi saída não do sonho da Cavalaria, mas do escárnio, do 'carnaval fantástico da Cavalaria', como disse Tobias Barretto num de seus poucos acessos de inteligência! E outra coisa, Lino: não confunda São Sebastião, o santo que foi morto em Roma, com Dom Sebastião, o Rei de Portugal que morreu na África, na Batalha de Alcácer-Quibir! São Sebastião foi um, Dom Sebastião foi outro!"

— "Não sei, Doutor, não sei!" — disse Lino, com ar duvidoso e cético, coçando a cabeça ante a necessidade em que se via de discordar de uma pessoa formada como Samuel. — "Mas, como o senhor é pessoa ilustre, até pode ser que tenha razão! Mas uma coisa eu lhe digo, Doutor Samuel: ande com cuidado, porque todos esses assuntos são muito misteriosos. Não pense que o senhor, por ser formado, resolve todos eles assim, com uma penada só, não! A gente fala, assim de oitiva, dessas coisas, mas o fato é que o Prinspe Alumioso e a Guerra do Reino do Sertão são coisas sérias demais, Doutor! O senhor falou, aí, em São Sebastião, não foi? Pois me diga uma coisa: o que é que o senhor sabe sobre a morte dele? Não quero saber coisa ouvida de oitiva não, quero é coisa garantida, coisa litúrgica e séria, aprendida nos livros! Como foi que São Sebastião morreu?"

— "Olhe, Lino" — disse Samuel, hesitante —, "é muito difícil dizer somente coisas sérias, aprendidas nos livros, sobre um assunto como esse! Para mim, porém, para mim que acredito no Sonho e na Legenda, para mim, derradeiro Fidalgo desta pátria prosaica, a Legenda e o Real são uma coisa só! Assim, posso lhe dizer que foi o Imperador quem mandou flechar São Sebastião."

— "O Imperador?" — disse Lino, aboticando os olhos. — "Oi, foi o Imperador? Que Imperador? César?"

— "Bem, tanto faz dizer César como dizer o Imperador."

— "Ah, tanto faz, é? E então por que é que o senhor vem com conversa fiada pra meu lado, dizendo que tudo o que eu disse está errado? Esse Imperador não morava em Roma? O nome dele não era Moreira César? Ele não era Coronel do Exército? Não era amigo do Marechal Floriano Peixoto? Não foi ele quem jurou que ia cortar a cabeça do Prinspe-do-Cavalo-Branco, em Canudos?"

— "Lino, tenha paciência, mas Canudos foi outra coisa! A morte de São Sebastião, ordenada pelo Imperador, foi em Roma e aconteceu há muito tempo!"

— "Doutor Samuel, tenha paciência também, mas por isso não! Por isso não, porque a Troia do Conselheiro também aconteceu há muito tempo, e tanto faz Roma como Canudos, tudo aquilo foi uma Troia só, está aí Dom Pedro Dinis Quaderna que o diga! Está lá tudo isso, escrito no folheto de Jota Sara! E tem mais: o senhor não disse, aí, que flecharam São Sebastião?"

— "Flecharam, sim, mas dizem que ele não chegou a morrer com essas flechadas! Foi deixado no mato, como morto, mas sobreviveu e foi encontrado por umas santas mulheres, que o levaram para Byblus e ungiram o corpo dele, estancando o sangue das feridas, de modo que ele sobreviveu e escapou!"

— "Está vendo?" — disse Lino, vitorioso. — "E o senhor ainda vem duvidar! Queriam matar São Sebastião, mas ele escapou e ressuscitou. E não sou eu quem diz isso não, é o senhor mesmo, pessoa formada e ilustre! Então, está provado: o Coronel Moreira César, Imperador de Roma, do Marechal Floriano Peixoto e do General Deodoro da Fonseca, quis matar São Sebastião, mas ele escapou, e tudo isso se passou foi em Canudos, aquela Troia! O senhor disse, aí, que ele foi deixado como morto mas que, de fato, estava vivo. Está certo, eu até compreendo que o senhor faça assim: o senhor é homem formado e fica com vergonha de acreditar em certas coisas. Mas eu, que sou homem ignaro, tenho direito de não ter vergonha de acreditar na verdade. Por isso lhe digo: quando essas mulheres encontraram São Sebastião ele estava era morto mesmo — morto, ungido e consagrado! Agora, o que acontece é que o Prinspe-do-Cavalo-Branco é um despropósito, para ressuscitar: o Governo facilitou, ele ressuscita! E me diga outra coisa, Doutor Samuel: depois que São Sebastião morreu das flechadas e ressuscitou, ficou vivo de vez ou morreu de novo?"

— "Olhe, Lino, o que vou lhe dizer é o que li no Missal: o Imperador mandou prendê-lo de novo, em Byblus. Arrancaram-no da mão das santas mulheres e o mataram a cacetadas. As mulheres, em pranto, colocaram-no num cadafalso de ébano e ouro, e assim ele foi enterrado!"

— "Não sei, Doutor Samuel, não sei!" — disse Lino com o mesmo ar duvidoso. — "Mas se o senhor garante que leu isso no Missal, deve ser verdade! Esse tal de Seu Missal deve ser pessoa sagrada e litúrgica. Mas eu confesso ao senhor que as notícias que tenho são muito outras, e foram dadas por pessoas tão filantrópicas quanto o senhor e Seu Missal! O senhor tem certeza de que o caixão onde enterraram o santo era de ouro? Ouvi falar que era de pedra e que é por isso que São Sebastião foi sepultado nas duas torres de pedra da Catedral da Pedra do Reino, no Sertão do Pajeú! Mas me conte, aí, mais cinco tostões dessa história! Me diga uma coisa: antes dessa morte por flechadas, não houve, com São Sebastião, umas tribuzanas brabas, uns barulhos danados de guerra na África? Não foi uma batalha contra os turcos? E São Sebastião não estava na batalha, montado no cavalo branco de São Jorge?"

— "Lino, pelo amor de Deus, entenda!" — disse Samuel, já impaciente. — "Aí, agora, nessa batalha, já era, mesmo, Dom Sebastião, Rei de Portugal! É aquele Rei que queria transferir a sede da monarquia portuguesa para o Brasil!"

— "Então é ele mesmo, eu estava certo, Doutor! Está vendo, Dinis? Está vendo, Professor Clemente? Foi ele em Canudos e foi ele na Pedra do Reino, porque aquilo ali, na Pedra do Reino, foi um despropósito, uma monarquia da gota-serena, com guerras, coroas, confusões e tudo! Além disso, no Sertão é que está enterrada a Monarquia do Brasil! É por isso que eu estava dizendo: tudo isso é uma coisa só, é a Monarquia de Dom Sebastião, do Brasil, do Sertão, de Portugal, da África e do Império da Pedra do Reino! Me diga uma coisa, Doutor Samuel: eu não ouvi o senhor dizer, uma vez, que Dom Sebastião lutou, e pelejou pra vencer, com a mouraria dos Ciganos, na África?"

— "Ouviu sim, Lino!"

— "E ele não estava montado num cavalo branco?"

— "Estava, porque cederam um cavalo dessa cor a ele."

— "Oi, cederam? Quem cedeu? Quem era o dono do cavalo?"

— "Era Jorge de Albuquerque Coelho, fidalgo dos engenhos, Senhor e Conde de Pernambuco!"

— "Está vendo, Doutor Samuel? É o senhor mesmo quem confessa que o dono do cavalo branco se chamava Jorge e morava num Engenho, ali para os lados do Pajeú, no Sertão de Pernambuco! O que eu me admiro é que o senhor, sabendo todas essas coisas, ainda se meta a duvidar! Ave Maria, só mesmo quem quer ir para o Inferno! É claro, Doutor, que quem deu o cavalo branco ao Rei era o mesmo São Jorge que apareceu no Pajeú! É o São Sebastião que apareceu na Pedra do Reino, que é o mesmo Dom Sebastião que apareceu naquela Troia, naquela África que foi o Império de Canudos!"

— "Bem, por isso não, porque há quem diga que esse problemático cavalo branco de Dom Sebastião pertencia, não a Jorge de Albuquerque Coelho, e sim a Dom Antônio, Prior do Crato!" — disse Clemente.

— "O quê, Doutor Clemente?" — gritou Lino, dando um salto. — "O senhor disse *Dom Antônio*, foi? E disse que ele era do Crato, foi? Do Crato, ali no Sertão do Ceará, perto do Juazeiro do Padre Cícero? Está vendo, Doutor Samuel? Um dos Reis da Pedra do Reino chamava-se João Antônio, e terminou indo para o Crato, no Sertão do Ceará. E se esse tal Dom Antônio que deu o cavalo a Dom Sebastião era Prior do Crato, vá ver que era ele quem estava na Batalha da África — o nosso Rei da Pedra do Reino, João Antônio, Prior do Crato! E é isso mesmo, porque todos eles são uma pessoa só — Dom Sebastião Barbosa, São Sebastião, Dom Antônio Galarraz, Dom João Quaderna, Dom Antônio Conselheiro, Dom Pedro I —, todo esse pessoal santo e guerreiro, as sete pessoas da Santíssima Trindade! Ali, na África, o pau cantou, eram os Mouros contra os Cristãos, e o cavalo branco, e as lanças da Cavalhada, e o Cordão Azul e o Encarnado... A briga foi feia, e não admira que o Prinspe mude de nome, aqui e ali, para despistar a Polícia! Cada vez que ele aparece, adota um nome diferente, de acordo com as necessidades e perigos da Guerra do Reino! É Dom Sebastião, é Dom Pedro, é Dom Pedro Sebastião, é Dom Antônio Conselheiro, é Dom Pedro Antônio, é Antônio Mariz, é Antônio Peri, é Perival, é Persival, é Antônio Gala-Foice, é Antônio Galarraz, é Sinésio Sebastião, filho de Dom Pedro Sebastião, e por aí vai! Quem foi que acabou com o nosso Rei Silvestre Quiou, no Rodeador, Professor Clemente?"

— "Foi o Governador Luís do Rego, que enviou uma Divisão do exército régio, comandada pelo Marechal Luís Antônio Moscoso e que tinha como Ajudante principal o Major Madureira."

— "Ouvi falar, ouvi falar! Sei, de fonte segura, que esses homens malvados que acabaram com o Reino da Pedra do Rodeador foram os mesmos que botaram Dom Pedro II pra fora, foram o Marechal Floriano Moscoso e o General Deodoro Madureira! O fato é que o nosso Silvestre foi passado a fio de espada, mas terminou ressuscitando, em Goiana, e aparecendo depois, de novo, na Pedra do Reino, com o nome de Dom Sebastião Barbosa!"

— "Meu Jesus, que misturada mais danada!" — disse Samuel, com um suspiro. — "É pior do que as de Quaderna, mestre dele! Que Dom Sebastião Barbosa que nada, Lino! Que você fale em Dom Sebastião como presente na Pedra do Reino, ainda vá! Mas que use, para ele, um sobrenome qualquer aí, como se ele fosse um almocreve sertanejo, isso é que me dói, porque é um disparate completo!"

— "Que disparate que nada, Doutor Samuel! O senhor veja que o Major Optato Gueiros é homem ilustre, Major da Polícia e protestante, homem sério, incapaz de mentir! Lutou contra Lampião, brigou no Ceará, perto do Crato do Prior do Crato, de modo que está muito escolado nessas Troias todas! Pois o Major jura, pela Hóstia e pelo cálice, que o nome do Prinspe Encoberto da Pedra do Reino era Dom Sebastião Barbosa! É claro que estou falando do Rei Coberto no sacrário das pedras, porque os Reis que apareciam eram os bisavós, aqui, do nosso Dom Pedro Dinis Quaderna! E o senhor não se espante não, porque é mesmo assim que essas coisas são. É como eu dizia num verso que escrevi:

> 'Com o C também soletro:
> Canudos, Cebastião,
> Cinésio, Çofrive, Certo,
> Cilvestre, Cristo e Certão.
> Morrem uns a bem dos outros:
> e é assim que as coisas são!'"

— "É por isso" — continuou Lino — "que eu digo que tudo isso é uma coisa só: porque, quando o nosso Santo Antônio Conselheiro de Canudos disse que a monarquia da Revolução e da Guerra do Reino ia se dar era no Sertão, é porque já sabia que Dom Sinésio Sebastião, O Alumioso, filho de Dom Sebastião, o Degolado, ia ser Prinspe da Guerra, aqui no Cariri! O Conselheiro, Doutor, esse era homem sagrado e foi por isso que teve força para levar à frente a tribuzana macha de Canudos!"

— "O que não impediu que acabassem com ele e com sua guerra do Sertão, Lino!" — disse Clemente, com ar pensativo.

— "Não sei, Professor Clemente, não sei!" — repetiu Lino. — "O senhor é quem está dizendo, mas será que o Governo acabou, mesmo, aquela guerra? Ali em Canudos foi uma troia, um despropósito! O senhor conhece os versos que meu colega Jota Sara fez com a história de Canudos?"

— "Não, Lino!"

— "São versos muito importantes! Quaderna tem o folheto, que eu decorei para cantar na feira. Começa assim:

'O Leitor já viu contar
a história do Conselheiro?
Foi um simples Penitente
que assombrou o mundo inteiro:
modesto, honesto e valente,
que fascinou muita gente
neste Sertão brasileiro!

Sua Arma era uma verga
na espécie de bastão.
Era o tipo de Moisés
pregando pelo Sertão:
imitava-o no Sinai
e o Povo o tinha por Pai
e autor da Redenção!

A Nação gastou dinheiro
e cinco mil Oficiais!
Nos pelados de Canudos
estão seus restos mortais!
Os ossos, petrificados:
veio gente dos Estados
que não voltou nunca mais!

*Reuniu-se aquela gente
pr'o dia da Redenção,
esperando o Salvador
e o Rei Dom Sebastião!
Gente fazia fileira:
foi a Troia Brasileira
nos carrascais do Sertão!'"*

— "Está ouvindo, Samuel?" — gritou logo Clemente, com ar triunfante. — "Está ouvindo você também, Quaderna? Estão vendo a simpatia com que o Cantador fala do Povo, opondo-o aos Oficiais do Exército? E vocês dois insistindo, um nessa porcaria da Direita, o outro nessa bosta confusa de Monarquia da Esquerda!"

— "Eu nunca duvidei de que esses Cantadores e Cangaceiros sertanejos fossem da Esquerda!" — retrucou Samuel. — "Como podia ser de outra forma, se são da Plebe e brotados dessa sociedade bárbara de Almocreves que é a de vocês? O que eu sempre disse foi que, no dia em que o Povo brasileiro vier a conhecer seus verdadeiros Senhores, deixará essas barbaridades e fanatismos e entrará pelo caminho católico, cruzado, flamengo-ibérico e fidalgo do Brasil! De modo que você, Clemente, dirija suas críticas aí para o outro lado, porque quem adota essas misturadas de Povo sertanejo, Troia, Canudos, soldados e monarquias da Pedra do Reino é Quaderna!"

— "Pois então Quaderna deve estar muito desgostoso, ouvindo agora, por intermédio, aqui, de seu discípulo, que o Povo sertanejo pode sofrer alguns desvios ideológicos, mas, no fundo, é a favor da Esquerda, da Esquerda pura, da Esquerda verdadeira, e não dessa doidice de Esquerda com coroas, reinos, tronos, brasões, bandeiras, cavalos e não sei que mais!" — disse Clemente, voltando-se para mim.

Eu, que não estava para acordos, principalmente naquela hora, tão importante para nós, voltei-me para Lino Pedra-Verde e, por entre os gritos e lamentações da multidão, que continuava com seus brados e vozerios, chamando pela presença do Alumioso, disse:

— "Lino, vamos mostrar, de uma vez para sempre, a verdade a esses dois teimosos! Repita aqui, para esses dois ímpios que vivem querendo tapar o Sol com peneira, aqueles dois versos do romance de Jota Sara que falam desta República de traidores do Brasil como se fosse uma safadeza, e que elogiam o Império do Impostor Pedro II que, apesar de usurpador, pelo menos era Rei, usava coroa e ficou a favor do Conselheiro!"

Lino, sem se fazer de rogado, cantou as seguintes estrofes:

"Denunciaram pr'o Rio
ao Governo Imperial.
Dom Pedro II disse:
— Esse homem não faz mal!
Mudaram, então, de estilo:
queriam mandar pr'o Asilo,
Manicômio ou Hospital.

No ano de 93
fizeram grandes asneiras:
deram vivas à República,
cobraram imposto nas Feiras.
Era insulto ao Conselheiro!
E seu Povo estava ordeiro
para ser posto às carreiras!

O Conselheiro montou
no seu fiel Alazão.
Com mulheres e crianças
foi, caminho do Sertão!
À tarde, seguiu a Cruz:
dando viva ao Bom Jesus,
e ao rei Dom Sebastião!"

— "É!" — falou Clemente, suspirando. — "A gente vai ter uma certa esperança no espírito revolucionário dessa gente, termina sempre sendo traído! Esse Povo brasileiro é mesmo uma desgraça! O peste do Cantador ia até bem, no começo: mas já começou a dizer besteira!"

— "Besteira? Besteira uns cus!" — disse Lino, com a exaltação que lhe era comunicada pelo Catolicismo-sertanejo, pelas salmodias da multidão e pelo Vinho sagrado da Pedra do Reino. — "O que é importante e eu quero que me digam é o seguinte: o nome é Peri, Perival ou Persival? Dom Antônio Mariz, o homem do livro que Quaderna me emprestou, é o mesmo Dom Antônio, Prior do Crato? Onde foi a Demanda do Sangral, feita por Dom Antônio Galarraz e Perival? Foi no Crato, perto do Juazeiro de Padre Cícero e terra do Prior do Crato, ou foi aqui no Cariri, na Espinhara, no Pajeú e no Seridó, entre o mar do Rio Grande do Norte e o sertão do Rio São Francisco?"

— "O quê, Lino? Que confusão é essa?" — perguntou Samuel, espantado.

— "Confusão? Confusão, uma porra!" — disse Lino, escumando pela boca. — "O senhor, Doutor Samuel, conhece o *Romance da Demanda do Sangral*, que se canta aqui na Espinhara, no Sertão da Paraíba?"

— "Não!"

— "Pois escute! Escute, que, com essa, o senhor vai amarelar, vai ficar empenado e vendo como tudo isso é uma coisa só, porque esta, além de ser a história astrológica do Rapaz-do-Cavalo-Branco, é uma história da gota-serena, uma história mordida de cachorro, Dom Pedro Dinis, aí, que o diga!"

E Lino, aboticando os olhos, começou a recitar os seguintes versos, que já tinha cantado diversas vezes para mim:

"São cento e cinquenta Homens
à procura do Sangral,
rubi vermelho do Sangue
na esmeralda do Grial!
De todos os Cavaleiros
que o puderam avistar,
tem um ruim, que é Dom Galvão,
sangue negro e luz do Mal.
Este monta um Corcel negro
que tem nome de Punhal
e deseja, como os outros,
apossar-se do Sangral.

Todos viram este Cálice
mas só um o reverá.
É nosso Prinspe sagrado:
seu nome, quem saberá?
É Sinésio? É Galarraz?
Sebastião? Persival?

Por vinte anos e um dia
na Caatinga ele errará,
montado em seu Poldro branco
que se chama Tremedal,
de Gibão, chapéu e esporas
— cabo de ouro em seu punhal!

São três vezes sete anos
pelo Sertão a vagar.
E um dia, junto a uma Pedra
— a Rocha do Escalará —
Dom Galvão ataca o Príncipe
e este consegue o matar.
O Prinspe vence e a vitória
nunca mais se esquecerá.
Porém o sangue do morto
nosso Prinspe embeberá.

Desde então, ferve em dois sangues:
Sol do bem e luz do Mal.
Desde então, tem dois Cavalos
e os dois passa a cavalgar:
monta em Tremedal *de dia*
e, de noite, no Punhal,
monta o branco sob o Sol
e o negro sob o Luar.

Quem, agora, gosta dele?
Que mulher o quererá?
A Dama dos olhos verdes,
a cansada de sonhar!

Então, na Pedra da Sorte,
de tanto assim a escalar,
o sangue vermelho pôde
ao sangue negro limpar.
E, após o dia do Fogo
— Rosa, brasa, Sol-lunar —
junto à Laje da Aspersão,
entre o Sertão e o Mar,
clariando a escuridade
o Prinspe viu o Grial,
chama rubra do Sertão
e chama verde do Mar,
sangue vermelho do Cálice,
taça de Jaspe lunar!

Desde então, não mais se ouviu
na Demanda se falar,
nem daqueles que viviam
para o Sangral encontrar:
uns dizem que se mataram
pra ir o Sol habitar,
outros, que eles se abrasaram
no Fogo que os foi sagrar.

Quanto ao Prinspe e a Sonhosa,
nada se pôde apurar!
Diz um Cego que se uniram
sob a Pedra a coruscar,

no Reino Estranho que havia
numa Furna, a se ocultar,
entre Frutos capitosos
e a Romã do divinal.
Porém jura um Cantador
que um Anjo os veio raptar,
nesse Reino consagrado
do Sertão à beira-mar,
entre balas, ladainhas,
e espadas a flamejar,
enquanto chamas e Arcanjos,
em torno, vinham cantar,
esvoaçando e encobrindo
a Sagração do casal.

O certo é que se encantaram,
na Terra do Alumiar,
cavalos e Cavaleiros
que buscavam o Sangral,
e o Prinspe ardente do Sol,
e a Dama e garça do Mar!"

Folheto LXXXIII
O Vinho da Pedra do Reino

— Outra charada de versos enigmáticos! — comentou o Corregedor.
— Foi exatamente isso o que o Doutor Samuel disse a Lino naquela noite, Sr. Corregedor! — expliquei. — Quando Lino acabou de recitar esse logogrifo em forma de romance, o Fidalgo pernambucano falou:

— "Ah, meu Deus, essa bárbara *Civilização do couro* estraga tudo! Parece que é a história ibérica e nobre da Demanda do Santo Graal, mas inteiramente deturpada! Os nomes aparecem errados, e lá vem a Caatinga, e um cavalo chamado Punhal, e um Cavaleiro vestido de gibão e chapéu de couro, e lá aparece o Sertão metido onde nunca esteve, e lá aparece uma Mulher, de olhos verdes e parecida com uma garça, estragando, com sua presença, a ideia de castidade absoluta que se deve ligar à imagem do Cavaleiro, que deveria ser um misto de Guerreiro e monge... Que mau gosto desgraçado! E falta tudo o que, na história ibérica, existe de mais belo! Falta a roupa do jovem Cavaleiro, do casto Galaaz, roupa que deveria constar de loriga, brafoneiras, elmo, guarnacha e sobressinais de eixâmete vermelho! Não aparece nenhum alfâmbar, nem cálices esculpidos em esmeraldas verdes e contendo o sangue precioso do Cristo! Não aparece, sobretudo, aquela Espada que, retirada da bainha pelo Cavaleiro maldito, sai toda molhada de sangue, de um sangue tão quente e vermelho como se a tivessem sacado há pouco do corpo de um homem ferido de morte! De maneira, Lino, que, na sua cantiga, só existem duas coisas que se podem considerar verdadeiramente herdadas da tradição ibérico-brasileira: a presença do Cavaleiro maldito e os cento e cinquenta homens que empreendem a Demanda!"

— "Bem, Samuel" — interrompi eu. — "De qualquer maneira, você mesmo reconhece que alguma coisa ficou! E, se é assim, você pode entender que a viagem que vamos empreender com o Rapaz-do-Cavalo-Branco é uma Demanda novelosa e fidalga! Pode nos dar o seu apoio, ganhando suas armas e seu título de Barão e, ao mesmo tempo, me ajudar, para que eu tente desencantar o tesouro e assistir aos acontecimentos, para ter assunto para minha Epopeia!"

— "Quaderna, sua receita literária é tão ruim, que absolutamente não tenho medo de que você passe na minha frente, na parte lítero-poética! Quanto à outra parte, a heráldica, estou de acordo: vou empenhar, com o Condestável Pedro Gouveia, minha palavra de Fidalgo!"

— "Meus parabéns, Barão!" — disse eu, imitando o Doutor Pedro. — "E você, Clemente?"

— "Digo o mesmo que Samuel disse, porque, quanto à parte literária, não tenho medo de nenhum dos dois. Quanto à outra parte, também vou! Não porque tenha resolvido trair minhas ideias, mas porque é necessário não dar argumentos à Direita contra o Filósofo do Povo!"

— "Pois ótimo para todos nós!" — falei, contente. — "Quanto a mim, verei tudo, gravarei tudo na cabeça e no sangue, e vou escrever uma Epopeia sobre a viagem do Rapaz-do-Cavalo-Branco!"

— "Isto, Quaderna!" — concordou Lino Pedra-Verde. — "Vamos meter o pé na estrada e, com a guerra, você escreve um *romance* dos bons, que é para a gente imprimir e fazer um *folheto*! Mas não escreva coisa besta, não: quero uma história litúrgica, epopeica, lunária, astrológica, solar, risadeira, de putaria, bandeirosa e cavalariana, tendo como centro a Demanda Novelosa da Guerra do Reino, que a gente vai fazer!"

Tanto eu como meus dois Mestres tínhamos, ainda, alguma coisa a falar, mas nesse momento o esvozear da multidão subiu um pouco e vimos que a porta da casa dos Garcia-Barrettos tinha se aberto, com o Doutor Pedro Gouveia da Câmara Pereira Monteiro aparecendo no limiar. De cima do velho batente de pedra, ele dominou a multidão com sua presença e falou:

— "Meu Povo, meus filhos! Vão embora, por favor! O nosso Sinésio está cansado e não pode mais aparecer a vocês hoje, de jeito nenhum! Fiquem descansados em suas casas, porque a nossa causa será vitoriosa! Ainda existem juízes em nossa terra, e confiamos em Deus e no nosso Direito. Mas não causem confusões com as autoridades não, porque isso pode, inclusive, nos prejudicar! Digo isso em benefício do nosso Sinésio, do Rapaz-do-Cavalo-Branco, desse Esperado, tão querido, tão amado pelo Povo do Sertão do Cariri!"

O Corregedor me interrompeu, perguntando:

— A seu ver, Dom Pedro Dinis, a que era que o Doutor Pedro estava se referindo quando falou nessa *causa*? Ao problema do testamento e da herança, ou à tal Guerra do Reino?

— Não sei, Sr. Corregedor! — respondi prudentemente. — O que eu sei é que, quando ele falou nisso e disse que Sinésio era O Esperado, eu vi, mais uma vez, que aquele Doutor Pedro era um homem com quem eu iria aprender muita coisa, num campo em que, até aquele dia, eu tinha sido único, aqui na Vila. O que era ruim era aquela minha situação de cego, que me impedia de vê-lo e de ver outras coisas tão importantes para mim, agora. Queixei-me disso a Lino, que me retrucou:

— "Por que você não experimenta o Vinho sagrado da Pedra do Reino pra ver se melhora da cegueira? O vinho, que já fez tantos milagres, pode até fazer mais esse!"

— "É mesmo, Lino! Como é que não me lembrei disso, antes? Eu, o Rei e Profeta da Pedra do Reino, não ter me lembrado, logo, das virtudes do Vinho cuja receita secreta foi encontrada por minha família! Não é danado? Chega a parecer coisa do Cão!"

— Um momento! — interrompeu o Corregedor. — Preciso saber uma coisa: esse Vinho, parece tão importante em sua vida e na história toda, que preciso de alguns esclarecimentos sobre ele. Se não me engano, de acordo com Pereira da Costa, trata-se de uma mistura de jurema e manacá, não é isso?

— Existem outros ingredientes, Sr. Corregedor, mas esses outros, o senhor pode me prender, pode até mandar me matar, mas eu não revelo quais são, de jeito nenhum!

— Por quê?

— Primeiro, porque é segredo de família e sustentáculo principal da nossa Casa Real Sertaneja; e depois porque é ele o segredo do meu estilo genial, ou régio! Minha sorte foi que os outros escritores que escreveram antes sobre meu assunto — como Euclydes da Cunha, Antônio Áttico de Souza Leite, José de Alencar e o Comendador Francisco Benício das Chagas — só descobriram, da receita integral, uma pequena parte, a da jurema e do manacá! Se algum deles tivesse descoberto o resto, teria feito e bebido o Vinho, tornando-se assim o

Gênio da Raça Brasileira, caso em que eu estaria perdido! Graças a Deus, porém, só descobriram aquela parte, e lascaram-se! Eu, com mais sorte e sendo da Família, consegui tudo! Meu Pai era raizeiro e guardou a receita das tradições da nossa Casa. Eu herdei os cadernos astrológicos dele, e foi assim que acrescentei, à jurema e ao manacá, o cumaru, a erva-moura, a raspa de entrecasco de quixabeira, a catuaba e o resto que não posso revelar, porque foi o Vinho completo que terminou sendo minha salvação como Poeta e como homem!

— Sua salvação como homem? Por quê?

— É que eu, em vida de meu Pai, tinha sido destinado para Padre, como já lhe contei. Ora, para isso, eu precisava de mais inteligência, porque, em menino, minha cabeça era dura, aterrada que só cabeça de tejo! Então meu Pai, vendo que, de outra maneira, eu nunca seria aprovado nos exames do Seminário, me deu, para beber, um chá de *cardina*. A cardina realmente abriu minha cabeça, tornando-me uma das capacidades mais misteriosas que já passaram pelo Seminário!

— Você pode me conseguir um chá desses, para que eu também possa progredir em minha carreira de Magistrado? — disse o Corregedor, sorrindo superiormente para Margarida.

— Bem, poder, posso, mas não aconselho o senhor a tomar o chá não!

— Por quê?

— Porque a cardina dá, de fato, à pessoa, uma inteligência danada, mas, ao mesmo tempo, apaga a homência do sujeito!

— Vote! — disse o Corregedor que, tomado de surpresa, não tinha tido tempo de se lembrar da presença de Margarida e saiu-se com aquela vulgaridade. — E você perdeu a sua? — indagou ele, curioso.

— Perdi, sim senhor, foi o começo da minha tragédia! No começo, isso não chegou a ser um problema, porque eu ia ser Padre, e padre não precisa da chamada *sustança dos países-baixos*! Mas eu fui expulso do Seminário, com as artimanhas de Maria Safira. E agora, como é que ia ser, eu sem homência? Só me restava o caminho e a consolação da Poesia, que eu aprendera com João Melchíades! Resolvi ser Poeta! Mas logo aí, surgiria outro problema. João Melchíades tinha me explicado que havia seis tipos de Poeta e que os grandes, os grandes de verdade, eram os que reuniam as seis qualidades. Poeta de ciência, eu era, sem nenhuma dúvida, por causa da *cardina*. Mas eu teria que ser, também e principalmente, poeta de estro. Isso me era afirmado tanto por João Melchíades, como pelo Doutor Amorim Carvalho, Retórico do Impostor Pedro II, que escrevera, na página 49 de seu livro: "A imaginação e a inspiração, tais são os dois elementos do gênio, ou *estro* poético. O que, sobretudo, se prefere nas produções do gênio é a criação do assunto, é o *fogo* da imaginação, é o sopro da inspiração." Fui ao *Dicionário Prático Ilustrado*, e, lá, encontrei que *estro* era sinônimo de "inspiração, engenho poético, fogo da imaginação, desejo sexual, cio, cavalgação e reinaço"! Não havia mais dúvida: era o *Dicionário* — livro consagrado, indiscutível e oficial — que me garantia que os verdadeiros Poetas-Reis, os Poetas de reinaço, eram os que possuíam, como uma coisa só, o fogo da inspiração zodiacal, a ciência do engenho poético e o cio da homência do sangue, no sol astrológico dos Planetas! Fiquei desesperado: porque, agora, além de não poder mais fazer cavalgação em cima de mulher nenhuma, não poderia mais reinar no meu Reino e Castelo sertanejo, fazendo meu romance de cavalgação, bandeiras, reinaço e cavalarias! Cheguei a pensar em dar um tiro na cabeça. Foi Lino quem me salvou, falando-me pela primeira vez do Vinho que, escondido de nós, meu Pai fabricava e vendia secretamente, e cuja receita deveria estar nos cadernos que ele tinha deixado. Encontrei a receita, e o Vinho me restituiu minha homência, fazendo de mim, ao mesmo tempo, o único Poeta completo, genial e régio que existe no Mundo! É que nosso Vinho da Pedra do Reino é a beberagem do Poder, da Fortuna, do Dom-profético e do Amor!

— Tudo isso?

— Tudo isso e mais alguma coisa, Sr. Corregedor. Porque, por exemplo: essa fortuna que o Vinho nos dá, não é a fortuna sem imaginação dos Burgueses ricos; nem o Dom é o simples dom dos poetas só de ciência. Também o Amor que ele dá, não é o amor lírico e fraco do qual falava Joaquim Nabuco. É, tudo, o Poder do reino e dos tesouros guerreiros, o engenho poético-fogoso e zodiacal do sangue, e o amor de cavalgação e reinaço. Meu bisavô, o Rei Dom João Ferreira-Quaderna, era através dessa beberagem que revelava os tesouros e propiciava a posse das mulheres desejadas, a si e a seus súditos!

— E Euclydes da Cunha? E José de Alencar? — perguntou o Corregedor, como indagando o que é que tinham a ver com aquilo dois consagrados escritores brasileiros.

Não me dei por achado e respondi:

— Euclydes da Cunha fala da jurema como sendo a árvore predileta dos Sertanejos, por ser o seu haxixe capitoso, que lhes fornece inestimável beberagem que os revigora, feito um filtro mágico. Quanto a José de Alencar, é num bosque de juremas que Iracema dá a Martim umas gotas de estranho e verde licor que era exatamente o vinho verde de jurema — um dos ingredientes do Vinho total. Pois bem: mesmo com a receita incompletíssima de José de Alencar e Euclydes da Cunha, só por beberem essa parte do Vinho, entre Martim e Iracema as safadezas que grassam são as maiores do mundo! Diz José de Alencar que, depois de beber vinho de jurema, Iracema começou a ficar feito uma Onça no cio, desejando abrigar Martim contra todos os perigos e recolhê-lo em si como num asilo impenetrável. Mas, se Iracema era, mesmo, um asilo impenetrável, era para os outros, porque, para Martim, ela era mais do que penetrável, era penetrabilíssima! Martim é que parece que era meio afracado, meio arriado dos quartos, como eu no tempo da *cardina*. Iracema, já completamente tarada pelo vinho, vê que o jeito é dar o licor a Martim também. Então, Martim bebe o licor verde de jurema. A coisa melhora e conta lá o nosso fidalguíssimo cearense: "Os braços de Iracema cingiam a cabeça do Guerreiro e a apertavam ao seio. O Cristão sorri, a Virgem palpita. Como o Saí fascinado pela Serpente, ela vai declinando o lascivo talhe, que se debruça enfim sobre o peito do Guerreiro. Já o estrangeiro a preme ao seio e o lábio ávido busca o lábio que o espera, para celebrar nesse Ádito agreste, reservado aos mistérios do Rito bárbaro, o himeneu do Amor. Martim libou as gotas do verde e amargo licor. Agora, podia viver com Iracema e colher em seus lábios o beijo que ali viçava entre sorrisos, como o fruto na corola da flor. Podia amá-la, e sugar desse amor o mel e o perfume. O gozo era vida, pois o sentia mais forte e intenso. A juriti que divaga pela Caatinga, ouve o terno arrulho do macho: bate as asas e voa, a conchegar-se ao tépido ninho. Assim a virgem do Sertão aninhou-se nos braços do Guerreiro. Quando veio a manhã, ainda achou Iracema ali debruçada, qual borboleta que dormiu no seio de formoso Cacto." Está vendo, Sr. Corregedor?

— Estou vendo, o quê?

— O que eu quero mostrar é que, por esse trecho, a gente vê que, tanto Euclydes da Cunha como José de Alencar não se limitaram a falar, somente, do

Vinho de jurema: ambos devem tê-lo bebido! Se não fosse assim, eles não escreveriam como escreveram — meio bêbados, escumando pela boca e vendo visagens como esta, umas safadas, como as de Iracema, outras heroicas, como as de Canudos! A gente vê, perfeitamente, que é José de Alencar que, sob o disfarce de Martim, entra no bosque sagrado de Iracema, suga o mel da corola da flor e depois faz penetrar a Cobra no tépido ninho-de-juriti dela! E é assim mesmo que acontece, Sr. Corregedor. Quem toma meu Vinho, mesmo na receita incompleta dos outros escritores, consegue, na vida, a fortuna, o poder e o amor, e, na Poesia, aquela mistura de zodíaco e real que é o gênio. E tem outra vantagem, mais: os filtros mágicos comuns conseguem essas coisas boas para nós, mas perdem infalivelmente a nossa alma. O Vinho da Pedra do Reino, não: sendo completo, arranja tudo e ainda por cima salva a alma, permitindo que a gente, ainda vivo e aqui no mundo, circule dentro do sangue da visagem felina do Divino — aquela mesma que meus antepassados reais mostravam a seus devotos, momentos antes de cortarem suas gargantas. Todo escritor, portanto, que queira escrever sobre o Reino sagrado do Sertão — único assunto digno do gênio, como provou Fagundes Varela —, tem que beber desse Vinho, nem que seja na fórmula incompleta de Alencar, Euclydes da Cunha e Antônio Áttico de Souza Leite. Quando um não bebe e se mete a escrever, a gente conhece logo: ele não escreve escumando, e tudo o que sai de sua pena é falso, infiel às pedras, aos espinhos e ao sangue do Sertão! Quanto às qualidades de cio, cavalgação e reinaço do Vinho, também são indiscutíveis, porque são afiançadas por outro genial escritor brasileiro, o qual, além de Acadêmico, era um grande Médico, perfeitamente autorizado, portanto, para fornecer esse tipo de atestado!

— Quem era?

— Afrânio Peixoto. Conta ele, num romance que fez, que um rapaz e uma donzela, que não se amavam, tomaram desse vinho juntos, sem saberem do que se tratava. Na mesma hora, a Urtiga sangrenta, venenosa, espinhenta e deleitosa do amor envolveu os dois e eles ficaram enredados de paixão para o resto da vida. Isso me interessa muito, Sr. Corregedor, porque foi a mesma coisa que sucedeu, depois, entre Sinésio e sua jovem Dama, a bela Heliana, a moça sonhosa dos olhos verdes. Sim, porque o nosso Vinho é realmente assim: se o senhor o beber sozinho, pensando numa mulher, ela se entrega, na visagem, e o senhor pode gozá-la como quiser. A coisa não passa disso e, quando o senhor acorda, está livre e desimpedido — a mulher não sofreu nada nem soube de nada também. Mas se um homem e uma mulher bebem o Vinho juntos, aí ficam eternamente enredados, de um amor terrível, um amor ao mesmo tempo espiritual e sensual, sexual e divino, que passa a alimentar com o sangue dos dois amantes o sarçal de Urtigas e favelas do Terrível, floridas mas causticantes, as Urtigas espinhentas e queimosas do Amor. Diz Afrânio Peixoto que, assim que os dois beberam o vinho, pareceu ao rapaz que um arbusto de espinhos agudos e flores odorantes aprofundara as raízes no sangue do seu coração, e ele, com os braços fortes, se enlaçava ao belo corpo de sua amada, ao mesmo tempo que o sarçal enleava os dois para sempre, seu corpo, seu pensamento, seu sangue e seu desejo. Por isso, eu nunca bebi meu vinho junto com mulher nenhuma, porque não quero me enredar definitivamente com mulher nenhuma. Mas já o bebi sozinho várias vezes, botando o sentido da minha homência nas moças aqui da Vila. Assim, consegui ter minhas visagens amorosas com todas as que desejei. Principalmente com as louras e pertencentes à nossa Aristocracia; porque eu, sendo moreno e tendo essa cara enfarruscada que parece feita de pedra, sou tarado por galegas alouradas!

Ao dizer isso, olhei para Margarida que, sendo loura e da Aristocracia, aumentou a cara de aversão que fazia sempre para meu lado. Mas ela se manteve calada, para não me dar liberdade, e eu continuei, falando para o Corregedor:

— Posso garantir a Vossa Excelência que, na mesma hora em que a gente bebe o Vinho da Pedra do Reino, entra num bosque, sertanejo, sagrado e deleitoso, feito de juremas, angicos, braúnas, urtigas e favelas. Ali, o licor verde-vermelho pinga de todas as frondes, como gotas de esmeralda e rubi incendiadas pelo topázio do Sol. É um bosque cheio de mel e abelhas cor de ouro, espanejando luz e pólen fecundante. Um bosque onde esvoaçam concrizes aurinegros e saíras que parecem joias. Um bosque povoado de cascavéis e cobras-corais, assim como de mulheres de longos cabelos. Em todo canto, há corolas vermelhas e odorantes, cactos e urtigas, lianas coleantes e cheias de espinhos, favelas eriçadas de folhas causticantes e espinhosas, coralinas e mulungus de flores vermelhas, canafístulas e paus-d'arco de flores amarelas. Tudo isso nos impele, rendidos e embriagados, para o seio e o ninho de mulheres viçosas, macias e enleantes, mulheres cujo corpo é, ele mesmo, como um bosque, com as colinas rijas e suaves dos peitos, e o escuro concriz negro-vermelho pregado de asas abertas na entrada da fonte, com a casa-das-abelhas e o mel e a corola — mulheres que nós possuímos na sombra verde e umbrosa das árvores e moitas, salpicados como estamos pelo orvalho, deitados na areia fina e cheia de cristais, ouvindo o som da água que corre sobre os seixos e vendo em cima, nas frondes agitadas suavemente pela verde ventania, pomos e pomas que reluzem, à brasa incendiada e coada entre os ramos da luz do Sol!

* * *

Quando terminei de dizer isso, tanto o Corregedor como Margarida estavam meio estatelados, respirando forte e com os olhos aboticados pra minha banda. Infelizmente, porém, essa era uma das partes que eu tinha escrito e decorado de antemão, para, depois, versá-la e incluí-la em minha Epopeia. O trecho decorado terminava aí, de modo que minha eloquência se esgotou. Os dois sacudiram-se, como para afastar o quebranto, e o Doutor Joaquim Cabeça-de-Porco voltou à sua perigosa impassibilidade habitual:

— Dom Pedro Dinis Quaderna — falou ele, já de novo com seu jeito cortante—, me diga então uma coisa: os ataques que o senhor tem, e que atribui ao mal sagrado dos gênios, não terão alguma coisa a ver com esse vinho não?

— Pode ser, Sr. Corregedor! Não posso lhe responder assim com segurança porque nunca fiz investigações científicas maiores a esse respeito! — disse eu com o tom mais cândido e honesto que pude arranjar.

— Antes de vir para cá, você não terá, por acaso, bebido o vinho?

— Bebi, sim senhor! Tomei umas duas ou três lapadas, para tomar coragem e melhorar a vista!

— Está bem, anote tudo isso, Dona Margarida! Agora, continue a narração dos acontecimentos daquela noite, no dia da chegada de Sinésio!

— O senhor escolhe um bom momento, do ponto de vista literário, Doutor! As *Postilas de Gramática e Retórica* recomendam, sempre, um certo encadeamento, nas Epopeias. Ora, estávamos falando do Vinho: pois foi exatamente naquela noite que eu, graças a Lino Pedra-Verde, descobri que o Vinho exercia uma forte ação modificadora na minha cegueira, o que foi de grande conforto para mim! Lino estava com o pichel de couro amarrado na cintura, e me aconselhou a tomar umas talagadas, o que fiz imediatamente, tomando uns dez ou vinte goles. Imediatamente, meu sangue começou a correr melhor, da cabeça aos pés, e uma certa claridade alumiou, um pouco, o campo de visagem diante de meus olhos. Vi, então, que a noite já ia alta, mas que o Povo improvisara tochas e lanternas, que se juntavam à pouca luz da nossa gloriosa Vila, dando à reunião da Praça, como disse Samuel, "um aspecto de reunião de catacumbas e de marcha flamejante". Enquanto eu bebia, porém, o Doutor Pedro Gouveia continuava a responder às indagações ansiosas e ardentes que algumas pessoas do Povo lhe faziam sobre Sinésio. Voltei-me na direção dele, tentando avistá-lo melhor, por entre as névoas incandescidas que ainda emaranhavam minha visão, ou, melhor, "por entre a névoa que a pupila trêmula embaciava", como dizia aquele genial *folheto* que é *A Última Corrida de Toiros em Salvaterra*. Nesse momento exato, alguém gritou para o Bacharel Pedro Gouveia:

— "Doutor Pedro, é verdade que o senhor encontrou o Rapaz-do-Cavalo-Branco, nuzinho, andando por uma estrada, sem se lembrar de ninguém, sem saber de onde tinha vindo e sem saber até mesmo como era o nome dele?"

— "Por que você pergunta isso, meu filho?" — indagou o Doutor Pedro, que não batia prego sem estopa nem andava sem saber onde estava pisando.

— "Pergunto, Doutor, porque a discussão sobre isso, aqui na rua, está a maior do mundo! Uns dizem que o rapaz foi encontrado nu, e, outros, que ele vinha vestido numa espécie de camisolão branco, tendo na mão esquerda duas flores — uma amarela e outra encarnada — e segurando, na mão direita, uma bandeira! Qual é a história verdadeira, Doutor?"

— "Todas duas, meu filho!" — explicou solenemente o Doutor, e eu, mais uma vez, vi que tinha muito a aprender com aquele homem. — "As duas versões são verdadeiras, não criem divisões entre os nossos! Eu encontrei Sinésio perdido, extraviado, nu como Deus o criou, coitado, e trazendo, como você disse, numa mão as duas flores — a amarela e a vermelha — e na outra mão a bandeira do Divino! Sem uma roupa para dar a ele naquela hora, improvisamos, com um lençol, a túnica branca da qual vocês ouviram falar! Ele estava, além disso, um pouco perturbado pelos sofrimentos que passou. Mas, com todo cuidado, nós tratamos de reeducá-lo e de lembrar a ele os fatos mais importantes de sua vida, de modo que ele, hoje, já está quase inteiramente recuperado! Mas amanhã é que tudo isso será melhor esclarecido, para conhecimento de todos! Vão embora, saiam, vão para suas casas! Dispersem-se, que, amanhã, eu prometo que o nosso Sinésio falará com todos vocês e até os olhos dos cegos se esclarecerão!" — concluiu ele.

Folheto LXXXIV
O Enviado do Divino

— Eram já quase onze horas da noite, Sr. Corregedor, e meus olhos se clareavam cada vez mais. Pedi novamente a Lino Pedra-Verde a borracha-de-couro e tomei outra lapada de Vinho, maior ainda do que a primeira. A terrível e milagreira bebedice da Pedra do Reino começou a me subir, de vez, do sangue para a cabeça. Visagens de coroas e coriscos dançavam nos meus olhos, misturadas com tudo o que eu tinha visto e ouvido desde a manhã. Então, como eu olhasse casualmente para os lados da Rua Grande, vi que, por ali, vinha chegando o Frade do burel branco, vestido ainda daquela maneira que tinha impressionado tanto a sertanejada. Trazia, na mão, a bandeira do Divino e vinha a cavalo, regressando da Igreja Nova, onde se mantivera rezando durante todo aquele tempo, sempre de mosquetão cruzado nas costas pela correia à bandoleira. Chegando na entrada da Praça, o Frade apeou-se do cavalo e encaminhou-se para o Palanque, que não fora desarmado. Contornou-o, subiu por uma das escadas laterais e passeou, de cima, o olhar pela multidão. O Povo, porém, de costas para ele e de olhos fixos no casarão onde devia estar Sinésio, não tinha percebido sua chegada nem sua subida ao Palanque. Somente eu o olhava e, para mim, era visível que o Frade queria se dirigir ao pessoal. Logo ele confirmou minha impressão, porque, curvando um pouco o torso hercúleo e encostando a bandeira do Divino a uma das colunas, apoiou-se com ambas as mãos na balaustrada. Assim, projetou-se um pouco para a frente e gritou:

— "Amados filhos em Nosso Senhor Jesus Cristo!"

O Povo, porém, sempre fascinado pela casa dos Garcia-Barrettos, não deu a menor atenção ao apelo. Aliás, mesmo que quisesse ter dado, ninguém poderia tê-lo ouvido, porque, após a intervenção do Doutor Pedro Gouveia, alguém tinha tido a magnífica ideia de puxar uma ladainha, que, agora, estava sendo rezada por uns e cantada por outros, mas, de modo geral, gritada por todos. Irritado, o Frade tirou o mosquetão das costas, deu um tiro para o ar, e, no silêncio que se seguiu imediatamente ao tiro, gritou com voz trovejante:

— "Silêncio, cambada de filhos da puta! Não estão ouvindo o ministro do Senhor falar não?"

Imediatamente, todos se voltaram para o Palanque, e um silêncio tumular reinou na Praça. Aí o Frade, voltando ao apostólico tom anterior, falou assim:

— "Amados filhos em Nosso Senhor Jesus Cristo! Vocês estão todos reunidos aqui, como que à espera de um grande acontecimento! E têm razão de proceder assim, porque tudo o que é ligado à Fé é grande. Ora, essa atitude de vocês vem da Fé: logo, tem grandeza e é um grande acontecimento. Vocês não precisam mais procurar e esperar, porque o grande acontecimento já sucedeu. A nossa chegada, o fato miraculoso de termos escapado à emboscada que pessoas de coração mau nos armaram na Estrada, o milagre de ter falhado o tiro que foi disparado contra o Rapaz-do-Cavalo-Branco, tudo isso são acontecimentos por demais sagrados para serem explicados sem a intervenção de Deus! Na emboscada, amados filhos em Nosso Senhor, vários tiros foram disparados contra mim: miraculosamente, as balas batiam no meu hábito branco e, por causa da proteção do Divino Coração de Jesus, caíam inofensivamente dentro do cano das minhas botas e nos bolsos da batina. Olhem!"

E o Frade, tirando dos bolsos as cápsulas que tinha apanhado na estrada, deixou-as cair, aos punhados, do Palanque embaixo. Vendo que tinha causado bastante efeito com a revelação desse fato, continuou:

— "Mas será que ainda vem outro acontecimento, maior do que esses que já sucederam? Virá? Não virá? São perguntas, essas, que inquietam a todos nós! Uma coisa, porém, já é, por si, um grande sinal, um grande milagre: é o aparecimento do Rapaz-do-Cavalo-Branco, com sua Bandeira na mão, isto exatamente na Vigília de Pentecostes! É preciso, portanto, que todos nós nos tornemos dignos de tudo o que aconteceu e de tudo o que está ainda para vir. Estão ouvindo? O sino começou a tocar! Fui eu que mandei tocá-lo, porque está chegando a meia-noite, e, com ela, os primeiros momentos do dia sagrado de Pentecostes! Esses toques de sino anunciam, portanto, a todos nós, que, por mais escura que seja a noite, dentro de alguns instantes o Sertão vai ser alumiado e queimado pelo fogo de Pentecostes! Está lá, escrito no Evangelho, o livro santo, que não pode errar: 'E quando se completavam os dias de Pentecostes, estavam os Doze todos juntos, num mesmo lugar, e, de repente, veio do Céu um estrondo, como de uma ventania que soprasse com grande violência, enchendo toda a casa onde eles estavam assentados. Então, apareceram a eles, repartidas, umas espécies de línguas ou chamas de Fogo, que repousaram sobre cada um dos Doze, e todos ficaram cheios do Espírito Santo.' Entenderam estas palavras sagradas, amados filhos em Nosso Senhor? Esta bandeira que trago aqui, comigo, e que nunca mais abandonei desde o dia em que assumi minha missão junto ao nosso Príncipe, é a Bandeira de Pentecostes, a bandeira da Coroa, do Sol e das chamas de fogo do Divino Espírito Santo. Ela comemora o dia no qual o fogo de Pentecostes incendiou para sempre a nossa carne grosseira e o nosso sangue pagão, ferrando-nos com o sinete divino, sinal que há de lembrar, até o fim dos tempos, que é um simples desterro, um mero exílio, esta nossa passagem pela terra parda deste Sertão, por esta *segre* imensa que é o Mundo! O Pai veio para criar, para castigar e expulsar. O Filho veio para remir e perdoar. O Espírito Santo vem para reinar e iluminar! O Reino do Pai se encerrou, e já estamos chegando ao fim do Reino do Filho. Vai começar o Reino do Espírito Santo, e ai daquele que for encontrado com mancha de pecado no sangue! Este Sertão nosso é o Reino sagrado e misterioso, que foi predito por um dos grandes Profetas da nossa terra, Frei Antônio do Rosário, filho da Capucha de Santo Antônio do Brasil, o qual, *vendo nas Aves do Ceo tantos exemplos de vida austera & penitente, dizia que era passaro solitario, Ave do Monte & Pellicano da soledade!* É o Reino sagrado, cortado pelos rios que secam e se enchem misteriosamente, rios dos quais dizia aquele mesmo Profeta, Frei Antônio: *Rios sagrados, rios mysteriosos, por representardes os quinze rios do mar do Rosario, Rios da terra que o Ceo ameaçou com os ays do Apocalipse! Ay, ay, ay, tres vezes ay!* — gritou o Frade. E logo o Povo todo, Sr. Corregedor, começou a chorar e a se lamentar, repetindo com ele as suas lamentações, agora meio salmodiadas: — "*Ay, ay, ay! Ay dos pensamentos, ay das palavras, ay das obras que habitam na terra de que sou composto! Ay das tres potencias d'alma, tam mal empregadas nos moradores da terra! Ay do entendimento perdido, ay da vontade cega, ay da memoria desencaminhada, ay dos habitadores da terra que se não lembram que são terra!* Quem tem pecado, se arrependa, quem tem mancha, que me procure! Estão vocês dispostos, amados filhos em Nosso Senhor, a se alistar debaixo da bandeira do Divino Espírito Santo?"

— "Estamos, Santo Pai, estamos! A gente não trai a Bandeira do Divino, de jeito nenhum!" — foram os gritos que partiram de todos os lados, por entre os cantos, as pragas, os juramentos e as imprecações.

— "Seu Frade, me desculpe eu perguntar, mas a gente precisa saber, pra se garantir!" — gritou, perto de nós, o Cantador caolho, Lino Pedra-Verde. — "O senhor é Frei Simão, o frade santo da Serra do Rodeador e da Pedra do Reino? O rapaz que veio com o senhor é o nosso Prinspe, o Santo-do-Cavalo-Branco, que vem comandar os Sertanejos para a nossa Guerra do Reino? É verdade que ele veio para vingar o Pai, provar que é o Filho e, ao mesmo tempo, trazer o fogo do Espírito Santo para acabar com as injustiças e os sofrimentos do mundo?"

O Frade, vendo que o momento era bom, pegou a bandeira vermelha do Divino e aprestou-se para descer do Palanque. Já na escada, falou, respondendo à pergunta de Lino:

— "Vocês perguntam se o rapaz é o Príncipe... Quem sou eu para responder? Pode ser e pode não ser! Tudo se esclarecerá, e a Justiça é quem dará a palavra definitiva e final! Será que esse rapaz é Sinésio, filho do fazendeiro degolado aqui, em 1930? Pode ser e pode não ser, e vocês mesmos avaliarão, pelo que acontecer daqui por diante, se ele é ou não é o que vocês esperam. Uma coisa, porém, eu digo e garanto a vocês, meus filhos: é que o muito tem vergonha de dar pouco e, se a justiça humana falhar, a Justiça divina absolutamente não falhará!" — concluiu ele com ar majestoso e começando a descer os degraus.

— "É Frei Simão, meu Povo, é Frei Simão! Só pode ser Frei Simão!" — gritou Lino Pedra-Verde com ar de doido, escumando pela boca e revirando os olhos. — "Vamos beijar a mão dele, meu Povo, porque é mão sagrada, é mão que esteve com Silvestre, O Enviado, com o nosso Conselheiro e com os Imperadores da Pedra do Reino!"

O Povo, também com ar de doido e tanto mais impressionado porque entendera muito pouco das palavras do Frade, começou a beijar as mãos e a fímbria do hábito branco de Frei Simão que, mansamente, os afastava, dizendo com exemplar modéstia:

— "Que é isso, meus filhos? Que doidice é essa? Guardem seus respeitos para Deus e para aquela criatura limpa e santa que veio conosco, montado em seu cavalo branco! Guardem seus respeitos para ele, porque eu, eu sou um pecador! *Mea culpa, mea culpa, mea maxima culpa!*"

— "É um santo! É um santo! É Frei Simão! É o nosso Conselheiro que voltou, para o desencantamento e a Guerra do Reino do Sertão!" — gritava o Povo endoidecido.

— Vossa Excelência, Sr. Corregedor, com seu faro de Decifrador, já deve ter pressentido que estou chegando ao fim da minha narração. Há de compreender, então, que, depois desse discurso de Frei Simão, só um milagre pode sustentar, ao mesmo tempo, a situação do Rapaz-do-Cavalo-Branco e um tom genial e régio que permaneça à altura de um Cantar epopeico como este. Pois, graças a Deus, foi o que aconteceu. Posso dizer que tudo começou quando eu senti dentro de mim um troço estranho, uma coisa fervendo, que era, ao mesmo tempo, uma *viração* e uma *iluminação*. O sagrado Vinho da Pedra do Reino tinha subido completamente à minha cabeça e eu recuperara, já, toda a minha visão. Aquelas visagens que, desde há pouco, dançavam no meu sangue e nos meus olhos, começaram de repente a me arrastar, a me impelir como um ridimunho. Acho que meu desejo era me dirigir também ao Povo, como fizera Frei Simão, mas foi aí também que os acontecimentos se precipitaram, impedindo meu impulso inicial. Quando dei acordo de mim, meus doze irmãos Cavaleiros estavam bem perto de nós, seis do Azul e seis do Encarnado, os dois da frente segurando o meu cavalo "Pedra-Lispe". Montei nele, sustentando a Bandeira azul e vermelha, separada por um traço amarelo, bandeira que eu carregava sempre à frente das Cavalhadas. Meu chapéu de couro já estava à cabeça, o manto foi-me pendurado aos ombros. O que vou contar dagora por diante, Sr. Corregedor, é baseado no que Clemente, Samuel e Lino Pedra-Verde me narraram depois: por mim, eu não poderia contar nada com exatidão. Estava me sentindo realmente possesso, num arrebatamento divino-diabólico que eu herdara, certamente, do sangue da Pedra do Reino, mas que, agora, tinha sido despertado e exacerbado por tudo aquilo. Mas mesmo as outras pessoas eram mais ou menos confusas e contraditórias no relatar do fato milagroso, prestes a suceder daí a pouco. Por uma sorte que os incréus atribuirão ao acaso e que eu atribuo aos astros e à Providência Divina, meus irmãos tinham trazido, também, a égua vermelha de Clemente, "Coluna", e o corcel negro de Samuel, "Temerário", assim como outro cavalo selado, desocupado, que nos seria providencial daí a pouco. Mas como eu vinha dizendo: algumas pessoas que tinham estado na Praça, diziam que o milagre começara com os toques de sino. É verdade que Frei Simão mandara tocar os sinos da Igreja Nova, mas agora era o sino da Igreja Velha, a de São Sebastião, que ficava na Praça, pegada à casa dos Garcia-Barrettos, que começava a tocar a rebate, com repiques tão violentos e misteriosos que racharam a maioria das vidraças e ecoaram no Sertão inteiro. Outros, discordavam dessa opinião, dizendo que o som de bronze só pegara uma parte do Sertão, isto é, o nosso velho e sagrado Reino do Sertão dos Cariris Velhos da Paraíba do Norte. Todos, porém, eram unânimes quanto ao resto: no mesmo instante em que o sino começava a tocar freneticamente, eletrizando a multidão, por cima da velha Casa ancestral dos Garcia-Barrettos o espaço se fendeu, revelando algo de muito grande, estranho e cheio de fogo. Por entre chamas, resplendores e estalos de raio, apareceu no Céu uma gigantesca Onça Malhada, de pelos cor de ouro, cabeça negra e malhas vermelhas. Acima dela, via-se o enorme Gavião Real, aflando asas e criando, com isso, uma ventania de fogo, parecida com as ventanias incendiárias da Caatinga. Abaixo dela, na primeira linha, estavam duas outras Onças, uma negra e outra vermelha, e, abaixo destas, sozinha, uma Corça parda. A Onça tinha o corpo ferido e resplandecente de chagas e malhas, e tudo estava banhado, como na Bandeira desenhada por meu irmão, por uma chuva de gotas de sangue, que eram recolhidas embaixo por um enorme Cálice de ouro em forma de Taça. Circundando tudo, via-se aquilo que o nosso Povo costumava e costuma ver sobre os paços dos Reis mais estimados — línguas de fogo, griais, esferas de ouro, cavalos, clarins, eixâmetes vermelhos, ataúdes de prata incendiada, catervas de Mouros, freires e combates de Paladinos nas alturas —, o sangue e as visagens antecessoras da Pedra do Reino. A visão causava em todos, como devia ter causado, outrora, ao Cavaleiro Pobre referido por Olavo Bilac, uma sensação ao mesmo tempo de terror e plenitude, de gozo sexual perfeito — com o gosto obsceno da Morte e o gosto sumarento do fruto da Vida; uma sensação que deixou todas as pessoas que a experimentaram saciadas ali e sedentas para o resto da existência, insatisfeitas com o mundo e com a vida porque pressentiam que a vida e o mundo eram "o vasto Mausoléu calcinado" do Cavaleiro Pobre, por serem incapazes de oferecer a mesma coisa que todos, agora, estavam experimentando. E foi então que veio a segunda parte do milagre, a parte sangrenta, bandeirosa e cavalariana. Porque, enquanto todo mundo permanecia assombrado, todos olhando uns para os outros na comunicação beatificada e muda do que estavam sentindo no sangue da alma, a tropa de Cangaceiros, comandada pelo Capitão Ludugero Cobra-Preta, desembocou na Praça, atirando por cima do Povo e assolando tudo a patas de cavalo. Levantou-se uma gritaria terrível, se bem que ninguém tivesse sofrido ferimentos graves naquele primeiro momento. Parece que o Capitão Ludugero, homem bravo e generoso, dera ordem a seus cabras para atirarem por cima das cabeças, apenas para causar pânico e dispersar a multidão, pois o que ele queria, mesmo, era pegar o Rapaz-do-Cavalo-Branco, e não atirar naquele pessoal inerme. Meus irmãos e eu estávamos desarmados de armas de fogo. Ainda assim, Malaquias e os outros puxaram os punhais de Cavalhada com que estavam, e postaram-se em torno de mim para me defender. A coisa, porém, evidentemente não era conosco. Os Cangaceiros procuravam era afastar a multidão, para entrar na casa dos Garcia-Barrettos, de onde o Doutor Pedro se sumira, ninguém vira como. Aconteceu, porém, o que o Capitão não esperara: o Povo, em vez de correr da Praça, afluiu e se concentrou todo diante da casa, formando uma barreira difícil de ser transposta. Os Cangaceiros, vendo isso, começaram a impelir os cavalos para a multidão, a fim de afugentá-la. Quando a primeira pessoa foi mais atingida pelo peito de um cavalo e caiu, um homem do Povo destacou-se do meio dos outros e meteu um facho aceso na cara do Cangaceiro que a derrubara. Eu conhecia esse homem: chamava-se Chico Dionísio, mas era mais conhecido por Chico da Marcação. Era um sujeito enorme, vermelho de sol e louro, com os cabelos de estopa e com a testa muito grande e muito branca, no lugar em que o chapéu de couro — que ele tirava raramente — protegia a pele contra os raios do Sol. Chico Dionísio era uma onça, de valente: tinha punhos grossos e mãos enormes, cobertas de pelos amarelos. Quando ele meteu o facho aceso na cara do Cangaceiro, deu um berro enorme, como se fosse ele, e não o outro, o ferido. Mas muito maior foi o berro do Cangaceiro, que levou as duas mãos à cara queimada e caiu do cavalo, sendo imediatamente apunhalado. Então o Capitão Ludugero puxou o revólver e atirou em Chico Dionísio. A bala pegou-o em plena testa, ele largou o facho e tombou morto. A visagem da Onça Malhada desaparecera: campeavam a violência e a chacina, e o Gavião de Ouro do Divino foi substituído pelo cruel Gavião da morte, que pairou um momento sobre

Chico Dionísio e o Cangaceiro que ele matara, bebendo o sangue de todos dois. Ouvi a voz do Doutor Pedro Gouveia gritando: "Calma! Calma, pessoal!" Mas a violência e o sangue tinham se desencadeado, era muito difícil que força humana fosse ainda capaz de detê-los. Eu estava farejando sangue, muito sangue por todo lado. Tiros estalavam, por entre gritos e os repiques do sino, que não tinha parado de tocar. Outro homem dos nossos, Dinis Vitorino, deu uma foiçada num Cangaceiro. A foice ia atingir a cabeça do homem, mas, antes disso, foi detida por seu braço, que levou um corte terrível. Com o outro braço, porém, o Cangaceiro enfiou um longo punhal no ventre de Dinis, que caiu, estripado, e ficou no chão, nos estremeços da morte. Aí, Ludugero, contaminado pela violência, arregaçou os dentes e gritou para os seus: "Atirem pra matar, nesses cachorros!" E ele próprio tirou o mosquetão das costas, dando o primeiro tiro, para abrir caminho em direção à casa. O pessoal dele começou a atirar indiscriminadamente contra a multidão, que urrava. Abriam-se claros, vários corpos já estavam caídos, embebendo de sangue a poeira da Praça. Ouviam-se gritos, pragas e imprecações. Um homem fortíssimo, chamado Marino Quelê Pimenta, que fora da Guarda dos Doze de meu Padrinho e que fizera prodígios na Guerra da Coluna, pôde chegar junto dum Cangaceiro montado. Pegando-o pelos braços, conseguiu puxá-lo da sela. Derrubou-o no chão, agarrou-o pela garganta e estrangulou-o brutalmente. Aí, no meio do tumulto, ouvi alguém se dirigir a mim, de bem perto, dizendo: "Quaderna, vamos para o Tabuleiro que fica perto do Cemitério!" Era o Doutor Pedro Gouveia, a pé, ali a dois passos, e acompanhado por uma pessoa a cavalo em quem tive dificuldade de reconhecer Frei Simão, pois ele tirara o hábito para não ser distinguido. "E o Rapaz-do-Cavalo-Branco?" — perguntei ao Doutor Pedro, espantado de que ele abandonasse assim aquele que era o centro e motivo de todo o barulho. Mas eu estava subestimando o Doutor que, montando lestamente o cavalo que meus irmãos tinham trazido, disse-me calmamente: "O rapaz está lá, no Tabuleiro, com o Cigano Praxedes e Luís do Triângulo! Eu, com medo de alguma traição como esta, mandei que ele saísse pelos fundos da casa, escondido, e fosse dormir numa tenda do acampamento!" Vi, então, que o melhor era seguir sua sugestão. Disse a Lino que, assim que partíssemos, ele, aos poucos, espalhasse entre o Povo a ordem de reunião no Tabuleiro do Cemitério. Gritei, então, para meus irmãos: "Vamos, todos, para o acampamento dos Ciganos! Protejam Clemente e Samuel!"

Esta última recomendação, era, aliás, desnecessária, pois meus dois Mestres, lentos em todos os momentos de ação, eram rapidíssimos nas fugas. Estavam já montados, abraçados aos pescoços dos cavalos, tão encolhidos, tão unidos aos corpos dos animais que montavam que era difícil dizer ali quem era gente e quem era cavalo. Começamos, assim, a sair da Praça: nem muito devagar, para não nos arriscarmos muito, nem muito depressa, para não chamar atenção. Mas os Cangaceiros não nos impediram, julgando que aquele movimento nosso era uma retirada que facilitaria a tomada da casa. Assim, pudemos sair e tomamos o caminho do alto e pedregoso Tabuleiro, já agora com o Doutor Pedro à frente, para não sermos detidos ou feridos pelas sentinelas, dispostas desde a saída da rua até o alto. Era, portanto, o próprio Destino que nos impelia a todos, obrigando-nos a tomar partido ao lado do Rapaz-do-Cavalo-Branco. Chegando ao acampamento, fomos acolhidos a tendas especiais que os Ciganos tinham preparado para os dois Chefes, Frei Simão e o Doutor Pedro. Vi então que todas as disposições guerreiras estavam tomadas: as tropas de Luís do Triângulo estavam disseminadas por trás de tudo quanto era pedra e grota que havia no Tabuleiro, prontas para o que desse e viesse. Mas os Cangaceiros não vieram naquela noite. Depois é que soubemos o que houvera na Praça: o Povo, guiado por Lino Pedra-Verde e vendo que nós nos encaminhávamos para o alto Tabuleiro situado fora da Vila, compreendeu, instintivamente, que para lá é que se deviam dirigir todos os que fossem partidários do Rapaz-do-Cavalo-Branco. Por isso, afastaram-se da casa dos Garcia-Barrettos, abrindo passagem aos Cangaceiros que, encontrando aberta a porta que assim fora deixada pelo Doutor Pedro Gouveia, entraram, varejaram tudo e, não encontrando ninguém, saíram e abandonaram a Vila, conduzindo seus mortos e feridos. O mesmo fez o Povo que, conduzindo os corpos dos companheiros estendidos na Praça, começou a subir o Tabuleiro, indo se juntar a nós. Assim passamos a noite: de vez em quando, chegava um homem do Povo, armado de foice, de espingarda e querendo alistar-se debaixo da Bandeira do Divino. Da minha tenda, eu ouvia gritos de desafio, por entre os cantos das *excelências* rezadas pelos que tinham morrido. Assim, via que, quisesse ou não quisesse, ia, mais uma vez, me ver envolvido nas lutas da família do velho Dom Pedro Sebastião Garcia-Barretto. Estavam já delimitados os dois campos, com os partidários de Arésio na rua, e os de Sinésio no alto Tabuleiro que dominava a Vila. Ia se travar a luta. Houvera a primeira fase, cuja crispação mais sangrenta fora o assassinato do velho e austero Rei, morto por degola. Surgia, agora, outra fase, a daquele enigmático Valete de Copas brotado do sangue dele e que abria a nova rodada do jogo. Encerrava-se a fase do Crime, ia começar a da Vingança implacável.

A VISAGEM DA ONÇA DO DIVINO.

Folheto LXXXV
A Sagração do Gênio Brasileiro Desconhecido

Como Vossas Excelências podem ver pelo tom das minhas palavras finais, nobres Senhores e belas Damas de peitos macios, eu chegara ao fim do meu depoimento. Falara durante quatro horas seguidas. O Corregedor notou isso de repente e, vendo que a noite tinha caído, sentiu-se com o direito de ficar cansado. Estirou-se, torceu os braços, bocejou, sorriu, pediu desculpas a Margarida e disse:

— Muito bem, a noite já começou! Já está escuro e é melhor ficarmos por aqui!

— É verdade, Excelência! — concordei. — Além do mais, creio que já falei o suficiente para demonstrar minha inocência, de modo que peço ao senhor que me libere de outras sessões de depoimento, principalmente tendo em vista o meu estado de saúde que, como o senhor viu, não é dos melhores.

— O quê, Dom Pedro Dinis Quaderna? — admirou-se o Corregedor, com ar falso e num tom de propósito exagerado. — É possível? O senhor quer me deixar, assim, de vez? Nós não concordamos absolutamente com isso, não é, Dona Margarida? Logo agora, que tudo está ficando realmente interessante, é que o senhor quer nos deixar? Coloque o caso em si, Dom Pedro Dinis Quaderna! Suponha que você fosse o Juiz e eu o depoente e acusado. O senhor chega aqui na Cadeia e vê-se diante da história de um homem que foi degolado perto de mim. Eu sou um dos herdeiros desse homem e servi de Conselheiro a ele durante a maior parte da sua vida. No mesmo dia da morte dele, seu filho mais moço desaparece, e depois é encontrado morto. Desde então, eu passo a profetizar, todo ano, a ressurreição e a volta desse Rapaz, meu primo e sobrinho. Nas vésperas da Revolução comunista de 1935, aparece, aqui na Vila, uma coluna de Ciganos, chefiada por dois homens estranhos, que vêm trazendo de volta um rapaz que eles encontraram na estrada, meio esquecido das coisas, e que, segundo dizem, é o filho mais moço daquele homem, filho agora ressuscitado, como eu tinha predito. Alguém tenta matar o Rapaz. O tiro falha, e o capanga é assassinado, com outro tiro, partido do lugar em que eu me encontro no momento. Aí, eu volto para a cidade. A luta entre o Rapaz e o irmão mais velho começa, e eu tomo o partido do ressuscitado: no meio de um tiroteio violento, saio com os Chefes da coluna para o acampamento de suas tropas, momento que, segundo minhas próprias palavras, "encerra a fase do Crime e inicia a da Vingança". Me diga uma coisa: o que é que o senhor faria num caso como esse? Fale francamente, Dom Pedro Dinis Quaderna! Você encerraria o caso, permitindo que eu abandonasse, aí, o depoimento, ou quereria ouvir o resto?

— Não sei, Sr. Corregedor! — disse eu, baixando a cabeça, intimidado. — Eu nunca fui Juiz! Por isso, sou capaz de achar que podia ficar tudo como está, porque talvez fosse melhor para todos nós!

— Ah, não! Que é isso? Coragem, Dom Pedro Dinis Quaderna! Quer encerrar os depoimentos antes de terminar a história? Veja que, assim, sem as certidões e por causa do cotoco, você nunca conseguirá escrever sua Epopeia!

— Isso não significaria grande coisa não, Sr. Corregedor! É até uma tradição dos Romances epopeicos sertanejos, isso de ficarem incompletos! Na obra de meu precursor José de Alencar, por exemplo, é assim que acontece com as Epopeias! *O Sertanejo* termina sem acabar, com o mistério da vida do velho Jó sem conclusão e sem se resolver o amor de Arnaldo Louredo por Dona Flor. O autor, aliás, está consciente disso, porque termina dizendo assim: "Aqui termina a história a que dei o título de *O Sertanejo*. O mistério que envolve o passado de Jó só depois veio a revelar-se. E como esses acontecimentos se prendem, intimamente, à vida de Arnaldo, guardo-me para referi-los mais tarde, quando escrever o fim do destemido sertanejo, cujas proezas foram, por muitos anos, naqueles *gerais*, o entretenimento dos Vaqueiros, nos longos serões passados ao relento, durante as noites de inverno." Mas José de Alencar morreu, antes de contar essa parte que prometia: nem por isso *O Sertanejo* deixou de ficar valendo. Ora, Vossa Excelência há de se lembrar de que o velho Jó era um típico Profeta sertanejo, barbado e meio doido, como meu Padrinho, enquanto que Arnaldo Louredo era um perfeito Príncipe sertanejo — jovem, valente e vestido de gibão, como Sinésio. Assim, não vejo nada demais no fato de eu alinhar todos estes acontecimentos que lhe narrei numa ordem epopeica e depois parar aqui, sem contar o desfecho do amor de Sinésio e Heliana, a decifração do Crime inexpiável de que foi vítima o velho Rei Degolado, e a épica Demanda novelosa que empreendemos, afrontando os perigos e as incertezas do Mar e as emboscadas e vinditas da áspera e pedregosa Caatinga sertaneja. Lembre-se, também, de que, com *O Guarani*, sucede coisa parecida: a história termina com Peri e Ceci agarrados numa palmeira que desce o rio aos trambolhões, flutuando ao sabor de uma correnteza furiosa e que se some no horizonte. Muitas vezes refleti sobre esse fim de romance-epopeico, perguntando a mim mesmo, aflito: os dois escaparam? Morreram afogados? Depois pensei melhor e vi que estava colocando mal o problema. Se o caso fosse de *estilo raso*, Peri e Ceci morreram de qualquer modo. Se não morreram ali, na hora, afogados, já estão mortos e enterrados, de velhos, agora, pois a história deles se passa no século XVI e não tem quem viva tanto, no mundo. Eles morreram, então, velhos, feios e desdentados, coisa com a qual não me conformo de jeito nenhum. Mas se o caso é de *estilo régio*, então eles não morreram, nem lá, nem depois. Consumaram aquele amor meio espiritual e meio tarado que tinham um pelo outro, e permanecem ali, possuindo-se um ao outro no embalo da palmeira, num amor de divindades, vivos para sempre e eternamente jovens, imortalizados naquele epopeico momento de romance que é sempre o mesmo, sempre renovado a cada leitura. Ora, uma vez, li no *Almanaque Charadístico* que, entre outras qualidades, o gênio deve ter a da originalidade. O senhor não vai negar que haveria certa originalidade em eu propor tudo isso que propus com minha narração; em colocar o pessoal todo naquela expectativa, com a briga iniciada, os partidários de Sinésio dum lado, os de Arésio noutro, e depois deixar tudo aí, em suspenso, como no fim dos romances de José de Alencar. Outra coisa: já que o senhor mandou que eu supusesse ser o Juiz, peço ao senhor, também, para supor que eu morra por acaso, antes de lhe dar outro depoimento. Não haveria nada de estranhável nisso: José de Alencar não morreu antes de contar o resto da sua história? Meu depoimento teria que ficar encerrado aqui, mas nem por isso o senhor deixaria de utilizá-lo no inquérito, não é isso? Quanto à Epopeia, ficaria, como eu disse, uma história pelo menos original, com essa história toda iniciada, mas sem conclusão nenhuma, como sucedeu com a história de Peri e Ceci e como sucede sempre, aliás, na vida!

O Corregedor olhou-me com seus astutos olhos de porco. Quando falou, foi para me dar um bote seguro, pegando-me pelo meu fraco:

— Sim — disse ele —, mas aí é que entraria, mesmo, o senhor, com suas obrigações de Epopeieta, Gênio da Raça Brasileira e Gênio Máximo da Humanidade! Se o senhor não for adiante de José de Alencar e de Homero, que foram geniais mas incompletos, não poderá ultrapassá-los! Que é isso? Está afracando? Quer perder a briga para esses dois? Veja que você mesmo foi quem disse que uma Obra, para ser de gênio, precisa ser régia, modelar, de primeira classe e, sobretudo, *completa*! Se o senhor não contar o resto, não poderá obter certidões sobre tudo, e sua Epopeia ficará original, é certo, mas incompleta!

Aquele homem era mesmo que o Cão! Eu estava encostado à parede. Falei:

— O senhor tem razão; mas é que estou vendo, Sr. Corregedor, que, para contar tudo, eu vou terminar arriscando o pescoço!

— O destino dos gênios é esse mesmo, Dom Pedro Dinis Quaderna! A História está cheia da narração das desgraças deles! São, todos, uns infortunados! Principalmente os que carregam a História de suas pátrias no sangue e nos ombros, como uma cruz. Aliás, a própria História não passa de uma narrativa sombria, enigmática e sangrenta, para usar as palavras que o senhor usou em relação à morte do velho Rei e à vida de seu sobrinho Sinésio, o Rapaz-do-Cavalo-Branco! Passe uma vista pela História do Brasil: são massacres, infortúnios, incestos, morticínios, guerras, calamidades e desgraças de todo tipo! Toda coroa é manchada de sangue, como o senhor mesmo disse. E se você aspira, mesmo, a essa coroa de Poeta nacional do Brasil, tem de jogar sua sorte e arriscar sua cabeça, juntamente com a sorte do Brasil!

— Está bem! — disse eu, resignado, e, ao mesmo tempo, fatidicamente impressionado com aquelas palavras agoureiras que o Corregedor ia alinhavando com ironia, imitando, aqui e ali, meu tom de voz e posando assim de arguto e espirituoso para Margarida. — Vossa Excelência exige que eu volte... Se eu não morrer, como José de Alencar morreu, voltarei!

— Ótimo! Teremos, então, oportunidade de continuar, aqui, esta nossa conversa, tão interessante, tão cheia de sugestões e revelações! O inquérito continua aberto e em suspenso, de modo que, pelo menos por enquanto, sua Obra ficará assim, em suspenso e aberta, dependendo sempre de novos depoimentos que o senhor nos prestar. Talvez, até, ela dure o resto de sua vida e nunca chegue a terminar, de acordo com o teor do que o senhor tiver para nos dizer! — disse ele com um sorriso cruel, que me deixou terrificado. — Até amanhã, então! Espero o senhor aqui, na mesma hora! E, para seu próprio bem, não fale nada do que eu lhe perguntei nem do que o senhor me disse, a pessoa nenhuma! Escute o que estou lhe dizendo: se eu souber que você, de qualquer maneira que seja, delatou qualquer coisa do que se passou aqui, o senhor será imediatamente demitido e preso! Até amanhã!

— Até amanhã, Sr. Corregedor! Até amanhã, Margarida! — despedi-me eu, com ar terno, da moça, que não se dignou responder-me.

* * *

Então, nobres Senhores e belas Damas, saí da Cadeia, encaminhando-me para casa. Com os olhos ainda dotados da estranha vidência que o Vinho da Pedra do Reino me dera, olhei para os lados da casa do Capitão Clodoveu Torres Villar, para ver se descobria o dono ou a dona dos olhos amaldiçoados que tinham causado minha vertigem. Mas não vi ninguém. Teria sido uma visagem minha? Era impossível descobrir com certeza.

As sombras da noite caíam sobre nossa heroica Vila, trazendo uma ventania que refrescava cada vez mais e que, daí a pouco, esfriaria o mundo com o sopro noturno do *cariri*. Por isso, um cheiro de jasmins e bogaris já embalsamava o ar, diante dos jardins, das grades e dos portões por onde eu ia passando, ouvindo vozes e murmúrios no interior das casas, vendo luzes que se acendiam e barulhos de pratos e talheres, todos esses rumores familiares que, nessa hora do anoitecer, sempre me dão um sentimento de exílio e nostalgia. Por outro lado, apesar de tudo o que me acontecera, de todos os perigos que me ameaçavam, de tudo o que eu contara de comprometedor, tanta é a força das confissões que eu estava me sentindo descarregado e purificado — e tudo isso, junto, me dava uma sensação de solene e nostálgica melancolia.

Como eu não quisesse falar com meus dois rivais e mestres, em vez de vir diretamente pela Rua Grande, cruzei o Beco dos Villares, de modo a entrar em minha casa pelo fundo do quintal, que dava para o Chafariz. Também não fui para a "Estalagem à Távola Redonda", onde poderia ter uma refeição melhor, preparada por Maria Safira, mas onde ficaria muito exposto ao convívio e às perguntagens dos outros: eu queria ficar só, para pensar em tudo o que me acontecera.

Consegui passar despercebido e entrar em casa sem ser notado. Chegando, fui logo para o armário. Peguei uma garrafa do meu Vinho tinto da Malhada, um bom pedaço de pão, manteiga "de gado" e queijo de coalho do Cariri, o melhor queijo de cabra que existe no mundo, como todos sabem. Então, assim provido, sentei-me numa Espreguiçadeira e fiquei a repassar muitas coisas na cabeça. Eram lembranças poéticas e legendárias, que me traziam uma estranha saudade. Todos aqueles sonhosos acontecimentos — meus amores, os combates e andanças sertanejas em que me vira metido durante tanto tempo ao lado do velho Rei demente e degolado da Legenda Ensanguentada do Sertão — desfilavam diante de mim. Eu via, principalmente, toda a Desaventura novelosa, a Demanda guerreira e enigmática que tínhamos empreendido, por terra e por mar, seguindo Sinésio, O Alumioso, e que terminara acabando daquela maneira cruel e terrível que todo o Sertão conhece. Pensava também, inquieto, no estranho Processo no qual estava mais uma vez envolvido. Parecia que meu destino era ser sempre implicado nos casos de crime e herança daquela minha ilustre e poderosa família materna dos Garcia-Barrettos. Era como se a Justiça, sem ter condições de envolver em suas malhas os membros mais importantes daquela Casa real sertaneja, resolvesse se encarniçar sobre o outro, o legítimo, o Quaderna, o verdadeiro Rei e Profeta, por saber que eu, arruinado, não tinha condições para me defender, isto apesar de meus méritos de Poeta, Astrólogo e Decifrador, e apesar da Raça real do meu sangue da Pedra do Reino.

    Imperceptivelmente, sem que eu quisesse ou notasse isso, o aspecto real e político de todos aqueles acontecimentos foi ficando de lado e cedendo passo ao aspecto poético-literário, muito mais *real* e embandeirado do que o outro. Coisas grandiosas, guerreiras e cavalarianas misturavam-se, insensivelmente, com amores — poéticos, solares e legendários no caso de Sinésio e Heliana, esverdeados e lunares no de Gustavo e Clara, tigrinos, saturninos e subterrâneos no de Arésio e Genoveva. Na minha cabeça e no meu sangue, amalgamava-se tudo aquilo, de modo cada vez mais confuso, belo e glorioso. A agradável sensação do queijo, do pão com manteiga e do vinho — que eu ia engolindo em grandes nacos e goles — espalhava-se em minhas veias, causando-me um calor, um torpor e um formigamento no corpo, o que era tanto mais gostoso porquanto, por fora, eu começava a ser envolvido, já, pelo frio da noite do velho Sertão do Cariri.

Foi nesse momento que devo ter adormecido, pois a última sensação mais ou menos lógica que me lembro de ter experimentado foi a de avistar, em torno da luz baça, da lâmpada suja de poeira e de teias de aranha, algumas mariposas que esvoaçavam. "Vai chover amanhã, e o inverno, este ano, parece que vai ser bom!" — pensei comigo mesmo. E então, adormeci na espreguiçadeira.

* * *

Tudo o que eu vinha pensando na minha doce embriaguez se juntou, então, num sonho só. Eu terminara minha Epopeia, minha Obra de pedra e cal, edificando, no centro do Reino, o Castelo e Marco sertanejo que tinha sido o sonho de toda a minha vida. O Reino do Sertão se estendia, agora, sob um Sol acobreado de crepúsculo, esbraseado, cercado de nuvens cor de chumbo e orladas de fogo, um Sol que dourava as pedras e muralhas do Chapadão pedregoso, áspero e solitário, formigante de Peões, bispos, Rainhas, Reis, torres, cavalos e Cavaleiros — rudes Cavaleiros vestidos com armaduras de couro medalhadas, gibões, guarda-peitos e chapéus de couro estrelados, e acompanhados pelas belas Damas de copas e espadas que os amavam. No meio do Reino, fincada sobre uma serra pedregosa e situada entre os dois rochedos iguais que lhe serviam de torres, a Catedral e castelo da minha Raça reluzia seus muros afortalezados, a que o Sol dava também reflexos acobreados, batendo nas pedras esquadrejadas, unidas com a argamassa do meu sangue.

A obra estava finda, motivo pelo qual ia haver uma cerimônia régia. A Academia Brasileira de Letras, que não era senão uma espécie de meu Conselho da Coroa, era formada por Doze Pares do Cordão Encarnado e outros Doze do Cordão Azul, conforme sua Literatura fosse mais aproximada ou mais afastada do Povo. Integrava ela, assim, aquele grupo zodiacal e astrológico de 24 Anciões, que meu velho e demente companheiro, o Cantador judaico-sertanejo João de Patmos, tinha visageado na sua Epopeia-enigmática e logográfica, vulgarmente conhecida como "O Apocalipse". Era o dia da minha coroação, e lembro-me bem de que a minha maior alegria era causada pela vitória alcançada sobre meus dois rivais, o Doutor Samuel Wan d'Ernes e o Bacharel Clemente Hará de Ravasco Anvérsio. Meus méritos e minha superioridade eram, agora, indiscutíveis. Saíra da minha condição inferior de charadista, passando a respirar os ares puros do alto daquela Serra pedregosa, escarpada e sagrada, que só os gênios são capazes de escalar e dominar. Eles veriam agora, pela primeira vez em sua real importância, as dimensões e o significado desta Onça, desta Cobra-Coral que eles tinham caído na tolice de criar, aguçando meu sangue e meu veneno com suas conversas, suas ideias, seus sonhos, seus remoques e seus desafios.

 E chegava a última Embaixada que ainda estavam aguardando, a delegação de Doze membros do Instituto Histórico e Geográfico Paraibano, os quais, vestidos de Embaixadores mouros da "Nau Catarineta" e chefiados por Carlos Dias Fernandes e José Rodrigues de Carvalho, tinham solicitado a honra de, como conterrâneos, me levarem, como Guarda de Honra, ao recinto do Conselho da Coroa, onde o Arcebispo da Paraíba iria me coroar. Magnificamente vestido de Rei do "Auto dos Guerreiros", eu me punha à frente dos Doze Pares do Reino da Paraíba, e era assim que fazia minha entrada triunfal na Academia, onde já estavam os 24 Anciões, vestidos de Príncipes do "Bumba-meu-boi". O Arcebispo da Paraíba, com um enorme chapéu de Guerreiro — um chapéu que parecia um templo asiático e era todo enfeitado de espelhos e de bolas de vidro coloridas —, vestia uma Opa amarela, semeada de cruzes azuis e sobre a qual pendia, para suas costas, um manto vermelho, com Cruz e crescentes de ouro. Ele pegava uma Coroa de louros, cujas folhas eram de prata. Ia me coroar com ela, quando Rodrigues de Carvalho e Sylvio Romero — que eram estranhamente parecidos com João Melchíades e Lino Pedra-Verde — interrompiam, dizendo:

 — Em nome dos Cantadores e do Reino, conjuro todos a coroar o nosso Rei com a Coroa de couro e prata do Sertão, trançada de espinhos de mandacaru e medalhada com folhas de ouro de Angico, Braúna e Pau-brasil!

 O Arcebispo da Paraíba consultava o Mestre de Cerimônias, que não era outro senão Joaquim Nabuco, sempre amaneirado, diplomatado e entendido nessas coisas cortesãs. Joaquim Nabuco, um pouco a contragosto e contrariado em seu cosmopolitismo, tinha que concordar, "porque essa fora, também, a vontade manifestada pelo Rei". Então, acolitado por Dom José de Alencar e por Dom Euclydes da Cunha, o Arcebispo da Paraíba me coroava finalmente como Rei da Távola Redonda da Literatura do Brasil, ante a alegria delirante do Povo Brasileiro e ao som de uma Música sertaneja de tambores, pífanos, triângulos, violas e rabecas. Eram galopes e repentes-esporeados; o principal chamava-se *A Pedra do Reino* e era estranhamente parecido com aquele áspero *Piado do*

Cachorro que tinham tocado no dia da chegada de Sinésio. Todos os Condes e fidalgos ali reunidos cantavam, com essa música, uns versos de autoria do genial Vate paraibano Antônio da Cruz Cordeiro Júnior, versos nos quais, já antevendo a minha Coroação, ele escrevera, no século XIX:

> *"De onde vem esse Bardo Peregrino*
> *e esse Canto de fogo e do Divino,*
> > *de Arcanjos, pedra e Luz?*
> *Ante o Gênio da Raça o Povo anseia*
> *e a grande Pátria sua Voz alteia*
> > *pois o Gênio reluz!*
> *Ó Quaderna, perdoa! Esse delírio*
> *quer dizer que teu Gênio, aí do Empíreo,*
> > *adeja sobre nós!*
> *Perdoa, ó Rei, se aqui, aos pés do Trono,*
> *viemos teu Sonho, e a Visão e o Sono*
> > *quebrar com rude Voz!*
> *É que, da Turba brilhante,*
> *teu Vulto se destacou:*
> *muito acima e muito adiante*
> *como um Gavião plainou.*
> *No voo de Fogo altaneiro*
> *é o Gavião Brasileiro*
> *que mais alto se elevou.*
> *Subiu, subiu e seu Grito*
> *foi sagrado no Infinito*
> *onde o Sol o consagrou!"*

Para falar a verdade, nobres Senhores e belas Damas, os versos tinham sido um pouco modificados para a ocasião. Por exemplo: ali onde o genial Vate paraibano tinha colocado "águia", eu ordenara que pusessem o brasileiríssimo e sertanejo Gavião-Tourano, que, sendo a Musa dos folhetos dos Cantadores, servia muito melhor de insígnia para minha realeza do que aquele bestíssimo Gavião estrangeiro que é a águia. Na essência, porém, era esse o Enigma e logogrifo em versos que cantavam e que eu aproveito para, com ele, dar por terminado este folheto e romance do Canto Genial da Raça Brasileira.

Recife, 19-VII-58
9-X-70

Posfácio

A Pedra do Reino
Maximiano Campos

O Brasil encontra agora em Ariano Suassuna, que já era o seu maior dramaturgo, um grande romancista. Este seu livro, mágico, violento e belo, e o *Grande Sertão: Veredas*, de Guimarães Rosa, são romances superiores, desses livros que transcendem ao mero enredo e fabulação e nos fazem ficar tentados a chamá-los de epopeias, como já fizeram Cavalcanti Proença, com relação ao romance do escritor mineiro, e Afrânio Coutinho, ao se referir desta maneira a *Os Sertões* de Euclydes da Cunha: "*Os Sertões* são uma obra de ficção, uma narrativa heroica, uma epopeia em prosa, da família de *Guerra e Paz*, da *Canção de Rolando* e cujo antepassado mais ilustre é a *Ilíada*."

Romain Rolland considerava *Guerra e Paz* a mais vasta epopeia dos nossos tempos, afirmando ser o romance de Tolstói uma *Ilíada* moderna. Álvaro Lins, depois de citar a conversa entre Tolstói e Gorki, onde o próprio Tolstói, referindo-se a *Guerra e Paz*, havia dito: "Sem falsa modéstia, é como a *Ilíada*", afirma: "*Guerra e Paz* é, na verdade, a epopeia de uma época em que não se escrevem epopeias, como a epopeia é o romance de uma época em que não se escreviam romances." Michel Butor, um dos principais escritores do Novo Romance francês, já disse que o romance evolui para uma espécie nova de poesia ao mesmo tempo épica e didática. Mas, seja qual for a denominação ou classificação que lhe queiram dar os críticos, o grande romance, o bom romance, continua sendo a mais completa das manifestações criadoras em literatura. E, segundo Henry James, um romancista é alguém para quem nada está perdido. Certa ocasião, Michel Butor disse a Leyla Perrone-Moisés: "O público mudará, tornar-se-á cada vez mais exigente e melhor. O Novo Romance é uma coisa que não existe, portanto não haverá um futuro para o Novo Romance. Haverá o futuro dos romancistas, o futuro do romance, e este é muito belo."

Ariano Suassuna não limitou o mundo à visão do Sertão nordestino, mas, através dessa visão de criador, fez do Sertão um palco gigantesco onde são representados, através dos seus personagens, os dramas da condição humana.

Nisso, Suassuna se assemelha a Kazantzákis, que fez coisa semelhante com a sua ilha de Creta.

Todas as artes se assemelham: a música, a pintura, a literatura, a escultura. Ezra Pound, referindo-se ao *Ulisses* de James Joyce, disse que esse romance pertencia à grande classe dos romances em forma de sonata. E. M. Forster tentou fazer uma aproximação entre a *Quinta Sinfonia* de Beethoven e o ritmo que existe em certas passagens da obra de Proust. Alberto Moravia diz que "em todo escritor que tenha um conjunto de trabalhos que revele o seu esforço, a gente encontrará temas que se repetem. Assim, tanto um único romance, como a obra toda de um escritor, à semelhança de uma composição musical em que os personagens são os temas, completam, de variação em variação, toda uma parábola". Faulkner já nos falou de um trovejar e de uma música da prosa, que se processam em silêncio. Lendo o romance de Suassuna, temos a impressão de estar diante de um grande mural em que o pintor usasse as palavras como se fossem as tintas vigorosas da sua imaginação. E estas cores vêm revestidas também de som. Nesse livro, homens, feras, a beleza e a miséria, o sonho e a realidade, o mito e a descrença, o ódio e o amor, nos envolvem e povoam a solidão da nossa leitura. E ninguém sairá impune dessa leitura porque nela encontrará a farsa do mundo a ser representada. O Diabo está solto e arma as suas tramas e o Cristo continua sempre dando novas oportunidades para o bem e o mal. Parece-nos que, nesse livro, o romancista, à semelhança do autor do *Cristo Recrucificado*, mais do que a beleza, procurou a redenção. Poderiam ser de Suassuna estas palavras de Butor: "Não escrevo romances para vendê-los, mas para obter uma unidade na minha vida." Está nesta poesia sobre o seu pai a marca que ainda hoje o artista carrega:

> *"Aqui morava um Rei, quando eu menino:*
> *vestia ouro e Castanho no gibão.*
> *Pedra da sorte sobre o meu Destino,*
> *pulsava, junto ao meu, seu Coração.*
>
> *Para mim, seu Cantar era divino,*
> *quando, ao som da Viola e do bordão,*

cantava, com voz rouca, o Desatino,
o Sangue, o riso e as mortes do Sertão.

Mas mataram meu Pai. Desde esse dia,
eu me vi, como um Cego, sem meu Guia,
que se foi para o Sol, transfigurado.

Sua Efígie me queima. Eu sou a Presa,
Ele, a Brasa que impele ao Fogo, acesa,
Espada de ouro em Pasto ensanguentado."

A infância marcada pelo assassinato do pai, um Cavaleiro sertanejo que chegou à presidência da Paraíba, as lutas da sua família e as perseguições sofridas, lhe deram uma visão trágica do mundo. Visão esta que está carregada de símbolos e mitos, códigos de honra e disputas de vida e morte. Com essa visão é que Suassuna fez o seu castelo de sonho e beleza; é o menino, já adulto e feito escritor, que tenta interpretar e conviver com essa fera bravia, a sua terra. Aprendeu que o mundo tem dois senhores: Deus e o Diabo, o bom e o mau fazendeiro. Não despreza nem o ódio nem o amor, mas não acredita na mesquinharia, porque acreditar nela seria uma maneira de fazer com que ela existisse. Acredita na grandeza predestinada do seu país, e vê reis, rainhas, condes, fidalgos, em todos aqueles negros, mestiços ou morenos brasileiros. Nesse seu romance, Suassuna distribui os seus títulos de nobreza, daquela nobreza que o Brasil possui nos seus cangaceiros, vaqueiros, cantadores, nos homens e mulheres do povo que, às vezes, cansados da miséria e da fome, se vestem de reis e rainhas nos espetáculos populares. Acredita na desgarrada e bela luta desta nação continente e nobre, fera a quem as jaulas do mundo não conterão submissa.

Trata-se de um livro desigual, disforme mesmo, porque, em algumas ocasiões, a sua força o faz assim. Não é um desses romances bem-comportados e lineares, não é um livro mofino. Em certas passagens, temos a impressão de estar lendo, na sua prosa, uma poesia sem métrica, uma maneira paradoxalmente barroca e nova de contar e dizer as coisas. Quaderna, o seu personagem, dá-nos a impressão de estar num grande circo que seria o mundo, rodeado pelas visões da sua imaginação, que fazem o grande espetáculo: pedras, espinhos, onças, cobras, incestos, vinganças, ódio, amor, reis alucinados e sangue derramado nos ásperos carrascais sertanejos. E, sabendo que quem está no palco ou no picadeiro é sempre julgado, presta o seu depoimento, que é também a prestação de contas do seu sonho e a coerência da sua loucura.

Para Mathias Aires, moralista barroco brasileiro do século XVIII, o interior do homem é "como a cortina de um teatro; nela se veem pintados primorosamente hieróglifos, medalhas, inscrições e atributos... Mas, se algum impaciente e indiscreto força a cortina, e entra, o que vê é um lugar escuro, embaraçado, sem ordem nem asseio; vê atores ainda cobertos de roupas miseráveis; alguns, vestida a gala e empunhado o cetro (adornos alheios e supostos), vê chegados a uma luz desanimada, recordando de um papel imundo as palavras de que a memória se encarrega com trabalho".

Do mesmo modo, Quaderna, o personagem de *A Pedra do Reino*, sabe que tudo aquilo sucedia e sucede dentro do seu sangue e da sua cabeça, da sua memória, isto é, de seu talento de cantador, "onde havia um estrado e uma Cortina que, no momento em que se fechasse definitivamente, acabaria o Espetáculo, aquele sonho glorioso e grotesco, cheio de rosnados e clarins, de farrapos e mantos de ouro, sujo e embandeirado".

Existe, entre o teatro de Suassuna e esse seu romance, uma certa unidade no serem eles uma tentativa de interpretação do Brasil. Desse Brasil maioria, cuja grandeza está na descomunal maneira de ser originalmente, morenamente, mestiçamente, uma grande nação. Um Brasil não dos burocratas, dos burgueses que confundem a ordem com a incapacidade do sonho e da criação. Mas um Brasil dos seus poetas, dos seus fidalgos populares e sonhadores, dos cantadores, dos vaqueiros, dos trabalhadores que genialmente improvisam e criam essa sua grandeza. Há que distinguir o Brasil legal do real. Afonso Arinos já afirmou que *Os Sertões* resultou do choque que Euclydes da Cunha experimentou ao descobrir de repente a diferença entre o Brasil legal, o Brasil superficial que ele vivia nas cidades, e o Brasil real, do qual ele tomava conhecimento diante do povo e da terra do sertão.

São livros como *A Pedra do Reino* que nos ajudam a decifrar essa nação continente, essa fera misteriosa. Também temos o nosso sonho, os nossos profetas, os nossos reis, os nossos mártires, as nossas feras e uma inigualável força no povo e na terra. E por termos tudo isso, talvez tenhamos agora a nossa epopeia, áspera, sertaneja e mestiça, criada por um escritor nordestino que, começando apenas a escrever uma estória, não parou e continuou contando as suas visões; e nessas suas visões sabemos: o Brasil é o grande palco que tem os dois eternos encenadores conflitantes da tragédia, farsa e comédia do mundo — Deus e o Diabo. Mas o nosso Diabo, levado pela conversa do povo, seduzido pelos encantos da gente rude e brava no viver, tem os seus momentos de fraqueza ou distração e deixa-nos intacta, algumas vezes, essa estranha mania de confundir o ver e o sentir, a realidade quase sempre feia, com o sonhar e o querer, o mito vencendo o tempo.

Jorge Luis Borges, escrevendo sobre o *Quixote*, disse que, comparado com outros livros clássicos como a *Ilíada*, a *Eneida*, a *Farsália*, a *Comédia* dantesca, as tragédias e comédias de Shakespeare, o *Quixote* é realista e que esse realismo, sem dúvida, diferia essencialmente do exercido pelo século XIX. E é ainda o escritor argentino que nos chama atenção para Conrad, que afirmara que excluíra de sua obra o sobrenatural, porque admiti-lo parecia negar que o cotidiano fosse maravilhoso. Pois esse maravilhoso, essa magia do cotidiano, existe fortemente na América Latina. E foi o despertar através da percepção dessa realidade mágica que tem dado ao próprio Jorge Luis Borges, a Gabriel García Márquez, a Miguel Ángel Asturias, como deu a Guimarães Rosa e agora a Ariano Suassuna, a possibilidade de criar os seus romances onde a fantasia não é negação ou camuflagem da realidade, mas a libertação de uma visão menor da realidade, que também é disforme e mágica. Guimarães Rosa já afirmara: "O mundo é mágico."

Álvaro Lins comparou o romance a um espelho: "Um homem se debruça nele para conhecer a sua própria realidade humana. Sucede apenas que este espelho é daqueles que se usam nos circos como um divertimento: ampliam, deformam, desfiguram. Não divertem, porém, porque sentimos, apesar de tudo, que esta imagem deformada é a nossa imagem verdadeira. Muito mais verdadeira do que a outra — a exterior — que os espelhos habituais devolvem com exatidão."

Sartre disse que, "para o homem contemporâneo, o fantástico é apenas um modo entre cem de reaver a própria imagem". Pois o mundo de Quaderna, o personagem de *A Pedra do Reino*, está nessa sua visão fantástica: "Sou um grande apreciador do jogo do Baralho. Talvez por isso, o mundo me pareça uma mesa e a vida um jogo, onde se cruzam fidalgos Reis de Ouro com castanhas Damas de Espada, onde passam Ases, Peninchas e Curingas, governados pelas regras desconhecidas de alguma velha Canastra esquecida." Aliás, a própria prosa de Ariano Suassuna tem muito do traçado, da heráldica e da beleza das cartas do baralho. Quaderna sabia que o mundo é um jogo onde todos nós pagamos a entrada com a vida. Nesse jogo, os que fizerem mais pontos e os que souberem perder sem trapaças são aqueles que serão dignos de estar na cartola dos grandes mágicos: Deus e o Diabo, os senhores da desdita e da sorte.

Algumas obras podem ser comparadas com os Evangelhos, são narrativas. Não será o *Quixote* a pregação de um evangelista espanhol, Cervantes, que vestiu a armadura no Cristo, transformando-o naquele sonhador incorruptível? Não seria o Cristo um Quixote do qual São Pedro seria o Sancho? *A Pedra do Reino* se assemelha com o *Apocalipse*, porque é, também, além de um romance, uma profecia, que, no Sertão do Brasil, Quaderna tenta decifrar. Nesse sentido, poderíamos dizer que, se a obra de um Tolstói seria a de um evangelista, a de Dostoiévski está muito mais próxima do *Apocalipse*. E, entre as obras literárias, a mais apocalíptica de todas, nessa conceituação, seria a *Divina Comédia* de Dante, com quem o romance de Suassuna, também nesse aspecto, tem laços de parentesco, através das visões e palavras de Quaderna. Ele diz ao Juiz-Corregedor que vai julgá-lo: "Euclydes da Cunha, por mais genial que fosse, era apenas um precursor meu: não era Astrólogo e Decifrador... de modo que não sabia que, na verdade, a face do Sertão é tripla, e não dupla! É o Inferno, o Purgatório e o Paraíso; uma parte macha, uma macha-e-fêmea e outra somente fêmea — a Saturnal, a Solar e a Lunar... É por isso que, na minha Epopeia, quando, lá um dia, o senhor for lê-la, olhando com cuidado encontrará um Inferno, um Purgatório e um Paraíso — o Pai, o Diabo, o Filho, a Mulher e o Espírito Santo —, Saturno, o Sol e a Lua."

É preciso não esquecer, porém, que a *Divina Comédia* de Dante se origina da 11ª rapsódia da *Odisseia* e do 6º canto da *Eneida*: a corrente épica mediterrânea marcou também as raízes de criação de *A Pedra do Reino*. Quaderna, o personagem de Suassuna, vê no seu antepassado, no rei degolado da Pedra Bonita, e nele próprio, um pobre sertanejo, o descendente de uma casa real, o Dom Pedro IV do Brasil. O Quixote, de tanto ler livros onde se contavam as façanhas dos cavaleiros, resolveu correr o mundo com o seu sonho incorruptível. Quaderna, de tanto conversar literatura com Samuel e Clemente, de ler folhetos, de ouvir as aventuras dos seus ancestrais cantadas pelos poetas populares e narradas por esses seus dois amigos, resolveu escrever uma epopeia, uma Brasileida. E tenta empreender, na literatura, aventuras tão fortes e insanas quanto as do Quixote nos campos da Espanha. Mas, de tanto se preparar para tais aventuras e empreendimentos literários, fornece-nos peripécias e façanhas tais que fazem com que, ao lado da estória principal, existam outras, correndo paralelas. Isto faz desse livro de Suassuna um romance dentro do qual existem outros romances, formando um mural onde estivessem retratados o sertão e o mundo em cores fortes e reais, apesar de todos os sonhos e loucuras de que está repleto. Quaderna é uma espécie de Quixote que, não se contentando em viver as suas aventuras, resolvesse também contá-las.

Ariano Suassuna é autor de uma obra popular. O seu *Auto da Compadecida*, hoje, anda pelos teatros do mundo, levando a sabedoria do "amarelinho", que vai armando as suas artimanhas para vencer os poderosos. Aliás, Otto Maria Carpeaux, no seu prefácio a *Fogo Morto* — o romance de José Lins do Rego —, tenta esclarecer essa questão de "literatura erudita" e "literatura popular", ao afirmar: "Há um mal-entendido em torno do conceito de *literatura popular*. Os romances que tratam dos pobres, dos míseros, dos humildes, do povo, são literatura dos ricos, dos cultos, dos literatos. O próprio povo não gosta da *literatura popular*; prefere a outra, que lhe parece *literatura culta* e que lhe conta histórias de banqueiros ladrões e datilógrafas princesas; prefere Carlos Magno e os heróis do cinema. A verdadeira *literatura popular* é grande literatura; é diferente, é *popular*, apenas pelo estilo diferente, estilo de tempos passados, arcaico, não escrito mas oral. Parece mal escrito, porque não é escrito, mas ouvido e falado. Os contadores profissionais de histórias falam, contam assim."

Gramsci já percebera coisa parecida com relação ao romance de folhetim: "Pode-se dizer que, no povo, a tendência à fantasia depende do complexo de inferioridade (social) que determina longas fantasias sobre a ideia de vingança, de punição dos culpados pelos males suportados etc. No *Conde de Monte Cristo*, existem todos os elementos para gerar tais fantasias e, portanto, para propiciar um narcótico que diminua a sensação de dor etc."

Sabemos que a poesia dos poetas populares nordestinos está repleta de sertanejos valentes, vencendo pela coragem a fazendeiros e senhores de engenho; de "amarelinhos", os João Grilo, os Camões, os Pedro Malasartes, verdadeiros Lazarilhos de Tormes nordestinos, esses pícaros que enganam os reis e poderosos e lutam com a astúcia e o repente das ideias contra a força e o poder dos maus. É que os poetas populares procuram, quase sempre, no sonho e na criação, fazer com que sejam redimidas as injustiças da vida real, onde o "amarelinho" continua — e aí é quando talvez se assemelhe também com o Quixote — apenas no sonho e no desejo de justiça e melhores dias. Nestas estórias do nosso cancioneiro popular, o "amarelinho" tem alguma coisa de um Quixote a pé e sem erudição, um não fidalgo feito Sancho, que, em vez de escudeiro e bobo da corte, e bem mais magro, magríssimo, raquítico até, houvesse ganho as estradas para se bater numa luta onde, em vez da lança e do escudo, levasse a força do riso e o poder da sabedoria popular. João Grilo, personagem do *Auto da Compadecida*, é um misto de Quixote e Sancho, com predominância de Sancho. Quaderna é um misto de Quixote e Sancho, com predominância do Quixote.

Emerson talvez tivesse razão quando afirmava, querendo se referir a Shakespeare: "O maior gênio é o homem mais endividado." Por isso, existe e existirá sempre um parentesco entre as grandes obras universais. Esse parentesco que há entre o romance de Joyce e a obra de Homero, a filosofia de Nietzsche e a música de Wagner, entre Dostoiévski e Gógol, a poesia de Baudelaire e a de Edgar Allan Poe. Certa ocasião, Hemingway confessou que, vendo os quadros de Cézanne, havia aprendido a escrever melhor. Nesse livro de Ariano Suassuna encontramos esse parentesco com Cervantes e o Daudet de *Tartarin de Tarascon*. Principalmente com o *Dom Quixote*, com o sonho épico, o riso e a ironia do seu autor.

Afinidades esse romance tem com tudo o que é brasileiro. Afinidades de propósitos com as poesias de Gonçalves Dias e Castro Alves, os romances de José de Alencar e José Lins do Rego, a obra de Euclydes da Cunha, a música dos compositores barrocos do século XVIII e a de Villa-Lobos, a crítica de Sylvio Romero e a pintura selvagem de Francisco Brennand. Afinidades com os cantadores e poetas populares nordestinos, com os quais José Lins do Rego disse haver aprendido mais do que com romancistas europeus. Afinidades com alguns artistas mais novos que, no Recife, Suassuna tem descoberto e incentivado.

Michel Butor, e não apenas Ezra Pound, chama a atenção para o que existe de semelhança entre a prática de Joyce e a dos músicos: "Ficando cada vez mais cego à medida que elaborava essa obra, ele (Joyce) se tornou cada vez mais sensível à natureza sonora do material que empregava e ao íntimo parentesco que liga o romance, não apenas à poesia, como também à música." Com Ariano Suassuna, como já dissemos, parece haver ocorrido fenômeno parecido em relação à pintura. Distante do Sertão, ao escrever, algumas das suas páginas estão cheias de cor da terra, da gente daquela "África brasileira", para usar as palavras de um dos seus personagens.

Todo romancista tem alguma coisa de mágico e Suassuna é também um desses mágicos das palavras, usando-as algumas vezes ensolaradas e ásperas, noutras ocasiões revestidas da cor e do cheiro da terra. Mas não é apenas uma força mágica da palavra que existe em *A Pedra do Reino*. Nesse livro há também uma estranha magia impregnando as situações e os personagens: o Rapaz-do--Cavalo-Branco, a visão do Profeta Nazário, o amor selvagem de Safira, o estranho comportamento da bela Heliana que passava mel nos seios. Sim, porque em *A Pedra do Reino* há também a vertente da novela de cavalaria — uma novela sertaneja de aventuras em que Sinésio é o Cavaleiro e a bela Heliana a sua Dama.

Um bom romancista tem muito de poeta, de encenador, de músico, de profeta, de arquiteto, da paciência de um confessor, do improviso do repentista. E, nesse romance, vemos Ariano Suassuna em todas essas condições, construindo, com o auxílio do sonho e a força do seu poder criador, o seu castelo rude e poético, sertanejo e barroco, áspero e iluminado como as terras do seu Sertão.

Recife, novembro, 1970.

CRONOLOGIA DE ARIANO SUASSUNA

Carlos Newton Júnior

1927

Nascimento de Ariano Vilar Suassuna, a 16 de junho, na cidade da Paraíba (atual João Pessoa), capital do Estado da Paraíba. Oitavo dos nove filhos do casal João Urbano Suassuna e Rita de Cássia Vilar Suassuna, Ariano nasce no Palácio do Governo, pois seu pai exercia, à época, o cargo de presidente da Paraíba, o que equivalia ao atual cargo de governador.

1928

A 22 de outubro, terminado o seu mandato, João Suassuna passa o cargo de presidente a João Pessoa. A família Suassuna volta a seu lugar de origem, o sertão da Paraíba, indo residir na fazenda Acauhan, pertencente a João Suassuna e localizada no atual município de Aparecida.

1929

Iniciam-se, na Paraíba, as dissensões políticas que antecedem a Revolução de 30.

1930

Começa a luta armada na Paraíba. O coronel José Pereira Lima, líder político do município de Princesa e aliado de João Suassuna, declara a independência do seu município, que passa a se chamar Território Livre de Princesa, resistindo às investidas das tropas de João Pessoa. A 26 de julho, o presidente João Pessoa, que se encontrava no Recife, é assassinado por João Dantas. Entre os dias 3 e 4, rebenta a Revolução de 30, na Paraíba. A 6 de outubro, João Dantas é assassinado na Casa de Detenção do Recife. A 9 de outubro, João Suassuna, então deputado federal, que viajara ao Rio de Janeiro para defender-se, junto à Câmara dos Deputados, da injusta acusação de cúmplice no assassinato de João Pessoa, é por sua vez assassinado, aos 44 anos de idade, na Rua do Riachuelo, por um pistoleiro de aluguel, a mando da família Pessoa.

1933

D. Rita, agora chefe da família Suassuna, muda-se para Taperoá, sertão da Paraíba, ficando sob a proteção dos seus irmãos.

1934-1937

Em Taperoá, Ariano Suassuna estuda as primeiras letras, primeiro em casa, depois na escola, com os professores Emídio Diniz e Alice Dias. Assiste, pela primeira vez na vida, a um desafio de viola, uma peleja travada entre os cantadores Antônio Marinho e Antônio Marinheiro. Numa feira, assiste também, pela primeira vez, a uma peça de mamulengo, o tradicional teatro de bonecos do Nordeste. Dona Rita, em dificuldades financeiras, vende a fazenda Acauhan, para custear a educação dos filhos.

1938-1942

Ariano Suassuna faz o curso ginasial no Colégio Americano Batista, no Recife, em regime de internato, passando os períodos de férias escolares em Taperoá. Seus primeiros mestres de literatura são de Taperoá: os tios Manuel Dantas Villar, "meio ateu, republicano e anticlerical", e Joaquim Duarte Dantas, "monarquista e católico". O primeiro lhe indica leituras de Eça de Queiroz, Guerra Junqueiro e Euclydes da Cunha; o segundo, a leitura de *Dom Sebastião*, de Antero de Figueiredo. Muitos dos livros que lê são encontrados na biblioteca deixada por João Suassuna, que foi um grande leitor. Em 1942, a família Suassuna fixa-se no

Recife. A 30 de novembro de 1942, Ariano discursa como Orador da Turma na solenidade de encerramento do curso ginasial.

1943

Estuda no Ginásio Pernambucano (Colégio Estadual de Pernambuco), no Recife. Torna-se amigo, no colégio, de Carlos Alberto de Buarque Borges, que o inicia em música erudita e em pintura.

1945

Estuda no Colégio Oswaldo Cruz, no Recife, tornando-se amigo do pintor Francisco Brennand, seu colega de turma. A 7 de outubro, inicia-se na vida literária, com a publicação do poema "Noturno", no *Jornal do Commercio*, do Recife.

1946

Ingressa na tradicional Faculdade de Direito do Recife. Na Faculdade, junta-se ao grupo que, liderado por Hermilo Borba Filho, retoma, sob nova inspiração teórica, o Teatro do Estudante de Pernambuco (TEP). Torna-se amigo do poeta e tradutor José Laurenio de Melo. Organiza, com o apoio do Diretório Acadêmico de Direito, uma apresentação de cantadores, levada ao palco do Teatro Santa Isabel, no Recife, a 26 de setembro. Dá início à publicação dos seus primeiros poemas ligados ao romanceiro popular nordestino, em periódicos acadêmicos e suplementos de jornais do Recife.

1947

Baseando-se no romanceiro popular nordestino, escreve a sua primeira peça de teatro, *Uma Mulher Vestida de Sol*. A peça, que não é encenada, recebe, no ano seguinte, o prêmio Nicolau Carlos Magno.

1948

Escreve a peça *Cantam as Harpas de Sião*, montada no mesmo ano, pelo TEP, com direção de Hermilo Borba Filho e cenário e figurinos de Aloisio Magalhães. A peça estreia a 18 de setembro, durante a inauguração da "Barraca", palco erguido no Parque Treze de Maio, no Recife, sob inspiração do trabalho de García Lorca. O primeiro ato de *Uma Mulher Vestida de Sol* é publicado na revista *Estudantes*, do Diretório Acadêmico da Faculdade de Direito.

1949

A 6 de março, conclui a peça *Os Homens de Barro*, iniciada no ano anterior.

1950

Escreve a peça *Auto de João da Cruz*, com a qual recebe o prêmio Martins Pena. Forma-se em Direito, pela Faculdade de Direito da Universidade do Recife (atual Universidade Federal de Pernambuco). Adoece de tuberculose, indo para Taperoá, à procura de bom clima para se tratar.

1951

Em Taperoá, para receber sua noiva Zélia e alguns familiares seus que o foram visitar, escreve seu primeiro trabalho ligado ao cômico, uma peça para mamulengo, intitulada *Torturas de um Coração ou Em Boca Fechada não Entra Mosquito*, peça por ele mesmo montada, com acompanhamento musical do "terno de pífanos" de Manuel Campina. Converte-se ao catolicismo. É publicado, pela Livraria-Editora da Casa do Estudante do Brasil, do Rio de Janeiro, *É de Tororó — Maracatu*, primeiro volume da Coleção Danças Pernambucanas, contendo o seu ensaio "Notas sobre a música de Capiba".

1952

De volta ao Recife, trabalha como advogado no escritório do jurista Murilo Guimarães. Escreve a peça *O Arco Desolado*, com a qual participa de concurso organizado pela Comissão do IV Centenário da Cidade de São Paulo.

1953

Escreve *O Castigo da Soberba*, entremez baseado num folheto da literatura de cordel. Assina coluna literária no jornal *Folha da Manhã*, do Recife.

1954

Escreve *O Rico Avarento*, entremez baseado numa peça tradicional do mamulengo nordestino. Ministra curso de teatro no Colégio Estadual de Pernambuco, dirigindo os estudantes numa montagem de *Antígona*, de Sófocles, que ele mesmo traduziu, e cuja estreia se dá a 9 de novembro, no Teatro Santa Isabel, com cenário e roupagens de Aloisio Magalhães. Participa do grupo de artistas, escritores e intelectuais que funda O Gráfico Amador (1954-1961), importante movimento de artes gráficas sediado no Recife.

1955

A 24 de maio, estreia a sua tradução da peça *A Panela*, de Plauto, montada pelo Teatro do Colégio Estadual de Pernambuco, ainda sob sua direção, com cenário e roupagens de Aloisio Magalhães. Escreve a peça *Auto da Compadecida*. Publica o poema *Ode*, em edição de O Gráfico Amador, do Recife.

1956

Estreia, em abril, no núcleo do SESI de Santo Amaro, no Recife, nova montagem de *A Panela*, de Plauto, sob sua direção, agora encenada por um grupo de operários. A 14 de maio, dia do aniversário do Colégio Estadual de

Pernambuco, o grupo de teatro do Colégio apresenta, sob sua direção, a peça em ato único *O Processo do Cristo Negro*, que escreve num só dia, e que é, nas suas palavras, "uma espécie de 'facilitação' do terceiro ato do *Auto da Compadecida*". É convidado para ensinar Estética na Universidade do Recife (atual Universidade Federal de Pernambuco) e abandona definitivamente a advocacia. Escreve o seu primeiro romance, *A História do Amor de Fernando e Isaura*, que permanecerá inédito até 1994. A 11 de setembro, o *Auto da Compadecida* estreia no Teatro Santa Isabel, em montagem do Teatro Adolescente do Recife, com direção de Clênio Wanderley e cenário de Aloisio Magalhães. A partir de 12 de setembro, a convite de Mauro Mota, passa a assinar coluna sobre teatro no *Diário de Pernambuco*.

1957

Casa-se, a 19 de janeiro, dia do aniversário de nascimento do seu pai, com a artista plástica Zélia de Andrade Lima. Viaja para o Rio de Janeiro, em lua de mel, e assiste à consagradora apresentação do *Auto da Compadecida* no Primeiro Festival de Amadores Nacionais, promovido pela Fundação Brasileira de Teatro e realizado no mês de janeiro, no Teatro Dulcina. A peça é apresentada no dia 25, pelo mesmo Teatro Adolescente do Recife, dirigido por Clênio Wanderley, e é logo considerada pela melhor crítica do país uma obra-prima, recebendo a Medalha de Ouro do Festival. De 10 de junho a 26 de julho, escreve a peça *O Casamento Suspeitoso*. A 27 de julho, estreia, pelo Teatro Amador Sesiano de Pernambuco, sob sua direção, a peça *As Trapaças de Escapim*, de Molière, que ele próprio traduziu, com figurino assinado por sua irmã, Germana Suassuna, e cenário de Juvêncio Lopes. A 30 de setembro, nasce seu primeiro filho, Joaquim. Em outubro, o *Auto da Compadecida* é publicado pela editora Agir. De 7 a 18 de novembro, escreve a peça *O Santo e a Porca*.

1958

A 6 de janeiro, no Teatro Bela Vista, em São Paulo, estreia a peça *O Casamento Suspeitoso*, em montagem da Companhia Nydia Licia/Sérgio Cardoso, sob direção de Hermilo Borba Filho. Entre janeiro e março, reescreve a sua primeira peça, *Uma Mulher Vestida de Sol*. A peça *O Santo e a Porca* estreia no Teatro Dulcina, no Rio, a 5 de março, em montagem da companhia Teatro Cacilda Becker, sob direção de Ziembinski. De 12 a 13 de maio, reescreve a peça *Cantam as Harpas de Sião*, mudando seu título para *O Desertor de Princesa*. Em junho, encerra sua coluna teatral no *Diário de Pernambuco*. A 21 de julho, no Teatro Santa Isabel, no Recife, é apresentada uma montagem do *Auto de João da Cruz*, pelo Teatro do Estudante da Paraíba, sob a direção de Clênio Wanderley, no âmbito do I Festival Nacional de Teatros de Estudantes. A 4 de outubro, nasce sua filha Maria das Neves.

1959

Escreve a peça *A Pena e a Lei*, a partir do entremez *Torturas de um Coração*, de 1951. Funda, com Hermilo Borba Filho, o Teatro Popular do Nordeste (TPN). O *Auto da Compadecida* é publicado na Polônia, na revista *Dialog*, em tradução de Witold Wojciechowski e Danuta Zmij (*Historia o Milosiernej czyli Testament Psa*).

1960

A Pena e a Lei estreia a 2 de fevereiro, no Teatro do Parque, no Recife, em montagem do TPN, sob direção de Hermilo Borba Filho. A 4 de outubro, nasce seu filho Manuel. Escreve a peça *Farsa da Boa Preguiça*. Forma-se em Filosofia, pela Universidade Católica de Pernambuco. O *Auto da Compadecida* é publicado em Portugal, na Coleção Teatro no Bolso, impresso na Editora Gráfica Portuguesa, de Lisboa, sem referência ao ano da edição.

1961

A *Farsa da Boa Preguiça* estreia a 24 de janeiro, no Teatro de Arena do Recife, sob direção de Hermilo Borba Filho, com cenários e figurinos de Francisco Brennand. A peça *O Casamento Suspeitoso* é publicada pela Editora Igarassu, do Recife. Escreve *A Caseira e a Catarina*, peça em um ato.

1962

A 25 de novembro, nasce sua filha Isabel. Publica, na revista *DECA*, do Departamento de Extensão Cultural e Artística da Secretaria de Educação e Cultura de Pernambuco, nº 5, a primeira parte da *Coletânea da Poesia Popular Nordestina: Romances do Ciclo Heroico*.

1963

Publica, na revista *DECA*, nº 6, a segunda parte da *Coletânea da Poesia Popular Nordestina: Romances do Ciclo Heroico*. O *Auto da Compadecida* é publicado nos Estados Unidos, pela editora da Universidade da Califórnia, em tradução de Dillwyn F. Ratcliff (*The Rogues' Trial*).

1964

Publica, na revista *DECA*, nº 7, a terceira e última parte da *Coletânea da Poesia Popular Nordestina: Romances do Ciclo Heroico*. As peças *Uma Mulher Vestida de Sol* e *O Santo e a Porca* são publicadas pela Imprensa Universitária da Universidade do Recife. A 21 de junho, nasce sua filha Mariana. A 23 de dezembro, deixa o Teatro Popular do Nordeste (TPN).

1965

O *Auto da Compadecida* é publicado na Holanda, pela fundação Ons Leekenspel, de Bussum, em tradução de J. J. van den Besselaar (*Het Testament van de Hond*), e na Espanha, pelas Edições Alfil, de Madrid, em tradução de José María Pemán (*Auto de la Compadecida*).

1966

A peça *O Santo e a Porca* é publicada na Argentina, pelas edições Losange, de Buenos Aires, em tradução de Ana María M. de Piacentino (*El*

Santo y la Chancha), junto com a peça *Lisbela e o Prisioneiro*, de Osman Lins, em tradução de Montserrat Mira (*Lisbela y el Prisionero*). De 7 a 30 de março, escreve o romance *O Sedutor do Sertão ou O Grande Golpe da Mulher e da Malvada*, inicialmente pensado como roteiro de cinema. A 10 de junho, nasce sua filha Ana Rita.

1967

Recebe, da Assembleia Legislativa do Estado de Pernambuco, o título de Cidadão de Pernambuco. Por indicação de Rachel de Queiroz, torna-se membro fundador do Conselho Federal de Cultura.

1968

Torna-se membro fundador do Conselho Estadual de Cultura de Pernambuco.

1969

O reitor Murilo Guimarães o nomeia diretor do Departamento de Extensão Cultural (DEC) da Universidade Federal de Pernambuco. Inicia, no DEC, os trabalhos que irão abrir caminho para o lançamento, no ano seguinte, do Movimento Armorial. Estreia o filme *A Compadecida*, do diretor George Jonas, primeira versão cinematográfica da peça *Auto da Compadecida*.

1970

Recebe, a 3 de outubro, da Câmara Municipal de Taperoá, Paraíba, o diploma de Cidadão Taperoaense. A 9 de outubro, data do aniversário da morte de João Suassuna, conclui o *Romance d'A Pedra do Reino e o Príncipe do Sangue do Vai-e-Volta*, que começara a escrever a 19 de julho de 1958, no dia do aniversário de sua esposa Zélia. Com o concerto *Três Séculos de Música Nordestina — do Barroco ao Armorial* e uma exposição de artes plásticas, é lançado oficialmente, a 18 de outubro, na Igreja de São Pedro dos Clérigos, no Recife, o Movimento Armorial, por ele idealizado para procurar uma arte erudita brasileira a partir da cultura popular. O *Auto da Compadecida* é publicado na França, pela Editora Gallimard, em tradução de Michel Simon-Brésil (*Le Jeu de la Miséricordieuse ou Le Testament du Chien*).

1971

A peça *A Pena e a Lei* é lançada, em junho, pela editora Agir. Em agosto, é publicado, pela Editora José Olympio, o *Romance d'A Pedra do Reino*. Para o exemplar do editor, escreve a seguinte dedicatória: "Mestre José Olympio: A única coisa que posso lhe dizer neste momento é que a edição deste livro por você era um sonho meu. Estou, então, não é alegre, não: é profundamente orgulhoso. Com o afetuoso abraço de Ariano. Rio, 1. IX. 71".

1972

Funda o Quinteto Armorial. O *Romance d'A Pedra do Reino* recebe o Prêmio Nacional de Ficção, do Instituto Nacional do Livro — INL/MEC. Deixa o Conselho Estadual de Cultura de Pernambuco. Estreia, no *Jornal da Semana*, do Recife, na edição de 17 a 23 de dezembro, uma página literária semanal, intitulada "Almanaque Armorial do Nordeste".

1973

Desliga-se do Conselho Federal de Cultura.

1974

A Editora José Olympio publica três de suas peças: em janeiro, em volume único, *O Santo e a Porca* e *O Casamento Suspeitoso*; em maio, a *Farsa da Boa Preguiça*, ambos os volumes com estampas de Zélia Suassuna. Encerra a publicação do "Almanaque Armorial do Nordeste" no *Jornal da Semana*, na edição de 2 a 8 de junho. A Editora universitária da Universidade Federal de Pernambuco publica *O Movimento Armorial*, contendo a base teórica do Movimento lançado em 1970. É publicado, pelas Edições Guariba, do Recife, o álbum *Ferros do Cariri: Uma Heráldica Sertaneja*. A 1º de outubro, é dispensado, a pedido, da direção do DEC/UFPE. Em dezembro, a Editora José Olympio publica, em convênio com o INL/MEC, a *Seleta em Prosa e Verso de Ariano Suassuna*, com estudo, comentários e notas de Silviano Santiago e estampas de Zélia Suassuna, livro que será lançado no início do ano seguinte.

1975

Publica *Iniciação à Estética*, pela Editora da Universidade Federal de Pernambuco. A convite do prefeito Antônio Farias, assume o cargo de secretário de educação e cultura do Recife. A 15 de novembro, dá início à publicação de "Ao Sol da Onça Caetana", primeiro livro da *História d'O Rei Degolado nas Caatingas do Sertão*, em folhetim semanal no *Diário de Pernambuco*. A 18 de dezembro, com a estreia, no Teatro Santa Isabel, da Orquestra Romançal Brasileira, por ele fundada, encerra-se a primeira fase do Movimento Armorial, chamada de "Experimental", iniciando-se a segunda, a fase "Romançal".

1976

A 25 de abril, conclui os folhetins do primeiro livro de *O Rei Degolado*, iniciando, a 2 de maio, a publicação do segundo, intitulado "As Infâncias de Quaderna", no mesmo *Diário de Pernambuco*. A 18 de junho, estreia, no Teatro Santa Isabel, o Balé Armorial do Nordeste, por ele idealizado, com direção e coreografia de Flávia Barros. É inaugurada, a 26 de agosto, no Recife, no Casarão João Alfredo, a exposição *Os Dez Anos de Casa Caiada no Mundo do Armorial*, com tapetes criados a partir dos desenhos que realizou para ilustrar o *Romance d'A Pedra do Reino* e a *História d'O Rei Degolado*. A exposição segue para o Rio, sendo inaugurada no Museu Nacional de Belas Artes, a 16 de dezembro. A 30 de dezembro, defende, na Universidade Federal de Pernambuco, sua tese de livre-docência, intitulada

A Onça Castanha e a Ilha Brasil: uma Reflexão sobre a Cultura Brasileira, com a qual recebe diploma de doutor em História.

1977

Publicação, em março, pela Editora José Olympio, do primeiro livro da *História d'O Rei Degolado nas Caatingas do Sertão*, intitulado "Ao Sol da Onça Caetana". A 19 de junho, conclui a publicação dos folhetins de "As Infâncias de Quaderna". A 26 de junho, com o artigo "A confissão desesperada", passa a assinar coluna opinativa aos domingos, no mesmo *Diário de Pernambuco*.

1978

A 31 de maio, é exonerado, a pedido, do cargo de secretário de educação e cultura do Recife.

1979

O *Romance d'A Pedra do Reino* é publicado na Alemanha, edição de Hobbit Presse/Klett-Cotta, de Stuttgart, em tradução de Georg Rudolf Lind (*Der Stein des Reiches*).

1980

Lança o álbum de iluminogravuras *Dez Sonetos com Mote Alheio*.

1981

Publica, no *Diário de Pernambuco*, a 9 de agosto, o célebre artigo "Despedida", encerrando a sua colaboração dominical com o jornal e comunicando o seu afastamento da vida literária. Deixa de dar entrevistas e de participar de eventos culturais, limitando-se à sua atividade docente na Universidade Federal de Pernambuco.

1985

Lança o álbum de iluminogravuras *Sonetos de Albano Cervonegro*.

1986

O *Auto da Compadecida* é publicado pela editora Diá, de St. Gallen/Wuppertal, em tradução alemã de Willy Keller (*Das Testament des Hundes oder Das Spiel von Unserer Lieben Frau der Mitleidvollen*).

1987

Estreia o filme *Os Trapalhões no Auto da Compadecida*, baseado em sua obra e dirigido por Roberto Farias. A 16 de junho, para comemorar seu aniversário de 60 anos, intelectuais, artistas populares e admiradores em geral promovem uma grande festa em frente à sua residência, na rua do Chacon, no bairro de Casa Forte, no Recife. Também por ocasião do seu aniversário, a Editora da UFPE lança a plaquete *Suassuna e o Movimento Armorial*, de George Browne Rêgo e Jarbas Maciel. Volta a escrever para teatro, com a peça *As Conchambranças de Quaderna*.

1988

Em setembro, a peça *As Conchambranças de Quaderna* estreia no Teatro Valdemar de Oliveira, no Recife, em montagem da Cooperarteatro, com direção de Lúcio Lombardi e cenários e figurinos de Romero de Andrade Lima.

1989

É publicada, pela Editora Record, do Rio de Janeiro, sua tradução do livro *The Revolution that Never Was* (*A Revolução que Nunca Houve*), do escritor norte-americano Joseph A. Page. Aposenta-se do cargo de professor da Universidade Federal de Pernambuco, onde lecionou Estética, História da Arte, Cultura Brasileira, Teoria do Teatro e disciplinas afins.

1990

A 26 de abril, morre sua mãe, D. Rita Suassuna, aos 94 anos. A 9 de agosto, toma posse na Academia Brasileira de Letras (cadeira nº 32). Filia-se, pela primeira vez na vida, a um partido político, o Partido Socialista Brasileiro (PSB).

1991

A 26 de outubro, é publicada, na *Folha de S.Paulo*, uma extensa entrevista concedida a Marilene Felinto e Alcino Leite Neto, anunciando a escritura de um novo romance.

1992

O *Auto da Compadecida* é publicado na Itália, pela Guaraldi/Nuova Compagnia Editrice, em tradução de Laura Lotti.

1993

É realizada, em São José do Belmonte, Pernambuco, por jovens do município, a I Cavalgada à Pedra do Reino. A editora Francisco Alves, do Rio de Janeiro, lança o livro *O Sertão Medieval: Origens Europeias do Teatro de Ariano Suassuna*, de Ligia Vassallo. A 1º de dezembro, toma posse na Academia Pernambucana de Letras (cadeira nº 18).

1994

A 12 de julho, a Rede Globo de Televisão exibe o especial *Uma Mulher Vestida de Sol*, baseado na sua primeira peça de teatro e dirigido por Luiz Fernando Carvalho. A editora Bagaço, do Recife, publica o seu primeiro romance, *A História do Amor de Fernando e Isaura*, cujo lançamento ocorre a 7 de outubro.

A Editora da Universidade Federal da Paraíba publica a *Aula Magna*, transcrição da conferência que proferiu na instituição a 16 de novembro de 1992.

1995

A convite do governador Miguel Arraes, assume, a 1º de janeiro, a Secretaria de Cultura de Pernambuco. A 28 de maio, participa, em São José do Belmonte, da III Cavalgada à Pedra do Reino, agora organizada pela Associação Cultural Pedra do Reino, que lhe confere o título de Cavaleiro da Pedra do Reino. Em junho, apresenta o Projeto Cultural Pernambuco-Brasil, por ele elaborado para nortear as ações da Secretaria de Cultura, entre as quais se inclui a apresentação de "aulas-espetáculo" contendo explicações "sobre a cultura brasileira popular e erudita, com exibição de números de música e dança ou de imagens ligadas à arquitetura, à escultura, à pintura etc." A 30 de novembro, a Universidade Federal de Pernambuco concede-lhe o título de Professor Emérito. A 5 de dezembro, a Rede Globo de Televisão apresenta o especial *A Farsa da Boa Preguiça*, baseado em sua peça, com direção de Luiz Fernando Carvalho e cenários assinados por seu filho, Manuel Dantas Suassuna.

1996

Escreve *A História do Amor de Romeu e Julieta*, peça em um ato, a partir de um folheto de cordel. Com Antonio Madureira, que liderara o Quinteto Armorial, funda o Quarteto Romançal, ligado à Secretaria de Cultura de Pernambuco. A 26 de setembro, realiza, no Teatro do Parque, no Recife, a "Grande Cantoria Louro do Pajeú", aula-espetáculo em que apresenta repentistas, em comemoração ao cinquentenário da cantoria por ele organizada em 1946, enquanto estudante de Direito. A 14 de novembro, estreia, no Teatro da Universidade Federal de Pernambuco, a peça *A História do Amor de Romeu e Julieta*, montagem da Trupe Romançal de Teatro, sob a direção de Romero de Andrade Lima, com cenários de Manuel Dantas Suassuna e figurinos de Luciana Buarque.

1997

A 19 de janeiro, o suplemento "Mais!", da *Folha de S.Paulo*, publica o texto da peça *A História do Amor de Romeu e Julieta*, ilustrado com gravuras de J. Borges. A 15 de junho, um domingo, o *Jornal do Commercio*, do Recife, publica caderno especial em homenagem aos seus 70 anos. A 26 de agosto, é inaugurado, no Recife, o Teatro Arraial, fruto do seu trabalho na Secretaria de Cultura, e cujo nome homenageia o arraial de Canudos. A 20 de novembro, estreia, no Teatro do Parque, do Recife, *A Pedra do Reino*, uma adaptação teatral do seu romance, realizada por Romero de Andrade Lima, que também assina a direção, com cenários de Manuel Dantas Suassuna. A 16 de dezembro, o artista plástico Guilherme da Fonte inaugura, na Academia Pernambucana de Letras, a exposição *Mosaicos Armoriais*, com trabalhos em granito e mármore, realizados a partir dos seus desenhos. O Ministério da Cultura lança o vídeo *Aula-Espetáculo*, com direção e roteiro de Vladimir Carvalho, contendo um registro condensado da aula-espetáculo que apresentou a convite do Ministério, na Universidade de Brasília.

1998

Concebe e escreve o roteiro do espetáculo de dança *A Demanda do Graal Dançado*, que estreia a 19 de março, no Teatro Arraial, com coreografia de Maria Paula Rêgo e direção de arte e cenografia de Manuel Dantas Suassuna. Elabora o roteiro musical para o espetáculo de dança *Pernambuco – do Barroco ao Armorial*, cuja estreia ocorre a 22 de maio, no Teatro Arraial, com direção geral de Marisa Queiroga, coreografias de Heloísa Duque e cenários e figurinos de Manuel Dantas Suassuna. A 9 de setembro, é lançado, no Recife, o CD *A Poesia Viva de Ariano Suassuna*, em que declama seus poemas sob fundo musical de Antonio Madureira. O *Romance d'A Pedra do Reino* é publicado na França, pelas edições Métailié, de Paris, em tradução de Idelette Muzart Fonseca dos Santos (*La Pierre du Royaume*). É editado, em Portugal, pela Aríon Publicações, de Lisboa, o seu ensaio *Olavo Bilac e Fernando Pessoa: uma presença brasileira em Mensagem?*, originalmente publicado na revista *Estudos Universitários*, da UFPE, em 1966.

A 31 de dezembro, com o fim do governo de Miguel Arraes, deixa a Secretaria de Cultura de Pernambuco.

1999

De 5 a 8 de janeiro, a Rede Globo de Televisão exibe os quatro capítulos da minissérie *O Auto da Compadecida*, adaptação de sua peça realizada por Guel Arraes, Adriana Falcão e João Falcão, com direção de Guel Arraes. A 2 de fevereiro, estreia coluna semanal, às terças-feiras, no jornal *Folha de S.Paulo*, na seção "Opinião". A 19 de março, estreia, no programa *NE-TV:1ª Edição*, da Rede Globo, o quadro "O Canto de Ariano", apresentado semanalmente, às sextas-feiras. Ainda em março, estreia coluna mensal na revista *Bravo!*, na seção "Ensaio!". A Editora da UFPE publica uma antologia de seus poemas organizada por Carlos Newton Júnior. *O Auto da Compadecida* é publicado em bretão, na cidade de Brest, França, em tradução de Remi Derrien. A Editora da Unicamp lança o livro *Em Demanda da Poética Popular: Ariano Suassuna e o Movimento Armorial*, de Idelette Muzart Fonseca dos Santos.

2000

A 27 de abril, recebe, em Natal, o título de Doutor Honoris Causa da Universidade Federal do Rio Grande do Norte. Em junho, encerra sua colaboração com a revista *Bravo!*. A 4 de julho, encerra a coluna que vinha escrevendo na *Folha de S.Paulo*, às terças, para estrear a 10 de julho, em novo formato e no mesmo jornal, às segundas, uma outra coluna, que chama de "Almanaque Armorial". É inaugurada, a 25 de agosto, na unidade do SESC de Casa Amarela, no Recife, a exposição *Iluminogravuras*, com exemplares dos dois álbuns lançados na década de 1980. A 15 de setembro, estreia, nos cinemas, *O Auto da Compadecida*, dirigido por Guel Arraes, filme montado a partir da minissérie exibida no ano anterior. Toma posse, a 9 de outubro, na Academia Paraibana de Letras (cadeira nº 35). É lançada, pela editora A União, de João Pessoa, a plaquete *Ariano Suassuna*, escrita pelo jornalista José Nunes para a série histórica "Paraíba: Nomes do Século". A 6 de dezembro, é lançado, no Recife, no Forte das Cinco Pontas, o número

10 da coleção *Cadernos de Literatura Brasileira*, do Instituto Moreira Salles, dedicado à sua obra. A 26 de dezembro, é exibido, na Rede Globo, o especial *O Santo e a Porca*, baseado em sua peça, com roteiro de Adriana Falcão e direção de Maurício Farias.

2001

A 26 de março, encerra a publicação do "Almanaque Armorial" na *Folha de S.Paulo*. A 31 de outubro, recebe, no Rio, título de Doutor Honoris Causa, concedido pela Universidade Estadual do Rio de Janeiro.

2002

É homenageado no carnaval do Rio de Janeiro pela escola de samba Império Serrano, que desfila na Sapucaí com o enredo *Aclamação e Coroação do Imperador da Pedra do Reino Ariano Suassuna*. A 15 de maio, recebe, em Aracaju, título de Doutor Honoris Causa, concedido pela Universidade Federal de Sergipe. A 16 de junho, por ocasião do seu aniversário de 75 anos, o jornal *A União*, da Paraíba, dedica-lhe um caderno especial, editado pelo jornalista William Costa. A 29 de junho, em João Pessoa, recebe título de Doutor Honoris Causa, concedido pela Universidade Federal da Paraíba. A 10 de agosto, recebe, em Salvador, o Prêmio Nacional Jorge Amado de Literatura e Arte. A editora Palas Athena, de São Paulo, publica o livro *O Cabreiro Tresmalhado: Ariano Suassuna e a Universalidade da Cultura*, de Maria Aparecida Lopes Nogueira.

2003

Em maio, reescreve a peça *Os Homens de Barro*, cuja primeira versão havia sido concluída em 1949. A 29 de setembro, recebe, em Mossoró, título de Doutor Honoris Causa concedido pela Universidade do Estado do Rio Grande do Norte. A 25 de novembro, na sede da Academia Brasileira de Letras, no Rio, é lançado o documentário em longa-metragem *O Sertãomundo de Suassuna*, do cineasta Douglas Machado.

2005

A editora Agir lança edição especial do *Auto da Compadecida*, em comemoração aos 50 anos da peça. A edição é ilustrada por Manuel Dantas Suassuna e contém textos críticos de Braulio Tavares, Carlos Newton Júnior e Raimundo Carrero. A 31 de julho, o jornal *O Povo*, de Fortaleza, lança caderno especial sobre a sua obra, editado pela jornalista Eleuda de Carvalho, antecipando as comemorações dos seus 60 anos de vida literária, completados a 7 de outubro. A 25 de agosto, recebe, em Passo Fundo (RS), título de Doutor Honoris Causa, concedido pela Universidade de Passo Fundo. A 25 de novembro, recebe, no Recife, título de Doutor Honoris Causa, concedido pela Universidade Federal Rural de Pernambuco. A editora 7 Letras, do Rio de Janeiro, lança *Teatro e Comicidades: Estudos sobre Ariano Suassuna e Outros Ensaios*, de vários autores, com organização de Beti Rabetti. O fotógrafo Gustavo Moura lança o livro *Do Reino Encantado*, com fotografias inspiradas no sertão suassuniano.

2006

A 14 de março, ministra aula-espetáculo de abertura do ano acadêmico na Academia Brasileira de Letras, e participa, logo em seguida, na Galeria Manuel Bandeira, da abertura da exposição *Do Reino Encantado: Iluminogravuras de Ariano Suassuna e fotografias de Gustavo Moura*, sob a curadoria de Alexei Bueno. A 13 de maio, é apresentado o último programa do quadro "O Canto de Ariano". A 25 de maio, recebe, na Câmara Municipal de São Paulo, o título de Cidadão Paulistano. Estreia em São Paulo, a 20 de julho, no Teatro Anchieta, do SESC, o espetáculo *A Pedra do Reino*, adaptação para teatro do *Romance d'A Pedra do Reino* e da *História d'O Rei Degolado*, realizada e dirigida por Antunes Filho. A 21 de agosto, antecipando as comemorações dos seus 80 anos, a Universidade Federal de Pernambuco lança o Núcleo Ariano Suassuna de Estudos Brasileiros (NASEB).

2007

A convite do governador Eduardo Campos, assume, a 1º de janeiro, a Secretaria Especial de Cultura de Pernambuco. A 19 de janeiro, comemora, com

Zélia, filhos e netos, as suas Bodas de Ouro. A 23 de abril, por ocasião da abertura do 11º Cine PE, no Centro de Convenções de Pernambuco, é exibido o documentário em longa-metragem *O Senhor do Castelo*, do cineasta Marcus Vilar, sobre sua vida e obra. Recebe, em Salvador, na Assembleia Legislativa, a 10 de maio, o título de Cidadão Baiano. Por ocasião do seu 80º aniversário, recebe uma série de homenagens. Em João Pessoa, é homenageado durante o 3º CINEPORT (Festival de Cinema de Países de Língua Portuguesa), de 4 a 13 de maio, com uma exposição de fotografias de Gustavo Moura. No Rio de Janeiro, realiza-se, entre os dias 10 e 17 de junho, sob a coordenação artística da atriz Inez Viana, o projeto Ariano Suassuna 80, promovido pela Sarau Agência de Cultura Brasileira, com apoio da Rede Globo. O projeto é iniciado com uma aula-espetáculo no Theatro Municipal e segue com uma "Semana Armorial", com extensa programação de palestras, mesas-redondas, exposições, apresentações musicais, exibição de filmes etc. De 12 a 16 de junho, a Rede Globo exibe a minissérie *A Pedra do Reino*, em 5 capítulos, adaptação do seu romance realizada por Luiz Fernando Carvalho, Luís Alberto de Abreu e Braulio Tavares, com direção de Luiz Fernando Carvalho. A 14 de junho, é lançado, no município de Floriano, durante uma "Semana de Arte Armorial" promovida pelo Centro Federal de Educação, Ciência e Tecnologia do Piauí, o documentário em média-metragem *Ariano Suassuna: Cabra de Coração e Arte ou O Cavaleiro da Alegre Figura*, do cineasta Claudio Brito. A 12 de julho, a Academia Brasileira de Letras promove uma mesa-redonda em sua homenagem, no Salão Nobre do Petit Trianon, com Moacyr Scliar, José Almino de Alencar e Carlos Newton Júnior, seguida da abertura da exposição *Ariano Suassuna, uma fotobiografia*, na Galeria Manuel Bandeira. De 18 a 30 de setembro, realiza-se, em São Paulo, o projeto Ariano Suassuna 80 anos: o local e o universal, também iniciado com aula-espetáculo do autor e com uma extensa programação de palestras, exposições, mostra de filmes etc. De 29 a 30 de outubro, realiza-se, na Universidade Paris X — Nanterre, França, o Colóquio Ariano Suassuna 80 anos, com conferências e mesas-redondas sobre a sua obra. Ainda no âmbito das comemorações dos seus 80 anos, são lançados três livros sobre a sua vida e a sua obra: *ABC de Ariano Suassuna*, de Braulio Tavares, pela Editora José Olympio; *Ariano Suassuna: Um Perfil Biográfico*, de Adriana Victor e Juliana Lins, pela Editora Jorge Zahar; *Ode a Ariano Suassuna*, organizado por Maria Aparecida Lopes Nogueira, contendo ensaios e depoimentos de vários autores, pela Editora da UFPE. A 25 de setembro, recebe, na Câmara Municipal de Natal, título de Cidadão Natalense. Em dezembro, a Editora Paulistana, de São Paulo, lança *Discurso e Memória em Ariano Suassuna*, com textos de vários autores e organização de Guaraciaba Micheletti.

2008

É homenageado no carnaval de São Paulo pela escola de samba Mancha Verde. A 20 de agosto, é lançado, no Rio de Janeiro, pela Editora José Olympio, o *Almanaque Armorial*, coletânea de seus ensaios organizada por Carlos Newton Júnior.

2009

A 21 de setembro, é lançado, em João Pessoa, o documentário em média-metragem *Ariano: Impressões*, do cineasta Claudio Brito.

2010

A 10 de junho, recebe, em Fortaleza, título de Doutor Honoris Causa, concedido pela Universidade Federal do Ceará. A 24 de agosto, em Maceió, recebe o título de Doutor Honoris Causa, concedido pela Universidade Federal de Alagoas. A 6 de outubro, no Recife, morre seu filho mais velho, Joaquim, aos 53 anos. A 31 de dezembro, deixa a Secretaria Especial de Cultura de Pernambuco.

2011

A Editora José Olympio publica sua peça *Os Homens de Barro*. O artista plástico Alexandre Nóbrega lança o livro *O Decifrador*, ensaio fotográfico realizado a partir das suas viagens para ministrar aulas-espetáculo em diversas cidades do país. A 13 de agosto, na fazenda Carnaúba, em Taperoá, sob a coordenação artística de seu filho, Manuel Dantas Suassuna, dá início à execução da "Ilumiara Jaúna", conjunto escultórico em baixo-relevo que será descrito no *Romance de Dom Pantero no Palco dos Pecadores*.

2013

A 17 de abril, o cineasta Claudio Brito lança mais um documentário sobre a sua obra, o longa-metragem *Ariano: Suassunas*. Começa a apresentar problemas de saúde. A 21 de agosto, é internado, no Hospital Português, no Recife, devido a um infarto. A 4 de setembro, recebe alta do Hospital, para continuar tratamento de recuperação em casa.

2014

É homenageado no carnaval do Recife pelo bloco O Galo da Madrugada, comparecendo ao desfile. A 18 de julho, ministra, em Garanhuns, Pernambuco, no âmbito do Festival de Inverno, aquela que seria a sua última aula-espetáculo. A 21 de julho é internado, no Hospital Português do Recife, vítima de acidente vascular cerebral hemorrágico, morrendo a 23 de julho, de parada cardíaca. É sepultado, no dia 24, no cemitério Morada da Paz, em Paulista, município da Região Metropolitana do Recife. Deixa, inédito, entre outras obras, o *Romance de Dom Pantero no Palco dos Pecadores*. É homenageado na 10ª Festa Literária Internacional de Pernambuco (FLIPORTO), que acontece de 13 a 16 de novembro, em Olinda. A 19 de dezembro, o Tribunal de Contas do Estado da Paraíba inaugura, em João Pessoa, o Centro Cultural Ariano Suassuna, edifício projetado pelo arquiteto Expedito Arruda, contendo auditório, salão de exposições, biblioteca etc.

2015

A revista literária *Hoblicua* dedica número especial em sua homenagem. Em setembro, é publicada, pela Vittoria Iguazu Editora, de Livorno, nova edição italiana do *Auto da Compadecida*, com tradução de Riccardo Greco (*La Misericordiosa*). A 4 de outubro, realiza-se em Taperoá, Paraíba, no âmbito do IV Festival Internacional de Folclore e Artes do Cariri, mesa-redonda em comemoração aos 60 anos do *Auto da Compadecida*, com participação do ator

Matheus Nachtergaele, do artista plástico Manuel Dantas Suassuna e do escritor Carlos Newton Júnior.

2016

O condomínio de herdeiros de Ariano Suassuna assina contrato para edição de toda a sua obra com a editora Nova Fronteira, do Rio de Janeiro.

2017

A 16 de junho, no âmbito das comemorações dos 90 anos de seu nascimento, é publicada, pela Editora Nova Fronteira, a 16ª edição do *Romance d'A Pedra do Reino*, a primeira a apresentar o texto em versão definitiva, contendo as últimas alterações que deixou em manuscrito. A 9 de dezembro, com a aula-espetáculo "Dom Pantero e Nós", coordenada por Manuel Dantas Suassuna, com participação de Carlos Newton Júnior, Ricardo Barberena e Ester Suassuna Simões, é lançado, no Recife, pela Nova Fronteira, o *Romance de Dom Pantero no Palco dos Pecadores*, livro ao qual se dedicou por mais de duas décadas e que considerava como uma súmula de todo o seu trabalho de escritor e artista plástico.

2018

A Editora Nova Fronteira lança o seu *Teatro Completo*, em quatro volumes, contendo oito peças inéditas e três peças por ele traduzidas. A Academia Brasileira de Letras lança o volume *Ariano Suassuna*, da "Série Essencial" (nº 93), de autoria de Carlos Newton Júnior.

2020

A Editora Nova Fronteira lança o seu romance *O Sedutor do Sertão ou O Grande Golpe da Mulher e da Malvada*, escrito em 1966 e até então inédito.

2021

A Editora Nova Fronteira lança *A Pensão de Dona Berta e Outras Histórias para Jovens*, coletânea de textos que escreveu para a imprensa, com seleção e organização de Carlos Newton Júnior e ilustrações de Manuel Dantas Suassuna.

Direção editorial
Daniele Cajueiro

Editora responsável
Janaína Senna

Produção editorial
Adriana Torres
André Marinho

Fixação de texto e cronologia de Ariano Suassuna
Carlos Newton Júnior

Revisão
Rita Godoy, Luara França, Raquel Correa, Pedro Staite,
Rachel Rimas, Roberto Jannarelli, Fernanda Mello, Stella Lima,
Marluce Faria, Alessandra Volkert, José Grillo, Olga de Mello

Direção de arte
Manuel Dantas Suassuna

Capa e projeto gráfico
Ricardo Gouveia de Melo

Este livro foi impresso em 2024, pela Vozes, para a Nova Fronteira.
O papel de miolo é offset 75g/m² e o da capa é cartão 250g/m².